卷一百七十六　春秋九經義考卷一百七十六春秋九

唐章懷太子賢《春秋要錄》1

【增補】〔補正〕杰按：《舊唐志》作《春宮要錄》，此從《新志》；但《新》、《舊書》俱編入丙部儒家類，不入甲部春秋類，當以作《春宮》者為正。朱撿討收入《春秋》，蓋承《玉海》之誤也。（卷七，頁十四）

《唐志》：「十卷。」

【霖案】《玉海》卷四〇，頁八〇〇錄之，亦作「十卷」。

佚。

陸氏德明《春秋釋文》（唐）

【書名】本書異名如下：

一、《陸氏三釋文音義》：程志〈現存唐人著述簡目〉頁二六〇著錄。

二、《春秋公羊穀梁傳合刻》：張壽平《公藏先秦經子注疏書目》頁一三一著錄。

三、《春秋公羊傳》：《馬來西亞大學中文圖書目錄》七四二著錄。

【增補】李一遂〈左氏春秋著錄書目研究〉頁一一四錄有陸德明《春秋左氏音義》六卷，當係《春秋釋文》裁篇而出，今暫附於此。

八卷。

【卷數】本書卷數異同如下：

一、八卷本：《直齋書錄解題》卷三，頁四五六著錄。

二、十六卷本：程志〈現存唐人著述簡目〉頁二六〇著錄，未詳其中分合為何？今暫附於此，以俟後考。

三、八冊：張壽平《公藏先秦經子注疏書目》頁一三一著錄。

四、十一卷：《馬馬來西亞大學中文善本目錄》七四二著錄，與何休注合併在一起。

五、二十卷：《馬來西亞大學中文圖書目錄》七七四著錄，與晉范寧集解，楊士勛疏合刻。

存。

【版本及藏地】本書版本及藏地如下：

1「《春秋要綠》」，應依《補正》作「春宮要錄」。　霖案：此詞涉及書名之誤，當從丁杰考證之語。又《點校補正經義考》的正文題作「《春秋要錄》」，而其注文，卻誤將「《春秋要錄》」作「《春秋要綠》」（《經義考新校》頁3204錄之，錯誤亦襲之），蓋因字形相近，而將「錄」誤作「綠」字。

一、明崇禎甲戌（七年）常熟毛氏汲古閣刊十三經本：（漢）何休注　（唐）陸德明音義　（唐）徐彥疏　《春秋公羊注疏》，九行，二十一字，小字雙行，字數同，白口，左右雙邊，程志〈現存唐人著述簡目〉頁二五九著錄，台北：國家圖書館；大陸：北京圖書館、中山大學圖書館均有藏本。

【增補】《國家圖書館善本書志初稿》：「【春秋左傳註疏六十卷四十八冊】

又一部　**00602**

此本多出前部之刻工有：袁廷璉(或作袁璉)、周記清(或作周記青)、先、馬龍(或作馬)、松、李清、劉伕保、劉伕壽、劉天壽、黃富等。

卷十三第三行低七格以下墨補塗飾。

書中鈐有『繩武/樓藏』白文方印、『國立中央圖/書館收藏』朱文長方印、『南洋/葉德輝/讀書記』白文方印、『觀古堂』朱文長方印。」(頁 162)。

【增補】《國家圖書館善本書志初稿》：「【春秋左傳註疏六十卷二十冊】

明李元陽刊十三經註疏本　**00601**

晉杜預註，唐孔穎達疏，陸德明釋文。

版匡高 20 公分，寬 12.9 公分。左右雙邊。每半葉九行，行二十一字。註文小字雙行，字數同。『註』、『疏』字以墨蓋子別出。版心白口，上方記書名卷第(如『春秋疏一』)，中間登錄葉次，下方書刻工名。

刻工名：魏禎(或作禎)、天錫、張錢、江永厚、周仕榮、艾毛、葉毛奴(或作葉奴、毛奴)、吳興、曾郎(或作曾)、吳闊(或作吳活)、陸進保、陸榮、朱仲舒、陳才(或作才)、王金榮、余大目(或作大目)、余福旺、余記安、劉旦、葉再友、余唐、張伕惠(或作惠)、曾興、曾景富(或作景富)、曾九、虞丙(或作丙)、陸旺、許達、詹彥貴、余浩、朱明、江元真、江毛答 (或作江毛、江)、李順、王景英(或作景英)、葉華(或作華)、江八、余天進(或作余添進)、伯應(或作應)、謝元林、王廷保(或作廷保)、虞伕清(或作虞清、伕清)、張景郎、蔡順、劉順堅(或作劉順)、詹乃祐、吳洪、吳道元、陳鐵郎(或作陳鐵)、余天壽(或作天壽)、江鼻、江元富(或作江富、元富)、羅乃興(或作乃興)、蔡福應、熊田(或作田)、余先(或作先、余)、吳富、蔡傑、蔡伯啟、蔡湛、余元珠(或作余元朱)、葉曾(或作葉增)、葉重興(或作重興)、姚記郎(或作記郎)、楊添友(或作楊天友)、羅椿(或作羅)、李清、鄒文元(或作文元)、余環五、王仕榮、吳友八(或作吳友、吳八)、熊伕照(或作伕照)、吳永承(或作吳永成)、張尾、余天禮、葉得、姚岩、葉旋、葉招、熊文林、李仕璩、李文英(或作李英)、黃興、周甫、王貴、詹璿、龔仕堅(或作龔仕)、范朴、張七郎、葉伯逃(或作葉逃)、劉伕保、陸仲達、張元興、熊希、熊昭、江盛、余立、張采、貞、龔三(或作三)、羅妳興、蔡儀、陸文清(或作陸文青、陸清)、張佛惠、曾招、王良、王仲郎(或作仲郎)、虞福祐(或作福祐、虞祐)、周章、熊武、袁璉(或作袁連)、吳賜員(或作賜員)、張毛一(或作毛一、張毛)、余八十、葉文祐(或作葉右、葉文右、右、祐)、余遲、王元寶、李大卜(或作大卜)、黃道祥(或作黃祥)、黃大富、劉榮、葉雄(或作雄)、余伯環(或作伯環)、江元壽、程亨、陸四、余再得(或作再得)、葉文輝、蔡欽、鄒仲甫(或作仲甫)、劉添富(或作添富、劉天富)、王元明、陸景得、陸貴清、陸長明、熊山、陳興、陳伯林(或作伯林)、余記郎、陳天祥(或作天祥)、程通(或作通)、曾椿、陳永勝、陳金、陳斌(或作陳)、周富生、周亨、陳鑑(或作陳)、黃祿、余廷深、黃記榮、葉再興(或作再興)、余乃順、虞福貴(或作福貴)、魏福鎮(或作福鎮)、余宗、余富一、吳二、吳周、余均、周記清(或作周)、周三、黃永進(或作永進)、張元隆、章愳(或作愳)、章意、唐瓊(或作唐)、葉悌(或作葉弟)、馬濤(或作馬)、徐敖(或作敖、徐) 、張箎(或作箎)、沈六、曾、劉保、虞七、黃文岳、王榮、王烏、王泗、王富、葉順、詹妳祐、陳佛榮、張二、劉佛保、陸仲興、王廷輝、張鷟、曾福林(或作福林)、陸富郎、熊名、余鐵隆(或作余龍)、陸馬、李福鎮、周富壽、王茂、鄭記保、黃寶(或作黃保)、施永興、鳥、施肥、張長友、詹乃員、詹妳員、蔡俊、二、王文、鄭孫郎、陳佛員(或作佛員)、楊餘芳、葉采、吳金郎、余本立、周道員、朱仕忠、余清、余富、黃文、張椿、詹景富、魏長、朱舒、詹三、劉佛壽(或作佛壽)等。

首卷首行頂格題『春秋左傳註疏卷第一』，次行低八格題『晉杜氏註』，再低四格題『陸德明釋文』。第三行低八格題『唐孔穎達疏』。卷末隔二行有尾題。卷首為杜預春秋序。卷首有孔穎達春秋正義序一篇(前闕)。序後有墨筆識語題『明正德間御史李元陽覆宋刻於閩中每半葉九行世稱為閩本亦稱九行本後其版入南廱』，不知出自何人。書眉正文朱墨筆批註，文中朱筆圈點。卷十三第三行低七格題『明御史李元陽提學僉事江以達校刊』。

書中鈐有『國立中央圖/書館收藏』朱文長方印、『俞印/玉局』白文方印、『瑤/星』朱文方印、『張煥/之印』白文方印、『張/煥』白文方印。另有一印不詳。」(頁 161~162)。

又台北國家圖書館另有一本，有清李芝綬過錄何煌校語之本。

【增補】《國家圖書館善本書志初稿》：「【春秋公羊註疏二十八卷四冊】

又一部　00657

封面扉葉有一牌記，分三欄，左右欄大字刻『毛氏公羊/註疏正本』，中間小字『汲古閣繡梓』。清李芝綬過錄何煌校語。

書中鈐有『毛氏/正本』朱文方印、『汲古/閣』白文方印、『李芝綬/讀書記』朱文長方印、『緘盦/收藏』白文方印、『國立中/央圖書/館考藏』朱文方印、『仲標/手校』朱文方印、『夢華/館藏/書印』白文方印。」(頁 176)。

又台北國家圖書館另有一本，有清江沅過錄舊校并手書題記，又陳奐過錄惠棟批語并手書題記。

【增補】《國家圖書館善本書志初稿》：「【春秋左傳註疏六十卷二十四冊】

明崇禎戊寅(十一年，1683)虞山毛氏汲古閣刊十三經註疏本　00603

晉杜預註，唐孔穎達疏。

版匡高 **17.4** 公分，寬 **12.7** 公分。左右雙邊。每半葉九行，行二十一字。註文中字單行，疏文小字雙行，字數同。『註』、『疏』以墨蓋子別出。版心花口，上方記書名(如『春秋疏』)，中間記卷第(如『卷第一』)，下方記『汲古閣』。

首卷首行頂格題『春秋左傳註疏卷第二』下小字雙行『隱元年盡二年』。次行低九格題『晉杜氏註』，再次行低九格題『唐孔穎達疏』。卷末有尾題。卷首有孔穎達春秋正義序，卷一為杜預春秋序。卷末有杜預春秋後序及慶元庚申吳興沈中賓所題刻書識語。書眉正文朱筆批註，為清江沅過錄段美中校語，卷六十題後識語『杜氏後序井淳化元年勘校官姓名及慶元申吳興沈中賓重刻題跋一篇依宋本抄補於後，戊子三月借得朱君文游滋蘭堂藏本及石經詳細手校凡宋本有疑誤者悉書於本字之旁經傳文兼從石經增正一二七月三十日校畢治泉樹華記。』八月二十五日再識『南宋翻刻北宋本無陸氏音義復以釋文井借得金格亭惠松厓兩先生從南宋本手校者互勘一過』。跋後有段玉裁、江沅手書題記及陳奐手跋，或附印記。

書中鈐有『國立中央圖/書館收藏』朱文長方印、『曾在三/百堂/陳氏處』朱文方印。」(頁 **162~163**)。

二、明嘉靖間李元陽福建刊十三經注疏本：晉杜預註，唐孔穎達疏，陸德明釋文，《春秋左傳注疏》六十卷，台北：國家圖書館、故宮博物院、中研院史語所；大陸：中山大學圖書館有藏本。

又重慶市圖書館另有藏本，晉杜預注　唐孔穎達疏　陸德明釋文《春秋左傳注疏》六十卷，九行二十一字小字雙行低經文一字二十字白口四周單邊有刻工姓名，有「清孫志祖批校」。

又山東省博物館有藏本，晉杜預注　唐孔穎達疏　陸德明釋文《春秋左傳注疏》六十卷，有「清許瀚批校」。

又上海圖書館另有藏本，晉杜預注　唐孔穎達疏　陸德明釋文《春秋左傳注疏》六十卷，有「清易潤壇跋」。

【增補】《國家圖書館善本書志初稿》：「【春秋左傳註疏六十卷四十八冊】

又一部　**00602**

此本多出前部之刻工有：袁廷璉(或作袁璉)、周記清(或作周記青)、先、馬龍(或作馬)、松、李清、劉仸保、劉仸壽、劉天壽、黃富等。

卷十三第三行低七格以下墨補塗飾。

書中鈐有『繩武/樓藏』白文方印、『國立中央圖/書館收藏』朱文長方印、『南洋/葉德輝/讀書記』白文方印、『觀古堂』朱文長方印。」(頁 **162**)。

又台北國家圖書館另藏有明李元陽十三經註疏本硃筆批註。

【增補】《國家圖書館善本書志初稿》：「【春秋左傳註疏六十卷二十冊】

明李元陽刊十三經註疏本　**00601**

晉杜預註，唐孔穎達疏，陸德明釋文。

版匡高 20 公分，寬 12.9 公分。左右雙邊。每半葉九行，行二十一字。註文小字雙行，字數同。『註』、『疏』字以墨蓋子別出。版心白口，上方記書名卷第(如『春秋疏一』)，中間登錄葉次，下方書刻工名。

刻工名：魏禎(或作禎)、天錫、張錢、江永厚、周仕榮、艾毛、葉毛奴(或作葉奴、毛奴)、吳興、曾郎(或作曾)、吳闊(或作吳活)、陸進保、陸榮、朱仲舒、陳才(或作才) 、王金榮、余大目(或作大目)、余福旺、余記安、劉旦、葉再友、余唐、張伕惠(或作惠)、曾興、曾景富(或作景富) 、曾九、虞丙(或作丙)、陸旺、許達、詹彥貴、余浩、朱明、江元真、江毛答 (或作江毛、江)、李順、王景英(或作景英)、葉華(或作華)、江八、余天進(或作余添進)、伯應(或作應) 、謝元林、王廷保(或作廷保) 、虞伕清(或作虞清、伕清)、張景郎、蔡順、劉順堅(或作劉順) 、詹乃祐、吳洪、吳道元、陳鐵郎(或作陳鐵)、余天壽(或作天壽)、江鼻、江元富(或作江富、元富)、羅乃興(或作乃興)、蔡福應、熊田(或作田)、余先(或作先、余)、吳富、蔡傑、蔡伯啟、蔡湛、余元珠(或作余元朱)、葉曾(或作葉增)、葉重興(或作重興)、姚記郎(或作記郎)、楊添友(或作楊天友)、羅椿(或作羅)、李清、鄒文元(或作文元)、余環五、王仕榮、吳友八(或作吳友、吳八)、熊伕照(或作伕照)、吳永承(或作吳永成) 、張尾、余天禮、葉得、姚岩、葉旋、葉招、熊文林、李仕璩、李文英(或作李英)、黃興、周甫、王貴、詹璿、龔仕堅(或作龔仕)、范朴、張七郎、葉伯逃(或作葉逃)、劉伕保、陸仲達、張元興、熊希、熊昭、江盛、余立、張采、貞、龔三(或作三)、羅妳興、蔡儀、陸文清(或作陸文青、陸清)、張佛惠、曾招、王良、王仲郎(或作仲郎)、虞福祐(或作福祐、虞祐)、周章、熊武、袁璉(或作袁連)、吳賜員(或作賜員)、張毛一(或作毛一、張毛) 、余八十、葉文祐(或作葉右、葉文右、右、祐) 、余暹、王元寶、李大卜(或作大卜)、黃道祥(或作黃祥)、黃大富、劉榮、葉雄(或作雄)、余伯環(或作伯環)、江元壽、程亨、陸四、余再得(或作再得)、葉文輝、蔡欽、鄒仲甫(或作仲甫)、劉添富(或作添富、劉天富)、王元明、陸景得、陸貴清、陸長明、熊山、陳興、陳伯林(或作伯林)、余記郎、陳天祥(或作天祥)、程通(或作通)、曾椿、陳永勝、陳金、陳斌(或作陳)、周富生、周亨、陳鑑(或作陳)、黃祿、余廷深、黃記榮、葉再興(或作再興)、余乃順、虞福貴(或作福貴)、魏福鎮(或作福鎮)、余宗、余富一、吳二、吳周、余均、周記清(或作周)、周三、黃永進(或作永進)、張元隆、章愳(或作愳)、章意、唐瓊(或作唐)、葉悌(或作葉弟)、馬濤(或作馬)、徐敖(或作敖、徐) 、張箎(或作箎)、沈六、曾、劉保、虞七、黃文岳、王榮、王烏、王泗、王富、葉順、詹妳祐、陳佛榮、張二、劉佛保、陸仲興、王廷輝、張鷲、曾福林(或作福林)、陸富郎、熊名、余鐵隆(或作余龍)、陸馬、李福鎮、周富壽、王茂、鄭記保、黃寶(或作黃保)、施永興、鳥、施肥、張長友、詹乃員、詹妳員、蔡俊、二、王文、鄭孫郎、陳佛員(或作佛員)、楊餘芳、葉采、吳金郎、余本立、周道員、朱仕忠、余清、余富、黃文、張椿、詹景富、魏長、朱舒、詹三、劉佛壽(或作佛壽)等。

首卷首行頂格題『春秋左傳註疏卷第一』，次行低八格題『晉杜氏註』，再低四格題『陸德明釋文』。第三行低八格題『唐孔穎達疏』。卷末隔二行有尾題。卷首為杜預春秋序。卷首有孔穎達春秋正義序一篇(前闕)。序後有墨筆識語題『明正德間御史李元陽覆宋刻於閩中每半葉九行世稱為閩本亦稱九行本後其版入南廱』，不知出自何人。書眉正文朱墨筆批註，文中朱筆圈點。卷十三第三行低七格題『明御史李元陽提學僉事江以達校刊』。

書中鈐有『國立中央圖/書館收藏』朱文長方印、『俞印/玉局』白文方印、『瑤/星』朱文方印、『張煥/之印』白文方印、『張/煥』白文方印。另有一印不詳。」(頁 161~162)。

又台北故宮博物院另藏有明嘉靖間李元陽福建刊十三經注疏本三色筆校注。

又台北故宮博物院另藏有明嘉靖間李元陽福建刊十三經注疏本卷一、卷二、五十八至六十係抄配，三色筆校注。

又大陸中山大學圖書館藏有一部，十二冊，存三十三卷：第一卷至十四卷、三十二卷至五十卷，九行，二十一字，小字雙行，字數同，白口，四周單邊，（大陸）《中山大學圖書館古籍善本書目》頁十九著錄。

又日本八戶市立圖書館藏有一本，僅題作「十三經註疏所收」，未詳究係何本，今暫列於此。

又美國國會圖書館有藏本，王重民《中國善本書提要．補遺》，頁三著錄。

【增補】《中央研究院歷史語言研究所善本書目》曰：「《春秋左傳註疏》六十卷二十二冊　晉杜預註　唐陸德明音義　唐孔穎達疏　明嘉靖間李元陽校刊本。」（頁八）

【增補】王重民:《中國善本書提要·補遺》曰:「【春秋左傳注疏】六十卷　十冊（國會）

明李元陽刊本　〔九行二十一字〕

晉杜預注，唐孔穎達疏。今世所傳《左傳》，惟杜注孔疏為最古，杜注多強經以就傳，孔疏亦多左杜而右劉。自有注疏以後，左氏之義大明，清阮元謂六十卷本為注疏中之最善者，殆指此也。此本十三至十七、十九、二十二至二十四等卷，題『明御史李元陽、提學僉事江以達校刊。』元陽，字仁甫，雲南太和人，以達字于順，江西貴溪人，均為嘉靖進士。」（頁三）。

【增補】《中央研究院歷史語言研究所善本書目》曰：「《春秋左傳註疏》六十卷二十二冊　晉杜預註　唐陸德明音義　唐孔穎達疏　明嘉靖間李元陽校刊本。」（頁八）

三、明嘉靖李元陽刻《十三經注疏》本修補後印：（漢）何休注　（唐）徐彥疏　（唐）陸德明音義《春秋公羊注疏》二十八卷，九行，二十一字，小字雙行，字數同，白口、四周單邊，大陸：中山大學圖書館有藏本。

四、民國五年上海大成書局刊本：漢何休撰，晉范寧集解，唐陸德明音義，全書八冊，台灣師範大學圖書館有藏本。

五、十三經古注本：晉杜預集解，唐陸德明音義《春秋左傳》三十卷，十冊，馬來西亞大學圖書館有藏本。

又一本，題作漢何休撰，唐陸德明音義《春秋公羊傳》二十八卷，三冊，馬來西亞大學圖書館有藏本。

又一本，題作晉范寧集解，唐陸德明音義《春秋穀梁傳》二十卷，馬來西亞大學圖書館有藏本。

六、四部叢刊本：晉杜預撰，唐陸德明音義《春秋經傳集解》三十卷，《春秋二十國年表》一卷，六冊，馬來西亞大學圖書館有藏本。

又另有一本，漢何休撰，唐陸德明音義《春秋公羊經傳解詁》十二卷，三冊，馬來西亞大學圖書館有藏本。

又另有一本，題作晉范寧集解，陸德明音義《春秋穀梁傳》十二卷，二冊，馬來西亞大學圖書館有藏本。

七、縮本四部叢刊初編本：晉杜預撰，唐陸德明音義《春秋經傳集解》三十卷，《春秋二十國年表》一卷，二冊，馬來西亞大學圖書館有藏本。

又一種，題作：漢何休撰，唐陸德明音義《春秋公羊經傳解詁》十二卷，馬來西亞大學圖書館有藏本。

又一種，晉范寧集解，唐陸德明音義《春秋穀梁傳》十二卷，馬來西亞大學圖書館有藏本。

八、御刻十三經注疏本：晉杜預輯，唐陸德明音義，唐孔穎達疏《春秋左傳注疏》六十卷，《考證》，二十一冊，馬來西亞大學圖書館有藏本。

又另有一本，漢何休，唐陸德明音義，闕名疏《春秋公羊傳注疏》二十八卷，附《考證》，八冊，馬來西亞大學圖書館有藏本。

又一本，題作晉范寧集解，唐陸德明音義，楊士勛疏《春秋穀梁注疏》二十卷，附《考證》，六冊，馬來西亞大學圖書館有藏本。

九、清同治１１年山東書局刻本：漢何休撰，唐陸德明音義《春秋公羊傳註疏》十一卷，山東省圖書館有藏本。

又馬來西亞大學圖書館有藏本。惟《馬來西亞大學中文圖書目錄》七四二著錄，版本題作「山東書局刊十三經讀本」，書名題作《春秋公羊傳》，冊數題作二十一冊，著錄的內容，與《山東省圖書館館藏海源閣書目》略有不同。

又另有一本，題作晉范寧集解，唐陸德明音義《春秋穀梁傳》十二卷，四冊，馬來西亞大學圖書館有藏本。

【增補】《山東省圖書館館藏海源閣書目》曰：「《春秋公羊傳註疏》十一卷／（漢）何休撰；（唐）陸德明音義．－清同治十一年（１８７２）山東書局刻本．－4冊（1函）；２０．５×１５．１CM，－（十三經讀本附校勘記）．－9行１７字，小字雙行同，白口，四周單邊，有牌記：同治十一年山東書局開雕　尚志堂藏板」（頁二九）。

十、十三經讀本：漢何休撰，陸德明音義《春秋公羊傳》十一卷，馬來西亞大學圖書館有藏本。

又一本，題作晉范寧集解，唐陸德明音義《春秋穀梁傳》十二卷，四冊，馬來西亞大學圖書館有藏本。

十一、同治二年揚州汪氏問禮堂本：漢何休撰，唐陸德明音義，清魏彥校《春秋公羊經傳解詁》十二卷，《校記》一卷，二冊，馬來西亞大學圖書館有藏本。

十二、四部備要本：漢何休撰，唐陸德明音義《春秋公羊傳》六冊，馬來西亞大學圖書館有藏本（二部）。

十三、清光緒九年黎庶昌古逸叢書覆刻宋余仁仲萬卷堂本：晉范甯集解，唐陸德明音義，楊守敬考異《春秋穀梁傳》十二卷，美濃紙印單行本，二冊，大陸：陝西師範大學圖書館有藏本。

又馬來西亞大學圖書館有藏本。

十四、湖北先正遺書本：晉范寧集解，唐陸德明音義，楊守敬考異《春秋穀梁傳》十二卷，二冊，馬來西亞大學圖書館有藏本。

十五、叢書集成本：晉范寧集解，唐陸德明音義，二冊，馬來西亞大學圖書館有藏本（二部）。

十六、元刻明正德間修補十行本：晉杜預註　唐孔穎達疏　陸德明釋文《附釋音春秋左傳註疏》存存三十卷六冊，近人近人楊守敬手書題記，台北：國家圖書館、北京圖書館等地有藏本。

十七、明萬曆八年親仁堂刻本：（晉）杜預注　（明）穆文熙評輯《春秋經傳集解》三十卷，《首》一卷；蜀馮繼先撰《春秋名號歸一圖》二卷，《春秋提要》一卷，九行二十字小字雙行同白口左右雙邊有刻工，程志〈現存唐人著述簡目〉頁二五八、（大陸）《中山大學圖書館古籍善本書目》頁十九著錄。

又中國人民大學圖書館有藏本，《中國人民大學圖書館古籍善本書目》頁十三著錄。

又北京：國家圖書館、北京大學圖書館、中國科學院圖書館、北京市文物局、吉林大學圖書館、黑龍江大學圖書館、浙江圖書館、安徽省圖書館、福建省圖書館、湖南師範學院圖書館有藏本。

【增補】《中國人民大學圖書館古籍善本書目》曰：「００９１　１６／８０

春秋左氏經傳集解三十卷

（晉）杜預撰　（唐）陸德明釋文

春秋名號歸一圖二卷

（蜀）馮繼光撰

春秋提要一卷

明萬曆八年（１５８０）金陵李時成親仁堂刻本

十六冊二函

九行二十字，小字雙行同，白口，單魚尾，左右雙邊。版心下鐫刻工溫志明、易鎡等。鈐『江陰繆荃孫藏書記』、『彭孟之印』、『天承山人』、『淮南客』、『亞若山人』諸印。」（頁十三）

又台北：國家圖書館、大陸中山大學圖書館藏有穆文熙輯評，明萬曆間刊本，疑即此本，今附於此。

十八、宋建安余仁仲萬卷堂刊本配補宋刊纂圖互註本：有唐・陸德明釋文，缺卷十、卷十一、卷二十八、卷三十凡四卷，國家圖書館有藏本。

【增補】《國家圖書館善本書志初稿》：「【春秋經傳集解存二十六卷十二冊】

南宋建安余仁仲萬卷堂第四種宋刊配補本　00580

晉杜預撰，唐陸德明釋文。

版匡高 16.7 公分，寬 11.3 公分。左右雙邊，每半葉十一行，行二十字。註文小字雙行，字數同。版心小黑口，雙魚尾(魚尾相向)，版心上方登錄每葉字數，中間記篇名(如『左一』)，下方書葉次。左上欄外有耳題記魯公年(如『隱元年』)。此版阿部隆一稱十一行本，卷次為卷一至卷六，卷二十一至卷二十六。(二)劉氏家塾本為卷六(葉七十二至七十四葉)及卷七，卷十七至卷二十。(三)余仁仲萬卷堂刊本，為卷八、九、十二、十三、十六、二十九凡六卷。(四)纂圖互註本為卷十四至十五及卷二十七凡三卷。避宋諱玄弦弘般匡筐胤恒貞徵懲樹讓桓完構搆溝媾慎等字。缺卷十、十一、二十八、三十凡四卷。卷十三缺成公十八年七、八、十一、十二月。卷十九缺一至三葉。卷二十一第十二葉為後人鈔補。

首卷首行頂格題『春秋經傳集解隱公第一』次行低三格題『唐國子博士吳縣開國男陸德明釋文附』。卷末有尾題。卷七尾題後蓮花墨筆題識『端平乙未六月振宗用別本對點』。後二行墨文長方形藏書印題『先祖樗菴父稽古收置經書甚勤苦傳誦應期千萬年如此方為敬吾祖江陰拙逸徐良器題』。文占三行。卷八尾題後有余仁仲刊于家塾，卷九余氏刊于萬卷堂牌記。卷十六尾題後刻余仁仲比校訖。卷十七及卷十八牌記同卷七。卷首有杜預春秋序，附陸德明釋文。序後有春秋紀年。註文重言、釋文、音釋以墨蓋子白文別出。文中朱筆圈點。卷十二尾題被改成卷三。

書中鈐有『國立中央圖/書館收藏』朱文長方印、『汪士鐘藏』白文長方印、『國立中央/圖書館/藏書』朱文方印、『莚圃/收藏』朱文長方印、『迪甫/家藏』朱文方印、『先祖樗菴父稽古收置經書甚/勤苦傳誦應期千萬年如此方/為敬吾祖江陰拙逸徐良器題』墨文長方印。」(頁 155~156)。

十九、清刊本：唐 陸德明撰《陸氏三傳釋文音義》十六卷，日本：東北大圖書有藏本。

二十、一九三六年上海世界書局排印本

二十一、一九八七年上海上海古籍出版社用一九三六年上海世界書局排印本影印本：清 闕名 輯 唐 陸德明《春秋》十六卷，首一卷，附《陸氏三傳釋文音義》十六卷，日本：京大人文研東方圖書館有藏本。

二二、五經四書讀本：清 闕名 輯 唐 陸德明 撰音義，《春秋》十六卷，首一卷，附陸氏《三傳釋文音義》十六卷，京大人文研東方圖書館有藏本。

二三、嘉慶十年刊本：清客隱校《春秋三傳，附陸氏《三傳釋文音義》三卷，日本：東北大圖書館有藏本。

二四、民國五十一年臺北世界書局鉛印本：楊家駱輯，唐陸德明撰，《春秋三傳 首一卷 附陸氏《三傳釋文音義》十六卷，「增訂中國學術名著」第一輯，朱子小學及「四書五經讀本」第五、六冊，國會、東京圖書館有藏本。

二五、元刻本：晉杜預撰　唐陸德明釋文《京本點校重言重意春秋經傳集解》三十卷，十一行二十字小字雙行廿一字白口四周雙邊〕存十五卷〔十六至三十〕，湖南省圖書館有藏本。

二六、明天放菴刻本：晉杜預撰　唐陸德明釋文《春秋經傳集解》三十卷，宋蘇軾撰《春秋列國圖說》一卷，《異名考》一卷，八行十七字白口左右雙邊，北京：中國國家圖書館、北京大學圖書館、北京師範大學圖書館、天津市人民圖書館、山東省圖書館有藏本。

二七、宋刻本：晉杜預撰　唐陸德明釋文《春秋經傳集解》三十卷，(卷十至十三配另一宋刻本)，十行十九字小字雙行廿三字細黑口四周雙邊，存十五卷〔一至十五〕，北京：中國國家圖書館有藏本。

又上海圖書館另有藏本，亦題作「宋刻本」，晉杜預撰　唐陸德明釋文，《春秋經傳集解》三十卷，十行十九字小字雙行十九字細黑口左右雙邊雙魚尾，存二十二卷〔一至十五　二十四至三十〕。

二八、宋鶴林于氏家塾棲雲閣修元刊本：晉杜預撰　唐陸德明釋文《春秋經傳集解》三十卷，李盛鐸、周叔弢跋，十行十六、七字注雙行三十二字白口左右雙邊有刻工〕存二十九卷〔一至九、十一至三十〕，中國國家圖書館有藏本。程志〈現存唐人著述簡目〉頁二五八著錄，北京圖書館有藏本。

二九、宋刻本：晉杜預撰　唐陸德明釋文《監本纂圖春秋經傳集解》三十卷，十行十八字小黑口左右雙邊有刻工，南京圖書館有藏本。

三〇、宋刻本：晉杜預撰　唐陸德明釋文《監本纂圖春秋經傳集解》三十卷，存三卷〔二十二至二十三〕，北京：中國國家圖書館另有藏本，十行十八字小字雙行廿四字細黑口四周雙邊。

三一、宋刻本：晉杜預撰　唐陸德明釋文《春秋經傳集解》三十卷，(卷十至十三配另一宋刻本)，十行十九字小字雙行廿三字細黑口四周雙邊，存十五卷〔一至十五〕，北京：中國國家圖書館有藏本。

又上海圖書館另有藏本，亦題作「宋刻本」，晉杜預撰　唐陸德明釋文，《春秋經傳集解》三十卷，十行十九字小字雙行十九字細黑口左右雙邊雙魚尾，存二十二卷〔一至十五　二十四至三十〕。

三二、宋龍山書院刻本：晉杜預撰　唐陸德明釋文《纂圖互注春秋經傳集解》三十卷，蜀馮繼先撰《春秋名號歸一圖》二卷，袁克文跋，十二行二十一字小字雙行二十五字細黑口左右雙邊。又程志〈現存唐人著述簡目〉頁二五八曾著錄此本，此本藏於北京圖書館。

三三、宋蜀刻本：晉杜預撰　唐陸德明釋文《春秋經傳集解》三十卷，八行十六字小字雙行二十一字白口左右雙邊〕存二卷〔九(四至三十頁)十(一至二十六頁)〕，上海圖書館有藏本。

三四、宋刻本：晉杜預撰　唐陸德明釋文《東萊先生呂成公點句春秋經傳集解》三十卷，十三行廿一字注文雙行同黑口四周雙邊，上海圖書館有藏本。

三五、元相臺岳氏荊溪家塾刻本：晉杜預撰　唐陸德明釋文《春秋經傳集解》三十卷，蜀馮繼先撰《春秋名號歸一圖》二卷，《年表》一卷，(卷十七至二十配明刻本)周叔弢跋　八行十七字細黑口四周雙邊，北京：中國國家圖書館有藏本。

三六、明嘉靖刻本：晉杜預撰　唐陸德明釋文《春秋經傳集解》三十卷，八行十七字小字雙行同白口四周雙邊有刻工，首都圖書館、清華大學圖書館、遼寧省圖書館、吉林大學圖書館、蘇州市圖書館、天一閣文物保管所、杭州大學圖書館、湖北省襄陽地區圖書館、湖南省圖書館、重慶市圖書館有藏本。

三七、明刻本：晉杜預撰　唐陸德明釋文《春秋經傳集解》三十卷，八行十七字白口四周雙邊有刻工，遼寧省圖書館、吉林省圖書館、山東省圖書館、天一閣文物保管所、重慶市圖書館有藏本。

又南京圖書館另有藏本，亦作「明刻本」，晉杜預撰　唐陸德明釋文《春秋經傳集解》三十卷，八行十七字小字雙行十七字白口四周雙邊。

又浙江圖書館另有藏本，亦作「明刻本」，晉杜預撰　唐陸德明釋文《春秋經傳集解》三十卷。

又南京圖書館、南京博物院、浙江圖書館另有藏本，題作「明刻本」，晉杜預撰　唐陸德明釋文《春秋經傳集解》三十卷，八行十七字小字雙行同白口四周雙邊。

又北京：中國國家圖書館、北京師範大學圖書館、上海圖書館、遼寧省圖書館、吉林大學圖書館、哈爾濱市圖書館、衢縣文管會、鄭州市圖書館、湖南省圖書館、重慶市圖書館另有藏本，亦作「明刻本」，晉杜預撰　唐陸德明釋文《春秋經傳集解》三十卷，蜀馮繼先撰《春秋名號歸一圖》二卷，十行十八字白口左右雙邊雙魚尾。

又北京大學圖書館、北京師範大學圖書館、中共中央黨校圖書館、北京師範學院圖書館、中國科學院圖書館、中國社會科學院文學研究所、中國社會科學院歷史研究所、中國歷史博物館、北京市文物局、上海圖書館、復旦大學圖書館、天津市人民圖書館、天津師範學院圖書館、內蒙古社會科學院圖書館、吉林市圖書館、東北師範大學圖書館、吉林省延邊大學圖書館、吉林省社會科學院圖書館、黑龍江大學圖書館、陝西省師範大學、中共陝西省委黨校、山東省圖書館、青島市圖書館、安徽省博物館、江西省圖書館、江西大學圖書館、福建師範大學圖書館、華僑大學圖書館、河南省圖書館、鄭州市圖書館、鄭州大學（鄭州市）、輝縣文物管理所、湖北省荆州師專圖書館、湖南省圖書館、廣東省中山圖書館、中山大學圖書館、四川省圖書館、四川師範學院圖書館另有藏本，亦作「明刻本」，晉杜預注《春秋經傳集解》三十卷，八行十七字小字雙行白口雙魚尾四周雙邊。

又上海圖書館另有藏本，亦作「明刻本」，晉杜預撰　唐陸德明釋文《春秋經傳集解》三十卷，清陸隴其批並校　八行十七字白口雙魚尾四周雙邊。

又北京：國家圖書館另有藏本，題作「明刻本」，晉杜預撰　唐陸德明釋文，《春秋經傳集解》三十卷，清錢陸燦批　李葆恂跋並録清李兆洛題識，八行十七字小字雙行同白口四周雙邊。

又北京：中國國家圖書館另有藏本，題作「明刻本」，晉杜預撰　唐陸德明釋文，《春秋經傳集解》三十卷，清朱邦衡校並跋又録清惠棟校，八行十七字小字雙行同四周雙邊。

又遼寧省圖書館、吉林省圖書館、山東省圖書館、天一閣文物保管所、重慶市圖書館有藏本，晉杜預撰　唐陸德明釋文《春秋經傳集解》三十卷，八行十七字白口四周雙邊有刻工。

又青島市博物館有藏本，晉杜預撰　唐陸德明釋文《春秋經傳集解》三十卷，清段玉裁跋，十行十八字小字雙行二十二字白口左右雙邊。

又浙江圖書館另有藏本，亦作「明刻本」，晉杜預撰　唐陸德明釋文《春秋經傳集解》三十卷。

又上海圖書館有藏本，晉杜預撰　唐陸德明釋文《春秋經傳集解》三十卷，蜀馮繼先撰《春秋名號歸一圖》二卷，清翁同書跋。

又湖北省圖書館有藏本，晉杜預撰　唐陸德明釋文《春秋經傳集解。

又南開大學圖書館有藏本，晉杜預撰　唐陸德明釋文《春秋經傳集解。

又復旦大學圖書館、華東師範大學圖書館、南京圖書館有藏本，晉杜預撰　唐陸德明釋文《春秋經傳集解。

三八、元刻本：晉杜預撰　唐陸德明釋文《京本點校重言重意春秋經傳集解》三十卷，十一行二十字小字雙行廿一字白口四周雙邊〕存十五卷〔十六至三十〕，湖南省圖書館有藏本。

三九、明萬歷八年金陵親仁堂刻本：晉杜預撰　唐陸德明釋文《春秋左氏經傳集解》三十卷，蜀馮繼先撰《春秋名號歸一圖》二卷，《春秋提要》一卷，九行二十字小字雙行同白口左右雙邊有刻工，北京：國家圖書館、北京大學圖書館、中國人民大學圖書館、中國科學院圖書館、北京市文物局、吉林大學圖書館、黑龍江大學圖書館、浙江圖書館、安徽省圖書館、福建省圖書館、湖南師範學院圖書館有藏本。

四〇、元刻明修本：晉杜預注　唐孔穎達疏陸德明釋文《附釋音春秋左傳注疏》六十卷，(卷四十一、四十九、六十配明刻本卷五十五配清抄本)，十行十七字小字雙行廿三字白口左右雙邊，天津市人民圖書館有藏本。

又廣西師範學院圖書館有藏本，晉杜預注　唐孔穎達疏陸德明釋文《附釋音春秋左傳注疏》六十卷，存二卷〔八、九〕。

又南京圖書館有藏本，題作「元刻明修本」，晉杜預注　唐孔穎達疏　陸德明釋《附釋音春秋左傳注疏》六十卷，有清丁丙跋文。

又浙江圖書館有藏本，題作「元刻明修本」，晉杜預注　唐孔穎達疏　陸德明釋文《附釋音春秋左傳注疏》六十卷，十行十七字小字雙行廿三字白口補版黑口，有「章炳麟跋」。

又北京：國家圖書館、北京大學圖書館、上海圖書館、吉林省圖書館、浙江圖書館、天一閣文物保管所、安徽省圖書館、江西省樂平縣圖書館、湖南省圖書館有藏本，題作「元刻明修本」，晉杜預注　唐孔穎達疏　陸德明釋文《附釋音春秋左傳注疏》六十卷，十行十七字小字雙行廿三字白口左右雙邊有刻工。

四〇、宋劉叔剛刻本：晉杜預注　唐孔穎達疏　陸德明釋文《附釋音春秋左傳注疏》六十卷，十行十六、十七字小字雙行廿三字細黑口左右雙邊，存二十九卷〔一至二十九〕，北京：中國國家圖書館有藏本。

四一、明刻本：晉杜預、宋林堯叟注，唐陸德明音義，明孫鑛、鍾惺批點，張岐然輯《春秋左傳綱目杜林詳注》十五卷，九行廿九字白口四周單邊，廣東省五華縣圖書館有藏本。

四二、康熙四十二年龔聖錫刻本：晉杜預　宋林堯叟注　唐陸德明音義　明孫鑛、鍾惺批點《春秋左傳》五十卷，清唐仁壽批校，浙江圖書館有藏本。

四三、明閔夢得、閔光德輯明萬歷二十二年刻本：晉杜預　宋林堯叟撰　唐陸德明音義《春秋左傳杜林合注》五十卷，十行二十字白口上下單邊左右雙邊，重慶市博物館有藏本。

四四、明天啟六年問奇閣刊本：江蘇國學圖書館有藏本。

晉杜預、宋林堯叟撰、唐陸德明音義、明王道昆　趙如源輯《春秋左傳杜林合注》五十卷，九行二十字小字雙行同四周單邊，華東師範大學圖書館、吉林大學圖書館、金華圖書館、湖南師範學院圖書館有藏本。

孔氏穎達等《春秋正義》（唐）

【書名】本書異名如下：

一、《春秋左傳註疏》：《國立中央圖書館善本序跋集錄》頁三五九、《中國館藏和刻本書目》頁四四著錄。

二、《春秋左氏傳正義》：《直齋書錄解題》卷三，頁四五六。

三、《春秋左傳正義》：張壽平《公藏先秦經子注疏書目》頁一一四著錄。

四、《左傳注疏》：張壽平《公藏先秦經子注疏書目》頁一一四著錄。

五、《春秋左傳注疏》：張壽平《公藏先秦經子注疏書目》頁一一四著錄。

六、《附釋音春秋左傳注疏》：《嘉業堂藏書志》卷一，頁一五三著錄。

七、《音（默）【點】春秋左傳》：《嘉業堂藏書志》卷一，頁一五四著錄。

八、《附釋音春秋左傳註疏》：瞿鏞編纂．瞿果行標點．瞿鳳起覆校《鐵琴銅劍樓藏書目錄》卷五，頁九八著錄

《唐志》：「三十六卷。」

【卷數】本書卷數異同如下：

一、六十卷：《國立中央圖書館善本序跋集錄》頁三五九著錄。

二、三十卷：藤原佐世《日本國見在書目錄》頁十二著錄。

三、三十六卷：《中國館藏和刻本漢籍書目》頁四四著錄。

四、六卷（殘）：張壽平《公藏先秦經子注疏書目》頁一一四著錄。

五、十六卷（殘）：缺一之三、六之八，《嘉業堂藏書志》卷一，頁一五四著錄。

六、十二卷（殘）：《馬來西亞大學中文圖書目錄》七一三．九著錄。

七、三十一卷：李一遂〈左氏春秋著錄書目研究〉頁一二四誤作「三十一卷」。

【增補】〔校記〕《四庫》本《春秋左傳正義》六十卷。（《春秋》，頁四七）

存。

【版本及藏地】本書版本及藏地如下：

一、明嘉靖間李元陽福建刊十三經注疏本：晉杜預註，唐孔穎達疏，陸德明釋文，《春秋左傳注疏》六十卷，台北：國家圖書館、故宮博物院、中研院史語所；大陸：中

山大學圖書館有藏本。

【增補】《國家圖書館善本書志初稿》：「【春秋左傳註疏六十卷四十八冊】

又一部　00602

此本多出前部之刻工有：袁廷璉(或作袁璉)、周記清(或作周記青)、先、馬龍(或作馬)、松、李清、劉伕保、劉伕壽、劉天壽、黃富等。

卷十三第三行低七格以下墨補塗飾。

書中鈐有『繩武/樓藏』白文方印、『國立中央圖/書館收藏』朱文長方印、『南洋/葉德輝/讀書記』白文方印、『觀古堂』朱文長方印。」(頁162)。

又台北國家圖書館另藏有明李元陽十三經註疏本硃筆批註。

【增補】《國家圖書館善本書志初稿》：「【春秋左傳註疏六十卷二十冊】

明李元陽刊十三經註疏本　00601

晉杜預註，唐孔穎達疏，陸德明釋文。

版匡高20公分，寬12.9公分。左右雙邊。每半葉九行，行二十一字。註文小字雙行，字數同。『註』、『疏』字以墨蓋子別出。版心白口，上方記書名卷第(如『春秋疏一』)，中間登錄葉次，下方書刻工名。

刻工名：魏禎(或作禎)、天錫、張錢、江永厚、周仕榮、艾毛、葉毛奴(或作葉奴、毛奴)、吳興、曾郎(或作曾)、吳闊(或作吳活)、陸進保、陸榮、朱仲舒、陳才(或作才)、王金榮、余大目(或作大目)、余福旺、余記安、劉旦、葉再友、余唐、張伕惠(或作惠)、曾興、曾景富(或作景富)、曾九、虞丙(或作丙)、陸旺、許達、詹彥貴、余浩、朱明、江元真、江毛答(或作江毛、江)、李順、王景英(或作景英)、葉華(或作華)、江八、余天進(或作余添進)、伯應(或作應)、謝元林、王廷保(或作廷保)、虞伕清(或作虞清、伕清)、張景郎、蔡順、劉順堅(或作劉順)、詹乃祐、吳洪、吳道元、陳鐵郎(或作陳鐵)、余天壽(或作天壽)、江鼻、江元富(或作江富、元富)、羅乃興(或作乃興)、蔡福應、熊田(或作田)、余先(或作先、余)、吳富、蔡傑、蔡伯啟、蔡湛、余元珠(或作余元朱)、葉曾(或作葉增)、葉重興(或作重興)、姚記郎(或作記郎)、楊添友(或作楊天友)、羅椿(或作羅)、李清、鄒文元(或作文元)、余環五、王仕榮、吳友八(或作吳友、吳八)、熊伕照(或作伕照)、吳永承(或作吳永成)、張尾、余天禮、葉得、姚岩、葉旋、葉招、熊文林、李仕璩、李文英(或作李英)、黃興、周甫、王貴、詹璿、龔仕堅(或作龔仕)、范朴、張七郎、葉伯逃(或作葉逃)、劉伕保、陸仲達、張元興、熊希、熊昭、江盛、余立、張采、貞、龔三(或作三)、羅妳興、蔡儀、陸文清(或作陸文青、陸清)、張佛惠、曾招、王良、王仲郎(或作仲郎)、虞福祐(或作福祐、虞祐)、周章、熊武、袁璉(或作袁連)、吳賜員(或作賜員)、張毛一(或作毛一、張毛)、余八十、葉文祐(或作葉右、葉文右、右、祐)、余暹、王元寶、李大卜(或作大卜)、黃道祥(或作黃祥)、黃大富、劉榮、葉雄(或作雄)、余伯環(或作伯環)、江元壽、程亨、陸四、余再得(或作再得)、葉文輝、蔡欽、鄒仲甫(或作仲甫)、劉添富(或作添富、劉天富)、王元明、陸景得、陸貴清、陸長明、熊山、陳興、陳伯林(或作伯林)、余記郎、陳天祥(或作天祥)、程通(或作通)、曾椿、陳永勝、陳金、陳斌(或作陳)、周富生、周亨、陳鑑(或作陳)、黃祿、余廷深、黃記榮、葉再興(或作再興)、余乃順、虞福貴(或作福貴)、魏福鎮(或作福鎮)、余宗、余富一、吳二、吳周、余均、周記清(或作周)、周三、黃永進(或作永進)、張元隆、章恩(或作恩)、章意、唐瓊(或作唐)、葉悌(或作葉弟)、馬濤(或作馬)、徐敖(或作敖、徐) 、張筦(或作筦)、沈六、曾、劉保、虞七、黃文岳、王榮、王烏、王泗、王富、葉順、詹妳祐、陳佛榮、張二、劉佛保、陸仲興、王廷輝、張驚、曾福林(或作福林)、陸富郎、熊名、余鐵隆(或作余龍)、陸馬、李福鎮、周富壽、王茂、鄭記保、黃寶(或作黃保)、施永興、鳥、施肥、張長友、詹乃員、詹妳員、蔡俊、二、王文、鄭孫郎、陳佛員(或作佛員)、楊餘芳、葉采、吳金郎、余本立、周道員、朱仕忠、余清、余富、黃文、張椿、詹景富、魏長、朱舒、詹三、劉佛壽(或作佛壽)等。

首卷首行頂格題『春秋左傳註疏卷第一』，次行低八格題『晉杜氏註』，再低四格題『陸德明釋文』。第三行低八格題『唐孔穎達疏』。卷末隔二行有尾題。卷首為杜預春秋序。卷首有孔穎達春秋正義序一篇(前闕)。序後有墨筆識語題『明正德間御史李元陽覆宋刻於閩中每半葉九行世稱為閩本亦稱九行本後其版入南廱』，不知出自何人。書眉正文朱墨筆批註，文中朱筆圈點。卷十三第三行低七格題『明御史李元陽提學僉事江以達校刊』。

書中鈐有『國立中央圖/書館收藏』朱文長方印、『俞印/玉局』白文方印、『瑤/星』朱文方印、『張煥/之印』白文方印、『張/煥』白文方印。另有一印不詳。」(頁 161~162)。

又台北故宮博物院另藏有明嘉靖間李元陽福建刊十三經注疏本三色筆校注。

又台北故宮博物院另藏有明嘉靖間李元陽福建刊十三經注疏本卷一、卷二、五十八至六十係抄配，三色筆校注。

又大陸中山大學圖書館藏有一部，十二冊，存三十三卷：第一卷至十四卷、三十二卷至五十卷，九行，二十一字，小字雙行，字數同，白口，四周單邊，（大陸）《中山大學圖書館古籍善本書目》頁十九著錄。

又日本八戶市立圖書館藏有一本，僅題作「十三經註疏所收」，未詳究係何本，今暫列於此。

又美國國會圖書館有藏本，王重民《中國善本書提要．補遺》，頁三著錄。

【增補】《中央研究院歷史語言研究所善本書目》曰：「《春秋左傳註疏》六十卷二十二冊　晉杜預註　唐陸德明音義　唐孔穎達疏　明嘉靖間李元陽校刊本。」（頁八）

【增補】王重民:《中國善本書提要·補遺》曰:「【春秋左傳注疏】六十卷　　十冊（國會）

明李元陽刊本　〔九行二十一字〕

晉杜預注，唐孔穎達疏。今世所傳《左傳》，惟杜注孔疏為最古，杜注多強經以就傳，孔疏亦多左杜而右劉。自有注疏以後，左氏之義大明，清阮元謂六十卷本為注疏中之最善者，殆指此也。此本十三至十七、十九、二十二至二十四等卷，題『明御史李元陽、提學僉事江以達校刊。』元陽，字仁甫，雲南太和人，以達字于順，江西貴溪人，均為嘉靖進士。」（頁三）。

二、日本刻本：科學圖書館有藏本（存卷三十三至六十）

三、日本文化十二年（１８１５）景鈔正宗寺本：《中國館藏和刻本漢籍書目》頁四四著錄，首都圖書館有藏本。

四、日本舊鈔本：清俞樾題記，《中國館藏和刻本漢籍書目》頁四四著錄，大連圖書館有藏本。

五、日本昭和六年（１９３１）東方文化學院景鈔正宗寺本：《中國館藏和刻本漢籍書目》頁四四著錄，首都師大、上海師大、大連等圖書館有藏本。又韓國：藏書閣有藏本。

【增補】張元濟《涉園序跋集錄》曰：「《春秋正義》　右為日本傳錄正宗寺舊鈔卷子本，東方文化學院於去歲印行。是書中土久已亡佚，吳興劉翰怡京卿嘗刻所得殘本一之九，又三十四之三十六。原書分三十六卷，猶孔氏自定之數，與涵芬樓藏沈中賓《春秋注疏》合刻分卷同。惟卷第十，此由閔公元年至僖公五年；彼則閔、僖二公各自為卷耳。卷一序旁，注彼國假名，於我無用，故從芟削。其他各卷，間附校勘，亦至審慎，悉仍其舊。有偶出筆誤者，僅數字，亦去之。原本卷一第二十一、二十二葉，闕十五行。又卷一、卷二十七、卷三十六末葉均闕，以沈中賓本校之，其見於行間者，卷二第二葉，婦人以字配姓，故稱孟子。下脫『《注》不稱夫謚。《正義》曰：魯之夫人皆稱薨舉謚，此獨無謚言卒，故特解之，定十五年姒氏卒，《傳》曰：不』三十八字，疑當時漏寫，非所從出之本不同。當尚有類是者，未盡校也。」（頁十七至頁十八）

【增補】韓國精神文化研究院編纂《藏書閣圖書日本版總目錄》曰：「《春秋正義》（及）解說（1-97）　孔穎達（唐）等奉勅撰，影印本，東京，東方文化院·昭和6（１９３１）印·

２４卷１３冊·２７·１×１８·６cm·線裝·（東方文化叢書第四）·

刊記：昭和六年（１９３１）十一月十二日東京東戶文化學院發行·

印：李王家圖書之章·

紙質：洋紙·

複本１帙·（解說，１冊）·」（頁十九）

六、宋慶元六年紹興府刻元遞修本：程志〈現存唐人著述簡目〉頁二五九著錄，北京圖書館、復旦大學圖書館均有藏本。唐孔穎達撰，《春秋左傳正義》三十六卷，八行十六字小字雙行廿二字白口左右雙邊有刻工。

【增補】《嘉業堂藏書志》卷一曰：「《附釋音春秋左傳注疏》三十卷　宋刻元修本　國子祭酒上護軍曲阜縣開國子臣孔穎達奉敕撰　國子博士兼太子中允贈齊州刺史吳縣開國男陸德明釋文　《春秋正義・序》　《春秋・序》　與上同一板（筆者案：同於宋刻本），而印於元。凡上下黑口者，皆元時補刻也。《正義・序》缺前二葉。有『仲雍山下人家』、『盱眙吳氏藏書』、『茶半香初之館珍藏圖書章』、『琴川邑南生孤子沈浚藏書』、『蒙叟謙益』諸記。（董稿）」（頁一五四）。

七、文淵閣四庫全書本：周左丘明傳，晉杜預注，唐孔穎達疏，台北故宮博物院有藏本。

【增補】永瑢等撰《欽定四庫全書總目》曰：「春秋左傳正義六十卷　內府藏本

周左丘明傳，晉杜預注，唐孔穎達疏。自劉向、劉歆、桓譚、班固皆以《春秋》傳出左丘明，左丘明受經於孔子，魏晉以來儒者更無異議。至唐趙匡始謂左氏非丘明。蓋欲攻傳之不合經，必先攻作傳之人非受經於孔子，與王柏欲攻《毛詩》，先攻《毛詩》不傳於子夏，其智一也。宋元諸儒，相繼并起。王安石有《春秋解》一卷，證左氏非丘明者十一事，陳振孫《書錄解題》謂出依託，今未見其書，不知十一事者何據。其餘辨論，惟朱子謂『虞不臘矣』為秦人之語，葉夢得謂記事終於智伯，當為六國時人，似為近理。然考《史記・秦本紀》稱：『惠文君十二年始臘』，張守節《正義》稱：『秦惠文王始效中國為之。』明古有臘祭，秦至是始用，非至是始創。閻若璩《古文尚書疏證》亦駁此說曰：『史稱秦文公始有史以記事，秦宣公初志閏月，豈亦中國所無，待秦獨創哉？則臘為秦禮之說，未可據也。』《左傳》載『預斷禍福，無不徵驗』，蓋不免從後傅合之。惟『哀公九年』稱『趙氏其世有亂』，後竟不然，是未見後事之證也。經止獲麟，而弟子續至孔子卒。傳載智伯之亡，殆亦後人所續。《史記・司馬相如傳》中有揚雄之語，不能執是一事指司馬遷為後漢人也。則載及智伯之說，不足疑也。今仍定為左丘明作，以祛眾惑。至其作傳之由，則劉知幾躬為國史之言最為確論。疏稱『大事書於策者，經之所書；小事書於簡者，傳之所載』。觀《晉史》之書趙盾，《齊史》之書崔杼及寧殖，所謂載在諸侯之籍者，其文體皆與經合。《墨子》稱《周春秋》載杜伯，《燕春秋》載莊子儀，《宋春秋》載　觀辜，《齊春秋》載王里國中里，核其文體，皆與傳合。經傳同因國史而修，斯為顯證，知說經去傳為舍近而求諸遠矣。《漢志》載『《春秋古經》十二篇，經十一卷』，注曰：『《公羊》、《穀梁》二家』，則左氏經文不著於錄。然杜預《集解序》稱：『分經之年與傳之年相附，比其義類，各隨而解之。』陸德明《經典釋文》曰：『舊夫子之經與丘明之傳相異，杜氏合而釋之。則《左傳》又自有經。考《漢志》之文，既曰《古經》十二篇矣，不應復云經十一卷。觀《公》、《穀》二傳皆十一卷，與經十一卷相配，知十一卷為二傳之經，故有是注。』徐彥《公羊傳疏》曰：『左氏先著竹帛，故漢儒謂之古學，則所謂《古經》十二篇，即所傳之經，故謂之古。刻《漢書》者誤連二條為一耳。』今以《左傳》經文與二傳校勘，皆左氏義長，知手錄之本確於口授之本也。言《左傳》者，孔奇、孔嘉之說久佚不傳，賈逵、服虔之說亦僅偶見他書，今世所傳惟杜《注》、孔《疏》為最古。杜《注》多強經以就傳，孔《疏》亦多左杜而右劉（案劉炫作《規過》以攻杜解，凡所駁正，孔疏皆以為非，）是皆篤信專門之過，不能不謂之一失。然有注、疏而後《左氏》之義明，《左氏》之義明，而後二百四十二年內善惡之跡一一有徵。後儒妄作聰明，以私臆談褒貶者，猶得據傳文以知其謬。則漢、晉以來藉《左氏》以知經義，宋元以後更藉《左氏》以杜臆說矣。傳與注、疏，均謂有大功於《春秋》可也。」（卷二十六，頁三二九至頁三三〇）

【增補】邵懿辰撰、邵章續錄：《增訂四庫簡明目錄標注》卷三曰：「《春秋左傳正義》三十六卷，周左邱明撰，晉杜預注，唐孔穎達疏。

《竹汀日記》稱朱文游所藏為淳化本，蓋淳化庚寅官本，慶元庚申重刻也。錢氏《養新續錄》稱吳門朱文游家有宋刊《春秋正義》三十六卷。疑既阮氏校勘記所據之宋慶元間吳興沈中賓刊本三十六卷也，又有南宋刊附釋音注疏六十卷，有明正德補修之葉。此後閩、監、毛本，皆分為六十卷。汲古閣本，脫去杜預後序並孔疏，姚培謙刻左傳杜注節附孔疏及顧氏補正，作讀本甚佳。單杜氏集解，有武英殿仿宋相臺本，明代翻刻岳板，凡有四本，又汪氏叢書本，均三十卷。《拜經樓書目記》云：「偶借得淳熙丙申閩山阮仲猷種德堂刊《春秋經傳集解本》，後附《諸侯廢興》，《春秋總例》，《春秋始終》三種，為他刻所無。」此書在許氏陔華堂，十行小字三十卷巾箱本，亦附三種。天祿後目有宋刊集解本三十卷，不附音義，自序後連卷一，不另篇，闕筆極謹嚴，如桓二年珽字，諸書從未見避；各本誤字，一一無訛，如昭二十年賜北宮喜謚，杜注皆死而賜謚及墓田，傳終言之，無未字而字，以為希世之珍，非相臺岳氏及諸宋本可及。又宋刊本四部，又宋刊附釋文麻沙本二部，又元刊巾箱本一部，又明翻宋本二部。宋刊集解大字本，八行，行十七字；小字本，十二行，行二十三、四字；巾箱本，十行，行十八、九字。巾箱本元刊者，釋文所出字用黑蓋子；宋刊則不然，單左氏古經，有段氏經韻樓讀本，天祿後目有宋刊左傳無注二十卷。

〔附錄〕陸有宋刊蜀大字本《春秋經傳集解》三十卷，每葉十六行，行十七字，小字雙行，行二十四字，板心有字數及刻工姓名。又有宋刊建大字殘本十五卷。又有宋相臺岳氏刊配明覆本三十卷，黃蕘圃舊藏，每葉十六行，行十七字，小字雙行，每卷末有相臺岳氏刊梓荊溪家塾十字篆文橢圓木記，左線外標某公幾年，板心有字數及刻工姓名，魚尾全墨上，魚尾之上下，魚尾之下，有細墨線，即所謂小黑口。又有明覆宋相臺本，明覆宋小字本，宋刊注疏十行本。（紹箕）左傳讀本三十卷，道光間敕撰，殿本，貴陽官本，清河官本，姚培謙刻《左傳》，汀寧局有覆刊本，江寧局又刻仿宋《公羊》、《穀梁》單注本。（鴻綬）朱有種德堂本三十卷，附《名號歸一圖》，《春秋年表》。（懿榮）（疑盛昱筆，章記。）

〔續錄〕黃氏有北宋小字本，十一行二十三四字不等，佳。韓小亭有宋余仁仲本，佳。正文齋見宋刊本《春秋經傳集解》，十行十六字，注雙行三十二字，每卷後有鶴林于氏家塾棲雲之閣鋟梓木記。沈子封藏宋刊本《春秋經傳集解》，大字精雅，八行十六字，注雙行二十一字，每卷後記經傳注音義字數三行。張菊生藏宋刊本《春秋經傳集解》三十卷，板心略小，十一行二十字，注雙行二十七字，卷首序後有潛府劉氏家塾希世之寶木記。《補配纂圖互注》數卷，十二行二十一字，注二十六字，抱經樓藏龍川書院本，刊板約在宋元之間。宋刊巾箱本《春秋經傳集解》三十卷，每半葉十一行，行大二十字，小二十一字，核字體似南宋元初刻，宋淳熙小字本，每半葉十行，行大十八字，小二十二字，板心高約一尺五寸，第三十卷後有楷書八行木記，末題淳熙柔兆涒灘中夏初吉閩山阮仲猷種德堂刊，較巾箱本縱橫稍闊寸許。明覆刻宋淳熙三年阮氏種德堂本，明萬曆八年刊本集解三十卷，首一卷，圖二卷。日本室町時代覆刻宋嘉定九年興國軍本，日本慶長活字印本，日本安政三年靜嘉堂刊本，廣東刊本，同文局本。

《春秋左傳注疏》六十卷，明覆刻李元陽本。

《春秋左傳杜林詳解》五十卷，晉杜預《集解》，唐陸德明《音義》，宋林堯叟《注釋》，清芥子園刊本，同治七年崇文書局刊本，三十卷，光緒十二年湖北官書處刊本，三十卷。

《增修訂正音點春秋左傳詳節句解》三十五卷，宋元間刻本，李氏木犀軒藏，存卷三至二十八，卷三十二至三十五，又有明刻全本。（頁一〇〇至頁一〇二）

【增補】胡玉縉撰、王欣夫輯《四庫全書總目提要補正》卷七曰：「劉文淇《青溪舊屋文集·與沈小宛先生書》云：『杜氏以經訓飾其奸邪，惠定宇微發其端，焦里堂《六經補疏》以杜氏為成濟一流，不為無見，然以杜氏之妄並誣及左氏，則大謬矣！』又〈與劉楚楨書〉云：『沖遠學識，無媿通儒，然此書乃未成之作，又經後人刪竄，多失其實。且沖遠在時，馬嘉運頗駁正其失，當時服其精博，是其書在唐初已有疑議矣。』」（頁一五七）

【增補】崔富章《四庫提要補正》曰：「王國維曰：《漢書·藝文志》『春秋古經十二篇』不言其所從得之處。《說文序》則系之孔子壁中書。《周禮·小宗伯》注：鄭司農云：『立』讀為『位』，古者立、位同字，《古文春秋經》『公即位』為『公即立』。是其本至後漢尚存矣（《王國維遺書·觀堂集林》卷七《漢時古文本諸經傳考》）。

《新唐書·藝文志》著錄『春秋正義三十六卷，孔穎達、楊士勛、朱長才奉詔撰，馬嘉運、王德韶、蘇德融與隋德復審。』今北京圖書館藏《春秋左傳正義》三十六卷，唐孔穎達撰，宋慶元六年（１２００）紹興府刻，宋元遞修本（每半葉八行十六字，注雙行二十二字，白口，左右雙邊，版心上記字數，下記刊工姓名），北京館又藏宋劉叔剛刻《附釋音春秋左傳注疏》六十卷存卷一至二十九（每半葉十行，行十六、七字不等，小字雙行二十三字，細黑口，左右雙邊）。是《總目》此條，書名取自宋紹興府刊八行本，卷數則取自宋劉叔剛刊十行本。

宋以後，輯刻《十三經注疏》率用《附釋音春秋左傳注疏》六十卷本。傳世有元刻明修本（十行十七字白口，非黑口，與宋刻異），明嘉靖間李元陽閩刻本（包括南明隆武二年重修本），萬曆間北京國子監刻本，崇禎間毛氏汲古閣本，清乾隆四年武英殿刻本，嘉靖二十年南昌府學刊本等。考文溯閣庫書卷前提要稱：『明刻本多訛，如韓原之戰，誤以《釋文》混於杜注，今刻本悉正之。』所云『今刻本』，即乾隆四年武英殿校刊《欽定十三經注疏》（附考證）本，內容為：春秋左氏傳注疏六十卷正義序一卷左傳序一卷原目一卷傳述人一卷；注疏六十卷每卷末有考證（校刊記），據元刊本、明國子監本、毛晉汲古閣本及諸家所勘宋本校對。館臣即以此本繕入《四庫全書》及《薈要》中。是《總目》所取書名亦與庫書不相應。目錄之作，貴在實錄，俾讀者因目求書，得相應之版本，方能考鏡源流。《總目》於此，頗多疏失，反不及庫書卷前《提要》明切。

文瀾閣庫書原本佚，今存丁氏補抄本，三十六冊。《善本書室藏書志》著錄『《附釋音春秋左傳注疏》六十卷，宋刊十行本，李鹿山藏書』一部，稱『阮元謂六十卷本為注疏中之最善者，且无一補修之頁。』補抄當源出此本。原藏泉州李馥（字鹿山，康熙甲子舉人，歷官浙江巡撫），今歸南京圖書館。經鑒定，非宋刻，乃元刊明修十行十七字白口本。

前述《十三經注疏》各本，浙江圖書館多藏之，尤以民國初所得宋刻元明遞修本為世所重，章太炎先生手識云：『《附釋音春秋左傳注疏》六十卷，即十行本，刻於宋，修於元、明，為阮氏所依據。卷首有『吳越王孫』印，即錢永。卷中或朱筆校字，亦據常行各本正其訛奪，无所發明，不知校此者何人也。書亦出自潮州丁氏。注疏中卷篋最多者《左傳》、《禮記》，次即《周禮》，今皆完碩，无所缺遺，斯可不謂幸歟！民國三年孟秋，章炳麟書於北庭。』夏定域先生記云：『此書阮元《校勘記》所謂在注疏中為最善者，亦經元代及明正德補修，而原鐫之版較多，視《周禮注疏》本為勝。日本山井鼎稱謂正德刊本，殆誤據修版處版心題『正德』而言。字迹較瘦削清晰，而黑口者乃元、明版。』（《浙江圖書館善本檢記初稿》）書凡二十冊，以其為十行十七字白口本，近人或視為元刻明修《十三經注疏》本。」（頁一四五至頁一四七）

【增補】楊武泉《四庫全書總目辨誤》曰：「中國古代尚有，故『右』可引伸為『尊重』，而『左』為『排斥』。《左傳》襄公十年：『天子所右，寡君亦右之；所左，亦左之。』孔疏：『右便而左不便，故以所助者為右，不助者為左。』《戰國策・魏策二》『田需死』條云：『張儀相魏，必右秦而左魏；薛公相魏，必右齊而左魏；犀首相魏，必右韓而左魏。』高誘注：『右，親也；左，疏外也。』這種語義，直到明代尚如此。陳建《學蔀通辨》重刊本，有萬曆乙巳顧實成序，序評朱陸二學派云：『由其各有諱也，左朱而右陸，既以禪為諱；右朱左陸，又以支離為諱，宜乎竟相持而不下也。』左、右詞義，是上承先秦的。據孔穎達《春秋正義序》，其書攻劉而申杜，按例應言『左劉而右杜』，今卻謂『左杜而右劉』，豈非悖于詞義？本《總目》卷一三八《事文玉屑》提要云：『明人著述之陋，殆无出其右矣。』古稱无出其上為无出其右，今其義却作无出其下，詞義亦悖。」（頁二八至頁二九）

八、摛藻堂薈要本：周左丘明傳，晉杜預注，唐孔穎達疏，台北故宮博物院有藏本。

九、清乾隆四年武英殿刊本：晉杜預注，唐孔穎達疏，陸德明音義，台北故宮博物院有藏本。

十、鈔本：唐孔穎達撰，存卷四至卷九，朱校，台北故宮博物院有藏本。

十一、宋刻本：六十卷，孔穎達等奉敕撰，陸德明釋文，復旦大學圖書館有藏本。

又李一遂〈左氏春秋著錄書目研究〉頁一一八錄有「宋刊十行本」，江蘇國學圖書館藏，疑即此本也。

【增補】瞿鏞編纂．瞿果行標點．瞿鳳起覆校《鐵琴銅劍樓藏書目錄》卷五曰：「此書為南宋時刻本。首題：『國子祭酒上護軍曲阜縣開國子臣孔穎達等奉勑撰。』次題：『國子博士兼太子中允贈齊州刺史吳縣開國男臣陸德明釋文。』餘卷止題『杜氏註，孔穎達疏』，即阮氏所稱注疏中六十卷本之最善者也。前有〈正義序〉。每半葉十行，行十七字。注、疏皆雙行，行廿三字。行行頂格。《經傳》下載注，不標『注』字。《正義》上則冠一墨圍大『疏』字。自閩本始增『注』字於上，監本、毛本仍之，注皆不作雙行，而宋版舊氏無存矣。是本全書無明代修補字，紙墨如新，毫無缺損。凡遇有模糊處，其筆迹尚可推尋，而修版本已為墨丁或徑臆改，可知是本所模糊者，至正德時已更不可識，其為元時印本無疑。嘗以阮氏〈校勘記〉所載慶元間沈中賓刊本核之，往往相符，用是知阮氏所據，乃屢經修改之本，故多　脫；而間據宋本訂補，則無不與是本暗合也。南昌府學重刊本，雖據阮校多所改正，惜其不知十行原本與宋本本自相同，其未經改正者猶不少。且有一二句中　字疊見，而或改或否，致使文義更有難明。至於補脫，阮校並據宋本，而重刊本翻從閩、監、毛三本，即阮氏所明斥其誤者亦有不顧，遂與所附〈校勘記〉多不相應。其意蓋以閩、監、毛皆出十行本，而不知閩本已仍修版之　，非出原本也。舊以此本與阮校所據本、重刊本、家藏正德修版本參檢，其異字為〈校校勘記〉，茲摘錄附後，俾讀者得見十行本之舊。其已經重刊本改正而與是本不異者，則不復出焉。」（頁九八至頁九九）

【霖案】其文下錄有若干校語，由於內容頗多，茲不重錄，讀者可自行參考原書。

【增補】《嘉業堂藏書志》卷一曰：「《附釋音春秋左傳注疏》六十卷　宋刻本　國子監祭酒上護軍曲阜縣開國子臣孔穎達等奉敕撰　國子博士兼太子中允贈齊州刺史吳縣開國男臣陸德明釋文　孔穎達《春秋正義．序》　宋刻十行本。首行題：《附釋音春秋左傳注疏》卷第幾。　下注：『某幾年盡幾年』。次行題：『杜氏注　孔穎達疏』。每卷之末，題如首行。中縫魚尾下題『秋充幾』。上計字數，下有刻工姓氏。左方小耳題『某幾』。惜印稍後，多漫漶。（繆稿）　國子祭酒上護軍曲阜縣開國臣孔穎達等奉敕撰　國子監博士兼太子中允贈齊州刺史吳縣開國男臣陸德明釋文　孔穎達《春秋正義．序》　《春秋．序》　此為南宋時刻本。開卷題銜，如上所列。餘卷止題：『杜氏注，孔穎達疏』。每半葉十行，每行大字十七字、小字二十三字。雖業印稍後，尚無補板。罟里瞿氏曾據各本參檢異字，作《校勘記》，附於《藏書目錄》，與此本悉合，茲不贅述。（吳稿）」（頁一五三至頁一五四）

十二、元刻本：十六卷，缺一之三，六之八，復旦大學圖書館有藏本。

【增補】《嘉業堂藏書志》卷一曰：「《音（默）【點】春秋左傳》　元刻殘本　缺一之三，六之八。元刻明印。張叔未跋僞。（繆稿）　此書似是明刻，至高不過元代，惟以為宋則過矣。叔未跋文字圖書均僞，中有不可解語，不知何書鈔來。『匡』、『桓』、『慎』缺筆，翻刻者亦如之，何足為據。」（頁一五四至頁一五五）。

十三、宋刻明正德修補本：六十卷，北京大學有藏本。

【增補】李盛鐸著．張玉範整理《木犀軒藏書題記及書錄》頁七三曰：「【附釋音春秋左傳注疏】六十卷 〔晉杜預撰　唐孔穎達疏〕 宋刊本〔宋刻明正德修補本〕 李171

半葉十行，行十七字；小字雙行，行二十三字。板心上有大小字數，下有刊工名一字或二字。恒、桓、戍等字缺筆，左耳上標某公某年。全書無一明以來補板。有『慧海樓藏書印』白文方印，『吳印偉業』朱文方印。」（頁七三）

【增補】《國家圖書館善本書志初稿》：「【附釋音春秋左傳註疏六十卷二十四冊】

又一部　元覆南宋劉叔剛刊明正德間修補本　00598

修補版心魚尾上方記『懷陳校』、『俟吉劉校」、『正德六年』、『正德十二年」、『正德十六年』及每葉大小字數等，版心中間除書名卷第，另刻『林重校訖』、『鄉林重校』，版心下方記刻工名及校對者(如王良富校)，序的部分則有李紅寫，王毛孫刊。

此本多出前部之明修刻工有：王毛孫、陸基郎(或作陸基)、曾椿，葉再友(或作再友)、吳三、二、七等。

卷首有孔穎達春秋正義序。

書中鈐有『國立中央圖/書館收藏』朱文長方印。」(頁 160)。

十四、民國二十三年(1934)上海商務印書館四部叢刊續編影印日本正宗寺鈔本：(唐)孔穎達等撰《春秋正義》三六卷，十二冊，２１公分，扉頁印記「上海涵芬樓景印海鹽張氏涉園藏日本覆印景鈔正宗寺本」，臺北：國家圖書館、臺灣大學圖書館有藏本。

又馬來西亞大學圖書館有藏本。

十五、民國八年(1919)吳興劉氏嘉業堂刊本：(唐)孔穎達等撰《春秋正義》殘本十二卷，附〈校勘記〉二卷，存卷一至卷九，卷三四至卷三六，台北：國家圖書館有藏本。

十六、日本江戶末傳鈔正宗寺藏單疏本：(唐)孔穎達撰《春秋正義》存六卷，一冊，存卷四至卷九，台北：故宮博物院有藏本。

十七、明嘉靖間(1573-1619)李元陽江以達校刊本：(晉)杜預註 ；(唐)陸德明音義 ；(唐)孔穎達疏《春秋左傳註疏》六十卷，二二冊，二七公分，九行二十一字疏與行二十一字，有「群碧樓」，「涉園」、「宋本」、「鱣讀」、「芷齋圖籍」諸印記，台北：中央研究院傅斯年圖書館有藏本。

十八、明崇禎戊寅（十一年）常熟毛氏汲古閣十三經註疏本：晉杜預註　唐孔穎達疏《春秋左傳註疏》六十卷，二十四冊，台灣省立台北圖書館有藏本。

又台北國家圖書館另有一本，錄有清江阮過錄段美中校語，陳奐手跋。

【增補】《國家圖書館善本書志初稿》：「【春秋左傳註疏六十卷二十四冊】

明崇禎戊寅(十一年，1683)虞山毛氏汲古閣刊十三經註疏本　00603

晉杜預註，唐孔穎達疏。

版匡高 17.4 公分，寬 12.7 公分。左右雙邊。每半葉九行，行二十一字。註文中字單行，疏文小字雙行，字數同。『註』、『疏』以墨蓋子別出。版心花口，上方記書名(如『春秋疏』)，中間記卷第(如『卷第一』)，下方記『汲古閣』。

首卷首行頂格題『春秋左傳註疏卷第二』下小字雙行『隱元年盡二年』。次行低九格題『晉杜氏註』，再次行低九格題『唐孔穎達疏』。卷末有尾題。卷首有孔穎達春秋正義序，卷一為杜預春秋序。卷末有杜預春秋後序及慶元庚申吳興沈中賓所題刻書識語。書眉正文朱筆批註，為清江沅過錄段美中校語，卷六十題後識語『杜氏後序井淳化元年勘校官姓名及慶元申吳興沈中賓重刻題跋一篇依宋本抄補於後，戊子三月借得朱君文游滋蘭堂藏本及石經詳細手校凡宋本有疑誤者悉書於本字之旁經傳文兼從石經增正一二七月三十日校畢治泉樹華記。』八月二十五日再識『南宋翻刻北宋本無陸氏音義復以釋文井借得金格亭惠松厓兩先生從南宋本手校者互勘一過』。跋後有段玉裁、江沅手書題記及陳奐手跋，或附印記。

書中鈐有『國立中央圖/書館收藏』朱文長方印、『曾在三/百堂/陳氏處』朱文方印。」(頁 162~163)。

十九、四部備要本：晉杜預撰，唐孔穎達疏《春秋左傳正義》六十卷，十四冊，馬來西亞大學圖書館有藏本（二部）。

又四川大學圖書館有藏本，見於李一遂〈左氏春秋著錄書目研究〉頁一二四。

二〇、嘉業堂叢書本：唐孔穎達撰《春秋正義》殘本十二卷，《校勘記》二卷，六冊，馬來西亞大學圖書館有藏本。

二一、御刻十三經注疏本：晉杜預輯，唐陸德明音義，唐孔穎達疏《春秋左傳注疏》六十卷，《考證》，二十一冊，馬來西亞大學圖書館有藏本。

二二、元刻明正德間修補十行本：晉杜預註　唐孔穎達疏　陸德明釋文《附釋音春秋左傳註疏》存存三十卷六冊，近人近人楊守敬手書題記，台北：國家圖書館、北京圖書館等地有藏本。

【增補】楊守敬〈題記〉曰：「十行本左傳註疏，存第一至十六，又自二十二至三十六卷。世傳十行本注疏，多明正德間補刊，故凡補者即多訛字，此雖殘缺之本，然除序文兩葉是重刊，餘俱原槧，可貴也。守敬記。」（轉錄《標點善本題跋集錄》頁二五）

二三、文選樓本：周左丘明撰，晉杜預注，唐孔穎達疏《春秋左傳正義》三十六卷，耿文光《萬卷精華樓藏書記》卷八，頁二九一著錄。

【增補】耿文光《萬卷精華樓藏書記》卷八曰：「《春秋左傳正義》三十六卷

周左丘明撰　晉杜預注　唐孔穎達疏

文選樓本。揚州阮氏校刊。

校勘記左氏傳：漢初未審獻於何時，《漢志》說孔壁事只云得《古文尚書》及《禮記》《論語》《孝經》，不言《左氏經傳》也。《說文》序云：魯恭王壞孔子宅，得《禮記》《尚書》《春秋》《論語》《孝經》，又北平侯張蒼獻《春秋左氏傳》，然後《左氏經傳》所自出，始大白於世。左氏之學興於賈逵、服虔、董遇、鄭眾、穎容諸家，杜預因之，分經比傳為一集解，今諸家全書不可見，而流傳間見者往往與杜注乖異。唐人專宗杜注，惟蜀《石經》兼刻經傳杜注文，而蜀石經盡亡。世間拓本僅存數百字，後唐校九經，鏤板於國子監，此亦經傳注兼刻者，而今多不存。至於孔穎達等依經傳，杜注為正義，本自單行。宋淳化元年有刻本，至慶元間吳興沈中賓分繫諸經注本合刻之，蓋後唐田敏等所鏤。淳化元年所頒皆為最善本，而畢集於是。後此附釋文之本未有能及此者。元和陳樹華即以此本遍考諸書，凡與左氏傳經文有異同，可備參考者，撰成《春秋內傳考證》一書，考證所載之同異，雖與正義本不同，然迹迹間有可采者。今即各本精詳据摭，雖古字古言不可究悉，庶幾網羅放佚，冀成注疏善本，用裨學者矣。

《載籍足徵錄》：建武中，范升駁左氏不可立凡四十五事。陳元相與辨難而卒立之，以李封為博士，未幾復廢。其後賈逵列公、穀不如左氏四十事，名日長義章，帝善之。其注左氏者，有左氏訓詁同異條例章句，而馬融又集賈逵、陳元、鄭眾三家同異之說，又有服注，左氏大興。（頁二九一至頁二九二）

二四、元覆南宋劉叔剛刊明初修補本：台北：國家圖書館有藏本。

【增補】《國家圖書館善本書志初稿》：「【附釋音春秋左傳註疏六十卷三十冊】

元覆南宋劉叔剛刊明初修補本　00597

晉杜預註，唐孔穎達疏。

版匡高 17.8 公分，寬 12.8 公分。左右雙邊。每半葉十行，行十七字。註文小字雙行，行二十三字。版心黑口，雙魚尾(魚尾相隨)，魚尾中間記書名卷第(如『秋疏一』)，下方書葉次及刻工名。左上欄外有耳題書魯公年，疏字以墨蓋子別出。版心下方部分登錄書寫姓名(如王成寫)。

宋元刻工名：天、仲高(或作仲、高)、文、善卿(或作善) 、安卿(或作安) 、以、壽甫(或作壽) 、以清、以德(或作以、德)、君美(或作美) 、祥、應、英玉(或作玉、英) 、古月(或作月、古) 、茂、正、朱文(或作朱、文) 、王榮(或作榮、王)、德甫(或作德、甫) 、余中(或作中) 、王仁甫(或作仁) 、朱、亨、德遠(或作德、遠) 、五、德成(或作成、德) 、孟、鐵筆(或作鐵、筆) 、甫、善慶等。明修刻工名：吳一、江達、謝元慶、華福(或作福)、施肥、龔三、王榮、蔡順、黃道林(或作林、道林) 、吳珠(或作吳朱)、葉雄(或作雄) 、熊山(或作山) 、詹弟、江長深、程亨、葉采(或作采)

、黃永進(或作永進、永、黃永) 、陸記青、余景旺、范朴、吳六耳、右、王仕榮、周、李豪(或作豪) 、楊四、楊全、曾堅、余富(或作余) 、劉立、台、范元福、曾春、余郎、王進富、余堅、陸榮、楊尚旦(或作尚旦、上旦)、黃仲(或作仲)、周同、劉京、曾、四、黃蘭、陸文進、三、陸四(或作六四)、詹蓬頭、人、江壽、吳佛生、陸基、陳德祿、余添進、張尾郎(或作張郎)、余文貴、陳珪、江四、葉金、江盛、葉再友、江田、王良富、余天理(或作余天禮) 、王元保、葉馬、才、烏、清、余旺、黃友富(或作黃富、友) 、王仲友、元清、德潤、江洪等。卷一葉二十四、卷二葉二、卷十六葉二十五、卷二十五葉二十二至二十五、卷六十最末葉以墨筆鈔補。

首卷首行頂格題『附釋音春秋左傳註疏卷第一』，次行低兩格題『國子祭酒上護軍曲阜縣開國子臣孔穎達等奉勑撰』，第四行低兩格題『國子博士兼太子中允贈齊州刺史吳縣開國男臣陸德明釋文』。正文首行頂格題『附釋音春秋左傳註疏卷第二』，下空二格小字雙行『隱元年/盡二年』。次行低四格題『杜氏註』，再低四格題『孔穎達疏』。卷末有尾題。卷一為杜預春秋序。日人阿部隆一以『疏』字墨圍和墨蓋子白文區別元版或明修補版。但是部份墨圍『疏』字葉版心上黑口有塗飾，魚尾中間記書名上方有圓圈記號，應同為明代修補版。

書中鈐有『擇是居』朱文橢圓印、『國立中央圖/書館收藏』朱文長方印、『張印/鈞衡』白文方印、『石銘/收藏』朱文方印、『吳興張氏適園收藏圖書』朱文長方印、『繡波/氏藏/書』白文方印。」(頁 160)。

【增補】《國家圖書館善本書志初稿》：「【附釋音春秋左傳註疏存二十八卷二十九冊】

又一部　元覆宋劉叔剛刊明初印本　00600

此本多出前部之宋元修刻工有：粹、江、國右(或作國祐、國)、金等。

存卷八、卷十三、卷十四、卷十七、卷十九上、卷十九下、卷二十一、卷二十三、卷二十五、卷三十、卷三十一、卷三十三至卷三十五、卷三十八至卷四十一、卷四十三至卷四十六、卷四十八、卷五十、卷五十二、卷五十四、卷五十五、卷五十八、卷五十九。卷五十九葉一至四漫漶。

書中鈐有『擇是居』朱文橢圓印、『國立中央圖/書館收藏』朱文長方印、『韞輝/齋』朱文方印、『張氏/圖書』朱文方印、『慕齋鑒定』朱文圓印、『宛平王/氏家藏』白文方印、『張印/鈞衡』白文方印、『石銘/收藏』朱文方印、『王氏/家藏』朱文方印、『世家珍玩/永保萬年』白文方印、『吳興張氏適園收藏圖書』朱文長方印。」(頁 161)。

十六、敦煌寫本:《敦煌寫本校春秋正義銜名》一卷。

【增補】《續修四庫全書總目提要》：「敦煌寫本校春秋正義銜名一卷　影印本　傅振倫

原卷見存法京巴黎國家圖書館。編目為三三一一號。首題永徽四年二月二十四日。蓋初唐遺物也。今按唐書藝文志。春秋正義三十六卷。舊唐書經籍志作三十七卷。與孔氏自言卷數不合。國子祭酒上護軍。曲阜開國子。衡水孔穎達撰。題曰春秋。實則自杜預分經之年。與左傳相附。自後沈文阿蘇寬劉炫。並据杜解作義疏。而穎達推本沈劉。申以己見。遂成不刊之業。即今注疏本是也。据穎達正義自敘。稱奉敕與朝請大夫國子祭酒谷那律。按唐書藝文志。並舉以下楊士勛等六人而稱。遺谷氏不言。殊未可解。故四門博士楊士勛。四門博士朱長才。又朝散大夫行太學博士騎都尉馬嘉運。朝散大夫行太學博士上騎都尉王德韶。給事郎守四門博士上騎都尉蘇德融。登仕郎守太學助教雲騎尉隋德素。對敕使趙弘智等參定詳審。為正義三十六卷云云。蓋是與纂諸人。相輔集事者也。此卷所錄。則奉命校勘其書。乃竟無經始者一人在內。亦足異也。抑如賈公彥褚遂良等。經術文章。在人耳目。獲膺斯選。允副物情。其光祿大夫侍中兼太子少保監修國史上護軍蓨縣開國公臣季輔。為高季輔。按原卷褚遂良以前並書姓名。高季輔以下。僅書名而闕姓。其故不明。尚書右僕射兼太子少傅監修國史上護軍北平縣開國公臣行為張行成。尚書左僕射兼太子少師監修國史上柱國燕國公臣志寧。為于志寧。司空上柱國英國公臣勣。為李世勣。太尉楊州都督上柱國趙國公臣無忌。為長孫無忌。按長孫無忌以忤於武后。許敬宗譖以謀反。高宗顯慶三年四月。下詔削無忌太尉及封邑。以為楊州都督。於黔州安置。七月。許敬宗遺袁公瑜等縊煞之。前此無忌未官楊州也。此卷首題永徽四年。而舉無忌卒官。殊不可解。或無忌曾有楊督之命。未赴而史遂不載耶。抑傳鈔在後。書手以意附人耶。不然。無忌罪謫之年。遂良亦貶死愛州。志寧遠竄榮州。許敬宗李義府輩。豈容其績冠銜。優游敘功耶。夫高于儒臣。唐書藝文志。著錄高季輔集二卷。于志寧集四十卷。又諫苑二十卷。舊唐書經籍志作三十卷。況監國史。廁名述作。猶云班齊。若張李長孫之輩。唯先朝舊臣。或標勛業。或秉懿親。未聞其肆學於鄒魯。有功於經術也。顧以臺司之尊。與儒生爭一日之名。無怪後來館閣修輯。必以宰輔權臣。提舉其事。書成敘功。仍居魁首。蓋其事由來久矣。唯觀此卷。仍以左內率府長史口口口失名待攷為冠。而徵事郎四門博士趙君贊。宣德郎太常博士孔志約。朝散大夫太常博士柳宣。國子博士弘文館學士劉伯莊等。仍在賈褚之前。意者以勞不以位。以學不以爵。猶是中古真淳之風。弃諸近世者乎。更如國子監俊士潘元珍。國子監四門學士張德淹等。以下銜名不具。於史並無可徵。按唯唐書藝文志載劉伯莊與許敬宗合譔文館詞林一千卷。蓋亦績學專經之士。遂與朝貴比肩。垂名於千載之後。寧非數難逢者耶。卷末附記字數。又某人初校。某人復校。並用紙張數。蓋六朝唐人官書恒例。未嘗不審慎於敚誤刪竄也。顧所記經文一萬四千二百字者。頗與後來刻本不同。用知經籍之損益。無代無之。小儒不知會通。徒執墟章句。自謂聖人之真。苟以此卷眎之。其將何以為懷矣。」(頁六七七)

十七、宋劉叔剛刻本：晉杜預注　唐孔穎達疏　陸德明釋文《附釋音春秋左傳注疏》六十卷，十行十六、十七字小字雙行廿三字細黑口左右雙邊，存二十九卷〔一至二十九〕，北京：中國國家圖書館有藏本。

穎達〈序〉曰[2]：「夫《春秋》者，紀人君動作之務，是左史所職之書。王者統三才而宅九有，順四時而治萬物；四時序則玉燭調於上，三才協則寶命昌於下，故可以享國永年，令聞長世。然則有為之務可不慎與？國之大事，在祀與戎；祀則必盡其敬，戎則不加無罪。盟會協於禮，興動順其節，失則貶其惡，得則褒其善，此《春秋》之大旨，為皇王之明鑒也。若夫三始之目[3]，章於帝軒；《六經》之道，光於《禮記》，然則此書之發其來尚矣。但年紀緜邈，無得而言，曁乎周室東遷，王綱不振，楚子北伐，神器將移。鄭伯敗王於前，晉侯請隧於後，竊僭名號者，何國不然？專行征伐者，諸侯皆是下陵上替，內叛外侵，九域騷然，三綱遂絕。夫子內韞大聖，逢時若此，欲垂之以法，則無位；正之以武，則無兵；賞之以利，則無財；說之以道，則不用。虛歎銜書之鳳，乃似喪家之狗，既不救於已往，冀垂訓於後昆，因魯史之有得失，據周經以正褒貶。一字所嘉，有同華衮之贈；一言所黜，無異蕭斧之誅。所謂不怒而人威，不賞而人勸，實永世而作則，歷百王而不朽者也。至於秦滅典籍，鴻猷遂寢，漢德既興，儒風不泯。其前漢傳《左氏》者，有張蒼、賈誼、尹咸、劉歆；後漢有鄭眾、賈逵、服虔、許惠卿之等，各為詁訓。然雜取《公羊》、《穀梁》以釋《左氏》，此乃以冠雙屨，將絲綜麻，方鑿圓枘，其可入乎？晉世杜元凱又為《左氏集解》，專取邱明之傳以釋孔氏之經，所謂子應乎母，以膠投漆，雖欲勿合，其可離乎？今校先儒優劣，杜為甲矣。故晉、宋傳授以至於今，其為義疏者，則有沈文阿、蘇寬、劉炫。然沈氏於義例麤[4]可，於《經》、《傳》極疏[5]，蘇氏則全不體本文，惟旁攻賈、服言，後之學者[6]，鑽仰無成；劉炫於數君之內，實為翹楚，然聰慧辨[7]博，固亦罕儔，而探賾鈎[8]深，未能致遠，其經注[9]易者，必具飾以文辭，其理致難者，乃不入其根節，又意在矜伐，性好非毀，規杜氏之失凡一百五十餘條，習杜義而攻杜氏，猶蠹生於木而還食其木，非其理也。雖規杜過，義又淺近，所謂捕鳴蟬於

2霖案：《國立中央圖書館善本序跋集錄》頁359-360錄有此文，係根據「明李元陽刊十三經註疏本」甄錄而來。又《左傳引文序》頁3引之。又《五經翼》卷十一（「四庫全書存目叢書」經部冊一五一）頁738-739。

3「三始之目」，應依《補正》作「五始之目」。　霖案：《經義考新校》頁3221校文，於「《補正》」二字之前，新增校文如下：「《四庫薈要》本、」等字。今考「明李元陽刊十三經註疏本」作「五始之目」，此或為翁方綱所據之來源。

4霖案：「麤」，「明李元陽刊十三經註疏本」作「粗」。

5霖案：「疏」，「明李元陽刊十三經註疏本」作「踈」。

6「惟旁攻賈、服言，後之學者」，應依《補正》、《四庫》本作「惟旁攻賈、服，使後之學者」。　霖案：《經義考新校》頁3222校文於「《補正》」二字之下，另增校文如下：「《四庫薈要》本、文淵閣」等字。今考「明李元陽刊十三經註疏本」作「惟旁攻賈、服，使後之學者」，或為翁方綱所據之本。

7霖案：「辨」，「明李元陽刊十三經註疏本」作「辯」。

8霖案：「鈎」，「明李元陽刊十三經註疏本」作「鉤」。

9霖案：「注」，「明李元陽刊十三經註疏本」作「註」。

前，不知黃雀在其後。按：僖公三十三年經云：『晉人敗狄于箕。』杜《注[10]》云：『郤缺稱人者，未為卿。』劉炫《規》云：『晉侯稱人，與殽戰同。』按：殽戰在葬晉文公之前，可得云『背喪用兵，以賤者告』；箕戰在葬晉文公之後，非是背喪用兵，何得云『與殽戰同』？此則一年之經，數行而已，曾不勘省上下，妄規得失。又襄公二十一年傳云：『邾庶其以漆閭邱[11]來奔，以公姑姊妻之。』杜《注[12]》云：『蓋寡者二人。』劉炫規云：『是襄公之姑、成公之姊，只一人而已。』按：成公二年，成公之子公衡為質，及宋，逃歸。按《家語》、《本命》云：『男子十六而化生。』公衡已能逃歸，則十六七矣。公衡之年如此，則於時成公三十三、四矣，計至襄二十一年，成公七十餘矣，何得有姊而妻庶其？此等皆其事歷然，猶尚妄說，況其餘錯亂，良可悲矣。然比諸義疏，猶有可觀。今奉敕[13]刪定，據以為本，其有疏[14]漏，以沈氏補焉。若兩義俱違，則特申短見，雖課率庸鄙，仍不敢自專，謹與朝請大夫、國子博士臣谷那律、故四門博士臣楊士勛、四門博士臣朱長才等對共參定。至十六年，又奉敕[15]與前修疏人及朝散大夫行大學[16]博士上騎都尉臣馬嘉運、朝散大夫行大學[17]博士上騎都尉臣王德韶、給事郎守四門博士上騎都尉臣蘇德融、登仕郎守大學[18]助教雲騎、尉臣隨德素等對敕[19]，使趙弘智覆更詳審為之。《正義》凡三十六卷，冀貽諸學者，以裨萬一焉[20]。」

【增補】〔補正〕穎達〈序〉內「若夫三始之目」，「三」當作「五」；「言後之學者」，「言」當作「使」。（卷七，頁十四）

《崇文總目》[21]：「按[22]：漢張蒼、賈誼、尹咸、鄭眾、賈逵皆為詁訓，然參用《公》、《穀》二家，至晉杜預專治《左氏》，其後有沈文阿、蘇寬、劉炫皆據杜說。貞觀中，穎達

10霖案：「注」，「明李元陽刊十三經註疏本」作「註」。

11霖案：「邱」，「明李元陽刊十三經註疏本」作「丘」。

12霖案：「注」，「明李元陽刊十三經註疏本」作「註」。

13霖案：「敕」，「明李元陽刊十三經註疏本」作「勑」。

14霖案：「疏」，應依「明李元陽刊十三經註疏本」作「踈」。

15霖案：「敕」，「明李元陽刊十三經註疏本」作「勑」。

16霖案：《經義考新校》頁3223新出校文如下：「『大學』，《四庫薈要》本作『太學』」，今考「大學」二字，「明李元陽刊十三經註疏本」正作「太學」。

17霖案：「大學」，「明李元陽刊十三經註疏本」作「太學」。

18霖案：「大學」，「明李元陽刊十三經註疏本」作「太學」。

19霖案：「敕」，「明李元陽刊十三經註疏本」作「勑」。

20霖案：「焉」字下，應依「明李元陽刊十三經註疏本」補入「國子祭酒、上護軍、曲阜縣開國子，臣孔穎達撰。」等十八字。

21霖案：《文獻通考．經籍考》卷九，頁234。

22霖案：「按」字之前，《文獻通考》另有「唐國子祭酒孔穎達撰。」等九字。

據劉學而損益之；長孫無忌等又復損益，其書乃定；皇朝孔淮[23]等奉詔是正。」

《中興書目》[24]：「穎達參劉、沈之說；兩義俱違，則斷以己意。」

晁公武曰[25]：「自杜預專治《左氏》學，其後沈文阿、蘇寬、劉炫皆有[26]義疏；而炫性矜伐，雅好非毀，規杜氏之失一百五十餘事，義特淺近，然比諸家猶有可觀。今書據以為本，其有疏[27]漏，以沈氏補焉。」

陳振孫曰[28]：「自晉、宋傳杜學，為義疏者沈、蘇、劉。沈氏義例麤[29]可，經、傳極疏[30]；蘇氏不體本文，惟攻賈、服；劉氏好規杜失，比諸義疏，猶有可觀。」

【增補】何廣棪：《陳振孫之經學及其《直齋書錄解題》經錄考證》曰：「廣棪案：孔穎達《自序》略曰：『晉世杜元凱又為《左氏集解》，專取丘明之《傳》，以釋孔氏之經，所謂子應乎母，以膠投漆，雖欲勿合，其可離乎？今校先儒優劣，杜為甲矣。故晉、宋傳授，以至於今，其為義疏者，則有沈文阿、蘇寬、劉炫。然沈氏於義例粗可。於經傳極疎；蘇氏則全不體本文，唯旁攻賈、服，使後之學者鑽仰無成；劉炫於數君之內，實為翹楚，然聰惠辯博，固亦罕儔，而探賾鉤深，未能致遠。其經註易者，必具飾以文辭；其理致難者，乃不入其根節。又意在矜伐，性好非毀，規杜之失，凡一百五十餘條。習杜義而攻杜氏，猶蠹生於木而還食其木，非其理也。雖規杜過，義又淺近，所謂捕鳴蟬於前，不知黃雀在其後。……然比諸義疏，猶有可觀。今奉敕刪定，據以為本，其有疎漏，以沈氏補焉。』《解題》所述，蓋本穎達《自序》。」（頁五二三）

楊氏士勛《春秋穀梁傳疏》（唐）

【書名】本書異名如下：

一、《春秋穀梁疏》：程志〈現存唐人著述簡目〉頁二五九著錄。

二、《春秋穀梁注疏》：晉范寧撰，唐楊士勛疏，陸德明音義，程志〈現存唐人著述

23霖案：「孔淮」二字，應依《文獻通考》改作「孔維」，此係人名之誤，蓋因形近而誤。今《宋史》全書並無「孔淮」其人，然《宋史》卷四三一云：「淳化初，上以經書板本有田敏輒刪去者數字，命覺與孔維詳定．二年，詳校《春秋正義》成」(頁12821)，正言及宋朝之時，孔維奉詔是正《春秋正義》一書，顯然「孔淮」為「孔維」之誤也，故應據原書改正。

24霖案：《玉海》冊二，卷四〇，頁798。

25霖案：《郡齋讀書志》卷第三，頁102、《文獻通考．經籍考》卷九，頁234至頁235。

26「有」,《備要》本誤作「據」。

27霖案：「疏」,《文獻通考》題作「疎」字。

28霖案：《直齋書錄解題》卷三，頁456、《文獻通考．經籍考》卷九，頁235。

29霖案：「麤」,《文獻通考》題作「粗」字。

30霖案：「疏」,《文獻通考》題作「疎」字。

簡目〉頁二六〇著錄。

三、《監本附音春秋穀梁傳注疏》：李盛鐸著．張玉範整理《木犀軒藏書題記及書錄》頁七三著錄。

四、《監本附音春秋穀梁傳註疏》：瞿鏞編纂．瞿果行標點．瞿鳳起覆校《鐵琴銅劍樓藏書目錄》卷五，頁一三五著錄。

五、《春秋穀梁傳注疏》：《馬來西亞大學中文圖書目錄》七七四著錄。

《唐志》：「十二卷。」

【卷數】本書卷數異同如下：

一、十二卷：《郡齋讀書志》卷第三，頁一〇二、《直齋書錄解題》卷三，頁四五六。《文獻通考．經籍考》卷九，頁二二六。

二、十三卷：藤原佐世《日本國見在書目錄》頁十三。

三、二十卷：程志〈現存唐人著述簡目〉頁二五九、瞿鏞編纂．瞿果行標點．瞿鳳起覆校《鐵琴銅劍樓藏書目錄》卷五，頁一三五著錄。

四、七卷：殘本，附〈校勘記〉二卷，唐楊士勛撰，民國劉承幹校，程志〈現存唐人著述簡目〉頁二六〇著錄。

【增補】〔補正〕案：《舊唐書志》作「十三卷」，今本作「二十卷。」（卷七，頁十四）

〔校記〕《四庫》本《春秋穀梁傳注疏》廿卷。（《春秋》，頁四七）

存。

【版本及藏地】本書版本及藏地如下：

一、清咸豐七年瞿氏恬裕齋抄本：本書分別有十二卷本、二十卷本等二種版本，二十卷本附有〈考證〉。程志〈現存唐人著述簡目〉頁二五九著錄，二種版本均藏於北京圖書館。

今查北京圖書館藏本，一本題作「清季錫疇跋」，原為「十二卷本」，今僅存七卷〔六至十二〕。

二、明嘉靖李元陽刊十三經注疏本：晉范寧撰，唐楊士勛疏．陸德明音義《春秋穀梁注疏》二十卷，九行，二十字，小字雙行，字數同，白口，四周單邊，程志〈現存唐人著述簡目〉頁二六〇著錄，現藏於台北國家圖書館、故宮博物院、中研院史語所；大陸：北京圖書館、中山大學圖書館（二部）有藏本。

又復旦大學藏有一本，有「清姚椿校」，版本亦為「明嘉靖李元陽刊十三經注疏本」，只是內容多姚氏校文，稍有不同。

【增補】《國家圖書館善本書志初稿》：「【春秋穀梁傳註疏二十卷八冊】

明嘉靖間李元陽刊十三經註疏本　**00671**

晉范甯集解，唐楊士勛疏。

版匡高 19.5 公分，寬 13 公分。四周單邊。每半葉九行，行二十一字。註文中字單行，疏文小字雙行，字數同。版心白口，中間記書名卷第(如『穀梁疏卷一』)，下方記葉次，最下方記刻工名兼記每葉字數。『傳』、『註』、『疏』文以墨蓋子白文別出。

刻工名：范朴、余暹、張七郎、江元真、程亨、袁璉、陳佛榮、余廷深(或作廷深)、龔三、吳闊、吳記保、鄭記保、劉天壽(或作天壽)、陸四、熊山、江毛苔、周記清、周仕榮、余再得、熊希、熊昭、程通、陳才、陳永勝、陸文清、張景郎、羅妳興、蔡順、劉旦、王烏、毛一、王富、葉毛奴(或作葉奴、葉毛)、周富生、吳永成、曾福林、葉順、余元朱(或作余元珠)、王柴、李清、陳鐵郎、虞福祐、余浩、王廷保、江永厚、葉再友、張錢、劉佛保、黃祿、王良、李文英、李仕璩、余天進、葉旋、吳道元、曾椿、熊田、鄒文元、陸仲興(或作仲興)、朱舒、黃道祥(或作黃祥)、王仕榮、劉碧郎、陸富郎、葉伯應、劉順、吳興、楊添友、江鼻、艾毛、陸榮郎、葉得、余大用、周甫、余記安、王廷輝、王泗、王文、吳友八(或作吳八、吳友)、余大目、周富壽、江八、葉招、二、黃興、陸進保、余先、王茂、陸文進(或作文進)、余富一、謝元林、天錫、張二、虞福貴、張元隆、楊餘芳、朱明、劉佛壽、詹妳祐、周亨、貞、余福旺、余天壽、熊伕照、陸仲達(或作仲達)、余清、黃寶、陸馬、余立等。

首卷首行頂格題『春秋穀梁註疏隱公卷第一』，下小字雙行『起元年/盡三年』，第二行低九格題『晉范甯集解』，第三行低九格題『唐楊士勛疏』。卷末有尾題。卷首有唐楊士勛撰、陸德明釋文『春秋穀梁傳序』。正文朱筆斷句圈點，不知出自何人。

書中鈐有『菦圃/收藏』朱文長方印、『國立中央圖/書館收藏』朱文長方印、『文瑞/樓』白文方印、『金星軺/藏書記』朱文長方印。」(頁 180)。

【增補】《中央研院院歷史語言研究所善本書目》曰：「《春秋穀梁註疏》二十卷六冊　晉范甯集解　唐楊士勛疏　明嘉靖間李元陽刊本。」（頁九）

三、明崇禎八年(１６３５)毛氏汲古閣十三經本：晉范寧撰，唐楊士勛疏．陸德明音義《春秋穀梁注疏》二十卷，九行，二十字，小字雙行，字數同，左右雙邊，台北：國家圖書館藏有二本。

又上海圖書館另藏一本，題作「清吳孝顯臨各家校，清張爾書覆校」。

又中國國家圖書館另藏有一本，題作「清姚世鈺跋，並録何焯校跋」。

又山東省博物館藏「佚名録，清鄭杲批校　王獻唐跋」本，

【增補】《國家圖書館善本書志初稿》：「【春秋穀梁傳註疏二十卷六冊】

明崇禎八年(1635)海虞毛氏汲古閣刊十三經註疏本　**00672**

晉范甯集解，唐楊士勛疏。

版匡高 17.8 公分，寬 12.5 公分。左右雙邊。每半葉九行，行二十一字。註文中字單行，疏文小字雙行，字數同。版心花口，上方記書名，中間記卷第葉次，下方記『汲古閣』。『疏』、『註』文以墨蓋子白文別出。

首卷首行頂格題『春秋穀梁註疏隱公卷第一』，下小字雙行『起元年/盡三年』，第二行低九格題『晉范甯集解』，第三行低九格題『唐楊士勛疏』。卷末有尾題。卷二十葉二十四後半葉有『皇明崇禎八年歲在旃蒙大淵獻古虞毛氏鏽鐫』牌記。書眉、正文旁有清江沅過錄惠棟校語。卷二十尾題前有陳奐手書，題曰『奐幼年藏汲古閣初印本江子蘭師以此臨校易之/臨校精工若獲白璧』，並附印記。

書中鈐有『沅江/之印』白文方印、『子/蘭』朱文方印、『子好/芳草』白文方印、『國立中央圖/書館收藏』朱文長方印、『曾在三/百堂/陳氏處』朱文方印。」(頁 180~181)。

【增補】《國家圖書館善本書志初稿》：「【春秋穀梁傳註疏二十卷五冊】

又一部　00673

卷二十葉二十四後半葉缺。

序後有李玉麟錄咸豐庚申(十年，1860)文村老民手書題記，並附印記。文中朱筆圈點，書眉有李芝綬過錄何煌校語。卷十二第一葉書眉上方墨筆題『振聲按：余仁仲本自此卷起，刊本今藏悟裕齋。何校有未備，用墨筆以補之。』

書中鈐有『李芝綬/讀書記』朱文長方印、『緘盦/收藏』白文方印、『國立中/央圖書/館考藏』朱文方印。」(頁 181)。

又程志〈現存唐人著述簡目〉頁二六〇著錄，大陸：北京圖書館、中山大學圖書館有藏本。

四、嘉業堂叢書本：程志〈現存唐人著述簡目〉頁二六〇著錄，題作「民國劉承幹校本」，是書殘七卷，附〈校勘記〉二卷，馬來西亞大學圖書館有藏本，《馬來西亞大學中文圖書目錄》七七四著錄，書名題作《穀梁疏（殘）》。

五、宋建刊明代修補十行本：晉范寧集解，唐楊士勛疏，台北國家圖書館、復旦大學圖書館、北京大學圖書館有藏本。

【增補】李盛鐸著．張玉範整理《木犀軒藏書題記及書錄》頁七三曰：「【監本附音春秋穀梁傳注疏】二十卷　〔晉范寧集解　唐楊士勛疏〕　十行本〔宋刻明修本（序文有缺葉）〕　李８８８８」（頁七三）

六、影宋抄本〔明抄本（陳鱣校並跋）〕：存卷六至一二，北京大學圖書館有藏本。

【增補】李盛鐸著．張玉範整理《木犀軒藏書題記及書錄》頁七三曰：「【春秋穀梁疏】十二卷〔（存卷六至一二　楊士勛撰）　影宋抄本〔明抄本（陳鱣校並跋）〕　李１７８

半葉十二行，行二十二字。存卷六之十二。收藏有『宋本』長圓印，『稽瑞樓』白文長印，『鱣讀』白文長印，『仲魚圖象』及『得此書，費辛苦；後之人，其監我』兩長方印。

陳氏手題：『穀梁單行疏，李中麓抄本，自文公起至哀公止。何北山雖據以改正汲苦閣本，亦尚有遺漏，但脫誤亦多，政須善擇。』」（頁七三）

七、宋刊本

【增補】瞿鏞編纂．瞿果行標點．瞿鳳起覆校《鐵琴銅劍樓藏書目錄》卷五曰：「此本首行較閩、監、毛本多『監本附音序』五字。次行題『國子四門助教楊士勛撰』，三行題『國子博士兼太子中允贈齊州刺史吳縣開國男陸德明釋文』，亦與閩、監、毛本異，何氏煌謂『宋南監本』，是也。前有范氏《集解．序》，每半葉十行，行十七字，註、疏俱雙行，行二十三字，版心有大小字數、刊字人名。《經傳》不別，如『元年春王正月』，即接《傳》文，不標《傳》字，與《石經》合。《傳》下《集解》亦不標『注』字，惟疏文則冠一大『疏』字於上。今以阮氏重刊本對校，著其異於篇。」（頁一三五）

【霖案】其文下錄有若干校語，由於內容頗多，茲不重錄，讀者可自行參考原書。

八、鈔殘本：七卷，僅存卷六文公起至卷十二哀公止。

【增補】瞿鏞編纂．瞿果行標點．瞿鳳起覆校《鐵琴銅劍樓藏書目錄》卷五曰：「題：『唐國子四門助教楊士勛撰。』原書十二卷，今存卷六文公起至卷十二哀公止。分卷與《唐石經》合。書中《傳注》，一一標明，間有『釋曰』二字。所標起止與注疏本亦有不同處，或曰某某至某某，或曰某某云云，或舉全句，通體不提行，惟每段空一字標起止，後又空一字，間有不空者，想鈔時誤連之也。舊為章邱李中麓氏藏本，字迹甚舊，有朱筆校改處。今歸邑中張君伯夏，從之借錄，以注疏本校覈一過，勝處實多。如，文十一年『眉見於軾』，疏校標注『高三尺三寸』，原與上『身橫九畝』疏標注『五丈四尺』另為一條；今注疏本誤連上錄之，遂與本注相離，其實楊氏原書不誤也。成十四年秋，『叔孫僑如如齊逆女』疏『公即位，下文即云，公子遂如齊逆女』，十行本脫『即位下文』四字，毛本脫『下文即云』四字，〈校勘記〉謂『十行本脫七字』，亦誤也。成十六年，『會于沙隨』疏標『《傳》譏在諸侯也』六字另為一條，注疏本溷人上文『戰于鄢陵』疏中，大謬矣。襄五年，注疏本標『叔孫豹、繒世子巫如晉』，〈校勘記〉謂此句當在下文『《公羊》以繒世子巫』之上，以標起止為非。今案：此本亦標『叔孫豹至如晉』六字，而《公羊》句上並無叔孫豹云云，〈校勘記〉引單疏本，止據何小山校本而未見原本，故其說相歧。襄三十年，『宋災，伯姬卒』《傳》疏『共公卒雖日久，姬能守夫在之貞』，注疏本『夫在』作「災死」，與上句不相應矣。定十年，『公會齊侯于頰谷』疏『若非孔子，必以白刃喪其瞻核，焉取直視齊侯行法殺戮』，『瞻核』，當是察視意，與下『直視』相應。十行本『瞻』誤為『膽』，閩、監、毛本承之，改『核』為『胲』，一誤再誤，至『焉』字又誤『矣』字，下并不成句矣。其餘字句，足訂脫誤者，已詳〈校勘記〉與張氏《藏書志》中，不復贅述。」（頁一三四至頁一三五）

九、四部備要本：晉范寧集解，唐楊士勛疏《春秋穀梁傳注疏》二十卷，三冊，馬來西亞大學圖書館有藏本。

又一本，題作「四冊」，馬來西亞大學圖書館有藏本。

十、御刻十三經注疏本：晉范寧集解，唐陸德明音義，楊士勛疏《春秋穀梁注疏》二十卷，附《考證》，六冊，馬來西亞大學圖書館有藏本。

十一、文選樓刊本：周穀梁赤所述傳，晉范寧注，唐楊士勛疏《春秋穀梁傳注疏》二十卷，楊州阮氏校刊。

【增補】耿文光《萬卷精華樓藏書記》卷八曰：「《春秋穀梁傳注疏》二十卷

周穀梁赤所述傳，其學者錄為書，晉范寧注，唐楊士勛疏

文選樓本。揚州阮氏校刊。

校勘記六藝論云：穀梁善於經，豈以其親炙於子夏？所傳為得，其實與公羊同師子夏，而鄭氏起廢疾，則以穀梁為近孔子，公羊為六國時人。又云：傳有先後，然則穀梁實先於公羊矣。今觀其書非出於一人之手，如隱五年、桓六年并引尸子說者，謂即尸佼。佼為秦相商鞅客，鞅被刑後遂亡，逃入蜀。而預為徵引，必無是事，或傳中所言者非尸佼也。自漢宣帝善穀梁，於是千秋之學起，劉向之義存。若更始唐固麋信。孔衍、徐乾皆治其學，而范寧以未有善釋，遂沈思積年，著為集解。《晉書》范傳云：徐邈復為之注，世亦稱之。似徐在范後，而書中乃引邈注一十有七，可知邈成書於前，范寧得以捃拾也。讀《釋文》所列經解傳述人亦可得其後先矣。《漢志》經傳各自為帙，今所傳本未審合并於何時也。集解則經并釋，豈即范氏之所合歟？范注援漢魏晉各家之說甚詳，楊疏分肌擘理，為穀梁學者，未有能過之者也。但亥豕魯魚，紛綸錯出，學者患焉。康熙間，長川何煌者，焯之弟，其所據宋槧經注殘本。宋單疏殘本并希世之珍，雖殘編斷簡，亦足寶貴。

《經籍跋文》：何小山煌嘗據宋本校汲古閣注疏，改正甚多。《穀梁傳疏》十二卷，照宋鈔本。是疏本單行卷第仍范解之舊，《通考》、《玉海》并引《崇文目》作三十卷。唐宋志陳錄俱作十二卷，疑《崇文目》誤。趙希弁《讀書附志》載春秋穀梁傳注疏二十卷，云昭德先生《讀書志》中有諸經注疏，獨無穀梁注疏。云考晁志有單疏，無注疏，趙未悉其例。趙所見注疏合并已作二十卷，至今相沿不改，遂失其原。此本出李中麓家，缺文公以前五卷，行款悉依舊式，而繕寫不工，即何所據之本。」（頁二九五至頁二九六）

十二、文淵閣四庫全書本：

【增補】永瑢等撰《欽定四庫全書總目》曰：「春秋穀梁傳注疏二十卷　內府藏本

晉范甯集解，唐楊士勛疏。其傳則士勛《疏》稱：『穀梁子，名俶，字元始，一名赤。受經於子夏，為經作傳。』則當為穀梁子所自作，徐彥《公羊傳疏》又稱：『公羊高五世相授，至胡母生，乃著竹帛，題其親師，故曰：『公羊傳』，穀梁亦是著竹帛者題其親師，故曰：『穀梁傳』。』則當為傳其學者所作。案《公羊傳》『定

公即位』一條，引『子沈子曰』，何休《解詁》以為後師（案此注在『隱公十一年』所引『子沈子』條下）此《傳》『定公即位』一條，亦稱『沈子曰』，公羊、穀梁既同師子夏，不應及見後師。又『初獻六羽』一條，稱『穀梁子曰』，傳既穀梁自作，不應自引己說。且此條又引『尸子曰』，尸佼為商鞅之師，鞅既誅，佼逃於蜀，其人亦在穀梁後，不應預為引據，疑徐彥之言為得其實。但誰著於竹帛，則不可考耳。《漢書・藝文志》載《公羊》、《穀梁》二家經十一卷，傳亦各十一卷，則經傳初亦別編。范甯《集解》乃併經注之，疑即甯之所合。『定公元年春王三月』一條，發傳於『春王』二字之下，以『三月』別屬下文，頗疑其割裂。然考劉向《說苑》稱『文王似元年，武王似春王，周公似正月』，向受《穀梁春秋》，知《穀梁》經文以『春王』二字別為一節，故向有此讀。至『公觀魚于棠』一條，『葬桓王』一條，『杞伯來逆叔姬之喪以歸』一條，『曹伯廬卒于師』一條，『天王殺其弟佞夫』一條，皆冠以『傳曰』字，惟『桓王』一條，與《左傳》合，餘皆不知所引何傳，疑甯以傳附經之時，每條皆冠以『傳曰』字，如鄭玄、王弼之《易》有『彖曰』、『象曰』之例，後傳寫者刪之，此五條其削除未盡者也。甯注本十二卷，以兼載門生故吏子弟之說，各列其名，故曰『集解』。《晉書》本傳稱：『甯此書為世所重。既而徐邈復為之注，世亦稱之。』今考書中，乃多引邈注，未詳其故。又自序有『商略名例』之句，《疏》稱甯別有《略例》十餘條，此本不載，然注中時有『傳例曰』字，或士勛割裂其文，散入注疏中歟？士勛始末不可考，孔穎達《左傳正義序》稱：『與故四門博士楊士勛參定』，則亦貞觀中人。其書不及穎達書之賅洽，然諸儒言《左傳》者多，言《公》、《穀》者少，既乏憑藉之資，又《左傳》成於眾手，此書出於一人，復鮮佐助之力，詳略殊觀，固其宜也。其《疏》『長狄眉見於軾』一條，連綴於『身橫九畝』句下，與注相離，蓋邢昺刊正之時，又多失其原第，亦不盡士勛之舊矣。」（卷二十六，頁三三〇至頁三三一）

【增補】邵懿辰撰、邵章續錄：《增訂四庫簡明目錄標注》卷三曰：「《春秋穀梁傳注疏》二十卷，周穀梁赤所述，而傳其學者錄為書，舊題赤撰，亦非也，晉范寧注，唐楊士勛疏。

　　阮氏校勘記公羊穀梁注疏，皆據何義門之弟煌依宋元諸本精校本。又有不全影宋單疏本，係李中麓家鈔本，今年袁漱六編修從京師故書攤中檢得之，買歸狂喜，單疏本十二卷，十二行，行二十字或二十一字。天祿後目有宋刊監本附音《春秋穀梁傳注疏》二十卷，凡二部，張目有臨惠氏校宋余仁仲本《穀梁傳集解》十二卷，即何小山校本，宋大字本，十一行，大十九字，小二十七字，蔣寅昉有舊刊穀梁傳白文。

　　〔附錄〕陸有宋刊十行，明九行本。（紹箕）宋紹熙余仁仲本，光緒癸未遵義黎氏影刊於日本。（某氏）

　　〔續錄〕宋板十行，行大字十八，小字二十三，傅沅叔有宋十行本，為王北堂藏書，明覆李元陽本，明鈔本，十二卷。明隆慶刊十二卷本，廣東刊本，同文局本。（頁一〇三）

十三、元刻明正德間修補本：晉范甯集解，唐楊士勛疏《監本附音春秋穀梁傳註疏》

存二十卷十二冊，十行十七字小字廿三字白口左右雙邊，台北：國家圖書館有藏本。

又國家圖書館、北京大學圖書館、北京市文物局、吉林省延邊大學圖書館、甘肅省圖書館、天一閣文物保管所、江西省樂平縣圖書館有藏本。

又南京圖書館另藏一本，附有「清丁丙跋」，餘皆同於上述內容。

【增補】《國家圖書館善本書志初稿》：「【監本附音春秋穀梁傳註疏二十卷十二冊】

元刊明正德間修補本　00670

晉范甯集解，唐楊士勛疏。甯字武子，少篤學，初為餘杭令。勤學不輟，以穀梁傳未有善釋，沈思積年，為之集解，其義精審，為世所重。

版匡高 18.7 公分，寬 13.2 公分。四周雙邊。每半葉十行，行十七字。註文小字雙行，行二十三字。版心白口，雙魚尾(魚尾相隨)，魚尾上方記字數，中間簡記書名卷第(如『谷疏一』)，下方記葉次及刻工姓名。左上欄外有耳題記魯公號。明修補部分，卷首序版心中間記『穀梁註疏序李紅寫』，與元刻不同。正文版心上方有部分被剜去痕跡(如卷五葉九，單黑魚尾，卷第上方有一圓圈)。『疏』字以墨圍別出。

元刻工名:君美(或作美)、以德(或作以)、天易、住郎(或作住)、伯壽(或作伯)、以清(或作清)、善卿(或作善)、德遠(或作德)、丘文(或作文)、正卿(或作正)、茂卿(或作茂)、仲高(或作高)、壽甫、仁甫、月、安卿(或作安)、應祥、英玉、王、敬中、余中、禔甫等。

首卷首行頂格題『監本附音春秋穀梁註疏隱公卷第一』，下小字雙行『起元年/盡三年』。第二行低三格題『范甯集解楊士勛疏』。卷末有尾題。卷首有『監本附音春秋穀梁傳註疏序』，題『國子四門助教楊士勛撰』，『國子博士兼太子中允贈齊州刺史吳縣開國男陸德明釋文』。

書中鈐有『國立中央圖/書館收藏』朱文長方印。」(頁 179~180)。

十四、元刻本：晉范甯集解　唐楊士勛疏　陸德明釋文《監本附音春秋穀梁注疏》二十卷，十行十七字小字雙行廿三字白口左右雙邊有刻工，存二卷〔十七至十八〕，南京圖書館有藏本。

十五、明萬歷二十一年北京國子監刻十三經注疏本：晉范甯集解、唐楊士勛疏、清陳澧校《春秋穀梁注疏》、九行廿一字白口單邊單魚尾，上海圖書館有藏本。

《崇文總目》31：「唐國子四門助教楊士勛撰，皇朝邢昺等奉詔是正，令太學傳授。」

【增補】何廣棪：《陳振孫之經學及其《直齋書錄解題》經錄考證》曰：「廣棪案：《崇文總目》卷一《春秋類》著錄：『《春秋穀梁疏》三十卷，原釋：唐國子四門助

31霖案：《文獻通考．經籍考》卷九，頁235。

教楊士勛撰，皇朝邢昺等奉詔是正，令太學傳授。（見《文獻通考》。）』所記書名與卷數均與《解題》不同。陳鱣《經籍跋文》曰：『何小山煌嘗據宋本校汲古閣注疏，改正甚多。《穀梁傳疏》十二卷，照宋鈔本。是《疏》本單行，卷第仍范《解》之舊。《通考》、《玉海》并引《崇文總目》作三十卷，《唐》、《宋志》、陳《錄》俱作十二卷，疑《崇文總目》誤。』是直齋所記者乃此書之單疏本，卷第依范寧《集解》作十二卷，《解題》不誤；而《崇文總目》作三十卷，反失據也。惟此書亦有作二十卷者，《讀書附志》卷上《經類》著錄：『《春秋穀梁傳註疏》二十卷。右唐國子四門助教楊士勛撰。昭德先生《讀書志》中有諸經註疏，獨無《穀梁註疏》云。』是其證。今《四庫》本亦作二十卷。」（頁五二五至頁五二六）

《春秋公穀考異》

《宋志》：「五卷。」

佚。

徐氏文遠《左傳義疏》

《唐志》：「六十卷。」

佚。

《左傳音》

《唐志》：「三卷。」

佚。

《舊唐書》[32]：「徐文遠，洛州偃師人[33]。博覽五經，尤精《春秋左氏傳》[34]。大業初[35]，為太學博士，人[36]稱文遠之《左氏》、褚徽之《禮》、魯達之《詩》、陸德明之《易》，皆為一時之最。文遠所講釋，多立新義；先儒異論，皆定其是非；然後詰駁諸家，又出己意，

32霖案：《舊唐書》卷一八九上，頁4942。

33霖案：「偃師人」三字下，應依《舊唐書》補入「陳司空孝嗣玄孫，其先自東海徙家焉。父徹，梁祕書郎，尚元帝安昌公主而生文遠。屬江陵陷，被虜於長安，家貧無以自給。其兄休，鬻書為事，文遠日閱書于肆。」等字。

34霖案：「《春秋左氏傳》」五字下，應依《舊唐書》補入「時有大儒沈重講于太學，聽者常千餘人。文遠就質問，數日便去。或問曰：『何辭去之速？』答曰：『觀其所說，悉是紙上語耳，僕皆先已誦得之，至於奧賾之境，翻似未見。』有以其言告重者，重呼與議論，十餘反，重甚歎服之。文遠方正純厚，有儒者風。竇威、楊玄感、李密皆從其受學。開皇中，累遷太學博士。詔令往并州，為漢王講《孝經》、《禮記》。及諒反，除名。」等字。

35霖案：「初」字下，應依《舊唐書》補入「禮部侍郎許善心舉文遠與包愷、褚徽、陸德明、魯達為學官，遂擢授文遠國子博士，愷等並為」等字。

36霖案：「人」之上，應據《舊唐書》加入「時」字。

博而且辨，聽者忘倦[37]。武德六年，高祖幸國學觀釋奠遣，文遠時為國子博士，發《春秋》題[38]，諸儒設難䗬[39]起，隨方占對，皆莫能屈[40]。」

黃淵曰[41]：「徐文遠[42]發題，偏舉先儒異論，分別是非，乃出己意折衷，不知合乎夫子否也？」

陰氏弘道《注春秋左氏傳序》

《唐志》：「一卷。」

佚。

王氏玄度《注春秋左氏傳》（唐）

37霖案：「倦」字下，應依《舊唐書》補入「後越王侗署為國子祭酒。時洛陽饑饉，文遠出城樵採，為李密軍所執。密令文遠南面坐，備弟子禮北面拜之。文遠曰：『老夫疇昔之日，幸以先王之道，仰授將軍。時經興替，倏焉已久。今將軍屬風雲之際，為義眾所歸，權鎮萬物，威加四海，猶能屈體弘尊師之義，此將軍之德也，老夫之幸也。旣荷玆厚禮，安不盡言乎，但未審將軍意耳！欲為伊、霍繼絕扶傾，雖遲暮，猶願盡力；若為莽、卓乘危迫險，則老夫耄矣，無能為也。』密頓首曰：『昨奉朝命，垂拜上公，冀竭庸虛，匡奉國難。所以未朝見者，不測城內人情。且欲先征化及，報復冤恥，立功贖罪，然後凱旋，入拜天闕。此密之本意，惟先生教之。』文遠曰：『將軍名臣之子，累顯忠節，則前受誤於玄感，遂乃暫墜家聲。行迷未遠，而迴車復路，終於忠孝，用康家國，天下之人，是所望於將軍也。』密又頓首曰：『敬聞命矣，請奉以周旋。』及征化及還，而王世充已殺元文都等，權兵專制。密又問計於文遠，答曰：『王世充亦門人也，頗得識之。是人殘忍，意又褊促，旣乘此勢，必有異圖。將軍前計為不諧矣，非破王世充，不可朝覲。』密曰：『嘗謂先生儒者，不學軍旅之事，今籌大計，殊有明略。』及密敗，復入東都，王世充給其稟食，而文遠盡敬，見之先拜。或問曰：『聞君踞見李密，而敬王公，何也？』答曰：『李密，君子也，能受酈生之揖；王公，小人也，有殺故人之義，相時而動，豈不然歟！』後王世充僭號，復以為國子監博士。因出樵採，為羅士信獲之，送於京師，復授國子博士。」等句。

38霖案：「高祖幸國學觀釋奠遣，文遠時為國子博士，發《春秋》題，」，《舊唐書》原文「時為國子博士」為「高祖幸國學」之前句子，而竹垞刪棄前數十文句，而補「時為國子博士」一句，以足文句，惟《點校補正經義考》一書，點校此數句之時，文句稍有錯失，《舊唐書》的原文，應題作「高祖幸國學，觀釋奠，遣文遠發《春秋》題，」一句，而《點校補正經義考》於此數句的斷句，容有商榷餘地。

39霖案：「䗬」字，《舊唐書》作「蜂」字。

40霖案：「屈」字下，應依《舊唐書》補入「封東莞縣男。年七十四，卒官。撰《左傳音》三卷、《義疏》六十卷。」等句。

41霖案：孫承澤：《五經翼》卷十三，〈講春秋序〉(《四庫全書存目叢書》經一五一)，頁780。

42霖案：「徐文遠」，《五經翼》題作「徐曠」。

【作者】「王玄度」，或作「王元度」，「玄」、「元」乃避清康熙諱之故，故有不同的稱呼。李一遂〈左氏春秋著錄書目研究〉頁一一八云：「《經義考》入唐人著，誤以王元度為唐時人。」，考李氏將其置入「晉」。

【書名】李一遂〈左氏春秋著錄書目研究〉題作「《春秋左氏傳注》」。

《唐志》卷亡。

佚。

王氏元感《春秋振滯》

《唐志》：「二十卷。」

佚。

啖氏助《春秋集傳》（唐）

【卷數】本書卷數如下：

一、一卷本：程志〈現存唐人著述簡目〉頁二六〇著錄。

佚。

【版本及藏地】本書版本及藏地如下：

一、馬國翰《玉函山房輯佚書》本：唐啖助撰，清馬國翰輯佚《春秋集傳》一卷，程志〈現存唐人著述簡目〉頁二六〇著錄，馬來西亞大學圖書館有藏本。

【增補】〔校記〕馬國翰有輯本。（《春秋》，頁四七）

【增補】《續修四庫全書總目提要》：「春秋集傳一卷附統例　玉函山房本　楊鍾義

唐啖助撰。清馬國翰輯。助之學以為左氏敘事雖多。解意殊少。公穀傳經密於左氏。趙陸則直謂左氏淺於公穀。誣謬實繁。宋祁譏其不本所承。自用名學。後世之說春秋者。多於三傳皆加攻駁。為春秋之一大厄。然助書亦自有精確者。桓公二年宋華督弒其君。與夷及其大夫孔父。春秋之美孔父。言大夫則見其不失職。言及其則見其不避難。左氏論督有無君之心。而後動于惡。督之弒君由于無君。誅其心也。司馬則然。傳明指為督罪孔父之誣辭。若目逆孔父之妻于路。特為督殺孔父取其妻張本。杜預扶纂弒而抑死節之大夫。于仇牧則曰不警而遇盜。于荀息則曰從君于惡。謂孔父內不能治其閨門。外取怨于民。而禍及其君。自左氏言之。弒其君而及其大夫。義在罪督。自杜注言之。殺大夫而及其君。意在罪孔父。此預之意。非經意。亦非左氏意也。顧炎武曰。諸侯卒必書名。大夫則命卿稱字。無生卒之別。桓二年孔父嘉為司馬。孔父字而嘉其名。杜以孔父為稱名。劉炫規過謂諸言父者是字。公羊穀梁及先儒皆以善孔父而稱字。公穀以孔父為書字。左氏亦未嘗曰書名也。劉公是創為君前臣名之說。以為已名其君于上。則不得字其臣于下。葉夢得謂此禮之施於君臣相與之際者。豈春秋之謂哉。古人名字相配。名嘉者皆字子孔。邾儀父杜注以為書字孔父。不應是名。孔父先無氏孔者。孔父子孫始以字為氏。聖如孔子不應以先世之名為氏。春秋時未有單稱父之一字以為名者。儀禮鄭注。甫是丈夫之美稱。字或作父。父果是名。則孔父先世有弗父宋父正考父。後世有木金父祈父。當皆是名。是孔父之先後世同一名也。穀梁曰孔氏父字謚也。集傳云孔字父美稱也。孔氏之先皆以字連父。故有弗父金父。若孔為氏。豈世世改乎。又春秋時名嘉者。多字孔。是其證也。此與劉炫摭杜氏之失以通經旨者略同。陳直齋謂啖氏不可沒。自是持平之論。例統當作統例。國翰沿新唐書儒學傳之誤也。」（頁七四一）

二、清光緒九年(1883)長沙琅嬛館補校刊本：(唐)啖助撰《春秋集傳》一卷，台北：國家圖書館有藏本。

三、清光緒十年(1884)湘遠堂刊本：(唐)啖助撰《春秋集傳》一卷，台北：國家圖書館有藏本。

《春秋例統》43（唐）

【書名】本書異名如下：

一、《春秋統例》：程志〈現存唐人著述簡目〉頁二六〇著錄。又據啖氏〈自述〉之文，原實作「《春秋統例》，而非「《春秋》例統」，此處蓋竹垞誤沿《新唐書．儒學傳》之誤，致書名有誤倒之失，今據原〈自述〉改作「《春秋例統》」也。

【增補】〔補正〕按：《新唐書．儒學傳》訛作「例統」，當作「統例」。（卷七，頁十五）

二、《春秋纂例》：李一遂〈左氏春秋著錄書目研究〉頁九八著錄，「纂」字當為「統」字之誤。

【卷數】本書卷數如下：

一、一卷本：馬國翰輯本，程志〈現存唐人著述簡目〉頁二六〇著錄。

佚。

【版本及藏地】本書版本及藏地如下：

一、馬國翰《玉函山房輯佚書》本：唐啖助撰《春秋例統》一卷，清馬國翰輯本，程志〈現存唐人著述簡目〉頁二六〇著錄，馬來西亞大學圖書館有藏本。

【增補】《續修四庫全書總目提要》：「春秋集傳一卷附統例　玉函山房本　　楊鍾義

唐啖助撰。清馬國翰輯。助之學以為左氏敘事雖多。解意殊少。公穀傳經密於左氏。趙陸則直謂左氏淺於公穀。誣謬實繁。宋祁譏其不本所承。自用名學。後世之說

43「春秋例統」，應依《補正》、《四庫》本作「《春秋統例》」。　霖案：此蓋書名二字誤倒，且涉書名之誤，當據以改正。

春秋者。多於三傳皆加攻駁。為春秋之一大厄。然助書亦自有精確者。桓公二年宋華督弒其君。與夷及其大夫孔父。春秋之美孔父。言大夫則見其不失職。言及其則見其不避難。左氏論督有無君之心。而後動于惡。督之弒君由于無君。誅其心也。司馬則然。傳明指為督罪孔父之誣辭。若目逆孔父之妻于路。特為督殺孔父取其妻張本。杜預扶篡弒而抑死節之大夫。于仇牧則曰不警而遇盜。于荀息則曰從君于惡。謂孔父內不能治其閨門。外取怨于民。而禍及其君。自左氏言之。弒其君而及其大夫。義在罪督。自杜注言之。殺大夫而及其君。意在罪孔父。此預之意。非經意。亦非左氏意也。顧炎武曰。諸侯卒必書名。大夫則命卿稱字。無生卒之別。桓二年孔父嘉為司馬。孔父字而嘉其名。杜以孔父為稱名。劉炫規過謂諸言父者是字。公羊穀梁及先儒皆以善孔父而稱字。公穀以孔父為書字。左氏亦未嘗曰書名也。劉公是創為君前臣名之說。以為已名其君于上。則不得字其臣于下。葉夢得謂此禮之施於君臣相與之際者。豈春秋之謂哉。古人名字相配。名嘉者皆字子孔。郲儀父杜注以為書字孔父。不應是名。孔父先無氏孔者。孔父子孫始以字為氏。聖如孔子不應以先世之名為氏。春秋時未有單稱父之一字以為名者。儀禮鄭注。甫是丈夫之美稱。字或作父。父果是名。則孔父先世有弗父宋父正考父。後世有木金父祈父。當皆是名。是孔父之先後世同一名也。穀梁曰孔氏父字謚也。集傳云孔字父美稱也。孔氏之先皆以字連父。故有弗父金父。若孔為氏。豈世世改乎。又春秋時名嘉者。多字孔。是其證也。此與劉炫摭杜氏之失以通經旨者略同。陳直齋謂啖氏不可沒。自是持平之論。例統當作統例。國翰沿新唐書儒學傳之誤也。」（頁七四一）

二、清光緒九年(1883)長沙琅嬛館補校刊本：(唐)啖助撰《春秋例統》一卷，台北：國家圖書館有藏本。

助〈自述〉曰[44]：「《三傳》分流，其源則同，擇善而從，且過半矣[45]。予[46]考覈三傳，舍短取長，又集前賢注[47]釋，亦以愚意裨補闕漏，商榷得失，研精宣暢，期於浹洽，尼父之志，庶幾可見；疑殆則闕，以俟君子，謂之《春秋集傳》。集注又撮其綱目，撰為《統例》三卷，以輔《集傳》，通經意焉。」　又曰[48]：「予所著[49]《經傳》，若舊注[50]理通，則依

44霖案：《春秋啖趙集傳纂例》卷一，〈啖氏集傳集注義第三〉，頁1444。(《古經解彙函（三）》卷一，頁14）。

45霖案：「矣」字下，應依原〈自述〉補入「歸乎矣當，亦何常師。公《公羊》、《穀梁》二傳殆卷，絕習《左氏》者，皆遺《經》存《傳》，談其事迹，翫其文彩，如覽史籍，不復知有《春秋微旨》，嗚呼！買櫝遺珠，豈足怪哉。」等字。

46霖案：「予」字下，應依原〈自述〉補入「輒」字。

47霖案：「注」字，應依原〈自述〉作「註」字。

48霖案：《春秋啖趙集傳纂例》卷一，〈啖氏集註義例第四〉，頁1444。

49霖案：「著」字，〈啖氏集註義例第四〉題作「註」字，蓋「著」、「註」二字音同，但義甚不同，應依原書改作「註」字為宜。

而書之；小有不安，則隨文改易；若理不盡者，則演而通之；理不通者，則全削而別注，其未詳者，則據舊說而已。但不博見諸家之注，不能不為之恨爾。」

陸淳曰[51]：「啖先生諱助，字叔佐，關中人也。聰悟簡淡，博通深識。天寶末，客於江東，因中原難興，遂不還歸。以文學入仕，為台州臨海尉，復為潤州丹陽主簿，秩滿，因家焉。陋巷狹居，晏如也。始以上元辛丑歲集《三傳》釋《春秋》，至大歷庚戌歲而畢。趙子時宦於[52]宣歙之使府，因往還浙中，途過丹陽，乃詣室而訪之，深話經意，事多嚮[53]合，期反駕之日，當更討論。嗚呼！仁不必壽，是歲先生即[54]世，時年四十有七。是冬也，趙子隨使府遷鎮於[55]浙東，淳痛師學之不彰，乃與先生之子異躬自繕寫，共戴[56]以詣趙子，趙子因損益焉，淳隨而纂會之，至大歷乙卯歲而書成。」

《新唐書》[57]：「啖助，字叔佐，趙州人，後徙關中[58]，天寶末[59]調臨海尉、丹陽主簿[60]。善為《春秋》，考三家短長，縫裓漏闕，號《集傳》，凡十年乃成。復攝其綱，條[61]為《例統》[62]，助愛《公》、《穀》二家。以《左氏》解義多謬，其書乃出於孔氏門人；且《論語》

50霖案：「注」字，應依原〈啖氏集註義例第四〉作「註」字。

51霖案：《春秋纂例》卷一，〈修傳始終記〉第八（古經解彙函(三)），頁1452；；又《郡齋讀書志》卷第三，頁103引之。

52霖案：「於」字，《春秋纂例》作「于」字。

53霖案：「嚮」字，《春秋纂例》作「響」字。

54霖案：「即」字，《春秋纂例》作「卽」字。

55霖案：「於」字，《春秋纂例》作「于」字。

56霖案：「戴」字，應從《春秋纂例》作「載」字。

57霖案：《新唐書》卷二〇〇，頁5705-5707（北京：中華書局本）。

58霖案：「中」字下，應依《新唐書》補入「淹該經術」四字。

59霖案：「末」字下，應加標點的逗號為宜。

60霖案：「簿」字下，應依《新唐書》補入「秩滿，屏居，甘足疏糗。」等八字。

61霖案：「，條」，標點應作「條，」為宜。

62「例統」，應依《四庫》本作「統例」。　霖案：《經義考新校》頁3228校文，「《四庫》本」作「《四庫》諸本」。今考點校本《新唐書》題作「例統」，可見此誤當是《新唐書》原誤也，竹垞直接襲其原文，或有誤失，但是《點校補正經義考》應存其舊，並加註語說明，而非逕改其誤也。又「《例統》」二字下，應依《新唐書》補入「其言曰：『孔子脩《春秋》意，以為：『夏政忠，忠之敝野；商人承之以敬，敬之敝鬼；周人承之以文，文之敝僿。救僿莫若忠。夫文者，忠之末也。設教於本，其敝且末；設教於末，敝將奈何？武王、周公承商之敝，不得已用之。周公沒，莫知所以改，故其敝甚於二代。孔子傷之曰：『虞、夏之道，寡怨於民；商、周之道，不勝其敝！』故曰：『後代雖有作者，虞帝不可及已。』蓋言唐、虞之化，難行於季世；而夏之忠，當變而致焉。故《春秋》以權輔用，以誠斷禮，而以忠道原情云。不拘空名，不尚猏介，從宜捄亂，因時孔子所引[63]率前世人，老彭、伯夷等類，[64]非同時，而言『左邱[65]明恥之，丘亦恥之』，邱[66]明者，蓋如史佚、遲任，又《左氏傳》、《國語》屬綴不倫，序事乖刺，非一人所為。蓋《左氏》集諸國史以釋《春秋》，後人謂《左氏》便傳著邱明[67]，非也。」

【增補】何廣棪：《陳振孫之經學及其《直齋書錄解題》經錄考證》曰：「案：隨齋批注：『啖助乃姓名。』《題解》此語，蓋據《新唐書》卷二百《列傳》第一百二十五《儒學》下《啖助傳》所記。該《傳》略謂：啖助，字叔佐，趙州人，後徙關中。天寶末，調臨海尉，丹陽主簿。善為《春秋》，考三家短長，縫罅漏闕，號《集傳》，凡十年乃成。復攟其綱，條為《例統》。助愛《公》、《穀》二家，以《左氏》解義多謬，其書乃出於孔氏門人。且《論語》孔子所引，率前世人，老彭、伯夷等，類非同時；而言左邱明恥之，丘亦恥之，邱明者，蓋如史佚、遲任。又《左氏傳》、《國語》屬綴不倫，序事乖刺，非一人所為？蓋左氏集諸國史以釋《春秋》，後人謂左氏，便傳著邱明，非也。」《題解》所謂『唐啖助亦嘗辨之』者，實指此。」（頁五二九）

宋祁曰[68]：「左氏與孔子同時，以魯史附《春秋》作傳，而公羊高、穀梁赤皆出子夏門人，三家言經，各有回舛；然猶悉本之聖人，其得與失蓋十五，義或謬誤，先儒畏聖人，不敢輒改也。啖助在唐，名治《春秋》，摭訕[69]三家，不本所承，自用名學，憑私臆決尊之，[70]曰『孔子意也』；趙、陸從而唱之，遂顯於[71]時。嗚呼!孔子沒乃數千年，助所推著，果其意乎？其未可必也。以未可必而必之，則固；持一己之固而倡茲世，則誣。誣與固，君子所不取，助果謂可乎？徒令後生穿鑿詭辨，詬前人[72]捨成說[73]而自謂紛紛，助所階已。」

黜陟。古語曰：『商變夏，周變商，春秋變周。』而公羊子亦言：『樂道堯、舜之道，以擬後聖。』是知《春秋》用二帝、三王法，以夏為本，不壹守周典明矣。』又言：『幽、厲雖衰，〈雅〉未為〈風〉。逮平王之東，人習餘化，苟有善惡，當以周法正之。故斷自平王之季，以隱公為始，所以拯薄勉善，捄周之弊，革禮之失也。』』」等字。

63霖案：「引」字下，應加標點逗號為宜。

64霖案：「類，」，標點應改作「，類」為宜。

65霖案：「邱」字，《新唐書》作「丘」字。

66霖案：「邱」字，《新唐書》作「丘」字。

67「邱明」，《四庫》本誤作「邱民」。　霖案：《經義考新校》頁3228校文，於「《四庫》」二字之前，另有「文淵閣」三字。今考此涉人名之誤也，蓋版本流傳過程之中，偶有誤也。又《新唐書》原作「丘明」。

68霖案：《新唐書》卷二〇〇，頁5707-5708。

69霖案：「訕」字，應依《新唐書》作「詘」字。

70霖案：「尊之，」，標點應作「，尊之」。

71霖案：「於」字，《新唐書》作「于」字。

72霖案：「人」字下，應加標點逗號為宜。

王晳曰[74]：「啖、趙[75]二子相繼[76]發明聖人之意，指摘[77]《三傳》之謬，固有功矣；然探聖人之意或未精，斥三傳之謬或太察，可謂入聖人之門而游[78]乎宮庭之閒[79]者也，其堂奧則未[80]知也。」

邵子曰[81]：「《春秋》《三傳》之外，陸淳、啖助可以兼治。」

徐積曰[82]：「啖、趙二氏有大功於《春秋》，但未能全盡耳[83]。考[84]其所學，蓋不止於《春秋》，貫穿經義，窮極是非，所論不苟，若斯人者，豈易得哉？」

陸九淵曰[85]：「啖、趙說得有好處，故人謂啖助[86]有功於《春秋》。」

程珌曰[87]：「聖人作《春秋》，一用周典，而啖助以為用夏為本。」

張樞曰[88]：「啖氏[89]《春秋》卓然有見於千載之下。」

趙氏匡《春秋闡微纂類義統》（唐）

十卷。

73霖案：「說」字下，應加標點逗號為宜。

74霖案：《春秋皇綱論》卷五，〈傳釋異同〉(《通志堂經解》(19))，頁10861。

75霖案：「啖、趙」二字，《春秋皇綱論》無此二字。「啖」為「啖助」，「趙」指「趙匡」。

76霖案：「繼」字下，應依《春秋皇綱論》補入「賢而有斷，能」等五字。

77霖案：「摘」，應依《春秋皇綱論》作「擿」字。

78霖案：「游」，《春秋皇綱論》作「遊」。

79霖案：「閒」，《春秋皇綱論》作「間」。

80霖案：「未」字下，應依《春秋皇綱論》補入「可」字。

81霖案：出自：四庫本：《皇極經世書解》卷13;《欽定春秋傳說彙纂》卷首上等錄之。

82霖案：徐積，《節孝集》卷三一，(台北：臺灣商務印書館，「景印文淵閣四庫全書」冊一一○一，民國七十五年三月，初版)，頁971。

83霖案：「耳」字，《節孝集》作「爾」字。

84霖案：「考」字，《節孝集》作「攷」字。

85霖案：《象山全集》卷三四，頁8(中華書局聚珍本)。

86霖案：「啖助」，應依《象山全集》改作「啖、趙」，此略去「趙」字，而改以「啖助」為代表。

87霖案：出自四庫本：《洺水集》卷五-〈六經疑難〉。

88霖案：四庫：黃溍:《文獻集》卷10下-58下〈張子長墓表〉；又四部叢刊本《金華黃先生文集》卷三十，〈張子長墓表〉，頁308錄之，另有《百部初編》本。

89霖案：「啖氏」二字下，應依《金華黃先生文集》補入「於」字。

【卷數】本書卷數異同如下：

一、一卷本：馬國翰輯本，程志〈現存唐人著述簡目〉頁二六〇著錄。

闕。

【版本及藏地】本書版本及藏地如下：

一、馬國翰《玉函山房輯佚書》本：唐趙匡撰，清馬國翰輯佚《春秋闡微纂類義統》一卷，程志〈現存唐人著述簡目〉頁二六〇著錄，馬來西亞大學圖書館有藏本。

【增補】〔校記〕馬國翰有輯本。（《春秋》，頁四七）

【增補】《續修四庫全書總目提要》:「春秋闡微纂類義統一卷　玉函山房輯本　　楊鍾義

唐啖助撰。清馬國翰輯。是書唐藝文志不載。章拱之謂闡微義統十二卷。第三四卷亡逸。朱氏經義考標題十卷。今此闕本亦少傳。陸淳所撰纂例及微旨辨疑。每引其說。孫覺程端學及劉玉春秋經傳闕疑亦引之。國翰合輯為卷。桓公二年公及邾儀父盟于蔑。杜注附庸之君未王命。例稱名。能通於大國。繼好息民。故書字。春秋繁露爵國篇傳曰。氏不若人。人不若名。名不若字。凡四等。命曰附庸。附庸字者方三十里。名者方二十里。氏者十五里。周有王子克。楚有　克。並字子儀。與邾子克字儀父。皆名字相配。邾儀父蓋附庸之書字者。匡謂儀父亦名也。魯季孫行父。晉荀林父。亦以父為名。儀父附庸之君。非有勤王之善。縱其自通於大國。亦自利爾。有何可嘉。而字褒之乎。於公羊傳所謂褒之。及左傳杜注皆行駁斥。而不知董江都去古未遠。其說必有所受。匡亦未之詳考。蓋啖趙之學。於三傳有意求瑕。多嫌臆斷。致開後人疑古之漸。然朱子論語集注卷二。引趙伯循曰禘者王者之大祭也。王者既立始祖之廟。又推始祖自出之帝。祀之於始祖之廟。而以始祖配之也。朱子語類禘只祭始祖。及所自出之帝。祫乃合羣廟之主皆祭。當以趙伯循之說為正。又云程先生說禘是禘其始祖之所自出。併羣廟之主皆祭之。祫則止自始祖而下。合羣廟之主皆祭之。所謂禘祫之說恐不然。故論語集解中。止取伯循之說。伯循謂左氏非丘明。非受經於孔子。不知何據。而其精核之處。固有為漢儒所未發。而導宋人之先路者矣。陸淳避憲宗諱。改名質。附識於此。」（頁七四〇至頁七四一）

【考證】《續修四庫全書總目提要》頁七四〇題作「唐啖助撰」，實則此書為「唐趙匡撰」。

二、清光緒九年(1883)長沙琅嬛館補校刊本：(唐)趙匡撰《春秋闡微纂類義統》一卷，台北：國家圖書館有藏本。

三、清光緒十年(1884)湘遠堂刊本：(唐)趙匡撰《春秋闡微纂類義統》一卷，台北：國家圖書館有藏本。

匡〈自述〉曰[90]：「啖先生集《三傳》之善以說《春秋》，其所未盡則申己意，條例明暢，真通賢之為也。惜其經之大意或未標顯，傳之取舍或有過差，蓋纂述僅畢，未及詳省爾[91]。予因尋繹之次，心所不安者，隨而疏之。」

陸淳曰[92]：「趙子[93]，天水人[94]，為殿中侍御史、淮南節度判官。」

《新唐書》[95]：「匡[96]，字伯循，河東人。歷洋州刺史，陸質[97]所稱為趙夫子者。質與啖助子[98]異哀錄助所為《春秋集注[99]總例》，請匡損益，質纂會之。[100]」

章拱之曰[101]：「趙氏集啖氏《統例》、《集注》二書及己說可以例舉者，為《闡微義統》十二卷，第三、四卷亡逸。」

楊慎曰[102]：「杜預作[103]《春秋釋例》、趙匡作《春秋纂例》、蓋以《春秋》難明，故以例求之；至於不通，則又云變例；變例不通，又疑經有闕文、誤字。嗚呼!聖人之作，豈

90霖案：孫承澤：《五經翼》卷十一，〈趙氏損益議〉，經一五一冊，頁743。

91霖案：「爾」字下，應依《五經翼》補入「故古人云：『聖人無全能，況賢者乎？』」等十三字。

92霖案：《春秋啖趙集傳纂例》卷一，〈修傳始終記〉第八，頁1452-1453。(《古經解彙函(冊三)》

93霖案：「子」字下，應依《春秋啖趙集傳纂例》補入「名匡，字伯循」等五字，此乃涉及作者之名字也，不當任意刪去，今據以補入。

94霖案：「人」字下，應依《春秋啖趙集傳纂例》補入「也，暨淮南節度史、御史大夫陳公之領宣歙時，始召用，累隨鎮遷拜，後」等字。

95霖案：《新唐書》卷二〇〇，頁5706。

96霖案：「匡」字下，應依《新唐書》補入「者」字。

97霖案：「陸質」二字，應依《新唐書》改作「質」字，竹垞擅加姓氏，酌添一「陸」字，加據原書改正。

98霖案：「啖助子」，《新唐書》作「其子」，蓋竹垞剪裁相關解題，若作「其子」，則其義不明，是以據上文將「其」字改作「啖助」，使文意清楚，惟不合原文矣。

99霖案：「注」字，《新唐書》作「註」字。

100霖案：「質與啖助子異哀錄助所為《春秋集注總例》，請匡損益，質纂會之。」與「匡，字伯循，河東人。歷洋州刺史，陸質所稱為趙夫子者。」諸句，前後互倒，則竹垞有錯簡之失。又「纂會之」三字下，應依《新唐書》補入「號《纂例》」三字。

101霖案：《玉海》卷四〇，頁798。

102霖案：四庫本《升庵集》卷四三，(臺灣商務印書館影本，冊一二七〇，頁315)，頁14下至頁15上。又百部37函海第8函，基本叢書308等有之。

103霖案：「作」字，原書無之，竹垞或據下文「趙匡作《春秋纂例》」之「作」字而補入也。

先有例而後作《春秋》乎？[104]」

陸氏質《集注春秋》（唐）

【作者】《郡齋讀書志》卷第三，頁一〇三著錄，作者題為「陸淳（伯同）撰」，「淳」、「質」之異，乃係避唐憲宗之諱而改。

《唐志》：「二十卷。」

【卷數】《文獻通考．經籍考》卷九著錄，題作「《春秋集傳、纂注、辨疑》共十七卷。」（頁二三六）。

佚。

【存佚】朱彝尊《曝書亭集》卷三四〈陸氏春秋三書序〉云：「《集注》自元已亡。」（頁四二四），可見竹垞以陸質《集注春秋》一書，係亡於元時。

【增補】朱彝尊：《曝書亭集》卷二四〈陸氏春秋三書序〉云：「唐丹陽主簿趙州啖助考《春秋》三傳短長，撰《集傳》，復攝綱條為《統例》。助卒，其子異，裒錄遺，於是門人洋州刺史河東趙匡損益之。而給事中陸淳師事匡，纂會其文，為《春秋集傳纂例》十卷，又撰《集注春秋》二十卷，《微旨》三卷，《辨疑》七卷。《集注》自元已亡。而《纂例》及《辨疑》、《微旨》三書，延祐中，從集賢學士曲出之請，鋟板江西行省。魏晉以前，說《春秋》者，創通大義而已，有所未通，則沒而不說又或自亂其義。自杜元凱以例釋《左氏》，其說有正例、變例、非例之分，別為五體，以尋經傳之微旨，言《春秋》者宗之，然猶略而未該。至三子書出，例乃大備。庶乎絲麻冠屨之不紊，其有助於《春秋》甚大。淳為韋執誼所援，得侍講東宮，柳子厚因執弟子禮，歸安朱臨序是書，謂子厚文章宗匠，以韓退之之賢，猶不肯高以為師，獨肯執弟子禮於陸氏，以此推陸氏之學，要之子厚之師陸氏，特出於黨人一時附和，正未足以是為輕重也。然唐人所尚者詩賦，往往未暇究明經義，陸氏獨能傳習其師說，通聖人之書於後世，其賢有過人者，當其時，蔡廣成以《易》，施士匄以《詩》，仲子陵、袁彝、韋彤、韋以《禮》，強蒙以《論語》，皆自名其學，以顯於時，今其書俱不傳，惟三子書僅存，錢唐龔主事蘅圃，刻而傳之，功不在曲出下矣。」（頁四二四至頁四二五）

呂溫代草〈進表〉曰[105]：「臣聞惟睿作聖，觀乎人文，達則化成，窮則垂訓。先師所以祖述堯、舜，志在《春秋》，懸衡百王，撥亂三季，正大當之本，清至公之源，通群芳以誠，貞天下於一，動無不順道德之要機，斷無不齊帝王之利器；而梁木既壞，生知蓋寡，三

104霖案：「乎」字下，應依《升菴經說》之文，補入「譬之術士，推算星命者，立印綬格、財官格、雜氣格，或格所不能該者，則曰：『不合格』，豈造化先立此格，而後生人乎？《春秋》之所謂『例』，何以異此？」等字。

105霖案：出自：四庫本，冊一三三八，卷六七○，頁611《文苑英華．代國子陸博士進集注春秋表（憲宗）》。

傳得失，索隱未周，群儒異同，致遠皆泥。沒微言於滋蔓，亡要旨於多歧，奧室不開，漫逾千祀，天其或者將有俟焉。陛下德合乾坤，明並日月，氣和物茂，遠至邇安，欲以人情為田，講學而耨，鎮定皇極，輝光時雍，道之將行，實在今日。臣不揣蒙陋，斐然有志，思窺聖奧，仰奉文明，以故潤州丹陽縣主簿臣啖助為嚴師，以故洋州刺史臣趙匡為益友，考《左氏》之疏密，辨《公》、《穀》之善否，務去異端，用明本意。助或未盡，敢讓當仁；匡有可行，亦刈其楚；輒集注春秋經文，勒成十卷，上下千載，研覃三紀，玄首雖白，濁河已清。微臣何幸，與道相遇，竊以德之匪鄰，骨肉無應，道苟訢合，古今相知。然則堯、舜之心非宣尼不見，宣尼之志非陛下不行，庶因儀鳳之辰，永洗獲麟之恨。臣官忝國學，思非出位，道為家寶，罪實欺天。謹昧死寫前件，書詣，東上閤門奉進。」

《舊唐書》[106]：「陸質，吳郡人，本名淳，避憲宗名，改之質。有經學，[107]尤深於《春秋》。少師事趙匡，匡師啖助[108]，頗傳其學[109]，為給事中。」

柳宗元作〈墓表〉曰[110]：「孔子作《春秋》，千五百年以名為傳者五家，今用其三焉。秉觚牘，焦思慮，以為論注疏說者百千人矣；攻訐狠怒，以辭氣相擊排冒沒者，其為書處則充棟宇，出則汗牛馬，或合而隱，或乖而顯。後之學者窮老盡氣，左視右顧，莫得而本[111]，則專其所學以訾其所異，黨枯竹，護朽骨，以至於父子傷夷，君臣詆悖者，前世多有之。甚矣!聖人之難知也。有吳郡人陸先生質，與其師友天水啖助洎趙匡，能知聖人之旨，故《春秋》之言，及是而光明，使庸人小童皆可積學[112]以入聖人之道，傳聖人之教，是其德豈不侈大矣哉？先生字某，既讀書，得制作之本，而獲其師友；於是合古今，散同異，聯之以言，累之以文。蓋講道者二十年，書而志之者又十餘年，其事大備，為《春秋集注》十篇、《辨疑》七篇、《微旨》二篇，明章大中，發露公器。其道以聖人為主，以堯舜為的，苞羅旁魄，

106霖案：《舊唐書》卷一八九，頁4977。

107霖案：「避憲宗名，改之質。有經學，」，其標點應作「避憲宗名改之，質有經學，」為宜。

108霖案：「啖助」二字下，應依《舊唐書》補入「助、匡皆為異儒」等六字。

109霖案：「學」字下，應依《舊唐書》補入「由是知名。陳少遊鎮揚州，愛其才，辟為從事。後薦於朝，拜左拾遺。轉太常博士，累遷左司郎中，坐細故，改國子博士，歷信、台二州刺史。順宗即位；質素與韋執誼善，由是徵」等字。

110霖案：《春秋集傳辨疑》冊四，頁1723（《古經解彙函》本）；又《柳河東全集》卷九，頁89-90亦錄及此文，而本書依《春秋集傳辨疑》之文校之，該文題作「〈唐故給事中皇太子侍讀陸文通先生墓表〉」。

111「莫得而本」，應依《補正》、《四庫》本作「莫得其本」。　霖案：《經義考新校》頁3231校文將「《四庫》本」改作「《四庫薈要》本」。今考《春秋集傳辨疑》所錄之文，適作「莫得而本」，則竹垞所據之本，當係緣自於此文，而《點校補正經義考》據《補正》、《四庫》本改從「莫得其本」，或有未知竹垞所本之由，今略述於上。

112霖案：「學」字下，應加標點逗號為宜。

膠轕[113]下上，而不出於正；其法以文、武為首，以周公為翼，揖讓升降，好惡喜怒，而不過乎物。既成，以授世之聰明之士，使陳而明之，故其書出焉而先生為巨儒，用是為天子爭臣：尚書郎、國子博士、給事中、皇太子侍讀，皆得其道。刺二州守，人知仁。永貞年，侍東宮，言其所學，為古君臣圖以獻，而道達乎上。是歲，嗣天子踐阼而理尊優師儒，先生以疾聞，臨問加禮。某月日終於京師，某月日葬於某郡某里。嗚呼！先生道之存也以書，不及施於政；道之行也以言，不及覩其理。門人世儒是以增慟，將葬，以先生為能文聖人之書，通乎後世，遂相與謚曰文通先生[114]。」

【增補】〔補正〕柳宗元作〈墓表〉內「莫得而本」，「而」當作「其」。（卷七，頁十五）

《崇文總目》[115]：「唐給事中陸淳纂。初，淳以三家之傳不同，故采獲善者，參以啖助、趙匡之說，為《集傳春秋》；又本褒貶之意，更為《微旨》條別三家，以朱墨紀[116]其勝否；又摭三家得失與經戾者，以啖、趙之說訂正之，為《辨疑》[117]。」

【增補】〔補正〕《崇文總目》條內「以朱墨紀其勝否」，「紀」當作「記」。（卷七，頁十五）

程伯子曰[118]：「陸淳得啖、趙[119]而師之，講求其學，積三十年始大光瑩，絕出於諸家外[120]；雖未能盡聖作之蘊，然其攘[121]異端，開正途，功亦大矣。」

113霖案：《經義考新校》頁3231新出校文如下：「『膠轕』，《四庫薈要》本作『轇轕』。」。

114霖案：「先生」二字下，應依《春秋集傳辨疑》補入「後若干祀，有學其書者，過其墓，哀其道之所由，乃作石以表碣。」等字。

115霖案：《文獻通考．經籍考》卷九，頁236。

116「紀」，應依《補正》作「記」。　霖案：《經義考新校》頁3232校文，於「《補正》」二字之前，另增有：「《四庫薈要》本、」等字。今考《文獻通考》正作「記」字。

117霖案：「《辨疑》」二字，《文獻通考》作「《辯疑》」。

118霖案：四庫本：《春秋集義》．綱領卷中（台北：臺灣商務印書館，「景印文淵閣四庫全書」冊一五五，民國七十五年三月，初版），頁202-203，惟此書錄作「程頤曰」，而非「程伯子（顥）」，顯然竹垞所錄之文，並非根據此書甄錄而來。又《春秋集傳釋義大成》；又《春秋大全序論》錄之。又程顥、程頤撰，胡安國原編，元譚善心重編《二程文集》中的《明道文集》卷五，冊一三四五，頁625錄之，本文採以此書入校。又王元杰《春秋讞義》卷一，「隱公」條下（台北：臺灣商務印書館，「景印文淵閣四庫全書」冊一六二，民國七十五年三月，初版），頁162錄及此文，但僅作「程子曰」，顯見此條解題，或題作「程顥」；或題作「程頤」，歷來皆有混淆的情事，而竹垞作「程伯子曰」，顯然是根據「《二程文集》」一書，甄錄而來。

119 霖案：「啖、趙」二字，《春秋集義．綱領》、《二程文集》、《春秋讞義》俱作「啖先生、趙夫子」，而竹垞引錄此文之時，省略尊稱，因而有誤。

120 霖案：「絕出於諸家外」六字，《春秋讞義》未錄此六字，蓋竹垞另有所本也。

晁公武曰[122]：「啖助，字叔佐，閩人。趙匡，字伯修[123]，天水人。《微旨》自為序。公武嘗學《春秋》，閱古今諸儒之說多矣，大抵啖、趙以前學者，皆專門名家，苟有不通，寧言經誤，其失也固陋；啖、趙以後，學者喜援經擊傳，其或未明，則憑私臆決，其失也穿鑿。均之失聖人之旨，而穿鑿之害為甚。啖氏製《統例》，分別疏通其義；趙氏損益，多所發揮，今纂而合之，凡四十篇。[124]」

【增補】〔補正〕晁公武條內「字伯修」，「修」當作「循」。（卷七，頁十五）

陳振孫曰[125]：「初，潤州丹陽主簿趙郡啖助叔佐明《春秋傳》，洋州刺史河東趙匡伯淳[126]，質從助及伯淳，傳其學。助考[127]《三傳》，舍短取長，又集前賢注釋，補以己意，為《集傳》、《集注》，又撮其綱例目為統[128]。助卒，質與其子異繕錄以詣伯淳，請損益焉，質隨而纂會之。大歷乙卯歲書成。質本名淳，避憲宗諱改焉，故其書但題陸淳[129]。助之學以為[130]，《左氏》敘事雖多，解意殊少，《公》、《穀》傳經密於《左氏》；至趙、陸則直謂《左氏》淺於《公》、《穀》，誣謬實繁，皆孔門後之門人，但《公》、《穀》守經，《左氏》通史，其體異爾。邱明，夫子以前賢人，如史佚、遲任之流，焚書之後，學者見傳及《國語》俱題《左氏》，遂引以為邱明；且《左傳》、《國語》文體不倫，序事多乖，

---

121 霖案：「攘」字，《春秋集義．綱領》卷中、《春秋讞義》卷一均錄作「闢」字，再度驗證竹垞所錄之文，非據《春秋集義．綱領》、《春秋讞義》二書而來。

122霖案：《郡齋讀書志》卷第三，頁10、《文獻通考．經籍考》卷九，頁236-237。案：本條竹垞係引自《通考》之文，蓋《郡齋讀書志》並未有「啖氏製統例，分別疏通其義；趙氏損益，多所發揮，今纂而合之，凡四十篇。」諸字。

123「伯修」，應依《補正》、《四庫》本作「伯循」。　霖案：《經義考新校》頁3232校文，於「《四庫》」二字之前，另增：「《四庫薈要》本、文淵閣」等字。今考《文獻通考》適作「伯循」，此當係翁方綱《補正》所據之本。又此詞事涉作者之字，當據以改正。

124霖案：「啖氏製《統例》，分別疏通其義；趙氏損益，多所發揮，今纂而合之，凡四十篇。」諸字，《郡齋讀書志》無之，當係竹垞據《文獻通考．經籍考》之文補入，說法詳見上註。

125霖案：《直齋書錄解題》卷三，頁458、《文獻通考．經籍考》卷九，頁237。

126「伯淳」，應依《補正》、《四庫》本作「伯循」，以下所引皆同。　霖案：《經義考新校》頁3233校文，於「《四庫》」二字之前，另增校文：「《四庫薈要》本、文淵閣」等字。

127霖案：「考」，《文獻通考》作「攷」字。

128「又撮其綱例目為統」，應依《補正》、《四庫》本作「又撮其綱目為《統例》」。　霖案：《經義考新校》頁3233校文，「《四庫》」二字之前，另有新校文：「《四庫薈要》本、文淵閣」等字。此處的文句，有前後位置誤倒的情況。

129霖案：《經義考新校》頁3233新出校文如下：「『陸淳』，依《四庫薈要》本應作『陸質』。」

130霖案：「以為」二字，當與下文「《左氏》敘事雖多」連讀為宜，蓋《點校補正經義考》標點斷句或有商榷餘地。

定非一人所為也。蓋左氏廣集諸國之史以解《春秋》，子弟門人見事跡[131]多不入傳，或復不同，故各隨國編之，以廣異聞，自古豈止一邱明姓左乎？按：漢儒以來言《春秋》者，惟宗三傳；三傳之外，能卓然有見於千載之後者，自啖氏始，不可沒也。《唐志》有質《集注》二十卷，今不存；然《纂例》、《辨疑》[132]中大略具矣；又有《微旨》二卷，未見。質，梁陸澄七世孫，仕通顯，黨王叔文，侍憲宗[133]東宮，會卒，不及貶。然則其與不通《春秋》之義者，相去無幾耳。」

【增補】〔補正〕陳振孫條內「趙匡伯淳」當作「伯循」；「又撮其綱例目為統」當作「綱目為《統例》。」（卷七，頁十五）

【增補】何廣棪：《陳振孫之經學及其《直齋書錄解題》經錄考證》曰：「廣棪案：《春秋集傳纂例》一書，《唐志》及《宋志》均作《集傳春秋纂例》，名異實同。質本名淳，避唐憲宗諱，乃改今名。其與啖助、趙匡之關係，《舊唐書》卷一百八十九下《列傳》第一百三十九下《儒學》下《陸質傳》謂：『質有經學，尤深於《春秋》。少師事趙匡，匡師啖助，頗傳其學。』是質師事匡，為助之再傳弟子矣，所記與《解題》不同。至清又有新說。《總目》卷二十六《經部》二十六《春秋類》一『《春秋集傳纂例》十卷』條云：『案：《二程遺書》、陳振孫《書錄解題》及朱臨作是編《後序》皆云淳師助、匡。《舊唐書》云淳師匡，匡師助。《新唐書》則云趙匡、陸淳皆助高弟。案呂溫集有代淳《進書表》，稱以啖助為嚴師，趙匡為益友。又淳自作《修傳始終記》，則稱助為啖先生，稱匡為趙子。餘文或稱為趙氏。《重修集傳義》又云淳秉筆執簡，侍於啖先生左右十有一年，而不及匡。又柳宗元作淳《墓表》，亦稱助、匡為淳師友。當時序述，顯然明白。劉昫以下諸家，並傳聞之誤也。』當以《總目》所考為得史實之真。」（頁五四〇）

【增補】何廣棪：《陳振孫之經學及其《直齋書錄解題》經錄考證》曰：「案：助有《自述》曰：《三傳》分流，其源則同；擇善而從，且過半矣。予考覈《三傳》，舍短取長，又集前賢注釋，亦以愚意裨補闕漏，商榷得失，研精宣暢，期於浹洽，尼父之志，庶幾可見。疑殆則闕，以俟君子，謂之《春秋集傳集注》。又撮其綱目，為《統例》三卷，以輔《集傳》通經意焉。」《解題》所述殆據此。」（頁五四一）

【增補】何廣棪：《陳振孫之經學及其《直齋書錄解題》經錄考證》曰：「案：陸淳《修傳始終記》日：『啖先生諱助，字叔佐，關中人也。聰悟簡淡，博通深識。天寶末，客於江東，因中原難興，遂不還歸。以文學入仕，為台州臨海尉，復為潤州丹陽主簿，秩滿因家焉。陋巷狹居，晏如也。始以上元辛丑歲，集《三傳》釋《春秋》，至大曆庚戌歲而畢。趙子時宦於宣歙之使府，因往還浙中，途過丹陽，乃詣室而訪之。深話經意，事多嚮合，期反駕之日當更討論。嗚呼！仁不必壽。是歲先生即世，時年四十有七。是冬也，趙子隨使府遷鎮於浙東，淳痛師學之不彰，乃與先生之子異躬

131霖案：「跡」字，《文獻通考》作「迹」字。

132霖案：「《辨疑》」二字，《文獻通考》作「《辯疑》」。

133霖案：「憲宗」，《文獻通考》作「順宗」。

自繕寫，共載以詣趙子。趙子因損益焉。淳隨纂會之，至大曆乙卯歲而書成。』《解題》所述，乃據此刪定。」（頁五四一至頁五四二）

【增補】何廣棪：《陳振孫之經學及其《直齋書錄解題》經錄考證》曰：「案：《舊唐書・陸質傳》曰：『陸質，吳郡人，本名淳，避憲宗名改之。』《題解》據此。惟《題解》『故其書但題陸淳』句，既避諱而仍稱『陸淳』，顯有不合。是以盧文弨校『淳』字作『氏』。張宗泰《魯巖所學集》捲六《跋陳振孫書錄題解》云：『《春秋集傳纂例》云：『唐給事中陸質伯淳撰。質本名淳，避憲宗諱改焉。故其書但題陸淳。』按淳既避憲宗諱改名為質，不應仍字伯淳，當依《四庫全書提要》作伯仲為是，（『沖』、『淳』聲相近。）而但題陸淳，亦當為陸質之訛也。』宗泰所訂，似較盧氏為善。」（頁五四二）

【增補】何廣棪：《陳振孫之經學及其《直齋書錄解題》經錄考證》曰：「案：《題解》此條既論《春秋三傳》優劣，又論丘明、左氏，兼及《左傳》、《國語》之文體及作者，內容繁博。然考其所述，實據啖助之辨而加以引申。《新唐書》卷二百《列傳》第一百二十五《儒學》下《啖助傳》載：『助愛《公》、《穀》二家，以《左氏》解義多謬，其書乃出於孔氏門人。且《論語》孔子所引，率前世人，老彭、伯夷等，類非同時；而言左邱明恥之，丘亦恥之。邱明者，蓋如史佚、遲任。又《左氏傳》、《國語》，屬綴不倫，序事乖刺，非一人所為。蓋左氏集諸國史以釋《春秋》，後人謂左氏，便傅著邱明。非也。』是直齋據啖辨而撰《題解》，惟中頗多引申之說也。」（頁五四三）

【增補】何廣棪：《陳振孫之經學及其《直齋書錄解題》經錄考證》曰：「案：張樞曰：『啖氏《春秋》，卓然有見於千載之下。』（《經義考》卷一百七十六《春秋》九『啖氏助《春秋集傳》』條引。）直齋盛譽啖氏之辭，殆據張樞。然宋祁之評論啖氏《春秋》，則全與張樞異轍。宋祁曰：『左氏與孔子同時，以魯史附《春秋》作《傳》。而公羊高、穀梁赤皆出子夏門人，三家言經，各有回舛。然猶悉本聖人，其得與失蓋十五。義或謬誤，先儒畏聖人，不敢輒改也。啖助在唐，名治《春秋》，摭訕三家，不本所承，自用名學，憑私臆決，尊之曰：孔子意也。趙、陸從而唱之，遂顯於時。嗚呼！孔子沒乃數千年，助所推者果其意乎？其未可必也。以未可必而必之則固，持一己之固而倡茲世則誣。誣與固，君子所不取。助果謂可乎？徒令後生穿鑿詭辨，詬前人，捨成說，而自謂紛紛，助所階已。』（見《新唐書》卷二百《列傳》第一百二十五《儒學》下《啖助傳・贊》。）晁公武亦曰：『公武嘗學《春秋》，閱古今諸儒之說多矣。大抵啖、趙以前學者皆顓門名家。苟有不通，寧言經誤，其失也固陋；啖、趙以後學者喜援經擊《傳》，其或未明，則憑私臆決，其失也穿鑿。均之失聖人之旨，而穿鑿之害為甚。（見《讀書志》卷第三《春秋類》『《春秋微旨》六卷、《春秋辨疑》一卷』條。）則宋、晁二氏所見，顯與張樞、直齋不同。惜啖書已佚，無由考究其是非矣。』（頁五四三至頁五四四）

【增補】何廣棪：《陳振孫之經學及其《直齋書錄解題》經錄考證》曰：「案：《新唐書・藝文志》著錄有『陸質《集注春秋》二十卷』，然《崇文總目》已乏載，僅著錄《集傳春秋纂例》十卷、《集傳春秋辨疑》七卷、及《集傳春秋微旨》二卷。足證

《集注》二十卷北宋時已散佚，《解題》謂『今不存』，確符事實。惟《微旨》尚存，《讀書志》作六卷，且曰：『自有《序》』，《宋史・藝文志》作三卷。各書所記與《解題》不同。而質《自序》曰：『故今掇其《微旨》，總為三卷。』且今本亦作三卷，則《解題》作二卷與《讀書志》作六卷者均誤也。」（頁五四四至頁五四五）

【增補】何廣棪：《陳振孫之經學及其《直齋書錄解題》經錄考證》曰：「案：《解題》此據《新唐書》卷一百六十八《列傳》第十九《陸質傳》。其《傳》略謂：『陸質，字伯沖，七代祖澄仕梁，為名儒，世居吳。……質素善韋執誼，方執誼附叔父，竊威柄，用其力，召為給事中。憲宗為太子，詔侍讀。……時執誼懼太子怒己專，故以質侍東宮，陰伺意，解釋左右之。質伺閒有所言，太子輒怒曰：『陛下命先生為寡人講學，何可及它。』質惶懼出。執誼未敗時，質病甚。太子已即位，為臨問加禮。卒，門人以質能文聖人書，通于後世，私共謚曰『文通先生』。所著書甚多，行于世。』是質附執誼以致咎，故直齋斥其『與不通《春秋》之義者相去無幾』也。」（頁五四五）

《集傳春秋纂例》（唐）

【書名】本書異名如下：

一、《春秋集傳纂例》：《直齋書錄解題》卷三，頁四五八。又《曝書亭集》卷三四〈陸氏春秋三書序〉同之。。

二、《春秋啖趙二先生集傳纂例》：台北：國家圖書館藏「明嘉靖庚子（十九年）吳縣知縣汪旦刊本」。

三、《春秋啖趙集傳纂例》：《馬來西亞大學中文圖書目錄》六八八著錄。

四、《啖趙纂例》：孫能傳等撰《內閣藏書目錄》卷二，頁四七七著錄。

《唐志》：「十卷。」

【著錄】藤原佐世《日本國見在書目錄》頁十三、張之洞《書目答問補正》卷一，頁四七著錄，卷數相同。《文獻通考・經籍考》卷九，頁二三六；又《徵刻唐宋秘本書目》頁一四四〇著錄。

【增補】〔校記〕《四庫》本陸淳《春秋集傳纂例》十卷。（《春秋》，頁四七）

存。

【版本及藏地】本書版本及藏地如下：

一、宋江西行省本：《曝書亭集》卷三四〈陸氏春秋三書序〉：「《纂例》及《辨疑》、《微旨》三書，延祐中，從集賢學士曲出之請，鋟板江西行省。」（頁四二四）。

二、明嘉靖庚子（十九年）吳縣知縣汪旦刊本：唐陸淳撰《春秋啖趙二先生集傳纂例》十卷，《辨疑》十卷，《附錄》一卷，六冊，台北：國家圖書館有藏本。

又溫州市圖書館另藏一本，題作「明刻本」，書名亦為「《春秋啖趙二先生集傳纂例》，亦為十卷，且同為「十行二十字白口左右雙邊」，疑與「明嘉靖庚子（十九年）吳縣知縣汪旦刊本，今暫附於此。

又江西省歷史博物館另有一本，題作「明刻本」，莫棠跋，十行二十字小字雙行白口左右雙邊，書名、卷數同上，疑亦為同一版本，今暫附於此。

【增補】《國家圖書館善本書志初稿》：「【春秋啖趙二先生集傳纂例十卷辨疑十卷附錄一卷六冊】

明嘉靖庚子(十九年，1540)吳縣知縣汪旦刊本　00675

唐陸淳撰。

版匡高 19.1 公分，寬 14.4 公分。左右雙邊。每半葉十行，行二十字。註文小字雙行，字數同。版心白口，單白魚尾，魚尾下方記書名卷第(如『纂例一』)，再下方記葉次。辨疑卷四缺第五、六葉。

首卷首行頂格題『春秋啖趙二先生集傳纂例卷之一』，次行低十二格題『陸淳纂』。卷末有尾題。纂例、辨疑前各有慶曆戊子(八年，1048)朱臨序各一篇。辨疑卷末有嘉靖庚子(十九年，1540)華察題跋。序後有凡例并目錄。附錄一卷收錄柳宗元撰『唐故給事中皇太子侍讀陸文通先生墓表』及『答元饒州論春秋書』。凡例葉一為後人墨筆補鈔。第五冊封面扉葉有近人沈曾植手書題記一篇，並附印記。

書中鈐有『四明盧/氏抱經/樓珍藏』朱文方印、『霞秀/景飛/之室』朱文方印、『四明盧氏/抱經樓/藏書印』白文方印、『海日/樓』白文方印、『國立中/央圖書/館考藏』朱文方印、『沈』朱文方印、『丙辰』白文雙龍方印、『子培/長壽』朱文方印。」(頁 181)。

【增補】《國家圖書館善本書志初稿》：「【春秋啖趙二先生集傳纂例十卷十冊】

又一部　000676

書中鈐有『國立中央圖/書館收藏』朱文長方印、『澤存/書庫』朱文方印、『松林越/谿張氏』白文長方印、『張/榜』朱文方印、『進/兮』白文方印、『張京/私印』朱文方印、『松竹/居』白文方印。」(頁 181~182)。

【增補】《國家圖書館善本書志初稿》：「【春秋啖趙二先生集傳辨疑十卷附錄一卷四冊】

又一部　00677

書中鈐有『國立中央圖/書館收藏』朱文長方印、『澤存/書庫』朱文方印、『張京/私印』朱文方印、『松林越/谿張氏』白文長方印。」(頁 182)。

三、清龔蘅圃玉玲瓏刊本：《曝書亭集》卷三四〈陸氏春秋三書序〉云：「錢唐龔主事蘅圃，刻而傳之，功不在出下矣。」（頁四二五），又葉德輝《徵刻唐宋祕本書目考證》頁一四七〇錄之。又張之洞《書目答問補正》卷一，頁四七著錄。

四、錢儀吉刻經苑本：唐陸淳撰《春秋啖趙集傳纂例》十卷，三冊，葉德輝《徵刻唐宋祕本書目考證》頁一四七〇錄之。又張之洞《書目答問補正》卷一，頁四七著錄，馬來西亞大學圖書館有藏本。

又馬來西亞大學圖書館藏有另一部，題作「苑經」本，四冊，其中「苑經」疑為「經苑」之誤。

五、古經解彙函重刻錢本：唐陸淳撰《春秋啖趙集傳纂例》十卷，三冊，葉德輝《徵刻唐宋祕本書目考證》頁一四七〇錄之。又張之洞《書目答問補正》卷一，頁四七著錄，馬來西亞大學圖書館有藏本。

六、清抄本：程志〈現存唐人著述簡目〉頁二六〇著錄，藏於北京圖書館。

又唐陸淳撰，《春秋集傳纂例》十卷，北京圖書館另藏一本，題作「清陳揆校」。

七、文淵閣四庫全書本：《春秋集傳纂例》十卷，台北故宮博物院有藏本。

【增補】永瑢等撰《欽定四庫全書總目》曰：「春秋集傳纂例十卷　浙江汪啟淑家藏本

唐陸淳撰。蓋釋其師啖助并趙匡之說也。助字叔佐，本趙州人，徙關中，官潤州丹陽縣主簿。匡字伯循，河東人，官洋州刺史。淳字伯沖，吳郡人，官至給事中，後避憲宗諱，改名質。事蹟具《唐書・儒學傳》。案《二程遺書》、陳振孫《書錄解題》及朱臨作是編《後序》皆云『淳師助、匡』，《舊唐書》云：『淳師匡，匡師助。』《新唐書》則云『趙匡、陸淳，皆助高弟。』按《呂溫集》有《代人進書表》稱：『以啖助為嚴師，趙匡為益友。』又淳自作《修傳始終記》稱助為啖先生，稱匡為趙子，餘文或稱為趙氏。《重修集傳義》又云：『淳秉筆執簡，侍於啖先生左右十有一年』，而不及匡。又柳宗元作淳墓表亦稱助、匡為淳師友，當時序述顯然明白，劉昫以下諸家并傳聞之誤也。助之說《春秋》，務在考三家得失，彌縫漏闕，故其論多異先儒。如論『《左傳》非丘明所作』；『《漢書》『丘明授魯曾申，申傳吳起，自起六傳至賈誼』等說，亦皆附會』，『公羊名高，穀梁名赤，未必是實』。又云：『《春秋》之文簡易，先儒各守一傳，不肯相通，互相彈射，其弊滋甚。《左傳》序周、晉、齊、宋、楚、鄭之事獨詳，乃後代學者因師授衍而通之，編次年月，以為傳記。又雜采各國諸卿家傳及卜書、夢書、占書、縱橫、小說。故序事雖多，釋經殊少，猶不如公、穀之於經為密。』其論未免一偏，故歐陽修、晁公武諸人，皆不滿之，而程子則稱其『絕出諸家，有攘異端，開正途之功』。蓋舍傳求經，實導宋人之先路，生臆斷之弊，其過不可掩，破附會之失，其功亦不可沒也。助書本名《春秋統例》，僅六卷。卒後淳與其子異裒錄遺文，請匡損益，始名《纂例》，成於大曆乙卯。定著四十篇，分為十卷。《唐書・藝文志》亦同。此本卷數相符，蓋猶舊帙。其第一篇至第八篇為全書總義，第九篇為魯十二公并世緒，第三十六篇以下，為經傳文字脫謬及人名、國名、地名。其發明筆削之例者，實止中間二十六篇而已。袁桷後序稱『此書廢已久，所得為寶章桂公校本。聞蜀有小字本，惜未之見』，吳萊、柳貫二後序皆稱『得平陽府所刊金泰和三年禮部尚書趙秉文家本』。是元時已為難得，其流傳至今，亦可謂巋然獨存矣。」（卷二十六，頁三三三）

【增補】邵懿辰撰、邵章續錄：《增訂四庫簡明目錄標注》卷三曰：「《春秋集傳纂例》十卷，唐陸淳撰，以釋其師啖助，其友趙匡之說。

明刊本，乾隆中刊本，天一閣有宋刊本，經苑本。

〔附錄〕陸有明嘉靖刊本。（紹箕）

〔續錄〕金泰和三年刊本，元平陽府刊本，蜀有小字本，張金吾有舊鈔本，康熙中龔氏玉玲瓏叢刻本，古經解彙函本，據經苑本刊。」（頁一〇四）

【增補】胡玉縉撰、王欣夫輯《四庫全書總目提要補正》卷七曰：「瞿氏《目錄》有舊鈔本，云：『此書所引三傳經文每有異文，與今本不同，可補《釋文》之闕。宋慶曆間刻本，明嘉靖時有繙雕本，至國朝龔氏所刻，多脫錯處，有行款宜大字者　作小字，引《穀梁傳》　作《公羊》之類，此從宋本鈔出，可以正其失。』　玉縉案：陸氏《儀顧堂續跋》有明覆宋本跋，歷舉龔氏玉玲瓏閣本之脫錯，文繁不錄。末謂龔刊所祖，與此本不同，疑出元江西刊本。此則行密字小，當祖蜀小字本，則與瞿氏所藏為別一本也。」（頁一六一至頁一六二）

【增補】崔富章《四庫提要補正》曰：「《總目》據汪啟淑家藏本著錄。檢《浙江采集遺書總錄》：『春秋集傳纂例十卷，刊本。右唐河東陸淳撰。本啖、趙所著《統例》為纂而合之，其辭義隨加注釋，兼備載經文於本條之內，使學者以類相求。其三傳義例取捨，啖、趙具已分晰，亦隨條編附，凡四十一篇。吳萊序謂金泰和間趙秉文手本太原版行，陸氏另有《辨疑》七卷，然今本又有《辨疑》各條混入，似屬後人更定，非吳所見之本。』由是知，汪啟淑家藏本實為明刻本。是書傳世有明刻十二行廿三字本，題『春秋集傳纂例』，十卷，上海館、北京館收藏，明刻十行二十字本，題『春秋啖趙二先生集傳纂例』，十卷，天一閣、吉安地委檔案館收藏；清康熙間龔翔麟編《玉玲瓏閣叢刊》本，上海館藏本有清何焯批校，常熟縣圖書館藏本有清趙烈文跋。北京館藏清抄本有清陳揆校。南京館藏清抄本有佚名錄清吳志忠校、丁丙跋。《總目》據以著錄者，則明刻十二行本也。

考陸淳序稱：『啖子所撰《統例》三卷，皆分別條流，通會其義，趙子損益，多所發揮，今故纂而合之，有辭義難解者，亦隨加注釋』是啖助《春秋集傳纂例》原本三卷，文溯閣書庫提要亦云『三卷』，《總目》謂『六卷』，誤。文瀾閣庫書原本佚，今存丁氏補抄本四冊。檢丁氏《藏書志》卷三有『春秋啖趙二先生集傳纂例十卷，抄校本。……此從龔衡圃刊本影寫，妙道人以明嘉靖翻宋慶曆本校正。』其書今歸南京館收藏。由是知，丁氏補抄庫書所據者乃出自《玉玲瓏叢刻》本，所謂『以明嘉靖翻宋慶曆本校正』者，即明刻十行本也。是文瀾閣所存補抄本跟四庫原本非出一源，可互勘也。

陸淳又有《春秋集傳辨疑》十卷，《春秋集傳微旨》三卷，《四庫》并收錄。《辨疑》傳世有明刻十二行本（浙江館藏）、十行本（北京大學藏，有附錄一卷）、清康熙龔氏刻本及清抄本。《微旨》則未見明刻本，上海館、復旦大學并藏清抄本，又清康熙龔氏《玉玲瓏叢刊》傳本較多。」（頁一五一至頁一五二）

八、清嘉慶１０年（１８０５）刻本：山東省圖書館有藏本。

【增補】《山東省圖書館館藏海源閣書目》曰：「《春秋三傳》　十六卷，首九卷／（周）左丘明等撰．《陸氏三傳釋文音義》　十六卷／（唐）陸淳撰．－清嘉慶１０年（１８０５）刻本．－１６冊（1函）；２０．６×１４．７cm．－９行１７字，小字雙行同，白口，四周單邊，無魚尾，封面題：嘉慶十年冬至刊板」（頁二九至頁三〇）

九、舊鈔本

【增補】瞿鏞編纂．瞿果行標點．瞿鳳起覆校《鐵琴銅劍樓藏書目錄》卷五曰：「唐陸淳撰。此書所引《三傳》經文，每有異文，與今本不同，可補《釋文》之闕。宋慶曆間刻本。每半葉十行，行二十字。明嘉靖時有繙雕本。至國朝龔氏所刻，多脫錯處，有行款宜大者作小字，引《穀梁傳》訛作《公羊》之類，此從宋本鈔出，可以正其失。」（頁一三九）

十、清同治十二年(1873)粵東書局刊本：(唐)陸淳撰《春秋啖趙集傳纂例》十卷，台北：國家圖書館有藏本。

十一、叢書集成本：唐陸淳撰《春秋啖趙集傳纂例》十卷，三冊，三部，馬來西亞大學圖書館有藏本。

十二、廣雅書局刊武英殿聚珍版全書：唐陸淳撰，清孫星華校《春秋集傳纂例》十卷，《校勘記》一卷，四冊，馬來西亞大學圖書館有藏本。

十三、明刻本：唐陸淳撰《春秋集傳纂例》十卷，《辯疑》十卷，十二行二十二字白口左右雙邊單魚尾，上海圖書館有藏本。

十四、清抄本：唐陸淳撰《春秋啖趙二先生集傳纂例》十卷，佚名録　清吳志忠校，南京圖書館有藏本。霖案：此一抄本，應係出自「明嘉靖庚子（十九年）吳縣知縣汪旦刊本」。

十五、清抄本（二）：唐陸淳撰《春秋啖趙二先生集傳纂例》十卷，《微旨》三卷、《辯疑》十卷，華東師範大學圖書館有藏本。霖案：此一抄本，應係出自「明嘉靖庚子（十九年）吳縣知縣汪旦刊本」。

淳〈自述〉曰[134]：「啖子所撰《統例》三卷，皆分別條疏[135]，通會其義；趙子損益，

134霖案：根據《郡齋讀書志》卷第三，頁103著錄，其文應為陸淳《春秋纂例．序》，然據《春秋啖趙集傳纂例》一書，則此文未有專名，僅於目錄之前，約略言之，而竹垞以〈自述〉言之，亦有合於其實情者。又此文見於《春秋集傳纂例》(「古經解彙函」本冊三，頁1433）

135霖案：「疏」字，《春秋啖趙集傳纂例》作「流」字，而二字字形相近而誤入，今據原書改作「流」字。

多所發揮，今故纂而合之。有辭義難解者，亦隨加注[136]釋，兼備載經文於本條之內，使學者以類求義，昭然易知。其三傳義例，可取可舍，啖、趙具已分析，亦隨條編附，以祛疑滯，名《春秋集傳纂例》，凡四十篇，分為十卷云。」

朱臨〈序〉曰[137]：「柳子厚與元次山〈論春秋〉書言：『自得《集傳》，常願掃於陸先生之門，及先生為給事中，始得執弟子禮，未及卒業，而先生云亡。』復有先生〈墓表〉，謂：『說《春秋》者百千，其書處則充棟宇，出則汗牛馬，而無有及其根源者，獨先生得啖、趙而師承之，講述三十年，其經始大光瑩，乃為先生能文聖人之書通於[138]後世，遂與門人世儒相與諡[139]曰文通先生。』其見尊於當世如此。子厚，文章宗匠也，以韓退之之賢，猶不肯高以為師，獨肯執弟子禮於陸氏前，則陸氏之學從可喻[140]也。以陸氏之賢，復肯執弟子禮於啖、趙前，則啖、趙之蘊又可量也。自孔子沒，前先生幾千餘年矣，後先生又數百年矣，卒未有出其書之右者，豈非膠[141]於偏見而至然耶？兩漢通經者，以董仲舒為第一，然猶膠於《穀梁》，不克別白，餘可知也。臨嘗從師學，識其大略，復得先生所為書，乃益曉發，若瞰淵際危而獲梯航，力不勉則已，勉焉，則無高深不濟也。惜乎不得人人傳之，以速其遠到，子厚謂『使庸人小童皆可積學，以入聖人之道，況有明敏勤篤之資者乎？』近歲取人以通經為尚，學者無小大，以不通經為恥，則此書之傳，為時羽翼，豈可忽哉？[142]」

袁桷〈後序〉曰[143]：「近世《春秋》家立褒貶於字義，茫不知盡性之理，按其形模以中有司程式為精巧，天理人慾，三尺童子矜矜然猶能言之，《春秋》之學廢矣。習三傳者，惟文詞是師，《左氏》盛而《公》、《穀》廢矣。武夷胡氏作《傳》，止於七家，唐世傳《春秋》者皆廢矣。噫!士何事《春秋》哉？吾里樓宣獻公晚歲欲明義例之說，時永嘉陳君舉舍人，為《春秋傳》，遂序其意而焚其稿[144]，每語後進當以唐陸淳《集注》、《纂例》，清江《劉氏傳》為下手。予[145]家所藏《纂例》，乃寶章桂公所校，號為精善。按：《纂例》他無善本，審此書廢已久，聞蜀有小字本，惜未之見。《唐志》：《纂例》十卷、《集注》

136霖案：「注」字，《春秋啖趙集傳纂例》作「註」字。

137霖案：《國立中央圖書館善本序跋集錄》頁392錄有此文，係根據「明嘉靖庚子（十九年）吳縣知縣汪旦刊本」甄錄而來。又孫承澤《五經翼》卷十二，經冊一五一，頁767-768錄有此文，讀者可以參看其文。

138霖案：「於」，「明嘉靖庚子（十九年）吳縣知縣汪旦刊本」作「于」。

139霖案：「諡」，「明嘉靖庚子（十九年）吳縣知縣汪旦刊本」作「謚」。

140霖案：「喻」，「明嘉靖庚子（十九年）吳縣知縣汪旦刊本」作「諭」。

141「膠」，《備要》本作「謬」。

142霖案：「豈可忽哉」下，竹垞缺漏「慶曆戊子，吳興朱臨謹序」等十字。

143霖案：四部叢刊本《清容居士集》卷四八，〈書陸淳春秋纂例後〉，頁681。

144霖案：「稿」字，《清容居士集》作「藁」字。

145霖案：「予」字，應依《清容居士集》作「余」字。

三十卷[146]、《微旨》二卷、《辨疑》七卷；予[147]來杭，復得《微旨》二卷，乃皇祐閒[148]汴本，聞苕溪直齋陳氏書目咸有之，當搜訪以足此書，以假友人得脫灰燼。《劉氏傳》乃先越公居宥府時，岳肅之侍郎所遺，家諱咸以絳羅覆其上，書當永為子孫寶，俾勿墜。」

【增補】〔補正〕袁桷〈後序〉內「《集注》三十卷」，「三」當作「二。」（卷七，頁十五）

吳萊〈後序〉曰[149]：「自唐世言文者，一變而王、楊、盧、駱，再變而燕、許，三變而韓、柳，雖其文振八代之弊，及見當世經生攻訓詁、治義疏，則深敬之。太常殷侑新注公羊，退之欲為之序，幸得挂[150]名經端，以蘄不朽；及寄詩盧仝，又言其抱遺《經》、束《三傳》，然仝所著《春秋摘微》一卷閒[151]見一二，未[152]甚為學者輕重。惟子厚〈答[153]元饒州書〉恆願掃於陸先生之門，執弟子禮，會先生病，子厚出邵州，竟不克卒業。先生蓋河東陸淳元沖[154]也，與子厚同郡；且云：『先生師天水啖助及趙匡，知聖人之旨兼用二帝三王法，至先生大備，《春秋集注》、《纂例》、《辨疑》、《微旨》[155]等書，苞羅旁魄，轇轕上下，一出於正，於是乎《春秋》有啖、趙、陸氏之學。』往予北遊[156]京師，始從國子學，見陸氏《纂例》十卷，是金泰和閒[157]禮部尚書[158]趙秉文手本，太原板行後，又得陸氏《辨

146「三十卷」，應依《補正》作「二十卷」。　霖案：《經義考新校》頁3235校文，於「《補正》」二字之前，另有：「《四庫薈要》本、」等字。今考《清容居士集》明作「三十卷」，顯係竹垞所據之所由，惟竹垞著錄題作「二十卷」，且今未見有三十卷之本，是以乃竹垞誤襲袁桷〈書陸淳春秋纂例後〉一文，而致所涉卷帙有誤也。

147霖案：「予」字，應依《清容居士集》作「余」字。

148霖案：「閒」字，應依《清容居士集》作「間」字。

149霖案：《五經翼》冊一五一，卷十四，頁790〈春秋纂例辯疑後題〉，又四部叢刊《淵穎吳先生文集·春秋纂例疑後題》卷十二，頁119有之。

150霖案：「挂」，《淵穎吳先生文集》作「掛」字。

151霖案：「閒」，《淵穎吳先生文集》作「間」字。

152霖案：「未」字之前，應依《淵穎吳先生文集》補入「亦」字。

153霖案：「答」字，《淵穎吳先生文集》作「荅」字。

154「元沖」，應依《補正》作「伯仲」。　霖案：《淵穎吳先生文集》正作「元沖」，而竹垞所見之文，蓋本於此也。翁方綱據其他文獻改作「伯仲」，此涉及人名異同也，今從之，惟竹垞據《淵穎吳先生文集》錄之，則此處應歸於吳萊所生訛誤。

155霖案：「《微旨》」，《淵穎吳先生文集》作「《微指》」。

156霖案：「遊」字，《淵穎吳先生文集》作「游」字。

157霖案：「閒」字，《淵穎吳先生文集》作「間」字。

158霖案：《經義考新校》頁3236新增校文如下：「『尚書』，文津閣《四庫》本誤作『尚文』。」

疑》七卷、《微旨》159二卷，而《集注》久闕。自唐世學者，說經一本孔氏《正義》；及宋之盛，說者或不用《正義》，《六經》各有新注，爭為一己自見之論，而欲求勝於先儒已成之說。宋子京傳《唐書》160，猶不滿於啖助者，豈啖助實有以開之故歟？雖然啖、趙、陸氏未可毀也。後之學者，自肆於藩籬閫域之外，口傳耳剽而不難於議經者，必引啖、趙、陸氏以自解，是或未之思也夫。」

> **【增補】**〔補正〕吳萊〈後序〉內「先生蓋河東陸淳元沖也」，「元」當作「伯」，《郡齋讀書志》作「伯同」，《直齋書錄解題》作「伯淳」，並誤，當從《唐書》改作「伯仲」。（卷七，頁十六）

柳貫〈後序〉曰161：「陸文通先生《春秋纂例》十卷，平陽府所刊本162末有識云：『泰和三年五月十三日，秉文置。』其裝標猶用宋紹聖間163故門狀紙，蓋金仕宦家物也。延祐三年，貫164客京師而得之，校其中闕亡三十一紙，從朋友假善本手書，完裝綴成。先生165之學，其於《春秋》粹矣。《春秋》言本三家，《公》、《穀》主釋經，《左》主載事。由漢立學官，師資殊指，故時時彈刺以相高，言之哤而道之裂也。唐啖、趙氏作始析同辨異，有義有例，明三家之要歸，示一王之矩則，其道粲然矣。先生嘗承趙學，著其所聞，為書曰《纂例》、《微旨》、《辨疑》，此其一也。貫166將讀而釋之，益求二書167，不踵為余有耶？蓋私竊喜之。按：金章宗之十一168年，改元泰和，其三年則癸亥歲也。於時北學稱趙閑，閑公秉文即公名，知為趙氏所藏無疑。後癸亥七年，章宗復土中原，癉放169兵，又二十五

159霖案：「《微旨》」，《淵穎吳先生文集》作「《微指》」。

160「《唐書》」，《四庫》本誤作「唐事」。霖案：《經義考新校》頁3236校文，於「《四庫》」二字之前，另增：「文淵閣」三字。今考《淵穎吳先生文集》正作「《唐書》」，四庫本《經義考》誤改而致誤。

161霖案：四部叢刊《柳待制文集》卷十八，〈記舊本春秋纂例後〉，頁224。又四庫本：《待制集》卷十八，〈記舊本春秋纂例後〉，本文取四部叢刊本入校。

162霖案：「本」字下，應有標點逗號為宜。

163霖案：「閒」字，《柳待制文集》作「間」字。

164霖案：「貫」字，《柳待制文集》作「貇」字。

165霖案：「先生」二字，《柳待制文集》作「褒先生」三字。

166霖案：「貫」字，《柳待制文集》作「貇」字。

167霖案：「二書」二字下，應依《柳待制文集》補入「以卒業焉，天既開余以例，安知二書」等字，竹垞或誤看「二書」行列，致錯失相關文句，今據原書補入。

168霖案：「一」字，應依《柳待制文集》改作「二」，此涉及年號之誤，當據以改正。又金章宗於西元一一八九年即位，改元明昌，其後於西元一一九六年，改號承安；而於西元一二〇一年，改號泰和，此時離其登基之年，已為十二年矣。

169霖案：「放」字，應依《柳待制文集》改作「於」字。

年而金亡矣。是書免於灰殘躪滅，以萬毀一存於壁藏，瓿覆之餘，傳閱幾姓、幾室而至於余？逆而計之，亦一百一十六年物也。況今無板本，豈不尤可珍也哉？得書後，二年八月廿五日[170]記。」

【增補】孫能傳等撰《內閣藏書目錄》卷二曰：「《啖趙纂例》一冊，全。門人陸淳纂啖助例也。初，助撰《春秋統例》三卷，分別條流通，會其義。趙匡損益，多所發揮。淳纂而合之，有辭義難解者，亦加注釋，兼載經文，於本條之內，使學者以類求其義，其《三傳》例可取，可舍啖、趙，具已分析，亦隨條編附以祛疑滯，凡四十卷。」（頁四七七至頁四七八）

【增補】孫能傳等撰《內閣藏書目錄》卷二曰：「《春秋三書》十二冊，不全。　即《纂例》、《辨疑》、《微旨》也，皆陸淳纂，內《纂例》闕第六、第七卷。《辨疑》凡七卷。淳取舍《三傳》之義，可入條例者，已於《纂例》備言之，其有隨文解釋。非例可舉者，又纂啖、趙二公之說，著為《辨疑》。疑其《三傳》繁文可以例包者，但舉例不復繁釋也，闕第四、第五卷。《微旨》闕上卷。」（頁四七八）

《春秋辨疑》（唐）

【書名】本書書名異同如下：

一、《辨疑》：《文獻通考・經籍考》卷九，頁二三六；《國立中央圖書館善本序跋集錄》頁三九二著錄。

二、《春秋集傳辨疑》：張之洞《書目答問補正》卷一，頁四七、程志〈現存唐人著述簡目〉頁二六〇著錄。

三、《春秋傳辨疑》：張壽平《公藏先秦經子注疏書目》頁一三二著錄。

四、《春秋啖趙二先生集傳辯疑》：《馬來西亞大學中文圖書目錄》６８８著錄。

《唐志》：「七卷。」

【卷數】本書卷數異同如下：

一、十卷本：《徵刻唐宋秘本書目》頁一四四〇著錄。又明嘉靖庚子（十九年）吳縣知縣汪旦刊本」，卷數題作《辨疑》十卷。又藤原佐世《日本國見在書目錄》頁十三著錄，卷數同作「十卷」

【霖案】〔校記〕《四庫》本陸淳《春秋集傳辨疑》十卷。（《春秋》，頁四七）

存。

【版本及藏地】本書版本及藏地如下：

一、宋江西行省本：《曝書亭集》卷三四〈陸氏春秋三書序〉：「《纂例》及《辨疑》、《微旨》三書，延祐中，從集賢學士曲出之請，鋟板江西行省。」（頁四二四）

170霖案：「日」字下，應依《柳待制文集》補入「解梁柳貫」等四字。

。

二、明嘉靖庚子（十九年）吳縣知縣汪旦刊本：台北國家圖書館有藏本。

又北京大學圖書館另藏一本，題作「明刻本」，唐陸淳撰《春秋啖趙二先生集傳辯疑》十卷，《附錄》一卷，十行二十字，小字雙行白口單白魚尾左右雙邊，今視其書名、卷數、行款等特癥，應與「明嘉靖庚子（十九年）吳縣汪旦刊本近同，今暫附於此，以俟後考。

【增補】《國家圖書館善本書志初稿》：「【春秋啖趙二先生集傳纂例十卷辨疑十卷附錄一卷六冊】

明嘉靖庚子(十九年，1540)吳縣知縣汪旦刊本　00675

唐陸淳撰。

版匡高 19.1 公分，寬 14.4 公分。左右雙邊。每半葉十行，行二十字。註文小字雙行，字數同。版心白口，單白魚尾，魚尾下方記書名卷第(如『纂例一』)，再下方記葉次。辨疑卷四缺第五、六葉。

首卷首行頂格題『春秋啖趙二先生集傳纂例卷之一』，次行低十二格題『陸淳纂』。卷末有尾題。纂例、辨疑前各有慶曆戊子(八年，1048)朱臨序各一篇。辨疑卷末有嘉靖庚子(十九年，1540)華察題跋。序後有凡例并目錄。附錄一卷收錄柳宗元撰『唐故給事中皇太子侍讀陸文通先生墓表』及『答元饒州論春秋書』。凡例葉一為後人墨筆補鈔。第五冊封面扉葉有近人沈曾植手書題記一篇，並附印記。

書中鈐有『四明盧/氏抱經/樓珍藏』朱文方印、『霞秀/景飛/之室』朱文方印、『四明盧氏/抱經樓/藏書印』白文方印、『海日/樓』白文方印、『國立中/央圖書/館考藏』朱文方印、『沈』朱文方印、『丙辰』白文雙龍方印、『子培/長壽』朱文方印。」(頁 181)。

【增補】《國家圖書館善本書志初稿》：「【春秋啖趙二先生集傳纂例十卷十冊】

又一部　000676

書中鈐有『國立中央圖/書館收藏』朱文長方印、『澤存/書庫』朱文方印、『松林越/谿張氏』白文長方印、『張/榜』朱文方印、『進/兮』白文方印、『張京/私印』朱文方印、『松竹/居』白文方印。」(頁 181~182)。

【增補】《國家圖書館善本書志初稿》：「【春秋啖趙二先生集傳辨疑十卷附錄一卷四冊】

又一部　00677

書中鈐有『國立中央圖/書館收藏』朱文長方印、『澤存/書庫』朱文方印、『張京/私印』朱文方印、『松林越/谿張氏』白文長方印。」(頁 182)。

三、清龔蘅圃玉玲瓏刊本：《曝書亭集》卷三四〈陸氏春秋三書序〉云：「錢唐龔主事衕圖，刻而傳之，功不在出下矣。」（頁四二五），又張之洞《書目答問補正》卷一，頁四七著錄。又葉德輝《徵刻唐宋祕本書目考證》頁一四七〇錄之。

四、古經解彙函重刻龔本：唐陸淳撰《春秋啖趙二先生集傳辯疑》十卷，二冊，葉德輝《徵刻唐宋祕本書目考證》頁一四七〇錄之。又張之洞《書目答問補正》卷一，頁四七著錄，馬來西亞大學圖書館有藏本。

五、經苑本：葉德輝《徵刻唐宋祕本書目考證》頁一四七〇著錄。

六、文淵閣四庫全書本：《春秋集傳辨疑》十卷，台北故宮博物院有藏本。

【增補】永瑢等撰《欽定四庫全書總目》曰：「春秋集傳辨疑十卷　江蘇巡撫採進本

唐陸淳所述啖、趙兩家攻駁三傳之言也。柳宗元作淳墓誌稱《辨疑》七篇，《唐書・藝文志》同。吳萊作序亦稱七卷。此本十卷，亦不知何人所分。刊本於萊序之末，附載延祐五年十一月集賢學士克酬（原作曲出，今改正）言『唐陸淳所著《春秋纂例》、《辨疑》、《微旨》三書，有益後學，請令江西行省鋟梓』云云，其分於是時歟？淳所述《纂例》一書，蓋啖助排比科條，自發筆削之旨，其攻擊三傳，總舉大意而已。此書乃舉傳文之不入纂例者，縷列其失，一字一句而詰之，故曰『辨疑』。所述趙說為多，啖說次之，冠以凡例一篇，計十七條，但明所以刪節經文、傳文之故。其去取之義，則仍經文年月以次說之。中如『鄭伯克段』傳，啖氏謂『鄭伯必不囚母』，殊嫌臆斷，以是為例，豈復有可信之史。況大隧故迹，《水經注》具有明文，安得指為左氏之虛撰。如斯之類，不免過於泥古。又如『齊衛胥命』傳，其說與《荀子》相符。當時去聖未遠，必有所受，而趙氏以為『譏其無禮』。如斯之類，多未免有意求瑕。又如『叔姬歸于紀』傳，《穀梁》以為『不言逆，逆之道微』，淳則謂『不言逆者，皆夫自逆』。夫禮聞送媵，不聞逆媵，傳則失之。禮聞親迎妻，不聞親迎娣侄，淳說亦未為得。如斯之類，亦不免愈辨而愈非。然《左氏》事實有本，而論斷多疏，《公羊》、《穀梁》每多曲說，而《公羊》尤甚。漢以來各守專門，論甘者忌辛，是丹者非素。自是書與《微旨》出，抵隙蹈瑕，往往中其窾會。雖瑕瑜互見，要其精核之處，實有漢以來諸儒未發者，固與鑿空杜撰、橫生枝節者異矣。」（卷二十六，頁三三四）

【增補】邵懿辰撰、邵章續錄：《增訂四庫簡明目錄標注》卷三曰：「《春秋集傳辨疑》十卷，唐陸淳撰，皆述啖趙兩家攻駁三傳之言。

明刊本，汪文藻刊小字本，龔翔麟玉玲瓏館刻本，刊陸書三種。海昌陳氏刻小字本，刊陸書微旨辨疑兩種。

〔續錄〕明嘉靖乙未刊本，古經解彙函本，據龔氏玉玲瓏閣本刊。」（頁一〇四至頁一〇五）

【增補】胡玉縉撰、王欣夫輯《四庫全書總目提要補正》卷七曰：「朱彝尊《曝書亭集》有〈陸氏春秋三書序〉，亦云《辨疑》七卷，陸氏《皕宋樓藏書志》有舊鈔十卷本，並載慶曆戊子吳興朱臨誌云：『《纂例》雖傳而世不全，獨《辨疑》無遺辭，而學《春秋》者當自《辨疑》始，故予廣其傳。』然則十卷之分自慶曆時已然矣。延祐

五年云云，亦見《元史·仁宗本紀》。」（頁一六二）

七、清嘉慶10年（1805）刻本：山東省圖書館有藏本。

【增補】《山東省圖書館館藏海源閣書目》曰：「《春秋三傳》　十六卷，首九卷／（周）左丘明等撰·《陸氏三傳釋文音義》　十六卷／（唐）陸淳撰·－清嘉慶10年（1805）刻本·－16冊（1函）；20·6×14·7cm·－9行17字，小字雙行同，白口，四周單邊，無魚尾，封面題：嘉慶十年冬至刊板」（頁二九至頁三〇）

八、清同治十二年(1873)粵東書局刊本：(唐)陸淳撰《春秋啖趙二先生集傳辯疑》十卷，台北：國家圖書館有藏本。

九、叢書集成本：唐陸淳撰《春秋啖趙二先生集傳辯疑》十卷，二部，馬來西亞大學圖書館有藏本。

十、明刻本：唐陸淳撰《春秋集傳纂例》十卷，《辯疑》十卷，十二行二十二字白口左右雙邊單魚尾，上海圖書館有藏本。

又中國國家圖書館另藏一本，亦作「明刻本」，十二行廿二字白口左右雙邊。

又浙江圖書館另藏一本，亦作「明刻本」，十二行廿二字白口左右雙邊。

八、清抄本：唐陸淳撰《春秋啖趙二先生集傳纂例》十卷，《微旨》三卷、《辯疑》十卷，《首》一卷，上海圖書館有藏本。霖案：此一抄本，應係出自「明嘉靖庚子（十九年）吳縣知縣汪旦刊本」。

九、清抄本（二）：唐陸淳撰《春秋啖趙二先生集傳纂例》十卷，《微旨》三卷、《辯疑》十卷，華東師範大學圖書館有藏本。霖案：此一抄本，應係出自「明嘉靖庚子（十九年）吳縣知縣汪旦刊本」。

淳〈自述〉曰[171]：「《集傳》取舍三傳之義可入條例者，於《纂例》諸篇言之備矣。其有隨文解釋，非例可舉者，恐有疑難，故纂啖、趙之說，著《辨疑》[172]。」

朱臨〈序〉曰[173]：「《春秋》一其經而三家異其傳，學者如目，多岐茫洋，不知適從聖人之境，雖勞，無到日矣。近古固多議其非，然出於臆斷，學者愈惑。以聖人之蘊如彼其深，而專斷於一中材之臆，其可惑也宜矣。唐有陸氏總啖、趙之說，為《纂例》、為《辨疑》，所得獨多於近古，以啖、趙之賢而陸氏兼之，其得多也亦宜矣。考其觝排誣妄，剔抉潛隱，如翦榛莽，見坦夷聖賢之境，可直趨而遠到矣。《纂例》雖傳而世不全，獨《辨疑》無遺辭，

171霖案：本文為《春秋集傳辯疑．凡例》之前的一段序言(《古經解彙函》冊四，頁1721)

172霖案：「《辨疑》」，《春秋集傳辯疑．凡例》作「《辯疑》」，「辨」、「辯」兩字經常通用。又「《辨疑》」二字之下，原文另有「有三傳繁文可以例包者，則但舉例，如後不復繁釋，學者將覽《辯疑》，宜先觀纂例取舍義及此卷首諸凡之意。」等字，今據原文補入。

173霖案：孫承澤：《五經翼》卷十二，引朱臨〈春秋辨疑序〉，冊一五一，頁768。

而學《春秋》者當自《辨疑》始，故予廣其傳。慶歷戊子。174」

何喬新曰175：「《春秋》因《三傳》而《經》旨益明者有焉。因三傳而經旨反176晦者有焉177，至啖、趙、陸淳之辨178明，而179後人之學有所據矣180。」

華察〈後序〉曰181：「自182漢以來，言《春秋》者大抵守《三傳》而已。其能卓然有見於千載之後者，自唐啖、趙二子始；至陸文通乃集合二家之說，作《纂例》及《辨疑》數十篇，其有功於經甚大。顧其書今世罕傳，余同年陸給事浚明183得舊本，以示吳邑令汪君，君184刻之踰年告成，而君以考績去矣。浚明185深於《春秋》，方盛有所論著，以續文通之業，異時當別有傳之者。汪186君名旦，晉187江人，嘉靖乙未進士188。」

174霖案：《五經翼》無「慶歷戊子」四字。案：「慶歷戊子」四字，當出於朱臨《集傳春秋纂例．序》，竹垞引文於該文刪去「慶歷戊子」四字，反出此四字於此，其錯亂如此。

175霖案：何喬新：《椒邱文集》卷一，〈六經〉，頁82。

176霖案：「反」字，應依《椒邱文集》題作「益」字。

177霖案：「焉」字下，應依《椒邱文集》補入「《左氏》身為國史，躬覽載籍，考事精詳，文辭可美，固豔而富矣，然多敘鬼神之事，預言禍福之期，若申生之託，狐突、荀偃死不受含伯有之厲，彭生之妖，則其失也誣矣。《穀梁》辭清義通，若論隱公之小惠，虞公之中知，固清而婉矣，然元年大義而無發明，益師不明之惡，畧而不言，則其失也短矣。《公羊》說事分明，善能裁斷，若斷元年五始，益師三辭，美惡不嫌同辭，貴賤不嫌同號，固辯而裁矣，然若單伯之滛〔淫〕叔姬、鄫子之請魯女；論叔術之妻嫂是非；說李子之兄弟飲食，則其失之俗矣。」等字。

178霖案：「辨」，《椒丘文集》作「辯」字。

179霖案：「而」字下，應依《椒丘文集》補入「開示」二字。

180霖案：「矣」字，《椒丘文集》無此字，當據以刪正。

181霖案：《國立中央圖書館善本序跋集錄》頁392-393錄有此文，係根據「明嘉靖庚子（十九年）吳縣知縣汪旦刊本」甄錄而來。

182霖案：「自」字前，應依「明嘉靖庚子（十九年）吳縣知縣汪旦刊本」補入「昔人謂」三字。

183霖案：「明」字下，應依「明嘉靖庚子（十九年）吳縣知縣汪旦刊本」補入「間」字。

184霖案：「君」字下，應依「明嘉靖庚子（十九年）吳縣知縣汪旦刊本」補入「慨然捐俸」四字。

185霖案：「浚明」二字下，應依「明嘉靖庚子（十九年）吳縣知縣汪旦刊本」補入「乃取柳河東所撰〈文通墓表〉及〈答元饒州書〉附刻焉，而屬余識其末簡，浚明固」等三十字。

186霖案：「汪」字前，「明嘉靖庚子（十九年）吳縣知縣汪旦刊本」有「若」字；又「汪」字下，另有「此舉，其為學者之益亦多矣。」等十一字。

187霖案：「晉」字前，「明嘉靖庚子（十九年）吳縣知縣汪旦刊本」有「閩之」二字，當據以補入。

188霖案：「嘉靖乙未進士」條下，竹垞缺錄「是歲庚子三月既望，翰林侍讀，無錫華察題」等十七字，當據以補入。

《春秋微旨》（唐）

【書名】本書異名如下：

一、《春秋集傳微旨》：程志〈現存唐人著述簡目〉頁二六〇著錄。

【著錄】《元史藝文志輯本》卷三，頁六〇。

《唐志》：「二卷。」今本三卷。

【霖案】張之洞《書目答問補正》卷一，頁四七著錄，卷數題作「三卷」，又《徵刻唐宋秘本書目》頁一四四〇著錄。

存。

【版本及藏地】黃虞稷、葉德輝《徵刻唐宋祕本書目》云：「《微旨》，宋人亦不及見，得之內府。」（頁一四四〇），可見是書流傳者罕，今將傳本及藏地考訂如下：

一、宋江西行省本：《曝書亭集》卷三四〈陸氏春秋三書序〉：「《纂例》及《辨疑》、《微旨》三書，延祐中，從集賢學士曲出之請，鋟板江西行省。」（頁四二四）。

二、明嘉靖庚子（十九年）吳縣知縣汪旦刊本

藏地：台北：國家圖書館。

三、清龔蘅圃玉玲瓏刊本：《曝書亭集》卷三四〈陸氏春秋三書序〉云：「錢唐龔主事蘅圃，刻而傳之，功不在出下矣。」（頁四二五），又葉德輝《徵刻唐宋祕本書目考證》頁一四七〇錄之。又張之洞《書目答問補正》卷一，頁四七著錄。

四、錢儀吉刻《經苑》本：唐陸淳撰《春秋微旨》三卷，馬來西亞大學圖書館有藏本（二部）。又葉德輝《徵刻唐宋祕本書目考證》頁一四七〇錄之。又張之洞《書目答問補正》卷一，頁四七著錄。

五、《古經解彙函》重刻龔本：唐陸淳撰《春秋微旨》三卷，馬來西亞大學圖書館有藏本。張之洞《書目答問補正》卷一，頁四七著錄

六、張海鵬《學津討源》本：唐陸淳撰《春秋微旨》三卷，馬來西亞大學圖書館有藏本。（二部）。又葉德輝《徵刻唐宋祕本書目考證》頁一四七〇錄之。又張之洞《書目答問補正》卷一，頁四七著錄。

七、文淵閣四庫全書本：台北故宮博物院有藏本。

【增補】永瑢等撰《欽定四庫全書總目》曰：「春秋微旨三卷　內府藏本

唐陸淳撰。案陳振孫《書錄解題》稱『《唐志》有淳《春秋集傳》二十卷，今不存。又有《微旨》一卷，未見』。袁桷作淳《春秋纂例後序》稱『來杭得《微旨》三卷，乃皇祐間汴本』。蓋其書刻於開封，故南渡之後遂罕傳本，至桷得北宋舊槧，乃復行於世也。柳宗元作淳墓表稱《春秋微旨》二篇，《唐書・藝文志》亦作二卷，

此本三卷，不知何時所分。然卷首有淳自序，實稱總為三卷。或校刊《柳集》者誤三篇為二篇，修《唐書》者因之歟？是書先列三傳異同，參以啖、趙之說，而斷其是非。自序謂『事或反經而志協乎道，迹雖近義而意實蘊奸，或本正而末邪，或始非而終是，介於疑似之間者，并委曲發明，故曰『微旨』』。其書雖淳所自撰，而每條必稱『淳聞之師曰』，不忘本也。自序又謂『三傳舊說，亦并存之。其義當否，則以朱墨為別』。今所行本於應用朱書者，皆以方匡界畫其起訖，意皇祐舊槧以木本不能具朱墨，故用《嘉祐本草》之例，以陰文、陽文為例，後人傳寫又難於雙鉤，遂以界畫代之。以非大旨所繫，今亦姑仍其式，而附著舊例於此焉。」（卷二十六，頁三三四）

【增補】邵懿辰撰、邵章續錄：《增訂四庫簡明目錄標注》卷三曰：「《春秋微旨》三卷，唐陸淳撰，是書先列三傳異同，參以啖趙之說，斷其是非。

學海類編本，學津討原本，經苑本。

有《春秋集傳》二十卷，今失傳。

〔續錄〕袁桷有皇祐間汴本，玉玲瓏閣本，海昌陳氏刊巾箱本，田居刊本，古經解彙函本，據經苑本刊。」（頁一〇四）

八、清嘉慶１０年（１８０５）刻本：山東省圖書館有藏本。

【增補】《山東省圖書館館藏海源閣書目》曰：「《春秋三傳》　十六卷，首九卷／（周）左丘明等撰·《陸氏三傳釋文音義》　十六卷／（唐）陸淳撰·－清嘉慶１０年（１８０５）刻本·－１６冊（1函）；２０·６×１４·７cm·－9行１７字，小字雙行同，白口，四周單邊，無魚尾，封面題：嘉慶十年冬至刊板」（頁二九至頁三〇）

九、清同治十二年(1873)粵東書局刊本：(唐)陸淳撰《春秋微旨》三卷，台北：國家圖書館有藏本。

十、學海類編本：唐陸淳撰《春秋微旨》三卷，馬來西亞大學圖書館有藏本。

十一、清抄本：唐陸淳撰《春秋啖趙二先生集傳纂例》十卷，《微旨》三卷、《辯疑》十卷，《首》一卷，上海圖書館有藏本。霖案：此一抄本，應係出自「明嘉靖庚子（十九年）吳縣知縣汪旦刊本」。

十二、清抄本（二）：唐陸淳撰《春秋啖趙二先生集傳纂例》十卷，《微旨》三卷、《辯疑》十卷，華東師範大學圖書館有藏本。霖案：此一抄本，應係出自「明嘉靖庚子（十九年）吳縣知縣汪旦刊本」。

淳〈自序〉曰[189]：「《傳》曰：『唯天為大，唯堯則之。韶盡美矣，又盡善也；武盡美矣，未盡善也。』又曰：『禹，吾無閒[190]然矣。』推此而言，宣尼之心，堯、舜之心也；

189霖案：《春秋微旨·序》（《古經解彙函》本，冊四，頁1647。

190霖案：「閒」字，《春秋微旨．序》題作「間」字。

宣尼之道，三王之道也。故《春秋》之文通於禮經者，斯皆憲章周典，可得而知矣。其有事或反經而志協乎道，跡雖近義而意實蘊奸，或本正而末邪，或始非而終是，賢智莫能辨，彝訓莫能及，則表之聖心，酌乎皇極，是生人以來未有臻斯理也，豈但撥亂反正，使亂臣賊子知懼而已乎？故今掇其微旨，總為三卷，《三傳》舊說亦備存之，其義當否，則以朱墨為別。其有與我同志，思見唐、虞之風者，宜乎齋心極慮於此，得端本清源之意，而後周流乎二百四十二年褒貶之義，使其道貫於[191]靈府，其理浹於事物，則凡[192]比屋可封，重譯而至，其猶指諸掌爾？宣尼[193]曰：『如有用我者，期月而已可矣。』豈虛言哉？豈虛言哉？」

柳宗元曰[194]：「《微旨》中明鄭人來渝平，量力而退，告而後絕，固先同後異者也。今檢此，前無與鄭同之文，後無與鄭異之據，獨疑此一義理甚精而事有不合。」

【霖案】朱彝尊〈陸氏春秋三書序〉謂：「（陸）淳為韋執誼所援，得侍講東宮，柳子厚因執弟子禮。」（頁四二五），是則柳氏曾師事陸淳，其所論之言，實有參考價值。

【增補】孫能傳等撰《內閣藏書目錄》卷二曰：「《春秋集傳微旨》一冊，全。陸淳著。凡三卷，《三傳》舊說，亦備存之。而啖、趙之說居多。」（頁四七八）。

191霖案：「於」字，《春秋微旨．序》題作「于」字。

192「凡」，四庫本脫。　霖案：《經義考新校》頁3239校文，於「《四庫》」二字之前，另有「文淵閣」三字。今考「凡」字，《春秋微旨．序》題作「知」字。

193「宣尼」，備要本作「仲尼」。　霖案：今考《春秋微旨．序》適作「宣尼」。

194霖案：《春秋集傳辨疑》附錄〈答元饒州論春秋書〉，（《古經解彙函》冊四），頁1724。

卷一百七十七　春秋十經義考卷一百七十七春秋十

韓氏滉《春秋通例》　唐志無「例」字。

【作者】李一遂〈左氏春秋著錄書目研究〉頁九八著錄，作者誤作「韓之晃」。

【書名】李一遂〈左氏春秋著錄書目研究〉稱「又名《左氏通例》」。

《唐志》：「一卷。」

【卷數】顧況〈韓公行狀〉指出韓氏撰《通例》六卷，與竹垞根據《唐志》所載不同，說法詳見竹垞案語。

佚。

《舊唐書》[1]：「滉[2]工書，兼善丹青，以繪事非急務，自晦其能，未嘗傳之。好《易象》及《春秋》，著《春秋通例》及《天文事序議》各一卷。」

王讜曰[3]：「韓晉公治《左氏》，為浙江東西道節制，屬淮寧叛亂，發戎遣饋[4]案籍駢雜，而未嘗廢卷，在軍中撰《左氏通例》一卷，刻石金陵府學。」

陶宗儀曰[5]：「滉，字太沖，京兆人。貞元中，官至左僕射同平章事，封晉國公，謚忠肅。」

按：顧著作況撰〈韓公行狀〉[6]云：「賦《春秋》七篇[7]，著《通例》六卷。」與《唐志》不同。

殷氏侑《公羊春秋注》

佚。

1霖案：《舊唐書》卷一二九，頁3603（北京：中華書局點校本）。

2霖案：「滉」字下，《舊唐書》另有：「宰相子，幼有美名，其所結交，皆時之儁彥，非公直者不與之親密。性持節儉，志在奉公，衣裘茵衽，十年一易，居處陋薄，纔蔽風雨。弟洄常於里宅增修廊宇，滉自江南至，卽命撤去之，曰：『先公容焉，吾輩奉之，常恐失墜，所有摧圮，葺之則已，豈敢改作，以傷儉德。』自居重位，愈清儉嫉惡，彌縫闕漏，知無不為，家人資產，未嘗在意。入仕之初，以至卿相，凡四十年，相繼乘馬五匹，皆及蔽幄。」等一百四十一字，今據以補入。

3霖案：《唐語林》卷二，「文學」，頁39至頁40。

4霖案：「饋」字下，應加標點符號的逗號。

5霖案：出自：四庫本：《書小史》卷10錄之。

6霖案：文見於《華陽集》卷下，頁558至頁561（「文淵閣四庫全書本」冊一〇七二）。又原篇名為〈檢校尚書左僕射同中書門下平章事上柱國晉國公贈太韓公行狀〉」，竹垞案語所云，僅為省稱。

7霖案：「七篇」，《華陽集》卷下所錄內容，題作「七章」（「文淵閣四庫全書本」，頁560）

韓子答書曰[8]：「蒙示新注《公羊春秋》，又聞口授指略，私心喜幸[9]，願盡傳其學，職事羈纏，未得繼請[10]，此宜在擯而不教者。今[11]令序所著書[12]，惠出非望[13]。近世《公羊》學幾絕，何氏《注》外，不見他書，聖經賢傳，屏而不省；要妙之義，無自而尋。非先生好之樂之，味於眾人之所不味，務張[14]而明之，其孰能克勤綣綣[15]若此之至[16]？如遂蒙開釋，章分句斷，其心曉然，使[17]序所注，挂名經端，自託不腐[18]，其又奚辭？」　又〈薦狀〉曰[19]：「前天德軍都防禦判官承奉郎試大理評事兼監察御史殷侑[20]，兼通《三傳》，旁及諸經[21]，注疏之外，自有所得。」

【增補】〔補正〕韓子答書內「今令序所著書」，「著」當作「注」；又〈薦狀〉條內「旁及諸經」，「及」當作「習」。

8霖案：《韓昌黎文集校注》卷三，頁122〈答殷侍御書〉。

9霖案：「私心喜幸」四字下，應依《韓昌黎文集校注》補入「恨遭逢之晚」等五字，竹垞或以此五字與「私心喜幸」四字，意義相近，故而刪去，今則據原答書補入。又「韓子」實為「韓愈」的尊稱。

10霖案：「未得繼請」四字下，應依《韓昌黎文集校注》補入「怠惰因循，不能自彊」等八字。

11霖案：「今」字下，應依《韓昌黎文集校注》補入「謂少知根本，其辭章近古，可」等十一字。

12「所著書」，應依《補正》作「所注書」。　霖案：《經義考新校》頁3241校文，於「《補正》」二字之前，另增：「《四庫薈要》本、」等字。今考「著」、「注」音同義異，應據翁方綱補正之語改正。又翁氏之語，當是出自《韓昌黎文集校注》。

13霖案：「望」字下，應依《韓昌黎文集校注》補入「承命反側，善誘不倦，斯為多方，敢不喻所指，八月益涼，時得休假，儻矜其拘綴不得走請，務道之傳而賜辱臨，執經座下，獲卒所聞，是為大幸。況」等五十五字。

14霖案：《經義考新校》頁3241新增校文如下：「『張』，文津閣《四庫》本誤作『章』。」

15霖案：《經義考新校》頁3241新增校文如下：「『克勤綣綣』，《四庫薈要》本作『勤勤綣綣』。」。

16霖案：「至」字下，應依《韓昌黎文集校注》補入「固鄙心□□□□□」等八字，蓋「□□□□□」等八字，字跡漫漶難於辨識，待尋他本以校之，今暫記於此。

17霖案：「使」字之前，應依《韓昌黎文集校注》補入「直」字。

18「腐」，《四庫》本作「誣」。　霖案：《經義考新校》頁3241校文，「《四庫》」二字之前，另增：「文淵閣」三字。今考《韓昌黎文集校注》亦作「腐」字。

19霖案：《韓昌黎文集校注》卷八，頁347-348〈冬薦官殷侑狀〉。

20霖案：「侑」字下，應依《韓昌黎文集校注》補入「右伏準貞元五年六月十一日敕，停使郎官御史在城者，委常參官每年冬季聞薦者，前件官」等三十六字。

21「旁及諸經」，應依《補正》作「旁習諸經」。　霖案：《韓昌黎文集校注》正作「旁習諸經」，此或為翁方綱所據之本也。

馮氏伉《三傳異同》。

《唐志》：「二卷[22]。」

佚。

《舊唐書》[23]：「馮伉，本魏州元城人，後家京兆[24]。大歷[25]初，登《五經》秀才科[26]；建中四年又登博學《三史》科[27]，為給事中，充皇太子及諸王侍讀[28]。著《三傳異同》三卷。順宗即位，拜尚書、兵部侍郎，改國子祭酒。」

《唐會要》[29]：「元和四年四月，給事中馮伉著《三傳異同》三卷。」

施氏士丐《春秋傳》

佚。

《新唐書》[30]：「士丐，吳人。[31]大歷[32]時，助、匡、質以《春秋》，士丐[33]以《詩》，

22霖案：《經義考新校》頁3241新增校文如下：「『二卷』，依《四庫》諸本、《備要》本應作『三卷』。」

23霖案：《舊唐書》卷一八九下，頁4978。

24霖案：「後家京兆」四字，應依《舊唐書》題作「父玠，後家于京兆。」，據此，可知其遷居京兆，乃是始自其父馮玠，而竹垞省略之，今據以補入。又「京兆」下，應依《舊唐書》補入「少有經學」四字。

25霖案：「大歷」，《舊唐書》題作「大曆」，「歷」、「曆」二字相通而互用也。

26霖案：「科」字下，應依《舊唐書》補入「授祕書郎。」，此事涉及馮伉仕宦也，當據以補入。

27霖案：「科」字下，應依《舊唐書》補入「三遷尚書膳部員外郎，充睦王已下侍讀。澤潞節度使李抱真卒，為弔贈使，抱真男遺伉帛數百匹，不納。又專送至京，伉因表奏，固請不受。屬醴泉缺縣令，宰相進人名，帝意不可，謂宰臣曰：『前使澤潞不受財帛者，此人必有清政，可以授之。』遂改醴泉令。縣中百姓多猾，為著〈諭蒙〉十四篇，大略指明忠孝仁義，勸學務農，每鄉給一卷，俾其傳習。在縣七年，韋渠牟薦」等一百三十八字。

28霖案：「讀」字下，應依《舊唐書》補入「召見於別殿，賜金紫。」等八字。

29霖案：出自《唐會要》，卷三六，〈修撰〉。

30霖案：《新唐書》卷二〇〇，頁5707。

31霖案：「士丐，吳人。」四字，《新唐書》實置於下文「兼善《左氏春秋》」諸字之前，而竹垞擅移至此條解題之前，實有錯簡之失，而有待調整其次第。又「士丐」，《新唐書》作「士匄」，書寫習慣不同，古今異字所致。

32霖案：「大歷」，《新唐書》作「大曆」。

33霖案：「士丐」，《新唐書》作「施士丐」，酌添姓氏也。

仲子陵、袁彝、韋彤、韋茝[34]以禮，蔡廣成以《易》，強蒙以《論語》，皆自名其學。而士丏[35]兼善《左氏春秋》，以二經教授，由[36]四門助教為博士[37]。撰《春秋傳》，未甚傳。後文宗喜經術，宰相李石因言士丏[38]《春秋》可讀，帝曰：『朕見之矣，穿鑿之學，徒為異同。學者如浚井，得美水而已，不必[39]勞苦旁求[40]，然後為得邪？』」

【增補】〔補正〕《新唐書》條內「不必勞苦旁求」，「不」當作「何」。（卷七，頁十五）

按：柳子厚〈道州文宣王廟記〉有「春秋師晉陵蔣堅」[41]，雖未有傳書，而唐人之說經者寡，附識於此。

樊氏宗師《春秋集傳》

《唐志》：「十五卷。」

佚。

韓愈作〈墓志〉曰[42]：「紹述以金部郎中[43]出為綿州刺史[44]，徵拜左司郎中，又出刺絳州[45]，為諫議大夫。」

34霖案：「韋范」，《新唐書》作「韋茝」，此人名有誤也，當據改。

35霖案：「士丏」之下，應依《新唐書》補入「、子陵最卓異。士匄〔丏〕，吳人，」等字。又「丏」字，《新唐書》作「匄」字，說法已見上文，茲不贅述。

36霖案：「由」字，《新唐書》作「繇」字。蓋古今異字所致。

37霖案：「士」字下，應依《新唐書》補入「秩滿當去，諸生封疏乞留，凡十九年，卒于官。弟子共葬之。士匄」等字。

38霖案：「士丏」，《新唐書》作「士匄」，說法詳見前註。

39霖案：「不必」二字，應依《新唐書》改作「何必」。

40「不必勞苦旁求」，應依《補正》、《四庫》本作「何必勞苦旁求」。　霖案：《經義考新校》頁3242校文，於「《四庫》」二字之前，另有新增校文：「《四庫薈要》本、文淵閣」等字。

41霖案：《柳河東集》卷五，〈道州文宣王廟碑〉，頁4。（台北：中華書局，聚珍版）；又《癸辛雜識前集》頁23（《文淵閣四庫全書版》冊一〇四〇，台北商務印書館）亦錄及此文片斷。

42霖案：《韓昌黎文集校注》卷七，〈南陽樊紹述墓誌銘〉，頁312。

43霖案：「郎中」二字下，應依《韓昌黎文集校注》補入「告哀南方，還言某師不治，罷之，以此。」等十四字。

44霖案：「刺史」二字下，應依《韓昌黎文集校注》補入「一年」二字，此事涉其任刺史年限，不當任意棄之，今據以補入。

45霖案：「絳州」二字下，應依《韓昌黎文集校注》補入「綿絳之人，至今皆曰：『於我有德，以』等五字。

計敏夫曰46：「宗師字紹述，襄陽節度使澤之子。」

盧氏仝《春秋摘微》（唐）

《通考》：「四卷。」《中興書目》：「一卷。」

【著錄】《文獻通考・經籍考》卷九，頁二三六著錄。又《中興書目》條，出自《玉海》40-799A。

佚。

【版本及藏地】本書版本及藏地如下：

一、南菁書院叢書本：唐盧仝撰，清李邦黼輯，程志〈現存唐人著述簡目〉頁二六〇著錄，馬來西亞大學圖書館有藏本。

【增補】《續修四庫全書總目提要》：「春秋摘微一卷　南菁書院叢書本　　楊鍾羲

唐盧仝撰。清李邦黻輯。邦黻上海人。晁公武讀書志。春秋摘微四卷。唐盧仝撰。馬端臨通考同。中興書目作一卷。云凡十二公。七十六事。仝范陽人。隱少室山。自號玉川子。徵諫議大夫。不起。晁氏曰其解經不用傳。然旨意甚疏。祖無擇得之於金陵。崇文總目所不載。巽巖李氏曰。仝治春秋不以傳害經。最為韓愈所稱。今觀其書亦未能度越諸子。不知愈所稱果何等義也。舊聞仝解惠公仲子曰。聖辭也。而此乃無之。疑亦多所亡佚云。此書在宋時早已殘闕。今無傳本。楊昌霖從永樂大典編輯杜氏諤春秋會義。其間蒐采盧說凡六十二事。光緒乙亥邦黻從其師鍾氏文烝假得。裒輯成書。視中興書目十得七八。會義於僖襄二公事多所闕佚。摘微所遺之十四事或即在其中。陸淳學從啖趙。宗元掃門玉川。束傳抱經。昌黎推歎其謂日月之變。陰陽常數。末代多事。符驗相仍。聖人謹之以戒懼。人君睹災能改。即聖人之意也。臧孫辰告糴于齊。一不登而告糴鄰國。責魯無儲蓄以擬凶災。無恤民憂下之心。兵革力役不息。以致荒耗。又明人君當謹積　。省財用。以備凶年也。義皆正大。唐人說經固有不可得而泯滅者矣。」（頁七三九至頁七四〇）

【增補】〔校記〕李邦有輯本一卷。（《春秋》，頁四七）

【霖案】「李邦」疑為「李邦黼」之誤，蓋漏一「黼」字。

二、孔廣栻輯本：崔富章《四庫提要補正》頁一七一著錄。

三、清抄本：唐盧仝撰　清孔廣栻輯《春秋摘微》一卷，中國國家圖書館有藏本。

【增補】〔校記〕李邦有輯本一卷。（《春秋》，頁四七）

《中興書目》47：「盧仝《春秋摘微》一卷，十二公，凡七十六事。」

46霖案：出自：《唐詩紀事》卷三四，頁544。

47霖案：《玉海》冊二，卷四〇，頁799。

許顗曰[48]：「玉川子春秋傳，僕家舊有之，辭簡而遠，得聖人之意為多。」

晁公武曰[49]：「盧仝《春秋摘微》四卷[50]，其解經不用傳，然旨意甚疏[51]。韓愈謂『《春秋》三傳束高閣，獨抱遺經究終始』，蓋實錄也。祖無擇得之於金陵，《崇文總目》所不載。」

李燾曰[52]：「仝治《春秋》，不以傳害經，最為韓愈所稱。今觀其書，亦未能度越諸子，不知愈所稱果何等義也？舊聞仝解惠公、仲子曰：『聖辭也。』而此乃無之，疑亦多所亡逸云。」

劉氏軻《三傳指要》

《唐志》：「十五卷。」

佚。

軻〈自序〉曰[53]：「先儒以《春秋》之有《三傳》，若天之有三光然，然則《春秋》蓋聖人之文乎？聖人之文，天也，天其少變乎？故《詩》有變風，《易》有變體，《春秋》有變例。變之為義也，非介然溫習之所至，賾乎其粹者也。軻嘗病先儒各固所習，互相矛盾[54]，學者準裁無所，豈先聖後經以闕後生者邪？抑守文持論、敗潰失據者之過邪？次又病今之學者涉流而迷源，捨《經》以習《傳》，摭其言而不知其所以言，此所謂去經緯而從組繢者矣。既《傳》生於[55]《經》，亦所以緯於[56]經也。三家者，蓋同門而異戶，庸得不要其終以會其歸乎？愚誠顓蒙，敢會三家必當之言，列於經下，撰成十五卷，目之曰《三傳指要》，冀始涉者開卷有以見聖賢之心焉。俾《左氏》富而不誣[57]，《公羊》裁而不俗，《穀梁》清而不短，幸是非殆乎息矣，庶儒道君子有以相期於孔氏之門。」　又〈自述〉曰：「貞元中，軻僅能執經從師；元和初，方結廬於廬山之陽，農圃餘隙，積書牕下，日與古人磨礱湔心，歲

48霖案：出自：四庫本：《說郛》·卷82·《許彥同詩話》。

49霖案：《郡齋讀書志》卷第三，頁103、《文獻通考．經籍考》卷九，頁236。

50霖案：「盧仝《春秋摘微》四卷」八字，《文獻通考》僅作「唐盧仝撰。」四字。

51霖案：「疏」字，《文獻通考》作「疎」字。

52霖案：《文獻通考．經籍考》卷九，頁236。又「李燾曰」三字，《文獻通考》作「巽巖李氏曰」，而竹垞逕改其原姓名也。

53 霖案：《唐文粹》卷九五，(台北：臺灣商務印書館，「景印文淵閣四庫全書」冊一三四四，民國七十五年三月，初版)，頁413；又《文章辨體彙選》卷二八一，(台北：臺灣商務印書館，「景印文淵閣四庫全書」冊一四〇五，民國七十五年三月，初版)，頁415均錄有〈三傳指要序〉一文。

54 霖案：「盾」字，《唐文粹》、《文章辨體彙選》俱作「楯」字。

55 霖案：「於」字，《文章辨體彙選》作「于」字。

56 霖案：「於」字，《文章辨體彙選》作「于」字。

57「富而不誣」，應依《補正》作「富而不巫」。　霖案：《文章辨體彙選》錄作「富而不誣」，是以竹垞或是據書直錄其文，而翁方綱則以理校之，是以有異也。

月悠久，寖成書癖，故有《三傳指要》十五卷，《十三代名臣議》十卷、《翼孟子》三卷，雖不能傳於時，其於兩曜無私之燭，不為隳棄矣。」　又曰：「予抵羅浮，始得師於壽春楊生，生以傳書為道者也。三代聖王死，其道盡留於《春秋》。《春秋》之道，生以不下床而求之，不失其指。每問一卷，講一經，說一傳，疑周公、孔子、左邱明、公羊高、穀梁赤若迴環在坐，似假生之口以達其心也。元和初，下羅浮，抵匡廬，匡廬有隱士茅君，語經之文，歷歷如指掌，予又從而明之，忘其愚瞽，有《三傳指要》。」

【增補】〔補正〕〈自序〉內「富而不誣」，「誣」當作「巫」。（卷七，頁十六）

王定保曰[58]：「軻[59]慕孟軻為人[60]，故以名焉。少為僧，止於[61]豫章、高安之[62]南果園；復求黃、老之術，隱於廬山；既而進士登第，文章與韓、柳齊名。」

計敏夫曰[63]：「軻，字希仁，元和末登進士第，卒於洛州刺史，與吳武陵並以史才入史館。」

徐氏彥《春秋公羊傳疏》（唐）

【作者】《直齋書錄解題》卷三，頁四五六著錄，作者題為「不著撰人名氏」，又「景德中，侍講邢昺校定傳之」，考《崇文總目》、《直齋書錄解題》俱皆題作「不著撰人名氏」，僅李獻民[64]、《廣州藏書志》題作「徐彥撰」，而竹垞坐實其說，乃以徐彥為撰者，其說未必可信。又《天一閣遺存書目》著錄，題作「漢何休學，唐徐彥疏。」（頁八）。

【書名】本書異名如下：

一、《春秋公羊疏》：程志〈現存唐人著述簡目〉頁二五九著錄。

二、《春秋公羊注疏》：《天一閣遺存書目》頁八著錄。

三、《春秋公羊傳注疏》：《臺灣省立臺北圖書館善本書目》頁二著錄。

《通考》：「三十卷。」

【著錄】《文獻通考・經籍考》卷九，頁二三五著錄。

58霖案：《唐摭言》卷十一，〈反初及第〉，頁1（台北：中華書局，聚珍版）。

59霖案：「軻」字之前，應依《唐摭言》補入「劉」字。

60霖案：「人」字，應依《唐摭言》作「文」，「人」、「文」形相近而誤入，二字之義，實有極大差異，不該任意混用。

61霖案：「於」字，《唐摭言》作「于」字。

62霖案：「高安之」三字，《唐摭言》作「高安縣」。又「豫章」應為郡名，而「高安」為縣名，二個地名不當對等，故「豫章、高安」應作「豫章高安」，中間的頓號宜除。

63霖案：出自：《唐詩紀事》卷四六，頁732。

64霖案：晁公武：《郡齋讀書志》卷三，頁102。

【增補】〔補正〕案：今作二十八卷。（卷七，頁十六）

【增補】〔校記〕《四庫》本《春秋公羊傳注疏》廿八卷。（《春秋》，頁四七）

存。

【版本及藏地】本書版本及藏地如下：

一、宋刻元修本：唐徐彥撰《春秋公羊疏》三十卷，廿五行廿三至廿八字白口左右雙邊〕存七卷〔一至七〕，藏於中國國家圖書館。

二、明嘉靖李元陽刻十三經注疏本：原題作二十八卷，四冊，九行廿一字白口小字雙行同四周單邊，有刻工，存卷一至九，十七至十九，寧波天一閣有藏本。

又台北：國家圖書館有藏本。

又山東省博物館另有一本，題作「清許瀚批校」。

又北京：中國國家圖書館另藏一本，題作「清王振聲校」，漢何休注，唐徐彥疏《春秋公羊注疏》二十八卷，九行廿一字白口四周單邊。

又南京圖書館另藏一本，題作「清江聲校　丁丙跋」，其餘版本同於上述諸本。

【增補】《國家圖書館善本書志初稿》：「【春秋公羊註疏二十八卷八冊】

明李元陽刊十三經註疏本　00653

漢何休註，唐徐彥疏。

版匡高 20.2 公分，寬 13.2 公分。四周單邊。每半葉九行，行二十一字，註文分中字、小字，中字單行，小字雙行，字數同。『註』、『疏』、『注』、『傳』以墨蓋子白文別出。版心白口，中間記書名卷第(如『公羊註疏卷一』)，下方記葉次、最下方記刻工名。

刻工名：王良、葉順、張二、余宗、余富一、熊名、伯林、熊希、張成賜、葉岳、熊昭、王富、張七郎、余唐(或作唐)、陳才、余均、羅乃興、張元隆、王貴、元富、陳金、周富壽、劉榮、黃大富、葉再興(或作再興)、艾毛、劉順、余天壽、葉再友(或作再友)、吳興、陸文清、吳永成、熊伕照(或作伕照)、余大目、陸四、張長壽、虞丙(或作丙、虞)、黃記榮、余乃順、陸仲興(或作仲興)、陸景得、張景郎、朱仕忠、余鐵隆(或作余鐵龍、余龍)、張椿、鄒文元、朱明、謝元林、江鼻、張鷲、王金榮(或作王金)、龔三、余廷深、王仕榮、施肥、王烏(或作烏)、許達、魏長(或作長)、劉添富(或作添富)、陳永勝、王文、詹蓬、鄭孫郎、鄭記保、李清、熊文林、羅妳興、余暹、陸馬、禎、李仕璩、文、周記清、陳斌(或作陳)、李順、王仲郎、魏福鎮、黃寶、李文英、葉毛奴(或作葉奴)、江壽、王元寶(或作元寶)、周甫、王茂、余清、楊餘芳、葉雄(或作雄)、王泗、江永厚、王元名(或作王元明)、詹彥貴、葉員、周章、劉佛保、陳伕得、葉增、葉文輝、江八、吳賜員、葉得、余八十、余天禮、張尾、蔡欽、陸進寶(或作陸進保)、陳鐵郎(或作陳鐵)、程亨、余立、貞、張長友、蔡儀、陸旺、楊添友、蔡福應、李福保、劉旦、余浩、黃興、陸富郎、葉文祐、余元朱、曾景富、曾景九、羅椿、曾福林、曾椿、葉伯逃、葉伯啟、李福鎮、詹璿、吳闊(或作闊)、吳二、江毛荅(或作荅、江毛)、虞伕清、蔡俊、曾招、曾郎(或作郎)、張元興、黃道祥(或作黃祥)、吳洪、黃永進、余鐵寶、張佛惠等。缺卷二十七第二十一葉，卷十一第二十葉，卷十四第二葉，卷二十八最末兩葉以墨筆鈔補。

首卷首行頂格題『春秋公羊註疏隱公卷第一』，下隔一行小字雙行『起元年/盡元年』。次行低八格題『漢何休學』。第三行低八格有墨筆塗飾痕跡。卷首序文前第二行低八格題『漢何休學』，下『唐徐彥』疏被墨筆塗飾，第三行低八格題『明御史李元陽提學僉事江以達校刊』。卷後有尾題。卷首有景德二年(1005)中書門下牒，後有漢何休『春秋公羊傳疏序』。經文以頂格大字別出，傳文以大字緊隨，何休註文則以中字標出，注文、疏文則為小字雙行。朱筆圈點，不知出自何人。

書中鈐有『丁福保/鑑藏經/籍圖書』白文方印、『雪/峯』白文方印、『圓/壁』白文方印、『國立中央圖/書館收藏』朱文長方印、『丁福/保印』白文方印、『丁福保/讀書記』朱文長方印。」(頁 175)。

【增補】《國家圖書館善本書志初稿》：「【春秋公羊註疏二十八卷四冊】

又一部　00654

此本多出前部之刻工有：葉旋、陸文進(或作文進)、周亨、吳道元、龔永興、劉伕保、王伯道(或作伯道)、王文、熊武、陸進保(或作進保)等。缺卷二十八最末葉、卷十九第十六葉。

序文葉一前半葉以墨筆鈔補。

書中鈐有『國立中央圖/書館收藏』朱文長方印、『澤存/書庫』朱文方印。」(頁 176)。

【增補】《國家圖書館善本書志初稿》：「【春秋公羊註疏二十八卷二十四冊】

又一部　00655

此本多出前部之刻工有：余宗。何休公羊經傳解詁序缺一至三葉，卷二十八缺最末葉。

卷一有部分朱筆圈點，不知出自何人。

書中鈐有『澤存/書庫』朱文方印、『國立中央圖/書館收藏』朱文長方印。」(頁 176)。

三、文淵閣四庫全書本：台北故宮博物院有藏本。

【增補】永瑢等撰：《欽定四庫全書總目提要》卷二十六曰：「《春秋公羊傳注疏》二十八卷　內府藏本

漢公羊壽傳，何休解詁，唐徐彥疏。案《漢書・藝文志》「《公羊傳》十一卷」，班固自注曰：「公羊子，齊人。」（案《漢・藝文志》不題顏師古名者，皆固之自注。）顏師古注曰：「名高。」（案此據《春秋說題詞》之文，見徐彥《疏》所引。）徐彥《疏》引戴宏序曰：「子夏傳與公羊高，高傳與其子平，平傳與其子地，地傳與其子敢，敢傳與其子壽。至漢景帝時，壽乃與齊人胡母子都著於竹帛。」何休之注亦同（休說見「隱公二年紀子伯莒子盟於密」條下。）今觀《傳》中有「子沈子曰」，「子司馬子曰」，「子女子曰」，「子北宮子曰」，又有「高子曰」，「魯子曰」，蓋皆傳授之經師，不盡出於公羊子。《定公元年傳》「正棺於兩楹之間」兩句，《穀梁傳》引之，直稱沈子，不稱公羊，是并其不著姓氏者，亦不盡出公羊子。且并有「子公羊子曰」，尤不出於高之明證。知傳確為壽撰，而胡母子都助成之。舊本首署高名，蓋未審也。又羅壁《識遺》稱：「公羊、穀梁自高、赤作傳外，更不見有此姓。」萬見春謂皆姜字切韻腳，疑為姜姓假託。案鄒為邾婁，披為勃鞮，木為彌牟，殖為舌職，記載音訛，經典原有是事，至弟子記其先師，子孫述其祖父，必不至竟迷本字，別用合聲。璧之所言，殊為好異。至程端學《春秋本義》竟指高為漢初人，則講學家臆斷之詞，更不足與辨矣。《三傳》與經文，《漢志》皆各為卷帙，以《左傳》附經，始於杜預，《公羊傳》附經，則不知始自何人。觀何休《解詁》，但釋傳而不釋經，與杜異例，知漢末猶自別行。今所傳蔡邕石經殘字，《公羊傳》亦無經文，足以互證。今本以傳附經，或徐彥作疏之時所合併歟？彥《疏》《文獻通考》作三十卷，今本乃作二十八卷，或彥本以經文并為二卷，別冠於前，後人又散入傳中，故少此二卷，亦未可知也。彥疏《唐志》不載，《崇文總目》始著錄，稱「不著撰人名氏，或云徐彥。」董逌《廣川藏書志》亦稱「世傳徐彥，不知時代，意其在貞元、長慶之後，考《疏》中『郯之戰』一條，猶及見孫炎《爾雅注》完本，知在宋以前，又「葬桓王」一條，全襲用楊士勛《穀梁傳疏》，知在貞觀以後。中多自設問答，文繁語複，與丘光庭《兼明書》相近，亦唐末之文體。董逌所云，不為無理，故今從逌之說，定為唐人焉。（頁三三〇）

【增補】邵懿辰撰、邵章續錄：《增訂四庫簡明目錄標注》卷三曰：「《春秋公羊傳注疏》二十八卷，舊本題周公羊高撰，實高所傳述，而其玄孫壽及胡毌子都錄為書，漢何休注，唐徐彥疏。

十行本，閩本，皆不題撰疏人姓名。徐彥作公羊疏，不見唐志。北監本始依崇文總目題之。單何氏解詁，有汪氏問禮堂仿宋紹熙刻本十二卷。

〔附錄〕陸有宋刊十行本，明九行本。（紹箕）

〔續錄〕天祿後目有宋刊本，卷首有景德二年六月字，黑口，十行十七字。張氏志有《春秋公羊經傳解詁》十二卷，臨何氏校余仁仲本，後有余仁仲刊於家塾一行。興文薛煥藏宋紹熙余仁仲刊單注本，今歸袁寒雲，初印極精，汪刻本未能似，且有誤字。明隆慶刊二十卷本，明覆刻李元陽本，二十八卷，廣東刊本，同文局本。同治二年邵陽魏彥獲汪氏板於上海，補校勘記一卷，刊附以行，板後歸金陵書局，十一行十九字，小字雙行二十七字。（頁一〇二至頁一〇三）

【增補】胡玉縉撰、王欣夫輯《四庫全書總目提要補正》卷七曰：「沈家本《寄簃文存》云：『此說似是而非，戴序上文言『《春秋》之說，孔子口授子夏』，下文云：『著於竹帛。』何注上文云：『其說口授相傳』，下文『始記於竹帛』，皆無公羊壽作傳之文，是其為實有已成之傳，世相口授，《漢志》以為隱其書而不宣，所以免時難也。直至漢代景帝之時，始登竹帛，傳之於世，則壽與子都之力。正如《論語》為孔子之言，《孟子》為孟子之言，而實則門弟子記之，遂得謂非孔、孟之言耶！《春秋說》題辭云：『傳我書者公羊高』，《釋文》引《桓譚新論》，亦云『齊人公羊高緣經文作傳』，此漢人皆以為公羊高，魏、晉以後，亦毫無異說。至『子沈子曰』等云云，自非傳之正文，故特標名以別之。即『子公羊子曰』，亦必非正傳之正文，故特標名以別之。即『子公羊子曰』，亦必非正傳所有，故亦標『子公羊子』以別之。又如《穀梁》引沈子自述《公羊》之語，傳之者遽以屬之沈子，亦此時有之事，不足疑也。』左暄《三餘偶筆》云：『《禮記・雜記》『鑿巾以飯』，公羊賈為之也；而氏族略引《元和姓纂》云：『今下邳有穀梁氏，則不得謂無此姓也。』瞿氏《目錄》云：『徐氏不知何時人？紀文達據董廣川《藏書志》定為唐人，確不可易，阮氏乃從王西沚之說，謂即《北史》之徐遵明，（見《公羊校勘記序》）。又以疏中少言定本，知出唐以前人。（見成二年〈校勘記序〉。）不知疏中言定本甚多，開卷隱公第一下，便言定本升公羊字在經傳上，此正是疏出唐人之一證，其說殊未可通也。漢《藝文志》、熹平石經皆經、傳別行，分經附傳，當自何氏始，蓋既並注經、傳，則因經之有注可知傳之有經。阮氏乃謂《解詁》但釋經，大氐（抵）後漢人為之。（亦見《公羊校勘記序》。）何氏釋傳不釋經，其說蓋出紀文達，然即隱二年而觀，『春，公會戎於潛』『秋八月庚辰，公及戎盟於唐』，『鄭人伐衛』，三處經皆有注，但不注有傳之經，正以義具傳中，故不復注耳，安得因此遂謂概不釋經，其說又未可解也？』玉縉案：隱十年『春王二月，公會齊侯、鄭伯於中丘』，桓二年『秋七月，紀侯來朝，公及戎盟於唐』，『冬，公至自唐』，經皆有注。宣十五年，宋人及楚人平』，成四年，『鄭伯堅卒』，哀二年，『晉趙鞅帥師及鄭軒達帥師戰於栗』，疏皆有定本字，俱詳瞿氏校語中。是《提要》以注但釋傳不釋經為非，而以疏為唐人撰，頗是。洪頤煊《讀書叢錄》云：『疏中引《爾雅》孫炎《注》、郭璞《音義》、《書序長義》、《孝經疏》之類，皆唐以前本，疏司空掾云：『若今之三府掾』，三府掾亦六朝時有之，至唐以後，則無此稱矣。此疏為齊、梁舊帙無疑。』又姚範《援鶉堂筆記》云：『隋、唐間不聞有三府掾，亦無三府之稱，意者在北齊、蕭梁之前乎？』玉縉謂，此豈唐人仍舊疏之未盡改者歟？　嚴可均《鐵橋漫稾・書公羊疏後》云：『《公羊疏》無撰人名，《崇文總目》或云徐彥，《郡齋讀書志》引李獻民說同，不知何據？即徐彥亦不知何代人？東晉有徐彥，與徐眾同時，見《通典》九十五，又九十九有武昌太守徐彥與征西桓溫牋，而疏中引及劉宋庾蔚之，則非東晉人，今世皆云唐徐彥，尤無所據，蓋涉徐彥伯而訛耳！疏，先設問答，與蔡邕《月令章句》相似，唐疏無此體例。所引書百三十許種，最晚者郭璞、庾蔚之，餘皆先秦、漢、魏。開卷疏司空掾云：『若今三府掾是也』，齊、梁、陳、隋、唐無此官制，惟北齊有之，則此疏北齊人撰也。《隋志》有失名《疏》十二卷，唐不著錄，北宋復出，以卷太大，分為三十卷，分為二十八卷，即今本也。』」（頁一五八至頁一六〇）

【增補】崔富章《四庫提要補正》曰：「宋仁宗慶曆元年（１０４１）王堯臣、歐陽修等奉詔編《崇文總目》著錄『春秋公羊疏三十卷，不著撰人名氏。援淺局，出於近世。或云徐彥撰。皇朝邢昺等奉詔是正，始令太學傳授，以備《春秋》三家之旨。』一百多年後（１１５１）晁公武《郡齋讀書志》著錄『春秋公羊疏三十卷。右不著撰人。李獻民云，徐彥撰。』再歷一百餘年（１２６１）陳振孫《直齋書錄解題》：『春秋公羊傳疏三十卷，不著撰者名氏。《廣川藏書志》云世傳徐彥撰，不知何據。然亦不能知其定出何代，意其在貞元、長慶後也。景德中，侍講邢昺校定傳之。』元延祐初，馬端臨《文獻通考》三家并引。今北京館藏宋刻元修本《春秋公羊疏》三十卷存七卷（一至七），唐徐彥撰。蓋以傳附經而自疏之，无何休解詁（注）及陸德明音義，係單《疏》无《注》（解詁）本三十卷，跟後來之《注疏》（何休解詁徐彥疏）二十八卷本內容不同，《提要》混為一談，『或彥本以《經》文并為二卷，別冠於前』。云云，出於猜測，不足據也。

《注疏》二十八卷本（何休注，徐彥疏，陸德明音義）不知起於何時。《天祿琳琅書目》卷一著錄『監本附音春秋公羊注疏二函十六冊。漢何休解詁，唐徐彥疏，附唐陸德明音義，共二十八卷，休自序。宋景德二年六月中書門下牒文奉敕校讎刊印頒行，俱載編首。牒後結銜：工部侍郎參知政事馮、兵部侍郎參知政事王、兵部侍郎平章事寇、吏部侍郎平章事畢。書首有『尚友』方記，不知誰氏，而卷中丹筆竄注之處，校勘頗為詳密。』以載景德二年牒文，因定為宋版，恐不確。南宋末，杭州廖氏世綵堂校刊《九經》，廖　中撰《總例》一卷，稱舊、新監本（每半葉十行，行十七字，注雙行二十三字，白口，上記大小字數，下記刊工姓名，左右雙邊），鑒定為元刊本，或元刻明修本，大德四年（１３００）刻《十三經注疏》之一。此後陸續有明嘉靖李元陽閩刻本（南京館藏本有清江聲校，北京館藏本有清王振聲校，山東省博物館有清許瀚批校）、萬曆二十一年北京國子監刻本（上海館藏本有清陳澧校）；崇禎七年毛氏汲古閣刻本（上海館藏有清吳孝顯錄各家校、張爾耆復校，常熟市圖書館藏本有清王振聲校并臨何焯等校，復旦大學藏本有清惠棟批校圈點，北京館藏本一部有葉德輝校，佚名錄清何煌、惠棟、朱邦衡、陳奐批校題識，另一部有清姚世鈺校并跋又錄何焯校跋、高銓跋），皆出元刻本，而改題『春秋公羊注疏』；清嘉慶二十年南昌府學《重刊宋本十三經注疏》，恢復原題『監本附音春秋公羊注疏』。然上述諸版本，皆非四庫底本所以出。

考文溯閣庫書《提要》稱『明監本多脫去傳、注等字，今刻本悉補入焉』。『今刻本』指乾隆四年武英殿校刊《欽定十三經注疏》本，『春秋公羊傳注疏二十八卷序一卷原目一卷』，漢何休注，唐徐彥疏，陸德明音義，每卷後附《考證》，據宋監本（元刊本）、明國子監本、毛晉汲古閣本及諸家所勘宋本校對。《四庫全書》即據此本繕錄。

文瀾閣庫書原本佚，今存丁氏補抄本十八冊。考《善本書室藏書志》卷三著『監本附音春秋公羊注疏二十八卷，宋刻十行本，唐仁壽藏書』，所錄牒文，行款與《天祿琳琅書目》本同，實為元大德四年刻《十三經注疏》之一，明正德補刊。《藏書志》又著錄李元陽閩刊本（有修版痕迹，當為南明隆武二年重修本）云『江叔沄聲以宋本校刊，通用朱筆圈點，眉間錄稱松崖師校語，如：隱二年之怨結禍構，監本脫一構字；隱三年之貶去名言氏者，監本言字誤者；均補改轉。較阮氏《校勘記》為勝矣。』此本當即丁氏補抄庫書所據。丁藏原本今歸南京館古籍部。」（頁一四七至頁一四九）

四、明嘉靖李元陽刻《十三經注疏》本修補後印：（漢）何休注　（唐）徐彥疏　（唐）陸德明音義《春秋公羊注疏》二十八卷，九行，二十一字，小字雙行，字數同，白口、四周單邊，大陸：中山大學圖書館有藏本。

五、明崇禎甲戌（七年）常熟毛氏汲古閣刊十三經本：（漢）何休注　（唐）陸德明音義　（唐）徐彥疏　《春秋公羊注疏》，九行，二十一字，小字雙行，字數同，白口，左右雙邊，程志〈現存唐人著述簡目〉頁二五九著錄，台北：國家圖書館、臺灣省立臺北圖書館；大陸：中山大學圖書館均有藏本。

又台北國家圖書館另有一本，有清江沅過錄舊校并手書題記，又陳奐過錄惠棟批語并手書題記。

又大陸：中國國家圖書館另藏二部，一部有「清姚世鈺校並跋又録清何焯校跋，高銓跋」。又一部有「葉德輝跋，佚名錄清何煌惠棟、朱邦衡、陳奐批校題識」。

又復旦大學圖書館另藏一本，題作「清惠棟批校並圈點」，版本則同於上述諸本。

又常熟縣圖書館另藏有一本，題作「清王振聲校臨，清何焯等校」。

又上海圖書館另藏有一本，題作「清吳孝顯録各家校，清張爾耆覆校」。

【增補】《國家圖書館善本書志初稿》：「【春秋公羊註疏七冊】

明崇禎七年(1634)海虞毛氏汲古閣刊十三經註疏本　00656

漢何休註，唐徐彥疏。

版匡高 17.8 公分，寬 12.4 公分。左右雙邊。每半葉九行，行二十一字，註文中字單行，疏文小字雙行，字數同。『註』、『疏』文以墨蓋子白文別出。版心花口，最上方記書名，中間記卷第(如『卷之一』)及葉次，下方則題『汲古閣』。

首卷首行頂格題『春秋公羊註疏隱公卷第一』，隔一行小字雙行『起元年/盡元年』，次行低九格題『漢何休學』。卷末尾題俱被剜去。首冊封面右上方墨字題『隱公十一年桓公元年之六年』。卷二十八尾題前有『皇明崇禎七年歲在閼逢閹茂古虞毛氏繡鐫』牌記。卷首有漢何休『春秋公羊傳註疏』序。書眉、正文旁，浮簽朱墨筆批語。書中有江沅過錄舊校並手書題記，又陳奐過錄惠棟批語並手書題記，並附印記。

書中鈐有『國立中/央圖書/館考藏』朱文方印、『曾在三/百堂/陳氏處』朱文方印。」(頁 176)。

又台北國家圖書館另有一本，有清李芝綬過錄何煌校語之本。

【增補】《國家圖書館善本書志初稿》：「【春秋公羊註疏二十八卷四冊】

又一部　00657

封面扉葉有一牌記，分三欄，左右欄大字刻『毛氏公羊/註疏正本』，中間小字『汲古閣繡梓』。清李芝綬過錄何煌校語。

書中鈐有『毛氏/正本』朱文方印、『汲古/閣』白文方印、『李芝綬/讀書記』朱文長方印、『緘盦/收藏』白文方印、『國立中/央圖書/館考藏』朱文方印、『仲標/手校』朱文方印、『夢華/館藏/書印』白文方印。」(頁 176)。

六、文選樓本：舊題周公羊高撰，漢何休注，唐徐彥疏《春秋公羊傳注疏》二十八卷，耿文光《萬卷精華樓藏書記》卷八，頁二九二著錄。

【增補】耿文光《萬卷精華樓藏書記》卷八曰：「《春秋公羊傳注疏》二十八卷

舊題周公羊高撰　漢何休注　唐徐彥疏

文選樓本。揚州阮氏校刊。

校勘記：漢武帝好《公羊》，治其學者，胡母子都、董膠西為最著。膠西著書十餘萬言，皆明經術之意，至今傳焉。子都為景帝時博士，後年老歸教於齊，齊之言《春秋》者無不宗事之。公羊之著《竹帛》，自子都始，戴宏序稱子夏傳與公羊高，高傳其子平，平傳其子地，地傳其敢，敢傳其子壽，壽與弟子胡母子都著於竹帛是也。何休為膠西四傳弟子，本子都條以作注公羊。墨守公羊文譜，例公羊傳條例，尤邃於陰陽五行之學，多以讖緯釋傳，惟黜周王。魯傳無明文，晉王接以為乖硋大體，非過毀也。傳初不與經相連，分經附傳，大抵漢後人為之，而唐開成始取而刻石。徐彥疏唐志不載，《崇文目》始著錄，亦無撰人名氏。宋董逌云世傳徐彥所作，其時代里居不可得而詳矣。王鳴盛云：即《北史》之徐遵明不為無見也。蓋其文章似六朝人，不似唐人所為者。晁志、陳錄并作三十卷，世所傳本乃止二十八卷，其參差之由亦無可考也。今以何煌所校蜀大字本、宋鄂州官本及唐《石經》本，宋元以來各注疏本，臚其同異，訂其是非，後之為是學者俾得有所考焉。

《載籍足徵錄》徐疏序云：左氏先著竹帛，故漢時謂之古學，公羊漢世乃興，故謂之今學。是以《五經異義》云：古者春秋左氏說，今者春秋公羊說是也。據此則志所稱古經十二篇為左氏經無疑。公、穀二傳皆十一卷，與經十一卷相配。志所稱經十一卷為公穀二家之經，又可知矣。鄭司農《周禮注》云：古文春秋經，公即位為公，即立鄭傳左氏學，所稱古經當為左氏之經。《漢書．劉歆傳》謂左氏傳多古字古言，今左氏經傳絕少古字，蓋魏晉以後經師所改，非漢時所傳之真本也。（頁二九二至頁二九三）

【增補】何廣棪：《陳振孫之經學及其《直齋書錄解題》經錄考證》曰：「案：《解題》所言《疏》者，乃指徐彥所作《疏》。《春秋公羊傳疏．隱公》卷第一曰：『問曰：『《春秋》說云《春秋》設三科九旨，其義如何？』答曰：『何氏之意，以為三科九旨正是一物。若摠言之謂之三科。科者，段也。若析而言之謂之九旨。旨者，意也。言三個科段之內，有此九種之意。故何氏《作文謚例》云：『三科九旨者，新周、故宋、以《春秋》當新王，此一科三旨也。』又云：『所見異辭、所聞異辭、所傳聞異辭，二科六旨也。又內其國而外諸夏、內諸夏而外夷狄，是三科九旨也。』』』《解題》謂『詳具《疏》中』者，乃指此。」（頁五一八至頁五一九）

七、元刊明代修補本：台北：國家圖書館有藏本。

又南京圖書館另藏有一本，題作「清丁丙跋」，存十卷〔五至　六　十五至十六　二十一至二十二、二十五至二十八〕。

【增補】《國家圖書館善本書志初稿》：「【監本附音春秋公羊註疏二十八卷十八冊】

元刊明代修補本　00650

漢何休註，唐徐彥疏。休(128-182)字邵公，後漢樊人。精研六經，作春秋公羊解詁，官諫議大夫，卒年五十四。

版匡高 18.7 公分，寬 12.9 公分。左右雙邊。每半葉十行，行十七字，註文小字雙行，行二十三字。『疏』字以墨圍別出。左上欄外有耳題記魯公年(如『隱元年』)。版心白口，雙魚尾。版心上方記大小數字，魚尾中間記書名卷第(如『公疏一』)，版心下方記刻工名。明代修補部分，版式不一，版心有白口與粗黑口，魚尾則有單、雙、三魚尾，無字數，或缺刻工名，版心偶或刻『李紅縢』。

元刻工名：伯壽(或作伯)、山、壽、君美(或作美)、以清(或作以)、文、善慶(或作善)、仁甫、禔甫、高、王英玉(或作英玉、英、玉)、余、茂、李、君錫、余中、敬中、古月(或作古、月)、應祥、仲、文粲(或作文)、王榮(或作榮)、安卿(或作安)、德遠(或作德)、壽甫、天易、以德、丘文(或作文)、住、善卿(或作善)、德甫等。明修刻工名：人、吳郎、曾、王邦亮、余富等。

首卷首行頂格題『監本附音春秋公羊註疏隱公卷第一』，下小字雙行『起元年/盡元年』。次行頂格題『春秋公羊經傳解詁隱公第一』，下末有尾題。卷首有景德二年(1005)中書門下牒，並漢何休『監本附音春秋公羊註疏序』。

書中鈐有『國立中央圖/書館收藏』朱文長方印。」(頁 174)。

【增補】《國家圖書館善本書志初稿》：「【監本附音春秋公羊註疏存二十卷十冊】

又一部　元刊明初修補本　00652

此本多出前部之明修刻工有：仲。缺卷二至卷七、卷十、卷十一凡八卷。卷二十缺十二至十六葉。

書中鈐有『擇是居』朱文橢圓印、『國立中央圖/書館收藏』朱文長方印、『莚圃/收藏』朱文長方印、『張印/鈞衡』白文方印、『石銘/收藏』朱文方印、『吳興張氏適園收藏圖書』朱文長方印。」(頁 174)。

八、元刊配補影鈔本：台北：國家圖書館有藏本。

【增補】《國家圖書館善本書志初稿》:「【監本附音春秋公羊註疏二十八卷十四冊】

元刊本配補影鈔本　00651

漢何休註，唐徐彥疏。

版匡高 19.1 公分，寬 13.1 公分。元刊十行本。版式同書號 00650，配補影鈔本版心最上方缺大小字數，版匡外左上方缺耳題。

刻工名：以清(或作以)、文、善慶(或作善)、仁甫、禔甫、高、王英玉(或作英玉、英、王)、余、茂卿(或作茂)、君錫、君美(或作美)、余中、敬中、古月(或作古、月)、應祥、文粲(或作文)、王榮(或作榮)、安卿(或作安)、德遠(或作德)、壽甫、丘文(或作文)、住、天易(或作天)、善卿(或作善)、德甫、伯壽(或作壽、伯)、以德等。卷一、卷二及卷十五至卷十八凡六卷鈔配。

缺卷首中書門下牒。全書以木匣盛裝。

書中鈐有『國立中央圖/書館收藏』朱文長方印、『壺天小史橘/耳山人私印』白文長方印、『揚洲陳恒和書林』朱文圓印。」(頁 174~175)。

九、吳興劉氏嘉業堂叢書本:不著撰人姓氏《重刊北宋槧公羊疏》殘本七卷。

【增補】《續修四庫全書總目提要》:「重刊北宋槧春秋公羊疏殘本七卷　吳興劉氏嘉業堂叢書本　　張壽林

不著撰人姓氏。按宋董逌廣川藏書志云。世傳徐彥所作。不知時代。意其在貞元長慶之後。四庫全書總目提要因之。題為唐徐彥。儀徵阮元校勘記序。則用王鳴盛之言。謂即北史之徐遵明。蓋以其文字似六朝人。不似唐人所為者。惟德清俞樾茶香室經說。據成公四年鄭伯堅卒疏云左氏作堅字。穀梁作賢字。今定本亦作堅字。謂定本乃唐初顏師古所為。作疏者得見定本。則其為唐人無疑。決非北史之徐遵明。是徐氏之為唐人。殆無可疑。至其事跡。則史無可考矣。是編為吳興蔣孟蘋學部舊藏。吳興劉承幹借鈔一過。刻入嘉業堂叢書中。惜僅存前七卷。且其中卷二又闕尾頁。卷三又闕前半。卷七中闕一頁。又闕首尾。其完整者。實僅四卷。其行款經文注文疏文均接續。僅空格為記。考錢氏十駕齋養新錄云。唐人撰九經正義。宋初邢昺撰論語孝經爾雅疏。皆自為一書。不與經注合并。南宋初。乃有併經注正義合刻者。又云。予三十年來所見疏與注別行者。唯儀禮爾雅兩經。皆人世稀有之物。然則此公羊疏單行本。竹汀亦未之見。雖殘闕。亦足珍矣。惟今考其書。或有當空不空者。又有提行者。如桓六年末尾。八年中間。且有年代缺標題者。如桓四年之類。疑是當日坊刊官本。簡易便覽之刻。故與他書不同云。」(頁七一五)

《崇文總目》[65]:「不著撰人名氏。援證淺局，出於近世。或云:『徐彥撰。』皇朝邢昺等奉詔是正，始令太學傳授，以補《春秋》三家之旨。」

65霖案:《文獻通考．經籍考》卷九，頁235。

晁公武曰[66]：「其書以何氏三科九旨為宗，本[67]其說曰：『何氏之意，三科九旨正是一事爾。總而言之，謂之三科；析而言之，謂之九旨。新周、故宋、以《春秋》當新王，此一科三旨也；所見異辭、所聞異辭、所傳聞異辭，此二科六旨也；內其國而外諸夏、內諸夏而外夷狄[68]；此三科九旨也。』」

陳振孫曰[69]：「《廣州藏書志》[70]云：『世傳徐彥不知何代[71]，意其在貞元、長慶後也。』

【增補】何廣棪：《陳振孫之經學及其《直齋書錄解題》經錄考證》曰：「廣棪案：《崇文總目》卷一《春秋類》著錄：『《春秋公羊疏》三十卷，原釋：不著撰人名氏，援證淺局，出于近世，或云徐彥撰。皇朝邢昺等奉詔是正，始令太學傳授，以備《春秋》三家之旨。（見《文獻通考》。）』《讀書志》卷第三《春秋類》著錄：『《春秋公羊傳疏》三十卷。右不著撰人。李獻臣云徐彥撰，亦不詳何代人也。《崇文總目》謂其『援證淺局，出於近世』。以何氏三科九旨為宗。』是宋人之於此書之撰者徐彥及其年代，多在疑似之間，未敢作肯定。至清乾隆時，《四庫》館臣始從董逌之說，定此書為唐人徐彥撰。《總目》卷二十六《經部》二十六《春秋類》一『《春秋公羊傳注疏》二十八卷』條曰：『彥《疏》，《唐志》不載。《崇文總目》始著錄，稱不著撰人名氏，或云徐彥。董逌《廣川藏書志》亦稱世傳徐彥，不知時代，意其在貞元、長慶之後。考《疏》中『郲之戰』一條，猶及見孫炎《爾雅注》完本，知在宋以前。又『葬桓王』一條，全襲用楊士勛《穀梁傳疏》，知在貞觀之後。中多設問答，文繁語複，與邱光庭《兼明書》相近，亦唐末之文體。董逌所云，不為無理。故今從逌之說，定為唐人焉。』然道光間，阮元撰《春秋公羊傳注疏校勘記序》，則據王鳴盛《十七史商榷》另立新說。阮《序》曰：『徐彥』《疏》，《唐志》不載，《崇文總目》始著錄，亦無撰人名氏。宋董逌云世傳徐彥所作，其時代里居不可得而詳矣。王鳴盛云：即《北史》之徐遵明。不為無見也。蓋其文章似六朝人，不似唐人所為者。」二者聚訟，及今仍多以為唐人徐彥所作也。」（頁五二四至頁五二五）

韋氏表微《春秋三傳總例》

《唐志》：「二十卷。」

佚。

計敏夫曰[72]：「表微，字子明，中書舍人。敬宗嘗語左右，欲相之。」

66霖案：《郡齋讀書志》卷第三，頁102、《文獻通考．經籍考》卷九，頁235。

67霖案：「宗，本」，當標作「宗本，」為宜。

68霖案：《經義考新校》頁3246新出校文如下：「『夷狄』，文津閣《四庫》本改作『荊蠻』。」。

69霖案：《直齋書錄解題》卷三，頁456、《文獻通考．經籍考》卷九，頁235。

70霖案：《經義考新校》頁3246新出校文如下：「『《廣州藏書志》』依文津閣《四庫》本、《備要》本應作『《廣川藏書志》』。」，此則書名有誤也。

71霖案：「世傳徐彥不知何代」，當斷作「世傳徐彥，不知何代」。

《新唐書》73：「表徵74，敬宗時75為翰林學士76，遷中書舍人77，尤好《春秋》，病諸儒執一概，是非紛然，著《三傳總例》，全會78經趣。」

許氏康佐等《集左氏傳》79

《唐志》80：「三十卷。」《國史補》作「六十卷」。

佚。

《實錄》81：「太和九年四月82，許康佐進《纂集左氏傳》三十卷，五月83以《御集左

72霖案：出自：《唐詩紀事》卷五四，頁863。

73霖案：《新唐書》卷一七七，頁5275。

74霖案：竹垞作者題為「韋氏表微」，而此處引《新唐書》作「表徵」，蓋「微」、「徵」字形相近而誤入。今考「四部備要本」、《新唐書》俱題作「表微」，或為「點校本」《點校補正經義考》誤題所致。又「表微」二字下，原有「字子明，隋鄖城公元禮七世孫。羈丱能屬文。母訓諭稍厲，輒不敢食，以是未嘗讓責。韋皐鎮西川，王緯、司空曙、獨孤良弼、裴涗居幕府，皆厚相推挹。涗嘗謂表微似衛玠，自以不能及也。擢進士第，數辟諸使府。久之，入授監察御史裏行，不樂，曰『爵祿譬滋味也，人皆欲之，吾年五十，拭鏡涗白，冒游少年間，取一班一級，不見其味也．將為松菊主人，不愧陶淵明』云。俄」等字。

75霖案：「敬宗時」三字，為竹垞參據下文之意而增之，原文於「為翰林學士」之前，並無此三字。

76霖案：「學士」二字下，應依《新唐書》補入「是時，李紳忤宰相，貶端州，龐嚴、蔣防皆謫去，學士缺人，人爭薦丞相所善者，表微獨薦韋處厚，人服其公。進知制誥。後與處厚議增選學士，復薦路隋。處厚以諸父事表微，因曰：『隋位崇，入且翁右，奈何？』答曰：『選德進賢，初不計私也。』久之，」等八十九字。

77霖案：「中書舍人」四字下，應依《新唐志》補入「敬宗嘗語左右，欲相二韋，會崩。文宗立，獨相處厚，進表微戶部侍郎。兀志沼叛，詔李聽率師討之，次河上。天子憂無成功，表微曰：『以聽軍勢，不十五日必破賊。』及捷書上，止浹日。志沼殘兵六千奔昭義，宰相請推處首惡者誅之，歸脅從者于魏。表微上言：『逆子降，又殺之，非好生也。請以聽代史憲誠于魏，志沼之徒，可使招納。』不聽。以病痼罷學士。卒，年六十，贈禮部尚書。始，被病，醫藥不能具，所居堂寢隘陋，既沒，弔客咨嗟。篤故舊，雖庸下，與攜手語笑無間然。」等字。

78霖案：「全會」，《新唐書》題作「完會」，「全」、「完」形相近而誤入。

79「集左氏傳」，《四庫》本脫「傳」字。　霖案：《經義考新校》頁3247校文，於「《四庫》」二字之前，另有「文淵閣」三字。

80霖案：《新唐書》卷五十七，頁1440。

81霖案：《玉海》卷四〇，頁798-799。

82霖案：「四月」二字下，應依《玉海》之文，補入「癸亥」二字，此與許康佐進呈《纂集左氏傳》一書的確切時日有關，不當任意刪除，今據原文補之。

氏列國經傳》三十卷宣付史館。」

《唐會要》[84]：「太和九年五月，御集《春秋左氏列國經傳》三十卷。」

《新唐書》[85]：「許康佐，貞元中舉進士，宏辭[86]為翰林侍講學士[87]，遷禮部尚書[88]。」

李肇曰[89]：「許康佐進新《注春秋列國經傳》六十卷，上問閽弒吳子餘祭事，康佐託以《春秋》義奧，臣窮究未精，不敢容易解陳。後上以問李仲言，仲言乃精為上言之。上曰：『朕左右刑臣多矣，餘祭之禍安得不慮？』仲言曰：『陛下留意於未萌，臣願遵聖謀。』」

高氏重《春秋纂要》

《唐志》[90]：「四十卷。」

佚。

《新唐書》[91]：「重，字文明，士廉五代孫，文宗時，翰林侍講學士。帝好《左氏春秋》，命重分諸國，各為書，別名《經傳略要》[92]。歷國子祭酒。」

【增補】〔補正〕《新唐書》條內「別名《經傳略要》」，當作「《要略》」。（卷

83霖案：「五月」二字下，應依《玉海》之文，補入「乙巳」二字，此與許康佐撰書入史館之日有關，不當任意刪除，今據原文補之。

84霖案：出自：《唐會要》，卷三六，〈修撰〉。

85霖案：《新唐書》卷二〇〇，頁5722。

86霖案：「貞元中舉進士，宏辭」，應標點為「貞元中舉進士、宏辭」。又「宏辭」二字下，應依《新唐書》補入「連中之。家苦貧，母老，求為知院官，人譏其不擇祿。及母喪已除，凡辟命皆不答，人乃知其為親屈，由是有名。遷侍御史。以中書舍人」等五十字。

87霖案：「士」字下，應依《新唐書》補入「與王起皆為文宗寵禮。帝讀《春秋》至『閽弒吳子餘祭』，問：『閽何人邪？』康佐以中官方彊，不敢對，帝嘻笑罷。後觀書蓬萊殿，召李訓問之，對曰：『古閽寺，今宦人也。君不近刑臣，以為輕死之道，孔子書之以為戒。』帝曰：『朕邇刑臣多矣，得不慮哉！』訓曰：『列聖知而不能遠，惡而不能去，陛下念之，宗廟福也。』於是內謀翦除矣。康佐知帝指，因辭疾，罷為兵部侍郎。」等一百三十二字。

88霖案：「書」字下，應依《新唐書》補入「卒，贈吏部，謚曰懿」等七字。

89霖案：出自：四庫本：王讜《唐語林》卷六。

90霖案：出自《新唐書》卷五七，頁1440。

91霖案：出自《新唐書》卷五七，頁1440的注文，非其正文也，故「《新唐書》」應題作「《新唐書．注》」為宜，此書名題稱有誤也。

92「《經傳略要》」，應依《補正》作「《經傳要略》」。　霖案：《經義考新校》頁3248校文，於「《補正》」二字之前，另有「《四庫薈要》本、」等字。又此處涉及書名正誤，當據翁方綱補正之語改正。又《新唐書．注》實作「《經傳要略》」，此或為翁方綱補正所本也。

七，頁十六）

李氏瑾《春秋指掌》

《唐志》：「十五卷。」

【卷數】《文獻通考・經籍考》卷九，頁二三八著錄，未題卷數。

佚。

《崇文總目》[93]：「《春秋指掌》[94]，唐試左武衛兵曹李瑾撰。瑾集諸家之說，為《序義》、《凡例》各一篇，抄孔穎達《正義》為五篇，采摭餘條為《碎玉》一篇，集先儒異同、辨[95]正得失為三篇，取劉炫《規過》申證其義為三篇，大抵專依杜氏之學以為說。」

李燾曰[96]：「其第一卷新編目錄，多取杜氏《釋例》及陸氏《纂例》，瑾所自著無幾；而《序義》以下十四卷，但分門抄錄孔穎達《左氏正義》，皆非瑾所自著也。學者第觀《正義》及二例，則此書可無。且瑾之意，特欲以備科試應猝之用耳，初不為經設也，其名宜曰《左氏傳指掌》，不當專繫《春秋》。本朝王堯臣《崇文總目》及李俶[97]《圖書志》皆以《先儒異同》、《規過》〈序〉、〈例〉等篇為瑾筆削，蓋誤矣。寫本或譌[98]舛，復用《正義》刪修之乃可讀[99]。惟篇首數序瑾所自著者[100]，既無參考[101]，亦不敢以意改定，姑仍其誤云。」

【增補】〔補正〕李燾條內「及李俶《圖書志》」，「俶」當作「淑」。（卷七，頁十六）

陸氏希聲《春秋通例》（唐）

93霖案：《文獻通考．經籍考》卷九，頁238-239。

94霖案：「《春秋指掌》」四字，《文獻通考》引「《崇文總目》」原文無此四字，當係竹垞據著錄書名增此四字。

95霖案：「辨」字，《文獻通考》作「辯」字。

96霖案：《文獻通考．經籍考》卷九，頁239。又「李燾曰」三字，《文獻通考》原作「巽岩李氏曰」，蓋竹垞改為原姓名也。

97「李俶」，應依《補正》作「李淑」。　霖案：霖案：《經義考新校》頁3249校文，於「《補正》」二字之前，另有「《四庫薈要》本、」等字。今考此處涉及人名正誤，原當據翁方綱補正之語改正，惟《文獻通考》正作「李俶」，則其誤或出於《文獻通考》也。

98霖案：「譌」字，《文獻通考》作「訛」字。

99霖案：「復用《正義》刪修之乃可讀」，或應斷為「復用《正義》刪修之，乃可讀」，《點校補正經義考》的斷句，或有商榷餘地。

100霖案：「惟篇首數序瑾所自著者」，或應斷作「惟篇首數序，瑾所自著者」，《點校補正經義考》的斷句，或有商榷餘地。

101霖案：「考」字，《文獻通考》作「攷」字。

《唐志》：「三卷。」

【卷數】本書卷數異同如下：

一、不著卷數：《文獻通考．經籍考》卷九，頁二三九著錄。

二、一卷本：程志〈現存唐人著述簡目〉頁二六〇著錄。

佚。

【版本及藏地】本書版本及藏地如下：

一、馬國翰《玉函山房輯佚書》本：唐陸希聲撰，清馬國翰輯《春秋通例》一卷，程志〈現存唐人著述簡目〉頁二六〇著錄，馬來西亞大學圖書館有藏本。

【增補】〔校記〕馬國翰有輯本。（《春秋》，頁四十七）

【增補】《續修四庫全書總目提要》：「春秋通例一卷　玉函山房輯本　　劉白村

唐陸希聲撰。清馬國翰輯。希聲蘇州吳人。博學善屬文。通易春秋老子。論著甚多。商州刺史鄭愚表為屬。後去隱義興。久之。召為右拾遺。時憸腐秉權。歲數歉。梁宋尤甚。希聲見州縣刓敝。上言當謹視盜賊。明年。王仙芝反。株蔓數十州。遂不制。擢累歙州刺史。昭宗聞其名。召為給事中。拜戶部侍郎。同中書門下平章事。在位無所輕重。以太子少師罷。李茂貞等兵犯京師。輿疾避難。卒。贈尚書左僕射。諡曰文。按唐書藝文志。有陸希聲之春秋通例三卷。及周易傳二卷。春秋通例據程端學春秋本義所引凡有六節。書之訂名。蓋取三傳中以例說經中互參其義也。輯本所存過少。未易窺其主旨所在。然故意立異之處。尚有可見。如隱公二年莒人入向。公羊氏曰。入者何。得而不居也。穀梁氏曰。入者內弗受也。向我邑也。本書則曰。克內曰入。若然。則吳入州來。於越入吳諸條。何以見州來與吳為內也。」（頁七四一）

二、清光緒九年(1883)長沙琅嬛館補校刊本：(唐)陸希聲撰《春秋通例》一卷，台北：國家圖書館有藏本。

三、清光緒十年(1884)湘遠堂刊本：(唐)陸希聲撰《春秋通例》一卷，台北：國家圖書館有藏本。

《崇文總目》102：「唐陸希聲撰。因三家之例，裁正其冗，以通《春秋》之旨。」

張氏傑《春秋圖》（唐）

【作者】《經籍志》作「張杰」。

《唐志》：「五卷。」

【卷數】《文獻通考．經籍考》卷九，頁二三九著錄，不題卷數。

佚。

102霖案：《文獻通考．經籍考》卷九，頁239。

《崇文總目》103：「唐張傑撰。以《春秋》所載車服、器用、都城、井邑之制，繢而表之。」

《春秋指元》　《宋志》作「《指掌圖》」。

《唐志》：「十卷。」《宋志》：「二卷。」

【卷數】《文獻通考．經籍考》卷九，頁二三九著錄，不題卷數。

佚。

《崇文總目》104：「唐張傑撰。摘《左氏傳》文，申釋其義。」

裴氏安時《左氏釋疑》

《唐志》105：「七卷。」

佚。

《新唐書注》106：「字適之，大中江陵少尹。」

第五氏泰《左傳事類》（唐）

《唐志》107：「二十卷。」

佚。

《新唐書注》108：「字伯通，青州益都人，咸通鄂州文學。」

成氏玄《公穀總例》109

【書名】〔補正〕案：《唐志》作《穀梁總例》。（卷七，頁十六）

【霖案】【書名】今考《唐書》卷五七錄之，的確題作《穀梁總例》，再考《通志》卷六三、《玉海》卷四〇之文，俱題此書為《公穀總例》，是以竹垞所錄，非據《唐志》，而係根據《通志》、《玉海》之文，惟其後取《唐志》之文，卻未能改動原來書名，而致書名有些出入，諸如此類歧異，若未能還原其書，實難發現其中異同，而竹垞既是徵引《通志》、《玉海》之文，不當於著錄之時，標示《唐志》之名，以免

103霖案：《文獻通考．經籍考》卷九，頁239。

104霖案：《文獻通考．經籍考》卷九，頁240。

105霖案：《新唐書》卷五七，頁1441。

106霖案：《新唐書》卷五七，頁1441；又同書卷五八，頁1458裴安時《史記纂訓》、《元魏書》之下注文，亦有相同之文。

107霖案《新唐書》卷五七，頁1441。

108霖案《新唐書》卷五七，頁1441。

109霖案：《經義考新校》頁3251有新校之文，其文如下：「『《公穀總例》』，《四庫薈要》本作『《穀梁總例》』。」。

使讀者誤認《唐志》題作《公穀總例》，而有錯認之失。

《唐志》[110]：「十卷。」

佚。

《新唐書注》[111]：「字又玄，咸通山陽令。」

黃氏敬密《春秋圖》

一卷。

佚。

《中興書目》[112]：「《春秋圖》一卷，唐會昌中黃敬密撰。」

王應麟曰[113]：「《國史志》作《春秋兩霸列國指要圖》，因序有晉霸、楚霸之語。」

郭氏翔《春秋義鑑》

《唐志》：「三十卷。」

【霖案】《玉海》卷四〇，頁八〇〇錄及此書，亦作「三十卷」，注文云：「崇文目在『類書類』」，可見此書或為雜抄羣書而成。

佚。

皮氏日休《春秋決疑》

十篇。

存。

【存佚】本書未見傳本，當已久佚，今據以改作「佚」。

晁公武曰[114]：「日休，字襲美，一字逸少，襄陽人，隱鹿門山，自號醉吟先生[115]。咸通八年登進士第，為著作佐郎、太常博士；乾符喪亂，東出關，為毘陵副使，陷巢賊中，賊遣為讖文，疑其譏己，遂害之。」

陸游曰[116]：「《該聞錄》言皮日休陷黃巢，為翰林學士；巢敗，被誅，今《唐書》取其事。按：尹師魯作〈大理寺丞皮子良墓志〉稱曾祖日休避廣明之難，徙籍會稽，依錢氏，

110霖案《新唐書》卷五七，頁1441。

111霖案《新唐書》卷五七，頁1441。

112霖案：出自：《玉海》冊二，卷四○，頁799C。

113霖案：出自：《玉海》冊二，卷四○，頁799C。

114霖案：《文獻通考．經籍考》卷二百三十三，頁1858。

115霖案：「生」字之下，應依《文獻通考．經籍考》補入「以文章自負，尤善箴銘。」等九字。

116霖案：《老學庵筆記》卷十，頁67。

官太常博士贈禮部尚書；祖光業為吳越丞相，父璨為元帥府判官，三世皆以文雄江東。據此，則日休未嘗陷賊為其翰林學士被誅也。光業見吳越備史頗詳，孫仲容在仁廟時仕，亦通顯，乃知小說謬妄，無所不有。師魯文章傳世，且剛直有守，非欺後世者，可信不疑也。故予表而出之，為襲美雪謗于泉下。」

裴氏光輔《春秋機要賦》

《宋志》：「一卷。」

佚。

【存佚】《春秋總義論著目錄》頁十錄作「未見」，今考《經義考》錄作「佚」，且此書未見諸家館藏，當已久佚，而《春秋總義論著目錄》注曰「未見」，實有未當之處。

孫氏郃《春秋無賢臣論》

一卷。

存。

【存佚】本書已未見傳本，當已久佚，今據以改作「佚」籍。

王應麟曰[117]：「孫郃論《春秋》無賢臣，蓋諸侯不知有王，其臣不能正君以尊王室，此孟子所以卑管、晏也。」

《浙江志》：「孫郃，奉化人。唐末為左拾遺，朱溫篡唐，著《春秋無賢臣論》，即脫冠裳，服布衣，超然肥遯，養晦林泉，著書紀年悉用甲子，以示不臣之義。」

李氏象《續春秋機要賦》

《宋志》：「一卷。」

佚。

王氏鄴彥《春秋蒙求》

《宋志》：「五卷。」

佚。

崔氏表《春秋世本圖》

《宋志》：「一卷。」

佚。

□[118]氏玉霄《春秋括囊賦集注》

117霖案：《困學紀聞》冊中，卷六，頁397。

118霖案：《經義考新校》頁3254有新校之文，其文如下：「《四庫薈要》本於空格處作『某』，文津閣《四庫》本則注『闕』。」。

《宋志》：「一卷。」

佚。

楊氏蘊《春秋公子譜》

【著錄】【作者】李一遂〈左氏春秋著錄書目研究〉頁一〇二著錄。又《偽書通考》錄之，且疑為「顧啟期所撰」。然而，《玉海》卷四〇，頁八〇二云：「唐楊蘊撰《春秋公子譜》一卷，載帝王以來至春秋。」，明言楊蘊撰有《春秋公子譜》一書，又《玉海》另錄及「京兆杜氏《春秋譜》六卷」，注文云：「《唐志》：『顧啟期《大夫譜》十一卷。』」，則顧氏所撰之書為十一卷，且書名題作「《大夫譜》」，與《宋志》所錄楊蘊《春秋公子譜》有所不同，則顧氏、楊氏所撰二書，實為不同之書。

《宋志》：「一卷。」

佚。

程端學曰[119]：「蘊，字[120]藏機。」

《春秋年表》

《宋志》：「一卷。」

存。

【版本及藏地】本書版本及藏地如下：

一、日本安政五年（１８５８）薩摩府學重刻清乾隆武英殿本：《中國館藏和刻本漢籍書目》頁四二著錄，北大、上海、湖北、天一等圖書館有藏本

二、日本安政五年（１８５８）薩摩府學重刻清乾隆武英殿本：清吳慈培校，《中國館藏和刻本漢籍書目》頁四二著錄，北京圖書館有藏本。

三、日本享和元年（１８０１）刻本：《中國館藏和刻本漢籍書目》頁四三著錄，北大圖書館有藏本。

四、清同治三年（甲子）翻刻相臺五經本：張壽平《公藏先秦經子注疏書目》頁一一二著錄。

五、清同治十二年(1873)粵東書局重刊本：不著撰人《春秋年表》一卷，國家圖書館有藏本。

六、通志堂經解本：闕名《春秋年表》一卷，馬來西亞大學圖書館有藏本（二部）。

七、坿寬文刊新刻校正五經春秋經本：□闕名撰《春秋年表》一卷，一冊，日本八戶市立圖書館有藏本。

119霖案：程端學：《春秋本義》〈春秋傳名氏〉(《通志堂經解》(冊25))，頁13860。

120霖案：「字」，《春秋本義》無此字，當據刪。

八、𡉏享保刊新刻校正五經春秋經本：□闕名撰《春秋年表》一卷，一冊，日本八戶市立圖書館有藏本。

岳珂曰[121]：「《春秋年表》，《三朝藝文志》不載作者名，今諸本或闕號名，或紊年月，參之經傳，多有舛錯，不無刊寫之誤。如：諸國君繼立，有簒奪者，〈表〉止書某立，今增入；諸國君有弒殺，〈表〉例書某卒，今改定。諸國君卒，或年與月誤，或稱某公子，若弟與兄誤，今考注[122]疏刊正。諸國君卒與立皆書，惟魯闕，今依經傳添補。如鄭莊公卒，〈表〉書厲公突立、突出奔。按：經傳昭公立，宋人執祭仲，以厲公歸而立之，昭公奔衛；如莒著邱[123]公去疾，〈表〉書又名郊公。按：《傳》著邱[124]公卒，郊公不慼，《注》：『郊公，著邱[125]公子。』如：楚莊王旅，誤為旋；晉景公獳，誤為孺[126]，若此類不可枚舉，皆以《經》、《傳》正之。《史記年表》書事，今表止書繼立，循舊不敢增。」　又曰[127]：「按《館閣書目》，元豐中，楊彥齡撰二卷；紹興中，環中撰一卷。今本一卷，與紹興中本及《藝文志》所載者同。」

張氏暄《春秋龜鑑圖》

《宋志》：「一卷。」

佚。

王應麟曰[128]：「自魯、周迄陳、蔡，載其名氏。」

121霖案：《九經三傳沿革例》頁576（台灣商務印書館影印「四庫全書本」，冊一八三）

122霖案：「注」字，《九經三傳沿革例》作「註」字。

123霖案：「邱」字，《九經三傳沿革例》作「丘」字，蓋《經義考》或避孔丘名諱，因而改之。

124霖案：「邱」字，《九經三傳沿革例》作「丘」字，蓋《經義考》或避孔丘名諱，因而改之。

125霖案：「邱」字，《九經三傳沿革例》作「丘」字，蓋《經義考》或避孔丘名諱，因而改之。

126「獳」，《四庫》本誤作「儒」。　霖案：《經義考新校》頁3255注文，於「《四庫》」二字之前，另有「文淵閣」三字。今考「四庫本」《九經三傳沿革例》題作「獳」字。

127霖案：此文出自《九經三傳沿革例》的注文（「四庫全書本」冊一八三，頁576），非其正文也。

128霖案：出自：《玉海》冊二，卷四○，頁799b。

卷一百七十八　春秋十一經義考卷一百七十八《春秋》十一

陳氏岳《春秋折衷論》（唐）

《唐志》：「三十卷。」

【卷數】本書版本異同如下：

一、三十卷：《直齋書錄解題》卷三，頁四五八著錄。

二、一卷：程志〈現存唐人著述簡目〉頁二六〇著錄。

佚。

【存佚】本書有馬國翰《玉函山房輯佚書》輯本一卷，故應改注曰「闕」

【版本及藏地】本書版本及藏地如下：

一、馬國翰《玉函山房輯佚書》輯本：唐・陳岳撰，清馬國翰輯佚《春秋折衷論》一卷，程志〈現存唐人著述簡目〉頁二六〇著錄，馬來西亞大學圖書館有藏本。

【增補】〔校記〕馬國翰有輯本。（《春秋》，頁四七）

【增補】《續修四庫全書總目提要》：「春秋折衷論一卷　玉函山房輯本　　楊鍾義

唐陳岳撰。清馬國翰輯。岳吉州盧陵人。十上春官。光化中始從鍾傳辟為江西從事。作春秋折衷論。司空圖稱其贍博精緻。唐志三十卷。崇文總目謂以三家異同三百餘條。參求其長。以通春秋之義。晁公武謂其書以左傳為上。公羊為中。穀梁為下。比其異同而折衷之。元吳萊淵穎集有後序。今佚。國翰從章如愚羣書考索續集及程端學春秋本義所引。合輯為卷。書中脫誤極多。隱元年書即位。書上脫不字。公羊謂成公正威之意。正當作立。桓八年正月己卯烝。穀梁曰不志敬也。當作志不時也。莊九年八月壬申及齊師戰于乾時。壬申當作庚申。公曰內不言敗何伐敗。當作內不言敗此其言敗何。伐敗也。方伯之際書日。則莊二十二年防之盟。二十三年扈之盟。閔元年落姑之盟。僖九年葵丘之盟。不書日。岳以為書日誤。二十五年春陳侯使女叔來聘。穀梁曰太子之命大夫也。太當作天。夫陽正之月當作正陽。閔元年齊仲孫來。因其事不顯者眾矣。因當作無。慶父不除。當作不去慶父。僖八年公會王人齊侯宋公衛侯盟于洮。左氏曰鄭未服不與會。當作鄭新服未與會。文十三年經書自十二月不雨。當作文二年。左氏曰五穀猶可收。可當作有。十五年宋人及楚平。當作宣十五年。今三傳經文楚下並有人字。左氏曰宋人及楚平。公羊曰宋人及楚人平。穀曰宋人及楚平。左氏傳作宋及楚平。宋下無人字。並誤。成元年作丘甲。公羊曰譏始使也。始下脫丘字。公羊謂四丘為甸。甸出甲士三人。今乃使一丘之地出甲士。公羊注疏無此文。出長車一乘。車當作轂。二年齊使國佐于晉。當作賂。十年公羊曰故曰不從郊也。當作故言乃不郊也。襄二十九年左氏曰晉平公杞出也。乃治杞。乃當作故。昭二十五年公羊曰又雩者非雩也。聚眾以逐者季氏也。者字當刪。正月正也。月下脫烝字。定元年春王。公曰定何以無正。正下脫月字。十年穀曰齊人使優俳施舞于魯君之幕。下俳字當刪。齊人聞遽辟之乃盟。人當作侯。乃當作將。十五年改卜牛。書上脫下字。哀十二年杜曰兵賦之法。兵當作丘。因其田賦。賦當作財。十四年左氏曰獲麟者仁獸。獲字當刪。蓋山堂章氏羣書考索所引本多奪誤。國翰未能詳校。以致　奪益多。所輯佚書皆然。不獨此也。」（頁七四〇）

二、清光緒九年(1883)長沙琅嬛館補校刊本：(唐)陳岳撰《春秋折衷論》一卷，台北：國家圖書館有藏本。

三、清光緒十年(1884)湘遠堂刊本： (唐)陳岳撰《春秋折衷論》一卷，台北：國家圖書館有藏本。

四、清抄本：唐陳岳撰，清孔廣栻輯本，《春秋折衷論》一卷，中國國家圖書館有藏本。

岳〈自述〉曰[1]：「聖人之道，《春秋》而顯[2]；聖人之文，以《春秋》而高；聖人之文，以《春秋》而微；聖人之旨，以《春秋》而奧。入室之徒既無演釋，故後之學者多失其實，是致三家之傳並行於後，俱立學官焉。噫!絕筆之後，歷戰國之艱梗，經暴秦之焚蕩；大漢初興，未暇崇儒術；至武帝，方設制策，延天下英雋，有董仲舒應讖記而通《春秋》。仲舒所業惟《公羊傳》，仲舒既歿，則有劉向父子，向受業《穀梁》，歆業《左氏》，《左氏》之道假歆而振，自斯學者愈茂，欲存《左氏》而廢《公》、《穀》，則西漢鴻儒向焉欲存《公》、《穀》而廢《左氏》，則邱明[3]與聖人同代，是以皆各專一傳。[4]夫[5]經者，本根也；傳者，枝葉也。本根正，則枝葉固正矣；本根非，則枝葉曷附焉？矧《公羊》、《穀梁》第直釋經義而已，無他蔓延，苟經義是，則傳文亦從而是矣；經義非，則傳文亦從而非矣。《左氏》釋經義之外，復廣記當時之事，備文當時之辭，與二傳不類[6]。或謂邱明[7]授經於仲尼，豈其然歟？苟親受之經，則當橫經請問，研究深微，閒[8]不容髮矣，安得時有謬誤，致二傳往往出其表邪？蓋業《左氏》者，以二傳為證，以斯為證，謂與聖人同時，接其聞見可也；謂其親受之經，則非矣。聞不如見，見不如受，邱明[9]得非見歟？《公羊》、《穀梁》得非聞歟？

1霖案：《群書考索續集》‧卷十二‧〈三傳總論〉，頁1061。

2霖案：「《春秋》而顯」四字，《羣書考索續集》作「以《春秋》而高」五字。

3霖案：「邱明」，《羣書考索續集》作「丘明」。

4霖案：「傳」字下，《羣書考索續集》另有錄〈辨三傳聞見同異〉一文，竹垞刪去此文，蓋或取源不同所致。

5霖案：「夫」字下，《羣書考索續集》作〈辨《左氏》與《二傳》不同〉一文。

6霖案：〈辨《左氏》與《二傳》不同〉一文，迄於「類」字。

7霖案：「邱明」二字，《羣書考索續集》作「丘明」。

8霖案：「閒」字，《羣書考索續集》作「間」字，書寫習慣不同所致。

9霖案：「邱明」二字，《羣書考索續集》作「丘明」。

故《左氏》多長；《穀梁》多短[10]，然同異之理十之六七也。[11]鄭玄[12]、何休、賈逵、服虔[13]、范甯、杜元凱皆深於《春秋》者也，而不簸糠蕩秕，芟稂抒莠，掇其精實，附於麟經；第各釀其短，互鬥其長，是非千種，惑亂微旨。其弊由各執一家之學：學《左氏》者則訾《公》、《穀》[14]，學《公》、《穀》[15]者則詆《左氏》；乃有《膏肓》、《廢疾》、《墨守》之辨設焉。謂之《膏肓》、《廢疾》[16]者，則莫不彌留矣，亡一可砭以藥石者也；謂之《墨守》，則莫不堅勁矣，亡一可攻以利[17]者也。」

按：此當是岳〈序〉，而其文未全。

【霖案】竹垞以此文當為陳岳〈序〉文，惟審度其文，蓋截自《羣書考索續集》卷十二之文，而竹垞引文，顯然亦源自此書，故推測其為〈序〉文，於理無據。又此文片斷難解，似乎為未完之本，蓋自《羣書考索續集》之中，即分段論之，而竹垞有錯簡情事，是以語氣諸多不順，蓋有矣之也。

【增補】〔補正〕自述內「《穀梁》多短」，當作「《公》、《穀》」。（卷七，頁十六）

10「《穀梁》多短」，應依《補正》、《四庫》本作「《公》、《穀》多短」。　霖案：《經義考新校》頁3258注文，於「《四庫》」二字之下，另有「《四庫薈要》本、文淵閣」等字。今考《羣書考索續集》所引之文，適同於竹垞解題內容，正作「《穀梁》多短」，而《補正》、《四庫》本作「《公》、《穀》多短」，未詳何據？《點校補正經義考》從之，蓋未能還原解題出處，致使承襲其說，今考《羣書考索續集》同於竹垞引文，則竹垞引文或出於此。

11霖案：「或謂邱明授經於仲尼，豈其然歟？苟親受之經，則當橫經請問，研究深微，間不容髮矣，安得時有謬誤，致二傳往往出其表邪？蓋業《左氏》者，以二傳為證，以斯為證，謂與聖人同時，接其聞見可也；謂其親受之經，則非矣。聞不如見，見不如受，邱明得非見歟？《公羊》、《穀梁》得非聞歟？故《左氏》多長；《穀梁》多短，然同異之理十之六七也。」諸文，《羣書考索續集》原置於〈辨三傳聞見同異〉一文，錄於「皆各專一傳」之下，竹垞或在引錄此文之時，錯亂簡第，而改置於〈辨《左氏》與《二傳》不同〉一文之下，致有錯簡之虞。

12霖案：「鄭玄」諸字之下，出自〈膏肓廢疾墨守之辨〉一文。又「鄭玄」二字，《羣書考索續集》作「鄭元」，蓋避康熙諱也。

13霖案：「服虔」，《羣書考索續集》誤作「伏虔」。

14霖案：「《穀》」字，《羣書考索續集》作「《谷》」，蓋同音而誤用也。

15霖案：「《穀》」字，《羣書考索續集》作「《谷》」，蓋同音而誤用也。

16霖案：「《膏肓》、《廢疾》」，《羣書考索續集》作「《膏》、《廢》」，蓋竹垞或以二字為簡，乃補入相關內容，以足內容，惟原書作「《膏》、《廢》」矣。

17霖案：「以利」二字，今本《羣書考索續集》引文，二字漫漶不清，竹垞引文，適足以補今本之不足。

司空圖曰[18]：「岳[19]所作《春秋折衷論》數十篇，贍博精緻，足以下視兩漢迂儒矣。」

【增補】何廣棪：《陳振孫之經學及其《直齋書錄解題》經錄考證》曰：「廣棪案：司空圖曰：『岳所作《春秋折衷論》數十篇，贍博精緻，足以下視兩漢迂儒矣。』(《經義考》卷一百七十八《春秋》十一『陳氏岳《春秋折衷論》』條引，下同。)《崇文總目》曰：『唐陳岳撰，以三家異同三百餘條，參求其長，以通《春秋》之義。』王定保曰：『陳岳，吉州廬陵人。少以詞賦貢於春官，晚從鍾傳，為同舍所譖，退居南郭，以墳典自娛。著《春秋折衷論》三十卷。光化中，執政議以蒲帛徵傳，復辟為從事。』是則岳晚歲，正當昭宗光化之世。《讀書志》卷第三《春秋類》亦著錄此書，謂岳『以《左氏傳》為上，《公羊傳》為中，《穀梁傳》為下，比其異同而折衷之。岳，唐末從鍾傳，辟為江西從事。』今此書已佚。合以上諸家之說，不惟可補《解題》之闕，亦可較為詳悉此書梗概。」(頁五四六)

《崇文總目》[20]：「唐陳岳撰。以三家異同三百餘條，參求其長，以通《春秋》之義。」

王定保曰[21]：「陳岳，吉州廬陵人[22]，少以詞賦貢於[23]春官[24]，晚[25]從[26]鍾傳，為[27]同舍所譖，退居南郭，以墳典自娛[28]，著《春秋折衷論》三十卷[29]。光化中，執政議以蒲帛徵傳[30]，復辟為從事。」

18霖案：司空圖《司空表聖文集》(四部叢刊集部影上海涵芬樓藏舊鈔本)卷三‧〈疑經後述〉，頁15。

19霖案：「岳」字，《司空表聖文集》作「嶽」字。

20霖案：《文獻通考．經籍考》卷九，頁238。

21霖案：《唐摭言》(中華書局聚珍倣宋版印本)卷十，頁8。

22霖案：「人」字下，應依《唐摭言》補入「也」字。

23霖案：「於」字下，《唐摭言》作「于」字。

24霖案：「春官」二字下，應依《唐摭言》補入「凡十上，意拘至寃。」等七字。

25霖案：「晚」字下，應依《唐摭言》補入「年」字。

26霖案：「從」字下，應依《唐摭言》補入「豫章」二字，蓋為下文「鍾傳」之籍貫，不當輕意刪除之，今據以補入。

27霖案：「為」字之前，應依《唐摭言》補入「復」字。

28霖案：「娛」字下，應依《唐摭言》補入「因之博覽羣籍，嘗著書，商校前史得失，尤長於班史之業，評《三傳》是非，」等二十七字。

29霖案：「卷」字下，應依《唐摭言》補入「約《大唐實錄》，撰《聖紀》一百二十卷，以所為述作，號《陳子正言》十五卷，其辭賦謌詩，別有編帙。」等三十五字，事涉陳氏其他撰著，今補之如上。

30霖案：「傳」字下，應依《唐摭言》補入「聞之」二字。

晁公武曰[31]：「其書以《左傳》為上，《公羊》為中，《穀梁》為下，比其異同而折衷之。岳，唐末十上春官，晚乃從鍾傳辟為江西從事。」

吳萊〈後序〉曰[32]：「自西漢學者專門之習勝，老儒經生世守訓詁，不敢少變，繼而舊說日以磨滅，新傳之後出者獨傳於今。《春秋》一經，始立公羊氏學，又立穀梁氏學，東漢左氏學又盛行，古傳後出者日勝，後儒注古傳，而世亦取後出者為宗。公羊氏有胡母生[33]、嚴彭祖、顏安樂，而後何休獨有名；穀梁氏有江公、尹更始，而後范甯獨有名；左氏前有劉子駿、賈逵、服虔，後有杜預，故預亦獨有名。嗚呼！豈預必能為《左氏》忠臣哉？休固陳蕃客也，自謂妙得《公羊》本意，故今有《公羊墨守》十四卷、《穀梁廢疾》三卷、《左氏膏肓》十卷，北海鄭康成獨反之，學者多篤信康成，今猶見甯所集《穀梁解》；又服虔自有《左氏釋痾》一卷，不見也。雖然，《公》、《穀》、《左氏》三家之說，後出者皆傳於今，殊不知胡母生[34]、江公、劉子駿諸人復云何也？藉令諸人所說不廢，至今並傳，孰能有以大公至正之道一正之哉？不然，猶治亂絲，益棼之也。訛日以訛，舛日以舛，不以聖人之經觀經，而徵諸傳；不以賢者之傳解傳，而又徵諸何氏、范氏、杜氏，獨何歟？幸今三家之說尚未泯，則唐陳岳之折衷此也，庶有得乎！蓋昔漢儒嘗以《春秋》斷獄，予謂非徒經法可以斷獄，而獄法亦可以斷經，何者？兩造之辭具備，則偏聽之惑無自而至矣。揚子雲曰：『眾言淆亂折諸聖。』讀《春秋》者曾不明漢、晉諸儒之遺論，又何貴乎學者之知經也哉？」

按：陳氏《折衷》，吳立夫《集》有〈序〉，則元時尚存，今不復可得矣。惟山堂章氏《群書考索續集》載有二十七條，茲具錄於後：隱元年春王正月，《左氏》謂周平王，《公羊》謂周文王，《穀梁》謂周平王。《折衷》曰：「《春秋》所以重一統者，四海九州，同風共貫，正王道之大範也。迺以月次正，正次王，王次春，春次年，年次元，斯五者，編年紀事之綱領也，故書王以統之，在乎尊天子，卑諸侯，正升黜，垂勸懲，作一王法，為萬代規，俾其禮樂征伐不專於諸侯也。故用隱之元統平之春，存平之正，得不書平王歟？苟曰周書始命之王，則二年復書何王，必不然也，平王明矣。斯《公羊》之短，《左氏》、《穀梁》得其實矣。」隱元年書即位[35]，《左氏》謂居[36]攝也，《公羊》謂成公正[37]威[38]之意，《穀梁》謂隱避[39]非正也。《折衷》

31霖案：《郡齋讀書志》卷第三，頁103、《文獻通考．經籍考》卷九，頁238、《直齋書錄解題》卷三，頁458著錄。

32霖案：四部叢刊本《淵穎吳先生文集·春秋折衷後題》卷十二，頁119。

33霖案：「胡母生」，《淵穎吳先生文集》作「胡毋生」。

34霖案：「胡母生」，《淵穎吳先生文集》作「胡毋生」。

35「書即位」，應依《補正》、《四庫》本作「不書即位」。　霖案：《經義考新校》頁3260注文，於「《四庫》本」作「《四庫》諸本」。

36霖案：《經義考新校》頁3260有新注文，其文如下：「《四庫薈要》本無『居』字。」。

37「正」，應依《補正》、《四庫》本作「立」。　霖案：《經義考新校》頁3260注文，於「《四庫》本」作「《四庫》諸本」。

曰：「夫遜者，君臣之大節也，苟不失其正，則聖人必重之，《春秋》必鏈之。《穀梁》謂非正，豈微旨歟？隱之遜，非徒為威40，蓋成先君歸仲子之意。《春秋》實尼父之日月也，日月之垂昭昭然，非遜國之賢君，曷以居其首哉？居斯之首與居諸史之首，則正創業之主；斯之首，則聖人特筆之以冠十二公矣。如定《易》非《乾》象，無以冠之；七十傳非夷、齊，無以冠之；三千子非顏、閔，無以冠之。又春秋正威41母之喪，不正隱母之喪；威42母書『夫人薨』，隱母書『君氏卒』，斯皆正隱讓之明言，而聖人崇謙遜之風，戒僭亂之俗，成王化之本也。《左氏》、《公羊》得其實，《穀梁》之說短矣。」桓元年書王，《左氏》通謂之魯用周歷，故書王，苟不失班歷則不書；《公羊》無傳，《穀梁》謂威43弒立，以為無王之道，故不書。《折衷》曰：「《春秋》歲首必書王者，聖人大一統也。書王必次春，書正必次王。謂春者，天之所為也；正者，王之所為也。王稟於春，正稟於王，以載行事，以立綱紀；綱紀立而後條貫舉，條貫舉而後褒貶作，褒貶作而後君君、臣臣、父父、子子之道定。是以凡書王，皆用周之班歷，或不失班歷則不書，以明上尊天子，下卑諸侯，以正王道也。苟不班歷而不書王，則并正去之。雖是月有事，第書其事而無其正，何者？王既不書正，將奚附？苟班歷而書王，則併正在焉。雖是無事，亦書空正月以紀之，何者？王既書之，正宜在焉，自始至末，無毫釐之差。《穀梁》謂威44簒立以為無王之道，故不書王，去聖人之旨遠矣。斯《穀梁》之短。《公羊》無辭，《左氏》得其實。」桓八年正月己卯，蒸；五月丁丑，蒸。《左氏》曰：「春即夏之仲月，非過時而書。」《公羊》曰：「譏亟也。」《穀梁》曰：「蒸冬事而春興之，志不敬也45。」《折衷》曰：「凡郊祀各有其時，苟得其時，則國之常禮；國之常禮，則不書之於冊也。夫所書者，或志其過時，或刺其失禮，皆非徒然。故啟蟄則郊之時也，龍見則雩之時

38「威」,《四庫》本作「桓」。　霖案：《經義考新校》頁3260注文，於「《四庫》本」作「《四庫》諸本」。

39霖案：《經義考新校》頁3260有新校注文，其文如下：「『避』,《四庫薈要》本作『讓』。」

40「威」,《四庫》本均作「桓」。　霖案：《經義考新校》頁3260注文，於「《四庫》本」作「《四庫》諸本」。

41「威」,《四庫》本均作「桓」。　霖案：《經義考新校》頁3260注文，於「《四庫》本」作「《四庫》諸本」。

42「威」,《四庫》本均作「桓」。　霖案：《經義考新校》頁3261注文，於「《四庫》本」作「《四庫》諸本」。

43「威」,《四庫》本均作「桓」。　霖案：《經義考新校》頁3261注文，於「《四庫》本」作「《四庫》諸本」。

44「威」,《四庫》本作「桓」。　霖案：《經義考新校》頁3261注文，於「《四庫》本」作「《四庫》諸本」。

45「志不敬也」，應依《補正》作「志不時也」。　霖案：《經義考新校》頁3261注文，於「《補正》」二字之前，另有「《四庫薈要》本、文津閣《四庫》本、」等字。

也，始殺則嘗之時也，閉蟄則蒸之時也。周以建子為歲首，夏以建寅為歲首。夫啟蟄者，則夏之春、周之夏也；龍見者，則夏之夏、周之秋也；始殺者，則夏之秋、周之冬也；閉蟄者，則夏之冬、周之春也。《春秋》用周正，以建子為歲首，書正月蒸，則夏閉蟄，而蒸得其時矣。既得其時，則是周之常禮，其何以書之？書之者，為五月復蒸也。五月復蒸，一則失其時，二則失其禮。正月蒸，正也；五月蒸，不正也。書其正以譏其不正，《左氏》謂非過時而書，得其旨；《公羊》謂『譏亟』，近之；《穀梁》謂冬事春興，遠矣。」莊元年不書即位，《左氏》曰：「文姜出故也。」《公羊》曰：「繼弒君不言即位。」《穀梁》曰：「先君不以其道終，**709**〔不言即位。〕《折衷》曰：「《春秋》十二公，惟隱、莊、閔、僖不書即位，蓋聖人因舊史之文，無他旨。隱以遜威**46**居攝，莊以父弒母出；僖、閔國危身出復入，不備禮即位，故不書。《公》、《穀》謂弒君不言即位，則威**47**繼隱之弒君即位何也？又稽定公先君薨于乾谿，六月癸卯喪至，句。其月戊辰，即位。《春秋》以是書之，蓋備禮則書明矣。《左氏》得其旨。」元年秋，築王姬之館于外。《左氏》曰：「得禮之變。」《公羊》曰：「非禮。」《穀梁》與《左氏》同。《折衷》曰：「聖人修述，惟重其禮法，得其宜則書以是之，非其宜則書以刺之，有循常而書者，有變文而書者。」循常而書，如戰伐、災異之類是也；變文而書，如君氏卒、大去其國之類是也。循常而書者，史冊之舊文也；變文而書者，聖人之新意。斯築于外，是書莊公變禮得其宜，聖人變文示其法也。何**48**天子之女下嫁于諸侯，則同於諸侯之禮，而天子使單伯送王姬于齊，以魯為主，公與齊襄有不同天之讎，又公方在諒闇，不宜行吉禮于廟；以齊之強、以王之尊，大義難距，迺築館于外，上不失尊周之儀，中不失敬齊之體，下不失居喪之節。《左氏》、《穀梁》得其旨，《公羊》之誤。元年，王使榮叔來錫桓公命。《左氏》曰：「追命桓公，褒稱其德。」《公羊》曰：「追命，加貶也。」《穀梁》曰：「禮，有受命，無來錫命，非正也。」《折衷》曰：「褒有德，賞有功，絀不服，責不臣，斯四者，聖人筆削之旨也。苟有德可褒，有功可賞，生賜之不及，則死錫之何爽？苟無德可褒，無功可賞，雖生而錫之亦非，矧其死乎？吁！《春秋》十二公，惟桓之罪大，桓始以篡弒不義而立，終以帷薄不修而薨。古人曰：『畏首畏尾，身其餘幾。』桓既不能正其初，又不能護其末，其畏何如哉？天王之錫，曷為而來錫**49**？《春秋經》書天王之命，生而賜之，惟文、成二公；死而錫之，惟桓公而已，苟曰加貶，則不宜備禮，而書為使榮叔來錫桓公命，則於文無所貶。稽其旨，諸侯強，王室弱，雖生賜死錫，皆非有賞功褒德之實，第務其姑息而已。聖人多存內諱，內弒君

46「威」,《四庫》本作「桓」。　霖案：《經義考新校》頁3262注文，於「《四庫》本」作「《四庫》諸本」。

47霖案：《經義考新校》頁3262有新校注文，其文如下：「『威』,《四庫》諸本作『桓』。」

48「何」,《四庫》本作「蓋」。　霖案：《經義考新校》頁3262注文，於「《四庫》」二字之前，另有「文淵閣」三字。

49霖案：《經義考新校》頁3263有新校注文，其文如下：「『錫』,《四庫薈要》本作『乎』，文津閣《四庫》本無此字。」。

猶不書，詎肯筆削錫命歟？《左氏》第曰褒德，未盡其旨；《穀梁》謂『無來錫命』，近之；《公羊》曰『加貶』，未得其實。」四年冬，公及齊人狩于禚。《左氏》曰：「與微者狩，失禮可知也。」《公羊》曰：「稱人，諱與讎狩。」《穀梁》曰：「人齊侯者，卑公也。卑公不復讎而刺釋怨也。」《折衷》曰：「凡戰伐盟會，苟君臣不敵，則必恥之，矧其狩乎？狩者非大於戰伐盟會也；戰伐盟會者；不得已而為之，狩者在我而已。苟公自狩于境內，則為人事也；越境與齊狩，則非人事也。既非人事，則必齊侯召公同狩；公不肯自與齊之微者狩也。苟自與微者狩，則必為魯諱，當書及齊人狩于禚，不曰公矣，如文二年書『及晉處父盟也』。噫！人齊侯者，蓋刺公也，刺其非王事而與不同天之讎狩。斯《穀梁》近之，《左氏》、《公羊》俱誤。九年八月壬申[50]，及齊師戰于乾時，我師敗績。杜曰：「不稱公戰，公敗諱之。」《公》曰：「內不言敗，[51]何？伐敗也。謂自誇大以取敗也。」《穀》曰：「不言及者，主名內之卑者也。」《折衷》曰：「敗績義在桓十年來戰論中明矣，第評書及而已。凡公自伐曰公伐某國，如莊九年『公伐齊納子糾，遣大夫伐』，則曰某伐某國；如隱二年『無駭帥師入極』。與國伐，公不與謀，則曰會某師伐某國，如桓十六年『公會宋師伐鄭』。公與謀，則曰公及某師伐某國，如宣四年『公及齊侯平莒及郯，莒人不肯，公伐莒，取向』。或敗績第曰『及』，如僖二十二年『及邾人戰于升陘』；或使微者不列于春秋，亦第曰『及』，桓十七年『及齊師戰于奚斯』，書及者，是敗績諱之明矣。杜得其旨。」十三年冬，公會齊侯盟。《左氏》不以日為例；《公羊》曰：「桓盟不日，信之也。」《穀梁》曰：「不日，信桓也。」《折衷》曰：「《穀梁》以桓盟不書日，謂齊桓公信著于諸侯，桓盟皆不日。究其微旨，殊不然。《春秋》書內事，或繫日，或繫月，或繫時。內事繫日，如：書卒葬、嫁娶、大災異；內事繫月，如：書蒸嘗、雩望是也；內事繫時，如：書蒐狩、土功是也。外事第從赴告而已；盟會，外事也，不赴以日則不日。斯桓之盟不日者，不赴以日也。苟曰『桓盟不日』，桓方伯之際，亦有書日者；桓既卒之後，復有不書日者。方伯之際書日，則莊二十二年防之盟、二十三年扈之盟、閔元年落姑之盟、僖九年葵邱之盟是也；既卒之後不書日，則僖二十八年溫之盟、二十九年翟泉之盟、文二年垂隴[52]之盟、宣七年黑壤之盟、成十八年虛朾之盟是也。聊舉大者以明之，則知盟會不以日為義例定矣。斯《左氏》得其實，《公》、《穀》皆誤。」又曰：「《春秋》凡書內事，卒葬、嫁娶、災異則繫日；蒸嘗、雩望則繫月；蒐狩田則繫時；外事從赴告，不告日則不書日，桓之盟不日，不赴以日也。《公》、《穀》謂齊桓信著諸侯，桓盟皆不日，若然，則莊二十二年防之盟、僖九年葵邱之盟，皆方伯之際，何又書日？既卒後，僖二十八年溫之盟、宣七年黑壤之盟，何又不書日也？聊舉大者以觀之，則知盟會不以日為例，《左》

50「壬申」，應依《補正》作「庚申」。　霖案：《經義考新校》頁3264注文，於「《補正》」二字之前，另有「《四庫薈要》本、文津閣《四庫》本、」等字。

51「內不言敗」下，應依《補正》、《四庫》本增「此其言敗」四字。　霖案：《經義考新校》頁3264注文，「《四庫》本」作「《四庫》諸本」。

52霖案：《經義考新校》頁3265有新校注文，其文如下：「『垂隴』，文淵閣《四庫》本作『垂龍』。」。

得之也。」二十五年春，陳侯使女叔來聘。《左》曰：「始結陳好，嘉之，故不名。」《公》曰：「字者，敬老。」《穀》曰：「不名者，太子53之命大夫也。」《折衷》曰：「凡升絀之體，惟在爵氏、名字而已。朝聘之使苟循常禮，無升絀名氏，如衛侯使甯俞來聘；苟有可嘉，字以貴之，如齊仲孫來。雖天子之使，苟可嘉，亦嘉之；可絀，亦無所避，如：天王使南季來聘，故字之；宰咺歸賵，故貶名之。《左》謂『結陳好，嘉之』，得其旨。」二十五年秋，大水，鼓用牲于社、于門。《左》曰：「非常禮也。」《公》曰：「于社，禮也；于門，非禮也。」《穀》曰：「既戒鼓以駭眾，用牲可以已矣。」《折衷》曰：「凡書災異多矣，大則日月之食，小則水旱之災。夫陽正54之月，陰氣未作，不宜侵陽，苟月掩日，則臣掩君之象，是以伐鼓用幣；正陽既過，則一陰生，為災輕也。故日食不伐鼓用幣矣，得禮之正也。如水旱之災，則國之常，不繫于君臣逆順，故但書記其為災而已；斯伐鼓用幣者，譏其非常也。《左》得其旨。」閔元年，齊仲孫來。《左氏》曰：「齊仲孫湫來省難。」《公羊》曰：「慶父也，繫之齊，外之也。」《穀梁》曰：「不曰慶父，疏之也。」《折衷》曰：「《春秋》弒君之賊多矣，聖人莫不書其名而懲之，未有隱其名而外之者也。慶父前年弒子般而出于齊，猶書曰『公子慶父如齊』；後年弒閔公而奔莒，亦書曰『公子慶父出奔莒。』出既顯書，入豈外之？必不然也。又凡公出則書，如歸必書至；大夫出則書，如歸則不書，斯言聖人之體例也；如公子友如陳、公子遂如齊、公孫敖如晉是也。第書去而不書來，慶父安得獨書來？《公》、《穀》不原其理，但曰：『齊無仲孫、魯有仲孫。』故曰：『慶父，外大夫氏。』氏族豈有定邪？豈盡著于《春秋》邪？如齊曰賓媚人、秦曰西乞術，可謂齊無賓媚人、謂秦無西乞術邪？因其事則顯。因55其事不顯者眾矣，《二傳》不知齊仲孫之氏族，而謂之魯慶父，穿鑿矣。邱明通見舊史，而曰『仲孫湫來省難，歸曰：「慶父不除56，魯難未已。」』」又曰：「猶秉周禮，未可動也。君其務寧魯難。當是時，慶父弒二君，國幾亡，為非仲孫湫語之于齊桓，齊桓取魯如左右手，故曰：齊桓存三亡國以屬諸侯，則魯與邢、衛也。是以貴湫而書其字，斯《左氏》得其實。」僖八年，公會王人、齊侯、宋公、衛侯盟于洮，鄭伯乞盟。《左氏》曰：「乞盟者，鄭未服，不與會57，故別言乞盟也。闕。《穀

53「太子」，應依《補正》作「天子」。　霖案：《經義考新校》頁3265注文，於「《補正》」二字之前，另有：「《四庫》諸本、」等字。

54「陽正」，應依《補正》、《四庫》本作「正陽」。　霖案：《經義考新校》頁3265注文，「《四庫》本」作「《四庫》諸本」。

55「因」，應依《補正作「無」。　霖案：《經義考新校》頁3266注文，「應依」二字之前，另有：「文津閣《四庫》本無此字，」等字。又於「《補正》」二字之後，另有「、《四庫》諸本」等字。

56「慶父不除」，應依《補正》、《四庫》本作「不去慶父」。　霖案：《經義考新校》頁3266注文，「《四庫》本」作「《四庫》諸本」。

57「鄭未服，不與會」，應依《補正》、《四庫》本作「鄭新服，未與會」。　霖案：《經義考新校》頁3266注文，「《四庫》本」作「《四庫》諸本」。

梁》曰：「其君之子者，國人不子也。」《折衷》曰：「《公羊》嫌與弒君同，故稱先君公子吁。申生死，重耳、夷吾奔，既而獻公卒，適立奚齊，是獻公之素志；奚齊立則其君也，里克殺之，是弒其君也，何謂嫌與弒君同歟？苟不奚齊為君，則來年曷以書里克弒其君卓？卓與奚齊得無同乎？是非有嫌明矣。《穀梁》謂國人不子而稱其君之子，益誤矣。稽其旨，凡先君未葬，其嗣子不稱君、不稱爵；既葬而君之、爵之。故齊[58]之弒先君，未葬也，故稱其君之子；卓子之弒，獻公已葬，故稱其君卓，斯《左氏》得其實。文十三年[59]，經書「自十二月不雨，至于秋七月。」《左氏》曰：「五穀猶可[60]收。」《公羊》曰：「記異。」《穀梁》曰：「歷時而言之文，不憂雨也。」《折衷》曰：「聖人之文，苟異于常，則必有旨。常文者，史冊之舊文也；異于常者，筆削之微旨也。斯文異于常矣。凡旱之為災，多繫于夏，如竟夏不雨，則為災矣，故書旱之常文曰：『夏，大旱。』是竟夏不雨，書為災也。有旨之文則弗然，如僖三年書『正月不雨。夏四月，不雨。』『六月，雨。』是旱不竟夏，書不為災也。不曰不為災異，第書『六月雨』，則不為災可知矣。斯書『自十二月不雨，至于秋七月』，歷四時而言之，又夏在其中，則為災可知矣，故不復曰大旱；苟亦曰夏大旱，則嫌聯春冬之不雨；苟備書歷四時不雨，而更曰大旱，則嫌文之繁，斯聖人之旨書旱明矣。如書螽、蝝、有蜮、有蜚，不曰為災而災可知也。三家俱失其實。」文十五[61]，宋人及楚[62]平。《左氏》曰：「宋人及楚[63]平。」《公羊》曰：「宋人及楚人平。」《穀梁》曰：「宋人及楚[64]平，俱貶也。」《折衷》曰：「春秋襄公與楚爭伯，故相攻伐，至斯方已。宋、楚皆大國，非有內外也，非有升降也，雖曰楚非中國，自入《春秋》久矣，凡書盟會戰伐，皆與中國等，《公羊》意謂曷以人宋而不人楚？苟人之，則宜俱人之，苟國之，則宜俱國之。稽其體例，凡盟會戰伐，君在不稱君而稱人，則貶也；大夫在不稱大夫而稱人，亦貶也。苟非戰伐盟會，第書其國，則一稱君，一稱臣，是為升絀；一曰大夫，一曰人，亦為升絀。苟非此例，則以國敵國人，不為升絀，矧宋、楚之平，亦何所絀歟？聖人以其不繫升絀。苟曰『宋人及楚人平』。則為文之繁，故簡而書之，斯《左氏》、《穀梁》得其旨，《公羊》之誤。成元年，

58霖案：《經義考新校》頁3267有新校注文，其文如下：「『故齊』，《四庫薈要》本作『奚齊』。」

59「文十三年」，《四庫》本作「文二年」，應依《補正》作「文公二年」。　霖案：《經義考新校》頁3267注文，「《四庫》」二字之前，另有「文淵閣」三字。又同一校文，於「《補正》」二字之前，另有「《四庫》諸本、」等字。

60「可」，應依《補正》、《四庫》本作「有」。　霖案：《經義考新校》頁3267注文，「《四庫》本」作「《四庫》諸本」。

61「文十五」，應依《補正》、《四庫》本作「宣十五年」。　霖案：《經義考新校》頁3268注文，「《四庫》本」作「《四庫》諸本」。

62「楚」下，應依《補正》補「人」字。

63「楚」下，應依《補正》補「人」字。

64「楚」下，應依《補正》補「人」字。

作邱甲。《左氏》曰「譏重斂。」《公羊》曰：「譏始65使也。」《穀梁》曰：「使四人皆作甲。」《折衷》曰：「《穀梁》謂士農工商為一邱，今邱作甲，是使四人皆作甲，以為非正，奚見之淺歟？《公羊》謂四邱為甸，甸出甲士三人，今乃使一邱之地出甲士66，斯近之，亦未盡其旨。噫！苟如是二說，則必書曰『邱出甲』，必不曰『作邱甲』也。究其旨，謂之邱甲者，邱則賦之本名；加之以甲，則賦之總號，非獨為出甲矣。《周禮》：『九夫為井，四井為邑，四邑為邱，邱出戎馬一疋、牛三頭。』斯邱則魯賦之本名也。『四邱為甸，甸六十四井，出長車67一乘、戎馬四疋、牛十二頭、甲士三人、步卒七十二人。』此甸所賦。今使邱出之，故曰邱甲。《左氏》謂譏重斂，得其旨。八年，晉侯使韓穿來言汶陽之田，歸之於齊68。《左氏》曰：「使來語魯，使還齊也。」《公羊》曰：「脅我，使歸之也。」《穀梁》曰：「緩詞也，不使晉制命於我也。」《折衷》曰：「汶陽者，本魯之田，而齊取之。成二年　之戰，齊師敗績，齊使國佐于69晉，紀甗、玉磬與地以和之，晉使齊歸我汶陽之田，至斯齊、晉未有釁隙。齊復求汶陽于晉，晉復使我還齊，苟曰『脅我使歸之』，則必書曰『晉侯使韓穿來歸汶陽之田于齊矣。』而曰『來言汶陽之田』，非脅之明矣。窮其旨是和好之言，使我徐徐自歸于齊，不使齊、魯復有怨隙；然考其情，不無臨制，聽其言則婉70且遜，聖人為魯，故不書其情而書其言，斯《左氏》、《穀梁》得其實，《公羊》之誤。十年，夏四月，五卜郊，不從，乃不郊。杜曰：「卜常祀不郊，皆非禮，故書。」《公羊》曰：「不免牲，故曰不從郊也。71」《穀梁》曰：「五卜，強也。」《折衷》曰：「《春秋》常祀不書。郊，常祀也，書之，或以非時非禮，不苟然也。凡禮，不卜常祀，五卜郊，非禮也。《公羊》謂不免牲，故曰『乃不郊』，以其僖三十一年、襄七年書『乃免牲』，不曰『乃不郊』故也。噫！乃免牲與不郊，其文雖殊，其旨無異。書乃不郊，則是乃免牲也。聖人互文，非有別也。是以二書乃免牲，三書乃不郊，杜得之，《二傳》皆誤。襄二十九年，仲孫羯會晉荀盈、齊高止、宋

65「始」下，應依《補正》補「邱」字。

66「公羊謂四邱為甸……」以下十六字，依《補正》當刪。

67「車」，應依《補正》作「轂」。　霖案：《經義考新校》頁3269注文，於「《補正》」二字之前，另有「《四庫薈要》本、文淵閣《四庫》本、」等字。

68霖案：《經義考新校》頁3269有新校注文，其文如下：「『歸之於齊』，文津閣《四庫》本無『於』字。」。

69「于」，應依《補正》、《四庫》本作「賂」。　霖案：《經義考新校》頁3269注文，「《四庫》本」作「《四庫》諸本」。

70「婉」，《四庫》本作「宛」。　霖案：《經義考新校》頁3269注文，「《四庫》本」作「《四庫》諸本」。

71「故曰不從郊也」，應依《補正》、《四庫》本作「故言乃不郊也」。　霖案：《經義考新校》頁3269注文，「《四庫》本」作「《四庫》諸本」。

華定、衛72叔儀、鄭公孫段、曹人、莒人、滕人、薛人、小邾人城杞。《左氏》曰：「晉平公，杞出也，乃73治杞。」《公羊》曰：「善其城王者之後。」《穀梁》曰：「杞危而不能自守，故諸大夫相帥以城之，變之正也。」《折衷》曰：「夫伯主之於諸侯，雖曰先姬姓而後異姓，然於正救之道，第同盟而共尊王室，則異姓亦無礙矣；苟不同盟而不尊王室，則姬姓亦有嫌焉。如城邢、城楚邱、城緣陵，皆伯主帥諸侯而城矣；齊桓公城緣陵，得非還杞邪？奚齊桓城杞而無詞，晉平城杞而異論？故聖人以常文而書之，無譏無刺，非升非絀也。《公羊》、《穀梁》俱不足取；《左氏》以杞無事，而晉以外族之故，帥諸侯而城之，載鄭子太叔與衛太叔儀之言，曰：『不恤宗周之闕而夏肄是屏』，所謂廣記當時之事，然于經之傳斯得其實矣。昭二十五年秋，七月上辛，大雩；季辛，又雩。《左氏》曰：「秋書再雩，旱甚也。」《公羊》曰：「又雩者，非雩也。聚眾以逐者74，季氏也。」《穀梁》曰：「有繼之詞也。」《折衷》曰：「《春秋》不書常祭，其或書之，各有旨，或為過時而書，或非禮而書。斯書雩數矣，以多為過時斯書，上辛之雩，非為過時也，非為非禮也，是正雩之時也。何者？龍見而雩，雩用夏，夏之仲月斯書，周之七月則夏之仲月也，故曰正雩之時。常祭不書，正雩得非常祭歟？曷以書之？書之者，為季辛又雩也。亦猶書正月蒸，五月復蒸；正月正75也，五月蒸76不正也，書其正以譏其不正。斯上辛雩，正也；季辛又雩，旱甚也，書其正以明其旱甚復雩也。《左氏》得其旨，《穀梁》謂有繼之詞近之，《公羊》謂聚眾以逐季氏，遠矣。」定元年春王。杜曰：「公之始年，不書正月，公即位在六月。」《公》曰：「定何以無正77？公78即位後也。」《穀》曰：「定無正始也，昭無正終也。」《折衷》曰：「春秋諸公即位之歲，有書即位者，有不書即位者，然皆備五始以謹其始，惟定公即位第書元年春王而不書正月，三家以是之互。苟曰昭無正終，故定無正始，則隱無正終，桓曷以書正始。桓、莊、僖、閔亦然，奚皆書之？考其旨：昭公三十二年十二月薨于乾侯，定公正月不即位者，喪未歸也；

72「衛」下，應依《補正》補「世」字。　霖案：《經義考新校》頁3270注文，「《補正》」二字之前，另有：「《四庫薈要》本、文津閣《四庫》本、」等字。

73「乃」，應依《補正》作「故」。　霖案：《經義考新校》頁3270注文，於「《補正》」二字之前，另有：「《四庫薈要》本、文津閣《四庫》本、」等字。

74「者」，依《補正》、《四庫》本當刪。　霖案：《經義考新校》頁3270注文，「《四庫》本」作「《四庫》諸本」。

75「正」下，依《補正》當補「蒸」字。　霖案：《經義考新校》頁3271注文，「《補正》」二字之前，另有：「文津閣《四庫》本作『烝』，依《四庫薈要》本、」等字。

76霖案：《經義考新校》頁3271新校注文，其文如下：「『蒸』，文津閣《四庫》本誤作『烝』。」。

77「正」下，依《補正》、《四庫》本當補「月」字。　霖案：《經義考新校》頁3271注文，「《四庫》本」作「《四庫》諸本」。

78霖案：《經義考新校》頁3271有新校注文，其文如下：「《四庫薈要》本、文津閣《四庫》諸本無『公』字。」

至六月癸亥，公之喪至，是月癸巳79，公方書即位，所以不書正月，公即位六月也。杜得其旨。」十年，齊人來歸鄆、讙、龜陰之田。《左氏》曰：「孔子受盟，請反汶陽之田。」《公羊》曰：「行乎季孫，三月不違，齊人來歸之。」《穀梁》曰：「罷會，齊人使優俳80施舞于魯君之幕下，孔子曰：『笑君81，罪當死。』乃82使殺之，齊人為是歸之。」《折衷》曰：「齊、魯甥舅之國，代為婚姻，時或侵或伐，或平或隟，靡有所定，故上書春，『及齊平』，次書『夏，公會齊侯于夾谷』，終書『齊人來歸鄆、讙、龜陰之田』。是二國平和之後，會于夾谷，齊侯使萊人以兵劫公，尼父以公退，以大義沮之，曰：『於德為愆義，於人為失禮，君必不然。』齊人83聞，遽辟之。乃84盟曰：『齊師出境，不以三百乘從我者，有如此盟。』尼父曰：『不反汶陽之田，吾以供命者，亦如之。』故齊人來歸所侵之田。噫！齊，強國也；魯，弱國也。以力爭之不可也，以勢競之不可也，惟可以義服之，以言折之，聖人用是而齊沮其謀、反其田，斯《左氏》得其旨，《公羊》、《穀梁》皆短。十五年五月辛亥，郊。《左氏》曰：「書過也。」《公羊》曰：「三卜之後遇吉，所以五月郊也。」《穀梁》曰：「譏不時也。」《折衷》曰：「凡郊祀卜牛，禮也。卜郊，非禮也。何者？牛可改，郊不可改也。牛苟不吉則改之，苟有傷則改之，郊必其時也，先亦非禮也，過亦非禮也，以不卜者不可改故也。苟卜必書之，何者？刺其非禮也。苟過時必書之，何者？亦刺其非禮也。《公羊》謂三卜遇吉，所以五月郊設三卜，胡不書之？如成十年書五卜、襄七年書三卜郊、襄十一年書四卜郊，而第書辛亥郊歟？斯誤矣。稽其旨，上書『鼷鼠食郊牛，牛死，改卜牛。』85書『五月辛亥郊。』書『改卜牛』，正也；書五月郊，不正也。是刺不時而非禮明矣。《左氏》、《穀梁》得其旨，《公羊》之短。」哀十二年春，用田賦。杜曰：「兵86賦之法，因其田賦87通出馬一匹、牛

79「癸巳」,《四庫》本作「戊辰」。　　霖案:《經義考新校》頁3271注文,「《四庫》本」作「《四庫》諸本」。

80「俳」,依《補正》當刪。　　霖案:《經義考新校》頁3271注文,於「《補正》」二字之前,另有:「《四庫》諸本、」。

81霖案:《經義考新校》頁3271新校注文,其文如下:「『笑君』,《四庫薈要》本、文津閣《四庫》本作『笑君者』。」。

82霖案:《經義考新校》頁3271新校注文,其文如下:「《四庫薈要》本無『乃』字。」。

83「人」,應依《補正》作「侯」。　　霖案:《經義考新校》頁3272新校注文,於「《補正》」二字之前,另有「《四庫薈要》本、文津閣《四庫》本、」等字。

84「乃」,應依《補正》作「將」。　　霖案:《經義考新校》頁3272新校注文,於「《補正》」二字之前,另有「《四庫薈要》本、文津閣《四庫》本、」等字。

85「書」上,應依《補正》補「下」字。　　霖案:《經義考新校》頁3272新校注文,於「《補正》」二字之前,另有「《四庫薈要》本、文津閣《四庫》本、」等字。

86「兵」,應依《補正》作「邱」。　　霖案:《經義考新校》頁3273新校注文,於「《補正》」二字之前,另有「《四庫薈要》本、文津閣《四庫》本、」等字。

三頭。今欲別其田及家財，各為一賦，故言田賦。」《公》曰：「軍賦十井，不過一乘，今復用田賦，過十一也。」《穀》與杜同。《折衷》曰：「《春秋》常賦不書，苟書之，必譏其重斂也。復書用田賦，可知其害人矣。謂作者不宜作，謂用者不宜用，皆聖人之微文也。自作邱甲之後，已破十一之稅矣。田賦、軍賦本通出馬一匹、牛三頭，今別為田明矣。杜氏、《穀梁》得其旨。」十四年，西狩獲麟。《左氏》曰：「獲88麟者仁獸，聖王之瑞。」《公羊》曰：「非中國之獸。」《穀梁》曰：「不外麟于中國也。」《折衷》曰：「《春秋》書災異，不書祥瑞。斯麟者，瑞也，曷以書之者？非為祥瑞而書，以聖人感麟至而書也。夫言祥瑞，豈限中國四夷89歟？苟以非中國之物而為瑞，則西域獻吉光獸之類皆原為瑞，必不然矣。蓋取其隱見不常，天下有道則至，為瑞明矣然。《公羊》曰：『顏回死，子曰：「天喪予！」子路死，子曰：「天祝予！」』西狩獲麟為仲尼之應，顏回、子路則聖人重愛之弟子也，聞其死曰天喪予者，皆痛惜之辭，安可以獲麟為比？麟鳳則王者之瑞，既出無其應，聖人適感麟而起，以修《春秋》。麟出既非為己，《春秋》修亦非為己，蓋懲惡勸善，為百世之法，如『河不出《圖》，洛不出《書》，吾已矣夫。』斯皆為周德之衰，無明王之應，非為己也。孟軻謂仲尼之道高於堯、舜，何道窮之有？《左氏》得其實，《公羊》、《穀梁》之短也。考岳書凡三十卷，十不存一，唐人說《春秋》者啖、趙、陸三家，而外傳者罕矣，雖斷圭零璧，亦足寶也。

〔補正〕竹垞按：引山堂章氏《群書考索續集》內「隱元年書即位」，「書」上脫「不」字；「正威之意」，「正」當作「立」；「志不敬也」，「敬」當作「時」；「壬申及齊師戰于乾時」，「壬申」當作「庚申」；「公曰：『內不言敗何？伐敗也。』」，當作「公曰：『內不言敗？此其言敗何？伐敗也。』」；「方伯之際書日，則莊二十二年防之盟、二十三年扈之盟、閔元年落姑之盟、僖九年葵邱之盟是也。」杰按：《三傳》經文，落姑之盟不書日，陳岳以為書日，誤。「夫子之命大夫也」，「夫」當作「天」；「夫陽正之月」當作「正陽」；「因其事不顯者」，「因」當作「無」；「慶父不除」當作「不去慶父」；「鄭未服，不與會」，當作「鄭新服，未與會」；「文十三年經書自十二月不雨」，當作「文公二年」；「五穀猶可收」，「可」當作「有」；「文十五年，宋人及楚平。」《左氏》曰：『宋人及楚平。』《公羊》曰：『宋人及楚人平。』《穀梁》曰：『宋人及楚平。』「文」當作「宣」。杰按：今《三傳》經文並有「人」字，《左氏》傳文作「宋及楚平」，無兩人字，此所舉經傳文並誤。「譏始使也」，「始」下脫「邱」字；「《公羊》謂四邱為甸，甸出甲士三人，今乃使一邱之地出甲士。」杰按：《公羊注疏》無此文。「出長車一乘」，「車」當作「轂」；「齊使國佐于晉」，「于」當作「賂」；「故曰不從郊也」，當

87「賦」，應依《補正》作「財」。　霖案：《經義考新校》頁3273新校注文，於「《補正》」二字之前，另有「《四庫薈要》本、文津閣《四庫》本、」等字。

88「獲」，依《補正》、《四庫》本當刪。　霖案：《經義考新校》頁3273新校注文，「《四庫》本」題作「《四庫》諸本」。

89霖案：《經義考新校》頁3273新校注文，其文如下：「『四夷』，文津閣《四庫》本改作『遐方』。」。

作「故言乃不郊也」；「衛叔儀」，「衛」下脫「世」字；「杞出也，乃治杞」，「乃」當作「故」；「聚眾以逐者」，「者」字當刪；「正月正也」，「月」下脫「蒸」字；「定何以無正」，「正」下脫「月」字；「使優俳」，「俳」字當刪；「齊人聞，遽辟之，乃盟」，「人」當作「侯」、「乃」當作「將」；「改卜牛，書五月」，「書」上脫「下」字；「兵賦之法」，「兵」當作「邱」；「因其田賦」，「賦」當作「財」；「《左氏》曰獲麟者」，「獲」字當刪。（卷七，頁十六—十七）

尹氏玉羽《春秋音義賦》

《宋志》[90]：「十卷。」

佚。

《宋志》[91]：「冉遂良注。」

《春秋字源賦》

《宋志》[92]：「二卷。」

佚。

《宋志》[93]：「楊文舉注。」

王應麟曰[94]：「咸平四年正月乙西[95]，知河南府，李至上之以書[96]，送祕閣。」

按：尹玉羽，京兆長安人，以孝行聞。杜門隱居，劉鄩辟為保大軍節度推官；仕後唐至光祿少卿。晉高祖召之，辭以老，退歸秦中。《春秋》二書之外，又著《自然經》五卷、《武庫集》五十卷，其行事散見於《冊府元龜》。

【霖案】竹垞指出：尹玉羽的行事，散見於《冊府元龜》，然未言出自何卷，今考知其出自《冊府元龜》者，有卷五一一、卷七二九、卷七五六、卷八〇六、卷八五四、卷八九九等六處，讀者可自行參看。蓋「尹玉羽，京兆長安人」、「杜門隱居，劉鄩

90霖案：《宋史・藝文志》，卷二○二，頁5061。

91霖案：《宋史・藝文志》，卷二○二，頁5061。又此文係出自注文，而非正文，竹垞有注文闌入正文之失。

92霖案：《宋史・藝文志》，卷二○二，頁5061。

93霖案：《宋史・藝文志》，卷二○二，頁5061。又此文係出自注文，而非正文，竹垞有注文闌入正文之失。

94霖案：王應麟，《玉海》卷五九，頁1183錄之。

95霖案：「乙西」二字，應依《玉海》改作「乙酉」，蓋事涉知河南府之年日。又「西」、「酉」字形相近而誤入也。

96霖案：「書」字，應依《玉海》改作「賦」字，此係關乎文章體裁，不得任意改字。又此〈賦〉即尹玉羽《春秋字源賦》也。

辟為保大軍節度推官」二事，見於《冊府元龜》卷七二九，頁八六八〇。「仕後唐至光祿少卿。」一事，見於《冊府元龜》卷五一一，頁六一二八。「晉高祖召之，辭以老，退歸秦中。」，其中「退歸秦中」一事，為後唐清泰中之事，而竹垞以此事置於「晉高祖召之，辭以老」之下，於時序安排未見恰當。又晉高祖入雒，卽「受詔而來」，雖雖告老，猶能獲得「月給俸錢三萬及冬春二時服」，且以「少府監致仕」，顯見其人於晉高祖之時，仍備受禮遇，至於竹垞所謂「退歸秦中」一事，縱使為實情，但與《冊府元龜》所論內容，顯有出入。

姜氏虔嗣《春秋纂例》　《宋志》作「　《三傳纂要》」。

《宋志》：「二十卷。」

【卷數】《文獻通考・經籍考》卷九，頁二四一著錄，不題卷數。

佚。

《崇文總目》[97]：「偽唐人姜虔嗣撰，以《春秋左氏》、《公》、《穀》三家之《傳》，學者抄[98]集之文。」

馮氏繼先[99]《春秋名號歸一圖》（五代）

【作者】張之洞《書目答問補正》卷一，頁四一、（大陸）《中山大學圖書館古籍善本書目》頁十九著錄，作者均題作「馮繼光」。又本書有張岐然輯本。

【增補】〔補正〕閻百詩曰：「繼先，『先』當作『元』，偽蜀朝人。」（卷七，頁十八）

【增補】李一遂〈左氏春秋著錄書目研究〉另錄有「《春秋宗族名謚譜》五卷」，竹垞未能錄及此書，當據以補入。

又李一遂〈左氏春秋著錄書目研究〉頁一〇八錄有「《春秋十二國年曆》」一卷，竹垞未錄此書，當據以補入。

《通考》：「二卷。」

【卷數】本書卷數異同如下：

一、二卷本：《直齋書錄解題》卷三，頁四五八、《文獻通考・經籍考》卷九，頁二四〇著錄。

97霖案：《文獻通考．經籍考》卷九，頁241。

98霖案：「抄」字，《文獻通考》作「鈔」字。

99「繼先」，應依《補正》作「繼元」。　霖案：《經義考新校》頁3276新校注文，於「『繼元』」二字之下，另有「存。」字。今考胡玉縉撰、王欣夫輯《四庫全書總目提要補正》卷七曰：「翁方綱《經義考補正》云：『閻百詩曰：『先』當作『元』。』玉縉案：瞿氏《目錄》有宋刻本，作繼先。」（頁162），則宋刻本有題作「繼先」者，是否當依翁氏之說改之，猶有爭議之處。

二、一卷本：《公藏先秦經子注疏書目》頁一一一著錄。

存。

【版本及藏地】本書版本及藏地如下：

一、通志堂經解本：後蜀馮繼先撰《春秋名號歸一圖》二卷，張之洞《書目答問補正》卷一，頁四一著錄，馬來西亞大學圖書館有藏本（二部）。

二、日本安政五年（１８５８）薩摩府學重刻清乾隆武英殿本：《中國館藏和刻本漢籍書目》頁四二著錄，北大、上海、湖北、天一等圖書館有藏本

三、日本安政五年（１８５８）薩摩府學重刻清乾隆武英殿本：清吳慈培校，《中國館藏和刻本漢籍書目》頁四二著錄，北京圖書館有藏本。

四、日本享和元年（１８０１）刻本：《中國館藏和刻本漢籍書目》頁四三著錄，北大圖書館有藏本。

五、明崇禎十四年（１６４１）君山堂刻本：九行十九字，小字雙行同，白口，單魚尾，四周單邊。卷首首頁版心下鐫「君山堂」，北京大學、清華大學、中國人民大學、中共中央黨校、北京故宮博物院、上海、東北師範大學、福建師範大學等圖書館有藏本。

六、元岳氏荊谿家塾刻本：蜀馮繼先撰《春秋名號歸一圖》一卷，《中國古籍善本書目》（經部）頁二六五著錄，北京大學、中國科學院、四川省等圖書館均有藏本。

又一本，有丁丙〈跋〉，南京圖書館有藏本。

七、宋潛府氏家塾刊本配補宋建刊纂圖互註本：缺卷四，台北國家圖書館有藏本。

【增補】《國家圖書館善本書志初稿》：「【春秋經傳集解存二十九卷附春秋名號歸一圖二卷諸侯興廢等二卷十六冊】

南宋潛府劉氏家塾刊本配補宋建刊纂圖互註本　　**00579**

晉杜預撰。

版匡高**19**公分，寬**12.6**公分。左右雙邊。每半葉十一行，行二十字。註文小字雙行，行二十六字。版心小黑口，雙魚尾(魚尾相向)，版心上方登錄每葉字數，中間記篇名(如『春一』)及葉次。左上欄外有耳題記魯公年(如『隱元年』)。宋諱玄、弦、弘、泓、殷、匡、筐、恒、禎、貞、徵、讓、桓、完、構、搆、慎、敦俱缺末筆。文中殘缺甚多，除缺卷四外，卷三莊公缺二十三至三十二年，卷五僖公缺元年至二年。卷十四缺一至四葉，卷十八缺二十七葉，卷十九缺十一葉，卷二十四第四葉缺後半葉級二十五葉。卷三十缺哀公二十二年至二十七年。

首卷首行頂格題『春秋經傳集解隱第一』，次行註文小字雙行陸德明音義，第三行低十二格題『杜氏盡十一年』。卷末有尾題。春秋序終後有一牌記題『潛府劉氏家塾希世之寶』，文占三行。第十五冊卷首有『春秋序』一文，陸德明曰，此杜元

凱所作。內附陸德明釋文。歸一圖前收錄『春秋諸國地理圖』及『春秋傳授次序圖』。諸侯興廢後附『春秋終始』及『春秋一百二十四國爵姓』。註文『重言』、『似句』以墨蓋子別出，其他以墨圍別出。尾題後刻出經傳、注、音義每卷字數。卷十二、十三、十九為配補宋末建刊纂圖互註本。歸一圖卷上有多處後人鈔補。

書中鈐有『涉園』朱文長方印、『芳春』朱文長方印、『澹如』朱文長方印、『真』『賞』朱文連珠方印、『華父』朱文長方印、『芳春/之印』白文方印、『存省/居』朱文方印，『國立中央圖/書館收藏』朱文長方印、『句吳李/氏澹如/家藏印』白文方印、『張印/載華』白文方印、『芷齋/圖籍』朱文方印。」(頁 155)。

八、明覆刊宋淳熙三年閩山阮氏種德堂本：台北國家圖書館有藏本。

【增補】《國家圖書館善本書志初稿》：「【春秋經傳集解三十卷附春秋名號歸一圖二卷三十冊】

明覆刊宋淳熙三年（1176）閔山阮氏種德堂本　00581

晉杜預撰。

版匡高 14.9 公分，寬 10.7 公分。左右雙邊。每半葉十行，行十八字。註文小字雙行，行二十二字。版心白口，雙魚尾。中間記卷第(如『左一』)，下方書葉次。書中多處後人鈔補，如卷二葉十八，卷五葉二十，卷八葉五、七，卷十四葉三，卷十七葉九，卷二十二葉十二，卷二十九葉二十四。其它漫漶之處甚多。

首卷首行頂格題『春秋經傳集解隱公第一』。下附雙行釋音釋文。第四行低八格題『杜氏盡十一年』。卷末有尾題。卷末殘缺葉題『淳熙柔兆涒灘中夏初吉閩山阮仲猷種德堂刊』方形牌記。卷首有杜預序。文中朱筆圈點，畫眉多處眉批，不知出自何人。

書中鈐有『延古堂李氏珍藏』白文橢圓印、『震/川』白文方印、『茅坤/鹿門/之印』白文方印、『張緄(?)/之印』朱白文小方印、『劉名/楨印』白文方印、『國立中央圖/書館收藏』朱文長方印、『燕/生』朱文方印、『姑蘇暘谷山/人周之爽印』朱文長方印、『大興朱氏竹君/藏書之印』朱文長方印、『朱筠/之印』白文方印、『朱印/錫庚』白文方印、『之爽/私印』朱文方印、『汝南/私記』朱文方印、『周氏/燕生』朱文方印、『周氏/暘谷』朱文方印、『乾坤清/氣入肺腑』白文長方印、『春風扇/傲松』朱文扇形印、『有/光』白文方印、『劉氏/名楨』白文方印、『弄墨/晨書』白文方印、『恥與/萬人同』朱文方印、『燕生周之爽印』朱文長方印、『古婁/龔埏』白文方印、『沉醉/三郎』白文方印、『東海/龔生』白文方印、『鹿城/居士』朱文方印。

著錄者有《適園藏書志》卷二。」(頁 156)。

【增補】《國家圖書館善本書志初稿》：「【春秋經傳集解存二十九卷附春秋名號歸一圖二卷三十二冊】

又一部 00584

缺卷四，卷二十九葉一至九。

後序存葉一。卷十五葉三，後人墨筆鈔補。文中朱筆圈點，書眉處偶有批語。

書中鈐有『延恩/世澤』朱文方印、『海日/樓』白文方印、『巽齋/所藏』朱文方印、『國立中/央圖書/館考藏』朱文方印、『獨山/莫氏/所藏』朱文方印、『霞秀/景飛/之寶』朱文方印、『子培/父』朱文方印。

《適園藏書志》卷二有著錄。」(頁 157)。

九、明覆刊宋淳熙三年閩山阮氏種德堂本配補清虞氏述古堂影鈔本：晉杜預撰，唐·陸德明釋文，朱筆批校評點，存下卷，台北國防研究院有藏本。

十、清同治三年（甲子）翻刻相臺五經本

十一、文淵閣四庫全書本：馮繼先《春秋名號歸一圖》二卷，張壽平《公藏先秦經子注疏書目》頁一二一著錄，台北故宮博物院有藏本。

【增補】永瑢等撰《欽定四庫全書總目》曰：「春秋名號歸一圖二卷　兩江總督採進本

蜀馮繼先撰[100]。陳振孫《書錄解題》載：『是書所列人名，周一、魯二、齊三、晉四、楚五、鄭六、衛七、秦八、宋九、陳十、蔡十一、曹十二、吳十三、邾十四、杞十五、莒十六、滕十七、薛十八、許十九、雜小國二十。』《崇文總目》謂其以官謚名字裒附初名之左。《文獻通考》引李燾云：『昔丘明傳《春秋》，於列國君臣之名字不一其稱，多者或至四、五，始學者蓋病其紛錯難記，繼先集其同者為一百六十篇。』以是二端推之，是繼先舊本本為旁行斜上，如表譜之體，故以圖為名，而分至一百六十篇也。今本目次與振孫所言合，其每一人為一條，既非裒附初名之左，亦無所謂一百六十篇者。與《崇文總目》及李燾所說迥異。案岳珂[101]雕印《相臺九經例[102]》云：『《春秋名號歸一圖》二卷，刻本多訛錯。嘗合京、杭、建、蜀本參校，有氏名異同，實非一人，而合為一者；有名字若殊，本非二人，而析為二者；有自某國適他國而前後互見者；有稱某公與某年，而經傳不合者。或以傳為經，或以注為傳，或偏旁疑似而有亥豕之差，或行款牽連而無甲乙之別。今皆訂其訛謬，且為分行以見別書。』然則今本蓋珂所刊定移易，非復李燾以前之舊本。觀燾所稱『宋大夫莊堇、秦右大夫詹』傳，未始有父字，而繼先輒增之。若子韓晳者，蓋齊頃公孫，世族譜與傳同，而繼先獨以為韓子晳，與楚、鄭二公孫黑共篇。今檢驗此本，皆無此文，則為珂所削改明矣。」（卷二十六，頁三三四至頁三三五）【增補】邵懿辰撰、邵章續錄：《

100霖案：原註云：按：翁方綱《經義考補正》：「閻百詩曰：『先』當作『元』。」即為馮繼元，瞿氏《目錄》有宋刻本，作馮繼先，俟考。

101霖案：原注云：崔富章：岳珂為岳飛三世孫，刊《九經三傳》之岳浚為岳飛之九世孫，《總目》作岳珂，大誤。又，下文《相臺九經例》，全稱為《刊正九經三傳沿革例》。

102霖案：原注云：「例」，底本誤作「記」，據浙、粵本改。

增訂四庫簡明目錄標注》卷三曰：「《春秋名號歸一圖》二卷，蜀馮繼先撰，宋岳珂重編。

通志堂本，武英殿仿岳本，列杜解前，下年表同，汪刻叢書本。

嘉靖中翻刻宋種德堂本，附集解後，與通志堂本多異，下年表同。

許氏宋種德堂本，附集解前。

〔續錄〕絳雲樓藏宋刊本，白紙初印，後歸胡心耘，明刊本。

日本享和元年刊本，下年表同。」（頁一〇五）

【增補】胡玉縉撰、王欣夫輯《四庫全書總目提要補正》卷七曰：「翁方綱《經義考補正》云：『閻百詩曰：『先』當作『元』。』玉縉案：瞿氏《目錄》有宋刻本，作繼先。」（頁一六二）

【增補】崔富章：《四庫提要補正》曰：「『相台九經』即『相台岳氏刻梓荊溪家塾』之『九經三傳』（《春秋》一經包括左氏、公羊、穀梁三傳），實為十一經。『荊溪』為義興古名，即今江蘇宜興。荊溪岳氏為常州望族，出岳飛之後，故以『相台』表望；但與嘉興金陀坊之岳珂非同一支。珂為飛之孫，刊《九經三傳》之荊溪岳浚為飛九世孫，時代已經入元。原來南宋末年杭城廖氏世綵堂校刊《九經》，世稱善本；元初已極罕見，荊溪岳氏仿廖本重刊之，并將廖氏《總例》一卷，增補改題為《九經三傳沿革例》，即《提要》所謂『相台九經例』，冠以『岳珂』則非。

岳氏《九經》較廖氏世綵堂本增刻四種；《春秋公羊經傳詁》、《春秋穀梁傳集解》、《春秋年表》、《春秋公羊經傳解圖》。北京圖書館收藏岳氏荊溪家塾刊本《春秋名號歸一圖》二卷（八行十七字黑口四周雙邊）；同時收藏有該書宋刻本三種：其一為龍山書院所刻（十一行二十一字小字雙行二十五字細黑口左右雙邊），又一宋本（十一行，大小字不等，細黑口）有毛扆跋；又明刻本四種，皆作二卷，附杜預《春秋經傳集解》之末。北京大學、南京圖書館、山東省博物館等收藏元刊本，皆作一卷附胡安國《春秋傳》之後。

文瀾閣庫書原本佚，今存丁氏補抄本二卷一冊。考丁氏藏有康熙五十八年汪由敦（松泉）傳抄《通志堂經解》本，『書法精妙，想見木天清暇、濡毫染翰時也』（《善本書室藏書志》卷三），補抄蓋出此本。丁氏又收藏元麻沙坊刻小字本《春秋胡氏傳》三十卷，增附《春秋名號歸一圖》等，以備程式之用，然作一卷，與四庫分卷不同。丁氏兩本，今皆藏南京圖書館。」（頁一五三）

十二、宋刊本

【增補】瞿鏞編纂・瞿果行標點・瞿鳳起覆校《鐵琴銅劍樓藏書目錄》卷五曰：「蜀馮繼先撰。此書原本多錯　，相臺岳氏合京、杭、建、蜀諸本，重加刊定。此本亦淳熙三年閩阮仲猷刻，即依岳氏原本。」（頁一三九）

十三、清同治十二年(1873)粵東書局重刊本：後蜀馮繼先撰《春秋名號歸一圖》二卷，國家圖書館有藏本。

十四、明萬曆十五年（１５８７年）劉懷恕刻《春秋戰國評苑》本：（蜀）馮繼光撰《春秋名號歸一圖》二卷，二十冊，九行，二十字，小字雙行，字數同。上批欄，小字，行六字，白口，四周雙邊，左書耳。（大陸）《中山大學圖書館古籍善本書目》頁十九著錄。

又北京：清華大學圖書館、北京師範大學圖書館、北京師範學院圖書館、中央民族大學圖書館、中國科學院圖書館、中國社會科學院文學研究所、故宮博物院圖書館、山東省圖書館、安徽省圖書館、中山大學圖書館、四川省圖書館有藏本。

十五、昌平叢書本：後蜀馮繼先撰《春秋名號歸一圖》二卷，《年表》，馬來西亞大學圖書館有藏本。

十六、相台岳氏本：蜀馮繼先撰《名號歸一圖》二卷，耿文光《萬卷精華樓藏書記》卷八，頁二八三著錄，耿氏解題參見杜氏預《春秋經傳集解》條下。

十七、明永樂四年廣勤書堂刻本：蜀馮繼先撰《春秋名號歸一圖》一卷，十六行廿九字黑口四周雙邊〕存《春秋胡氏傳》三卷〔一至三〕，北京圖書館有藏本。

十八、元刻本：蜀馮繼先撰《春秋名號歸一圖》一卷，山東省博物館有藏本。

十九、明萬曆八年親仁堂刻本：（晉）杜預注　（明）穆文熙評輯《春秋經傳集解》三十卷，《首》一卷；蜀馮繼先撰《春秋名號歸一圖》二卷，《春秋提要》一卷，九行二十字小字雙行同白口左右雙邊有刻工，程志〈現存唐人著述簡目〉頁二五八、（大陸）《中山大學圖書館古籍善本書目》頁十九著錄。

又中國人民大學圖書館有藏本，《中國人民大學圖書館古籍善本書目》頁十三著錄。

又北京：國家圖書館、北京大學圖書館、中國科學院圖書館、北京市文物局、吉林大學圖書館、黑龍江大學圖書館、浙江圖書館、安徽省圖書館、福建省圖書館、湖南師範學院圖書館有藏本。

【增補】《中國人民大學圖書館古籍善本書目》曰：「００９１　１６／８０

春秋左氏經傳集解三十卷

（晉）杜預撰　（唐）陸德明釋文

春秋名號歸一圖二卷

（蜀）馮繼光撰

春秋提要一卷

明萬曆八年（１５８０）金陵李時成親仁堂刻本

十六冊二函

九行二十字，小字雙行同，白口，單魚尾，左右雙邊。版心下鐫刻工溫志明、易

鎡等。鈐『江陰繆荃孫藏書記』、『彭孟之印』、『天承山人』、『淮南客』、『亞若山人』諸印。」（頁十三）

又台北：國家圖書館、大陸中山大學圖書館藏有穆文熙輯評，明萬曆間刊本，疑即此本，今附於此。

二十、清康熙五十八年汪由敦抄本：蜀馮繼先撰　清汪由敦　丁丙跋《春秋名號歸一圖》二卷，南京圖書館有藏本。

【霖案】丁氏文瀾閣四庫全書補抄本，蓋出於此本也，說法詳見本文「十一、文淵閣四庫全書本」條下錄「崔富章：《四庫提要補正》」條下解題。

二十一、清影抄元氏岳荊溪家塾刻本：蜀馮繼先撰，《春秋名號歸一圖》二卷、《春秋年表》一卷，上海圖書館有藏本。

二十二、宋刊本：蜀馮繼先撰，《春秋名號歸一圖》二卷、《春秋二十國年表》一卷，《春秋圖說》一卷，十一行大小字不等細黑口四周雙邊，中國國家圖書館有藏本。

二十三、宋刊本：蜀馮繼先撰，清毛扆校，《春秋名號歸一圖》二卷，十一行大小字不等細黑口左右雙邊，中國國家圖書館有藏本。

二四、宋龍山書院刻本：晉杜預撰　唐陸德明釋文《纂圖互注春秋經傳集解》三十卷，蜀馮繼先撰《春秋名號歸一圖》二卷，十二行二十一字小字雙行二十五字細黑口左右雙邊，現藏於北京圖書館。

二五、明永懷堂刻本：晉杜預撰　明穆文熙編　葛鼒重訂《春秋經傳集解》三十卷，蜀馮繼先撰《春秋名號歸一圖》二卷，清佚名錄魏禧何焯評語，九行二十字白口左右雙邊，上海圖書館有藏本。

二六、明萬歷八年金陵親仁堂刻本：晉杜預撰　唐陸德明釋文《春秋左氏經傳集解》三十卷，蜀馮繼先撰《春秋名號歸一圖》二卷，《春秋提要》一卷，九行二十字小字雙行同白口左右雙邊有刻工，北京：國家圖書館、北京大學圖書館、中國人民大學圖書館、中國科學院圖書館、北京市文物局、吉林大學圖書館、黑龍江大學圖書館、浙江圖書館、安徽省圖書館、福建省圖書館、湖南師範學院圖書館有藏本。

二七、明萬歷十六年世德堂刻本：晉杜預撰　明穆文熙輯評《春秋經傳集解》三十卷，蜀馮繼先撰《春秋名號歸一圖》二卷，九行二十字小字雙行同白口上魚尾四周雙邊有刻工，河南省圖書館、湖北省圖書館有藏本。

二八、明萬歷十五年劉懷恕刻春秋戰國評苑本：晉杜預注　明穆文熙輯評《春秋經傳集解》三十卷，蜀馮繼先撰《春秋名號歸一圖》二卷，九行二十字小字雙行同白口四周雙邊有刻工姓名，北京：清華大學圖書館、北京師範大學圖書館、北京師範學院圖書館、中央民族大學圖書館、中國科學院圖書館、中國社會科學院文學研究所、故宮博物院圖書館、山東省圖書館、安徽省圖書館、中山大學圖書館、四川省圖書館有藏本。

二九、明刻本：晉杜預撰　唐陸德明釋文《春秋經傳集解》三十卷，蜀馮繼先撰《春秋名號歸一圖》二卷，清黃庭鑒跋，十行十八字白口左右雙邊，北京：國家圖書館有藏本。

三十、明刻本：晉杜預撰　唐陸德明釋文《春秋經傳集解》三十卷，蜀馮繼先撰《春秋名號歸一圖》二卷，清翁同書跋，十行十八字白口左右雙邊雙魚尾，上海圖書館有藏本。

三一、元相臺岳氏荊溪家塾刻本(卷十七至二十配明刻本)：晉杜預撰　唐陸德明釋文《春秋經傳集解》三十卷，蜀馮繼先撰《春秋名號歸一圖》二卷，《年表》一卷，周叔弢跋，八行十七字細黑口四周雙邊，北京：國家圖書館有藏本。

三二、明刻本：晉杜預撰　唐陸德明釋文《春秋經傳集解》三十卷，蜀馮繼先撰《春秋名號歸一圖》二卷，十行十八字白口左右雙邊雙魚尾，北京：國家圖書館、北京師範大學圖書館、上海圖書館、遼寧省圖書館、吉林大學圖書館、哈爾濱市圖書館、衢縣文管會、鄭州市圖書館、湖南省圖書館、重慶市圖書館有藏本。

三三、明刻本：晉杜預撰　唐陸德明釋文《春秋經傳集解》三十卷，蜀馮繼先撰《春秋名號歸一圖》二卷，十行十八字小字雙行廿二字雙魚尾左右雙邊，復旦大學圖書館、華東師範大學圖書館、南京圖書館有藏本。

三四、明刻本：晉杜預撰　唐陸德明釋文《春秋經傳集解，上海圖書館有藏本。

三五、明刻本：晉杜預撰　唐陸德明釋文《春秋經傳集解，北京：國家圖書館有藏本。

三六、明刻本：晉杜預撰　唐陸德明釋文《春秋經傳集解復旦大學圖書館、華東師範大學圖書館、南京圖書館有藏本。

《崇文總目》[103]：「偽蜀馮繼先[104]撰，以《春秋》官諡名字裒附初名之左。」

晁公武曰[105]：「《左氏》所書人不但稱其名[106]，或字、或號、或爵諡，多互見，學者苦之，繼先[107]皆取以繫之名下。」

李燾曰[108]：「昔邱明傳《春秋》，於列國君臣之名字不一其稱，多者或至四五，學者[109]

103霖案：《文獻通考．經籍考》卷九，頁240。

104霖案：「馮繼先」三字，《文獻通考》作「馮繼元」。

105霖案：《郡齋讀書志》卷第三，頁106、《文獻通考．經籍考》卷九，頁240。

106霖案：「《左氏》所書人不但稱其名」，應斷作「《左氏》所書人，不但稱其名」，《點校補正經義考》之斷句，或有商榷之處。

107霖案：「繼先」二字，《文獻通考》作「繼元」。

108霖案：《文獻通考．經籍考》卷九，頁240。

109霖案：「學者」二字，《文獻通考》作「始學者蓋」四字，竹垞或以「始」、「蓋」二字為冗雜，因病其紛錯難記，繼先[110]集其同者，為一百六十篇，音同者附焉，於《左氏》抑亦微有助云。宋大夫莊堇、秦右大夫詹，據傳未始有父字，而繼先[111]輒增之，所見異本；若子韓哲[112]者，蓋齊頃公，孫[113]《世族譜》與傳同，而繼先[114]獨以為韓子哲[115]與楚、鄭二公孫黑共篇，蓋誤也。」

陳振孫曰[116]：「《左傳》所載君臣名氏字諡，互見錯出，故為此圖以一之。周一、魯二、齊三、晉四、楚五、鄭六、衛七、秦八、宋九、陳十、蔡十一、曹十二、吳十三、邾十四、杞十五、莒十六、滕十七、薛十八、許十九、雜[117]小國二十。」

【增補】何廣棪：《陳振孫之經學及其《直齋書錄解題》經錄考證》曰：「廣棪案：此書宋時前後有二種刻本，《崇文總目》所著錄及李燾所見者同屬一本，與《解題》此本不同。《四庫》館臣辨之頗詳。《總目》卷二十六《經部》二十六《春秋類》一載；『《春秋名號歸一圖》二卷，（兩江總督採進本。）蜀馮繼先撰。陳振孫《書錄解題》載是書所列人名，周一，魯二，齊三，晉四，楚五，鄭六，衛七，秦八，宋九，陳十，蔡十一，曹十二，吳十三，邾十四，杞十五，莒十六，滕十七，薛十八，許十九，雜小國二十。《崇文總目》謂其以官諡、名字裒附初名之左。《文獻通考》引李燾云：『昔丘明傳《春秋》，於列國君臣之名字，不一其稱，多者或至四五，始學者蓋病其紛錯難記，繼先集其同者，為一百六十篇。』以是二端推之，是繼先舊本本為旁行斜上，如表譜之體，故以圖為名，而分至一百六十篇也。今本目次與振孫所言合。其每一人為一條，既非裒附初名之左，亦無所謂一百六十篇者，與《崇文總目》及李燾所說迥異。案岳珂《雕印相臺九經例》云：『《春秋名號歸一圖》二卷，刻本多� 錯。嘗合京、杭、建、蜀本參校，有氏名異同，實非一人而合為一者；有名字若殊，本非二人而析為二者；有自某國適他國，而前後互見者；有稱某公與某年，而經、傳不合者。或以傳為經，或以注為傳；或偏旁疑似，而有亥豕之差；或行欵牽連，而無甲乙之別。今皆訂其畕　謬，且為分行，以見別書。』然則今本蓋珂所刊定移易，非復李燾以前之舊本。觀燾所稱宋大夫莊堇、秦右大夫詹傳，未始有父字，而繼先輒增之。若子韓皙者，蓋齊頃公孫，《世族譜》與《傳》同。而繼先獨以為韓子皙

而刪棄，今據原書補入。

110霖案：「繼先」二字，《文獻通考》作「繼元」。

111霖案：「繼先」二字，《文獻通考》作「繼元」。

112霖案：「韓哲」二字，《文獻通考》作「韓皙」。

113霖案：「蓋齊頃公，孫」，應斷作「蓋齊頃公孫，」，《點校補正經義考》的斷句，或有商榷的餘地。

114霖案：「繼先」二字，《文獻通考》作「繼元」。

115霖案：「韓子哲」三字，《文獻通考》作「韓子皙」。

116霖案：《直齋書錄解題》卷三，頁458、《文獻通考．經籍考》卷九，頁240。

117霖案：《經義考新校》頁3277新校注文，其文如下：「文津閣《四庫》本無『雜』字。」

，與楚、鄭二公孫黑共篇。今檢此本，皆無此文，則為珂所削改明矣。』是則《解題》所著錄之書乃岳珂刊定之本，與《崇文總目》著錄者不同，亦非李燾當日所見之繼先舊本也，惜直齋未作分辨說明矣！」（頁五四八至頁五四九）

岳珂曰[118]：「《春秋名號歸一圖》二卷，馮繼先撰。刊本多訛錯，嘗合京、杭、建、蜀本參校：有氏名略同，實非一人而合為一者；有名字若殊，本非二人而析為二者；有自某國適他國，而前後互見者；有稱某公與某年，而《經》、《傳》不合者；或以《傳》為《經》，或以注[119]為傳；或偏傍疑似而有亥豕之差，或行數牽連而無甲乙之別。若此類非一，今皆訂之《經》、《傳》，刊其譌謬，且為分行，以見別書。若雜出於《經》、《傳》與注[120]而止稱《經》，或傳注[121]散見於前後數年閒[122]而止稱某公、某年，蓋據始見而書之。廖本無《年表歸一圖》，今既刊《公》、《穀》，併補二書以附《經》、《傳》之後。[123]」

〔補正〕「岳珂曰」下當補「按史《藝文志》」五字，「廖本無年表」以下當刪。（卷七，頁十八）

《名字同異錄》（五代）

【著錄】《經籍志》、《文獻通考》、《崇文總目》錄之，李一遂〈左氏春秋著錄書目研究〉頁一〇二曾據以著錄。

【書名】李一遂〈左氏春秋著錄書目研究〉頁一〇二題作「《春秋名字異同》」

《宋志》：「五卷。」

存。

蹇氏遵品《左氏傳引帖新義》　《宋志》作「《斷義》」。

《宋志》：「十卷。」

【卷數】《文獻通考・經籍考》卷九，頁二四一著錄，不題卷數。

佚。

118「岳珂曰」以下，應依《補正》補「按史《藝文志》」五字。　霖案：《經義考新校》頁3277新校注文，「岳珂曰」三字誤作「兵珂曰」，蓋「岳」、「兵」二字形近而誤入。今考《九經三傳沿革例》（《四庫》本，冊一八三，頁576錄之，亦有「按史《藝文志》」等五字。

119霖案：「注」，《九經三傳沿革例》作「註」字。

120霖案：「注」，《九經三傳沿革例》作「註」字。

121霖案：「注」，《九經三傳沿革例》作「註」字。

122霖案：「閒」，《九經三傳沿革例》作「間」字。

123「廖本無年表……」以下，依《補正》當刪。　霖案：「廖本無年表……」以下諸字，「四庫本」《九經三傳沿革例》錄之，當為岳珂之語，今據原書補入。

《崇文總目》124：「偽蜀進士蹇遵品撰。擬唐禮部試進士帖經舊式，敷125經具對。」

李氏《三傳異同例》

《唐志》126：「十三卷。」

佚。

《新唐書注》127：「開元中，右威衛128錄事參軍，失名。」

亡名氏《春秋加減》

《唐志》：「一卷。」

【著錄】《直齋書錄解題》卷三，頁四五八著錄。

佚。

《崇文總目》129：「唐元和時，國子監承詔修定，以此經字文多少不同，故誌其增損，以防差駮。」

《中興書目》130：「《春秋加減》一卷，訂正《左氏》句讀，字畫訛舛。」

陳振孫曰131：「書132稱元和十三年國子監奉敕133定，不著人名。校定偏旁，若《五經文字》之類。此本作小襀134冊，纔135十餘板，前有『睿思殿書籍印』，末稱『臣雩校定』，蓋承平時禁中書也136。」

【增補】何廣棪：《陳振孫之經學及其《直齋書錄解題》經錄考證》曰：「廣棪案：《新唐書·藝文志》著錄：『《春秋加減》一卷。元和十二國子監修定。』所記奉敕之年，與《解題》相差一年，未知孰是。《崇文總目》卷一《春秋類》著錄：『《春

124霖案：《文獻通考．經籍考》卷九，頁241。

125霖案：「敷」字，應依《文獻通考》作「覈」字。

126霖案：《新唐書》卷五七，頁1441。

127霖案：《新唐書》卷五七，頁1441的注文。

128霖案：「衛」字，《新唐書．注》作「衞」字，俗寫字不同之故。

129霖案：《文獻通考．經籍考》卷九，頁238。

130霖案：出自：《玉海》冊二，卷四○，頁799B。

131霖案：《直齋書錄解題》卷三，頁458。又出自《文獻通考．經籍考》卷九，頁238。

132霖案：《文獻通考．經籍考》無「書」字。

133霖案：「敕」，《文獻通考．經籍考》作「勅」。

134霖案：「襀」，《文獻通考．經籍考》作「績」。

135霖案：「纔」，《文獻通考．經籍考》作「財」。

136霖案：「也」字下，應依《文獻通考．經籍考》補入「不知何為流落在此」。

秋加減》一卷，原釋：唐元和時國子監承昭修定，以此經文字多少不同，故誌其增損，以防差駁。（見《文獻通攷》。）』所記可與《解題》互為補充。」（頁五四七）

【增補】何廣棪：《陳振孫之經學及其《直齋書錄解題》經錄考證》曰：「案：《解題》卷四《別史類》『《高氏小史》一百三十卷』條云：『此書舊有杭本，今本用厚紙裝　夾面。』與此所言『小　冊』同。至『睿思殿』及『臣雱』二項，均未能考出。」（頁五四七）

《春秋精義》

《宋志》：「三十卷。」

【卷數】《文獻通考‧經籍考》卷九，頁二四〇著錄，不題卷數。

佚。

《崇文總目》[137]：「不著撰人名氏。彙事於上，分抄杜氏、孔穎達言數家之說，參以[138]《釋文》。」

《演左氏傳諡族圖》

【書名】李一遂〈左氏春秋著錄書目研究〉頁一〇二錄作「《演左氏傳諡族譜》」。

五卷。

【卷數】《文獻通考‧經籍考》卷九，頁二四〇著錄，不題卷數。

佚。

《崇文總目》[139]：「不著撰人名氏。以《左氏》學世譜增廣之，貫穿系序，差[140]無遺略。」

《春秋龜鑑》

《宋志》：「一卷。」

【卷數】《文獻通考‧經籍考》卷九，頁二四三著錄，題作「一卷」。

佚。

《崇文總目》[141]：「不著撰人名氏。述《春秋》周及諸侯世次[142]，齊、魯大國公子公

137霖案：《文獻通考．經籍考》卷九，頁240。

138霖案：「以」字，《文獻通考》無此字，當據刪正。

139霖案：《文獻通考．經籍考》卷九，頁240。

140《四庫》本無「差」字。　霖案：《經義考新校》頁3279新校注文，於「《四庫》」二字之前，另有「文淵閣」三字。

141霖案：《文獻通考．經籍考》卷九，頁243。

孫。初不詳備，其後傳寫又失其次序，今存以備討[143]閱。」

《春秋宗族名謚譜》

佚。

《崇文總目》[144]：「不著撰人名氏。略采《春秋三傳》諸國公卿大夫姓名謚號。」

《春秋指掌圖》

二卷。

佚。

《國史志》[145]：「《春秋指掌圖》二卷，融據李瑾《指掌》為圖，不著姓。」

《春秋十二國年歷》　《通考》作「《二十國年表》」。

【作者】何廣棪先生據《玉海》所引《中興館閣書目》，考出此書作者為環中，又頗疑環中即胡埜，其說有參考的價值，說法詳見下文。

【書名】本書異名如下：

一、《春秋二十國年表》：《文獻通考·經籍考》卷九，頁二四四、《中國人民大學圖書館古籍善本書目》頁十四、《元史藝文志輯本》卷三，頁六一等著錄。

二、《春秋年表》：《嘉業堂藏書志》卷一，頁一五七著錄。

三、《諸國年表》：《西北大學圖書館善本書目》頁四著錄。

《宋志》：「一卷。」

〔校記〕《四庫》著錄《春秋年表》一卷，自周以下至小 凡二十國，則十二國者，殆二十國之誤耶？（《春秋》，頁四七）

佚。

【存佚】本書當為《春秋二十國年表》，而該書世間頗見傳本，今當改作「存」籍。

【版本及藏地】《春秋二十國年表》的版本及藏地如下：

一、明永樂內府刻本：明胡廣等撰《春秋集傳大全》三十七卷，《序論》一卷，《諸國興廢說》一卷，《春秋二十國年表》一表，卷末、卷四各有鈔配一頁。十行二十一

142霖案：「述《春秋》周及諸侯世次」，應斷作「述《春秋》，周及諸侯世次」，《點校補正經義考》的斷句，或有商榷餘地。

143「討」，《四庫》本誤作「計」。　霖案：《經義考新校》頁3280新校注文，於「《四庫》」二字之前，另有「文淵閣」三字。今考《文獻通考》正作「討」字。

144霖案：《文獻通考．經籍考》卷九，頁243。

145霖案：《玉海》卷四〇，頁799。

字，小字雙行，二十一字。黑口，四周雙邊，十八冊。台北國家圖書館、長春東北師範大學圖書館有藏本。

又《西北大學圖書館善本書目》頁四錄有一本，題作「明刻本」，版本悉同此本，且附有《序論》一卷、《春秋二十國年表》一卷、《諸國興廢說》一卷，亦同於內府刻本，今暫列於此，以俟後考。

又《中國古籍善本書目》（經部）頁二七五著錄，北京、遼寧省、西北大學、廣西師範大學等圖書館均有藏本。

二、明刻二節版印本：《春秋二十國年表》一卷，九行十七字，小字雙行十七字。白口，白魚尾，左右雙邊。書口下題「唐林」、「劉」、「柯仁義」、「張仁」等刻工姓氏。十三冊。長春：東北師範大學圖書館、中國人民大學圖書館有藏本。

又西北大學圖書館藏有一本，版本題作「明刻本」，為二節板，而其餘版本著錄的事項，與上述所論相符，惟書名著錄略有小異，今暫列於此，以俟後考。

三、明嘉靖吉澄刻，楊一鄂重修二節版印本：宋胡安國傳《春秋二十國年表》一卷，九行，十七字，小字雙行，十六字至十七字不等。白口，左右雙邊。書口下題：「龔士廉」及「唐麟」、「張憲」、「黃周賢」等刻工姓名。八冊。藏地：長春東北師範大學圖書館

【增補】嚴寶善編錄《販書經眼錄》卷一曰：「明嘉靖刻本《春秋四傳》三十八卷，《綱領》一卷，《提要》一卷，《列國東坡圖說》一卷，《春秋二十國年表》一卷，《諸國興廢說》一卷

宋胡安國著撰，明嘉靖吉澄刻樊獻科，楊一鶚遞修本，皮紙十冊。白口，單魚尾，左右雙邊；半葉九行，注小字雙行，行十七字。上橫闌刊有音注：下版心有刻工姓名。卷首有胡安國序、杜預《左傳・序》、何休《公羊傳・序》、范寧《穀梁傳・序》，并附錄崇寧二年程子序、《春秋綱領》、《春秋提要》、《春秋地理圖說》、《春秋諸國年表》、《春秋諸國興廢說》。《四庫存目》云：『（是書）不知何人所編。……凡經文之下，皆分注《左氏》、《公羊》、《穀梁》三傳，而《胡傳》則別為標出，間加音注，別無發明參考之處。』

卷首、六、十一、十六、二十、二十三、二十七、三十、三十四各末葉皆刊『巡按福建監察御史開州吉澄校刊縉云樊獻科重訂』宋字三行雙邊木記；卷三十八末刻『福建建寧知府曲梁楊一鶚重刻』字一行雙邊木記。

《福建通志・職官志》載：嘉靖末年吉澄與獻科相繼為巡按，蓋將是書發交一鶚付梓者。《職官》、《官績》兩志并載一鶚知建寧府事在嘉靖末年。（轉引自王重民《中國善本書提要》）。此本當刊於嘉靖末年四十五年者。

據各家著錄，此刊本有嘉靖吉澄刻本，吉澄刻樊獻科重修本，吉澄刻樊獻科、楊一鶚遞修本，此當是樊、楊遞修印本。」（頁九）

又香港中文大學圖書館有藏本。

【增補】《香港中文大學圖書館古籍善本書錄（增訂版）》曰：「０８１　PL2470.D4(崇基)

《春秋四傳》三十八卷《綱領》一卷《提要》一卷《列國東坡圖說》一卷《春秋二十國年表》一卷《諸國興廢說》一卷

明嘉慶間吉澄刻樊獻科重修本

匡高二十・二公分，寬十四・三公分

九行十七字，小字雙行同

白口，單白魚尾，左右雙邊

上下二欄，下欄刻切音

版心下鐫"龔士廉書，唐麟刊"等

卷末牌記題"巡按福建監察御史開州吉澄校刊，縉雲樊獻科重訂"

前有胡氏傳序，杜預"左氏傳序"，何休"公羊傳序"，范寧"穀梁傳序"，程頤"程子傳序"」（頁二四）

四、明崇禎十四年（１６４１）君山堂刻本：九行十九字，小字雙行同，白口，單魚尾，四周單邊。卷首首頁版心下鐫「君山堂」，北京大學、清華大學、中國人民大學、中共中央黨校、北京故宮博物院、上海、東北師範大學、福建師範大學等圖書館有藏本。

五、元岳氏荊谿家塾刻本：附《春秋名號歸一圖》二卷，《年表》一卷，北圖有藏本。

六、四庫全書本：台北故宮博物院有藏本。

【增補】永瑢等撰《欽定四庫全書總目》曰：「春秋年表一卷　浙江鮑士恭家藏本

不著撰人名氏。陳振孫《書錄解題》云：『《春秋二十國年表》一卷，不知何人作。自周而下，次以魯、蔡、曹、衛、滕、晉、鄭、齊、秦、楚、宋、杞、陳、吳、越、邾、莒、薛、小邾。』《館閣書目》有《年表》二卷，元豐中楊參[146]齡撰。自周之外凡十三國。又董氏《藏書志》有《年表》，無撰人，自周至吳、越凡十國，征伐、朝覲、會同皆書。今此表正二十國，與《書錄解題》所載同，蓋即陳振孫所見也。其書在宋本自單行，岳珂[147]雕印《九經》，乃以附《春秋》之後。珂《記》云：『《

146霖案：原註云：「參」，浙、粵本作「彥」。

147霖案：崔富章：岳珂一生無雕印《九經》之事。元代岳浚重刊廖氏《九經》，於《春秋》一經增刊《公羊傳》、《穀梁傳》、《春秋名號歸一圖》、《春秋年表》四種，同時將廖氏校刊《總例》增補，改題為《刊正九經三傳沿革例》。《總目》所云：「珂記云」一段，即岳浚增補之文，與岳珂無涉。

春秋年表》，今諸國148或闕號名，或紊年月，參之經傳，多有外錯，今皆為刊正。諸國君卒與立皆書，惟魯闕，今依經傳添補。廖本無《年表》、《歸一圖》，今既刊《公》、《穀》，并補二書以附經傳之後。』是此書經珂刊補，與馮繼先之《名號歸一圖》同刻者。《通志堂經解》不考岳珂之語，乃與《名號歸一圖》連為一書，亦以為馮繼先所撰，誤之甚矣。」（卷二十六，頁三三五）

【增補】邵懿辰撰、邵章續錄：《增訂四庫簡明目錄標注》卷三曰：「《春秋年表》一卷，不著撰人名氏。

通志堂本。

〔附錄〕春秋二十國年表，陸有明永樂刊本。（紹箕）

〔續錄〕明刊春秋大全附刻本。」（頁一〇五）

【增補】崔富章：《四庫提要補正》曰：「岳珂一生无雕印《九經》之事。元代荊溪（宜興）岳氏（浚，飛九世孫）重刊廖氏《九經》，於《春秋》一經增刊《公羊傳》、《穀梁傳》、《春秋名號歸一圖》、《春秋年表》四種，同時將廖氏校刊《總例》增補改題為《刊正九經三傳沿革例》，《提要》所云『珂記云』一段，即岳浚增補之文，并與岳珂无涉。

文瀾閣庫書原本佚，今存丁氏補抄本一卷一冊，源出元麻沙坊刻，附胡安國《春秋傳》之後，題《春秋二十國年表》，丁氏舊藏今歸南京圖書館。北京圖書館藏元荊溪岳氏刊本，題《春秋年表》，附《春秋經傳集解》後。」（頁一五四）

七、舊鈔本：復旦大學圖書館有藏本。

【增補】《嘉業堂藏書志》卷一曰：「《春秋年表》一卷　舊鈔本　不著撰人姓氏。自周而下，次以魯、曹、衛、滕、晉、鄭、齊、秦、楚、宋、杞、陳、吳、越、邾、莒、薛、許、小邾，凡二十國，故又名《春秋二十國年表》。《館閣書目》有楊彥齡撰《年表》二卷，自周之外，凡十三國；《董氏藏書志》有《年表》，無撰人，凡十國，均與此本不同。此書見於《書錄解題》，在宋有單行本。岳氏刊印《九經》，乃以附於《春秋》之後焉。（繆稿）」（頁一五七至頁一五八）

八、明刻本：明胡廣等輯《春秋集傳大全》三十七卷，《序論》一卷，《春秋二十國年表》一卷，《諸國興廢說》一卷，西北大學圖書館有藏本。

又清華大學、浙江大學圖書館有藏本，題作「《春秋集傳大全》三十七卷，《序論》一卷，《春秋二十國年表》一卷，《諸國興廢說》一卷」。

又南京圖書館有藏本，錄有丁丙〈跋〉，題作「《春秋集傳大全》三十七卷，《春秋二十國年表》一卷，《諸國興廢說》一卷」。

又北京、西北大學圖書館有藏本，題作「《春秋集傳大全》三十七卷，《序論》

148霖案：原註云：「國」，浙、粵本作「本」。

一卷，《春秋二十國年表》一卷，《諸國興廢說》一卷」。

又北京圖書館另有一本，題作「《春秋集傳大全》三十七卷，《序論》一卷，《諸國興廢說》一卷」。

又中國科學院、浙江圖書館另有一本，題作「《春秋集傳大全》三十七卷，《序論》一卷，《春秋二十國年表》一卷，《諸國興廢說》一卷」。

又南京圖書館另有一本，題作「《春秋集傳大全》三十七卷，《序論》一卷，《春秋二十國年表》一卷，《諸國興廢說》一卷」。

又北京、山西省、福建省、湖南省等圖書館另有藏本，題作「《春秋集傳大全》三十七卷，《序論》一卷、《春秋二十國年表》、《諸國興廢說》一卷」。

又北京師範學院、中國歷史博物院、上海、保定市、遼寧省、東北師範大學、黑龍江省、山東大學、南京市博物館、河南省、鄭州市、中山、雲南省等圖書館均有藏本，題作「《春秋集傳大全》三十七卷、《序論》一卷、《春秋二十國年表》一卷、《諸國興廢說》一卷」。

【增補】《西北大學圖書館善本書目》曰：「十行二十二字，小字雙行，黑口，四周雙邊。版心下鐫刻工名。輯者及版本均參照北京圖書館善本書目。十八冊，有圖。」（頁四）

九、四部叢刊本：晉杜預撰，唐陸德明音義《春秋經傳集解》三十卷，《春秋二十國年表》一卷，六冊，馬來西亞大學圖書館有藏本。

十、縮本四部叢刊初編本：晉杜預撰，唐陸德明音義《春秋經傳集解》三十卷，《春秋二十國年表》一卷，二冊，馬來西亞大學圖書館有藏本。

十一、相台岳氏本：不著撰人名氏《春秋年表》一卷，耿文光《萬卷精華樓藏書記》卷八，頁二八三著錄，耿氏解題見杜氏預《春秋經傳集解》條下。

十二、明隆慶三年（１５６９）鄭氏宗文書堂刻本：明胡廣等輯《春秋集傳大全》三十七卷，《序論》一卷，《春秋二十國年表》一卷，有佚名朱藍筆圈點并批。十一行二十一字，小字雙行同，黑口，順魚尾，四周雙邊。卷三十七末頁有「隆慶己巳仲春鄭氏宗文書堂」蓮花木記。鈐「恒庵」印。中國人民大學圖書館有藏本。

十三、明萬曆三十三年書林余氏刊五經大全本：明胡廣等撰《春秋集傳大全》三十七卷、《序論》一卷、《春秋二十國年表》、《諸國興廢說》一卷，廣東省社會科學院圖書資料室有藏本。

十四、明刻本：《春秋二十國年表》一卷，九行十七字，小字雙行同，白口，白魚尾，左右雙邊，中國人民大學有藏本。

【增補】《中國人民大學圖書館古籍善本書目》曰：「０１０１　１６／８１

春秋四傳三十八卷綱領一卷提要一卷東坡地理圖說一卷春秋二十國年表一卷諸國興廢說一卷

明刻本　佚名朱筆圈點并注

十二冊二函

九行十七字，小字雙行同，白口，白魚尾，左右雙邊。版心下鐫刻工唐林、柯仁義、張仁等。眉欄鐫音注。鈐『松陵張氏藏書』印。」（頁十四）

十五、清雍正四年（１７２６）懷德堂刻本：香港中文大學圖書館有藏本。

【增補】《香港中文大學圖書館古籍善本書錄（增訂版）》曰：「０８２　PL2470.D4 1726(聯合)

《春秋四傳》三十五卷《綱領》一卷《提要》一卷《東坡地理圖說》一卷《春秋二十國年表》一卷《諸國興廢說》一卷

清雍正四年（１７２６）懷德堂刻本

十二冊

匡高二十一公分，寬十四．七公分

九行十八字，小字雙行同

白口，單魚尾，四周雙邊

內封題"程自遠先生校訂，懷德堂藏板"

卷端署"胡安國著傳，後學程選校訂"等

前有胡氏傳序，杜預"左氏傳序"，何沐〔休〕"公羊傳序"，范寧"穀梁傳序"，程頤"程子傳序"」（頁二五）

《國史志》[149]：「不知撰人[150]。」

陳振孫曰[151]：「不知何人作。周而下，次以魯、蔡、曹、衛、滕、晉、鄭、齊、秦、楚、宋、杞、陳、吳、邾、莒、薛、小邾。按：《館閣書目》有《年表》二卷，元豐中楊彥齡撰。自周之外，凡十三國[152]。又按：董氏《藏書志》，《年表》無撰人。自周至吳、越凡十國，又有附庸諸國別為表，凡征伐、朝覲、會同皆書。今此表止記即位及卒，皆非二家書也。」

【增補】何廣棪：《陳振孫之經學及其《直齋書錄解題》經錄考證》曰：「廣棪案：《四庫》館臣於此下有案語，曰：『《解題》自周而下所列止十八國，蓋有脫字。』考此書《通志堂經解》本，其《年表》『薛』下有『許』，正《解題》所脫也。此書

149霖案：《玉海》卷四○，頁800。

150霖案：「不知撰人」四字，為注文之句。

151霖案：《直齋書錄解題》卷三，頁459。又《文獻通考．經籍考》卷九，頁244。

152霖案：「十三國」之下，應依《文獻通考》補入「仍總記蠻夷戎狄之事。」等九字。

之撰人，《中興館閣書目》作環中。（見《玉海》十五。）」（頁五四九）

【增補】何廣棪：《陳振孫之經學及其《直齋書錄解題》經錄考證》曰：「案：今人趙士煒《中興館閣書目輯考》，其《春秋類》漏輯彥齡此書。王應麟曰：『元豐中，楊彥齡撰。據經、《傳》歲月為表，首敘周、魯，繼以齊、晉、秦、宋、衛、陳、蔡、曹、鄭、吳、楚、越之國。』（《經義考》卷一百八十《春秋》十三『楊氏彥齡《左氏春秋年表》』條引。）凡十四國。應麟所記，與《解題》正互為補足。」（頁五五〇）

【增補】何廣棪：《陳振孫之經學及其《直齋書錄解題》經錄考證》曰：「案：《解題》卷八《目錄類》著錄有『《廣州藏書志》二十六卷，徽猷閣待制董彥遠撰』。《解題》此處所記之董氏《藏書志》，即指《廣川藏書志》，惜該《志》已佚，無從參驗。綜上所述，則《解題》所著錄之《年表》，凡三種矣。」（頁五五〇）

【增補】何廣棪：《陳振孫之經學及其《直齋書錄解題》經錄考證》曰：「案：《春秋二十國年表》，今存，《四庫全書》亦有之。《總目》考其書甚詳。《總目》卷二十六《經部》二十六《春秋類》一載：『《春秋年表》一卷，（浙江鮑士恭家藏本。）不著撰人名氏。……今此《表》正二十國，與《書錄解題》所載同，蓋即陳振孫所見也。其書在宋本自單行，岳珂雕印九經，乃以附《春秋》之後。珂記云：『《春秋年表》，今諸本或闕號名，或紊年月，參之經、《傳》，多有舛錯，今皆為刊正。諸國君卒與立皆書，惟魯闕，今依經、《傳》添補。』是則直齋所藏者或即珂印之本，此本既非楊彥齡所撰本，亦非《廣川藏書志》著錄之本。』（頁五五〇至頁五五一）

【增補】何廣棪〈讀《直齋書錄解題．春秋類》札記二則〉曰：「此條《四庫全書》本《解題》館臣有案語，曰：『《解題》自周而下所列止十八國，蓋有脫字。』余前撰《陳振孫之經學及其〈直齋書錄解題〉經錄考證》，乃據《通志堂經解》本《春秋二十國年表》所列出之二十國，於『薛』下有『許』字；則《解題》所脫者為『許』字。

有關《春秋二十國年表》之撰人為誰？《解題》謂「不知何人作」。朱彝尊《經義考》卷一百七十八《春秋》十一著錄此書，亦引《國史志》謂『不知撰人』。考王應麟《玉海》卷十五《地理．地理書》『《春秋二十國年表》』條載：

> 《中興書目》：『《左氏春秋二十國年表》一卷，紹興中，環中撰。由周、魯而下二十國。』

案：《玉海》所引之《中書書目》，應為《中興書目》之筆誤。《中興書目》即《中興館閣書目》之省稱。是則《春秋二十國年表》一書，《中興館閣書目》著錄作環中撰。

然環中此人，《宋史》及相關史籍均無傳，《中國人名大辭典》亦無其條目。故頗疑環中者，乃自號『環中居士』之胡埜，《中興館閣書目》著錄時或脫其姓氏。黃宗羲《宋元學案》卷三《高平學案》有『孫氏門人．教授胡環中先生埜』條載其生平曰：

胡埜字德林，寧都人也。孫介夫弟子。方雅好古，端凝介特，講學于長春谷，藏書萬卷，自號環中居士。以八行薦，成政和八年進士，累官婺州教授。睦寇至，官吏遁去，先生嘆曰：『先世以勇顯，吾以八行起，豈可上負朝廷，下慚先也！』城陷不降，舉家死之。事聞，官其從子二人。所著有《諸經講義》。

案：婺州，今浙江金華；睦州，今浙江建德縣。金人之寇睦，在宋高宗紹興時。是則埜之殉國，亦必在紹興年間。埜為孫介夫弟子，介夫名立節，經學深醇，著有《春秋傳》，其生平亦見《宋元學案》卷三《高平學案》。如環中即胡埜，則其所撰之《春秋二十國年表》，正傳承其師孫介夫《春秋》經學者也。《中興館閣書目》謂《春秋二十國年表》『紹興中』撰，應為約計之詞，胡環中之撰成此書，必在其從容就義前也。是埜固深悉《春秋》君臣之義者，故其踐履如此之堅決。

以上據《玉海》所引《中興館閣書目》，考出《春秋二十國年表》之撰人為環中。余又頗疑環中即胡埜。所惜文獻不足徵，鄙論未能稱精鑿。如存其疑，以俟續考。（頁二九至頁三〇）

《春秋新義》

《宋志》：「十卷。」

【霖案】《玉海》卷四〇，頁八〇〇錄之，云：『《國史志》一卷（小注云：不知撰人）《春秋新義》十卷。』」。

佚。

《春秋纂類義統》

《宋志》：「十卷。」

佚。

《春秋通義》

《宋志》：「十二卷。」

【卷數】本書卷數異同如下：

一、一卷本：《現存宋人著述目略》頁二〇著錄。

佚。

【存佚】本書應注曰「闕」

【版本及藏地】本書版本及藏地如下：

一、小萬卷按（樓）叢書本：《現存宋人著述目略》頁二〇著錄。

二、民國五十六年(1967)藝文印書館百部叢書集成初編影印本：(宋)不著撰者《春秋通義》一卷，台北：國家圖書館有藏本。

三、清乾隆間寫文淵閣四庫全書本：不著撰人《春秋通義》一卷，《國立故宮博物院善本舊籍總目》，上冊，頁一〇〇著錄，台北：故宮博物院有藏本。

卷一百七十九　春秋十二經義考卷一百七十九春秋十二

宋真宗皇帝《春秋要言》（宋）

三卷。《中興書目》[1]：「五卷。」

【卷數】《玉海》卷二八，頁五九七「《天禧春秋要言》」條下指出：「《書目》五卷　《實錄》三卷」，而竹垞直接將「《書目》」改作「《中興書目》」。又《玉海》卷二八，頁五九七「《天禧正說》」條下錄及「天禧元年二月戊寅幸龍圖閣，出是書（案：指《天禧正說》）及《春秋要言》三卷示輔臣。」，顯見天禧元年二月戊寅」之時，僅撰成「三卷」本《春秋要言》」。然而，《職官分紀》卷十五，（四庫本，冊九二三），頁三六五「天章閣」條下錄作「《春秋要言》五卷」，則當時專藏真宗御製御書的天章閣，業已錄藏五卷本《春秋要言》。據此，五卷本《春秋要言》或為日後增補而成。

【增補】《玉海》卷二六，頁五六四曰：「《真宗》作《春秋要言》、《春秋詩》三章。」，據此，則應補入「《春秋詩》三章」。

佚。

《長編》[2]：「上作[3]《春秋要言》三卷[4]，召輔臣至龍圖閣示之。」

《玉海》[5]：「天禧元年二月[6]，幸龍圖閣，出[7]《春秋要言》三卷示輔臣，二年以賜皇太子，三年十月[8]賜輔臣，御製前後序[9]。」

《職官分紀》[10]：「天章閣，天禧四年初建[11]，五年二月[12]工畢[13]，奉真宗御集[14]安閣中

1霖案：《玉海》冊二，卷四○，頁800。

2霖案：李燾《續資治通鑑長編》卷八十九（台北：世界書局，民國五三年九月再版），頁5，下左。

3霖案：「作」字下，缺錄「〈會靈觀銘〉、〈元符論〉、〈頌思政論〉，仍出《正說》十卷。」諸字。

4霖案：「卷」字下，缺錄「〈清景殿書事詩〉百篇」等八字。

5霖案：此文出自《玉海》冊二，卷二十八，頁597，上。

6霖案：「二月」下，缺「戊寅」二字。

7霖案：「出」字下，缺「是書及」三字，蓋「是書」為「《天禧正說》」一書，由於此書與春秋學無涉，故竹垞刪去相關文句，當據原書補入，並附帶說明。

8霖案：「十月」二字下，缺錄「辛卯」二字，當據原書補入。

9霖案：「御製前後序」五字，《玉海》無此五字，或為版本不同，而致有此五字。

10霖案：文出《職官分紀》卷十五，頁365(四庫本，冊九二三)，又文海出版社有「近代中國史料叢刊三編二十一輯二○三本」亦有此書。蓋竹垞所引此文，注文、正文並引，相關文句列於「天章閣」三字下，惟竹垞所引之文，除了正文、注文並引之外，也有引自後段之文，且文句剪裁頗多

15，有《春秋要言》五卷。」

楊氏均《魯史分門屬類賦》（宋）

【作者】《文獻通考・經籍考》卷五五，頁一二七〇著錄，題作「楊筠撰」

【分類】《文獻通考・經籍考》卷五五著錄，將此書列入「子部・類書類」。

【書名】李一遂〈左氏春秋著錄書目研究〉頁一〇〇題作「《左傳屬類賦》」。

三卷。

佚。

《玉海》16：「乾德四年四月17，國子丞楊均上《魯史分門屬類賦》三卷，詔褒之。」

晁公武曰18：「皇朝楊均19撰。以左氏事類分十門，各為律賦一篇，乾德四年上之。」

按：是書《宋藝文志》作「崔昇撰、楊均注。」

胡氏旦《春秋演聖通論》

【分類】《文獻通考・經籍考》卷十二，頁三一四著錄《演聖通論》「六十卷」，列入「經解類」。又可參考《經義考》卷二四二，頁三五四之文。

十卷。

佚。

《崇文總目》20：「皇朝祕書監胡旦撰。多摭杜氏之失，有裨經旨。」

，今將《職官分紀》「天章閣」正文之下注文移錄如下：「自天禧始建，以專藏真宗御製御書文籍等。　天禧四年初建至五年二月修天章閣工畢，令兩街道具威儀，教坊作樂，奉真宗御集御書自玉清昭應宮安於天章閣。」，據此，可見竹垞引文出入頗多，其中「有《春秋要言》五卷」諸字，實為後段正文之字。

11霖案：「建」字下，注文另有「至」字，說法詳見前註。

12霖案「二月」二字下，原注文另有「修天章閣」四字。

13霖案：「工畢」二字下，原注文另有「令兩街道具威儀，教坊作樂」諸字，當據補入。

14霖案：「御集」二字下，原注文另有「御書，自玉清昭應官」諸字，當據補入。

15霖案：「安閣中」三字，原注文作「安於天章閣」等五字。

16霖案：《玉海》冊二，卷四○，頁801。

17霖案：「四月」二字下，應依《玉海》補入「庚戌」二字，此事涉及上書月日，不當任意刪除，今據以補入。

18霖案：出自《文獻通考．經籍考》卷五五，頁1270。又《文獻通考》卷二百二十八，頁1829。

19霖案：「楊均」二字，《文獻通考．經籍考》卷五五，頁1270題作「楊筠撰」。

黃淵曰[21]：「胡旦編年，先經後傳，柳仲塗欲贈一劍，意尊經也。」

許氏洞《春秋釋幽》

【作者】許洞，字淵天，一字洞天，蘇州吳縣人。許仲容之子。

五卷。

佚。

《宋史》[22]：「許洞，字洞天，吳縣人[23]，太子洗馬仲容之子[24]，精《左氏傳》。咸平三年進士釋[25]褐雄武軍推官，景德二年，除均州參軍，大中祥符四年召試[26]改烏江主簿。」

【增補】〔補正〕《宋史》條內，「召試」下脫「中書」二字。（卷七，頁十八）

葉氏清臣《春秋纂類》

《宋志》：「十卷。」

佚。

《中興書目》[27]：「天禧中，葉清臣取《左氏傳》隨事類編[28]為二十六門，凡十卷，名《春秋纂類》。」

胡氏瑗《春秋口義》

【作者】《直齋書錄解題》卷三，頁四五九著錄，作者題為「胡翼之」。

《宋志》：「五卷。」

佚。

20霖案：《崇文總目》卷一，頁27，又《通考》(二)182-1569中有之。

21霖案：孫承澤：《五經翼》卷十三，〈講春秋序〉(《四庫全書存目叢書》經一五一)，頁780。

22霖案：出自《宋史》卷四百四十一，頁13044。竹垞所引《宋史》之文，實為剪裁原書文句，復加改寫所致。

23霖案：「吳縣人」三字，《宋史》題作「蘇州吳縣人」，竹垞刪去「蘇州」二字。

24霖案：「太子洗馬仲容之子」諸字，《宋史》作「父仲容，太子洗馬致仕。」，竹垞變換文句，雖有精簡文句之效，惟非出自《宋史》原文，其下諸文剪裁極多，讀者可參看《宋史》之文。

25霖案：「釋」字，《宋史》題作「解」字。

26「召試」下，依《補正》、《四庫》本當補「中書」二字。　霖案：《經義考新校》頁3285注文，於「《補正》」二字之下，新出校文如下：「《四庫薈要》本、文淵閣」等字。

27霖案：《玉海》冊二，卷四○，頁800。又《玉海》原引作「《書目》」者，竹垞率皆改作「《中興書目》」。

28霖案：「類編」二字，應依《玉海》改作「編類」，蓋二字前後互倒也，雖於義無礙，但與原書文句不合，今據改正。

陳振孫曰[29]：「胡翼之撰至宣公十二年而止，[30]戴岷隱在湖學嘗續之，不傳。」

【增補】何廣棪：《陳振孫之經學及其《直齋書錄解題》經錄考證》曰：「廣棪案：翼之，胡瑗字。《宋元學案》卷一《安定學案．附錄》載：『先生在太學，其初人未信服。使其徒之已仕者盛僑、顧臨輩分置執事，又令孫覺說《孟子》，中都士人稍稍從遊。日升堂講《易》，音韻高朗，旨意明白，眾皆大服。《五經》異論，弟子記之，目為《胡氏口義》。』是則此書亦弟子所記者，乃《胡氏口義》之一種，非瑗自撰也。此書至宣公十二年止，則自宣公十三年以下，而至哀公，戴溪嘗續之，惜書已佚，直齋亦未之見。惟《宋志》戴溪有《春秋講義》四卷，未知同屬一書否？惟《春秋講義》亦不傳。盛如梓曰：『或謂《春秋》以夏正紀事，近世戴岷隱頗似此說。』（《經義考》卷一百九十《春秋》二十三『戴氏溪《春秋講義》』條引。）溪之《春秋》學，其著作可考者，僅此而已。」（頁五五三）

石氏介《春秋說》

未見。

【存佚】朱彝尊《經義考》注曰「未見」，《春秋總義論著目錄》頁二〇注曰「佚」，然《春秋總義論著目錄》頁五二注曰「存」，雖然二者書名、卷帙並非完全著錄一致，但都題作《春秋說》，當係同書，而著錄互異。因此，此書應改作存籍。

【作者】石介撰有《先朝政範》一卷、《徂徠文集》十二卷、《周易注》五卷、《周易解義》十卷等書。

【版本及藏地】本書版本及藏地如下：

一、《徂徠集》本：《春秋總義論著目錄》頁五二著錄。

【增補】〔補正〕按：《宋史．儒林傳》，介為孫復弟子，此列介於復之前，誤。（卷七，頁十八）

王氏沿《春秋集傳》

《宋志》：「十五卷。」

【著錄】《郡齋讀書志》卷第三，頁一〇三、《文獻通考．經籍考》卷九，頁二四四著錄。

【霖案】《玉海》卷四〇，頁八〇〇錄及此書，注文云：「《書目》（即《中興書目》）：『明道中撰』」，則此書撰著之年，為明道年間所撰，時為北宋仁宗之時。

佚。

29霖案：《直齋書錄解題》卷三，頁459、《文獻通考．經籍考》卷十，頁256。

30霖案：「胡翼之撰至宣公十二年而止，」，應斷作「胡翼之撰。至宣公十二年而止。」，《點校補正經義考》的斷句，或有商榷餘地。

《崇文總目》31：「沿32患學者自私其家學而是非多異33，失聖人之意，乃集三傳之說，刪為一書；又見祕書目有先儒《春秋》之學頗多，因啟求之，得董仲舒等十餘家。沿自以先儒猶為未盡者，復以己意箋之。」

晁公武曰34：「沿35，字聖源，大名人。好《春秋》，所至以《春秋》斷事。是書36集《三傳》解經之文37，仁宗朝嘗奏御詔直昭文館38，後官至天章閣待制。」

《長編》39：「景祐元年正月40，河北漕臣41轉運使刑部員外郎王沿詣闕奏事，上所著《春秋集傳》十五卷，復上書以《春秋》論時事，命直昭文館。」

賈氏昌朝《春秋要論》

【作者】賈昌朝（998～1065），字子明；諡文元，真定獲鹿人，天禧元年賜進士，著有《群經音辨》十卷、《春秋要論》十卷、《奏議》、《文集》各三十卷、《通紀》八十卷、《本朝時令》十二卷。

十卷。

佚。

《玉海》42：「景祐元年43十二月44，崇政殿說書賈昌朝撰《春秋要論》十卷45，詔令

31霖案：《文獻通考．經籍考》卷九，頁244。

32霖案：「沿」字前，《文獻通考》引文另有「皇朝王沿撰」等五字。

33霖案：「沿患學者自私其家學而是非多異」，應斷作「沿患學者自私其家學，而是非多異」

34霖案：《郡齋讀書志》卷第三，頁103、《文獻通考．經籍考》卷九，頁244。

35霖案：「沿」字之前，應依《文獻通考》補入「集三傳解經之文」等七字。

36霖案：「是書」二字，《文獻通考》作「此書」。

37霖案：「集《三傳》解經之文」諸字，原書應置於「沿字聖源」一句之前，此處為錯簡所致。

38霖案：「仁宗朝嘗奏御詔直昭文館」，應斷作「仁宗朝嘗奏御，詔直昭文館」。

39霖案：《續資治通鑑長編》卷一一四，頁1B至頁2A。又《玉海》卷四○，頁800錄及相關內容，可互為參校。

40霖案：「景祐元年正月」等六字，為竹垞參酌《續資治通鑑長編》之文所加，原書位置，不當出現此六字，當刪正。惟《玉海》卷四○錄之，作「(景祐)元年正月甲戌」，注文云：「十三日」，則其上書之日，正為「景祐元年正月甲戌(十三日)」，《玉海》之，正可補《資治通鑑長編》之不足。

41霖案：《續資治通鑑長編》原文，並無「漕臣」二字，當係竹垞參據原文所加，當據以刪正。

42霖案：《玉海》冊二，卷四○，頁800。

43霖案：「景祐元年」四字，《玉海》無此四字，為竹垞根據前文所加，今據刪正。

44霖案：「十二月」三字下，應依《玉海》補入「二十一日」三字。

舍人院試，二年五月[46]詔直集賢院。」

【增補】〔補正〕《玉海》條內「二年五月」，「五」當作「二」。（卷七，頁十八）

《春秋節解》

八十卷。

佚。

《玉海》[47]：「景祐二年正月[48]，御延義閣，命賈昌朝講《春秋》[49]。慶歷四年三月[50]，問輔臣三傳異同之說，賈昌朝曰：『《左氏》多記事，《公》、《穀》專解經，皆以尊王室，明嘗罰[51]，然考之有得失。』皇祐五年十月[52]，上《春秋節解》八十卷。」

李氏堯俞《春秋集議略論》

《宋志》：「二卷。」

佚。

《玉海》[53]：「慶歷[54]中，大理丞李堯俞辨《三傳》諸家得失及采陳岳《折衷》，總其類例五百餘目，而成一百九十五論，表進[55]稱《春秋集議略論》[56]三十卷，今分上、下二卷。」

孫氏復《春秋尊王發微》（宋）

45霖案：「十卷」二字下，應依《玉海》補入「五冊」二字。

46「五月」，應依《補正》作「二月」。　霖案：《經義考新校》頁3287注文，於「《補正》」二字之前，新出校文如下：「《四庫薈要》本、」等字。

47霖案；出自《玉海》卷二六，頁564。

48霖案：「正月」二字下，《玉海》多出「癸丑」二字，當據以補入。

49霖案：「《春秋》」二字下，《玉海》多出「遂宴崇政殿。四年十月甲午，講《春秋》，詔取君臣政教事節講。寶元二年十月丙寅，御邇英觀，講《左傳》及讀《正說》終，上曰：『《春秋》述治亂，足為監戒。』，辛巳，講《左氏》，徹曲宴近臣于崇政殿。」等字，竹垞刪去上述諸字，當據補入。

50霖案：「三月」二字下，《玉海》多出「乙酉」二字，當據以補入。

51霖案：「明嘗罰」三字，《玉海》作「正賞罰」，當據以補正。

52霖案：「十月」二字下，《玉海》多「甲寅」二字，當據以補正。

53霖案：《玉海》冊二，卷四○，頁800。

54霖案：「慶歷」二字，《玉海》作「慶曆」。

55霖案：「表進」二字，應依《玉海》改作「進表」，二字有互倒情事，雖於義無礙，但與原文不合，今據改正。

56霖案：「《春秋集議略論》」，《玉海》作「《春秋集議畧論》」。

【作者】孫復（992～1057），字明復，平陽人，舉進士不第，退居泰山，學春秋，人稱「泰山先生」，撰有《春秋尊王發微》及《睢陽小集》。

《宋志》：「十二卷。」《中興目》57有《總論》三卷，今佚。

【卷數】本書卷數異同如下：

一、十二卷：《郡齋讀書志》卷第三，頁一〇三著錄，卷數同於《宋志》。

二、十五卷：《文獻通考．經籍考》卷十，頁二四七著錄，題作「十五卷」。

三、四冊：張壽平《公藏先秦經子注疏書目》頁一三二著錄。

存。

【版本及藏地】本書版本及藏地如下：

一、通志堂經解本：宋孫復撰《春秋尊王發微》十二卷，《附錄》，二冊，葉德輝《徵刻唐宋祕本書目考證》頁一四七〇錄之。又《現存宋人著述目略》頁十八著錄，馬來西亞大學圖書館有藏本（二部）。

二、文淵閣四庫全書本：《春秋尊王發微》十二卷，台北故宮博物院有藏本。

【增補】永瑢等撰《欽定四庫全書總目》曰：「春秋尊王發微十二卷　內府藏本

宋孫復撰。復字明復，平陽人，事迹詳《宋史．儒林傳》。案李燾《續通鑑長編》曰：『中丞國子監直講孫復，治《春秋》不惑傳注，其言簡易，得經之本義。既被疾，樞密使韓琦言於上，選書吏給紙札，命其門人祖無擇即復家錄之，得書十五卷，藏祕閣。』然此書實十二卷，考《中興書目》別有復《春秋總論》三卷，蓋合之共為十五卷爾。今《總論》已佚，惟此書尚存。復之論上祖陸淳，而下開胡安國，謂《春秋》有貶無褒，大抵以深刻為主。晁公武《讀書志》載常秩之言曰：『明復為《春秋》，猶商鞅之法，棄灰於道者有刑，步過六尺者有誅。』蓋篤論也。而宋代諸儒喜為苛議，顧相與推之，沿波不返，遂使孔庭筆削，變為羅織之經。夫知《春秋》者莫如孟子，不過曰『《春秋》成而亂臣賊子懼』耳。使二百四十二年中，無人非亂臣賊子，則復之說當矣。如不盡亂臣賊子，則聖人亦必有所節取，亦何至由天王以及諸侯、大夫無一人一事不加誅絕者乎？過於深求而反失《春秋》之本旨者，實自復始。雖其間辨名分，別嫌疑，於興亡治亂之機，亦時有所發明。統而核之，究所謂功不補患者也。以後來說《春秋》者深文鍛煉之學，大抵用此書為根柢，故特錄存之，以著履霜之漸，而具論其得失如右。程端學稱其《尊王發微》、《總論》二書外，又有《三傳辨失解》，朱彝尊《經義考》因之。然其書史不著錄，諸儒亦罕所稱引。考《宋史．藝文志》及《中興書目》，均有王日休撰《春秋孫復解三傳辨失》四卷，或即日休58之書，端學誤以為復作歟？然則是駁復之書，非復所撰也。」（卷二十六，頁三三五至頁

57霖案：《玉海》冊二，卷四○，頁800。

58霖案：原註云：「日休」後，浙、粵本有「所撰」二字。

三三六）

【增補】邵懿辰撰、邵章續錄：《增訂四庫簡明目錄標注》卷三曰：「《春秋尊王發微》十二卷，宋孫復撰。

通志堂本。

〔附錄〕陸有錢遵王舊藏鈔本，有吳兔牀跋。（紹箕）

〔續錄〕吳兔牀有影宋鈔本。」（頁一〇五）

【增補】胡玉縉撰、王欣夫輯《四庫全書總目提要補正》卷七曰：「陳澧《東塾讀書記》云：『最荒謬者孫明復之《尊王發微》。隱元年不書即位，孫云：『正也。五等之制，雖曰繼世，而皆請於天子，隱公承惠，天子命也，故不書即位以見正焉。』十一年公薨，孫云：『不言葬者，以侯禮而葬也。隱雖見弒，其臣子請諡於周，以侯禮而葬，故不書焉。』即此二條，可知其務與三傳相反，遂虛造請於天子之事，竟以為古事可以隨意而造者。其餘不通之說，不可枚舉，如隱元年三月公及邾儀父盟於蔑，孫云：『凡書盟者，皆惡之也。春秋之法，惡甚者日，其次者時，非獨盟也。以類而求，二百四十二年諸侯罪惡輕重之跡，煥然可得而見矣。』如其說，則事無罪惡者，但當書年不書時日乎？其意謂二百四十二年無事不惡耳，且云惡甚者日，然則天王崩書日，亦惡甚乎？如此，而猶名其書為尊王耶？隱四年九月，衛人殺州吁於濮，孫云：『其言於濮者，威公被弒，至此八月，惡衛臣子緩不討賊，俾州吁出入自恣也。』此《穀梁》范《注》最謬之語而孫明復鈔襲之，可謂不惑乎？』陸氏《儀顧堂續跋》影宋本跋云：『與通志堂刊本同出一源，而通志本稍有脫誤。卷八成公三年冬十有一月傳，『故言聘』下，脫『言盟』二字。四年公至自會冬戍陳傳，『諸侯怠於救患』，『怠』誤『急』。七年丙戌卒於鄟，《釋文》『采南反』下，脫『《字林》音千消』五字。卷十昭公十二年公子　，《釋文》『魚靳反』下，脫一字。』」（頁一六三）

三、擒藻堂薈要本：台北故宮博物院有藏本。

四、己未李瀅據太原閻彭鈔本傳鈔：宋孫復撰《春秋尊王發微》十二卷，四冊，台灣省立台北圖書館有藏本。

五、鈔本：台北故宮博物院有藏本。

六、鈔本：台北圖書館有藏本。

七、明藍絲欄抄本：孫復撰，《春秋尊王發微》，此書原為十二卷，現僅存八卷。二冊，存卷一至四，九至十二，寧波天一閣有藏本。

八、清同治十二年(1873)粵東書局重刊本：孫復撰《春秋尊王發微》十二卷，〈附錄〉一卷，國家圖書館有藏本。

九、清盧氏抱經堂抄本：宋孫復撰　　清盧文弨校並跋　丁丙跋《春秋尊王發微》十二卷，南京圖書館有藏本。

歐陽修曰[59]：「先生治《春秋》，不惑傳注[60]，不為曲說以亂經，其言簡易。明於諸侯、大夫功罪，以考時之盛衰，而推見王道之治亂，得於[61]經之本義為多。」

晁公武曰[62]：「皇朝孫明復撰。史臣言明復治《春秋》不取傳注，其言簡而義詳，著諸大夫功罪，以考時之盛衰，而推見治亂之跡，故得經之意為多。常秩則譏之曰：『明復為《春秋》，猶商鞅之法：棄灰於道者有刑，步過六尺者有誅。』謂其失於刻也。胡安國亦以秩言為然。」

王得臣曰[63]：「泰山孫明復治《春秋》，著《尊王發微》，大得聖人之微旨，學者多宗之。以為凡經所書，皆變古亂常則書之，故曰《春秋》無褒。蓋與穀梁子所謂常事不書之義同。」

王闢之[64]曰：「明復《尊王發微》[65]十五篇，為《春秋》學者未之有過者也。[66]」

【增補】〔補正〕王闢之條內，「未之有過者也」當作「有過之」。（卷七，頁十八）

葉夢得曰[67]：「孫明復《春秋》專廢傳從經，然不盡達經例，又不深於禮學，故其言多自牴牾，有甚害於經者，雖概以禮論當時之過，而不能盡禮之制，尤為膚淺。」

59霖案：《春秋尊王發微．附錄》，(「通志堂經解本」冊十九)，頁10726，上左。

60霖案：「注」，《春秋尊王發微．附錄》題作「註」。

61霖案：「於」，《春秋尊王發微．附錄》題作「于」。

62霖案：《郡齋讀書志》卷第三，頁103、《直齋書錄解題》卷三，頁459、《文獻通考．經籍考》卷十，頁247。

63霖案：四庫:王得臣:《麈史》卷2,有《百部叢書集成本》29輯《知不齋叢書》28函190種,上海古籍《宋元筆記叢書》等版本。又《麈史》卷中，(台北：新文豐出版股份有限公司，「叢書集成新編」，民國七十四年元月，初版)，頁30，下。(總頁數為309)，此處係引此書對校，所竹垞所錄文句，一如此書文句。

64霖案：四庫:《澠水燕談錄》卷2-17下。又此處引錄《澠水燕談錄》卷第二之文入校(台北：新文豐出版股份有限公司，「叢書集成新編」，民國七十四年元月，初版)，頁16。

65霖案：「明復《尊王發微》」等六字，實係竹垞將《澠水燕談錄》所云：「孫明復先生退居太山之陽，枯槁憔悴，鬢髮皓白，著《春秋尊王發微》」諸字，剪裁刪改所致，今詳錄原文如上，以供讀者參考。

66「未之有過者也」，應依《補正》作「未之有過之者也」。 霖案：《經義考新校》頁3289注文，於「應依」二字之前，另有「《四庫薈要》本作『未有過之者』，」等字。今考《補正》未言所據之文，實係出《澠水燕談錄》，今考此文實出自此書，特此說明。

67霖案：《文獻通考．經籍考》卷十，頁248。

魏安行〈後序〉68曰：「《六經》皆先聖筆削，而志在於69《春秋》者，賞善、罰惡、尊天子而已矣。奈70何傳注愈多，而聖人之意愈不明。平陽孫明復先生，奧學遠識，屏置百家，自得褒貶之意，立為訓傳，名曰《尊王發微》。其辭簡，其義明，惜流傳既久，訛舛益多。安行假守滁陽，公餘獲與同僚參校，釐正謬誤凡一百一十九、釋文二百一十四，命工鏤板，以授學官；若先生操履學問，則有范文正公薦章、歐陽文忠公〈墓誌銘〉載之詳矣，此不復敘71。」

朱子曰72：「近時言《春秋》，皆73計較利害，大義卻不曾見。如唐之陸淳，本朝孫明復之徒，雖未74能深於聖經，然觀其推言治道，凜凜然可畏，終得聖人意思75。」

《長編》76：「殿中丞國子監直講孫復治《春秋》，不惑傳注，其言簡易77，得經之本義78。既被79疾，樞密使韓琦言於80上，選書吏給紙札，命其門人祖無擇即復家錄之，得書十五卷，藏祕閣。」

陳振孫曰81：「復居太山之陽，以《春秋》教授，不惑傳注，不為曲說，其言簡易82。

68霖案：《五經翼》卷13-10(冊151-頁773)。又《春秋尊王發微．附錄》亦錄有該文。

69霖案：「於」,《春秋尊王發微．附錄》題作「于」。

70霖案：「奈」,《春秋尊王發微．附錄》題作「柰」。

71霖案：「敘」,《春秋尊王發微．附錄》題作「叙」。又「敘」字下，應有「紹興辛未五月日鄱陽魏安行書于卷末」等十六字，當據以補正。

72霖案：《語類》卷八三、《文獻通考．經籍考》卷十，頁248。

73霖案：「皆」字下，應依《文獻通考》補入「是」字。

74霖案：「雖未」二字，《文獻通考》作「他雖未曾」四字。

75霖案：「終得聖人意思」六字，《文獻通考》作「終是得聖人箇意思」等八字。又「思」字下，應依《文獻通考》補入「《春秋》之作，蓋以當時人欲橫流，遂以二百四十二年行事，寓其褒貶，恰如今之事送在法司相似，極是嚴謹，一字不輕易。若如今之說，只是箇權謀智略兵書譎詐之書爾。聖人晚年，痛哭流涕，筆為此書，其肯恁地纖巧？豈至恁地不濟事？」等字，又「事」字下，另接「陳氏曰」，竹垞另出一解題以攝之，說法詳見下文。

76霖案：《續資治通鑑長編》卷一八六，頁12，左。

77霖案：「其言簡易」四字下，《續資治通鑑長編》卷一八六另有「明于諸侯大夫功罪，以考時之盛衰，而推見王道之治亂。」等字，竹垞將上述諸字刪除，今據以補入。

78霖案：「本義」二字下，《續資治通鑑長編》卷一八六另有「為多」二字，當據以補入。

79霖案：「被」字，《續資治通鑑長編》卷一八六無之，當據以刪正。

80霖案：「於」字，《續資治通鑑長編》卷一八六題作「于」字。

81霖案：《直齋書錄解題》卷三，頁459、《文獻通考．經籍考》卷十，頁248。又葉德輝《徵刻唐宋祕本書目考證》頁1441轉錄此文。

明於諸侯、大夫功罪，以攷[83]時之盛衰，而推見王道之治亂，得於經為多。石介而下皆師事之，歐陽文忠公為作墓誌。」

【增補】何廣棪：《陳振孫之經學及其《直齋書錄解題》經錄考證》曰：「廣棪案：《讀書志》卷第三《春秋類》著錄：『《春秋尊王發微》十二卷，右皇朝孫明復撰。史臣言明復治《書秋》，不取《傳》、《注》，其言簡而義詳，著諸大夫功罪，以考時之盛衰，而推見治亂之墻，，故得經之意為多。常秩則譏之，曰：『明復為《春秋》，猶商鞅之法，棄灰於道者有刑，步過六尺者有誅。』蓋謂其失於刻也。胡安國亦以秩之言為然。』《解題》所述多沿襲於晁氏。至石介之師事孫復，《宋元學案》卷二《泰山學案》『《殿丞孫泰山先生復》』條記之甚詳，曰：『孫復，字明復，晉州平陽人。四舉開封府籍進士不第，退居泰山，學《春秋》，著《尊王發微》十二篇。石徂徠介著名山左，自徂徠而下，躬執弟子禮，師事之，稱為富春先生，拜起必扶持。』復卒，歐陽修作《墓誌》，亦盛譽復撰此書，《解題》全載之，一字不失。（歐公所作《墓誌》曰：『先生治《春秋》，不惑傳注，不為曲說以亂經。其言簡易，明於諸侯大夫功罪，以考時之盛衰，而推見王道之治亂，得於經之本義為多。』）又此書有十五卷、十二卷之別。《總目》卷二十六《經部》二十六《春秋類》一載：『《春秋尊王發微》十二卷，（內府藏本。）宋孫復撰。……案李燾《續通鑑長編》曰：『中丞國子監直講孫復，治《春秋》不惑傳注。其言簡易，得經之本義。既被疾，樞密使韓琦言於上，選書吏，給紙札，命其門人祖無擇即復家錄之，得書十五卷，藏秘閣。』然此書實十二卷。考《中興書目》別有復《春秋總論》三卷，蓋合之為十五卷爾。今《總論》已佚，惟此書尚存。』孫猛《郡齋讀書志校證》曰：『《春秋尊王發微》十二卷，臥雲本，《經籍考》卷十作十五卷，袁本同原本。按《書錄解題》卷三作十五卷，《玉海》卷四十引《中興書目》稱《春秋尊王發微》十二卷、《總論》三卷，則十五卷蓋合《總論》計之；《總論》，《宋志》卷一作一卷。』綜上所考，是本書實為十二卷，《解題》云十五卷者，乃合《總論》三卷而言。《宋志》著錄《總論》為一卷，應作三卷為合。」（頁五五一至頁五五三）

呂中[84]曰：「《春秋》之學，前乎此，舉[85]凡例而已。自孫泰山[86]治《春秋》，明於諸侯、大夫功罪，以考時之盛衰，推見王道之治亂，而天下始知有《春秋》之義。」

82霖案：黃虞稷等人撰《徵刻唐宋祕本書目》徵引陳氏之文，缺「明於諸侯、大夫功罪，以攷時之盛衰，而推見王道之治亂。」等二十二字；又無「石介而下皆師事之，歐陽文忠公為作墓誌。」等十七字。

83霖案：「攷」字，《文獻通考》引作「考」字。

84霖案：呂中:《宋大事記講義》卷十，頁15左-頁16右（四庫本，冊六八六，頁293-294）。

85霖案：「舉」字，「四庫本」《宋大事記講義》卷十無此字，當據以刪正。

86霖案：「孫泰山」三字，「四庫本」《宋大事記講義》卷十誤作「孫太山」。

王應麟曰[87]：「《尊王發微》[88]十二篇，大約本於陸淳而增新意。」

黃震[89]曰：「先生力貧養親，讀書泰山之陽，魯之名士石介以下皆師事之，丞相李迪妻以弟之女[90]；給事中孔道輔聞其風，就見之；范公、富公薦之天子，為直講；行無隱而不彰，積力久[91]，效固應爾[92]。張貴妃幼隨其父堯封常執事先生左右，既貴，數遣使致禮[93]，先生閉門拒之[94]。所謂[95]求福不回，非與[96]？」

黃澤曰[97]：「孫泰山謂《春秋》有貶而無褒，若據此解經，則不勝舛謬。」

李瀅[98]曰：「《尊王發微》，其書於君臣內外之際，論辨凜凜，無少寬假。宋人自歐陽永叔而下，多盛稱之，獨蘇子由不取；至胡文定《春秋傳》引常秩之言，謂孫氏之於《春秋》，動輒有罪，比之商鞅之刑及棄灰，家氏鉉翁亦以為法家之言。然考胡氏《春秋傳》，自伊川《傳》外，多取資於二孫，其持論不應齟齬如是。以今觀其發明之義例，原本《三傳》，折衷于啖、趙、陸諸家，而斷以古先哲王正經常法，似非同時說《春秋》所及。」

《三傳辨失解》

87霖案：《玉海》冊二，卷四○，頁800。

88霖案：「《尊王發微》」之前，應依《玉海》補入「國子監直講孫復著」等八字，竹垞或以此八字與前面引文重複，故刪除之，今據原書補入。

89霖案：《黃氏日抄》卷五○，頁603下。

90霖案：「妻以弟之女」，《黃氏日抄》卷五○題作「以弟之女妻之」，竹垞改寫原來文句，以便精簡文句。

91霖案：「積力久」三字，《黃氏日抄》卷五○題作「真積力久」，當據以補入「真」字。

92霖案：《黃氏日抄》卷五○於「效固應爾」四字，另有「此猶豈弟之士能之也」等九字，當據以補入。

93霖案：「數遣使致禮」五字下，《黃氏日抄》另有「先生」二字，竹垞或因二字重複，因而刪除之，惟衡諸文句，此二字雖有重出，但句讀各自不同，故不宜刪除，應據原書補入「先生」二字。

94霖案：「先生閉門拒之」六字下，《黃氏日抄》卷五○另有「終其身脩於家，而不壞於天子之庭，無侵尋富貴心。」等二十字，竹垞或因文句冗長之故，因而刪除上述二十字，今補錄於上，以供讀者參考。

95霖案：「所謂」二字下，《黃氏日抄》卷五○另有「豈弟君子」四字，當據以補入。

96霖案：「非與」二字，《黃氏日抄》卷五○題作「非歟」，又「歟」字下另有「嗚呼！不可及也已」等七字，當據以補入。

97霖案：趙汸編《春秋師說》卷中，〈論漢唐宋諸儒得失〉(《通志堂經解．春秋師說》(26冊)中)，頁14833。

98「李瀅」，《四庫》本作「查瀅」。　霖案：《經義考新校》頁3290注文，於「《四庫》」二字之下，另有「文淵閣」三字。

【霖案】根據《四庫全書總目提要》卷二十六所載，孫復未曾撰有《三傳辨失解》一書，考《宋史・藝文志》及《中興書目》，均有王日休撰《春秋孫復解三傳辨失》四卷，則此書或即日休之書，說法詳參上文「孫氏復《春秋尊王發微》」條下說明，是則孫復未曾撰有《三傳辨失解》，而竹垞誤襲程端學之論，而誤以王日休之書，錯置於孫復之下。

佚。

程端學曰[99]：「平陽[100]孫氏復[101]有[102]《尊王發微》、《總論》，又有[103]《三傳辨失解》。」

陳氏師道《春秋索隱》

三卷。

佚。

吳曾[104]曰：「館中有陳師道《春秋索隱》三卷，士大夫以為陳無已所作，非也。師道，建安人，仕至殿中侍御史。呂南公所謂深於《春秋》，蓋與泰山孫復齊能，而師道仕望專高，故不倚經以名者也。」

丁氏副《春秋演聖統例》

《宋志》：「二十卷。」

佚。

晁公武曰[105]：「皇朝丁副撰，田偉《書目》『副』作『嗣』，未知孰誤？其〈序〉云：『經有例法，一家所至，較然重輕。杜預《釋例》專主左氏而未該，唐陸淳《纂例》雖舉經而未備，纖悉絓羅而咸在者，其惟此書乎！』」

《春秋三傳異同字》

《宋志》：「一卷。」

佚。

99霖案：程端學：《春秋本義》〈春秋傳名氏〉，(《通志堂經解》(25)《春秋本義》)，頁13860。

100霖案：「平陽」二字，為雙行注文，非為正文也，此為注文闌入正文之例。

101霖案：「復」字下，另有「明復」二字，三字皆為雙行夾注，此亦為注文闌入正文之例。

102霖案：「有」，《春秋本義》無此字，當據刪。

103霖案：「又有」，《春秋本義》無此二字，當據刪。

104霖案：吳曾：《能改齋漫錄》頁414，「陳師道春秋索隱」條。又四庫本：《能改齋漫錄》卷14；初編56本，木鐸出版本(台北市立圖書館有藏本)，簡編122-124本，廣文出筆記三編本36-37(臺灣師範大學有藏本)

105霖案：《郡齋讀書志》卷第三，頁104、《文獻通考．經籍考》卷十，頁248-249。

鄭樵曰[106]：「丁副《春秋三傳同異字》可見於杜預《釋例》、陸淳《纂例》。」

黃氏君俞《春秋關言》

【霖案】《春秋總義論著目錄》頁五二著錄此書，惟作者時代題作「□」，但此書置於宋代諸籍之中，當定為宋代之籍。

【增補】據下文「趙希弁曰」一文所錄，則黃氏尚有《二傳節摘》一書，竹垞未錄此書，當據以補入。

《通志》：「十二卷。」

佚。

趙希弁曰[107]：「國子監直講黃君俞[108]，蓋仁廟時閩人，所謂《六經關言》、《二傳節摘》[109]、《六經續注》[110]、《三史訓彝》、《六代史記》。惜不得而見之矣。」

周氏希孟《春秋總例》　《通志》作「希聖」。

《通志》：「十二卷。」

佚。

龍氏昌期《春秋正論》

《通志》：「三卷。」

佚。

【存佚】《春秋總義論著目錄》頁八題作「未見」，而《經義考》題作「佚」，今考此書未見諸家傳本，故暫定曰「佚」，以俟後考。

《春秋復道論》

《通志》：「十二卷。」

106霖案：鄭樵《通志》卷七一，〈書有名亡實不亡論一篇〉，(台北：商務印書館，「文淵閣四庫全書本」，民國七十五)，冊三七四，頁483。

107霖案：《郡齋讀書志》卷第五下〈附錄〉，頁397。又《郡齋先生郡齋讀書志》卷五下，〈附志〉，頁656。

108霖案：「黃君俞」三字下，《郡齋先生郡齋讀書志》卷五下有「之說也，觀其〈自序〉」等七字，蓋此條標題作「黃直講《泉書》十卷」，非針對黃氏《春秋關言》立論，故竹垞改寫解題，致使文句或有出入。

109霖案：「《二傳節摘》」四字，《郡齋先生郡齋讀書志》卷五下題作「《二傳節適》」，衡諸文意，應為「《二傳節摘》」為宜。

110霖案：「《六經續注》」四字，《郡齋先生郡齋讀書志》卷五下題作「《五經續註》」，且置於「《三史訓彝》」之下，是則不僅書名有異，且解題位置亦異，未詳何種為宜？

佚。

張氏公裕《春秋注解》

【作者】張公裕（1023～1083），字：益孺，江原人。第皇祐進士甲科，有《詩》、《易》、《春秋》、《老子注》及《文集》三十卷

佚。

周氏堯卿《春秋說》

【作者】周堯卿（995～1045），初名爽，字子俞，道州永明人。天聖二年進士，有《詩》、《春秋說》各三十卷，《文集》二十卷。

三十卷。

佚。

曾鞏曰[111]：「堯卿之學《春秋》，謂由《左氏》記之詳，得《經》之所以書；至《三傳》之異同，均有所不取，曰：聖人之意，豈二致耶？」

劉氏義叟《春秋辨惑》

【作者】劉義叟（1017～1060），字仲更，澤州晉城，有《十三代史志》、《春秋辨惑》、《春秋災異》等書。

佚。

《春秋災異》

佚。

按：仲更嘗從李挺之受歷，其於《春秋》有《辨惑》、《災異》二書，今俱無存。晁以道題詩云：「志苦言危凜雪霜，何人敢喚作劉郎？休論瑞應誇圖牒，羞死當年顧野王。」[112]

歐陽氏修《春秋論》

三篇。

存。

【版本及藏地】本書版本及藏地如下：

一、《文忠集》本：《春秋總義論著目錄》頁五二著錄。

二、《歐陽文粹》本：《春秋總義論著目錄》頁五二著錄。

三、《宋文選》本：《春秋總義論著目錄》頁五二著錄。

111霖案：《隆平集》卷15錄及此文。

112霖案：晁以道詩文，見於晁說之撰，晁子健編《景迂生集》卷七，〈書劉仲更春秋灾異後〉，(四庫全書本冊一一一八，頁133)，詩文一同於竹垞所錄之文。

四、《唐宋八大家文鈔》本：《春秋總義論著目錄》頁五二著錄。

五、《文章辨體彙選》本：《春秋總義論著目錄》頁五二著錄。

六、《古文關鍵》本：《春秋總義論著目錄》頁五二著錄，題作「上、中二篇」。

七、《續文章正宗》本：《春秋總義論著目錄》頁五二著錄，題作「三篇」。

八、《文編》本：《春秋總義論著目錄》頁五二著錄，題作「上、下二篇」。

九、《文章軌範》本：《春秋總義論著目錄》頁五三著錄，題作〈趙盾弒君〉一篇。

《春秋或問》

二篇。

存。

【版本及藏地】本書版本及藏地如下：

一、《文忠集》本：《春秋總義論著目錄》頁五二著錄。

二、《唐宋八大家文鈔》本：《春秋總義論著目錄》頁五二著錄。

黃震曰[113]：「歐陽公論《春秋》[114]，謂學者不信《經》而信《傳》，不信孔子而信三子，隱公非攝、趙盾非弒[115]、許世子止非不嘗藥，亂之者，三子也；起隱公，止獲麟，皆因舊史而修之，義不在此也。卓哉之見，讀《春秋》者可以三隅反矣。」

宋氏堂《春秋新意》

佚。

《玉海》[116]：「成都宋堂[117]著[118]《春秋新意》[119]，嘉祐元年，翰林學士趙概上其所著書，十月[120]，以為四門助教。」

113霖案：黃震《黃氏日抄》卷六一，頁690。

114霖案：「歐陽公論《春秋》」等六字，《黃氏日抄》原文僅作「春秋論」三字，蓋竹垞根據前後文意，擅自加入「歐陽公」三字，並參酌文句改寫所致。

115霖案：《經義考新校》頁3295新出注文如下：「『非弒』，《四庫薈要》本作『親弒』。」

116霖案：《玉海》卷四○，頁801。

117霖案：「宋堂」二字下，應依《玉海》補入「嘗擬陳子昂作〈感遇詩〉，以諷上建儲事，」等十五字。

118霖案：「著」字下，應依《玉海》補入「《蒙書》數十篇」等五字。

119霖案：「《春秋新意》」四字下，應依《玉海》補入「〈七蠹〉、《西北民言》，頗究時務。」等十字。

120霖案：「十月」二字下，應依《玉海》補入「二十三日」，此為其任四門助教的確切時日，不當任意刪除，今據以補入。

《長編》[121]：「堂[122]，雙流人。」

楊氏繪《春秋辨要》

十卷。

佚。

《玉海》[123]：「嘉祐三年，楊繪獻《書意》、《詩旨》、《春秋辨要》[124]十卷，閏十二月[125]，命為集賢校理。」

宋氏敏修《春秋列國類纂》

佚。

《玉海》[126]：「皇祐五年，宋敏修上所著《列國類纂》，四月[127]，召試學士院。」

黎氏錞《春秋經解》

【作者】黎錞（1015～1093），字希聲，廣安人，慶曆六年進士，撰有《春秋經解》一書。

《通考》：「十二卷。」

【著錄】《文獻通考‧經籍考》卷十，頁二五〇著錄。

佚。

晁公武曰[128]：「皇朝黎錞希聲撰。錞，蜀人，歐陽公之客，名其書為經解者，言以經解經也。其後又為《統論》附焉。」

魯氏有開《春秋指微》

《宋志》：「十卷。」

121霖案：《續資治通鑑長編》卷一八四，頁6。

122霖案：「堂」字，《續資治通鑑長編》卷一八四題作「宋堂為國子四門助教。」，竹垞或許因為上文引錄《玉海》之文，錄及宋堂為「四門助教」之故，乃刪除「為國子四門助教」等七字，今補校如上。

123霖案：《玉海》卷四○，頁801。

124霖案：「《春秋辨要》」四字，《玉海》作「《春秋辯要》」。

125霖案：「十二月」三字下，應依《玉海》補入「二十六日」，此事涉及任職集賢校理之月日，不當任意刪除，今據以補入。

126霖案：《玉海》冊二，卷四○，頁801。

127霖案：「四月」二字下，應依《玉海》補入「十三日」三字，此事涉及召試學士院之日，不當任意刪除，今據以補入。

128霖案：《郡齋讀書志》卷第三，頁104、《文獻通考．經籍考》卷十，頁250。

佚。

朱氏寀《春秋指歸》

【作者】朱寀，南都人。舉進士屢官至秘書丞，集賢校理，著有《春秋指歸》一書，為士林所稱。

佚。

范仲淹進〈狀〉曰[129]：「臣伏見故祕書丞集賢校理朱寀，幼有俊才，服膺儒術，研精道訓，務究本源，越自經庠，擢陞[130]文館，力學方[131]起，美志未伸，不幸夭[132]喪，深可嗟悼!寀《春秋》之學為士林所稱，有唐陸淳始傳此義，學者以為《春秋》之道久隱，而近乃出焉；寀苦心探賾，多所發揮，其所著《春秋指歸》[133]若干卷，謹繕寫上進乞下兩制，詳定如實，可收采則，乞宣付崇文院。」

王氏晢《春秋通義》(宋)

【作者】駱兆平《新編天一閣書目》題作「宋太原王晳撰」。(頁二七二)，而根據《直齋書錄解題》卷三，頁四六〇指出：《春秋通義》的作者應題作「王哲」，「晢」、「晳」、「哲」形近而誤，原當作「王晳」。

《宋志》：「十二卷。」

佚。

【存佚】《直齋書錄解題》卷三，頁四六〇指出：「(王哲)有《通義》十二卷，未見」，則是書久未見於世間矣。

【增補】何廣棪：《陳振孫之經學及其《直齋書錄解題》經錄考證》曰：「案：王應麟《玉海》卷四十《藝文・春秋》曰：『至和中，太常博士王晳撰《春秋通義》十二卷，據三《傳》注疏及啖、趙之學。其說通者，附經文之下；闕者，用己意釋之。』可略悉《通義》一書之梗概。又檢《經義考》卷一百七十九《春秋》十二『《皇論綱》』條引『陳振孫曰』：『太常博士王晳撰。《春秋皇綱論》、《明例隱括圖》共六卷，至和間入《館閣目》。』則彝尊所得讀之《解題》，與《大典》本絕異，故與今見之《四庫》本所記，乃不同如此。」(頁五六一)

129霖案：《范文正集》卷十九，〈進故朱寀所撰春秋文字及乞推恩與弟寘狀〉，(台北：臺灣商務印書館，「景印文淵閣四庫全書」冊一〇八九，民國七十五年三月，初版)，頁755-766。

130霖案：「陞」字，《范文正集》作「升」字。

131「方」，《備要》本作「才」。　霖案：《經義考新校》頁3297注文，「《備要》本作『才』」改作「文淵閣《四庫》本作『才』。」。今考《范文正集》作「方」字。

132「夭」，《四庫》本作「天」。　霖案：《經義考新校》頁3297注文，「《四庫》本作『天』。」改作「《備要》本作『天』。」，與上述注文，顯然互有調動。今考《范文正集》作「夭」字。

133霖案：「《春秋指歸》」四字之下，《范文正集》另有「等」字，今據以補入。

《春秋異義》（宋）

十二卷。

佚。

《春秋明例檃括圖》（宋）

【書名】《直齋書錄解題》卷三，頁四六〇、《文獻通考・經籍考》卷十，頁二五六著錄，題作《明例隱括圖》。

《通考》：「一卷。」

【卷數】《文獻通考・經籍考》卷十，頁二五六著錄，與《皇綱論》共「六卷」，未單獨言明此書為「一卷」。

佚。

《皇綱論》（宋）

【書名】本書異名如下：

一、《春秋皇綱論》：《直齋書錄解題》卷三，頁四五六〇、《文獻通考・經籍考》卷十，頁二五六、《現存宋人著述目略》頁十八著錄。

二、《春秋皇綱》：駱兆平《新編天一閣書目》頁二七二著錄。

《宋志》：「五卷。」

【卷數】全書五卷，凡二十三篇。

存。

【版本及藏地】本書版本及藏地如下：

一、通志堂經解本：宋王晳《春秋皇綱論》五卷，馬來西亞大學圖書館有藏本（二部）。《現存宋人著述目略》頁十八著錄。

二、文淵閣四庫全書本：台北故宮博物院有藏本。

【增補】永瑢等撰《欽定四庫全書總目》曰：「春秋皇綱論五卷　內府藏本

宋王晳撰。自稱太原人，其始末無可考。陳振孫《書錄解題》言其官太常博士。考龔鼎臣《東原錄》載，真宗天禧中錢惟演奏留曹利用、丁謂事稱：『晏殊以語翰林學士王晳』，則不止太常博士矣。王應麟《玉海》云：『至和中，晳撰《春秋通義》十二卷。據三傳注疏及啖、趙之學，其說通者附經文之下，闕者用己意釋之。又《異義》十二卷、《皇綱論》五卷。』今《通義》、《異義》皆不傳，惟是書尚存。凡為論二十有二，皆發明夫子筆削之旨，而考辨三傳及啖助、趙匡之得失（按趙匡書中皆作趙正，蓋避太祖之諱。其《尊王》下篇引《論語》作『一正天下』，亦同此例。）其言多明白平易，無穿鑿附會之習。其《孔子修春秋篇》曰：『若專為誅亂臣賊子使知懼，則尊賢旌善之旨闕矣。』足破孫復等有貶無褒之說。其《傳釋異同篇》曰：

『左氏善覽舊史，兼該眾說，得《春秋》之事迹甚備，然於經外自成一書，故有貪惑異說，采掇過當。至於聖人微旨，頗亦疏略，而大抵有本末，蓋出一人之所撰述也。《公》、《穀》之學，本於議論，擇取諸儒之說，繫於經文，故雖不能詳其事迹，而於聖人微旨多所究尋。然失於曲辨贅義，鄙淺叢雜，蓋出於眾儒之所講說也。』又曰：『左氏好以一時言貌之恭惰，與卜筮巫醫之事，推定禍福，靡有不驗，此其蔽也。固當裁取其文以通經義，如玉之有瑕，但棄瑕而用玉，不可并棄其玉也。二傳亦然。』亦足破孫復等盡廢三傳之說，在宋人春秋解中可謂不失古義。惟《郊禘篇》謂『周公當用郊禘，成王賜之不為過，魯國因之不為僭』，《殺大夫篇》謂『凡書殺大夫，皆罪大夫不能見幾先去』，則偏駁之見不足為訓矣。」（卷二十六，頁三三六）

【增補】邵懿辰撰、邵章續錄：《增訂四庫簡明目錄標注》卷三曰：「《春秋皇綱論》五卷，宋王晢撰。

通志堂本。」（頁一〇五）

三、明朱絲欄抄本：駱兆平《新編天一閣書目》頁二七二著錄。

四、清同治十二年(1873)粵東書局重刊本：王晢《春秋皇綱論》五卷，國家圖書館有藏本。

《玉海》134：「至和中，太常博士王晢撰《春秋通義》十二卷，據三傳注疏及啖、趙之學。其說通者，附經文之下；闕135者，用己意釋之。又《異義》十二卷、《皇綱論》五卷二十三篇。」

陳振孫曰136：「太常博士王晢撰《春秋皇綱論》、《明例櫽括圖》共六卷137，至和間入138，館閣139目140。」

【考證】本處所引「陳振孫」之言，與《通考》、《直齋》所引絕異，而《通考》所

134霖案：《玉海》卷四○，頁800。

135霖案：「闕」字，《玉海》作「缺」字，二字僅書寫習慣不同所致，於意並無不同。

136霖案：《直齋書錄解題》卷三，頁460、《文獻通考．經籍考》卷十，頁256。

137霖案：「《春秋皇綱論》、《明例櫽括圖》共六卷」，實為《文獻通考》著錄之文，竹垞誤入解題，致有錯簡之失。

138「入」，應依《補正》作「人」。　霖案：《經義考新校》頁3298注文，「《補正》」二字之前，另有新出校文如下：「《四庫薈要》本、」等字。今考《文獻通考》引作「和間人」，「閒」、「間」往往同用，而「入」、「人」形近而誤入。

139「閣」下，依《補正》當補「書」字。　霖案：《經義考新校》頁3298注文，「《補正》」二字之前，另有新出校文如下：「《四庫薈要》本、」等字。今考《文獻通考》並無「書」字。

140「目」字下依《補正》當補「有《通義》十二卷，未見」八字。　霖案：《經義考新校》頁3298注文，「《補正》」二字之前，另有新出校文如下：「《四庫薈要》本、」等字。

錄又同於《直齋》，茲將《通考》所錄摘引如下:「太常博士王哲撰。至和間人。《館閣目》有《通義》十二卷，未見。」（卷十，頁二五六），何廣棪《陳振孫之經學及其直齋書錄解題經錄考證》針對其中的差異說明如下:「彝尊所得讀之《解題》，與《大典》本絕異，故與今見之《四庫》本所記，乃不同如此。」(頁五六一)，然彝尊所引，大抵同於《文獻通考·經籍考》之文，至於內容互有參差，則係出於改編所致，非關版本異同。考竹垞所引內容，則「春秋皇綱論、明例檃(隱)括圖共六卷」係出自《通考》內容，而「至和閒入」，乃《通考》「至和間人」之誤寫，蓋「閒」同於「間」，而「入」、「人」相近而誤，《館閣目》下當缺「有《通義》十二卷，未見」等字，是以竹垞所引內容，乃同於《通考》而有小誤，蓋竹垞鈔輯之時，擅自剪裁併合所致，是以「《春秋皇綱論》、《明例檃括圖》共六卷」的闌入，使其有錯簡之失。

【增補】〔補正〕陳表孫條內「至和閒入《館閣目》」，「入」當作「人」，「閣」下脫「書」字，「目」下當補云：「有《通義》十二卷，未見。」（卷七，頁十八）

【增補】何廣棪：《陳振孫之經學及其《直齋書錄解題》經錄考證》曰：「廣棪案：王哲，應作王晳，不惟《解題》誤，《宋史·藝文志》亦誤。張宗泰《魯巖所學集》卷六《四跋書錄解題》已辨之，曰：『《春秋皇綱論》『王晳』訛作『王哲』。』納蘭成德《通志堂經解》此書之《序》云：『宋《藝文志》，《春秋》之書凡二百四十部，二千七百九十九卷，余所見者僅三十餘部，為卷數百，王晳《皇綱論》其一也。晳，不知何如人也，自稱為太原王晳。陳直齋《書錄解題》亦但言其官太常博士，至和間人而已，不能詳其生平也。直齋《解題》於著書之人，往往舉其立身大概，使後世讀其書者，雖不復親見其人，猶能稍得其本末，以為論世知人之據；乃於晳獨否，豈其人在直齋當時已不可得而論定邪？』《總目》卷二十六《經部》二十六《春秋類》一亦嘗考之，曰：『《春秋皇綱論》五卷（內府藏本）。宋王晳撰。晳自稱太原人，其始末無可考。陳振孫《書錄解題》言其官太常博士。考龔鼎臣《東原錄》載：『真宗天禧中，錢惟演奏留曹利用丁謂事，稱晏殊以語翰林學士王晳。』則不止太常博士矣。』是則據《總目》所引鼎臣《東原錄》，晳不止為仁宗至和中人，且於真宗天禧中已出任翰林學士。考蘇軾《東坡外制集》卷上有《王晳知衛州制》，又陸心源《宋詩紀事補遺》卷二十五載：『王晳，字微之，累知汝州，元豐中尚書兵部郎中，集賢校理，提點醴泉觀。有《孫子注》三卷。』是晳又神宗時知衛州，元豐中任尚書兵部郎中等職。惟自天禧至元豐，前後相距六十餘年，且各書所記晳之官歷，真宗天禧時已為翰林學士，忽而仁宗至和間又為太常博士；至不可解者，於神宗時且知衛州，元豐中任尚書兵部侍郎，集賢校理，提點醴泉觀。其仕履之變幻，竟不可究詰。疑北宋間，王晳實有兩人，一在真宗、仁宗時；一在神宗時。真、仁宗時之王晳撰《春秋皇綱論》諸書；神宗時之王晳，則有《孫子注》三卷也。」（頁五五九至頁五六一）

江氏休復《春秋世論》

【作者】江休復，字鄰幾，開封陳留人，江日新之孫。舉進士，其為人內行甚飭，文章淳雅，尤長於詩。嘉祐五年卒，年五十六。著有《嘉祐雜志》,《春秋世論》三十卷、《文集》二十卷、及《唐宣鑒》十五卷。

三十卷。

佚。

《隆平集》141：「江休復，字鄰幾，雍邱人。天聖二年進士，除集賢校理，修起居注，積官刑部郎中，著《春秋世論》三十卷。」

【增補】〔補正〕《隆平集》：「江休復，字鄰幾，雍邱人。」按：《宋史》作陳留人。（卷七，頁十八）

按：休復著《春秋世論》，故韓維贈詩云：「翼孔著高議。」

【考證】韓維贈詩，詩名曰：〈南堂對竹懷江十鄰幾〉，詩文見於韓維《南陽集》卷五，（四庫全書本冊一一○），頁五四七至頁五四八。全篇詩文甚長，茲不贅引，讀者可自行參看原書詩文。惟四庫全書本於「翼孔著高議」詩文之下，附註註文：「君著《春秋左氏傳議》」，未詳所據出處為何？而竹垞僅著錄江氏「《春秋世論》」一書，而不及「《春秋左氏傳議》」，今暫且未見其他諸書錄及江氏撰有「《春秋左氏傳議》」一書，或係館臣之誤，或係竹垞漏錄江氏「《春秋左氏傳議》」一書，今疑而未能決，暫附於此，以俟後考。

齊氏賢良《春秋旨要》

佚。

按：齊氏《春秋旨要》，杜諤採之，程端學《本義》引之。

朱氏定《春秋索隱》142

《宋志》：「五卷。」

【增補】〔補正〕按：《宋志》作朱定序。（卷七，頁十八）

佚。

程端學曰143：「授於師道先生。」

孫氏立節《春秋三傳例論》

佚。

《贛州府志》144：「孫立節，字介夫，寧都人145。皇祐五年進士146，判桂州，著《春

141霖案：本文出自《隆平集》卷15。

142霖案：《經義考新校》頁3299新出校文如下：「『《索隱》，文淵閣《四庫》本作『《索圖》』。』。

143霖案：程端學：《春秋本義》〈春秋傳名氏〉(《通志堂經解》(25)冊)，頁13860。

144霖案：《贛州府志》卷十六，(《四庫全書存目叢書》史部二○二)，頁550。竹垞所引之文，多有改編，與原書文句差異甚大。

145霖案：「寧都人」之下，《贛州府志》卷十六另有「師李太伯，友曾子固，嘗作《春秋論》，孫復見

秋三傳例論》，孫復見之，歎曰：『吾力所未及者，介夫盡發之矣。』[147]」

范氏隱之《春秋五傳會義》

佚。

張方平〈薦狀〉曰[148]：「伏見太常寺奉禮郎范隱之所著《春秋五傳會義》，經術深明，旨趣醇[149]正。今去聖逾遠，異端多門，常人好奇，鮮根於道，隱之論述獨探精粹，且其履行高介不群[150]，志甚自強，進未云止，儻蒙樂育，必成良材。伏乞聖慈特命取所著書，登諸[151]衡石之末[152]，特與召試，備[153]館閣之缺。[154]」

蔡氏襄《講春秋左氏傳疏》

一篇。

存。

【存佚】《經義考》錄作「存」籍，今考《左傳論著目錄》頁三五錄作「未見」，惟諸家館藏未見此書傳世，疑已佚失，今暫作「佚」籍。

之，撫卷嘆賞。擢」等字，而審觀竹垞引文，實改寫上述諸文句，並參以其他出處之文。

146霖案：「皇祐五年進士」諸字之下，《贛州府志》卷十六另有：「王安石行新法，立條例司，蘇轍為司屬官，以議不合，引去。安石語立節曰：『條例司須得明敏如子者為之。』立節笑曰：『當求勝我者，若我輩人亦不肯為是官矣。』安石嘿然，徑起。入戶。後為鎮江軍書記，監司敬憚之，曰：『是抗丞相不肯為條例司者。』移桂州節度判官。」等字，詳錄孫氏為桂州節度判官的始末，然竹垞以文句過於冗長，乃刋除之，徑以「判桂州」替之。

147霖案：「著《春秋三傳例論》，孫復見之，歎曰：『吾力所未及者，介夫盡發之矣。』」諸字，原書無之，係竹垞參考其他諸書引錄至此。

148霖案：《樂全集》卷三十，〈舉范隱之〉（台北：臺灣商務印書館，「景印文淵閣四庫全書」冊一一〇四，民國七十五年三月，初版），頁331-332。

149霖案：「醇」字，《樂全集》題作「淳」字。

150霖案：「群」字，《樂全集》題作「羣」字。

151「諸」，《四庫》本作「之」。　霖案：《經義考新校》頁3300注文，於「《四庫》」二字之前，另有「文淵閣」三字。今考《樂全集》亦作「之」字。

152霖案：「末」字下，應依《樂全集》補入「即誠有取望」等五字。

153霖案：「備」字之前，應依《樂全集》補入「使得」二字。

154霖案：「缺」字下，應依《樂全集》補入「所冀扶獎道術，敦激風教。」等十字。

卷一百八十　春秋十三經義考卷一百八十春秋十三

劉氏敞《春秋傳》（宋）

【作者】劉敞（1019～1068），字原父，號公是，臨江新喻人，劉立之子。追封「王主九人」。慶曆六年進士歐陽修曾服其學問廣博，每有所疑，輒以書問之。熙寧元年四月卒，年五十。長於春秋，有《春秋權衡》、《春秋傳》、《春秋意林》、《春秋說例》，合四十一卷，又有《七經小傳》五卷、《公是弟子記》五卷，《公是集》六十卷。

【書名】本書異名如下：

一、《春秋劉氏傳》：《現存宋人著述目略》頁十八著錄。

二、《劉氏春秋傳》：張壽平《公藏先秦經子注疏書目》頁一三三著錄。

《宋志》：「十五卷。」

【卷數】《文獻通考．經籍考》卷十，頁二四九著錄，惟與《春秋權衡》、《意林》等二書併為「三十四卷」。又《直齋書錄解題》卷三，頁四五九著錄，卷數題為「十卷」。而《通志堂經解》所錄為「十五卷」，同於《宋志》所載。

存。

【版本及藏地】本書版本及藏地如下：

一、清康熙十九年通志堂經解本：宋劉敞撰《春秋劉氏傳》十五卷，二冊，《現存宋人著述目略》頁十八著錄，台灣師範大學圖書館有藏本。

又馬來西亞大學圖書館有藏本（二部）。

【增補】耿文光《萬卷精華樓藏書記》卷八曰：「《春秋傳》十五卷　宋劉敞撰

通志堂本，出於抄本。

王應麟曰：劉原父深於春秋，然議郭後祔廟引《春秋》禘於太廟，用致夫人，致者，不宜致也。且古者不二嫡，當許其號而不其禮。張洞非之曰：按左氏哀姜之惡所不忍道，而二傳有非嫡之辭，敞議非是，然則釋經議禮難矣哉。」（頁二九八）

二、文淵閣四庫全書本：(宋)劉敞撰《劉氏春秋傳》十五卷，四冊，《國立故宮博物院善本舊籍總目》，上冊，頁九十三著錄，台北：故宮博物院有藏本。

【增補】永瑢等撰《欽定四庫全書總目》曰：「春秋傳十五卷[1]　內府藏本

宋劉敞撰。敞所作《春秋權衡》及《意林》，宋時即有刊本。此傳則諸家藏弆，皆寫本相傳，近時通志堂刻入經解，始有板本，故論者或疑其偽。然核其議論體裁，與敞所著他書一一吻合，非後人所能贗作也。其書皆節錄三傳事迹，斷以己意，其褒貶義

1霖案：原註云：按：文淵閣庫書題作《劉氏春秋傳》十五卷。

例，多取《公羊2》、《穀梁》。如以『莊公圍郕師還』為仁義，以『公孫寧儀行父』為有存國之功，以『晉殺先穀』為疾過，以『九月用郊』為用人，而『趙鞅入晉陽以叛』一條，尚沿二傳以地正國之謬，皆不免於膠固。其經文雜用三傳，不主一家，每以經傳連書，不復區畫，頗病混淆。又好減損三傳字句，往往改竄失真，如《左傳》『惜也越竟乃免』句，後人本疑非孔子之言，敞改為『討賊則免』，而仍以『孔子曰』冠之，殊為踳駁。考黃伯思《東觀餘論》稱：『考正《書・武成》實始於敞。』則宋代改經之弊，敞導其先，宜其視改傳為固然矣。然論其大致，則得經意者為多。蓋北宋以來，出新意解《春秋》者，自孫復與敞始。復沿啖、趙之餘波，幾於盡廢三傳。敞則不盡從傳，亦不盡廢傳，故所訓釋，為遠勝於復焉。」（卷二十六，頁三三七）

【增補】邵懿辰撰、邵章續錄：《增訂四庫簡明目錄標注》卷三曰：「《春秋傳》十五卷，宋劉敞撰。

通志堂本，三劉全集本。

〔續錄〕有宋刊本，單刻本，內府藏寫本，明鈔本。」（頁一〇六）

【增補】胡玉縉撰、王欣夫輯《四庫全書總目提要補正》卷七曰：「陳澧《東塾讀書記》云：『劉原父之書即啖、趙、陸之法，刪改三傳而合為一傳，然所刪改多不當。如鄭伯克段于鄢，原父錄《左傳》而改之云：『大叔出奔共，追而殺諸鄢。』夫以為《左傳》不可信者乎？既信《公羊》、《穀梁》殺段之說，乃錄《左傳》而刪改之，此則孔沖遠《正義・序》所謂：『方鑿圓柄』者矣。』」（頁一六四）

三、摛藻堂薈要本：(宋)劉敞撰《春秋劉氏傳》十五卷，四冊，《國立故宮博物院善本舊籍總目》，上冊，頁九十三著錄，台北：故宮博物院有藏本。

四、鈔本：(宋)劉敞撰《春秋劉氏傳》十五卷，四冊，《國立故宮博物院善本舊籍總目》，上冊，頁九十三著錄，台北：故宮博物院有藏本。

五、清同治十二年(1873)粵東書局重刊本：劉敞撰《春秋劉氏傳》十五卷，國家圖書館有藏本。

六、清康熙十九年通志堂刊乾隆五十年修補本：(宋)劉敞撰《春秋劉氏傳》十五卷，二冊，《國立故宮博物院善本舊籍總目》，上冊，頁九十三著錄，台北：故宮博物院有藏本。

七、三劉全集本：參見邵懿辰撰、邵章續錄：《增訂四庫簡明目錄標注》卷三，頁一〇六。

八、宋刻本：參見邵懿辰撰、邵章續錄：《增訂四庫簡明目錄標注》卷三，頁一〇六。

2「取《公羊》」, 浙、粵本作「取諸《公羊》」。

九、單刻本：參見邵懿辰撰、邵章續錄：《增訂四庫簡明目錄標注》卷三，頁一〇六。

王應麟[3]曰：「劉原父深於《春秋》，然議郭后祔廟，引《春秋》：禘於太廟，用致夫人，致者，不宜致也。且古者不二嫡，當許其號而不許其禮。張洞非之，曰：『按《左氏》哀姜之惡所不忍道，而二傳有非嫡之辭，敞議非是。』然則[4]稽經議禮難矣哉？」

《春秋權衡》（宋）

《宋志》：「十七卷。」

【卷數】《通考》合《春秋權衡》、《意林》、《劉氏春秋傳》三書為「三十四卷」

存。

【版本及藏地】本書版本及藏地如下：

一、通志堂經解本：宋劉敞撰《春秋權衡》十七卷，三冊，馬來西亞大學圖書館有藏本（二部）。《現存宋人著述目略》頁十八著錄。

【增補】耿文光《萬卷精華樓藏書記》卷八曰：「《春秋權衡》十七卷　宋劉敞撰

通志堂本。依孫北海宋本重刊。

葉夢得曰：劉原父知經而不廢傳，亦不盡從傳。據義考例以折衷之，經傳更相發明，雖間有未然，而淵源已正。

晁公武曰：《權衡》論三傳之失，《意林》敘其解經之旨，劉氏傳其所解經也。如桓無王，季友卒，胥命、用郊之類，皆古人所未言。」（頁二九八至頁二九九）

二、文淵閣四庫全書本：(宋)劉敞撰《春秋權衡》十七卷，六冊，《國立故宮博物院善本舊籍總目》，上冊，頁九十四著錄，台北：故宮博物院有藏本。

【增補】永瑢等撰《欽定四庫全書總目》曰：「春秋權衡十七卷　內府藏本

宋劉敞撰。敞字原父，臨江新喻人。慶歷中舉進士，官至集賢院學士，事迹具《宋史》本傳。據其弟攽作敞《行狀》及歐陽修作敞《墓誌》，俱稱敞《春秋傳》十五卷，《權衡》十七卷，《說例》二卷，《文權》二卷，《意林》五卷。王應麟《玉海》所記亦同。陳振孫《書錄解題》曰：『原父始為《權衡》以平三家之得失，然後集眾說，斷以己意而為之傳。傳所不盡者，見之《意林》。』然則《傳》之作在《意林》前，此書又在《傳》前。敞《春秋》之學，此其根柢矣。自序謂『《權衡》始出，世無[5]有能讀者』。又謂『非達學與通人，則亦必不能觀之』。其自命甚高。葉夢得作《

---

[3]霖案：王應麟撰，翁元圻注《翁注困學紀聞》（台北：世界書局，民國七十三年四月三版）冊中，卷六，頁357。

[4]霖案：「則」字，《翁注困學紀聞》卷六題作「前」字。

[5]霖案：原註云：「無」，浙、粵本作「未」。

春秋傳6》，於諸家義疏多所排斥，尤詆孫復《尊王發微》，謂其不深於禮學，故其言多自牴牾，有甚害於經者。雖概以禮論當時之過，而不能盡禮之制，尤為膚淺。惟於敞則推其淵源之正，蓋敞邃於禮。故是書進退諸說，往往依經立義，不似復之意為斷制，此亦說貴徵實之一驗也。」（卷二十六，頁三三七）

【增補】邵懿辰撰、邵章續錄：《增訂四庫簡明目錄標注》卷三曰：「《春秋權衡》十七卷，宋劉敞撰。

通志堂本，從孫北海家宋本付刊，惜未遵其行款。三劉全集本。呂鶴田有宋刊《權衡》、《意林》二書，紙板甚寬大，《權衡》半葉十三行，《意林》十四行，均二十二字，虞伯生送劉叔熙序云，《意林》及此書刻本在學宜呂所藏，其元板乎。

〔續錄〕舊鈔本，孫北海有影宋刊本，佳。同治粵東書局重刊通志堂本。（頁一〇五至頁一〇六）

【增補】胡玉縉撰、王欣夫輯《四庫全書總目提要補正》卷七曰：「陳澧《東塾讀書記》云：『秦人、晉人戰于河曲，《公羊》云：『曷為以水地河曲？疏矣，河千里而一曲也。』《公羊》之意，嫌河曲不知何地？故解之，言河非處處有曲，千里乃一曲，但言其不知曲處，即可知其地。蓋河自南流入塞，至華陰乃曲而東流，此秦、晉戰處也，而原父作《權衡》云：『若千里一曲，悉可名之河曲，是三河之間無他地名，直曰河曲而已，不亦妄乎！』原父之意，以為三河之間處處皆河曲，此不解《公羊》語意而遽加駁難，雖無關《春秋》大義，然失之粗疏矣。』」（頁一六四）

三、摛藻堂薈要本：(宋)劉敞撰《春秋權衡》十七卷，八冊，《國立故宮博物院善本舊籍總目》，上冊，頁九十四著錄，台北：故宮博物院有藏本。

四、墨格精鈔本：(宋)劉敞撰《春秋權衡》十七卷，四冊，《國立故宮博物院善本舊籍總目》，上冊，頁九十四著錄，台北：故宮博物院有藏本。

五、舊鈔本：(宋)劉敞撰《春秋權衡》十七卷，四冊，《國立故宮博物院善本舊籍總目》，上冊，頁九十四著錄，台北：故宮博物院有藏本。

六、鈔本：(宋)劉敞撰《春秋權衡》十七卷，六冊，《國立故宮博物院善本舊籍總目》，上冊，頁九十四著錄，台北：故宮博物院有藏本。

七、鈔本：(宋)劉敞撰《春秋權衡》十七卷，**8**冊；**27**公分，藏印有「有宋存書室」，「東郡楊紹和字彥合藏書之印」，「楊氏海源閣藏」，「彥合珍存」諸印，排架號：**0080**，光碟代號：**OD004B**，台北：中央研究院史語所有藏本。

【增補】《中央研究院歷史語言研究所善本書目》曰：「《春秋權衡》十七卷八冊　宋劉敞撰　鈔本。」（頁一〇）

八、清乾隆１６年（１７５１）水西劉氏刻本：山東省圖書館有藏本。

6霖案：原註云：「《春秋傳》」，浙、粵本作「《石林春秋傳》」。

【增補】《山東省圖書館館藏海源閣書目》曰：「《春秋權衡》　十七卷／（宋）劉敞撰．－清乾隆１６年（１７５１）水西劉氏刻本．－4冊（1函）；１８．６×１３．５cm．－１０行２１字，白口，左右雙邊，單黑魚尾，板心鐫：水西劉氏」（頁二九）

【增補】《香港中文大學圖書館古籍善本書錄（增訂版）》曰：「０８０ **PL2470.Z6.L498**

《春秋權衡》十七卷

宋劉敞撰

清乾隆十六年（１７５１）水西劉氏刻公是先生遺書本

三冊

匡高十八．六公分，寬十三．七公分

十行二十一字

白口，單魚尾，左右雙邊

版心上刻"春秋權衡"，下鐫"水西劉氏藏板"

內封題"公是先生遺書，乾隆十六年鐫，水西藏板"

卷端題"公是先生遺書，宋集賢學士劉仲原父敞公是先生著，新諭縣知縣崇安暨用其校訂，墨莊裔孫水西劉氏敬梓"

前有晏斯盛序，康熙十三年朱彝尊序」（頁二四）

【增補】朱彝尊《曝書亭集》卷三四，〈春秋權衡序〉曰：「孔子之作《春秋》，撥亂世所諸正，其好惡一出於平而已。非若後世史臣，有所激於中，借史以洩其忿也。顧說《春秋》者，往往未得聖人之意，煩其例，苛致其文，予者十一，誅譏者十九。夫有所攘也，蓋有尊也；有所貶也，蓋有褒也。今欲尊周，而動著王室之非禮；欲誅亂臣賊子，而先責賢者備。亡不越竟，即責以弒君；不嘗藥，則罪以弒父，是聖人惡惡之辭長，而善善之辭反短，比之申不害、衛鞅、韓非，而有甚焉者矣。我故於說《春秋》者，義無多取，見有刻深之文，戾乎孔子之旨，未嘗不疾首張目焉。及得宋劉仲原父《春秋權衡》讀之，凡三傳有害於義考，旁引曲證，必權其輕重，而別其非是，以待讀者之自悟，可謂善學春秋者也。原三家之傳，雖或未得其平，由於尊聖人之過，求聖人之心不得，遂紛綸同異者有之，要其所主，皆二百四十年之事。若胡安國之傳出，言無不純，理無不正，然其文則孔子之文，其事則類指南渡君臣得失，斯蓋因述以寓作者矣。近乃舍三傳而列之學官，久之，取士者并舍經而專主乎傳，是何異學易者之僅知操錢而卜也。嗚呼！《三傳》，胡氏，孰贏孰縮，經與傳之孰輕孰重，安得起仲原父立而相其平準也與。（頁四二五）」

九、明朱絲欄抄本：駱兆平《新編天一閣書目》頁二七二著錄。

【霖案】竹垞於康熙甲辰（三年，西元一六六四年），得觀高念祖所藏《春秋權衡》一書，越十年，始得自清苑陳參議祺公以《權衡》抄本相贈，方能得擁祕籍，說法詳見《曝書亭集》卷三四〈春秋意林序〉。

十、清同治十二年(1873)粵東書局重刊本：劉敞撰《春秋權衡》十五卷，國家圖書館有藏本。

十一、清康熙十九年通志堂刊乾隆五十年修補本：(宋)劉敞撰《春秋權衡》十七卷，四冊，《國立故宮博物院善本舊籍總目》，上冊，頁九十三著錄，台北：故宮博物院有藏本。

十二、明抄本：宋劉敞撰《春秋權衡》十七卷，中國國家圖書館有藏本。

十三、明末抄本：上海：復旦大學圖書館有藏本。

十四、清抄本：宋劉敞撰《春秋權衡》十七卷，清朱彝尊、丁丙跋，南京圖書館有藏本。

十五、清抄本：宋劉敞撰《春秋權衡》十七卷，南京圖書館有藏本。

敞〈自序〉曰[7]：「劉子作《春秋權衡》，《權衡》之書始出，未有能讀者。自序其首曰：權，準也；衡，平也。物雖重必準於權，權雖移必平於衡，故權衡者，天下之公器也，所以使輕重無隱也，所以使低昂適中也。察之者易知，執之者易從也。不準，則無以[8]知輕重；不平，則輕重雖出，不信也[9]。故權衡者，天下之至信也。凡議《春秋》，亦若此矣。《春秋》一也，而傳之者三家，是以其善惡相反，其褒貶相戾，則是何也？非以其無準、失輕重耶[10]？且昔者董仲舒、江公、劉歆之徒，蓋嘗相與爭此三家矣，上道堯舜，下據《周禮》[11]，是非之議，不可勝陳，至於今未決，則是何也？非以其低昂不平耶[12]？故利臆說者，害公義；便私學者，妨大道，此儒者之大禁也。誠準之以其權，則童子不欺；平之以其衡，則市人不惑，今此新書之謂也。雖然，非達學通人，則亦必不能觀之矣。耳牽於所聞，而目迷於所習，懷恐[13]見破之私意，而無從善服義之公心，故亦譬之權衡矣。或利其寡而示[14]權如

7霖案：《通考》(殿本)卷一八三，頁1571中~下。又《五經翼》卷十二（台南縣：莊嚴文化事業有限公司，「四庫全書存目叢書」經部，冊一五一），頁754錄之。惟《五經翼》題作「劉敬」所撰。又《文獻通考．經籍考》卷十，頁249。

8霖案：《五經翼》卷十二無「以」字。

9霖案：《五經翼》卷十二無「也」字。

10霖案：「耶」字，《五經翼》卷十二題作「邪」字。

11霖案：「《周禮》」，《五經翼》卷十二題作「周、孔」。

12霖案：「耶」字，《五經翼》卷十二題作「邪」字。

13霖案：「懷恐」二字，《五經翼》卷十二引作「恐懷」，二字互倒也，衡諸文意，應以《五經翼》之文為佳。

贏[15]，或利其多而示[16]權如縮，若此者，非權衡之過也，人事之變也。[17]」

【增補】〔補正〕〈自序〉內「而示權如贏」，「贏」當作「贏」。（卷七，頁十九）

葉夢得曰[18]：「劉原父[19]知《經》而不廢《傳》，亦不盡從《傳》，據義攷[20]例，以折衷之，《經》、《傳》更相發明；雖間[21]有未然，而淵源已正。今學者治經不精，而蘇、孫之學近而易明，其失者不能遽見，故皆信之；而劉以其難入，則或詆以為用意太過，出於穿鑿，彼不知經，無怪其然也。」

晁公武曰[22]：「《權衡》論《三傳》之失，《意林》敘其解經之旨，劉氏傳其所解經也，如桓無王、季友卒、胥命用郊之類，皆古人所未言。」

陳振孫曰[23]：「原父[24]始為《權衡》，以平三家之得失，然後集眾說，斷以己意，而為之《傳》；《傳》所不盡者，見之《意林》。其傳用《公》、《穀》文體，《說例》[25]凡四十九。」

【增補】何廣棪：《陳振孫之經學及其《直齋書錄解題》經錄考證》曰：「廣棪案：《讀書志》卷第三《春秋類》著錄：『《春秋權衡》十七卷、《春秋意林》二卷、《春秋劉氏傳》十五卷。右皇朝劉敞原父撰。』所記敞撰之書，其卷數與《解題》有所

14霖案：「示」字，《五經翼》卷十二題作「眎」字。

15「贏」，《四庫》本作「盈」，應依《補正》作「贏」。　霖案：《經義考新校》頁3033注文，於「《四庫》」二字之前，另有「文淵閣」三字。又於「應依」二字之下，另有「《備要》本、」等字。今考《五經翼》卷十二亦題作「《贏》」字。

16霖案：「示」字，《五經翼》卷十二題作「眎」字。

17霖案：「也」字之下，《五經翼》卷十二另有「雖然以俟君子耳。孔子不云乎：『知我者以《春秋》，罪我者亦以《春秋》。』於權衡何傷哉！於是卒定其書，為十七卷。」等四十一字，今補之如上，以供讀者參考。

18霖案：《文獻通考．經籍考》卷十，頁250。又《文獻通考》題作「石林葉氏曰」，而竹垞逕改作原姓名也。

19霖案：「劉原父」三字，《文獻通考》題作「劉原甫」。

20霖案：「攷」字，《文獻通考》題作「考」字。

21霖案：「間」字，《文獻通考》題作「間」字。

22霖案：《郡齋讀書志》卷第三，頁104、《文獻通考．經籍考》卷十，頁250。

23霖案：《直齋書錄解題》卷三，頁459、《文獻通考．經籍考》卷十，頁250。

24霖案：「原父」二字，《文獻通考》題作「原甫」。

25《四庫》本脫「說」字。　霖案：《經義考新校》頁3304注文，於「《四庫》」二字之前，新增「文淵閣」三字。今考《文獻通考》正作「《說例》」二字。

異同。《四庫》館臣於此處所下案語曰：『《宋史・藝文志》作《春秋傳》十五卷、《權衡》十七卷、《說例》十一卷、《意林》二卷。《文獻通考》亦謂《春秋傳》、《權衡》、《意林》三書共三十四卷。此本篇目疑有脫誤。』盧文弨交注曰：『晁《志》與《宋志》卷同，惟無《說例》，陳氏云《說例》凡四十九條，則一卷當是也。』依盧氏所考，則《宋志》著錄《說例》凡十一卷，其『十』字乃衍文。是則《春秋傳》應為十五卷、《權衡》十七卷、《意林》二卷、《說例》一卷，合共三十五卷。《文獻通考》因未著錄《說例》一卷，故云共三十四卷。是作三十五卷者，與馬氏所計算殊無衝突。今《四庫全書》所收敞此四書，亦共為三十五卷。是則《解題》所記應有誤矣。」（頁五五四）

【增補】何廣棪：《陳振孫之經學及其《直齋書錄解題》經錄考證》曰：「案：《讀書志》曰：『《權衡》論《三傳》之失，《意林》敘其解經之旨，《劉氏傳》，其所解經也。』《解題》乃據此而引申其說，惟優於晁氏矣。」（頁五五五）

【增補】何廣棪：《陳振孫之經學及其《直齋書錄解題》經錄考證》曰：「案：《總目》卷二十六《經部》二十六《春秋類》一著錄：『《春秋傳說例》一卷，（《永樂大典》本）。宋劉敞撰。案敞《行狀》、《墓誌》俱稱《春秋說例》二卷。陳振孫《書錄解題》則以為一卷。蓋傳鈔分合，互有不同。至《宋史・藝文志》獨稱敞《說例》十一卷，殆傳寫誤衍一『十』字，或竟以十一篇為十一卷也。』惟《總目》『十一篇』之說，終無所本。《解題》僅謂『《說例》凡四十九條』，則其內容必不甚多，理應作一卷為是。」（頁五五五）

《春秋意林》（宋）

【書名】本書異名如下：

一、《劉氏春秋意林》：《現存宋人著述目略》頁十八著錄。

【著錄】《文獻通考・經籍考》卷十，頁二五〇；《曝書亭集》卷三十四〈春秋意林序〉；《徵刻唐宋秘本書目》頁一四四一、張壽平《公藏先秦經子注疏書目》頁一三三著錄。

【增補】《曝書亭集》卷三十四〈春秋意林序〉云：「（竹垞）復從宛平孫侍郎耳伯所抄得《意林》。」（頁四二六）

《宋志》：「二卷。」《玉海》[26]：「五卷。」

【卷數】本書卷數分合如下：

一、《通考》合《春秋權衡》、《意林》、《劉氏春秋傳》三書為「三十四卷」

二、一卷本：《直齋書錄解題》卷三，頁四五九著錄，《直齋》著錄之本，　或為殘本。

26霖案：《玉海》卷四○，頁801。

三、二卷本：《現存宋人著述目略》頁十八著錄。又《玉海》卷四〇「《意林》」條下注文云：『《中興目》：『《意林》二卷，總四十卷，無《文權》』。」

四、三卷本：葉德輝《徵刻唐宋祕本書目考證》頁一四四一、頁一四七〇著錄，此「三」當為「二」字之誤。

〔校記〕四庫本二卷。（春秋，頁四八）

存。

【存佚】《春秋總義論著目錄》云：「《四庫全書》、《通志堂經解》、《中國古籍善本書目》收二書，宋刻全本，清鈔本缺卷下。」（頁八）

【版本及藏地】

一、通志堂經解本：宋劉敞撰《劉氏春秋意林》二卷，《現存宋人著述目略》頁十八著錄，馬來西亞大學圖書館有藏本（二部）。

【增補】耿文光《萬卷精華樓藏書記》卷八曰：「《春秋意林》二卷　宋劉敞撰

通志堂本。此本無序跋，有考證一頁。是書《玉海》、藝文五卷，史有之刻《權衡》、《意林》於清江府，有序。又吳萊後序，并見《經義考》。

史氏序曰：清江為二劉三孔鄉，文獻宣徵而足，今三孔集故在，獨二劉所著毀於兵。假守於此，旁加搜訪，得原父《春秋意林》三傳，《權衡》議論堅正，有功聖經，再壽諸梓。

吳氏序曰：意林猶未脫稿，多遺闕。

何喬新曰：劉氏《意林》之書出，而墨守膏肓之論詳。」（頁二九九）

二、文淵閣四庫全書本：台北故宮博物院有藏本。

【增補】永瑢等撰《欽定四庫全書總目》曰：「春秋意林二卷[27]　內府藏本

宋劉敞撰。《宋史·藝文志》作二卷。王應麟《玉海》作五卷。馬端臨《經籍考》則併《春秋權衡》、《春秋傳》、《春秋意林》，總題三十四卷。今考《權衡》實十七卷，《傳》實十五卷，合以《意林》二卷正得三十四卷，與《宋志》合。則《玉海》作五卷，傳寫誤也。元吳萊嘗作是書後序云：『劉子作《春秋權衡》，自稱書成，世無有能讀者。至《意林》猶未脫稿，多遺闕。今觀其書，或僅標經文數字，不置一辭[28]；或草草數言，文不相屬，而下注『云云』二字；或一條之下，別標他目一兩字，與本文迥不相關；或佶屈聱牙，猝難句讀；或僅引其端，而詞如未畢，其為隨筆札記、屬稿未竟之書，顯然可證。』萊所說誠不誣也。又敞既苦志研求，運意深曲，又好雕琢其詞，使在可解不可解之間。然考葉夢得《石林春秋傳》稱：『不知經者以其難

27霖案：原註云：按：文淵閣庫書題作《劉氏春秋意林》二卷。

28霖案：原註云：「辭」，底本作「字」，據浙、粵本改。

入，或詆以為用意太過，出於穿鑿。然熟讀深思，其間正名分、別嫌疑，大義微言，灼然得[29]聖人之意者亦頗不少。』文體之澀，存而不論可矣。」（卷二十六，頁三三七至頁三三八）

【增補】邵懿辰撰、邵章續錄：《增訂四庫簡明目錄標注》卷三曰：「《春秋意林》二卷，宋劉敞撰。

通志堂本，三劉全集本。

〔續錄〕宋刊本，元刊本，明刊本，聚珍本，閩覆本，單刻本。（頁一〇六）

三、舊鈔本：台北故宮博物院有藏本。

四、清同治十二年（１８７３）廣東粵東書局重刊本：劉敞撰《劉氏春秋意林》二卷，國家圖書館、台灣師範大學圖書館有藏本。

【增補】朱彝尊《曝書亭集》卷三四，〈春秋意林序〉曰：「往予與高念祖同舟至天津，念祖書篋中攜劉仲原父《春秋權衡》、《意林》，凡一十九卷。宋刻甚工，時歲在甲辰（康熙三年，西元一六六四年）七月，暑未退，揮汗讀之，舟中未暇抄錄也。既而念祖留京師，二書為有力者所得，予在大同聞之，頗以為憾。越五年，潁州劉考功公　，相遇濟南，揖罷，亟語予以獲《權衡》為喜，問以《意林》，則無之。又五年，求之清苑陳參議祺公，遂以《權衡》抄本貽予。復從宛平孫侍郎耳伯所抄得《意林》，然後二書悉為吾有。原父在當日，聲譽與廬陵歐陽子相上下，暨弟貢父，並以經術聞，其說《春秋》尤長，二書之外，有《春秋傳》一十五卷，予獲之書賈中，又有《說例》二卷；《文權》二卷，惜乎不能盡得也。予感是書，自舟中讀後，幾不復遇，求之十年，乃始得焉。而予之為客，不自知其已老矣。南還之日，念祖無恙，尚期共讀之，兼以二書聞之考功，亦足以豪已乎。甲寅十一月書。」（頁四二五至頁四二六）

五、明抄本：宋劉敞撰，王興能校正。駱兆平《新編天一閣書目》頁二七二著錄。

六、宋刊本：參考邵懿辰撰、邵章續錄：《增訂四庫簡明目錄標注》卷三，頁一〇六。

七、元刊本：參考邵懿辰撰、邵章續錄：《增訂四庫簡明目錄標注》卷三，頁一〇六。

八、明刊本：參考邵懿辰撰、邵章續錄：《增訂四庫簡明目錄標注》卷三，頁一〇六。

九、聚珍本：參考邵懿辰撰、邵章續錄：《增訂四庫簡明目錄標注》卷三，頁一〇六。

十、閩覆本：參考邵懿辰撰、邵章續錄：《增訂四庫簡明目錄標注》卷三，頁一〇六

29霖案：原註云：「得」，浙、粵本無。

。

十一、單刻本：參考邵懿辰撰、邵章續錄：《增訂四庫簡明目錄標注》卷三，頁一〇六。

十二、《三劉全集》本：《春秋總義論著目錄》頁五三著錄。

十三、宋刻本：宋劉敞撰《春秋意林》二卷，十二行二十字白口左右雙邊有刻工，遼寧圖書館有藏本。

十四、明抄本：宋劉敞撰，《春秋意林》二卷，中國國家圖書館有藏本。

史有之〈序〉曰[30]：「清江為二劉、三孔，鄉文獻宜徵而足。今三孔《集》故在，獨二劉所著燬於兵，假守於此，非惟無以致尚古之意，亦無以應求者之請。旁加搜訪，得原父《春秋意林》、《三傳權衡》，議論堅正，有功聖經。異時立朝抗節，不畏權倖，爭故相之謚法，奪宦官之使名，深得筆削之義，乃[31]知所學蓋有自來與[32]。然則是書之存，實有關於世教。再壽諸梓，庶幾著前輩之懿，補郡乘之缺云。」

吳萊〈後序〉曰[33]：「劉子作《春秋權衡》，自言書成世無有能讀者；至《意林》猶未脫稿[34]，多遺闕。蓋昔左氏言，孔子作經，從諸國赴告，故又博采[35]他事以附經。今劉子乃據閔因〈敘〉，謂聖人悉徵百二十國寶書，傳者從之，將當時諸國所赴告者各有書也。抑此豈即墨子所稱『百二十國春秋』乎？東遷以來，晉有《乘》、楚有《檮杌》、魯有《春秋》，秦世家文公以後，始有史以記事。王道衰，諸侯力政，二百四十二年之閒[36]，凡經傳之可見者一百一十七國，晉〈地理志〉且引夏、商時國二斟、豕韋、過戈之屬，非周舊也；齊桓、晉文之盛，朝聘盟會侵伐敗亡者無慮數十，而附庸小邑、蠻夷[37]雜種[38]又豈悉有書可徵乎？史稱魯君資孔子之周，因老聃觀書周室，且歷聘七十國，又云：『與魯君子左邱明[39]觀史記，

30霖案：《五經翼》卷十三，頁784(四庫全書存目叢書冊一五一)，〈春秋意林序〉。

31霖案：「乃」字，《五經翼》卷十三引作「迺」字。

32霖案：「與」字，《五經翼》卷十三引作「歟」字。

33霖案：《五經翼》卷十四，頁789(四庫全書存目叢書，冊151)〈春秋權衡意林後題〉。又叢刊《淵穎吳先生文集·春秋權衡意林後題》卷十二，頁119-120。

34霖案：「稿」字，《淵穎吳先生文集》、《五經翼》均引作「藁」字。

35霖案：「采」字，《淵穎吳先生文集》、《五經翼》均引作「採」字。

36霖案：「閒」字，《淵穎吳先生文集》、《五經翼》均引作「間」字。

37霖案：「夷」字，《五經翼》引作「彝」字，然《淵穎吳先生文集》作「夷」字，顯見竹垞所錄文字，當是同於《淵穎吳先生文集》。

38霖案：《經義考新校》頁3305新增注文如下：「『蠻夷雜種』，文津閣《四庫》本改作『遐方絕域』。」。

39霖案：「左邱明」三字，《淵穎吳先生文集》、《五經翼》均引作「左丘明」。

自隱公訖於獲麟。』要之春秋固魯史也，因麟出而虛其應，故取而修[40]之，非本書獲麟者；所書周室事亦鮮，無觀周史。《孔子世家》：孔子嘗往來齊、宋、衛、陳、蔡之郊；晉，故霸國也，聞趙簡子殺竇犨，鳴犢至河而勿渡[41]；楚亦欲以書社七百里地封之，子西靳不可，又輒[42]反於魯，將所聘者又未必有七十國也。然亦何暇悉徵其書乎？墨子，戰國人，妄稱有百二十國春秋耳，非聖人之遺言也。何則？杞、宋王者後，爵稱公，皆大國也；宋頗存王禮，而杞乃以僻[43]陋而用夷[44]。孔子曰：『文獻不足故也，足則吾能徵之矣。』惟古之官名得之郯子，他無見也；雖然，聖人作《春秋》，但因魯事以寓王事：隱、桓之初，王政不行，而魯與齊、鄭、宋、衛交，齊桓肇霸[45]而魯事齊，晉文繼霸[46]而魯又事晉；襄、昭以降，霸[47]統將絕，而魯又事吳、楚。故經之所載，類不出此數國事；然則《春秋》固魯史也，魯史所不載，聖人誠不得而筆削之，又何待悉徵百二十國之書乎？嗚呼!閔因之說是亦無徵，而弗信者矣。」

何喬新曰[48]：「劉氏《意林》之書出，而《墨守》、《膏肓》之論詳。」

《春秋說例》（宋）

【書名】本書異名如下：

一、《春秋傳說例》：《現存宋人著述目略》頁十八著錄。

《宋志》：「一卷[49]。」《玉海》[50]：「二卷。」《中興書目》[51]：「一卷。」

【霖案】《曝書亭集》卷三十四〈春秋意林序〉，頁四二六著錄，竹垞題作「二卷」，與《玉海》同。又《直齋書錄解題》卷三，頁四五九著錄，卷數卻題作「一卷」，同於《中興書目》。

40霖案：「修」字，《五經翼》引作「脩」，《淵穎吳先生文集》正作「修」字。

41霖案：「勿渡」二字，《淵穎吳先生文集》、《五經翼》均作「弗渡」。

42霖案：「輒」字，《淵穎吳先生文集》、《五經翼》均作「輙」。

43霖案：「僻」字，《淵穎吳先生文集》、《五經翼》均作「辟」。

44霖案：「夷」字，《五經翼》引作「彝」字，《淵穎吳先生文集》正作「夷」字。

45霖案：「霸」字，《淵穎吳先生文集》、《五經翼》均作「伯」字。

46霖案：「霸」字，《淵穎吳先生文集》、《五經翼》均作「伯」字。

47霖案：「霸」字，《淵穎吳先生文集》、《五經翼》均作「伯」字。

48霖案：何喬新：《椒邱文集》卷一，〈六經〉，頁83。又四庫本：何喬新：《椒邱文集》卷一，《四庫全書存目叢書》子部，冊174，偉文出版明代論著叢刊，文海出版：明人文集叢刊第一期等有之。

49「一卷」，應依《補正》、《四庫》本作「十一卷」。　霖案：《經義考新校》頁3306注文，於「《四庫》」二字之前，另增：「《四庫薈要》本、文淵閣」等字。

50霖案：《玉海》卷四○，頁801。

51霖案：《玉海》卷四○，頁801。

【增補】〔補正〕案：宋志作「十一卷」。（卷七，頁十九）

佚。

【存佚】朱彝尊《經義考》注曰「佚」，然

【存佚】本書世間仍有存本，且《春秋總義論著目錄》頁四三注曰「存」，故應改注曰「存」。

【版本及藏地】本書版本及藏地如下：

一、清乾隆四十一年武英殿聚珍本：《現存宋人著述目略》頁十八著錄，台北故宮博物院有藏本。

二、藝海珠塵本：宋劉敞撰《春秋傳說例》一卷，《現存宋人著述目略》頁十八著錄，馬來西亞大學圖書館有藏本。

三、榕園叢書本：《現存宋人著述目略》頁十八著錄。

四、清芬堂叢書本：宋劉敞撰《春秋傳說例》一卷，《現存宋人著述目略》頁十八著錄，馬來西亞大學圖書館有藏本。

五、文淵閣四庫全書本：台北故宮博物院有藏本。

【增補】永瑢等撰《欽定四庫全書總目》曰：「春秋傳說例一卷　永樂大典本

宋劉敞撰。案敞《行狀》、《墓誌》俱稱《春秋說例》二卷，陳振孫《書錄解題》則以為一卷，蓋傳鈔分合，互有不同。至《宋史・藝文志》獨稱敞《說例》十一卷，殆傳寫誤衍一『十』字，或竟以十一篇為十一卷也。敞《春秋傳》、《權衡》、《意林》三書，《通志堂經解》有刊板。《文權》與《說例》二書，則僅有其名，絕無傳本。今檢《永樂大典》，尚雜引《說例》之文，謹詳加綴輯，仍釐為一卷。據《書錄解題》稱《說例》凡四十九條，今之所裒僅二十五條，止得其半，且多零篇斷句，不盡全文。又惟『公即位例』、『與例』、『使來例』、『師行例』、『大夫奔例』、『殺大夫例』、『弗不例』七條載有原文標目，餘則說存而標目佚[52]。今并詳釋本文，仿原存諸條體例為之校補。又諸書所載，俱稱《春秋說例》，惟《永樂大典》本[53]加『傳』字。按是編比事以發論，乃其傳文褒貶之大旨，《永樂大典》所載，似尚屬宋刻之舊，今亦從之。敞說《春秋》，頗出新意，而文體則多摹《公》、《穀》，諸書皆然，是編尤為簡古。惟說『大夫帥師例』一條，稱魯不當有三軍，而以《周禮》為後人附會，未免稍偏。又『宣公十八年』經文『歸父還自晉』，敞《春秋傳》從左氏作『至笙』，而是編則從《公》、《穀》作『至檉』，亦頗自相抵牾。其餘則大致精核，多得經意。而宋元說經諸家都未徵引，可知自宋以後已稱罕覯。是編崖略幸存，固《春秋》家所當寶貴矣。」（卷二十六，頁三三八）

52霖案：原註云：「佚」前，浙、粵本有「復」字。

53霖案：原註云「本」，浙、粵本無。

【增補】邵懿辰撰、邵章續錄：《增訂四庫簡明目錄標注》卷三曰：「《春秋傳說例》一卷，宋劉敞撰，原本久佚，今從《永樂大典》錄出。

聚珍板本，藝海珠塵本。

〔續錄〕閩覆聚珍本。」（頁一〇六）

【增補】〔校記〕四庫有輯《大典》本一卷。（《春秋》，頁四八）

六、廣雅書局刊武英殿聚珍版全書：宋劉敞撰《春秋傳說例》一卷，馬來西亞大學圖書館有藏本。

【增補】耿文光《萬卷精華樓藏書記》卷八曰：「《春秋傳說例》一卷　宋劉敞撰

浙江重刊聚珍本。劉氏有春秋文權五卷，佚。提要曰：是書自宋以來絕少傳本，故通志堂未刻。《經義考》曰佚。茲從《永樂大典》錄出，僅二十五條，尚缺其半。

陳氏《書錄》，原父始為《權衡》以評三家之得失，然後集眾說斷以己意而為之傳，傳所不盡者，見之《意林》，其傳用公、穀文體，說例凡四十九條。」（頁二九九至頁三〇〇）

七、叢書集成本：宋劉敞撰《春秋傳說例》一卷，馬來西亞大學圖書館有藏本（二部）。

八、民國五十八年(1969)藝文印書館百部叢書集成初編影印本：(宋)劉敞撰《春秋傳說例》一卷，台北：國家圖書館、國立故宮博物院圖書文獻館等地皆有藏本，蓋此本極為常見，茲不贅述其藏地資料。

九、清嘉慶間(1796-1820)南匯吳氏刊本：(宋)劉敞撰《春秋傳說例》一卷，台北：國家圖書館有藏本。

十、清道光戊子(八年；1828)福建重刊同治間至光緒甲午(二十年；1894)續修增刊本：(宋)劉敞撰《春秋傳說例》一卷，台北：國家圖書館有藏本。

十一、民74臺北市新文豐出版有限公司叢書集成新編本：國立故宮博物院圖書文獻館等地有藏本，蓋此本極為常見，茲不述其藏地。

《春秋文權》（宋）

《宋志》：「五卷。」《玉海》[54]：「二卷。」

【卷數】《曝書亭集》卷三十四〈春秋意林序〉，頁四二六著錄，竹垞題作「二卷」，與《玉海》同。

【考證】《春秋總義論著目錄》頁二一九將劉氏列為「明」人，考《春秋文權》一書，《宋志》、《玉海》皆有著錄，當為宋人撰著，《春秋總義論著目錄》誤入明代撰著。又《春秋總義論著目錄》頁五三將此書列入宋人之籍，可證頁二一九誤入明人之失。

54霖案：《玉海》卷四○，頁801。

佚。

王應麟曰[55]「《中興書目》無。[56]」

劉氏敓《春秋內傳國語》

宋志：「十卷。」

佚。

徐氏晉卿《春秋經傳類對賦》（宋）

【著錄】李一遂〈左氏春秋著錄書目研究〉頁一〇〇錄之。

【書名】本書異名如下：

一、《春秋類對賦》：《現存宋人著述目略》頁十六著錄。

【霖案】本書有清高士奇注本，版本有清風硯齋抄本，福建師院有藏本。

一卷。

存。

【存佚】《春秋總義論著目錄》頁四三注曰「未見」，今考此書頗有諸家傳本，且《經義考》、《左傳論著目錄》頁二七錄有此書，亦作存籍，今從其說。

【版本及藏地】本書版本及藏地如下：

一、通志堂經解本：宋徐晉卿撰《春秋經傳類對賦》一卷，前有皇祐三年自序，後有至大戊申區斗英跋，此本出於汲古閣，蓋李中麓鈔本。

【增補】耿文光《萬卷精華樓藏書記》卷八曰：「《春秋經傳類對賦》一卷宋徐晉卿撰

通志堂本。前有皇祐三年自序，後有至大戊申區斗英跋。春秋一萬八千言，比賦一萬五千言，一百五十韻，包羅經傳，首尾貫穿。比事之切，非深於《春秋》者不能。《春秋賦》見《宋志》，有崔升、裴光輔、伊玉羽、李象諸家，晁志又有楊筠，分門屬類，賦十篇獨不載是書，則傳本甚少。此出於汲古閣，蓋李中麓鈔本也。

區氏跋曰：是書乃徐秘書所作。江陵路總管太原趙嘉山得其善本，授之郡庠，俾鋟梓以淑諸生。」（頁三〇三至頁三〇四）

二、重刊通志堂經解本：(宋)徐晉卿撰《春秋類對賦》一冊，台北：政治大學圖書館有藏本，《現存宋人著述目略》頁十六著錄。

55霖案：《玉海》卷四○，頁801。

56霖案：此為注文之句，原書作「《中興目》:『《意林》二卷，總四十卷，無《文權》』」。竹垞逕將「《中興目》」改作「《中興書目》」，且刪去「《意林》二卷，總四十卷，」諸字，僅留「無(《文權》)」字。

又馬來西亞大學圖書館有藏本（二部）。

三、清同治十二年(1873)粵東書局重刊本：(宋)徐晉卿撰《春秋類對賦》一卷，台北：國家圖書館有藏本。

四、康熙三十年高自刻本：李一遂〈左氏春秋著錄書目研究〉頁一〇〇錄之，題作「大陸：中山大學藏」。

又清華大學圖書館、故宮博物院圖書館另有藏本，作「宋徐晉卿撰　清高士奇補注，《春秋左傳類對賦》一卷。

五、傳抄本：徐晉卿《春秋左傳類對賦》一卷。

【增補】《續修四庫全書總目提要》：「春秋左傳類對賦一卷　傳鈔本　張壽林

宋徐晉卿撰。晉卿里貫不可考。宋仁宗皇祐中為將仕郎試秘書省校書郎。是編都凡一卷。考之晁氏讀書志。趙氏讀書附志。鄭氏通志藝文略。陳氏書錄解題。朱氏授經圖。焦氏國史經籍志。皆不著於錄。惟清朱彝尊經義考春秋類第十三著錄之。並引區斗英之言曰。是賦乃徐秘書所作。江凌路總管太原趙嘉山得其善本。授之郡庠。俾鋟梓以淑諸生。按區斗英為元惠宗至正中長沙教授。則其書蓋至有元中葉。始行於世。又考是編。書名作春秋左傳類對賦。而朱氏經義考則作春秋經傳類對賦。按晉卿自序云。乃於暇日。撰錄成賦。命曰春秋經傳類對。與朱氏之說正合。則是編或後人以賦中大旨。多據左傳以立說。故易經字為左字歟。今考其書。蓋以春秋三傳。莫善於左氏。而苦其義理牽合。卷帙繁多。難以殫記。因賅括其意。而為斯賦。凡一百五十韻。一萬五千言。詳其詞旨。頗稱簡古。欲包羅經傳。牢籠善惡。故引其辭以倡之。欲綜錯名跡。原始要終。則簡其句以包之。卻按其典實。故表其年以證之。欲循其格式。故比其類以對之。屬辭比事。釐然不紊。惜其書之作。雖以敘事為宗。不以能文為本。仍不免限於體制。往往立意迂闊。多所疏漏。不過為初學誦習之便。未足以語於著作之林也。」(頁六七八)

六、清風硯齋抄本：高士奇注本，福建師院有藏本。

晉卿〈自序〉[57]曰：「予[58]讀《五經》，酷好《春秋》，治《春秋三傳[59]》，雅尚《左氏》，然義理牽合，卷帙繁多，顧茲[60]謏聞，難以殫記，乃於暇[61]日撰成錄賦一篇，凡一百五十韻，計一萬五千言。欲包羅經傳，牢籠善惡，則引其辭以倡[62]之；欲錯綜名跡，源統起

57霖案：《通志堂經解》本，冊二四，頁13791。

58霖案：「予」字，《春秋經傳類對賦・序》作「余」字。

59霖案：「傳」字，《春秋經傳類對賦・序》漫漶不清。

60霖案：「茲」字，《春秋經傳類對賦・序》漫漶不清。

61霖案：「暇」字，《春秋經傳類對賦・序》漫漶不清。

62「倡」，《四庫》本作「唱」。　霖案：《經義考新校》頁3307注文，於「《四庫》」二字之前，另有「

末，則簡其句以包之；欲按其典實，故表其年以證之；欲循其格式，故比其類[63]以屬之，首尾貫穿，十得其九，命曰《春秋經傳類對》，將使究其所窮，可以尋其枝葉；舉其宏綱，可以撮其樞要也。其間立意迂闊，措辭鄙野，不尚華而背實，但慮涉於淫競，不摘詭以扶奇，又懼傷夫[64]名教，故用藏於巾衍，以自備於檢尋，傳之昆雲而俾謹乎誦習，非敢流布聖旦，昭示鉅儒，以為哂噱之資也[65]。」

【增補】〔補正〕〈自序〉末當補云：「皇祐三年正月望日。」（卷七，頁十九）

區斗英[66]曰：「是賦乃徐祕[67]書所作，江陵路總管太原趙嘉山得其善本，授之郡庠，俾鋟梓以淑諸生[68]。」

按：是書晁氏《讀書志》、趙氏《讀書附志》、鄭氏《通志略》、陳氏《書錄解題》、朱氏《授經圖》。焦氏《國史經籍志》皆無之。晉卿，皇祐中為將仕郎，試祕書省校書郎。區斗英者，元至正中長沙教授也。

李氏宗道《春秋十賦》（宋）

一卷。

【著錄】李一遂〈左氏春秋著錄書目研究〉頁一〇〇著錄。

佚。

王應麟曰[69]：「李宗道《春秋十賦》，屬對之工，如：越椒，熊虎之狀，弗殺，必滅若敖；伯石，豺狼之聲，非是，莫喪羊舌；王子爭囚而州犁上下，伯輿合要而范宣左右；魯昭之馬將為櫝，衛懿之鶴有乘軒；于奚辭邑而衛人假之器，晉侯請隧而襄王與之田；星已一終魯君之歲，亥有二首絳老之年；作楚宮，見襄公之欲楚；效夷[70]言，知衛侯之死夷[71]；雞憚

文淵閣」三字。今考《春秋經傳類對賦・序》實題作「倡」字。

63霖案：「類」字，《春秋經傳類對賦・序》實題作「韻」字，衡諸文意，應以「韻」字為是。

64霖案：「夫」字，《春秋經傳類對賦・序》漫漶不清。

65「也」字下，應依《補正》補「皇祐三年正月望日」。　霖案：「也」字下，應補入「時皇祐三年辛卯正月望日序」等十二字，「點校本」僅據《經義考補正》補入「皇祐三年正月望日」等字，實未能還原其書，故有些許錯誤。

66霖案：《春秋類對賦・後跋》（《四庫全書存目叢書》子部・冊一六七），頁423。

67霖案：「祕」字，《春秋類對賦・後跋》題作「秘」字，書寫習慣不同所致。

68霖案：「諸生」二字下，《春秋類對賦・後跋》另有「至大戊申蜡月教授長沙區斗英謹識。」等字，明白標示所撰跋文的年月，惜竹垞刪去不錄，今據原書補入相關文句，以供讀者參考。

69霖案：《翁注困學紀聞》卷十九，〈評文〉，冊下，頁950。

70霖案：《經義考新校》頁3308新增注文如下：「『欲楚，效夷』，文津閣《四庫》本改作『好大，效方』。」

71霖案：《經義考新校》頁3308新增注文如下：「『死夷』，文津閣《四庫》本改作『將亡』。」

犧而斷其尾，象有齒以[72]焚其身；虞不臘矣，吳其沼乎；好魯以弓，請謹守寶，賜鄭以金，盟無鑄兵；蛇出泉臺聲姜薨，鳥鳴亳社伯姬卒。」

章氏拱之《春秋統微》

《宋志》：「二十五卷。」

佚。

王應麟曰[73]：「《統微》[74]據《三傳》、啖、趙意所不及者，斷以己見，并采陸淳可取之義。」

李氏清臣《春秋論》

二篇。

存。

【版本及藏地】本書版本及藏地如下：

一、四庫全書《宋文選》本：分上下二篇，《春秋總義論著目錄》頁五三至頁五四著錄。

杜氏諤《春秋會義》（宋）

《宋志》：「二十六卷。」

【卷數】本書卷數異同如下：

一、十二卷本：《現存宋人著述目略》頁十八著錄。

二、四十卷本：羅振玉《經義考目錄·校記》著錄。

三、廿六卷本：孫能傳等撰《內閣藏書目錄》卷八，頁四七七、羅振玉《經義考目錄·校記》著錄。

佚。

【存佚】朱彝尊《經義考》注曰「佚」，《春秋總義論著目錄》頁二〇注曰「輯存」，然而台中東海大學圖書館藏有二十六卷，則此書實存於世間，當據以改曰「存」。

【版本及藏地】本書版本及藏地如下：

一、碧琳琅館叢書本：宋杜諤撰《春秋會義》十二卷，馬來西亞大學圖書館有藏本。《現存宋人著述目略》頁十八著錄。

72霖案：「以」字，《翁注困學紀聞》卷十九題作「而」字。

73霖案：《玉海》冊二，卷四○，頁800。

74霖案：「《統微》」二字下，應依《玉海》補入「二十五卷」四字，竹垞或以此四字已見於《宋志》，故刪去，今據原書補入。

【增補】《續修四庫全書總目提要》：「春秋會義十二卷　碧琳瑯館叢書本　　楊鍾義

清楊昌霖輯。昌霖字際時。號儉菴。又號簡齋。吳縣人。乾隆乙未進士。改庶吉士。散館改刑部主事。宋史藝文志載春秋會義二十六卷。馬端臨經籍考同。晁公武曰皇祐間進士杜諤集釋例。繁露。規過。膏肓。先儒同異篇。指掌。碎玉。折衷。指掌議。纂例。辨疑。微旨。摘微。通例。胡氏論。箋義。總論。尊王。發微。本旨。辨要。旨要。集議。索隱。新義。經社三十餘家。成一書。其後仍斷以己意。陳振孫曰。鄉貢進士江陽杜諤獻可撰。自三傳及啖趙諸儒。迄於孫氏經社。凡三十餘家。集而繫之。時述以己意。有任貫者為之序。嘉祐中人也。其書久佚。昌霖自永樂大典輯為十二卷。惟僖公襄公大典有缺。餘俱完善。中為謄錄鈔說三十餘條未補。孔繼涵借鈔錄副。題記稱其引書有五十餘家。而其注曰各見前。則永樂大典已載其全書。故不復出。非杜本書也。署年乾隆丙寅。昌霖乙未館選記中已稱為庶常。且繼涵生於乾隆四年己未。卒於四十八年癸卯。丙寅時甫八歲。

必係壬寅或丙申之誤。諤之言曰。孔子曰天下有道則禮樂征伐自天子出。無道自諸侯出。蓋十世希不失矣。安國釋之曰。希少也。平王東遷。周始微弱。諸侯自作禮樂。專行征伐。始于隱公至昭公十世。失政死乾侯。然此必以隱公為十世始者。謂夫子之言乃作春秋之本意也。然而平王東遷之後。周既微弱。孝惠之世。豈有禮樂征伐不自諸侯出乎。此當求于夫子希不失之言也。蓋夫平王之初。周室雖微而列國之失尚少。至其末年凌替日久。諸侯專恣頗多。而隱公為失尤甚。故春秋所以作矣。何以言之。蒙于春秋見王道之正。自魯隱而壞也。且隱之繼惠。父子代立之正也。隱公既立。而內有授桓之心。以啟其篡。使天子繼世立諸侯之禮由之。而其本已壞。則是隱公之于魯所謂希不朱焉。亦孟子所云世衰道微之漸。春秋始之。託王事以載行事。則其端非獨發於平王也。其說持之有故。言之成理。其書多采古今異同之說。原書亦多不傳。後人博觀約取。必有得於聖人之旨。說經者迂而鑿。拘而淺。不若精而通也。」（頁七四一至頁七四二）

【考證】《續修四庫全書總目提要》頁七四一僅題輯書之人，未題此書為「杜諤」之作，需詳視內容，始能得知撰作者，與其餘諸例不合。

【增補】《續修四庫全書總目提要》：「春秋會義十二卷　碧琳瑯館叢書本　　張壽林

宋杜諤撰。清楊昌霖輯。杜諤字獻可。江陰人。皇祐間進士。昌霖字檢菴。官至庶常。考宋史藝文志經部春秋類著錄諤所著春秋會義二十六卷。文獻通考著錄亦同。其書久佚。昌霖自永樂大典輯出。釐為十有二卷。內惟僖公襄公。大典有缺。餘俱完善。今以是本。校之大典。其謄錄鈔脫者。亦不下三十餘條。雖已非杜氏之舊。然其書之面目。亦大體略備。昌霖輯錄之功。要不可沒。按清朱彝尊經義考春秋類第十三。春秋會義條下。載杜氏自序。雖已為殘篇。然備論諸家源流。頗稱精審。則諤固邃於三傳者。其書大抵採三傳之說。又諸家注疏。而斷以己意。宋晁公武郡齋讀書志云。皇祐間進士杜諤。集釋例。繁露。規過。膏肓。先儒同異篇。指掌。碎玉。折衷。

折掌議。纂例。辨疑。微旨。摘微。通例。胡氏論。箋義。總論。尊王。發微。本旨。辨要。旨要。集議。索隱。新義。經社三十餘家成一書。其後仍斷以己意。陳振孫直齋書錄解題亦稱其書自三傳及啖趙諸儒。訖於孫氏經社。凡三十餘家。集而繫之經下。時述以己意。則其書蓋集解之體。故名之曰會義。惟今考是編。引家凡五十餘家。視晁陳二氏之說為多。按大典於各條之下。或注曰各見前。則大典於此諸家已載其全書。故不復出。似不盡為杜書原書也。其書徵引諸家。雖頗淵。惜不免失之蕪漫。又往往略於考證。罕有論斷。眾說紛紜。莫衷一是。至於杜氏之說。大旨亦不出宋人臆斷之私。拘於名字人爵日時諸例。持論頗傷苛刻。如謂名裂繻以貶之。復又月以危之之類。皆於經旨未盡允協。惟其援引之書。今多散佚。得藉其書而存其概略。晁公武謂其說不皆得聖人之旨。然使後人博觀古今異同之說。則於聖人之旨。或有得焉。可謂持平之論矣。」（頁七四二）

二、鈔本：丁丙善本書室藏本。

三、清光緒十八年榮城孫氏山淵閣刊本：台中東海大學圖書館有藏本。

【增補】〔校記〕丁氏善本書室藏鈔本四十卷，孫葆田有刊本廿六卷。（春秋，頁四八）

四、芋園叢書本：《中國古籍善本書目》、《春秋總義論著目錄》頁二〇著錄此本。

五、清抄本：宋杜諤撰，《春秋會義》十二卷，清孔繼涵校並跋　孔廣栻校，中國國家圖書館有藏本。

諤〈自序〉略曰[75]：「漢胡毋生、董仲舒之徒出，而《公羊》興；申公、蔡千秋之學盛，而《穀梁》起；業《左氏》者，又有賈護、劉歆之屬，故得並立學官。三家異論，接跡而出，是非互有，所私注釋之意多緣其流。杜元凱則拘以赴告，何休則涉以讖緯，范甯雖務探經，而博采諸說，然未盡詳；唐世，啖、趙、陸淳亦精焉。下闕。」

晁公武曰[76]：「皇祐閒[77]，進士杜諤集《釋例》、《繁露》、《規過》、《膏肓》、《先儒同異篇》、《指掌》、《碎玉》、《折衷指掌議》[78]、《纂例》、《辨疑》[79]、《微旨》、《摘微》、《通例》、《胡氏論》、《纂義》、《總論》、《尊王發微》、《本旨》、《辨要》[80]、《旨要》[81]、《集議》、《索隱》[82]、《新義》、《經社》三十[83]餘家成一書，其

75霖案：本文出自《群書考索》卷6，〈春秋會義序〉。

76霖案：《郡齋讀書志》卷第三，頁106、《文獻通考．經籍考》卷十，頁255均錄及此文。

77霖案：「閒」字，《文獻通考》題作「間」字。

78霖案：「《折衷指掌議》」的斷句，應分為二句，即「《折衷》、《指掌議》」，《點校補正經義考》的斷句，有商議餘地。

79霖案：「《辨疑》」，《文獻通考》作「《辯疑》」。

80霖案：「《辨要》」，《文獻通考》作「《辯要」。

81《四庫》本脫「《旨要》」二字。　霖案：《經義考新校》頁3310注文，於「《四庫》」二字之前，另

後仍斷以己意，雖其說不皆得聖人之旨，然使後人博觀古今異同之說，則於聖人之旨或有得焉。」

陳振孫曰[84]：「自《三傳》及啖、趙諸儒，訖於孫氏經社[85]，凡三十餘家，集而繫之經下[86]，時述以己意，有任貫者為之〈序〉。」

【增補】何廣棪〈讀《直齋書錄解題・春秋類》札記二則〉曰：「任貫，《宋史》、《宋史新編》、《宋史翼》、《四十七種宋代傳記綜合引得》均無其傳記資料，余前撰《陳振孫之經學及其〈直齋書錄解題〉經錄考證》亦未能考及其生平出處。近檢《宋會要輯稿》，於第一百七冊《選舉》二之九查出任貫資料一條，迻錄如左：

（嘉祐）六年四月二十二日，以新及第進士第一人王俊民為大理評事，僉書武軍節度判官公事；第二人陳睦兩使幕職官；第三人鑠廳將作監主簿王陟臣為太常寺奉禮郎，簽書高郵軍判官廳公事；第四人任貫、第五人黃履並為試銜知縣；第六人已下明九經及第，並為試銜大郡判司、大縣主簿尉。第二甲至第四甲，並為試銜判司、簿尉。第五甲并諸科同出身，並守選。

是則任貫於嘉祐六年考選一甲第四人，得任試銜知縣。《解題》謂任貫「嘉祐中人」，與此正相參證。所昔貫所為《序》未之見，不悉四川大學古籍整理研究所編之《全宋文》有輯得否？[87]

【增補】何廣棪：《陳振孫之經學及其《直齋書錄解題》經錄考證》曰：「廣棪案：《讀書志》卷第三《春秋類》著錄：『《春秋會義》二十六卷。右皇祐間進士杜諤集《釋例》、《繁露》、《規過》、《膏肓》、《先儒同異篇》、《指掌碎玉》、《折衷》、《指掌議》、《纂例》、《辨疑》、《微旨》、《摘微》、《通例》、《胡氏論》、《箋義》、《總論》、《尊王發微》、《本旨》、《辨要》、《旨要》、《集議》、《索隱》、《新義》、《經社》三十餘家成一書，其後仍斷以己意。雖其說不皆得聖人之旨，然使後人博觀古今異同之說，則於聖人之旨或有得焉。』《解題》所述多本於晁氏。惟《讀書志》稱諤為『皇祐間進士』，《解題》則稱『嘉祐中人』，

增：「文淵閣」三字。

82霖案：「《索隱》」，《文獻通考》誤作「牽隱」，蓋因形近而誤。

83「三十」，《四庫》本誤作「三千」。　霖案：《經義考新校》頁3310注文，於「《四庫》」二字之前，另增：「文淵閣」三字。今考《文獻通考》作「三十」。蓋「千」、「十」形近而誤入，應以「三十」為是。

84霖案：《直齋書錄解題》卷三，頁460、《文獻通考．經籍考》卷十，頁256。

85霖案：「經社」二字，應加書名號為宜。

86霖案：「經下」二字，《文獻通考》引文未有此二字。

87霖案：何廣棪：〈讀《直齋書錄解題．春秋類》札記二則〉，頁30（台北：《書目季刊》第三十五卷第二期，民國九十年九月十六日）

二者有異。考皇祐與嘉祐皆仁宗年號，二者前後相距不足十年，諤蓋仁宗時代人，故謂之皇祐間人或嘉祐中人，均無不可也。然檢柯維騏《宋史新編》卷一百七十四有《杜諤傳》，謂諤『理宗朝蘄州錄事參軍兼司戶，金兵陷蘄州，死於難』。則此杜諤固非撰《春秋會義》二十六卷之杜諤矣。《經義考》卷一百八十《春秋》十三『杜氏諤《春秋會義》』條引『陳振孫曰』，闕末句『嘉祐中人也』五字。」（頁五六二）

張萱曰[88]：「宋皇祐間[89]，眉州杜諤注，以《三傳》及諸儒三十餘家議論分繫於經之下，而附以說，凡二十六卷。」

趙氏瞻《春秋經解義例》（宋）

【作者】趙瞻（1019～1090），字大觀，其先亳州永城人，徙鳳翔之盩厔。慶曆六年進士，諡懿簡。著有《春秋論》三十卷、《史記牴悟論》五卷、《唐春秋》五十卷、《春秋經解》十卷、《春秋例義》二十卷、《奏議》十卷、《文集》二十卷、《西山別錄》一卷。

《宋志》：「二十卷。」

佚。

《春秋論》（宋）

《宋志》：「三十卷。」

佚。

《宰輔編年錄》[90]：「趙瞻，字大觀，鳳翔盩厔人。元祐三年，簽書樞密院事，卒諡懿簡。」

晁說之〈序〉曰[91]：「夫子自謂三十而立之後，十年乃不惑，實自志學之後二十年也。嗟乎!學而不惑之難如此同。知[92]樞密院懿簡趙公沒身於《春秋》，著《春秋經解》十卷，約

88霖案：孫能傳等撰《內閣藏書目錄》卷二，頁477。案：《內閣藏書目錄》為多人所撰，竹垞以「張萱」為代表。

89霖案：「皇祐間」三字，應依《內閣藏書目錄》作「元祐間」。

90霖案：出自四庫本：《宰輔編年錄》卷九；又文海本：《宋史資料萃編》第二輯2，續編274-275等有之。

91霖案：晁說之，《景迂生集》卷十七，〈趙懿簡春秋序〉，（台北：臺灣商務印書館，「景印文淵閣四庫全書」冊一一一八，民國七十五年三月，初版），頁332-333。

92霖案：「同。知」，標點應作「。同知」，蓋「同知」一詞，實為宋初樞密院有同知樞密院事，簡稱同知院，為知院的副職。南宋有同知閤門事官，為官示至右武大夫而為閤門司主官者，而《點校補正經義考》的斷句有誤，實乃不知「同知」為一官名也。蓋《宋史》卷十七云：「（元祐四年六月）丙午以趙瞻同知樞密院事」（頁329），則以「同知樞密院事」連讀，可知《點校補正經義考》於此文斷句，有誤斷文句之失。

而喻，簡而達；顧杜氏、啖、趙諸儒之例而病之，作《春秋例義》二十卷。問者曰：『孰病？』曰：『病前人有例而無義也。』曰：『孰謂義？』曰：『義正者為正例，猶嶽鎮之不可移也，義變者為變例，則滄海之涵泳而靡常也。俟其比偶其類，右志而左物；又如九野之博而實其理，眾星之繁而麗乎文，則約且簡者，得以窺聖人之志也。自啖、趙謂《公》、《穀》守經、《左氏》通史之後，學者待《左氏》如古史記，美文章紛華而玩之，不復語經於斯矣。公獨於經先之《左氏》，而不合則求之《公》、《穀》，又不合則求之啖、趙、陸氏；而遠獨及於董仲舒，近在本朝諸儒，則獨與孫明復辨[93]。其好而無黨，惡而無欲，毅然不惑於名高者也，黯然不惑於眾而自信者也。公未[94]著書之前，有名世大儒為矯枉之論，曰：『隱非讓，盾、止實弒。』國中勇聞而鄉風，莫敢少異。公獨歎[95]曰：『予豈溺於《三傳》者？其如《春秋》重志而察微，何信簡編而疑師授，專耳目而忽志意，最學者之災也。隱雖非賢君，而讓國之志不可誣也；盾非州吁、止非般，則非實弒[96]而加弒以篤為人臣、為人子者萬世之忠孝。眾人之疑可也，孰謂君子而疑諸？如彼[97]之言，則《春秋》開卷平讀而小子得之矣，何為乎[98]子貢、閔子騫、公肩子、曾子、子石之徒惑焉，學者徒知游、夏不能措一字也已？』嗚呼！公之於《春秋》篤好而勤力矣，公早以濮議名重於天下，其後論新法，閒居終南之下者十餘年，晚由溫公之言起，廢不三年，遂與樞務，皆以《春秋》之學著之行事，而未嘗以所學一出於口，又何難耶？世之人徒知公之立朝，而莫知公之所以然者，積學於躬有在於此也。公不究所蘊而薨於位，大夫學士悲之，而幸此書之存焉爾也。說之元祐中以婚姻之故，辱公賜之話言，繆[99]已竊為《春秋》學矣，而不能公之問，雖嘗略覩公之書而未之好也。逮今三十餘年，始知好公之書，而歎息涕泗有不可贖之悔，則姑從其諸孫而序之，以補墓銘隧碑之所遺云。宣和五年癸卯五月[100]。』

陸氏綰《春秋新解》

【作者】陸綰，字伯厚，字權叔，初名絳，常熟人。舉寶元元年進士，有《春秋新解》三十卷。

三十卷。

93霖案：「辨」字，《景迂生集》作「辯」字。

94霖案：《經義考新校》頁3311新增注文如下：「文淵閣《四庫》本『未』下有『嘗』字。」。

95霖案：「歎」字，《景迂生集》作「嘆」字。

96「弒」下，《四庫》本有「君」字。　霖案：《經義考新校》頁3312注文，「《四庫》」二字之前，另有「文淵閣」三字。今考《景迂生集》未錄有「君」字。

97霖案：「彼」字，《景迂生集》題作「此」字。

98霖案：「乎」字，《景迂生集》無此字，當據以刪正。

99「繆」，《四庫》本作「謬」。　霖案：《經義考新校》頁3312注文，「《四庫》」二字之前，另有「文淵閣」三字。今考《景迂生集》題作「繆」字，「繆」、「謬」二字，常互通用也。

100霖案：《經義考新校》頁3312新增注文如下：「『五月』，《四庫薈要》本作『正月』。」今考「月」字下，應依《景迂生集》補入「甲寅，朝請大夫知成州晁說之序」等十三字。

【卷數】《春秋總義論著目錄》頁二一曰：「考證：《江南通志》載為二十卷。」，則另有一本，題作二十卷。

佚。

盧熊曰：「陸綰，字權叔，常熟人。舉進士，官至朝奉郎、尚書職方郎中，充淮南等路制，置發運，司運鹽公事，贈中散大夫。」

朱氏臨《春秋私記》

《宋志》：「一卷。」

佚。

《春秋統例》

《通志》：「二十卷。」

佚。

《金華志》101：「臨先家吳興，五季避亂遷浦陽，從安定胡瑗受《春秋》。瑗著《春秋辨要》，謂惟臨所得為精。臨晚年好唐陸淳學，謂孔子沒千有餘年，說《春秋》者無出淳書之右。以呂公著薦入官，歷宣德郎守、光祿寺丞，以著作佐郎致仕。」

王氏棐《春秋義解》　「棐」，程氏《本義》作「斐」。

《宋志》：「十二卷。」

佚。

唐氏既《春秋邦典》

【作者】鄒浩《道鄉集》卷十二〈邦典序〉指明唐既撰《春秋邦典》一書，而鄒浩曾親見唐既，故其所云內容，自當較《宋志》更具參考價值。此外，《直齋書錄解題》、《文獻通考》均題作「唐既」，是以翁方綱《經義考補正》採錄此說，云：「按：《宋史》作『唐既濟』，此云『唐既』，蓋從書錄解題、文獻通考。」（卷七，頁十九），而何廣棪：《陳振孫之經學及其《直齋書錄解題》經錄考證》亦以此書為唐既所撰，《宋志》所題作「唐既濟」，實乃誤題撰者姓名，說法詳見下文。

【書名】《文獻通考．經籍考》卷十，頁二五七著錄，題作《左氏邦典》。

【增補】李一遂〈左氏春秋著錄書目研究〉頁一一九錄有唐既濟《左氏解》一卷，竹垞未錄此書，當據以補入，惟李氏云「《經義考》注佚」，然考之《經義考》一書，僅王安石撰有《左氏解》一書，未見唐氏撰有此書，則李氏所云，或誤以安石之書為唐氏撰書，因而致誤。今暫補唐既濟《左氏解》一書於此，以俟後考。

《宋志》：「二卷。」

101霖案：出自：可參考四庫本：《浦陽人物記》 卷下-3下, 百部金華叢書, 知不足齋叢書, 筆記小說大觀本。

佚。

鄒浩〈序〉[102]曰：「真淡翁，隱者也。少舉進士，有能賦聲，已而用其伯父質肅公之薦仕州縣，一日，不合意，莞然笑曰：『道其在是乎？』拂衣以歸，遂閉關於漢水之上，殆二十年。元祐八年冬，予以教官至襄陽求見翁，翁弗予拒也，而登其堂，造其室，親炙其言行而知其心。蓋嘗論辨至於經史百氏之書，從橫稽據，如出乎其時而目覩[103]其事，如即乎其人而躬受其旨，未嘗不覼然驚，喟然歎，以翁為邈不可即[104]也。其後集《論語》、《春秋》者分為二卷，合四十四篇，且以六典治邦國之義，名之曰《邦典》。顧自《三傳》以來，相踵而私其見者多矣，獨於眾言殽亂之中取《周官》而折衷焉，以暢孔子不說之意，如執規矩以驗方圓，如引繩墨以分曲直，雖三尺童子亦舉知其可信不疑。嗚呼!《春秋》日月[105]傳注者,食之不有人焉？袪陰陽之慝而還其光明,則倀倀於世者孰待而成功乎？翁之有功於經,可謂至矣。覽者以天[106]默而成之之心，觀其默而成之之說，則邦典之奧當自得之。姑掇其大概，并翁之所以出處者發其端云。翁唐氏，名既，字潛亨，號真淡翁。紹聖四年[107]。」

陳振孫曰[108]：「唐既，字潛亨撰，質肅之姪，自號真淡翁，與其子懋問答而為此書，鄒道鄉為之〈序〉」

【增補】何廣棪：《陳振孫之經學及其《直齋書錄解題》經錄考證》曰：「廣棪案：鄒浩《道鄉集》卷二十七有《邦典序》曰：『真淡翁，隱者也。少舉進士，有能賦聲。已而用其伯父質肅公之薦，仕州縣。一日不合意。莞然笑曰：『道其在是乎？』拂依以歸。遂閉關於漢水之上，殆二十年。元祐八年冬，予以教官至襄陽，求見翁，翁弗予拒也。而登其堂，造其室，親炙其言行，而知其心。蓋嘗論辨至於經史、百氏之書，從橫稽據，如出乎其時而目睹其事，如即乎其人而躬受其旨，未嘗不覼然驚、喟然歎，以翁為邈不可即也，其後集《論語》、《春秋》者，分為二卷，合四十四篇，且以六典治邦國之義，名之曰《邦典》。顧自《三傳》以來，相踵而私其見者多矣；獨於眾言殽亂之中，取《周官》而折衷焉，以暢孔子不說之意，如執規矩以驗方圓，如引繩墨以分曲直，雖三尺童子亦舉知其可信不疑。嗚呼！《春秋》日月，傳注者食之。不有人焉袪陰陽之慝而還其光明，則倀倀於世者孰待而成功乎？翁之有功於經，

102霖案：鄒浩撰《道鄉集》卷二七，〈邦典序〉(文淵閣四庫全書本冊一一二一，臺灣商務印書館出版)，頁396-397。又可參看《千頃堂書目》卷八，頁55下，《萬姓統譜》卷一，頁6下，《浙江通志》卷一八二，頁6上等書。

103霖案：「覩」字，《道鄉集》卷二七題作「睹」字

104霖案：「即」字，《道鄉集》卷二七題作「際」字。

105霖案：「月」字下，應依《道鄉集》卷二七補入「也」字。

106「天」，應依《備要》本作「夫」。　霖案：今考《道鄉集》卷二七題作「天」字，顯見《備要》本所所作「夫」字，當係依其文意改之，原書文字應作「天」字。

107霖案：「年」字下，《道鄉集》另有「月日序」三字，竹垞刪除之，今據《道鄉集》序文補之。

108霖案：《直齋書錄解題》卷三，頁460、《文獻通考．經籍考》卷十，頁257。

可謂至矣。覽者以夫默而成之之心，觀其默而成之之說，則《邦典》之奧當自得之。姑掇其大概，并翁之所出處者發其端云。翁，唐氏名既，字潛亨，號真淡翁。昭聖四年。』據鄒《序》，則此書名《邦典》，乃集《論語》、《春秋》而成，分為二卷，凡四十四篇。《題解》有誤。又唐既，非名既濟，《宋志》誤，《四庫》館臣據之以改《解題》，乃以不誤為誤。鄒浩，字志完，學者稱道鄉先生。所撰有《道鄉集》四十卷。《解題》作『道卿』，亦誤；文弨所校則允恰也，至既之子，《宋元學案補遺》卷八作『唐矜　』，與《解題》不同，為知孰是。」（頁五六四至頁五六六）

孫氏子平練氏明道《春秋人譜》

【增補】〔補正〕按：《玉海》作「鳴道」，此從《宋史》。（卷七，頁十九）

《宋志》：「一卷。」

佚。

《宋史》[109]：「孫子平、練明道同撰。」

王應麟曰[110]：「元祐中，孫子平、練明道編《春秋人譜》[111]，凡[112]三十八國、千七百六十五人，分三卷，今合為一。」

張氏砥《春秋傳》

【作者】張砥，著有春秋傳。書成，託司馬光白上，廢三傳之學，而行其書，以申千載聖人未明之意。光封還之。後曾追封「還之」。

佚。

按：砥治《春秋》三十年，成書三十萬言，當日以貽司馬溫公，託其白上廢三傳之學而行其書，以伸千載聖人未明之意。溫公封還之，報書存集中。

【增補】司馬光《溫國文正公文集》卷第六十一，〈荅張砥先生書〉曰：「八月二日，涑水司馬光白張君：『先生辱書，示以所著《春秋傳》，士大夫不以經術為事久矣。足下獨能治《春秋》三十年，成書三十萬言，是古之儒者復見於今日也。欽仰咨嘆，無有窮已。足下自謂：『天以聖師之道，厄日引久，而陰有所相，若非己意之所自出者。』光經術素淺，於《春秋》尤所不通，虛辱足下之賜，讀之累日，不能識其涯涘，又烏暇知其得失，敢錯論議於其間哉！至於建白於上，今廢三傳之學，而行足下之書，以伸千載聖人未明之意，此尤非光之所敢任也。不勝惶悸之劇，其書僅再拜封

109霖案：《宋史》卷二○二，〈藝文志〉，頁5059。

110霖案：《玉海》，冊二，卷四○，頁802D。

111霖案：「《春秋人譜》」四字下，《玉海》另有「一卷」二字，竹垞或以二字字義與《宋志》著錄重複，且王應麟《玉海》下文引及「分三卷，今合為一。」，明言此書版本已為「一卷」，因而刪去二字，今據原書文句，應加入「一卷」二字。

112霖案：「凡」字下，《玉海》另有「編」字，今據以補入。

納，請更擇能通《春秋》，學有大名，居高位，可以副足下之求者而從之，幸甚。不宣。光白。』」（頁四五五）

馮氏正符113《春秋得法忘例論》

【作者】馮正符，字信道。出生於遂寧，嘗從何群學，三上禮部不第，以經學教授梓遂間，於諸經多解說。熙寧九年中丞鄧綰薦之，召試舍人院，賜同進士出身。著《春秋得法忘例論》三十卷，及《詩》、《易》、《論語解》。沒後無子孫，其書為估人擅易姓名，屬諸李陶。

【作者】張心澂《偽書通考》曰：「《春秋得法忘例論》三十卷　或誤題撰人」（頁四八一），案：其書或誤為「宋蜀州晉原主簿遂甯馮正符信道撰」，即竹垞所謂「馮氏正符」者也。

【書名】本書異名如下：

一、《春秋得法志例論》：《直齋書錄解題》卷三，頁四六〇、《文獻通考·經籍考》卷十，頁二五三著錄。

《通考》：「三十卷。」

佚。

晁公武曰114：「皇朝馮正符所撰。熙寧八年，何郯取其書奏之，久而不報，意王安石不喜《春秋》故也。其書例最詳悉，務通經旨，不事浮辭。正符頗與鄧綰、陳亨甫交私，後坐口語被斥。」

陳振孫曰115：「蜀州晉原主簿遂寧馮正符信道撰。其父堯民希元為鄉先生，正符三上禮部不第，教授梓遂學，十年，著此書及《詩》、《易》、《論語解》。蜀守何郯首以其《春秋論》上之。熙寧末，中丞鄧綰薦之，得召試，賜同進士出身，王安石亦待之厚。其書首辨116王魯、素王之說及杜預三體五例、何休三科九旨之怪妄穿鑿，皆正論也。」

【增補】何廣棪：《陳振孫之經學及其《直齋書錄解題》經錄考證》曰：「廣棪案：《讀書志》卷第三《春秋類》著錄：『《得法忘例論》三十卷。右皇朝馮正符所撰。熙寧八年，何郯取其書奏之，而久之不報，意者王安石不喜《春秋》故也。其書例最詳，悉務通經旨，不事浮辭。正符頗與鄧綰、陳亨甫交私，後坐口語被斥。』《文獻通考·經籍考》卷十『《春秋得法忘例論》』條引巽巖李氏曰：『信道當熙寧九年，用御史鄧文約薦，召試舍人院，賜出身。文約尋責守虢略，信道亦坐附會奪官。歸故

113「正苻」，《四庫》本誤作「玉符」。　霖案：《經義考新校》頁3316注文，「《四庫》」二字之前，另有「文淵閣」三字。又將「正苻」改作「正符」，符合原書文句。

114霖案：《郡齋讀書志》卷第三，頁104、《文獻通考．經籍考》卷十，頁253。

115霖案：《直齋書錄解題》卷三，頁460、《文獻通考．經籍考》卷十，頁253-254。

116霖案：「辨」字，《文獻通考》作「辯」字。

郡後，又得馮允南所為墓銘。信道實事安逸處士何群，其學蓋得之群。群學最高，國史有傳。其師友淵源果如此，則謂信道附會進取，或以好惡言之耳。王荊公當國，廢《春秋》不立學官，而信道學經顧於《春秋》特詳，鄧御史嚴事，王荊公不敢異，乃先以《得法志例論》言於朝，初不曰：『宰相不喜此也。』此亦見當時風俗猶淳厚，士各行其志，不專以利祿故輟作，御史殆加於人一等。然信道要當與何群牽聯書國史，鄧御史偶相知，適相累耳。余舊評如此。今無子孫，其書則為鬻書者擅易其姓名，屬諸李陶。陶字唐夫，嘗學於溫公，號通經。李氏諸子，唐夫最賢，而《得法志例》則非唐夫所論也，不知者妄託之。』《讀書志》所載，及李燾所述，不惟可與《解題》相互參證，且多可補《解題》所未及。」（頁五六八至頁五六九）

李燾曰[117]：「信道當熙寧九年，用御史鄧文約薦，召試舍人院，賜出身；文約尋責守虢略，信道亦坐附會，奪官歸故郡，後又得馮允南所為墓銘。信道實事安逸處士何羣[118]，其學蓋得之羣[119]，羣[120]學最高，國史有傳。其師友淵源果如此，則謂信道附會進取，或以好惡言之耳。王荊公當國，廢《春秋》，不立學官，而信道學經，顧於《春秋》特詳。鄧御史嚴事王荊公，不敢異，乃先以得法忘例論[121]言於朝，初不曰宰相不喜此也，此亦可見當時風俗猶淳厚，士各行其志，不專以利祿故輟作御史，殆加於人一等。[122]然信道要當與何羣[123]牽聯書國史鄧御史偶相知[124]，適相累耳。余舊評如此，今無子孫，其書則為鬻書者擅易其姓名，屬諸李陶。陶字唐夫，嘗學於溫公，號通經。李氏諸子，唐夫最賢，而《得法忘例》[125]則實非唐夫所論也，不知者妄託之。」

楊氏彥齡《左氏春秋年表》（宋）

《宋志》：「二卷。」

佚。

王應麟[126]曰[127]：「元豐中，楊彥齡撰[128]。《經》[129]、《傳》歲月為表，首敘周、魯，

117霖案：《文獻通考．經籍考》卷十，頁254。又張心澂：《偽書通考》頁481曾轉錄其文。又《文獻通考》引作「巽岩李氏曰」，竹垞逕改為原姓名也。

118霖案：「何羣」，《文獻通考》作「何群」。

119霖案：「羣」，《文獻通考》作「群」。

120霖案：「羣」，《文獻通考》作「群」。

121霖案：「得法忘例論」五字，應加書名號，又《文獻通考》誤作「得法志例論」，當據標目改正。

122霖案：「御史，殆加於人一等。」，應標作「，御史殆加於人一等，」為宜。

123霖案：「羣」，《文獻通考》作「群」。

124霖案：「然信道要當與何羣牽聯書國史鄧御史偶相知」，應斷作「然信道要當與何羣牽聯書國史，鄧御史偶相知，」為宜。

125霖案：「《得法忘例》」，《文獻通考》引作「《得法志例》」。

126霖案：《經義考新校》頁3317新增注文如下：「『王應麟』，文淵閣《四庫》本誤作『王彥麟』。」。

繼以齊、晉、秦、宋、衛、陳、蔡、曹、鄭、吳、楚、越之國[130]。」

《左氏蒙求》（宋）

【霖案】《郡齋讀書志》卷第三，頁一〇六；卷十四，頁二二三同時著錄、《文獻通考·經籍考》卷十七，頁四三四著錄《左氏蒙求》三卷，不知撰人，竹垞著錄之書，或即此書。

【分類】《郡齋讀書志》卷十四將其列入「類書類」；《通考》將其置入「小學類」，與竹垞分類不同。

《宋志》：「二卷。」

【卷數】《郡齋》、《通考》均題作「三卷」。

未見。

【霖案】本書未見其他傳本，當已久佚，故應改注曰「佚」。又楊彥齡有《楊公筆錄》一卷，有「芝園祕錄初刻本」、「抄本」等版本。

家氏安國《春秋通義》

【作者】家安國，字復禮，眉山人。舉進士，撰有《春秋通義》二十四卷。

《宋志》[131]：「二十四卷。」

佚。

《姓譜》[132]：「安國，字復禮，眉山人[133]。初任教授[134]，晚監郡[135]。」

127霖案：《玉海》冊二，卷四○，頁801。

128霖案：「撰」字下，應依《玉海》補入「二卷，據」三字。

129「經」上，應依《四庫》本補「據」字。　霖案：《經義考新校》頁3317注文，「《四庫》本」改作「《四庫》諸本、備要本」等字。今考《玉海》於「經」字上，確有「據」字，然亦有「二卷」，《點校補正經義考》僅據四庫本補入「據」字，顯有不足之處。

130霖案：「國」字下，應依《玉海》補入「其下總記戎狄蠻夷之事」等十字，惟其內容有礙清廷之諱，故略去不論，然刪去上述十字，易使讀者認為此書僅及越國，而未及其他，顯與原書體例不合，今據以補入，使讀者得知其實情。

131霖案：《宋史》卷二○二，頁5059。

132霖案：《萬姓統譜》（四庫全書本，冊九五六），卷三六，頁563c。

133霖案：「眉山人」三字，《萬姓統譜》無此三字，疑竹垞參酌「家勤國」條下注文，增此三字，以明家安國之籍貫，當據原書文句刪此三字。

134霖案：「初任教授」四字下，《萬姓統譜》尚有如下文句：「東坡以詩送歸蜀云：『岷峨有雛鳳，梧竹養脩翎。』，山谷贈詩云：『家侯口吃善著書，常願執戈王前驅。朱紱蹉跎晚監郡，吟弄風月思

家氏勤國《春秋新義》

【作者】家勤國，眉山人，定國從弟。從劉巨游，與蘇軾兄弟為同門友。王安石廢春秋學，勤國憤之，因此著《春秋新義》一書。

佚。

《宋史》[136]：「勤國，慶歷[137]、嘉祐閒[138]與從兄安國、定國同從劉巨游[139]，與蘇軾兄弟為同門友。王安石[140]廢《春秋》學，勤國憤之，著《春秋新義》。」

陳氏洙《春秋索隱論》

【作者】陳洙（1013～1061），字師道，一字思道，建陽人。慶曆二年進士，歷殿中侍御史，撰有《春秋索隱論》五卷，《御史奏疏》二卷，《文集》十五卷。

《通志》：「五卷。」

佚。

文氏濟道《春秋綱領》

【書名】《郡齋讀書志》卷第三，頁一〇六；卷十四，頁二二三同時著錄此書，惟書名均題作《左氏綱領》，而卷三著錄的《左氏綱領》一書，未題作者。又《玉海》卷四〇，頁八〇三錄之，惟僅作「文濟道《綱領》」，未云「《春秋》」二字。

四卷。

【著錄】《郡齋讀書志》卷第三，頁一〇六、《玉海》卷四〇，頁八〇三、《文獻通考．經籍考》卷十七，頁四三四著錄，卷數均題作「四卷」。

【分類】《郡齋》卷十四著錄此書，將其置入「類書類」；《通考》將其置入「小學類」，則與竹垞分類不同。

佚。

天衢。』」等句，竹垞引錄文句之時，僅保留「晚監郡」三字，實未足以合乎《萬姓統譜》之文句，今校之如上。

135霖案：「晚監郡」三字，語出黃山谷贈安國詩，說法見於前註，竹垞引錄《萬姓統譜》解題之時，擅自剪裁文句，致有所失。

136霖案：《宋史》卷三九○，頁11949。

137霖案：「慶歷」二字，《宋史》卷三九○作「慶曆」。

138霖案：「閒」字，《宋史》卷三九○作「間」字。

139霖案：「游」字，《宋史》卷三九○作「遊」字，「游」、「遊」二字字義相同，只是書寫習慣不同所致。

140霖案：「王安石」三字下，《宋史》卷三九○另有「久」字，今當據《宋史》之文補入此字，以合原書文句。

晁公武曰[141]：「皇朝文濟道撰。排比事實，為儷句蒙求之類也。」

141霖案：《郡齋讀書志》卷第十四，頁223、《文獻通考．經籍考》卷十七，頁434。

卷一百八十一　春秋十四經義考卷一百八十一春秋十四

朱氏長文《春秋通志》

【作者】朱長文，字伯原，號樂圃，蘇州吳縣人。未冠，舉嘉祐四年進士，築室樂圃坊，著書不仕，元符元年卒，年六十。著述甚富，六經皆有辯說，有《春秋通志》二十卷，又著《吳郡圖經續記》,《墨池編》,《琴臺志》,《樂圃餘稿》等書。

二十卷。

【卷數】《玉海》卷四〇，頁八〇三著錄此書，云：「十冊」。

佚。

《宋史》[1]：「朱長文，字伯原，蘇州吳人[2]。舉進士乙科，以病足不肯試吏，築室樂圃坊，著書閱古[3]。元祐中，[4]教授於鄉，召為太學博士，遷祕書省正字[5]，有文三百卷，《六經》皆有[6]辨說。」

【增補】〔補正〕宋史條內「元祐中教授于鄉」，「中」下脫「起」字。（卷七，頁十九）

長文〈自序〉曰[7]：「夫孔子何為而作《春秋》也？所以存王道而見己志也。孔子之志，堯、舜、禹、湯、文、武之志也。堯、舜、禹、湯、文、武之志見於[8]孔子；孔子之志見於[9]《春秋》，其揆一也。昔周室東遷，王綱絕紐，朝覲會盟之儀不修於[10]京室，禮樂征伐之柄皆出於[11]諸侯，三綱五常蕩然墜地，號令無稟，典法大壞，周之所存，位號而已。更歷數世，亂日以甚，荊楚、吳、越交亂天下，夫隱欽宗廟諱。[12]之後，諸侯無王矣；成、襄之後，大

1霖案：《宋史》卷四百四十四，〈文苑六〉第二百三，頁13127。

2霖案：「人」字下，應依《宋史》補入「年未冠」三字。

3霖案：「閱古」二字下，應依《宋史》補入「吳人化其賢。長吏至，莫不先造請，謀政所急，士大夫過者以不到樂圃為恥，名動京師，公卿薦以自代者眾。」等四十一字。

4「教」上，應依《宋史》、《補正》補「起」字。

5霖案：「字」下，應依《宋史》補「元符中，卒，哲宗知其清，賻絹百。」等十二字。

6霖案：「有」,《宋史》作「為」。

7 霖案：朱長文撰《樂圃餘藁．春秋通志序》(台北：臺灣商務印書館，「景印文淵閣四庫全書」冊五二三，民國七十五年三月，初版)，頁34-36。

8 霖案：「於」字，《樂圃餘藁．春秋通志序》作「于」字。

9 霖案：「於」字，《樂圃餘藁．春秋通志序》作「于」字。

10 霖案：「於」字，《樂圃餘藁．春秋通志序》作「于」字。

11 霖案：「於」字，《樂圃餘藁．春秋通志序》作「于」字。

12「欽宗廟諱」,《四庫》本作「桓」。　霖案：《樂圃餘藁．春秋通志序》亦作「桓」字，蓋朱長文為

夫無諸侯矣。君臣之道，父子之恩，至於[13]泯滅[14]；孔子知時之不用，道之不行，既無以有為於[15]當世，又懼王者之法於[16]是乎絕，嘗歎曰：『文王既沒，文不在茲乎？』於[17]是因魯史而作《春秋》，所以尊王室，繩暴亂，舉王綱，修天常，是非二百四十二年之事，以為天下儀表。貶諸侯，討大夫，以達賢者[18]之事。公羊子云：『撥亂而反諸正』，是也。明常典，立大法，褒善黜惡，賢賢賤不肖，不失纖介。其道以堯、舜為祖，以文、武為憲，上律天時，下襲水土，所以治天之術無不具在，可謂聖人之極致，萬世之成法也。孔子既沒[19]，師說各傳，而能言其要者莫如孟子，孟子之言曰：『《春秋》，天子之事也，孔子作《春秋》而亂臣賊子懼。』推是以見抗[20]王法，以繩暴亂也。又曰：『五霸，三王之罪人也；今之諸侯，五霸[21]之罪人也；今之大夫，今之諸侯之罪人也。』推是以見，隱欽宗廟諱。[22]而下，譏諸侯之無王；成、襄而下，譏大夫之無諸侯也。又曰：『《春秋》無義戰。』推是以見，諸侯不得專兵也。又曰：『子噲不得與人燕，子之不得受燕於[23]子噲。』推是以見，《春秋》非王命不得擅廢置也。蓋孟子深於[24]《春秋》，惜哉其不著書也。其後作傳者五，而三家存焉。《左氏》盡得諸國之史，故長於[25]敘[26]事，《公》、《穀》各守師傳[27]之說，故長於[28]解經；要之，互有得失。漢興以來，瓌望碩儒各信所習，董仲舒、平津侯治《公羊》，而《公羊》

宋人，而宋欽宗諱「桓」，是以此處題作「欽宗廟諱」，實乃「桓」字也。

13 霖案：「於」字，《樂圃餘藁．春秋通志序》作「于」字。

14 霖案：「滅」字，應依《樂圃餘藁．春秋通志序》作「沒」字。

15 霖案：「於」字，《樂圃餘藁．春秋通志序》作「于」字。

16 霖案：「於」字，《樂圃餘藁．春秋通志序》作「于」字。

17 霖案：「於」字，《樂圃餘藁．春秋通志序》作「于」字。

18 霖案：「賢者」，應依《樂圃餘藁．春秋通志序》作「王者」二字。

19 霖案：「沒」，《樂圃餘藁．春秋通志序》作「歿」字。

20 霖案：「抗」，應依《樂圃餘藁．春秋通志序》作「扶」字，蓋「抗」、「扶」二字，形近而誤入，而二字意義相反，而有待反正者也，今依原書序文改正。

21 霖案：「霸」字，應依《樂圃餘藁．春秋通志序》作「伯」字。

22「欽宗廟諱」，《四庫》本作「桓」。　霖案：《樂圃餘藁．春秋通志序》亦作「桓」字，蓋朱長文為宋人，而宋欽宗諱「桓」，是以此處題作「欽宗廟諱」，實乃「桓」字也。

23 霖案：「於」字，《樂圃餘藁．春秋通志序》作「于」字。

24 霖案：「於」字，《樂圃餘藁．春秋通志序》作「于」字。

25 霖案：「於」字，《樂圃餘藁．春秋通志序》作「于」字。

26霖案：「敘」字，《樂圃餘藁．春秋通志序》作「叙」字。

27霖案：「傳」字，《樂圃餘藁．春秋通志序》作「傅」字。

28 霖案：「於」字，《樂圃餘藁．春秋通志序》作「于」字。

之學施於[29]朝廷；孝宣帝、劉向好《穀梁》，《穀梁》[30]之義顯於[31]石渠；劉歆、賈逵之徒好《左氏》，而《左氏》之傳列於[32]學官[33]。是非紛錯，準裁[34]靡定，誠君子之所歎息也。其秉毫牘，焦思慮，以為論著疏說者百千人矣。攻訐毀訾，黨同斥異，恬不知怪，范寧[35]解《穀梁》，略[36]言三家之[37]得失，故文中子謂：使范寧不盡美於[38]《春秋》，歆、向之罪也。唐儒啖助始作《三傳集解》，趙伯循又為之損益，陸淳會萃[39]其說，作《纂例》、《辨疑》、《微指》之類，取其長而棄其短，擷其是而刪其非，又頗益之己說，由是《春秋》之學初得會通，學者賴焉。本朝孫明復隱泰山三十年，作《尊王發微》，據經推法，洞究終始，不取《三傳》，獨折諸聖人之言，明諸侯、大夫功罪，得於[40]經之本指為多。慶曆中，仁宗皇帝銳意圖治，以庠序為教化之本，於[41]是興崇太學，首善天下，乃[42]起石守道於[43]徂徠，召孫明復於[44]泰山之陽，皆主講席。明復以《春秋》，守道以《易》學，士大夫翕然向風，先經術而後華藻。既而守道捐館，明復坐事去國，至和中，復與胡翼之並為國子監直講，翼之講《易》，更直一日。長文年在志學，好治《三傳》，略[45]究得失，日造二先生講下，授兩經大義，於[46]《春秋》尤勤，未就[47]，明復以病居家，雖不得卒業，而緒餘精義不敢忘廢，頗欲著書以輔翼其說，而嬰疾未遑也。熙寧中，王荊公秉政，以《詩》、《書》、《易》、《禮》

---

29 霖案：「於」字，《樂圃餘藁．春秋通志序》作「于」字。

30 霖案：「《穀梁》」二字之前，應依《樂圃餘藁．春秋通志序》補入「而」字。

31 霖案：「於」字，《樂圃餘藁．春秋通志序》作「于」字。

32 霖案：「於」字，《樂圃餘藁．春秋通志序》作「于」字。

33霖案：「學官」二字，《樂圃餘藁．春秋通志序》作「學宮」二字。

34 霖案：「裁」字，應依《樂圃餘藁．春秋通志序》作「則」字。

35霖案：「范寧」二字，《樂圃餘藁．春秋通志序》作「范甯」二字。

36霖案：「略」字，《樂圃餘藁．春秋通志序》作「畧」字。

37霖案：「之」字，《樂圃餘藁．春秋通志序》無此字，當刪。

38霖案：「於」字，《樂圃餘藁．春秋通志序》作「于」字。

39霖案：「萃」字，《樂圃餘藁．春秋通志序》作「稡」字。

40霖案：「於」字，《樂圃餘藁．春秋通志序》作「于」字。

41霖案：「於」字，《樂圃餘藁．春秋通志序》作「于」字。

42霖案：「乃」字，《樂圃餘藁．春秋通志序》作「廼」字。

43霖案：「於」字，《樂圃餘藁．春秋通志序》作「于」字。

44霖案：「於」字，《樂圃餘藁．春秋通志序》作「于」字。

45霖案：「略」字，《樂圃餘藁．春秋通志序》作「畧」字。

46霖案：「於」字，《樂圃餘藁．春秋通志序》作「于」字。

47霖案：「就」字，應依《樂圃餘藁．春秋通志序》作「幾」字。

取天下士，置《春秋》不用，蓋病三家之說紛糾而難辨也。由是學者皆不復治此經，獨余於[48]憂患顛沛之間，猶志於[49]是。會元祐初，詔復立於[50]學官[51]，而余被命掌教吳門，於[52]是首講大經以授學者，兼取三家[53]而折衷其是，旁考啖、趙、陸淳諸家之義，而推演明復之言，頗繫之以自得之說；不二歲，講終獲麟。紹聖初，被召為太學博士，復講此經，乃[54]裒其所錄，次為二十卷，名之曰《通志》，使學者由之可以見聖人之道，如破荊榛而瞻門庭，披雲霧而觀日月也。異日居[55]朝端，斷國論，立憲章，施政教，可推其本旨而達於[56]行事，豈小補[57]？古之為師者以講解為職，故能傳道而解惑，而從學者以聽授為業，故能立身而揚名。若夫務規矩之末而倦於[58]講解，守簡編之義而忽於[59]聽授，其何以繼前哲之用意哉？余所以蚤[60]夜孜孜探討大經之意，亦求稱其職而已。紹聖元年正月[61]。」

從子佺知筠州〈進表〉曰：「元聖素王之道，蓋緯地以經天；《六藝》載籍之傳，實同條而共貫，夫缺一則不可，豈道二而當然？臣某中謝竊以周自平王東遷雒邑，而周室衰微，詩於〈黍離〉降為《國風》，而《小雅》盡廢，征伐肆出，名號僅存。聖人傷周道之不行，《春秋》因魯史而有作，筆則筆而削則削，是其是而非其非，歷載一十二公行事之當愆，以代二百餘年時君之賞罰，非獨貴中國而賤夷狄，又將尊天子而抑諸侯，於以明樂禮而立政刑，莫不禁戰伐而繩暴亂，片言示貶戮宵人既死之姦，一字或褒發潛德幽光之美。知我者、罪我者，當時有感而終麟，在則人，亡則書，後世遂資於古鑑，故亂臣賊子以之知懼，雖言偃、卜商不能措辭，卓哉大經，孰明奧義？嗟去聖之既遠，悼為說之紛更。稽之《左氏》，則有敘事之長；考之《公》、《穀》，則有解經之善。啖助之《集解》復為之損益，陸淳之《纂例》，自較其短長。要之，探其淵源，未免互有得失，發明聖師之微旨，允歸極治之熙朝。

48霖案：「於」字，《樂圃餘藁．春秋通志序》作「于」字。

49霖案：「於」字，《樂圃餘藁．春秋通志序》作「于」字。

50霖案：「於」字，《樂圃餘藁．春秋通志序》作「于」字。

51霖案：「官」字，《樂圃餘藁．春秋通志序》作「宮」字。

52霖案：「於」字，《樂圃餘藁．春秋通志序》作「于」字。

53霖案：「三家」二字，應依《樂圃餘藁．春秋通志序》作「《三傳》」。

54霖案：「乃」字，《樂圃餘藁．春秋通志序》作「廼」字。

55霖案：「居」字，應依《樂圃餘藁．春秋通志序》作「立」字。

56霖案：「於」字，《樂圃餘藁．春秋通志序》作「于」字。

57霖案：「補」字下，應依《樂圃餘藁．春秋通志序》補入「哉」字。

58霖案：「於」字，《樂圃餘藁．春秋通志序》作「于」字。

59霖案：「於」字，《樂圃餘藁．春秋通志序》作「于」字。

60霖案：「蚤」字，《樂圃餘藁．春秋通志序》作「早」字，「蚤」、「早」為古今字，二字相同也。

61 霖案：「月」字下，《樂圃餘藁．春秋通志序》另有「□日序」，惟其中「□」字難辨，是以竹垞僅錄及「月」字，未及其他三字。

在仁宗時，嘗命以師儒，迨元祐初，復詔以科舉，力贊盛時之治，頗號得人之多。伏念先臣幸生斯世，夙紹青氈之學，每耽黃卷之書，未冠而掇巍科，既壯而事高蹈，棲遲樂圃，閉門著書者垂三十年；特起泮宮、鼓篋授學者逾數百輩。晚被鉅公之薦，旋膺璧水之招；翱翔芸閣之儁遊，紬繹樞庭之密議。平生之作，述於群經，固無不該通，而終身之討論在此書，尤深於凡例。其去取三家之當否，旁稽考諸儒之異同，遠殊董仲舒、劉歆、向所治之偏；近取孫明復、程頤、顯立言之要，酌以自得之學，著為《通志》之編，屬時論一，起於要塗，使斯文遂束於高閣。天祐吾道，運丁昌辰恭惟皇帝陛下大一統，以朝元張四維而御極，下襲水土之治，上律天時之和，且欲因文、武而憲章，又將紹堯、舜而祖述，首念恢隆於此道聿，先復用於是經立之學官，取以士類，所以撫四海而奄九有，是將舉三綱而明五常；而臣以一介之微生，際千齡之嘉會，早竊功名於俊域，屢叨講席於王宮，尋常不墜於箕裘，鑒寐敢忘於堂塾？因贊郡條之暇，自遺傳癖之譏，況此難逢實為幸遇，追念前人之志，覬揚後世之名。與其獨善以傳家，孰若迪教而輔世？謹蠲筆札，恭綴簡編所有先臣某著《春秋通志》并〈序〉凡二十卷，計一十策，謹賫詣登聞檢院，隨表投進以聞。恭願天度包荒，聖心稽古，輔以緝熙光明之學，資於施為注措之時，或備乙夜之觀，庶少裨於德政；儻示諸生之好，亦有補於方來。遂忘鈇鉞之誅，仰瀆神明之聽。」

《玉海》[62]：「淳熙十四年九月[63]，朱佺進伯父長文《春秋通志》十冊，付祕省[64]。」

《中興書目》[65]：「《春秋通志》[66]二十卷，折衷《三傳》，旁考啖、趙、陸淳之說，及推演孫復之言。」

王氏乘《春秋統解》（宋）

【作者】王乘，廣安軍人。鄉貢進士。嘗撰《春秋統解》三卷。呂陶稱其書比之陳岳《折衷》，王沿《集傳》，孫復《發微》，而不在其下。

三卷。

佚。

元祐四年，梓州路轉運使呂陶奏曰[67]：「朝[68]廷復《春秋》之科，為置博士，所以扶進

62霖案：《玉海》卷四○，頁803B~C。

63霖案：「九月」二字下，《玉海》有「十七日」三字，詳言進書月日，竹垞刪去此三字，當據《玉海》原書補入。

64霖案：「付祕省」三字，《玉海》列入注文之中，且作「並付祕省」四字，竹垞不僅將注文移入正文，且刪去「並」字，當據原書刪去此三字。

65霖案：《玉海》冊二，卷四○，頁803C。又《玉海》直接引作「《書目》」，竹垞逕改作「《中興書目》」。

66霖案：「《春秋通志》」四字，《玉海》原作「《通志》」，竹垞根據上下文之意，逕補入「《春秋》」二字，雖與原意並無不同，但與《玉海》原文不合，當據《玉海》之文，刪去「《春秋》」二字。

67霖案：《歷代名臣奏議》卷二百七十五，〈經籍〉，頁3609。

後[69]學，敦勸諸生，甚大惠也[70]。廣安軍鄉貢進士王乘[71]嘗撰《春秋統解》三卷，〈序〉引二十四篇推明筆法，得其大旨；比之陳岳《折衷》、王沿《集傳》、孫復《發微》，不在其下。曾於元祐二年九月中繕寫投進[72]乞[73]詔侍從，館閣臣僚考詳其書[74]，藏於祕省，以備一家之說，廣[75]四部之盛。」

劉氏易《春秋經解》

【書名】韓琦《安陽集》卷第一，錄有〈讀劉易春秋新解〉一詩，即為竹垞所引韓琦〈贈詩〉的內容，則劉易所撰之書，當作《春秋新解》較為恰當。

《宋志》：「二卷。」

佚。

韓琦〈贈詩〉曰[76]：「夫子《春秋》之所記，二百四十有二年；謹嚴之法不可犯，欲示萬世天子權。禮樂征伐必上出，諸侯雖大莫得專；周平東遷魯君隱，王綱壞裂勿復聯。天王所存位與號，列國自用公承傳；齊桓、晉文無實義，挾周徇己掩大愆。不歸聖筆立中制，誰其當罪誰其賢；紛紛五傳角同異，各專門戶執所偏。遂令[77]學者蹈迷徑，不探元本遭羈牽，至於[78]歆、向父子間，亦反天性相鑱鐫。何休、杜預、范甯輩，離經附傳以臆箋，《膏肓》、《廢疾》互譏病，雖欲針起難自痊。前人文字安可數，議難啾唧秋嘒蟬，有唐名儒陸淳者，始開奧壤窺源泉；我朝又得孫明復，大明聖意疏重淵。劉生新解最後出，了無塞礙成通川，所趨旨義極簡正，撐拄異論牢且堅。事不歸王皆不與，達經之志所以然；《詩》三百可一言蔽，曰『思無邪』而已焉；方今四海大一統，萬里號令猶君前。安不思危易其治，毋容僭亂生階緣；往持此說助邦政，坐令當辰尊如天。」

【增補】韓琦〈病鶴貽劉易〉曰：「塵寰病思苦，仙府歸魂榮。禿翼敗風霰，卑棲掩

68霖案：「朝」上，應依《歷代名臣奏議》補「臣竊以」三字。

69霖案：「後」，應依《歷代名臣奏議》作「微」。

70霖案：「也」下，應依《歷代名臣奏議》補入「然而聖經簡奧，傳注之家，未能盡通其蘊，謂宜博採眾說，參求所長，庶幾一經餘義，渙然易釋。臣伏見轄下。」等四十一字。

71霖案：「王乘」二字下，應依《歷代名臣奏議》補入「少壯好學，白首不倦」等八字。

72霖案：「進」下，應依《歷代名臣奏議》補入「訖。伏」二字。

73霖案：「乞」下，應依《歷代名臣奏議》補入「聖慈特賜撿會」六字。

74霖案：「書」下，應依《歷代名臣奏議》補入「或萬一有補經術，即乞」等九字。

75霖案：「廣」前，應依《歷代名臣奏議》補入「以」。

76霖案：韓琦：《安陽集》卷一，〈讀劉易春秋新解〉，頁229。

77「令」，《四庫》本作「使」。　霖案：《經義考新校》頁3324注文，於「《四庫》」二字之前，另有「文淵閣」三字。今考《安陽集》卷一之文，實作「令」字，則竹垞當是承繼《安陽集》而來。

78霖案：「於」，《安陽集》作「于」。

蓬蒿。池圃擯時玩，鷄梟豈吾曹。誰知牢落心，萬里孤雲高。」（《安陽集》卷一，頁二三四）

程端學曰[79]：「易，定襄人[80]。」

劉氏夔《春秋褒貶志》

《通志》：「五卷。」

佚。

皮氏元《春秋意》

《通志》：「十五卷。」

佚。

鄭氏招慶《春秋會元》

《通志》：「十二卷。」

佚。

鄭氏壽《春秋世次圖》

《通志》：「四卷。」

佚。

師氏協等《四家春秋集解》

《通考》：「二十五卷。」

【著錄】《文獻通考．經籍考》卷十，頁二五九著錄。

佚。

晁公武曰[81]：「或人集皇朝師協、石季長、王棐、景先之解為一通，具載本文。」

馬氏擇言《春秋要類》

《宋志》：「五卷。」

佚。

王應麟曰[82]：「《崇文》目入[83]類書。」

79霖案：程端學：《春秋本義》〈春秋傳名氏〉,（通志堂經解本，冊２５），頁13861。

80霖案：「易」、「定襄」，皆是雙行夾注之文，而無「人」字，竹垞綜整前後注文，而題作「易，定襄人。」。

81霖案：《郡齋讀書志》卷第三，頁105、《文獻通考．經籍考》卷十，頁259。

82霖案：《玉海》冊二，卷四○，頁801。又竹垞所引解題內容，實為注文，而非正文，特此說明。

吳氏元緒《左氏鼓吹》

【書名】《玉海》卷四〇，頁八〇三錄之，惟僅作「吳元緒《鼓吹》」，未云「《左氏》」二字。

《宋志》：「一卷。」

佚。

陳振孫曰[84]：「彭門吳元緒撰。」

【增補】何廣棪：《陳振孫之經學及其《直齋書錄解題》經錄考證》曰：「廣棪案：《經義考》卷一百八十一《春秋》十四著錄：『吳氏元緒《左氏鼓吹》，《宋志》一卷，佚。』是此書已佚，即元緒事蹟亦無可考。」（頁五六六）

翟氏叡《春秋琢瑕》「叡」或作「濬」。

《宋志》：「一卷。」

佚。

張氏傳靖《左氏編紀》（宋）

【作者】李一遂〈左氏春秋著錄書目研究〉頁一一〇錄作「張傳清」。

《宋志》：「十卷。」

佚。

王氏曉《春秋原要》

《通志》：「二卷。」

佚。

楊氏希範《左氏摘元》

《通志》：「十卷。」

佚。

李氏融《春秋樞宗》

《宋志》：「十卷。」

佚。

惠氏簡《春秋通略全義》

《宋志》：「十五卷。」

83霖案：「入」字，應依《玉海》改作「在」字，文意雖無不同，但原書既作「在」字，理當以此入校，今據原書改正。

84霖案：《直齋書錄解題》卷三，頁460，又出自《文獻通考．經籍考》卷十，頁257。

佚。

元氏保宗《春秋事要》

《宋志》：「十卷。」

佚。

李氏塗《春秋事對》

【增補】《春秋總義論著目錄》頁八錄有李塗《春秋要義》十卷，竹垞未錄此書，當據以補入。

《宋志》85：「五卷。」

佚。

《宋志》86：「蔡延龜注。」

耿氏秉《春秋傳》

【作者】耿秉，字直之，江陰人，紹興三十年進士，累官兵部侍郎中，兼給事中，直徽猷閣，知平江軍府事，終煥章閣待制，撰有《春秋傳》、《五代會史》等書。

二十卷。

佚。

《姓譜》87：「秉字直之，江陰人，仕至88煥章閣待制89。」

王氏當《春秋釋》（宋）

【作者】王當，字子思，眉山人，王賞之兄。幼好學，博覽古今，所取惟王佐大略。嘗舉進士不中，遂著《春秋列國名臣傳》五十卷，人競傳閱。王氏邃於《易》與春秋》，皆為之《傳》，又有《經旨》三卷，《史論》十卷，《兵書》十二篇。卒年七十二。

【書名】《郡齋讀書志》卷第三，頁一〇五著錄，書名題作《王氏春秋》。又《玉海》卷四〇，頁八〇一錄之，惟僅作「《春秋》」，而無「釋」字，顯見原書當無「釋」字，而《郡齋讀書志》錄作「《王氏春秋》」，顯然較合原名。

85霖案：《宋史・藝文志》，卷二○二，頁5050。

86霖案：《宋史・藝文志》，卷二○二，頁5060。又此文係出自注文，而非正文，竹垞有注文闌入正文之失。

87霖案：《萬姓統譜》卷八十七，「四庫全書本」冊九五七，頁279。

88霖案：「至」字下，應依《萬姓統譜》補入「兵部郎中兼給事中，終」等九字。

89霖案：「制」下，應依《萬姓統譜》補入「律己清儉，兩為浙漕，所至以利民為事，著《春秋傳》二十卷，《五代會史》二十卷。」等二十九字。

《玉海》[90]：「十二卷。」

佚。

《春秋列國諸臣傳》（宋）

【書名】本書異名如下：

一、《春秋臣傳》：《現存宋人著述目略》頁十九著錄。

二、《列國諸臣傳》：《玉海》卷四〇，頁八〇一著錄。

三、《春秋名臣傳》：《江湖長翁集》卷三十一，頁三九六〈題春秋名臣傳〉著錄。

《宋志》：「五十一卷。」

【卷數】本書卷數異同如下：

一、三十卷本：《現存宋人著述目略》頁十九著錄。

存。

【存佚】《春秋總義論著目錄》頁二一四錄作五十一卷，題作「存」，然此書實作「三十卷」，未見五十一卷本存世，若著錄題作「五十一卷」，則理當題作「闕」，今考諸家藏本，全數題作「三十卷」，是卷數題作「三十卷」，始能題作「存」籍。

【版本及藏地】本書版本及藏地如下：

一、通志堂經解本：宋王當撰《春秋臣傳》三十卷，三冊，馬來西亞大學圖書館有藏本（二部）。《現存宋人著述目略》頁十九著錄。

二、清同治十二年(1873)粵東書局重刊本：宋．王當撰《春秋臣傳》三十卷，台北國家圖書館有藏本。

晁公武曰[91]：「當，眉山人，嘗為《列國諸臣傳》，效司馬遷《史記》，凡一百三十有四人，十萬餘言，又釋《春秋》，可謂有志矣。」

陳振孫曰[92]：「當元祐中復制科，以蘇軾[93]薦試六論，廷對切直，置下第，與堂除簿尉。所傳諸臣，皆本《左氏》，有見於他書則附其末，繫之以贊。諸贊論議純正，文辭簡古，於經傳多所發明。」

【增補】〔補正〕陳振孫條內「以蘇軾薦試六論」，按：《通考》引此作蘇轍。（卷七，頁十九）

90霖案：《玉海》冊二，卷四○，頁801。

91霖案：是篇解題，乃是竹垞併合《郡齋讀書志》卷第三，頁105、頁106等二篇解題而成。

92霖案：出自：《直齋書錄解題》卷三，頁460-461。

93「蘇軾」，依《補正》或作「蘇轍」。

【增補】何廣棪：《陳振孫之經學及其《直齋書錄解題》經錄考證》曰：「廣棪案：《讀書志》卷第三《春秋類》著錄：『《春秋列國諸臣傳》五十一卷。右皇朝王當撰。類《左氏》所載列國諸臣事，效司馬遷為之《傳》，凡一百三十有四人，繫之以《贊》云。』《經義考》卷一百八十一《春秋》十四『《春秋列國諸臣傳》』條引陳造曰：『春秋人才尚餘三代氣質，然非《左氏》之文雄古嚴密，亦孰能暢敘發揚如此。其言與事隨編年而書，君子欲其迹之本末可考、辭之連屬畢見，或類而為之《傳》，往往失之漏略。此書成於賢良王當，不惟該備無遺，而復引《史記》、《國語》等書，補苴彌縫之，而終之以《贊》，多出新見。學者與經、《傳》參《贊》，既足以見當時人才出處語默之大節，抑於著述體製所得，將不貲也。』《總目》卷五十七《史部》十三《傳記類》一著錄：『《春秋列國諸臣傳》三十卷，（兩江總督採進本。）宋王當撰。當字子思，眉山人。元祐中，蘇軾以賢良方正薦。廷對策入四等，調龍游縣尉。蔡京知成都，舉為學官，不就。及京為相，遂不仕。事蹟具《宋史》本傳。史稱其嘗舉進士不中，退居田野，嘆曰：『士之居士，苟不見用，必見其言。』遂著《列國名臣傳》五十卷。則此書其未仕時作也。所傳凡一百九十一人，各以《贊》附於後。陳振孫《書錄解題》稱其議論純正，文辭簡古，於經義（廣棪案：《解題》『義』作『《傳》』。）多所發明。今核其書，如謂魯哀公如討陳恒，即諸侯可得之類。持論不免踳駁，殊非聖人之本意。史稱當博覽古人，惟取王佐《大略》。蓋其學頗講作用，故其說云然。然其編次時世，前後證引《國語》、《史記》等書，補《左傳》闕略，該備無遺，於經、《傳》則實有補。』上引三家所述，皆足與《解題》相補證。顧此書亦大醇小疵，其所傳人數，《中興書目》謂『凡三百三十四人』，與《讀書志》及《總目》所記不同，然《鐵琴銅劍樓藏書目錄》卷十有此書，云：『一百三十有四人之數，與晁《志》合。』蓋應以《讀書志》為準也。至此書《四庫》本作三十卷，《總目》亦有說，謂：『《宋史・藝文志》載是書作五十一卷，本傳則作五十卷，均與此本不合。殆『三』『五』字形相近，傳寫誤歟。』惟《解題》與《讀書志》既均作五十一卷，則顯非傳寫之誤，疑此書之宋本與《四庫》所據之兩江總督採進之本，分卷有所不同，《鐵琴銅劍樓藏書目錄》所收亦為三十卷。是則此書既有分作五十一卷者，亦有分作三十卷者，惟其內容應殊無二致也。」（頁五七〇至頁五七二）

陳造曰[94]：「春秋人才尚餘三代氣質，然非《左氏》之文雄古嚴密，亦孰能暢敘[95]發揚如此？其言與事隨編年而書，君子欲其迹之本末可攷，辭之連屬畢見，或類而為之傳，往往失之漏略[96]。此書成於賢良王當，不惟該備無遺，而復引《史記》、《國語》等書補苴彌縫之，而終之以贊，多出新見。學者與經傳參贊[97]，既足以見當時人才出處，語默之大節[98]，

94霖案：《江湖長翁集》卷三二，〈題春秋名臣傳〉，（台北：商務印書館，《文淵閣四庫全書本》冊一一六六），頁396-397。

95霖案：「暢敘」二字，《江湖長翁集》卷三十一題作「敷敘」二字

96霖案：「略」字，《江湖長翁集》作「畧」字。

97霖案：「贊」字，應依《江湖長翁集》改作「讀」字。

抑於著述體製所得將不貲也[99]。」

董氏敦逸《春秋義略》

《通志》：「十四卷。」

佚。

《吉安府志》：「董敦逸，字夢授，永豐人。嘉祐八年進士，元祐中為監察御史，徽宗召拜諫議大夫，極言蔡京卞過惡，遷戶部侍郎卒。」

【霖案】可補《東都事略》卷99之文。

鄭氏昂《春秋臣傳》（宋）

【書名】李一遂〈左氏春秋著錄書目研究〉頁一一一錄作「《春秋諸臣傳》」。

《宋志》：「三十卷。」

佚。

王應麟曰[100]：「以人類事，凡二百十五人，附而名者又三十九[101]也[102]。」

【增補】〔補正〕王應麟條內「又三十九也」，當作「九十三」。（卷七，頁十九）

程端學曰[103]：「昂，字尚明，長樂人。[104]」

劉氏熙《古春秋極論》[105]

【增補】〔補正〕按：「古」字應旁寫，劉熙古即劉蒙正之父，《宋史》有傳，此誤將「古」字大書，連下《春秋極論》為書名，今據《宋史》及《玉海》改正。檢《曝書亭集》、涪陵崔氏〈春秋本例序〉中引劉熙《演例》，亦刪「古」字，與此處誤同

98霖案：「大節」二字，《江湖長翁集》題作「大槩」。

99霖案：「也」字下，應依《江湖長翁集》補入「予宰明之定海，尚書羅公寄惠此本，字真紙佳，真吾家之至寶也。」等二十五字。

100霖案：《玉海》冊二，卷四○，頁801。又竹垞所引之文，實為《玉海》的注文，特此說明。

101「三十九」，應依《補正》、《四庫》本作「九十三」。　霖案：《經義考新校》頁3331注文，於「《四庫》本」作「《四庫》諸本」。今考《玉海》原文適作「九十三」，當為《補正》、四庫本所據之來源。蓋竹垞錄及此文，將「九十三」誤作「三十九」，致使人名計數之誤，今據原書改正。

102霖案：《經義考新校》頁3331新增注文如下：「《四庫薈要》本無『也』字。」

103霖案：程端學：《春秋本義》〈春秋傳名氏〉（《通志堂經解》(25)《春秋本義》），頁13861。

104霖案：「昂」、「尚明」、「長樂」，皆是雙行夾注之文，而無「字」字，竹垞綜整前後注文，而題作「昂，字尚明，長樂人。」。

105「劉氏熙古《春秋極論》」應依《補正》、《四庫》本作「劉氏熙古《春秋極論》」。　霖案：《經義考新校》頁3331注文，於「《四庫》」二字之前，另有：「《四庫薈要》本、文淵閣」等字。

。（卷七，頁二十）

【書名】根據《經義考補正》之文，則「古」當為姓名的一部份，此書名應題作《春秋極論》。

【作者】根據《經義考補正》之文，作者應為「劉熙古」。

二篇。

《春秋演例》

三篇。

未見。

【存佚】《春秋總義論著目錄》頁五五錄作「佚」，今考此書未見諸家館藏，當已久佚，今暫題作「佚」，以俟後考。

呂氏奎《春秋要旨》

《宋志》：「十二卷。」

佚。

吳氏孜《春秋折衷》

《宋志》：「十二卷。」

佚。

程端學曰[106]：「會稽人[107]。」

《兩浙名賢錄》[108]：「孜從胡安定受業，捨宅為郡學。」

【霖案】《兩浙名賢錄》為明．徐象梅撰，有天啟四年光碧堂刻本。今持《兩浙名賢錄》與竹垞引文相校，兩者出入頗大，乃重輯《兩浙名賢錄》之文如下，以供讀者參考。

【增補】《兩浙名賢錄》曰：「吳孜，會稽人，嘗從胡安定學，聞嘉祐治平間，會郡謀建學，孜即捨宅為基。初學成，太守張伯玉至以便服坐堂上，孜鳴鼓行學規，玉欣然受其罰。王十朋題其祠云：『右軍宅化空王寺，秘監家為羽士官，惟有先生舊池館，春秋歸在杏壇中。』」（卷九，頁二八八。

范氏柔中《春秋見微》

【作者】范柔中，字元翼，南城人。元豐八年進士，官至太學博士。其學長於《春秋》，著《春秋見微》，折衷三傳，去取諸家，深得聖人之意。

106霖案：程端學：《春秋本義》〈春秋傳名氏〉，(《通志堂經解》(25)《春秋本義》) 頁13861。

107霖案：「會稽」，為雙行夾注之文，而無「人」字，竹垞綜整前後注文，而題作「會稽人。」。

108霖案：明．徐象梅：《兩浙名賢錄》卷九，頁288。竹垞所引之文，刪改頗甚。

《宋志》：「五卷。」

佚。

程端學曰[109]：「南城人[110]。」

謝氏子房《春秋備對》

《宋志》：「十三卷。」

佚。

于氏正封《三傳是非》

【作者】浦江人，于房之子。與兄世封皆力學，登進士第，人號雙璧。著有《春秋三傳是非說》二十卷，傳記見於《宋元學案補遺》卷四，頁一一四下附見兄傳、《宋史翼》卷二七，頁四、《浦陽人物記》卷下，頁二附見于房傳。

二十卷。

佚。

朱氏振《春秋指要》

【作者】朱振，應天人。著《春秋指要》一卷，《春秋正名頤隱要旨》十二卷，又有《敘論》一卷，《春秋講義》三卷。

《宋志》：「一卷。」

佚。

《春秋正名頤隱要旨》

【增補】〔補正〕按：《宋志》于朱氏三書，一作「《指要》」，一作「《要旨》」，一作「《旨要》」，當據程端學《本義》語，改作「《旨要》」。（卷七，頁二十）

《宋志》：「十二卷。」　《敘論》一卷。

【增補】《經義考》錄有「《敘論》一卷」，可見朱氏另有《春秋敘論》一卷，今據以補入。

佚。

《春秋講義》

《宋志》：「三卷。」

佚。

109霖案：程端學：《春秋本義》〈春秋傳名氏〉(《通志堂經解》(25)《春秋本義》)，頁13861。

110霖案：「南城」，為雙行夾注之文，而無「人」字，竹垞綜整前後注文，而題作「南城人。」。

程端學曰[111]：「應天朱氏[112]《正名隨隱旨要》并《敘論》，不拘類例，專取經意[113]。」

李氏撰《春秋總要》

【作者】程志〈現存唐人著述簡目〉錄有李厚撰《春秋總要》一卷（頁二五八），附於宋刻本杜預《春秋經傳集解》之下，今疑其書即為《宋志》著錄李撰《春秋總要》，惟作者、卷數均有不同，今暫附於此，以俟後考。

《宋志》：「十卷。」

佚。

【存佚】若「李撰」為「李厚」之誤植，則此書存於宋刻本《春秋經傳集解》之下，當改注曰「闕」。

【版本及藏地】本書版本及藏地如下：

一、宋刻本：附李厚《春秋總要》一卷，程志〈現存唐人著述簡目〉頁二五八著錄，北圖有藏本。

江氏洙《春秋訓傳》

佚。

陸元輔曰：「元符中進士。」

沈氏滋仁《春秋興亡圖鑑》

《宋志》：「一卷。」

佚。

李氏格《春秋指歸》

佚。

《袁州府志》：「李格，字承之，萍鄉人。元符中進士，作詩諷新法，讜論下獄，歷州縣以終。」

余氏安行《春秋新傳》

【書名】《郡齋讀書志》卷第三，頁一〇五著錄，書名題作《春秋新說》。

《宋志》：「十二卷。」

【卷數】《郡齋讀書志》卷第三，頁一〇五、《文獻通考·經籍考》卷十，頁二五九

111霖案：程端學：《春秋本義》〈春秋傳名氏〉(《通志堂經解》(25)《春秋本義》)，頁13861。

112霖案：「氏」字下，《春秋本義》有注文「振」字，應以補入。

113霖案：「不拘類例，專取經意」八字，為雙行夾注之文。而「專取經意」下，有「《指要》」二字正文。

著錄，卷數題作「十一卷」。

未見。

【存佚】朱彝尊《經義考》注曰「未見」，然本書未見其他傳本，且《春秋總義論著目錄》頁二一注曰「佚」，則此書已久佚，故應改注曰「佚」。

晁公武曰114：「皇朝余安行撰。采《三傳》及孫復四家書，參以己意為之。」

《江西通志》115：「余安行，子仲勉，德興人116。一云：『弋陽人。』官至太117中一云：『朝議。』大夫，所居有巖如月，號石月先生。118所著《春秋新傳》119，元符中120上之，詔藏祕閣。」

狄氏遵度《春秋雜說》（宋）

【作者】狄遵度，字元規，潭州長沙人。狄棐之子。著《春秋雜說》，多所發明。除侍御史卒。有《集》。傳記見於《宋元學案補遺》卷六，頁七二下；《宋史》卷二九九，頁二；《宋史新編》卷九三，頁一下；《宋詩紀事》卷十，頁九下；《楚紀》卷二一，頁三六。

佚。

《宋史》121：「狄遵度，字元規，長沙人122。少舉進士，一斥於有司，恥不復為，以父棐123任為襄縣主簿，居數月棄去。好為古文，著《春秋雜說》，多所發明。」

馮氏山《春秋通解》

【作者】馮山，字允南，初名「獻能」，時稱「鴻碩先生」。嘉祐二年進士，熙寧末為秘書丞，通判梓州。鄧綰薦為臺官，不就，退居二十年，范祖禹薦於朝，官終祠部郎

114霖案：《文獻通考．經籍考》卷十，頁259著錄。

115霖案：《江西通志》卷九，〈饒州府〉，(《四庫全書存目叢書》史一八二冊)，頁403。

116霖案：「人」下，應依《江西通志》增「以經學為里中所宗。歷」等九字。

117「太」，《四庫》本作「大」。

118霖案：「所居有巖如月，號石月先生。」等十一字，疑為竹垞將注文闌入正文，或據他書補入所致，今當刪去。

119霖案：「《春秋新傳》」下，應據《江西通志》補入「《至言集記》等集」等六字。

120霖案：「中」，應依《江西通志》作「間」。

121霖案：《宋史》卷二百九十九，〈郎簡孫祖德列傳〉第五十八，頁9926。

122霖案：「長沙人」三字，《宋史》無之，當是竹垞所加，今刪。又「字元規」三字下，應依《宋史》補入「少穎悟，篤志於學。每讀書，意有所得，即仰屋瞪視，人呼之，弗聞也。」等二十五字。

123霖案：「棐」字，《宋史》無之，竹垞根據文義所增，當刪。

中，有《春秋通解》，《馮安岳集》等書。

《通考》：「十二卷。」

佚。

【存佚】朱彝尊《經義考》注曰「佚」，然竹垞案語云：「按：春秋通解，山自為序，予家藏集本闕之。」，則是書竹垞之世，實有殘闕之本存世，則竹垞理當注曰「闕」，然竹垞仍注曰「佚」，實不合體例。然而，今日此書未見諸家館藏此本，且且《春秋總義論著目錄》頁二一注曰「佚」，今從之，仍注曰「佚」。

晁公武曰124：「皇朝馮山允南撰，普州人，澥之父也。」

按：《春秋通解》，山自為〈序〉，予家藏集本闕之。

王氏安石《左氏解》

【作者】《直齋書錄解題》卷三，頁四六〇著錄，惟振孫既已明指其非安石所撰，而竹垞坐實之，其誤可知矣！又張心澂《偽書通考》頁四八一曾判其書為「疑偽」。

《宋志》：「一卷。」

存。

【存佚】《經義考》題作「存」，《左傳論著目錄》頁十三錄作「未見」，今考諸家館藏之籍，未見此書版本，暫題作「佚」。

陳振孫曰125：「專辨126《左氏》為六國時人，其明驗十有一事，題王安石撰，其實非也。」

【增補】何廣棪：《陳振孫之經學及其《直齋書錄解題》經錄考證》曰：「廣棪案：《經義考》卷一百八十一《春秋》十四著錄：『王氏安石《左氏解》，《宋志》一卷，存。』是《宋史・藝文志》以此書為安石撰。《經義考》下引林希逸曰：『尹和靖言介甫未嘗廢《春秋》，廢《春秋》以為斷爛朝報，皆後來無忌憚者託介甫之言也。韓玉汝有子宗文，上介甫書，請《六經》之旨。介甫答之，獨於《春秋》曰：『此經比他經尤難，蓋三《傳》皆不足信也。』和靖去介甫未遠，其言如此其公。今人皆以『斷爛朝報』之語為荊公之罪，亦冤甚矣。』是則此書未必為安石撰，然安石不廢《春秋》固史實也。」（頁五六四）

林希逸曰127：「尹和靖言128介甫未嘗廢《春秋》，廢《春秋》以為斷爛朝報，皆後來

124霖案：《郡齋讀書志》卷第三，頁105、《文獻通考．經籍考》卷十，頁255。

125霖案：《直齋書錄解題》卷三，頁460、《文獻通考．經籍考》卷十，頁256。又張心澂《偽書通考》頁481曾轉錄其文。

126霖案：「辨」字，《文獻通考．經籍考》引作「辯」字。

127 霖案：林希逸撰，林武之編《竹溪鬳齋十一藁續集》卷二八，〈學記〉，（台北：臺灣商務印書館

無忌憚者託介甫之言也[129]。韓玉汝有子宗文[130]上介甫書，請《六經》之旨，介甫皆答[131]之，獨於《春秋》曰：『此經比他[132]經尤難，蓋《三傳》皆不足信也。』[133]和靖去介甫未遠，其言如此其[134]公，今人皆以斷爛朝報之語為荊公之罪，亦冤甚矣。」

【增補】《臨川集》答韓求仁書：「至於《春秋》三傳，既不足信，故於諸經尤為難知，辱問皆不果答，亦冀有以亮之。」（轉錄翁元圻《翁注困學紀聞》卷六，頁三四一注文）

，「景印文淵閣四庫全書」冊一一八五，民國七十五年三月，初版），頁839。又王荊公答韓求仁之語，見於〈書臨所刊四經後〉；又王應麟《困學紀聞》卷六引之。又此文疑出自祁寬《和靖語錄》。

128 霖案：「尹和靖言」，《竹溪鬳齋十一藁續集》卷二八作「和靖曰」三字。

129 霖案：「也」字下，應依《竹溪鬳齋十一藁續集》補入「和靖又謂」四字。

130 霖案：「文」字下，應依《竹溪鬳齋十一藁續集》補入「字求仁，嘗」等四字。

131 霖案：「答」字，《竹溪鬳齋十一藁續集》作「荅」字，蓋書寫習慣之異，「竹」、「艸」偏旁易於誤入也。

132 霖案：「他」字，《竹溪鬳齋十一藁續集》作「它」字。

133 霖案：「也」字下，應依《竹溪鬳齋十一藁續集》補入「故有介甫大段識好惡之語，且曰：『介甫亦有《易解》，其辭其簡，疑處即缺文。』，後來有印行者，名曰：《易傳》，非介甫之書。」等句。

134 霖案：「其」字，應依《竹溪鬳齋十一藁續集》改作「甚」字。

卷一百八十二　春秋十五經義考卷一百八十二春秋十五

孫氏覺《春秋經解》（宋）

【作者】孫覺（1028～1090），字莘老，高郵人。師事胡瑗，登皇祐元年進士第，累擢至右正言。哲宗立，累遷御史中丞，以疾請罷，除龍圖閣學士，奉祠歸，元祐五年二月卒，年六十三。有《文集》、《奏議》六十卷，《春秋經社要義》六卷，《春秋經解》十五卷，《春秋學纂》十二卷。

【書名】本書異名如下：

一、《孫氏春秋經解》：張壽平《公藏先秦經子注疏書目》頁一三三著錄。

二、《龍學孫公春秋經解》：張壽平《公藏先秦經子注疏書目》頁一三三著錄。

三、《龍學孫公春秋經傳》：孫能傳等撰《內閣藏書目錄》卷二，頁四七六。

《宋志》：「十五卷。」

【卷數】《四庫全書》題作十三卷，乃是根據紀昀家藏本傳錄，今上海館藏清抄本《龍學公春秋經解》十三卷，僅存二卷（三至四），可證確有十三卷本，說法詳見崔富章：《四庫提要補正》，頁一五四。

存。

【存佚】朱彝尊確實存有孫書，其書後為陸心源所得，陸書又為日本靜嘉堂所有，見崔富章：《四庫提要補正》頁一五四至頁一五五的考證。

【版本及藏地】本書版本及藏地如下：

一、清乾隆間武英殿聚珍本：(宋)孫覺撰《春秋經解》十五卷，十二冊，張之洞《書目答問補正》卷一，頁四四、《國立故宮博物院善本舊籍總目》，上冊，頁九十四著錄，台北：故宮博物院有藏本。

二、清道光戊子(八年;1828)福建重刊同治間至光緒甲午(二十年;1894)續修增刊本：(宋)孫覺撰《春秋經解》十五卷，張之洞《書目答問補正》卷一，頁四四著錄，題作「福本」，台北：國家圖書館有藏本。

三、廣雅書局刊武英殿聚珍版：宋孫覺撰《春秋經解》十五卷，七冊，《現存宋人著述目略》頁十八著錄，馬來西亞大學圖書館有藏本。

四、正誼堂叢書本：《現存宋人著述目略》頁十八著錄。

【增補】耿文光《萬卷精華樓藏書記》卷八曰：「《春秋經解》十五卷　宋孫覺撰

正誼齋本。前有自序，楊時序，嘉定丙子新安汪綱刊本。有跋。周麟之、邵楫序，後慶元改號張顏跋。此書大旨宗《穀梁》，參以《左傳》、《公羊》，啖趙未盡者，補以其師胡瑗之說。

陳氏《書錄》其自序言：三家之說，《穀梁》最為精深，且以為本雜取二傳及諸儒之說，長者從之，其所未安則以所聞於安定先生者斷之。海陵周茂振跋云：先君傳《春秋》於孫先生。嘗言王荊公初欲釋《春秋》以行於天下，而莘老之書已出，一見而忌之，自知不復能出其右，遂詆聖經而廢之曰：此斷爛朝報也，不列於學官，不用於貢舉云。

文光案：宋志，左氏解一卷，陳曰題王安石撰，其實非也。尹和靖言介甫未嘗廢《春秋》，以為斷爛朝報者，皆後來無忌憚者托介甫之言也，與周氏說異，未知孰是。」（頁三〇〇）

五、舊鈔本：(宋)孫覺撰《龍學孫公春秋經解》十五卷，四冊，有微捲、微片、精裝複製本，10行，行19字，國家圖書館前代管北平圖書館藏書，已移置故宮博物院，《國立中央圖書館典藏國立北平圖書館善本書目》，頁七著錄。

【增補】瞿鏞編纂．瞿果行標點．瞿鳳起覆校《鐵琴銅劍樓藏書目錄》卷五曰：「宋孫覺撰。此書見《宋史．藝文志》、陳氏《書錄》，卷數相同。舊有紹興間陽羨邵輯刻本，相沿傳錄有輯序及周麟之跋，已失。此平津館孫氏藏本，卷末有朱筆記云『乾隆乙卯夏日王端履校過。』（小注云：卷首有『孫星衍印』、『東魯觀察使者』、『泉唐江氏珍藏』諸朱記。）（頁一三九至頁一四〇）。

六、鈔本：(宋)孫覺撰《龍學孫公春秋經解》十五卷，八冊，《國立故宮博物院善本舊籍總目》，上冊，頁九十四著錄，台北故宮博物院有藏本。又駱兆平《新編天一閣書目》亦錄有「抄本」一種（頁一八八），為天一閣舊藏之物。

七、文淵閣四庫全書本：(宋)孫覺撰《春秋經解》十五卷，七冊，《國立故宮博物院善本舊籍總目》，上冊，頁九十四著錄，台北：故宮博物院有藏本。

【增補】永瑢等撰《欽定四庫全書總目》曰：「春秋經解十三卷[1]　兵部侍郎紀昀家藏本

宋孫覺撰。覺字莘老，高郵人，擢進士第，官至御史中丞。事迹具《宋史》本傳。此書題曰『龍學孫公』，蓋覺致仕之時，以龍圖閣學士兼侍講，提舉醴泉觀也。覺早從胡瑗遊，傳其『春秋之學』，大旨以『抑霸尊王』為主。自序稱：『《左氏》多說事迹，《公》《穀》以存梗概[2]。今以三家之說較其當否，而《穀梁》最為精深，且以《穀梁》為本。其說是非褒貶，則雜取三傳及歷代諸儒啖、趙、陸氏之說，長者從之，其所未聞，則以安定先生之說解之』。今瑗《口義》五卷已佚，傳其緒論，惟見[3]此書。周麟之跋稱：『初，王安石欲釋《春秋》以行於天下，而莘老之傳已出，一見而有惎心，自知不能出其右，遂詆聖經而廢之。』邵輯序稱是書作於晚年，謂安石因此廢春秋，似未必盡然。然亦可見當時甚重其書，故有此說也。《宋史・藝文志》載覺

1霖案：原注云：按：文淵閣庫書題作《孫氏春秋經解》十三卷。

2霖案：原注云：按：文淵閣庫書所錄孫覺原序作「《左氏》多說事迹，公羊亦存梗概」。

3霖案：原注云：「見」，浙、粵本作「覽」。

《春秋經解》十五卷，又《春秋學纂》十二卷，《春秋經社要義》六卷。朱彝尊《經義考》據以著錄，於《經解》注曰『存』，於《學纂》、《要義》皆注曰『佚』。然今本實十三卷，自隱公元年至獲麟，首尾完具，無所殘闕，與《宋志》所載不符。考陳振孫《書錄解題》載『《春秋經解》十五卷，《春秋經社要義》六卷』，而無《春秋學纂》。王應麟《玉海》載《春秋經社要義》六卷，《春秋學纂》十二卷，而無《春秋經解》。其『學纂』條下注曰：『其說以《穀梁》為本，及採《左氏》、《公羊》歷代諸儒所長，間以其師胡瑗之說斷之，分莊公為上下』云云，與今本一一相合。然則《春秋學纂》即《春秋經解》之別名，《宋志》誤[4]分為二書，并訛其卷數，《書錄解題》亦訛十三卷為十五卷[5]，惟《玉海》所記為得其真矣。」（卷二十六，頁三三八至頁三三九）

【增補】邵懿辰撰、邵章續錄：《增訂四庫簡明目錄標注》卷三曰：「《春秋經解》十三卷，宋孫覺撰。

聚珍板本，通志堂本，彙刻目通志堂經解有此書名，而今所行經解本無之，翁刻經解目亦無之，汪刻叢書本，姚若有通志堂刊本。

〔附錄〕陸有朱竹垞舊藏鈔本。（紹箕）

〔續錄〕宋嘉定丙子汪綱刊於新安本，宋邵氏刊本，佳。閩覆聚珍本。」（頁一〇六）

【增補】胡玉縉撰、王欣夫輯《四庫全書總目提要補正》卷七曰：「瞿氏《目錄》有舊鈔本十五卷，云：『此書見《宋史・藝文志》、陳氏《書錄》，卷數相同。』陸氏《儀顧堂續跋》云：『卷一隱上，卷二隱下，卷三桓上，卷四桓下，卷五莊上，卷六莊下，卷七閔公，卷八僖公，卷九文公，卷十宣公，卷十一成公，卷十二襄公，卷十三昭公，卷十四定公，卷十五哀公。前有莘老序，後有陽羨邵輯序，檇李張顏跋，楊時後序，楊序後低二格，有新安汪綱跋，再後有周麟之跋及本傳，蓋從邵輯刊本影寫者。今本作十二卷，又經後人合併矣。』據此，則《提要》所說皆非。　陸氏《藏書志》有舊鈔本龍學孫公《春秋經解》十五卷，據此，則自有十五卷之本。」（頁一六五）

【增補】崔富章：《四庫提要補正》曰：「《總目》及庫書皆據兵部侍郎紀昀家藏十三卷本著錄，今上海藏清抄本《龍學公春秋經解》十三卷存二卷（三至四），是確有十三卷本。然據此認為《宋史・藝文志》、《直齋書錄解題》皆『訛其卷數』則非。錢謙益《絳雲樓書目》、錢曾《述古堂書目》皆著十五卷本。朱彝尊亦藏影宋抄本『龍學孫公春秋經解十五卷。』其書後為陸心源所得，陸書又為日本靜嘉堂所有，見《靜嘉堂秘籍志《四采進書目車『春秋經解十五卷，宋孫覺著，四本』。《浙江采集遺

4霖案：原注云：「誤」前，浙、粵本有「既」。

5霖案：崔富章：是書既有十三卷本傳世，亦有十五卷本傳世，《四庫採進書目》即作十五卷，今北京館亦藏有清抄本《春秋經解》十五卷。《總目》指《宋志》等訛其卷數，實為不確之論。

書總目》詳為著錄云：『龍學孫公春秋經解十五卷，天一閣寫本，右宋龍圖閣學士高郵孫覺撰。義主穀梁、兼采左氏、公羊及歷代諸儒唐啖、趙、陸之說，長者從之，其所未安，則以所聞於安定先生者折衷焉。』《故宮善本書目‧天祿琳琅錄外書目》亦著抄本『龍學孫公春秋經解十五卷，八冊』今北京館藏清抄本『春秋經解十五卷，宋孫覺撰，清王端履校』。足證是書確有十五卷傳本（《春秋》魯十二公，隱、桓、莊各分上、下卷，餘各一卷）。

文瀾閣庫書原本佚，今存丁氏補抄本，十五卷。」（頁一五四—一五五）

【增補】〔校記〕《四庫》本十三卷。（《春秋》，頁四八）

八、民國五十八年(1969)藝文印書館百部叢書集成初編影印本：(宋)孫覺撰《春秋經解》十五卷，台北：國家圖書館有藏本。

又馬來西亞大學圖書館有藏本（二部）。

九、康熙丙辰(十五)年通志堂刊本：(宋)孫覺撰《春秋經解》十五卷，六冊，２７公分，11 行，行 20 字，雙欄，白口，黑魚尾，台北：臺大圖書館有藏本。

又馬來西亞大學圖書館有藏本（二部）。

十、抄本：孫覺撰《春秋經解》十五卷，寧波天一閣有藏本。

【增補】駱兆平《新編天一閣書目》曰：「《春秋經解》十五卷　宋龍圖閣學士孫覺撰。抄本。是書專宗《穀梁傳》之義，兼採之傳及唐啖、趙、陸諸家之說以折衷之。」（頁一八八）

十一、明鈔本：孫覺撰《龍學孫公春秋經解》十五卷，四冊，北京圖書館有藏本。

【增補】王重民：《中國善本書提要》曰：「【龍學孫公春秋經解十五卷】四冊（《四庫總目》卷二十六）（北圖）

明鈔本〔十行二十字〕

宋孫覺撰。按《四庫》及《聚珍》印本均作十三卷，提要因以《宋志》及《書錄解題》作十五卷者為誤，而不知宋代實有十五卷本也。此鈔本即從宋刻本出，原本為紹熙間邵輯所刻，嘉定間又經汪綱修補者。卷內有：「廷古堂李氏珍藏」印記。

自序

張頑跋〔慶元元年（一一九五）〕

楊時序

汪綱跋楊序〔嘉定九年（一二一六）〕

邵輯序〔紹熙四年（一一九三）〕

國史本傳

周麟之跋。」（頁二四）

十二、清納蘭性德通志堂抄本：河北圖書館有藏本。

【增補】《河北省圖書館館藏古籍目錄》曰：「０１５２

龍學孫公春秋經解　十五卷／（宋）孫覺撰·－清納蘭性德通志堂抄本·－１０冊（３函）·－１１行２０字，白口，單魚尾，左右雙邊
經１５２」（頁十六）

十三、清抄本：宋孫覺撰，《龍學孫公春秋經解》十三卷，存二卷〔三至四〕，上海圖書館有藏本。

十四、清抄本：宋孫覺撰，清王端履校，《春秋經解》十五卷，中國國家圖書館有藏本。

覺〈自序〉曰[6]：「《春秋》者，魯國之史，孔子老而後成之書也。孔子曰：『吾自衛反魯，然後樂正，《雅》、《頌》各得其所。』又曰：『加我數年，五十以學《易》，可以無大過矣。』是刪《詩》、《書》，定《禮》、《樂》，在於反魯之年，而贊《易》在於五十之後也。《春秋》止於獲麟，而孔子沒於獲麟之後二歲耳，是孔子於未沒之前，猶記春秋之事，則《春秋》之於《六經》，最為深義[7]也。孔子於未老之前不作《春秋》，必其老而後作者，蓋孔子尚壯，猶冀當時之君有能感悟而用之者矣；奈何周旋天下，至於窮老，而一邱[8]之地不可得、一旅之民不可有；孔子之年益老，而天下之亂不止，至於臣弒[9]君、子弒[10]父，而天子不加誅、方伯不致討，三綱五常，掃地俱盡；孔子於是因魯之史以載天子[11]之事，二帝三王之法於是乎在。《春秋》之所善，王法之所與[12]也；《春秋》之所惡，王法之所棄也；至於修身、正家、理國、治天下之道，君臣、父子、兄弟、夫婦之法，莫不大備。故前史云：「為人臣而不知《春秋》，必蒙首惡之名；為人子而不知《春秋》，必陷大逆之罪。」故學者不可以不務也。《春秋》之作，蓋以天下無主[13]，而孔子以王法正之。誅罰褒賞者，天子之事也，故孔子曰：『知我者，其惟《春秋》乎！罪我者，其惟《春秋》乎！』作傳者既不解孔子所以作《春秋》之意，而杜預、何休之徒，又妄為之說。如杜預之說則曰：『周德

6霖案：《文獻通考．經籍考》卷十，頁247所錄之文，乃是節文，置於「陳氏曰」之下。又原文見於孫覺撰，《春秋經解．自序》（台北：臺灣商務印書館，「景印文淵閣四庫全書」冊一四七，民國七十五年三月，初版），頁555-556。

7 霖案：「深義」二字，《春秋經解．自序》作「晚成」二字。

8 霖案：「邱」字，應依《春秋經解．自序》作「丘」字。

9 霖案：「弒」字下，應依《春秋經解．自序》補入「其」字。

10 霖案：「弒」字下，應依《春秋經解．自序》補入「其」字。

11「天子」，《備要》本誤作「天下」。　霖案：《春秋經解．自序》作「天子」。

12 霖案：「與」字，應依《春秋經解．自序》作「褒」字。

13 霖案：「主」字，應依《春秋經解．自序》作「王」字，蓋「主」、「王」形近而誤入，應據原書改正。

既衰，官失其序[14]，諸所記注，多違舊章，仲尼因魯史策書成文，考其真偽而志其典禮，其教之所存、文之所害，則刊而正之，其餘則皆即用舊史。』若如其說，則孔子乃一史官耳[15]，《春秋》既曰『作之』，又徒因其記注，即用舊史，則聖人何用苟為書也？何休之說曰：『《春秋》將以黜周王魯。』孔子為天下無王，乃作《春秋》，何得云『黜周王魯』？如《經》書：『王正月者，大一統也。』『先王人者，卑諸侯也。』『不書王戰者，以見天下莫之敵也。』『書王而加天者，別乎[16]楚之僭偽也。』《春秋》尊王如此，安得謂之黜周乎？作《傳》者既不解孔子所以作《春秋》之意，而注釋者又妄為之說，至今好怪[17]之徒，更增引血書端門諸讖緯之說以解《春秋》，此啖氏所謂：『宏綱既失，萬目從而大去者也。』故自孔子之沒，能深知孔子之所以作與《春秋》之所以存者，孟子[18]耳[19]。孟子曰：『王者之迹熄而《詩》亡，《詩》亡，然後《春秋》作。』孟子之意，以謂王者號令尚行於天下，而於號令之中有過差失謬，則詩人得以刺規而正之；至其大亂，而王道板蕩、號令不行，天子名存而已，則孔子作《春秋》以代其賞罰也。《春秋》既成，孔子不久而沒，又其書刺譏誅絕，多病當時之人，不可顯傳於世，故門弟子受業《春秋》者無聞焉。其後遂有《春秋五傳》，《鄒氏》、《夾氏》久已不傳，而《左傳》、《公》、《穀》代興於漢；然其祖習傳受，傳記不明，如習《左傳》者，即託為邱明，言與孔子同其好惡，又身為國史，所載皆得其真；然《左氏》之書，時亦失繆，此亦黨《左氏》之言也。習《公》、《穀》者，又言孔子《經》成，獨傳子夏，公羊高、穀梁赤皆子夏門人；若二子同出子夏之門，不應《傳》有同異，此亦黨《公》、《穀》之言也。《三傳》之出，既已訛謬，諸儒之說，不可依據[20]，但當取其是而舍其非耳[21]。《春秋》之名，說者亦眾，如《左氏》說韓宣子適魯，見《易象》與《春秋》；又孟子亦曰：『晉謂之《乘》，楚謂之《檮杌》，魯謂之《春秋》，其實一也。』是孔子於未作之前，已名《春秋》，孔子因之不改也。杜預曰：『史之所記，必表年以首事，年有四時，故錯綜[22]以為所記之[23]名也。』《孝經》[24]亦曰：『春秋祭祀，以時思之。』是言春秋可以舉

14「序」，《備要》本同，應依《補正》、《四庫》本作「守」。　霖案：《經義考新校》頁3340注文於「《四庫》」二字之前，另有「《四庫薈要》本、文淵閣」等字。今考《春秋經解．自序》作「守」字，此或翁方綱《經義考補正》所據之本也。

15 霖案：「耳」字，《春秋經解．自序》作「爾」字。

16 霖案：「乎」字，應依《春秋經解．自序》作「吳」字，此乃國別之名有誤也。

17 霖案：「怪」字，《春秋經解．自序》作「恠」字，「怪」、「恠」二字相同也。

18 霖案：「孟子」二字之前，應依《春秋經解．自序》補入「唯」字。

19 霖案：「耳」字，《春秋經解．自序》作「爾」字。

20 霖案：「依據」，《春秋經解．自序》作「據依」，二字互為乙倒。

21 霖案：「耳」字，《春秋經解．自序》作「爾」字。

22「綜」，《備要》本同，應依《補正》、《四庫》本作「舉」。　霖案：《經義考新校》頁3341注文於「《四庫》」二字之前，另有「《四庫薈要》本、文淵閣」等字。今考《春秋經解．自序》正作「綜」字，則翁方綱《補正》、四庫館臣，以及《點校補正經義考》均未考原〈序〉也。

四時，杜預之說亦得矣。《三傳》之作[25]，既未可質其後先，但《左傳》多說事迹，而公羊亦存梗槩，陸淳以謂斷義即皆不如《穀梁》之精。今以三家之說，校其當否，而《穀梁》最為精深，且以《穀梁》為本[26]；其說是非褒貶，則雜取三傳[27]及歷代諸儒，唐啖、趙、陸氏之說長者從之；其所未聞，即以所聞安定先生之說解之云。」

【增補】〔補正〕〈自序〉內「官失其序」，「序」當作「守」；「故錯綜以為所記之名也」，「綜」當作「舉」；「則雜取《三傳》」，「三」當作「二」。（卷八，頁一）

楊時〈序〉[28]曰：「孟子曰：『王者之迹熄而《詩》亡，《詩》亡，然後《春秋》作。』春秋之時，《詩》非盡亡也；〈黍離〉降而為《國風》，則王者之《詩》亡；王者之《詩》亡，則《雅》不作，而天下[29]無政矣，《春秋》所為作也，故曰：『《春秋》，天子之事也。』孔子歿[30]，更秦燔書，微言中絕。漢興，諸儒守專門之學，互相疵病，至父子有異同之論，況餘人乎？然自昔通儒達識，未有不由此而學也。熙寧之初，崇儒尊經，訓迪多士，以為[31]《三傳》異同，無所考正，於《六經》尤為難知，故《春秋》不列於學官，非廢而不用也，而士方急於[32]科舉之習，遂闕而不講，可勝惜哉！高郵中丞孫公先生，以其饜餘盡發聖人之蘊，著為成書，以傳後學，其微辭妙義[33]，多先儒之所未言者，啟其關鍵，使學者以稽其門，叩其戶，以窺堂奧，豈曰小補之哉？余得而伏讀之，不能釋手，聞所未聞多矣，而其孫廣伯乃

---

23 霖案：「之」字，《春秋經解．自序》作「卜」字。

24「《孝經》」，《四庫》本誤作「《考經》」。　霖案：《經義考新校》頁3341注文於「《四庫》」二字之前，另有「文淵閣」三字。今考《春秋經解．自序》作「《孝經》」。

25 霖案：「作」字，應依《春秋經解．自序》改作「說」字。

26 霖案：「本」字下，應依《春秋經解．自序》補入「者」字。

27「三《傳》」，應依《補正》、《四庫》本作「二《傳》」。　霖案：《經義考新校》頁3341注文於「《四庫》本」題作「《四庫》諸本」。今考《文獻通考．經籍考》亦作「《二傳》」，惟《春秋經解．自序》作「《三傳》」，顯示竹垞所據之本，應據原〈序〉甄錄其文。

28霖案：《五經翼》卷十三，葉七至葉八（經151冊-頁772）。又孫覺撰，《春秋經解．原序》亦錄有楊時之〈序〉（台北：臺灣商務印書館，「景印文淵閣四庫全書」冊一四七，民國七十五年三月，初版），頁554。

29「天下」，《備要》本作「天子」。　霖案：今考《春秋經解．原序》、《五經翼》卷十三俱作「天下」。

30霖案：「歿」字，《春秋經解．原序》、《五經翼》卷十三俱作「沒」字。

31霖案：「為」字，《春秋經解．原序》、《五經翼》卷十三俱作「謂」字。

32 霖案：「於」字，《春秋經解．原序》作「于」字。

33霖案：「義」字，《春秋經解．原序》、《五經翼》卷十三俱作「旨」字。

以其書屬予[34]為〈序〉，以予[35]之淺陋，使得挂[36]名經端，自託不腐，豈不幸矣哉？然承命以來，於[37]茲有年矣，而不敢措筆於[38]其間。竊謂先生以宗工鉅儒，世所師仰，雖片言寸簡，皆足以垂世傳後，況其成書耶？晚學後進，妄以蕪辭污[39]鏝之，非惟不足以為重，乃退之所謂：『言之適有累於高明也。』故絕意不敢為，而廣伯之請益至，乃勉為之書其後，庶乎如古之附驥尾者。後之覽者，矜其意而勿誚焉，可也[40]。」

【增補】〔補正〕楊時〈序〉內「蕪辭污鏝」，「污」當作「圬」。（卷八，頁一）

周麟之〈跋〉曰[41]：「先君潛心《春秋》二十年，得成說於[42]鄆上孫先生莘老，其書家傳三世矣，兵火焚蕩，遂為煨燼。及寓居江、浙，嘗誦其說以授學者，予每得竊[43]聽之。一日，先君為予[44]言：『初，王荊公欲釋《春秋》以行於[45]天下，而莘老之書[46]已出，一見而有惎心，自知不復能出其右，遂詆聖經而廢之，曰：「此斷爛朝報也。」不列於[47]學官，不

34霖案：「予」字，《五經翼》卷十三題作「余」字。《春秋經解．原序》正作「予」字。

35 霖案：「予」字，《春秋經解．原序》作「余」字。

36霖案：「挂」字，《春秋經解．原序》、《五經翼》卷十三題作「掛」字。

37霖案：「於」字，《春秋經解．原序》、《五經翼》卷十三題作「于」字。

38 霖案：「於」字，《春秋經解．原序》作「于」字。

39「污」，應依《補正》、《四庫》本作「圬」。　霖案：《經義考新校》頁3243注文於「《四庫》」二字之前，新出校文如下：「《四庫薈要》本、文淵閣」等字。今考「污」字，《五經翼》卷十三適作「污」字，顯見竹垞係根抄錄《五經翼》之文，特此說明。《春秋經解．原序》作「圬」字。

40霖案：「也」字下，《春秋經解．原序》另有「龜山楊時序」等五字。

41霖案：《直齋書錄解題》卷三，頁459、《文獻通考．經籍考》卷十，頁247所錄之文，乃是節文，置於「陳氏曰」之下。完整的〈序文〉，見於《海陵集》卷二十二，〈跋先君講春秋序後〉，（台北：臺灣商務印書館，「景印文淵閣四庫全書」冊一一四二，民國七十五年三月，初版），頁174-175；又見於孫覺，〈春秋經解．後跋（周麟之）〉（台北：臺灣商務印書館，「景印文淵閣四庫全書」冊一四七，民國七十五年三月，初版），頁781。案：竹垞將此文置於孫覺《春秋經解》之後，並謂之〈跋〉，然考諸《海陵集》所題之名，則此文乃〈跋先君講春秋序後〉，並非〈春秋經解後跋〉，惟此文又見於《春秋經解．後跋》，是以竹垞將此文置於《春秋經解》條下，亦有所據也。

42 霖案：「於」字，《春秋經解．後跋》作「于」字。

43 霖案：「竊」字，應依《春秋經解．後跋》作「而」字。

44 霖案：「予」字，《春秋經解．後跋》作「余」字。

45 霖案：「於」字，《春秋經解．後跋》作「于」字。

46 霖案：「書」字，《春秋經解．後跋》作「傳」字。

47 霖案：「於」字，《春秋經解．後跋》作「于」字。

用於[48]貢舉，積諸[49]有年[50]，爰自近世，是《經》復行，而學士大夫亦罕知有莘老說也。』已而歎曰：『吁!孫先生之書，其遂湮沒已乎？何其久而不[51]顯也。』某[52]應之曰：『此書豐城寶也，隱顯亦各有時，不幸而埋光鏟采於[53]今之世，然而龍泉、太阿之氣，自當夜動牛斗，復有達識之士如張茂先輩表而出之，以為天下後世刔[54]蒙之器，亦必有日矣。』後數年，有文定胡公著《春秋傳》以進於[55]上，學者皆傳之，而先君不及見也。予近得之，嘗反覆[56]其義，蓋與莘老之說合者十常六七，然莘老發明聖人之奧，舉三傳以斷得失，反復折中，著為通論，其旨詳而明，深而當，異說不得而破，此其邃處，文定似不及也[57]。」

邵輯〈序〉曰[58]：「龍學孫公蚤從安定胡先生遊，在經社中最少[59]，而尤深於[60]《春秋》。晚患諸儒之鑿，彼此佩劍[61]，蠹蝕我聖經，乃[62]攄其所自得為之傳。凡先儒之是者從之，非者折衷之。義例一定，凡目昭然，誠後學之指南也，而傳者蓋寡。余曩得之親故，間愛其議論之精審，而文辭之辨博也；常欲刊行，與學者共之，而力所不能。既來楚[63]郵，以為此公之鄉里也，近世兩淮如合肥之《包孝肅集》、山陽之《徐節孝集》，皆因其鄉里而易以傳布，吾之志遂矣。適值大歉，朝夕汲汲焉，荒政之是營，未暇及此。越明年，歲稔，公私粗給，

48 霖案：「於」字，《春秋經解．後跋》作「于」字。

49 霖案：「諸」字，《春秋經解．後跋》無此字，當刪。

50 霖案：「年」字之下，《春秋經解．後跋》作「矣」。

51 霖案：「不」字，應依《春秋經解．後跋》作「未」字。

52 霖案：「某」字，應依《春秋經解．後跋》作「麟之」二字。

53 霖案：「於」字，《春秋經解．後跋》作「于」字。

54霖案：「刔」，應依《海陵集》作「發」。然而，《春秋經解．後跋》題作「刔」字。

55 霖案：「於」字，《春秋經解．後跋》作「于」字。

56霖案：「反覆」，《春秋經解．後跋》、《海陵集》俱作「反復」。

57霖案：「也」字下，應依《海陵集》補入「因暇閱講序併述于後」等九字。又《春秋經解．後跋》作「因暇閱說序併述于後，海陵周麟之謹識」等十六字。

58 霖案：孫覺撰，《春秋經解．原序》(台北：臺灣商務印書館，「景印文淵閣四庫全書」冊一四七，民國七十五年三月，初版)，頁553-554。

59 霖案：「少」字，應依《春秋經解．原序》改作「有聲」二字。

60 霖案：「於」字，《春秋經解．原序》作「于」字。

61霖案：「劍」字，《春秋經解．原序》作「劒」字。

62霖案：「乃」字，《春秋經解．原序》作「迺」字。

63 霖案：「楚」字，應依《春秋經解．原序》作「秦」字，蓋此文下云：「以為此公之鄉里也」，而孫覺，高郵人(見《宋史》卷三四四，頁10925)，而高郵在江蘇省境內，因秦王嬴政時築高臺、置郵亭，故名高郵，別稱秦郵，是以應以「高郵」為是。

於是撙節浮費，鳩工鏤板，置[64]諸郡齋，以永其傳。其間無解者，多不備其經文，今謹仍舊，弗敢增也。嗟乎!書之顯晦，蓋亦有時。如公名節著於當時，載在信史，爛如日星，固不待此以為重輕；然公平生之所留意，今得百有餘年，猶未顯行於世，余獨寶藏之，又適承乏於公之鄉里，得以遂夙昔之志，則此書之傳，疑若有待也[65]。」

汪綱曰[66]：「龜山為[67]孫先生作《春秋解．後序》，竊謂楊公學邃於經，今於是書尊信推予，若弟子之於其師，後學觀此，當知所依歸矣[68]。」

張碩曰[69]：「高沙鄉先生龍學孫公《春秋解》，發明聖經之隱奧，折衷諸儒之是否，學者願見而不可得，前政邵君出家藏本刻板郡齋，其嘉惠後進也博[70]矣[71]。」

晁公武曰[72]：「《春秋經社》[73]，其學亦出於啖、趙，凡四十餘門，論議頗嚴。」

陳振孫曰[74]：「覺從胡安定游，弟子[75]以千數，別其老成者為經社，覺年最少，儼然居其間[76]，眾皆相服，此殆其時所作也。」　又曰[77]：「孫覺《春秋經解》[78]，其〈自序〉言：

---

64 霖案：「置」字，《春秋經解．原序》作「寘」字。

65 霖案：「也」字下，應依《春秋經解．原序》補入「紹熙四禩仲春陽羨邵輯序」等十一字。

66 霖案：孫覺撰，《春秋經解．原序》（台北：臺灣商務印書館，「景印文淵閣四庫全書」冊一四七，民國七十五年三月，初版），頁554。

67 霖案：「龜山為」三字，原書題作「綱因讀龜山《文編》，見其為中丞」等十二字，竹垞精簡文句為三字。

68 霖案：「矣」字下，應依原書文句補入「敬鋟諸梓，以補前之未備云。時嘉定丙子仲春上澣郡守新安汪綱書」等二十七字。

69 霖案：孫覺撰，《春秋經解·後跋》（台北：臺灣商務印書館，「景印文淵閣四庫全書」冊一四七，民國七十五年三月，初版），頁781。

70 霖案：「博」字，《春秋經解．後跋》作「愽」字。

71 霖案：「矣」字下，應依《春秋經解．後跋》補入「茲復移書以樞密周公〈跋〉語，俾附益卷末，且且見景仰不忘不之意，余敢不助成美事，慶元改號朔旦檇李張顏書。」等句。

72霖案：《郡齋讀書志》卷第三，頁103。又《文獻通考．經籍考》卷九，頁245，置於孫覺《春秋經社》條下，而竹垞置於《春秋經解》條下，則有錯置解題之失，應置於下列孫覺《春秋經社要義》條下。

73霖案：「《春秋經社》」諸字，《文獻通考．經籍考》引作「皇朝孫覺撰。」。

74霖案：《直齋書錄解題》卷三，頁459．《文獻通考．經籍考》卷九，頁245孫覺《春秋經社》條下，竹垞統一置於《春秋經解》條下，當調整其次第。

75霖案：「弟子」二字，《文獻通考》引作「《門弟子》」三字。

76霖案：「閒」字，《文獻通考》引作「間」字。

77霖案：《直齋書錄解題》卷三，頁459、《文獻通考．經籍考》卷十，頁247。

『三家之說，《穀梁》最為精深，且以為本，雜取《二傳》及諸儒之說，長者從之，其所未安，則以所聞於安定先生者斷之。』楊龜山為之後序。」

【增補】何廣棪：《陳振孫之經學及其《直齋書錄解題》經錄考證》曰：「廣棪案：《宋元學案》卷一《安定學案》『《文昭胡安定先生瑗》』條曰：『其教人之法，科條纖悉俱備。立『經義』、『治事』二齋：經義則選擇其心性疏通、有器局可任大事者，使之講明《六經》。治事則一人各治一事，又兼攝一事，如治民以安其生，講武以禦其寇，堰水以利田，算曆以明數是也。』《解題》所云之『經社』，即此『經義齋』也。覺之《要義》六卷，《讀書志》卷第三《春秋類》亦著錄，云：『其學亦出啖、趙，凡四十餘門。論議頗嚴。』王應麟曰：『《經社要義》，分為類例，考據諸《傳》，以解經旨。《學纂》（廣棪案：指覺所撰《春秋學纂》）。其說以《穀梁》為本，及采《左氏》、《公羊》，歷代諸儒所長，間以其師胡瑗之說斷之。』（《經義考》卷一百八十二《春秋》十五『《春秋經社要義》條引』。）《宋元學案》卷一《安定學案》『《龍學孫莘老先生覺》』條，黃百家謹案曰：『先生之《春秋經解》多主《穀梁》之說，而參以《左氏》、《公羊》及漢、唐諸家之說。義有未安者，則補以所聞于安定及己之獨悟。晁公武稱其議論最精。誠哉斯言！』綜上所記，固可推知覺之治《春秋》，其法取效啖助，而亦斷之安定，論議精嚴。茲《要義》六卷雖佚，猶可略悉其梗概。」（頁五五六）

【增補】何廣棪：《陳振孫之經學及其《直齋書錄解題》經錄考證》曰：「廣棪案：《宋史・藝文志》著錄覺另有《春秋學纂》十二卷，《總目》謂《學纂》即此書之別名。《總目》卷二十六《經部》二十六《春秋類》一載：『《春秋經解》十三卷，（兵部侍郎紀昀家藏本。）宋孫覺撰。……《宋史・藝文志》載覺《春秋經解》十五卷，又《春秋學纂》十二卷、《春秋經社要義》六卷。朱彝尊《經義考》據以著錄，於《經解》注曰存。於《學纂》、《要義》皆注曰佚。然今本實十三卷，自隱公元年至獲麟，首尾完具，無所殘闕，與《宋志》所載不符。考陳振孫《書錄解題》載《春秋經解》十五卷、《春秋經社要義》六卷，而無《春秋學纂》。王應麟《玉海》載《春秋經社要義》六卷、《春秋學纂》十二卷，而無《春秋經解》。其《學纂》條下注曰：『其說以《穀梁》為本，而採《左氏》、《公羊》，歷代諸儒所長，間以其師胡瑗之說斷之，分莊公為上下云云。』與今本一一相合。然則《春秋學纂》即《春秋經解》之別名。《宋志》既誤分為二書，并畱其卷數。《書錄解題》亦畱　十三卷為十五卷。惟《玉海》所記為得其真矣。』據《總目》所考，則《經解》與《學纂》同屬一書而異名。《玉海》載《學纂》為十二卷，《總目》謂紀昀家藏本《經解》為十三卷，殆將莊公分上下作兩卷耶，故二者相差一卷也。至覺《自序》曰：『《三傳》之作，既未可質其後先，但《左傳》多說事迹，而《公羊》亦存梗概，陸淳以謂斷義即皆不如《穀梁》之精。今以三家之說校其當否，而《穀梁》最為精深，且以《穀梁》為本。其說是非褒貶，則雜取《三傳》及歷代諸儒唐啖助、趙匡、陸質之說。長者從之、其所未聞，即以所聞安定先生之說解之云。』《解題》據此隱括。」（頁五五七至

78霖案：「孫覺《春秋經解》」六字，《文獻通考》引作「孫覺撰」三字。

頁五五八）

【增補】何廣棪：《陳振孫之經學及其《直齋書錄解題》經錄考證》曰：「案：楊時《後序》略曰：『高郵中丞孫公先生，以其饜餘盡發聖人之蘊，著為成書，以傳後學。其微辭妙義，多先儒之所未言者。啟其關鍵，使學者以稽其門，叩其戶，以窺堂奥，豈曰小補之哉！余得而伏讀之，不能釋手，聞所未聞多矣。而其孫廣伯乃以其書屬予為《序》。以予之淺陋，使得挂名經端，自託不腐，豈不幸矣哉！』」（頁五五八）

【增補】何廣棪：《陳振孫之經學及其《直齋書錄解題》經錄考證》曰：「案：《經義考》卷一百八十二《春秋》十五『孫氏覺《春秋經解》』條引『陳振孫曰』，而此段全闕。考茂振，周麟之字。麟之，紹興十五年進士，曾歷兵部侍郎兼給事中。此書麟之有《跋》，略曰：『先君潛心《春秋》二十年，得成說於郵上孫先生莘老，其書家傳三世矣，兵火焚蕩，遂為煨燼。及寓居江浙，嘗誦其書以授學者，予每得竊聽之。一日，先君為予言：初王荊公欲釋《春秋》以行於天下，而莘老之書已出，一見而有惎心，自知不復能出其右，遂詆聖經而廢之，曰：『此斷爛朝報也。』不列於學官，不用於貢舉，積諸有年。自近世是經復行，而學士大夫亦罕知有莘老說也。……然莘老發明聖人之奥，舉《三傳》以斷得失，反復折中，著為通論，其旨詳而明，深而當，異說不得而破。此其邃處，文定似不及也。』《解題》乃據是《跋》隱括成文。」（頁五五九）

陳造曰[79]：「孫先生《春秋解》[80]，其於《經》窮盡該備，幾無遺意[81]。」

張萱曰[82]：「孫覺[83]以三家之說校其當否，而專主《穀梁》，其是非褒貶雜用《三傳》[84]及啖、趙、陸三家，擇其說之最長者，而以胡安定之說斷焉。」

79霖案：《江湖長翁集》卷三二，〈題孫先生春秋解〉，（台北：商務印書館，《文淵閣四庫全書本》冊一一六六），頁397-398。

80霖案：「孫先生《春秋解》」等六字，應依原書改作「《春秋經社》，吾鄉故中丞孫先生莘老與為之，晚又為之《解》」等二十二字，竹垞據文意刪改文句，雖有精簡之效，但離原書文句甚遠，有待改正。

81霖案：「意」字下，應依《江湖長翁集》補入「遍訪親舊，客有以遺贈者，遂為全書，豈天為斯文，地有物呵護歟！何久睽而忽合也，稍正其傳寫之誤，而藏于家，俾子孫知其不苟全，得而易之，昊天不宜。」等句。

82霖案：孫能傳等撰《內閣藏書目錄》卷二，頁476。

83霖案：「孫覺」二字，應依《內閣藏書目錄》改作「宋孫覺著」。

84「三傳」，《備要》本同，應依《補正》、《四庫》本作「二傳」。　霖案：《經義考新校》頁3344注文，於「《四庫》」二字之前，另有「《四庫薈要》本、文淵閣」等字。今考標點本《點校補正經義考》曰：「『三傳』，《備要》本同，應依《補正》、《四庫》本作『二傳』。」，然孫能傳等撰《內閣藏書目錄》亦題作「《三傳》」，同於竹垞所錄，則「備要本」不誤，《補正》、《四庫》本有誤，

【增補】〔補正〕張萱條內「雜用三傳」，「三」當作「二」。（卷八，頁一）

《春秋學纂》（宋）

【霖案】據何廣棪：《陳振孫之經學及其《直齋書錄解題》經錄考證》所言，此書與《春秋經解》實同為一書，《宋志》誤之也，說法詳見上文。

《宋志》：「十二卷。」

佚。

《春秋經社要義》（宋）

【書名】《郡齋讀書志》卷第三，頁一〇三、《文獻通考．經籍考》卷九，頁二四五著錄此書，書名題作《春秋經社》。

《宋志》：「六卷。」

佚。

黃仲元曰[85]：「孫莘老與一時名勝為《經社》，雖不主一人之臆說，其間卓然獨見者誰乎？」

王應麟曰[86]：「《經社要義》[87]分為類例、考據、諸傳以解經旨[88]；《學纂》[89]其說以《穀梁》為本，及采《左氏》、《公羊》、歷代諸儒所長，間以其師胡瑗之說斷之。[90]」

程子頤《春秋傳》（宋）

【作者】又竹垞著錄的慣例，多作「某氏」，此作「程子」者，係為尊稱。

【作者】程頤（1033～1107），字正叔，謚「正」，世稱「伊川先生」。程顥之弟。與程顥同受學於周敦頤。撰有《易》《春秋傳》、《語錄》、及《文集》。

《宋志》：「一卷。」

而標點本誤承前人之失。

85霖案：孫承澤：《五經翼》卷十三，〈講春秋序〉(《四庫全書存目叢書》經一五一)，頁780。案：竹垞他處所引〈講春秋序〉之文，均題作「黃淵曰」，同於《五經翼》所題，而此處獨題作「黃仲元」者，致使體例不一。

86霖案：《玉海》冊二，卷四○，頁801。

87霖案：「《經社要義》」四字之下，應依《玉海》補入「六卷」。

88霖案：「分為類例、考據、諸傳以解經旨」諸句，《玉海》置於注文之中，又「旨」字下，應依原書注文補入「其學亦出（此字漫漶，難以辨明）啖、趙，凡四十餘門。」等十一字。

89霖案：「《學纂》」二字下，應依《玉海》補入「十三卷」三字。

90霖案：「其說以《穀梁》為本，及采《左氏》、《公羊》、歷代諸儒所長，間以其師胡瑗之說斷之。」諸句，《玉海》置入注文之中，特此說明。

【卷數】《直齋書錄解題》卷三，頁四六〇、《文獻通考·經籍考》卷十，頁二五二著錄，卷數題作「二卷」。

存。

【版本及藏地】本書版本及藏地如下：

一、《二程遺書》本：《春秋總義論著目錄》頁二一著錄。

程子〈自序〉曰[91]：「天之生民，必有出類之才起而君長之，治之而爭奪息，道之而生養遂，教之而倫理明，然後人道立，天道成，地道平。二帝而上，聖賢世出，隨時有作，順乎風氣之宜，不先天以開人，各因時而立政。暨乎三王迭興，三重既備，子丑寅之建正，忠質文之更尚，人道備矣，天道[92]周矣。聖王既不復作，有天下者雖欲倣古之迹，亦私意妄為而已；事之繆，秦至以建亥為正；道之悖，漢專以智力持世；豈復知先王之道也？夫子當周之末，以聖人之不復作也，順天應時之治不復有也，於是作《春秋》，為百王不易之大法，所謂考諸三王而不謬，建諸天地而不悖，質諸鬼神而無疑，百世以俟聖人而不惑者也。先儒之論曰：『游、夏不能贊一辭。』辭不待贊也，言不能與於斯耳。斯道也，惟顏子嘗聞之矣。『行夏之時，乘殷之輅，服周之冕，樂則韶舞』，此其準的也。後世以史視《春秋》，謂褒善貶惡而已，至如經世之大法，則不知也。《春秋》大義數十，其義雖大，炳如日星，乃易見也。惟其微辭隱義，時措從宜者為難知也。或抑或縱，或與或奪，或進或退，或微或顯，而得乎義理之安；文質之中，寬猛之宜，是非之公，乃制事之權衡，揆道之模範也。夫觀百物，然後知化工之神；聚眾材，然後知作室之用。於一事一義而欲窺聖人之用心，非上智不能也，故學《春秋》者，必優游涵泳，默識心通，然後能造其微也。後王知《春秋》之義，則雖德非禹、湯，尚可以法三代之治；自秦而下，其學不傳。予悼夫聖人之志不得行[93]於後世也，故作傳以明之，俾後之人通其文而求其義，得其意而法其用，則三代亦可復也。是《傳》也，雖未能極聖人之蘊奧，庶幾學者得其門而入矣。[94]」

【增補】〔補正〕〈自序〉內「天道周矣」，「道」當作「運」；「不得行于後世也

91霖案：《文獻通考．經籍考》卷十，頁252錄有節文。又《國立中央圖書館善本序跋集錄》頁319-320錄有此文，係根據「明繡谷吳繼武校刊本」甄錄而來。又《五經翼》卷十一，經一五一冊，頁751-752亦錄此文。

92「天道」，《備要》本同，應依《補正》、《四庫》本作「天運」。　霖案：霖案：《經義考新校》頁3346注文，於「《四庫》本」作「《四庫》諸本」。今考《點校補正經義考》註文曰：「『天道』，《備要》本同，應依《補正》、《四庫》本作『天運』。」，然考《五經翼》、《國立中央圖書館善本序跋集錄》所轉錄之〈序〉文，實則作「天道」，則標點本誤襲翁方綱、四庫館臣之誤。

93「行」，《四庫》本、《備要》本同，應依《補正》作「明」。　霖案：《經義考新校》頁3347注文有較大改動，其文如下：「『行』，應依《四庫薈要》本、文津閣《四庫》本、《補正》作『明』。」。

94霖案：「矣」字下，應依《國立中央圖書館善本序跋集錄》補入「有宋崇寧二年癸未四月乙亥，河南程頤正叔序。」等十九字。

」，「行」當作「明」。（卷八，頁一）

【增補】何廣棪：《陳振孫之經學及其《直齋書錄解題》經錄考證》曰：「案：頤有《自序》，曰：『故學《春秋》者，必優游涵泳，默識心通，然後能造其微也。後王知《春秋》之義，則雖德非禹、湯，尚可以法三代之治。自秦而下，其學不傳，予悼夫聖人之志不明於後世也，故作《傳》以明之。俾後之人通其文而求其義，得其意而法其用，則三代可復也。是《傳》也，雖未能極聖人之蘊奧，庶幾學者得其門而入矣。』此頤撰斯《傳》之旨也。陳亮撰《跋》則曰：『伊川先生之序此書也，蓋年七十有一矣；四年而先生沒。今其書之可見者纔二十篇，世咸惜其缺也。』考頤卒於大觀元年（一一〇七），年七十有五；其前四年為崇寧二年（一一〇三），年七十一，正撰《春秋傳自序》之時。《解題》所記，與亮《跋》合。」（頁五六三）

朱子曰[95]：「伊川《春秋傳》[96]中，間有難理會處，亦不為決然之論也。[97]」

陳亮〈跋〉曰[98]：「伊川先生之序此書也，蓋年七十有一矣，四年而先生沒，今其書之可見者纔二十年，世咸惜其缺也，予[99]以為不然。先生嘗稱杜預之言曰：『優而柔之，使自求之；饜而飫之，使自趨之；渙然冰釋，怡然理順，然後為得也。』先生於是二十年之間[100]，其義甚精，其類例[101]博矣。學者苟精考其書，優柔饜飫，自得於言意之外，而達之其餘，則精義之功在我矣；較之終日讀其全書而於我無與者，其得失何如也？」

陳振孫曰[102]：「略舉大義，不盡為說，襄、昭後尤略。〈序〉文崇寧二年作，蓋其晚年也。」

【增補】何廣棪：《陳振孫之經學及其《直齋書錄解題》經錄考證》曰：「廣棪案：《經義考》卷一百八十二《春秋》十五著錄：『程子頤《春秋傳》，《宋志》一卷，存。』今此書全而無闕，仍作一卷。校之《解題》謂『略舉大義』，『襄、昭後尤略』云云　，則其卷數疑據《宋志》作一卷為合。」（頁五六三）

95霖案：本文出自《文獻通考．經籍考》卷十，頁252。又《朱子語類》卷八十三，頁854。

96霖案：「伊川《春秋傳》」五字，應依《朱子語類》作「今得程子《春秋解》。」。

97霖案：《文獻通考．經籍考》於「決然之論也」下，尚有如下文句：「如說『滕子來朝，』以為滕本侯爵，後微弱服屬於魯，自貶降而以子禮見魯，則貢賦少力易供。此說最好。程沙隨之說亦然。」等四十六字，可補相關例證，今補錄於上。

98霖案：《陳亮集》卷十六，〈書伊川先生春秋傳後〉，頁194。

99霖案：「予」，應依《陳亮集》作「余」。

100霖案：「間」，應依《陳亮集》作「間」。

101霖案：「類例」，應依《陳亮集》作「例類」。

102霖案：《直齋書錄解題》卷三，頁460、《文獻通考．經籍考》卷十，頁252。

黃淵曰[103]：「伊川初令門人劉質夫作《傳》，後來卻又親為之[104]，未知何以窺聖人用心處？」

劉永之曰[105]：「程子之《傳》，有舍乎襃　貶予奪而立言者，非[106]先儒之所及也。」

胡居仁曰[107]：「作《春秋傳》者不少，惟程子[108]發明得到。」

張子[109]載《春秋說》

【作者】張子為尊稱也，與其他錄作「某氏」之慣例不同。

《通考》：「一卷。」

【著錄】《文獻通考‧經籍考》卷十，頁二五〇著錄。

未見。

【存佚】朱彝尊《經義考》注曰「未見」，然本書未見其他傳本

【霖案】本書未見其他傳本，且《春秋總義論著目錄》頁二二注曰「佚」，當已久佚，故改注曰「佚」。

晁公武曰[110]：「張子厚為門人雜說《春秋》，其書未成。」

蘇氏轍《春秋集解》　《宋志》作「　《集傳》」。

【書名】張壽平《公藏先秦經子注疏書目》頁一三四錄有《蘇氏春秋集解》一書，《四庫全書》本亦題作《春秋集解》，然據胡玉縉撰、王欣夫輯《四庫全書總目提要補正》的考證，則此書應題作《春秋集傳》，竹垞著錄題作《春秋集解》，當係據《通考》及今傳之本甄錄。

【書名】何廣棪：《陳振孫之經學及其《直齋書錄解題》經錄考證》曰：「廣棪案：

103霖案：孫承澤：《五經翼》卷十三，〈講春秋序〉(《四庫全書存目叢書》經一五一)，頁780。

104霖案：「為之」，《五經翼》題作「筆」字。

105霖案：《皇明文衡》卷二十六，〈答梁孟敬書〉，頁237。又可參考：四庫本：《稗編》12-2下;7上~下〈與梁孟敬論春秋書〉，《春秋辯義》 卷首3-24下;《曝書亭集》64-14上〈劉永之傳〉等，亦有相關說明。

106霖案：「非」字前，應依《皇明文衡》補入「則」。

107 霖案：胡居仁撰，《居業錄》卷八(台北：臺灣商務印書館，「景印文淵閣四庫全書」冊七一四，民國七十五年三月，初版)，頁107。

108 霖案：「子」字下，應依《居業錄》補入「傳」字。

109「張子」，《四庫》本作「張氏」。　霖案：《經義考新校》頁3347注文，於「《四庫》」二字之前，另有「文淵閣」三字。

110霖案：《郡齋讀書志》卷第三，頁104、《文獻通考．經籍考》卷十，頁250。

此書轍《自序》稱作《春秋集解》，《讀書志》則稱《潁濱春秋集傳》。孫猛《郡齋讀書志校證》曰：『蘇轍《自序》『集傳』作『集解』而《書錄解題》卷三、《宋志》卷一、蘇籀《欒城遺言》、《經籍考》卷十題皆同原本。金《兩蘇經解》本題作《潁濱先生春秋集解》，《叢書集成初編》本題作《春秋集解》。』是則此書實多異名也。」（頁五六六）

【增補】台北：中研院傅斯年圖書館有何啟《春秋隅問》手稿本，書末附有蘇轍《春秋論》十則，今據以補入。

《宋志》：「十二卷。」

【卷數】本書卷數異同如下：

一、十二卷：《直齋書錄解題》卷三，頁四六〇、《現存宋人著述目略》頁十八著錄。

二、一卷：《文獻通考．經籍考》卷十，頁二五一。

〔校記〕今本卷與《宋志》同。（《春秋》，頁四八）

存。

【版本及藏地】本書版本及藏地如下

一、明刊本：宋．蘇轍撰《潁濱先生春秋集解》十二卷，２２╳１５．１　十行二十一字，左右雙欄，花口，單魚尾。日本九州大學文學部有藏本，見於周彥文《日本九州大學文學部書庫漢籍目錄》頁九。

二、經苑本：宋蘇轍撰《春秋集解》十二卷，二冊，《現存宋人著述目略》頁十八著錄，馬來西亞大學圖書館有藏本（二部），惟版本誤題作「苑經本」，今據以改正。

三、文淵閣四庫全書本：(宋)蘇轍撰《春秋集解》十二卷，四冊，《國立故宮博物院善本舊籍總目》，上冊，頁九十四著錄，台北故宮博物院有藏本。

【增補】永瑢等撰《欽定四庫全書總目》曰：「春秋集解[111]十二卷　浙江吳玉墀家藏本

宋蘇轍撰。先是劉敞作《春秋意林》，多出新意，孫復作《春秋尊王發微》，更舍傳以求經，古說於是漸廢。後王安石詆《春秋》為斷爛朝報，廢之不列於學宮。轍以其時經傳并荒，乃作此書以矯之。其說以《左氏》為主，《左氏》之說不可通，乃取《公》、《穀》啖、趙諸說[112]以足之。蓋以《左氏》有國史之可據，而《公》、《穀》以下則皆意測者也。自序稱：『自熙寧間謫居高安，為是書，暇輒改之。至元符元年卜居龍川，凡所改定，覽之自謂無憾。』蓋積十餘年而書始成，其用心勤懇，愈於奮

111霖案：原注云：「按：文淵閣庫書題作《蘇氏春秋集解》」。

112霖案：原注云：「說」，浙、粵本作「家」。

臆遽談者遠矣。朱彝尊《經義考》載陳宏緒跋曰：『《左氏》紀事，粲然具備，而亦間有悖於道者。《公》、《穀》雖以臆度解經，然亦得失互見。如『戎伐凡伯於楚丘』，《穀梁》以『戎』為『衛』；『齊仲孫來』，《公》、《穀》皆以為『魯慶父』；『魯滅項』，又皆以為『齊實滅之』。顯然與經謬戾，其失固不待言。至如『隱四年，秋，翬率113師會宋公、陳侯、蔡人、衛人伐鄭』，『桓十有四年，秋，八月壬申，御廩災，乙亥，嘗』，『莊二十有四年，夏，公如齊逆女』。諸如此類，似《公》、《穀》之說，妙合聖人精微，而穎濱一概以深文詆之，因噎廢食。讀者掩114其短而取其長可也。』其論是書頗允。此本不載，蓋刻在宏緒前也。《宋史・藝文志》稱是書為《春秋集傳》，《文獻通考》則作《集解》，與今本合，知《宋志》為傳寫誤矣115。」（卷二十六，頁三三九）

【增補】邵懿辰撰、邵章續錄：《增訂四庫簡明目錄標注》卷三曰：「《春秋集解》十二卷，宋蘇轍撰。

明刊本，兩蘇經解本，經苑本。

〔附錄〕陸有元刊元印本，首題三楚隱士子荊蕭楚箸，臨江後學性善周自得校正。（紹箕）（頁一〇六至頁一〇七）

【增補】胡玉縉撰、王欣夫輯《四庫全書總目提要補正》卷七曰：「蘇籀《欒城遺言》云：『公自熙寧謫高安，覽諸家之說為《集傳》十二卷，紹聖初，再謫南方，至元符三易地，最後卜居龍川白雲橋，《集傳》乃成，歎曰：『此千載絕學也！』既而坡公觀之，以為古人所未至。』玉縉案：據此，則《宋史》不誤，《通考》及今本作《集解》者誤。　案陸氏《藏書志》有明刊本穎濱先生《春秋集傳》，不作《集解》。」（頁一六六）

四、摛藻堂四庫全書薈要本：(宋)蘇轍撰《春秋集解》十二卷，四冊，《國立故宮博物院善本舊籍總目》，上冊，頁九十四著錄，台北故宮博物院有藏本。

五、《兩蘇經解》本：明焦竑彙刊并序。萬曆丁酉年刊本，《鐵琴銅劍樓藏書目錄》卷六，頁一四八著錄。

六、叢書集成本：宋蘇轍撰《春秋集解》十二卷，馬來西亞大學圖書館有藏本（三部）。

轍〈自序〉曰116：「予少而治《春秋》，時人多師孫明復，謂孔子作春秋，略盡一時

113霖案：原注云：「率」，浙、粵本作「帥」。

114霖案：原注云：「掩」，浙、粵本作「揜」。

115霖案：原注云：胡玉縉：據蘇籀《欒城遺言》載：《宋史·藝文志》不誤，而《文獻通考》及今本作《集解》者誤。陸氏《藏書志》有明刊本穎濱先生《春秋集傳》，不作《集解》。

116 霖案：蘇轍，《春秋集解．春秋集解引》(台北：臺灣商務印書館，「景印文淵閣四庫全書」冊一四八，民國七十五年三月，初版)，頁2-3。

之事，不復信史，故盡棄《三傳》，無所復取。予以為，左邱明[117]，魯史也，孔子本所據依，以作《春秋》，故事必以邱明[118]為本；杜預有言：『邱明[119]授[120]《經》於仲尼，身為國史，躬覽載籍，其文緩、其旨遠，將令學者原始要終，尋其枝葉，究其所窮；優而柔之，使自求之；饜而飫之，使自趨之；若江海之浸、膏澤之潤，渙然冰釋，怡然理順。』斯言得之矣。至於孔子之所予奪，則邱明[121]容不明盡，故當參以《公》、《穀》、啖、趙諸人，然昔之儒者，各信其學是而非人，是以多窒而不通。《老子》有言：『學不學，復眾人之所過，以輔萬物之自然而不敢為。』予竊師此語，故循理而言，言無所係，理之所至，如水之流，東西曲直，勢不可常，要之於通而已。近歲王介甫以宰相解經，行之於世，至《春秋》漫不能通，則詆以為斷爛朝報，使天下士不得復學。嗚呼!孔子之遺言而淩滅至此，非獨介甫之妄，亦諸儒講解不明之過也。故予始自熙寧謫居高安，覽諸家之說，而裁之以義，為《集解》十二卷，及今十數年矣，每有暇，輒取觀焉，得前說之非，隨亦改之。紹聖之初，遷於南方，至元符元年，凡三易地，最後卜居龍川之白雲橋，杜門無事，凡所改定，亦復非一，覽之，洒[122]然而笑，蓋自謂無憾矣。南荒士人，無可與論說者，顧謂子遜：『「仰之彌高，鑽之彌堅，瞻之在前，忽焉在後」，此孔子之不可及，而顏子之所太息也，而況於予哉？安知後世不復有能規予過者，其於昔之諸儒，或庶幾焉耳。汝能傳予說，使後生有聞焉者，千歲之絕學，儻在於是也。』[123]」

【增補】〔補正〕〈自序〉內「邱明授《經》於仲尼」，「授」當作「受」。（卷八，頁一）

晁公武曰[124]：「子由大意以世人多師孫復，不復信史，故盡棄《二傳》，全以《左氏》為本，至其不能通者，始取《二傳》、啖、趙。自熙寧謫居高安，至元符初十數年，暇日輒有改定，卜居龍川而書始成。」[125]

---

117 霖案：「左邱明」三字，《春秋集解》作「左丘明」三字。

118霖案：「邱明」二字，《春秋集解》作「丘明」二字。

119霖案：「邱明」二字，《春秋集解》作「丘明」二字。

120「授」，《備要》本同，應依《補正》、《四庫》本作「受」。　霖案：霖案：《經義考新校》頁3348注文，於「《四庫》本」題作「《四庫》諸本」等字。今考《春秋集解》正作「授」字。

121霖案：「邱明」二字，《春秋集解》作「丘明」二字。

122 霖案：「洒」字，《春秋集解》作「灑」字。

123 霖案：霖案：《經義考新校》頁3349新出注文如下：「文津閣《四庫》本脫『之非，隨亦改之』至「儻在於是也」整段文字。今考「也」字下，應依《春秋集解》補入「二年閏九月八日志」等八字。

124霖案：《郡齋讀書志》卷第三，頁104、《文獻通考．經籍考》卷十，頁251。

125霖案：《經義考新校》頁3349新出注文如下：「文津閣《四庫》本脫『晁公武曰』整段文字。

葉夢得曰[126]：「蘇子由專據《左氏》言《經》，《左氏》解《經》者無幾，其凡例既不盡《經》，所書亦多違牾，疑自出己意為之，非有所傳授，不若《公》、《穀》之合於《經》。故蘇氏但以《傳》之事釋《經》之文而已，傳事之誤者，不復敢議，則遷《經》以成其說，亦不盡立凡例於經義，皆以為求之過。[127]」

朱子曰[128]：「蘇子由解《春秋》，謂其從赴告，此說亦是。既書鄭伯突，又書鄭世子忽，據史文而書耳。定、哀之時，聖人親見，據實而書，隱、桓之時，世既遠，史冊亦有簡略處，夫子據史冊寫出耳。」

陳振孫曰[129]：「其書專取《左氏》，不得已乃取《二傳》、啖、趙，蓋以一時談《經》者不復信史，或失事實故也。」

【增補】何廣棪：《陳振孫之經學及其《直齋書錄解題》經錄考證》曰：「案：轍《自序》言此事甚詳悉，不贅錄。《讀書志》卷第三《春秋類》著錄：『《潁濱春秋集傳》十二卷。右蘇轍子由撰。大意以世人多師孫明復，不復信史，故盡棄《三傳》，全以《左氏》為本，至其不能通者始取二《傳》、啖、趙。自熙寧謫居高安，至元符初，十數年矣，暇日輒有改定，卜居龍川而書始成。』《讀書志》與《解題》所記均據轍《自序》已隱括，惟晁書較詳盡矣。」（頁五六七）

【增補】何廣棪：《陳振孫之經學及其《直齋書錄解題》經錄考證》曰：「廣棪案：《讀書志》卷第三《春秋類》著錄：『劉質夫《春秋》五卷。右皇朝劉絢質夫撰。絢學於二程之門。伯淳嘗語人曰：『他人之學，敏則有矣，未易保也。斯人之至，吾無疑焉。』正叔亦曰：『遊吾門者多矣，而信之篤，得之多，行之果，守之固，若子者幾希。』』正可證《解題》『其師亟稱之』之說為事實。惟《讀書志》稱此書為五卷，與《解題》作十二卷者不同。《經義考》卷一百八十四《春秋》十七著錄：『劉氏絢《春秋》，《通考》十二卷，（《玉海》五卷。）佚。』是此書於南宋時已分卷有所不同矣。」（頁五六七）

張萱曰[130]：「轍以[131]時人治《春秋》多師孫明復，盡棄《三傳》；後王安石解經，至《春秋》漫不能通，則詆以為斷爛朝報，致學者不能復明《春秋》，故[132]著此書，取[133]諸

126霖案：《文獻通考．經籍考》卷十，頁251。

127霖案：「亦不盡立凡例於經義，皆以為求之過。」，或應斷句為「亦不盡立凡例，於經義皆以為求之過。」。

128霖案：《朱子語類》卷83、《文獻通考．經籍考》卷十，頁251。「朱子曰」，《通考》題作「《朱子語錄》」。

129霖案：《直齋書錄解題》卷三，頁460、《文獻通考．經籍考》卷十，頁251。

130霖案：孫能傳等撰《內閣藏書目錄》卷二，頁476-477。

131霖案：「轍以」，應依《內閣藏書目錄》作「宋蘇轍著」。

132霖案：「故」前，應依《內閣藏書目錄》補「轍」。

家之說而裁之以義134。」

陳弘緒〈跋〉曰：「《春秋集解》十二卷，宋潁濱先生蘇轍撰。是時王介甫以《春秋》為斷爛朝報，不列學官，故潁濱矯俗而作此書。其說一以《左氏》為主，而於《公羊》、《穀梁》二《傳》時多譏135刺，潁濱之言曰：『凡《春秋》之事當從史，《左氏》，史也，《公羊》、《穀梁》皆意之也。蓋孔子之作《春秋》亦略136矣，非以為史也，有待乎史而後足也。以意傳《春秋》而不信史，失孔子之意矣。』十二卷中，類皆發明此旨。然予謂：『聖人之為《經》也，麗於事者，必根柢於道；揆之道而不合，則雖其事之傳於久遠者，要亦未可盡信。《左氏》紀事，粲然具備，而亦間有悖於道者；政不妨博，採之諸家，以求吾心之所安，子輿氏於《武成》，亦僅取其二三策而已，況邱明之書乎？《公》、《穀》雖以臆度解經，然亦得失互見，如戎伐凡伯於楚邱，《穀梁》以戎為衛；齊仲孫來，《公》、《穀》皆以為魯慶父；魯滅項，又皆以為齊實滅之，顯然與《經》謬戾，其失固不待言。至如隱四年：「秋，翬帥師會宋公、陳侯、蔡人、衛人伐鄭。」桓十有四年：「秋，八月壬申，御廩災。乙亥嘗。」莊二十有四年：「夏，公如齊逆女。」諸如此類，似《公》、《穀》之說妙合聖人精微，而潁濱一槩以深文詆之，可謂因噎廢食，讀者捨其短而取其長焉可也。』」

133霖案：「取」，應依《內閣藏書目錄》作「集」。

134霖案：「義」字下，應依《內閣藏書目錄》補入「凡十二卷」四字。

135霖案：《經義考新校》頁3350新出注文如下：「文津閣《四庫》本脫『葉夢得日〔案：應為『曰』字之誤〕至『而於《公羊》、《穀梁》二《傳》時多譏。』」。

136霖案：《經義考新校》頁3350新出注文如下：「文津閣《四庫》本脫『刺潁濱之言曰』至『蓋孔子之作《春秋》亦略』等文字。

卷一百八十三　春秋十六經義考卷一百八十三春秋十六

崔氏子方《春秋經解》（宋）

【作者】崔子方，字彥直，一字伯直，號西疇居士，涪陵人。通春秋學，與蘇軾、黃庭堅游，曾於紹聖年間，三次上疏乞置春秋博士，不報。乃隱居真州六合縣，杜門著書，撰有《春秋經解》十二卷、《春秋本例》二十卷，《春秋例要》一卷。

【書名】本書異名如下：

一、《崔氏春秋經解》：張壽平《公藏先秦經子注疏書目》頁一三四著錄。

《宋志》：「十二卷。」

【卷數】本書卷數分合如下：

一、《文獻通考・經籍考》卷十，頁二六〇著錄，惟合《春秋經解》、《本例例要》二書為「十七卷」，並未言明各別卷數。

二、十六卷：《直齋書錄解題》卷三，頁四六一著錄。

佚。

【存佚】本書今有存本，且《春秋總義論著目錄》頁二二注曰「存」，故應改注曰「存」。

【版本及藏地】本書版本及藏地如下：

一、四庫全書珍本初集：《現存宋人著述目略》頁十九著錄。

二、通志堂經解本：《現存宋人著述目略》頁十九著錄。

三、民國二十三年(1934)至二十四年(1935)上海商務印書館四庫全書珍本初集影印文淵閣本：(宋)崔子方撰《春秋經解》十二卷，五冊，扉頁印有「商務印書館受教育部中央圖書館籌備處委託景印故宮博物院所藏文淵閣本」等字，鈐有「國立中央圖書館籌備處之章」朱文方印，台北：國家圖書館、台灣師範大學圖書館有藏本。張壽平《公藏先秦經子注疏書目》頁一三四著錄。

又馬來西亞大學圖書館有藏本（二部）。

四、藝海樓鈔本：復旦大學圖書館有藏本。

【增補】《嘉業堂藏書志》卷一曰：「《春秋經解》十二卷，《附錄》一卷」藝海樓鈔本　宋崔子方撰。子方字彥直，號西疇居士，涪陵人，紹聖間嘗知滁州。是時王荊（川）【公】用事，不喜《春秋》之學，正經三傳，不列學官。彥直三上疏，乞置《春秋》博士。不報。乃隱居真州六合縣，獨抱遺經，閉門研究者三十餘年。著《春秋經解》、《本例》、《例要》三書，相為表裏，自成一家之言。通志堂僅刊《本例》。此從《大典》采出，裒輯成編，各還其舊。其缺佚處，以《黃氏日鈔》補之，並為附錄一卷。前後有自序，又朱震進書劄子二通。亦藝海樓鈔本。（繆稿）」（頁一五

八）

五、文淵閣四庫全書本：(宋)崔子方撰《崔氏春秋經解》十二卷，《國立故宮博物院善本舊籍總目》，上冊，頁九十五著錄，台北：故宮博物院有藏本。

【增補】永瑢等撰《欽定四庫全書總目》曰：「春秋經解十二卷1　永樂大典本

宋崔子方撰。子方，涪陵人，字彥直，號西疇居士。晁說之《集》又稱其字伯直，蓋有二字也。朱彝尊《經義考》稱其嘗知滁州，曾子開為作《茶仙亭記》。《經解》諸書，皆罷官後所作。考子方《宋史》無傳，惟李心傳《建炎以來繫年要錄》稱其於紹聖間三上疏，乞置《春秋》博士，不報，乃隱居真州六合縣，杜門著書者三十餘年。陳振孫《書錄解題》所載，大略相同。朱震《進書札子》亦稱為『東川布衣』。彝尊之說不知何據。惟《永樂大典》引《儀真志》一條云：『子方與蘇、黃游，嘗為知滁州曾子開作《茶仙亭記》，刻石醉翁亭側。黃庭堅稱為『六合佳士』。殆彝尊誤記是事，故云然歟? 考子方著是書時，王安石之說方盛行，故不能表見於世，至南渡以後，其書始顯。王應麟《玉海》載：『建炎二年六月，江端友請下湖州，取崔子方所著《春秋傳》藏祕書。紹興六年八月，子方之孫若上之。』是時朱震為翰林學士，亦有札子上請。當時蓋甚重其書矣。子方自序云：『聖人欲以繩當世之是非，著來世之懲勸，故辭之難明者，著例以見之，例不可盡，故有日月之例，有變例。慎思精考，若網在綱。』又後序一篇，具述其疏解之宗旨，大抵推本經義，於三傳多所糾正。如以『晉文圍鄭』，謂討其不會翟泉；以『郕伯來奔』，為見迫於齊；以『齊侯滅萊』不書名，辨《禮記》諸侯滅同姓名之誤。類皆諸家所未發。雖其中過泥日月之例，持論不無偏駁。而條其長義，實足自成一家。所撰凡《經解》、《本例》、《例要》三書，《通志堂經解》刊本僅有《本例》。今從《永樂大典》裒輯成編，各還其舊。自僖公十四年秋至三十二年，襄公十六年夏至三十一年，《永樂大典》并闕，則取黃震《日鈔》所引及《本例》補之。其他《本例》所釋，有引伸此書所未發，或與此書小有異同者，并節取附錄，而卷　書名，則并遵《宋史》。至子方原書，經文已不可見，今以所解參證，知大略皆從《左氏》，而亦間有從《公》、《穀》者，故與胡安國《春秋傳》或有異同。以非宏旨之所繫，今亦各隨原文錄之焉2。』（卷二十七，頁三四〇至頁三四一）

【增補】邵懿辰撰、邵章續錄：《增訂四庫簡明目錄標注》卷三曰：「《春秋經解》十二卷，宋崔子方撰，原本久佚，今從《永樂大典》錄出。

〔續錄〕有宋本，《永樂大典》本。」（頁一〇七）

【增補】胡玉縉撰、王欣夫輯《四庫全書總目提要補正》卷七曰：「案《曝書亭集．涪陵崔氏春秋本例序》亦云：『嘗與蘇、黃諸君子游，知滁州日，曾子開曾為作記，刻石醉翁亭側』，明是誤記《儀真志》之說。陸氏《儀顧堂續跋》云：『子方畢生精

1霖案：原注云：按：文淵閣庫書題作《崔氏春秋經解》十二卷，并附崔氏《春秋例要》一卷。

2霖案：原注云：「以非宏旨之所繫，今亦各隨原文錄之焉」，浙、粵本無。

力萃於《本例》一書，此書乃《本例》之緒餘也。子方嘗謂《詩》與《春秋》相表裏，其解鄭伯克段于鄢不書弟者，〈叔于田〉之詩存，則段為弟可知。解蔡人殺陳佗，據〈墓門詩序〉，『陳佗不義惡加萬民』句，斷弒君之賊。解夫人享齊侯于祝邱，辭不見譏者，謂〈敝笱〉之詩存，則文姜之惡不患不見於後世。解鄭棄其師，不曰鄭伯不曰鄭人者，〈清人〉之詩存，則鄭棄其師可知，皆創聞也。』」（頁一六七）

【增補】〔校記〕四庫有輯大典本十二卷。（春秋，頁四八）

《春秋本例》、《例要》（宋）

【書名】本書異名如下：

一、《西疇居士春秋本例》：張壽平《公藏先秦經子注疏書目》頁一三四著錄。

宋志：「二十卷。」今本十卷。

【卷數】本書卷數異同如下：

一、合編本：《文獻通考．經籍考》卷十，頁二六〇著錄，惟合《春秋經解》、《本例例要》二書為「十七卷」，並未言明各別卷數。

二、一卷本：《直齋書錄解題》卷三，頁四六一著錄，題作《本例》《例要》一卷；又《現存宋人著述目略》頁十九著錄，僅云「《例要》一卷」。

三、二十卷：張壽平《公藏先秦經子注疏書目》頁一三四著錄，《經義考》注文云「今本十卷」者，蓋未見珍本之故。又北京大學藏有舊抄本，即為二十卷本。

存。

【版本及藏地】本書版本及藏地如下：

一、宋刊本：宋崔子方撰，《西疇居士春秋本例》二十卷，十二行十九、二十字不等，白口，左右雙邊有刻工，上海圖書館有藏本。

二、明抄本：宋崔子方撰，清徐時棟跋，《西疇居士春秋本例》二十卷，北京大學圖書館有藏本。

三、清抄本：宋崔子方撰《春秋本例》二十卷，天一閣文物保管所有藏本。

四、通志堂經解本：宋崔子方撰《西疇居士春秋本例》二十卷，二冊，《現存宋人著述目略》頁十九著錄，僅云《例要》一書。

又馬來西亞大學圖書館有藏本（二部）。

五、文淵閣四庫全書本：(宋)崔子方撰《春秋本例》二十卷，《春秋例要》一卷，《國立故宮博物院善本舊籍總目》，上冊，頁九十五著錄，台北：故宮博物院有藏本。

【增補】永瑢等撰《欽定四庫全書總目》曰：「春秋本例二十卷　內府藏本

宋崔子方撰。是書大旨，以為聖人之書，編年以為體，舉時以為名，著日月以為例。而日月之例，又其本，故曰『本例』。凡一十六門，皆以日、月、時推之，而分著例、變例二則。州分部居，自成條理。考《公羊》《穀梁》二傳，專以日、月為例，固有穿鑿破碎之病。然經書『公子益師卒』，《左傳》稱『公不與小斂，故不書日』。則日月為例，已在二傳之前，疑其時去聖未遠，必有所受，但予奪筆削，寓義宏深，日月特其中之一例。故二[3]家所說，時亦有合，而推之以概全經，則支離轇轕，而不可以[4]盡通。至於必不可通，於是乎[5]委曲遷就，而[6]變例生焉，此非以[7]日月為例之過，而全以日月為例之過也。亦猶《易》中有[8]互體，未嘗非取象之一義。故《繫辭》稱『雜物撰德，辨是與非，則非其中爻不備』。然使[9]必卦卦以互體求象，則牽合穿鑿，其說遂至於難通。王弼注《易》，一掃互體，啖助、趙匡說《春秋》，亦一掃[10]諸例而空之，豈非有激而然[11]乎？子方此書，陳振孫《書錄解題》稱：『其學辨正三傳之是非，而專以日月為例，則正蹈其失而不悟』，所論甚允。然依據舊傳，雖嫌墨守，要猶愈於放言高論，逞私臆而亂聖經。說《春秋》者古來有此一家，今亦未能遽廢焉。」（卷二十七，頁三四一）

【增補】邵懿辰撰、邵章續錄：《增訂四庫簡明目錄標注》卷三曰：「《春秋本例》二十卷，宋崔子方撰。

通志堂本。

〔續錄〕通志堂本，用汲古閣舊鈔本刊，明鈔本，李氏木犀軒藏。」（頁一〇七）

【增補】永瑢等撰《欽定四庫全書總目》曰：「春秋例要一卷[12]　永樂大典本

宋崔子方撰。考《宋史・藝文志》載[13]：『子方《春秋經解》十二卷，《本例例要》二十卷。』以《本例》、《例要》統為卷數[14]，知子方所著原本，此書與《本例》合

3霖案：原注云：「二」，底本誤作「一」，據浙、粵本改。

4霖案：原注云：「可以」，浙、粵本無。

5霖案：原注云：「乎」，浙、粵本無。

6霖案：原注云：「而」，浙、粵本無。

7霖案：原注云：「以」，浙、粵本無。

8霖案：原注云：「有」，浙、粵本無。

9霖案：原注云：「故《繫辭》稱」至「然使」一段，浙、粵本不載。

10霖案：原注云：「牽合穿鑿」至「亦一掃」，浙、粵本作「穿鑿遂甚耳，啖助、趙匡一掃」。

11霖案：原注云：「然」後，浙、粵本有「如王弼之棄象言易」八字。

12霖案：原注云：按：文淵閣庫書將此書附於《崔氏春秋經解》十二卷之後，《總目》別為著錄，與庫書不符。

13霖案：原注云：「載」，浙、粵本無。

14霖案：原注云：「以本例例要統為卷數」，浙、粵本不載。

并為一[15]矣。朱彝尊《經義考》稱：『《本例例要》二十[16]卷并存』，亦未為分析[17]。今通志堂所刊之《本例》，則析《目錄》別為一卷，以足二十卷之數，而《例要》闕焉。蓋傳寫者佚其《例要》一卷，後來遂[18]誤以《本例‧目錄》為《例要》，而不知其別有一篇。彝尊[19]所見，當即此本，故誤注為『并存』也[20]。今考《永樂大典》，尚多載其原文[21]，雖分析為數十百[22]條，繫於各字之下，而尋其端緒[23]，尚可相屬，較通志堂本所載《目錄》，一字不同，灼然知通志堂本為不全之帙[24]。謹編綴前後，略依《本例》次序，排纂成編，以還子方所著三書之舊焉。」（卷二十七，頁三四一至頁三四二）

【增補】邵懿辰撰、邵章續錄：《增訂四庫簡明目錄標注》卷三曰：「《春秋例要》一卷，宋崔子方撰，原本久佚，今從《永樂大典》錄出。

〔續錄〕附刊本例，閣本無。」（頁一〇七）

【增補】〔校記〕《四庫》本《春秋本例》二十卷，又輯《大典》本《春秋例要》一卷。（《春秋》，頁四八）

【增補】崔富章：《四庫提要補正》曰：「上海館藏宋刻本《西疇居士春秋本例》二十卷（十二行十九字、二十字不等，白口，左右雙邊），當為原刻本。北京大學藏明抄本《西疇居士春秋本例》二十卷，清徐時棟跋。天一閣藏清抄本《春秋本例》二十卷。《總目》於『春秋本例二十卷』注云『內府藏本』。檢《天祿琳琅書目》及《故宮善本書目》均不著錄，則係《通志堂經解》本（與《四庫全書薈要本同》），惟缺《例要》（誤以《本例目錄》為《例要》，充一卷），館臣復從《永樂大典》補輯，又取《黃氏日抄》補《大典》之缺佚，并為《例要》一卷。」（頁一五五）

六、摛藻堂薈要本：(宋)崔子方撰《春秋本例》二十卷，四冊，《國立故宮博物院善本舊籍總目》，上冊，頁九十五著錄，台北：故宮博物院有藏本。

七、清乾隆五十年(1785)內府刊本：(宋)崔子方撰《西疇居士春秋本例》二十卷，鈐

15霖案：原注云：「一」，浙、粵本無。

16霖案：原注云：「二十」，浙、粵本作「十」。

17霖案：原注云：「亦未為分析」，浙、粵本無。

18霖案：原注云：「傳寫者」至「後來遂」，浙、粵本無。

19霖案：原注云：「彝尊」前，浙、粵本有「恐」字。

20霖案：原注云：「當即」至「并存也」，浙、粵本作「即為此本，其曰并存，亦誤注也」。

21霖案：原注云：「尚多載其原文」，浙、粵本無。

22霖案：原注云：「數十百」，浙、粵本作「數十百餘」。

23霖案：原注云：「尋其端緒」，浙、粵本作「裒輯其文」。

24霖案：原注云：「灼然知」，浙、粵本作「灼知為」；「不全之帙」，浙、粵本作「刊刻之誤」。

有「味經窩藏書印」朱文長方印，台北：國家圖書館有藏本。

八、鈔本：(宋)崔子方撰《西疇居士春秋本例》二十卷，二冊，《國立故宮博物院善本舊籍總目》，上冊，頁九十五著錄，台北：故宮博物院有藏本。

九、舊抄本：明抄本，有徐時棟跋文，北京大學圖書館有藏本。

【增補】李盛鐸著·張玉範整理《木犀軒藏書題記及書錄》曰：「【西疇居士春秋本例】二十卷　〔宋崔子方撰〕　舊抄本〔明抄本（徐時棟跋）〕　李６３２５

藍格舊抄本。標題次行題『涪陵崔氏』。前有崔子方自序。有『鄞徐時棟柳泉氏甲子以來」所得書畫」藏在城西艸」堂及水北閣中」朱文方印。

〔徐時棟跋云：『《春秋本例》二十卷，二本，同治九年（１８７０）十二月二十日城西草堂徐氏收藏，明年重修訂。余既有通志堂刻本，此以備校。　六月十九夕，時棟記。』〕（頁七五）

【增補】朱彝尊《曝書亭集》卷三四，〈涪陵崔氏春秋本例序〉曰：「涪陵崔子方彥直，自稱西疇居士，嘗與蘇、黃君子游，知滁州日，曾子開曾為作記，刻石醉翁亭側，其說《春秋》，有《經解》十二卷，《本例》二十卷。建炎中，江端友請下湖州，取所著《春秋傳》，儲祕書省，於是其孫若，上之於朝，今其解不可得見，惟《本例》獨存。序之曰：以例說《春秋》，自漢儒始，曰牒例，鄭眾、劉寔也。曰諡例，何休也。曰釋例，穎容、杜預也。曰條例，荀爽、劉陶、崔靈恩也。曰經例，方範也。曰傳例，范寧也。曰詭例，吳略也。曰略例，劉獻之也。曰通例，韓滉、陸希聲、胡安國、畢良史也。曰統例，啖助、丁副、朱臨也。曰纂例，陸淳、李應龍、戚崇僧也。曰總例，韋表微、成元、孫明復、陳知柔也。曰刊例，張思伯也。曰明例，王晳、王日休、敬鉉也。曰新例，陳德寧也。曰門例，王鎡、王炫也。曰地例，余嘉也。曰會例，胡箕也。曰斷例，范氏也。曰異同例，李氏也。曰顯微例，程迥也。曰類例，石公孺、周敬孫也。曰序例，家鉉翁也。曰括例，林堯叟也。曰義例，吳迂也。而梁之簡文帝，齊晉安王子懋，皆有例苑。孫立節有例論、張大亨有例宗、劉淵有例義、刁氏有例序，繩之以例，而益紛綸矣。彥直之論，謂聖人之書，編年以為體，舉時以為名，著日月以為例，春秋固有例也，而日月之例，蓋其本也。乃列一十六門，而皆以月日時例之，亦一家之言云爾。」（頁四二六）

十、明烏絲欄抄本：駱兆平《新編天一閣書目》頁二七二著錄。

十一、清同治十二年(1873)粵東書局重刊本：(宋)崔子方撰《西疇居士春秋本例》二十卷，台北：國家圖書館有藏本。

十二、民國二十三年(1934)至二十四年(1935)上海商務印書館四庫全書珍本初集影印文淵閣本：(宋)崔子方撰《春秋例要》一卷，台北：國家圖書館有藏本。《現存宋人著述目略》頁十九著錄，僅云《例要》一書。

又馬來西亞大學圖書館有藏本（二部）。

十三、清康熙十九年通志堂刊乾隆五十年修補本：(宋)崔子方撰《西疇居士春秋本例

》二十卷，二冊，《國立故宮博物院善本舊籍總目》，上冊，頁九十五著錄，台北：故宮博物院有藏本。

子方〈自序〉曰[25]：「《春秋》之法，以為天下有中外，侯國有大小，位有尊卑，情有疏戚，不可得而齊也，是故詳中夏而略夷狄[26]，詳大國而略小國，詳內而略外，詳君而略臣，此《春秋》之義，而日月之例所從生也。著日以為詳，著時以為略，又以詳略之中而著月焉，此例之常也。然而事固有輕重矣，安可不詳所重而略所輕乎？其槩所重者日，其次者月，又其次者時，此亦易明耳[27]；然而以事之輕重錯於大小、尊卑、疏戚之間，又有變例以為言者，此日月之例至於參差不齊，而後世之論所以不能合也。今考之《春秋》之法，權事之輕重，而著之為例，分其類而條次之，可以具見而不疑；若夫事有疑於其例者，則備論焉。且嘗論聖人之書，編年以為體，舉時以為名，著日月以為例，《春秋》固有例也，而日月之例蓋其本也，故號《本例》。嗚呼!學者苟通乎此，則於《春秋》之義斯過半矣。」

陳振孫曰[28]：「涪陵崔子方彥直撰。紹聖中，罷《春秋》取士，子方三上書乞復之，不報，遂不應進士舉。黃山谷稱曰：『六合有佳士曰崔彥直，其人不遊諸公。』然則賢而有守可知矣。其學辨《三傳》之是非，而專以日月為例，則正蹈其失而不悟也。」

【增補】何廣棪：《陳振孫之經學及其《直齋書錄解題》經錄考證》曰：「廣棪案：考《宋史・藝文志》卷一《經類・春秋類》著錄：『崔子方《春秋經解》十二卷、《春秋本例例要》二十卷。』與《解題》著錄卷數不同。《經義考》卷一百八十三《春秋》十六亦據《宋志》著錄，然小注謂《春秋經解》已佚，而《本例》《例要》今本十卷，存。《通志堂經解》有《春秋本例》二十卷。《總目》卷二十七《經部》二十七《春秋類》二曰：『《春秋例要》一卷，（《永樂大典》本。）宋崔子方撰。考《宋史・藝文志》，子方《春秋經解》十二卷、《本例例要》二十卷。知子方所著，原本此書與《本例》合并矣。朱彝尊《經義考》稱《本例》、《例要》十卷，並存。而今通志堂刊行之《本例》，則析目錄別為一卷，以足二十卷之數，而《例要》闕焉。蓋誤以《本例》目錄為《例要》，而不知其別有一篇。恐彝尊所見即為此本。其曰并存，亦誤注也。』是知《經義考》及《通志堂經解》均有所誤。今《四庫》本《春秋經解》作十二卷，卷數不同於《解題》；另有《春秋本例》二十卷、《春秋例要》一卷，確然分作兩書，亦異於《解題》與《宋志》。各書著錄，顯有歧趨，紛然殽亂，是非難斷矣。」（頁五七八至頁五七九）

【增補】何廣棪：《陳振孫之經學及其《直齋書錄解題》經錄考證》曰：「案：《總目》卷二十七《經部》二十七《春秋類》二『《春秋經解》十二卷』條云：『子方，涪陵人，字彥直，號西疇居士。晁說之《集》又稱其字伯直，蓋有二字也。朱彝尊《

25霖案：崔子方：《春秋本例．西疇先生春秋本例序》，「通志堂本」冊２０，頁11355。

26霖案：《經義考新校》頁3253新出校文如下：「『夷狄』，文津閣《四庫》本改作『蠻貊』。」

27霖案：「耳」，《春秋本例．西疇先生春秋本例序》作「爾」。

28霖案：《直齋書錄解題》卷三，頁461；又出自《文獻通考．經籍考》卷十，頁260。

經義考》稱其嘗知滁州，曾子開為作《茶仙亭記》。《經解》諸書，皆罷官後所作。考子方，《宋史》無傳。惟李心傳《建炎以來繫年要錄》稱其於紹聖間三上疏，乞置《春秋》博士。不報。乃隱居真州六合縣，杜門著書者三十餘年。陳振孫《書錄解題》所載，大略相同。朱震《進書劄子》亦稱為東川布衣。彝尊之說，不知何據？惟《永樂大典》引《儀真志》一條云：『子方與蘇、黃游，嘗為知滁州曾子開作《茶仙亭記》，刻石醉翁亭側。黃庭堅稱為六合佳士。』殆彝尊誤記是事，故云然歟！』《總目》所考，大體可與《解題》相互發明。惟所言《經義考》稱子方嘗知滁州等事，則屬無中生有，《經義考》全無如是之載。是故《總目》隨後之駁辨，謂彝尊誤記此事，皆屬無的放矢，浪費心力矣。」（頁五七九至頁五八〇）

【增補】何廣棪：《陳振孫之經學及其《直齋書錄解題》經錄考證》曰：「案：《總目》『《春秋經解》十二卷』條曰：『子方《自序》云：『聖人欲以繩當世之是非，著來世之懲勸，故辭之難明者，著例以見之。例之不可盡，故有日月之例，有變例。』慎思精考，若網在綱。又《後序》一篇，具述疏解之宗旨。大抵推本經義，於《三傳》多所糾正。如以晉文圍鄭，謂討其不會翟泉。以郕伯來奔，為見迫於齊。以齊侯滅萊不書名，辨《禮記》諸侯滅同姓名之誤。類皆諸家所未發。雖其中過泥日月之例，持論不無偏駁。而條其長義，實足自成一家。』又《總目》『《春秋本例》二十卷』條曰：『是書大旨以為聖人之書，編年以為體，舉時以為名，著日月以為例。而日月之例又其本，故曰《本例》。凡一十六門，皆以日月時推之，而分著例、變例二則。州分部居，自成條理。考《公羊》、《穀梁》二《傳》，專以日月為例，固有穿鑿破碎之病。然經書公子益師卒，《左傳》稱公不與小斂，故不書日，則日月為例，已在二《傳》之前。疑其去聖未遠，必有所受。但予奪筆削，寓義宏深，日月特其中之一例。故二家所說，時亦有合。而推之以概全經，則支離轇轕而不盡通。至於必不可通，於是委曲遷就，變例生焉。此非日月為例之過，而全以日月為例之過也。……子方此書，陳振孫《書錄解題》稱『其學辨正《三傳》之是非，而專以日月為例，則正蹈其失而不悟』，所論甚允。然依據舊《傳》，雖嫌墨守，要猶愈於放言高論，逞私臆而亂聖經。說《春秋》者，古來有此一家，今亦未能遽廢焉。』是則子方之書，雖過泥日月之例，自是一失；然其據例而條長義，慎思精考而辨是非，自成一家之言。故其所著，瑕不掩瑜，似不宜掊擊過甚，致欠公允也。」（頁五八〇至頁五八一）

《玉海》[29]：「建炎二年六月[30]，江端友請下湖州取崔子方所著《春秋傳》藏祕書。紹興六年八月，子方之孫若上之[31]。」

任氏伯雨《春秋繹聖新傳》

29霖案：王應麟：《玉海》卷四○，頁802B。

30霖案：「六月」二字之下，《玉海》原有「戊辰」二字，明顯標示正確之日，竹垞刪去相關日期，今補之如上。

31霖案：「紹興六年八月，子方之孫若上之。」等十三字，《玉海》原入之注文，而非正文，而竹垞將其置入解題之中，使得讀者將會誤會此十三字為《玉海》正文，今校之如上，以供讀者參考。

【書名】《郡齋讀書志》卷第三，頁一〇五、《文獻通考‧經籍考》卷十，頁二五四著錄，惟書名題作《繹聖傳》。又《玉海》卷四〇，頁八〇三著錄此書，書名題作「《春秋繹聖傳》」，亦無「新」字。據此，此書書名應作「《春秋繹聖傳》」，而竹垞根據《宋志》題作「《春秋繹聖新傳》」，疑誤增一「新」字。

《宋志》：「十二卷。」

未見。

【霖案】本書未見其他傳本，且《春秋總義論著目錄》頁二二亦注曰「佚」，今從之，故改注曰「佚」。

晁公武曰[32]：「皇朝任伯雨德翁撰[33]，解經不甚通例[34]。」

《玉海》[35]：「淳熙十二年二月[36]，任清叟進曾祖伯雨《春秋繹聖傳》十二卷付祕省[37]。」

晁氏補之《左氏春秋傳雜論》（宋）

【書名】本書存於晁補之《雞肋集》卷四十、卷四十一等二卷之中，惟書名題作《春秋左氏傳雜論》，而《雞肋集》書前總目則題作《春秋雜論》，題稱略有不同。

《宋志》：「一卷。」

【卷數】存於《雞肋集》卷四十，卷四十一，合計二卷，並非如《宋志》云：「一卷」。

未見。

【存佚】朱彝尊《經義考》注曰「未見」，《左傳論著目錄》頁十三錄作「存」，且云「傳本：《雞肋集》卷第四十、四十一卷。」，今存本書確實存於《雞肋集》卷四十，卷四十一，合計二卷，與《宋志》所題「一卷」不合。又《雞肋集》卷四十共收錄二五條；卷四十一收錄二十一條，合計如王應麟所云「凡四十六條」。

【版本及藏地】本書版本及藏地如下：

32霖案：《郡齋讀書志》卷第三，頁104。又出自《文獻通考．經籍考》卷十，頁254。

33霖案：「撰」字，《通考》題作「所撰」二字。

34霖案：「解經不甚通例」六字之下，《通考》另有如下內容：「如解『桓十三年二月，公會紀侯、鄭伯。己巳，及齊侯、宋公、衛侯、燕人戰。齊師、宋師、衛師、燕師敗績』。取《穀梁》之說，戰稱人，敗績稱師，重眾」之說，殊不知『齊人伐衛，衛人及齊人戰，衛人敗績』，何獨不重眾也?」等字，竹垞刪去例證者也。

35霖案：王應麟：《玉海》卷四○，頁803B。

36霖案：「二月」二字之下，《玉海》另有「一日」二字，指明確切時日，竹垞刪此二字，當據原書補入。

37霖案：「付祕省」三字，《玉海》無此三字，當係竹垞自行補入，當刪此三字，以合原書文句。

一、清景宋鈔本：宋晁補之撰《春秋左氏傳雜論》二卷，杭州大學圖書館有藏本。

【增補】《杭州大學圖書館善本書目》曰：「《春秋左氏傳雜論》二卷　宋晁補之撰　清景宋鈔本　有『江東羅氏所藏』印記　玉海樓藏印　一冊。」（頁七）

二、《濟北晁先生雞肋集》本：(宋)晁補之撰《春秋雜論》二卷，為《雞肋集》卷四十至卷四十一，《國立故宮博物院善本舊籍總目》，上冊，頁九十五著錄，台北：國家圖書館有藏本。

王應麟曰[38]：「元祐中，晁補之撰《左氏雜論》一卷，指《左傳》之失凡四十六條。」

晁氏說之《春秋三傳說》

三篇。

存。

【版本及藏地】本書版本及藏地如下：

一、《景迂生集》本：《春秋公羊傳論著目錄》頁二二、《春秋穀梁傳論著目錄》頁二〇著錄。

劉氏弇《春秋講義》

佚。

弇〈自序〉曰[39]：「公[40]天下之好惡者，莫大乎好惡之心不存焉；好惡之心不存[41]，於是褒貶可寄，而真好惡見矣。《春秋》之為經，非釀好惡者也，非致喜怒者也，非私予奪[42]者也[43]，為孔子者得尺寸之柄[44]，效乎當世，則《春秋》亦無事於作矣[45]。幽、厲既往，滋削之周，如日西薄[46]，奄奄就盡[47]，一變而為葵邱[48]之會，政在諸侯，可也；再變而為溴梁

38霖案：本文出自王應麟《玉海》冊二，卷四○，頁801，文字完全一致，並無改動。

39霖案：孫承澤：《五經翼》卷十三，劉弇〈講春秋序〉，(《四庫全書存目叢書》經一五一冊，頁775-778。

40霖案：「公」字前，應依《五經翼》補入「弇謂」二字。

41霖案：「存」字下，應依《五經翼》補入「焉，則喜不正，為予怒不正為奪鍵張闢，至則迎受。」等十九字。

42霖案：「奪」，應依《五經翼》補入「加焉」。

43霖案：「也」字下，應依《五經翼》補入「使陶冶之俗，不復多謝，隱括而」等十二字。

44霖案：「柄」字下，應依《五經翼》補入「以攝有一丘之民以治，因張吾已試之。」等十五字。

45霖案：「矣」字下，應依《五經翼》補入「彼椎輪之魯史，雖與晉之《乘》，楚之《檮杌》，同為寂寥無詔之腐簡，可也。」等二十六字。

46霖案：「薄」字下，應依《五經翼》補入「襲彼游氛」四字。

47霖案：「盡」字下，應依《五經翼》補入「而文武末裔，是生孱王，邦畿千里，播為羸國，始則胎□

之會，政在大夫，猶之可也；卒變而為黃池之會，則[49]中國之[50]紀綱掃地而盡，尚曰可哉[51]？此《春秋》之不得不作也[52]。是故有闕[53]之以謹其疑者，如『夏五，郭公』、『甲戌、己丑，陳侯鮑卒』之類是也；有視世久近而為之者，如『辭顯於隱、桓，微於定、哀』之類是也；有深探[54]其本而加討者，如『天王狩于河陽』、『趙盾、許世子止弒其君』之類是也；有微物而吾無苟焉者，如『五石六鶂[55]』、『星隕如雨』之類是也；此其凡也。有字之者，有名之者，有氏之者；氏以誌[56]其所自出，名以謹其所當據，字則於是乎進之矣。有日之者，有月之者，有時之者；其治是人也，時為緩，月次焉，日[57]則於是乎操之為已蹙矣[58]；此其例也。君臣之義廢，見之於隱、桓之事然也；父子之恩絕，見之於蒯聵出奔然也；兄弟之愛蔑，見之於鄭伯克段者然也；夫婦之別喪，見之於姜氏孫于齊者然也；書尹氏卒，所以譏世卿之尸國爵，書公及邾儀父盟，所以疾盟詛之始兆亂；書公子翬如齊逆女，則親迎之廢有如此者矣；書天王使凡伯來聘，則朝覲之廢有如此者矣；書如齊納幣與『四卜郊，不從，乃免牲』，

（原字漫漶）衽席，乳兵懷抱，終乃魚爛稀突，國參辰，而家胡越，於是無復勤王之舉矣。」等四十九字。

48霖案：「邱」，應依《五經翼》作「丘」。

49霖案：「則」字下，應依《五經翼》補入「□□橫」三字。

50霖案：「之」，《五經翼》無此字，當刪。

51霖案：「哉」，應依《五經翼》作「耶」。又「耶」字下，應依《五經翼》補入「且《詩》在，猶足以形怨，攻缺失。夫《詩》與王澤斬焉亡矣。」等二十字。

52霖案：「此《春秋》之不得不作也」，應依《五經翼》作「《春秋》欲毋作，得乎哉？」。又「哉」字下，應依《五經翼》補入「然時無神瞽，孰識中聲，身為坴井，不俟甘石，則孔子之於《春秋》，雖曰『取魯故時冊書，附著之至』，其倫制之茂密，用舍之委曲，褒貶之詳略，對校之寬迫，蓋亦一折於晚，出於聖筆矣。其道則堯、舜、禹、湯、文、武、周公之所以揆人倫者也。其法則堯、舜、禹、湯、文、武、周公之所以治功罪者也。故曰『《春秋》，天子之事』，豈虛言哉？孰謂變周之文，從夏之質，與夫黜周而王魯之說，為足以知《春秋》乎？考之於《經》，其排推抑揚，猶華袞與鈇鉞也。一加焉，則萬世之榮赫，愀愴不可以迹揜，猶權衡之與繩墨也。一陳焉，則是人之重輕，曲直不可以情遁，其謹嚴峭覈，猶黍之不使雪桃，而弊冠新履之不可以首足，易也。其據約趨頓，猶天地之中有陽城焉，非燕之南至，則越之北轅也。」等二百五十一字。

53霖案：「闕」，應依《五經翼》作「用」。案：《五經翼》於「用」字旁，疑有刪改符號「‥」。

54霖案：「探」，應依《五經翼》作「討」。

55霖案：「鶂」，應依《五經翼》作「鷁」。

56霖案：「誌」，應依《五經翼》作「志」。

57「日」，《四庫》本誤作「時」。　霖案：《經義考新校》頁3356校文，於「《四庫》」二字之前，另有「文淵閣」三字。

58霖案：「矣」字下，應依《五經翼》補入「而又無不爾，或承以尊王人薄乎云爾。以治□□疾首，事甚孰惡，翟中國人諸侯討大夫微者，則亦無所不至焉。」等四十四字。

則喪紀祭祀之廢有如此者矣；此其概[59]也[60]。曰：[61]『然則是書也，而謂之《春秋》何也？』蓋天地之所以舒慘百物，其運在四時，而《春秋》為陰陽之[62]中[63]，聖人[64]做乎陰陽，以信褒貶[65]，此[66]魯人命《春秋》之意，雖[67]孔子亦莫之能易[68]也。自孔子歿，傳《春秋》者中閒[69]有五，而鄒氏、夾氏獨泯滅[70]不傳[71]，《左氏》、《公》、《穀》其大致不必一一盡同[72]；至唐[73]有啖助、趙匡[74]兩人者，其最有功於《春秋》者乎[75]!學者之於《春秋》，患在求之太

59霖案：「概」，應依《五經翼》作「悉」。

60霖案：「也」字下，應依《五經翼》補入「由此觀之，殆范甯謂該二儀之化育，贊入道之幽變，舉得失以彰黜陟，明成敗以著勸誡，拯頹綱以繼三五，鼓芳風以扇遊塵者歟？」等五十一字。

61霖案：「曰」，《五經翼》無之，當刪。

62霖案：「之」，《五經翼》無之，當刪。

63霖案：「中」字下，應依《五經翼》補入「非若夏為陽，而有建巳之陰，冬為陰，而有建子之陽駁之也。」等二十三字。

64霖案：「聖人」二字下，應依《五經翼》補入「也者」二字。

65霖案：「褒貶」二字下，應依《五經翼》補入「則其事固，嫌乎不正，為陰陽者也。反是而稽焉，則褒邪貶邪，特未定也。褒而有疑於貶，貶而有疑為褒，若不正為陰陽，然彼悠悠之後世尚焉，從而質諸乎。」等五十九字。

66霖案：「此」，應依《五經翼》作「則」。

67霖案：「雖」字前，應依《五經翼》補入「而」。

68霖案：「易」字下，應依《五經翼》補入「者」。

69霖案：「閒」，《五經翼》作「間」。

70「泯滅」，《四庫》本作「滅泯」。　霖案：《經義考新校》頁3357校文，於「《四庫》」二字之前，另有「文淵閣」三字。今考《五經翼》作「泯滅」。

71霖案：「傳」字下，應依《五經翼》補入「後世亦莫知其為何等，學則益。蓋自漢興以來，已患《春秋》為難知矣！彼賈誼、董生、歆、向父子橫貪嗜好於區區之《傳》，獨何邪？」等四十六字。

72霖案：「同」字下，應依《五經翼》補入「至於剖析條流，探頤理詣，博矣。而踸踔騰軒，尚恨數有蹶跌，可不惜哉？」等二十七字。

73霖案：「唐」字下，應依《五經翼》補入「晚」。

74霖案：「趙匡」二字，應依《五經翼》作「趙正用得失時時窺覘解者，僅如對家，然自五學而後，此」等二十二字。

75霖案：「乎」字下，應依《五經翼》補入「何休曰：『《公羊墨守》、《左氏膏肓》、《穀梁廢疾》，是蔽其所習者也。《六藝論》曰：『《左氏》善於禮、《公羊》善於讖、《穀梁》善於《經》』，是酌其波流者也。』，范甯曰：『《左氏》富而豔，其失也誣；《公羊》辨而裁，其失也俗；《穀梁》清而婉

[76]過，拘之太甚。求之太[77]過，則精理失；拘之太[78]甚，則流入於峭刻而不知變。於此有一言而盡者，道而已矣，有兩言而盡者，公與恕而已矣。故曰：『聖人之言如江河，諸儒泝沿，妄入畎澮；聖人之心如日星，諸儒糾紛，雲障霧塞。』此亦學者之大患也。」

楊氏湜《春秋地譜》

【分類】《文獻通考．經籍考》卷三一，頁七四九著錄，將其列入「地理類」。

《通考》：「十二卷。」

佚。

晁公武曰[79]：「皇朝楊湜編。十三國地皆釋以今州縣名，并為圖於其後。蓋常氏已嘗有此書，而湜增廣焉。」

謝氏湜《春秋義》

《宋志》：「二十四卷。」

佚。

《春秋總義》

《宋志》：「三卷。」

佚。

張氏大亨《春秋通訓》（宋）

【作者】張大亨，字嘉父，湖州人，元豐八年進士乙科，官至直秘閣。有《春秋五禮例宗》十卷，《春秋通訓》十六卷。

《宋志》：「十六卷。」

【卷數】本書卷數異同如下：

一、合編本：《文獻通考．經籍考》卷十，頁二五七著錄，惟併合《春秋通訓》、《五禮例宗》題作「二十六卷」。

二、六卷本：《現存宋人著述目略》頁十九著錄。

，其失也短。是既其文辭者也。』若夫不蔽其所習，不酌其波流，不既其文辭，則劉歆以謂『《左氏》以情□，《二傳》以法斷，情□則不禁，法過則不行者為得之矣。』彼三子者，其猶勁弓彊弩之合，發乎激矢不同，而均志於的，亦中而已矣，然不可為小不中，而皐勁強也。《公羊》長於敷敘，《穀梁》長於決擇，非《左氏》之本末考據，雖二子亦躓矣。」等一百九十八字。

76霖案：「太」，《五經翼》作「大」，「太」、「大」，古字通。

77霖案：「太」，《五經翼》作「大」，「太」、「大」，古字通。

78霖案：「太」，《五經翼》作「大」，「太」、「大」，古字通。

79霖案：《文獻通考．經籍考》卷三一，頁749。

佚。

【存佚】《春秋總義論著目錄》頁二二注曰「存」，朱彝尊《經義考》注曰「佚」，然本書有四庫館臣輯自《永樂大典》，題作「六卷」，與傳統書目題作「十六卷」不合，內容略有闕損，即今通行之本，今改注曰「闕」。

【版本及藏地】本書版本及藏地如下：

一、墨海金壺本：宋張大亨撰《春秋通訓》六卷，二冊，《現存宋人著述目略》頁十九著錄，馬來西亞大學圖書館有藏本。

二、文淵閣四庫全書本：(宋)張大亨撰《春秋通訓》六卷，三冊，《國立故宮博物院善本舊籍總目》，上冊，頁九十五著錄，台北故宮博物院有藏本。

【增補】永瑢等撰《欽定四庫全書總目》曰：「春秋通訓六卷　永樂大典本

宋張大亨撰。是書自序謂『少聞《春秋》於趙郡和仲先生。』考宋蘇軾《年譜》，軾本字和仲。又蘇洵《族譜》稱為『唐相蘇瓌之裔孫[80]，系出趙郡』。今所傳軾《題烟江疊嶂圖詩》石刻，末亦有『趙郡蘇氏』印。然則趙郡和仲先生即軾也。蘇籀《雙溪集》載：『大亨以《春秋》義問軾，軾答書云：『《春秋》儒者本務。然此書有妙用，學者罕能領會，多求之繩約中，乃近法家者流。苛細繳繞，竟亦何用！惟左丘明識其用，終不肯盡言，微見端兆，欲使學者自求之』云云，與大亨所序[81]亦合。蓋其學出於蘇氏，故議論宗旨亦近之。陳振孫《書錄解題》及《宋史・藝文志》并作十六卷，朱彝尊《經義考》云已佚。此本載《永樂大典》中，十二公各自為卷，而隱公、莊公、襄公、昭公又自分上下卷，與十六卷之數合。然每卷篇頁無多，病其繁碎，今併為六卷，以便省覽，其文則無所佚脫也。』（卷二十七，頁三四二至頁三四三）

【增補】邵懿辰撰、邵章續錄：《增訂四庫簡明目錄標注》卷三曰：「《春秋通訓》六卷，宋張大亨撰，原本久佚，今從《永樂大典》錄出。

墨海金壺本。」（頁一〇八）

【增補】〔校記〕《四庫》有輯《大典》本六卷。（《春秋》，頁四八）

【增補】胡玉縉撰、王欣夫輯《四庫全書總目提要補正》卷七曰：「陸氏《儀顧堂續跋》云：『答書今見《欒城遺言》。』（頁一六八）

三、藝海樓鈔本：復旦大學圖書館有藏本。

【增補】《嘉業堂藏書志》卷一曰：「《春秋通訓》六卷　藝海樓鈔本　宋張大亨撰。大亨字嘉父，湖州人，登元豐乙丑乙科，官至直秘閣。此書《書錄解題》、《宋藝文志》均著錄，皆十六卷。《經義考》注「已佚」。此從《大典》輯出者。原第一公一卷，隱、莊、襄、昭，各分上、下。館臣復併為六卷，以便省覽，其文則無所佚脫

80霖案：原注云：「孫」，浙、粵本無。

81霖案：原注云：「所序」，浙、粵本作「自序」。

也。後有崇寧元年自序。此亦藝海海鈔本。（繆稿）」（頁一五八）

四、民國辛酉(十年,1921)上海博古齋影印本：(宋)張大亨撰《春秋通訓》六卷，台北：國家圖書館有藏本。

五、民國五十九年(1970)藝文印書館百部叢書集成初編影印本：(宋)張大亨撰《春秋通訓》六卷，台北：國家圖書館有藏本。

張大亨〈自序〉曰[82]：「少聞[83]《春秋》於趙郡和仲先生，某初蓋嘗作《例宗》[84]，論立例之大要矣，先生曰：『此書自有妙用，學者罕能領會，多求之繩約中，乃近法家者流，苛細繳繞，竟亦何用？惟邱明識其用，然不肯盡談[85]，微見端兆，使[86]學者自得之[87]。』予

82霖案：陳振孫：《直齋書錄解題》卷三，頁461；馬端臨：《文獻通考．經籍考》卷十，頁257著錄，然皆為節文，今存四庫全書本《春秋通訓》卷六，有〈春秋通訓後敘〉一文(冊一四八，頁632-633)，該文為全文。

83霖案：「少聞」之前，應依《春秋通訓》補入「晉之《乘》、楚之《檮杌》，魯之《春秋》，其文皆史也。其所載皆齊桓、晉文之事也。聖人作經，獨有取於《春秋》之意，而不及《乘》與《檮杌》何也？《乘》以賞善為主，乘也者，君子之器，故也。《檮杌》以罰惡為主，檮杌也者，四凶之一，故也。是皆人之所為也。命有德，討有罪，天之威也。煖然為春者，其溫厚之氣也。凄然為秋者，其肅殺之氣也。聖人行賞，所以類天之溫厚；明罰，所以類天之肅殺，蓋文王之造周，與周公之授魯，如斯而已者也。堯、舜、三代之君，居天之位，天之位，可以致天之威，故施於政事，被於臣民者，率與天合，而不違也。周衰，王者之迹熄，天子微，諸侯僭，大夫彊，陪臣肆，善惡不本於至公，而賞罰悉自其私意，善人懼焉，淫人怙焉，仲尼無位，以致天威，而恐堯、舜、三代之道將墜於地，後有王者起，無以取法，為天下患也。是故因魯史之名，以寓賞罰之寔，一本諸天，不參人偽，然後足以矯枉而歸正。蓋亦文王、周公之志也。然《春秋》之為書也，文雖直而義深，事若簡而理盡，自聖人未歿，門人高弟已不能措辭於其間，況後之儒者，欲執其所見以窺測於數千百載之下邪？視諸儒之見，謂《公》、《穀》傳《經》，密於《左氏》，《左氏》凡例，不通眾說，而啖助、趙、陸之書，皆以例為主。至其不合，則依仿遷就以通之。或一事析為數科，或眾科束為一例，致經之大旨，蕪沒不彰，聖所垂訓，乖離失當，而其書動盈編帙，俾後學病其多，老師畏其難，此道幾於熄矣。殊不知去例以求《經》，略微文而視大體之為要且易也。予」等二六一字。

84霖案：「《例宗》」，《春秋通訓》作「《五體例宗》十許卷」。

85霖案：《經義考新校》頁3359新出校文如下：「『然』，《四庫薈要》本、文津閣《四庫》本作『終』。」

86霖案：「使」字前，應依《春秋通訓》補入「欲」。

87霖案：「之」字下，應依《春秋通訓》補入「未可輕論也，他日予復於先生曰：『邱明凡例與《公》、《穀》無殊，用以考《經》，率皆不合，而獨謂之識此《經》之用，亦信矣乎。』先生曰：『邱明因發凡，不專為經，是以或合或否，其書蓋依《經》以比事，即事以顯義，不專為例，是以或

從事斯語十有餘年，始得[88]其彷彿，《通訓》之學[89]，所謂去例以求經，略微文而視大體者也[90]。」

陳振孫曰[91]：「直祕閣吳興張大亨嘉父撰。其〈自序〉言：『少聞《春秋》於趙郡和仲先生。』[92]東坡一字和仲，所謂趙郡和仲，其東坡乎？[93]」

【增補】何廣棪：《陳振孫之經學及其《直齋書錄解題》經錄考證》曰：「廣棪案：《春秋通訓》十六卷，《四庫》本據《永樂大典》併為六卷。《總目》卷二十七《經部》二十七《春秋類》二載：『《春秋通訓》六卷，（《永樂大典》本）宋張大亨撰。……陳振孫《書錄解題》及《宋史‧藝文志》並作十六卷。朱彝尊《經義考》云已佚。此本載《永樂大典》中，十二公各自為卷，而隱公、莊公、襄公、昭公又各自分上下卷，與十六卷之數合。然每卷篇頁無多，病其繁碎。今併為六卷，以便省覽。其文則無所佚脫也。』可悉《四庫》本合併之由。又《總目》同卷《經部‧春秋類》二載：『《春秋五禮例宗》七卷（浙江吳玉墀家藏本。）宋張大亨撰。大亨字嘉父，湖州人。登元豐乙丑乙科。何薳《春渚紀聞》、王明清《玉照新志》並載其嘗官司勳員外郎。以王國侍讀、侍講，官名與朝廷相紊，奏請改正事。陳振孫《書錄解題》載大亨《春秋通訓》及此書，則稱為直秘閣吳興張大亨撰。蓋舉其所終之官也。……朱彝尊《經義考》載此書十卷，注曰存，而諸家寫本皆佚其《軍禮》三卷，已非彝尊之所見。然《永樂大典》作於明初，凡引此書皆吉、凶、賓、嘉四禮之文，《軍禮》絕無

言，或不言，夫惟如是，故能備先王之志，為經世之法，以訓天下後世，又曷常拘於繩約中哉，且邱明之書，與六經、孔、孟合者，十常八九，如元凱輔虞有窮亂夏桓文譎正之事，臧孫要君之迹，九合之會，葵邱之盟，若符契之相為表裏，何為而不可信乎？』等一七六字。

88霖案：「得」字下，應依《春秋通訓》補入「見」。

89霖案：「《通訓》之學」四字，應依《春秋通訓》作「以義視事，以事求《經》，曲而通之，觸類而長之，然後聖人之意坦然矣，是故《通訓》之作，事與《經》同，則引事以釋《經》，例與義合，則假例以明義，《經》雖不同而事同則相從，例雖不合，而義合則相比，庶幾《經》非空言，例非執一。」等八十二字。

90霖案：「也」，應依《春秋通訓》改作「後之君子，其尚有取於斯焉。崇寧元年二月二日敘」等二十字。

91霖案：《直齋書錄解題》卷三，頁461；又出自《文獻通考．經籍考》卷十，頁257-258。

92霖案：「先生」二字之下，竹垞刪去「某初蓋作《例宗》，論立例之大要矣。先生曰：『此書自有妙用，學者罕能領會，多求之繩約中，迺近法家者流，苛細繳繞，竟亦何用？惟邱明識其用，然不肯盡談，微見端兆，使學者自得之』。予從事斯十有餘年，始得其彷彿。《通訓》之作，所謂去例以求經，略微文而視大體者也。」等字。蓋竹垞另錄張氏〈自序〉，故此處將陳氏摘引之〈序文〉刪去，以節篇幅。

93霖案：「其東坡乎？」諸字下，《文獻通考》另有「然《例宗》考究未為詳洽」諸字，而竹垞將其置入《五禮例宗》「陳振孫」條下，故此處引文刪去，今據以補入。

一字。則此三卷之佚久矣，彝尊偶未核檢也。』是則大亨之仕官固不止直秘閣。而其《五禮例宗》十卷，自明初已佚其《軍禮》三卷，今僅存七卷耳。」（頁五七二至頁五七三）

【增補】何廣棪：《陳振孫之經學及其《直齋書錄解題》經錄考證》曰：「案：《經義考》卷一百八十三《春秋》十六『張氏大亨《春秋通訓》』條，彝尊按：『蘇籀《雙溪集》載：『嘉父以《春秋》義問東坡。東坡答書云：『《春秋》，儒者本務。然此書有妙用，學者罕能領會，多求之繩約中，乃近法家者流，苛細繳繞，竟亦何用？惟邱明識其用，然不肯盡談，微見端兆，欲使學者自求之。故僕以為難，未敢輕論也。』』其書今載《續集》中。嘉父《自序》稱少聞《春秋》於趙郡和仲先生者，蓋此書也。』《總目》『《春秋通訓》六卷』條亦云：『是書《自序》謂少聞《春秋》於趙郡和仲先生。考宋《蘇軾年譜》：『軾，本字和仲。』又蘇洵《族譜》稱為『唐相蘇頲之裔，系出趙郡』。今所傳軾題《煙江疊嶂圖詩》，石刻末亦有趙郡蘇氏印。然則趙郡和仲先生，即軾也。』是直齋所考並不誤，《經義考》、《總目》所論均可為助證。」（頁五七四）

按：蘇籀《雙溪集》94載嘉父以《春秋》義問東坡，東坡答書云：「《春秋》，儒者本務，然此書有妙用，學者罕能領會，多求之繩約中，乃近法家者流，苛細繳繞，竟亦何用？惟邱明識其用，然不肯盡談，微見端兆，欲使學者自求之，故僕以為難，未敢輕論也。」其書今載《續集》中，嘉父〈自序〉稱「少聞《春秋》於趙郡和仲先生」者，蓋此書也。

《五禮例宗》（宋）

【書名】本書異名如下：

一、《春秋五禮例宗》：《現存宋人著述目略》頁十九著錄。

【霖案】《國立中央圖書館善本序跋集錄》頁三一九錄有張大亨《春秋五禮例宗·序》，當據以補入。

《宋志》：「十卷。」

【卷數】《文獻通考·經籍考》卷十，頁二五七著錄，惟併合《春秋通訓》、《五禮例宗》題作「二十六卷」。台北：國家圖書館藏有「舊鈔本」，僅存「七卷」，內容缺卷四至卷六等三卷。

存。

94霖案：張大亨以《春秋》義問東坡之語，又見於蘇籀《欒城遺言》，四庫全書本，冊八六四，頁173。

【存佚】朱彝尊《經義考》注曰「存」，而《春秋總義論著目錄》頁五五注曰「存」，然本書實殘存七卷（缺卷四至卷六），故應改注曰「闕」。

【版本及藏地】本書版本及藏地如下：

一、宋刻本：宋張大亨撰；傅增湘跋《春秋五禮例宗》十卷，十卷〔至三、七至十〕，北京：國家圖書館有藏本。

二、舊鈔本：(宋)張大亨撰《春秋五禮例宗》存七卷，缺卷四至卷六，全書一冊，全幅 24.4x16.1 公分，有清道光壬辰（十二年）方若蘅手跋，故本書版本或題作「清方若蘅鈔本」，有微捲，有紹聖四年二月十七日張大亨〈序〉，11 行，行 20 字，宋諱桓、完、真、玄、敦、敬、淳等俱缺末筆，鈐印有「餘事作詩人」白文方印；「若蘅」白文方印；「畹芳」朱文方印；「心蓮室」白文方印；「蓉鏡收藏」白文方印；「曾在李緘翁處」白文長方印；「西池」朱文長方印；「小琅嬛福地」朱文長方印；「懷古情深」白文方印；「在處有神物護持」朱文方印；「悟真閣」白文方印；「幻翠」朱文長方印；「學仙」白文長方印；「臣蓉鏡印」白文方印；「伯元」朱文方印；「國立中央圖書館考藏」朱文方印；「雪鶴」朱文長方印；「小琅環清閟張氏收藏」朱文橢圓印；「虞山張蓉鏡芙川信印」朱文方印；「真味」朱文長方印；「雙芙閣」白文長方印；「蓉鏡」白文長方印；「方氏若衡曾觀」白文長方印；「小琅嬛福地」白文方印；「叔芷」白文方印；「赤松黃石」白文方印等印。台北國家圖書館有藏本。

【增補】方若蘅〈跋〉曰：「此書藏書家著錄甚稀。是冊照宋本繕寫，宋諱缺筆，一如宋鍥，曾見述古藏本，鈔多脫誤，幸珍秘之。道光壬辰十一月十六日，叔芷方若蘅讀，寒雲滿天，殘雪猶存，呵凍識。」（轉錄《標點善本題跋集錄》頁二二）

【增補】《國家圖書館善本書志初稿》：「【春秋五禮例宗存七卷一冊】

清方若蘅鈔本　00518

宋張大亨著。大亨字嘉父，湖州人，登元豐乙科，官至直祕閣。

全幅高 24.4 公分，寬 16.1 公分。每半葉十一行，每行二十字。書中宋諱桓、完、真、玄、敦、敬、淳等俱缺末筆，似照宋本繕寫，故避宋諱。全書十卷，本書缺卷四至卷六。

首卷首行頂格題『春秋五禮例宗卷第一』，中隔三格題『吉禮』，再隔二格題『張氏』。卷末有尾題。卷首有張大亨春秋五禮例宗自序。序後有目錄。正文第一卷吉禮，第二卷凶禮上，第三卷凶禮下，第四卷軍禮一，第五卷軍禮二，第六卷軍禮三，第七卷軍禮四，第八卷賓禮上，第九卷賓禮下，第十卷嘉禮。卷末有清道光壬辰（十二年，1832）方若蘅手書題跋，並附印記。下文中有朱筆手校膳寫錯字。

書中鈐有『餘事/作詩人』白文方印、『若/蘅』白文方印、『畹/芳』朱文方印、『心蓮/室』白文方印、『蓉鏡/收藏』白文方印、『曾在李/緘翁處』白文長方印、『學曾/怡（?）賞（?）』白文方印、『西池』朱文長方印、『小琅嬛福地』朱文艮方印、

『懷古/情深』白文方印、『在處有/神物/護持』朱文方印、『悟真/閣』白文方印、『幻翠』朱文長方印、『學仙』白文長方印、『臣蓉/鏡印』白文方印、『伯/元』朱文方印、『國立中/央圖書/館考藏』朱文方印、『雪鶴』朱文長方印、『小琅嬛清閟張氏收藏』朱文橢圓印、『虞山張/蓉鏡芙/川信印』朱文方印、『真味』朱文長方印、『雙芙閣』白文長方印、『蓉鏡』白文長方印、『方氏若/衡曾觀』白文長方印、『小琅嬛/福地』白文方印、『叔/芷』白文方印、『赤松/黃石』白文方印。

《愛日精盧藏書志》著錄為舊鈔本。按張金吾《愛日精盧藏書志》撰於嘉慶年間，而方若蘅手跋則寫於道光年間，且方文以此部書為其照宋版繕寫，則《愛日精盧藏書志》所收藏者當與館藏此書不同。另張鈞衡《適園藏書志》著錄有曹倦圃鈔本、十二研齋鈔本、藝海樓鈔本，另《皕宋樓藏書志》著錄為舊鈔本，且均存七卷。」(頁 142~143)。

【增補】瞿鏞編纂．瞿果行標點．瞿鳳起覆校《鐵琴銅劍樓藏書目錄》卷五曰：「題『雲川張大亨集』。凡〈吉禮〉一卷、〈凶禮〉二卷、〈軍禮〉四卷、〈賓禮〉二卷、〈嘉禮〉一卷。舊闕第四至第六〈軍禮〉三卷。前有自序，作於紹聖四年二月。」（頁一四〇）。

三、粵雅堂叢書三編第二十一集本：宋張大亨撰《春秋五禮例宗》十卷，二冊，《現存宋人著述目略》頁十九著錄，馬來西亞大學圖書館有藏本。

四、文淵閣四庫全書本：(宋)張大亨撰《春秋五禮例宗》十卷，《國立故宮博物院善本舊籍總目》，上冊，頁九十五著錄，台北故宮博物院有藏本。

【增補】永瑢等撰《欽定四庫全書總目》曰：「春秋五禮例宗七卷[95]　浙江吳玉墀家藏本

宋張大亨撰。大亨字嘉父，湖州人，登元豐乙丑乙科。何薳《春渚紀聞》、王明清《玉照新志》并載其嘗官司勛員外郎，以王國侍讀、侍講官名與朝廷相紊，奏請改正事[96]。陳振孫《書錄解題》則[97]稱為『直秘閣吳興張大亨撰』，蓋舉其所終之官也。考《左傳發凡》，杜預謂『皆周公禮典』。韓起見《易象春秋》亦謂『周禮在魯』。孫復作《春秋尊王發微》，葉夢得譏其『不深於禮學，故其言多自抵牾』。蓋《禮》與《春秋》本相表裏。大亨是編，以杜預《釋例》與經踳駁，兼不能賅盡，陸淳所集啖、趙《春秋纂例》亦支離失真，因取《春秋》事迹分吉、凶、軍、賓、嘉五禮，依類別記，各為總論。義例賅貫，而無諸家拘例之失。振孫稱其[98]詳洽，殆非溢美。吳澄

95霖案：原注云：按：文淵閣庫書題作十卷，存七卷，缺四、五、六卷。

96霖案：原注云：李裕民：此事僅見於《玉照新志》,《春渚紀聞》則稱張氏嘗官提學。

97霖案：原注云：「則」前，浙、粵本有「載大亨春秋通訓及此書」十字。

98霖案：原注云：「其」，浙、粵本作「為考究」。

99《春秋纂言》，分列五禮，多與此書相出入。朱彝尊100《經義考》載此書十卷，注曰『存』，而諸家寫本皆佚其《軍禮》三卷。然101《永樂大典》凡102引此書，皆吉、凶、嘉、賓四禮之文，軍禮絕無一字，則此三卷之佚久矣，彝尊偶未核檢也。」（卷二十七，頁三四二）

【增補】邵懿辰撰、邵章續錄：《增訂四庫簡明目錄標注》卷三曰：「《春秋五禮例宗》七卷，宋張大亨撰，取春秋事迹，以吉、凶、軍、賓、嘉五禮，分類統貫，原本十卷，今軍禮三卷已佚。

昭文張氏有舊鈔本十卷。

〔附錄〕朱有鈔本十卷一冊。（懿榮）（疑盛昱筆，章記。）

〔續錄〕吳佩伯藏宋刊本，十一行，十八字至二十四字，白口，左右雙邊，欽宗以前諱缺筆，缺四、五、六，三卷，胡心耘曾見宋刊本，影鈔宋本十卷，缺二、四、五、六卷，李氏木犀軒藏，粵雅堂叢書續集本，咸豐庚申刊，徐積餘藏海虞女士王誦義手鈔本，甚精。」（頁一〇七至頁一〇八）

【增補】〔校記〕《四庫》本存七卷，佚《軍禮》三卷，《提要》謂《永樂大典》引此書，皆吉、凶、賓、嘉禮之文，而軍禮無一字，知軍禮佚已久矣。（《春秋》，頁四八-四九）

【增補】胡玉縉撰、王欣夫輯《四庫全書總目提要補正》卷七曰：「陸氏《儀顧堂續跋》云：『宋諱有缺筆，蓋從宋本傳錄者。今惟存七卷，而四、五、六三卷缺焉，惟《文淵閣書目》著錄張大亨《五禮例宗》，注曰一冊全，則《大典》必有全書後乃有缺耳。《四庫》所收，亦缺此三卷，朱竹垞《經義考》雖注曰存，而不載大亨自序，則亦未見此書矣。』玉縉案：吳氏《藏書題跋記》云：『周�分大令得宋槧本，闕卷與此同。』」（頁一六七）

【增補】李裕民《四庫提要訂誤》曰：「大亨，字嘉甫，張著子，建中靖國元年（1101）三月任太學博士時，言春秋科題事，為上所納（《宋會要輯稿》選舉四之一）。政和七年（1118）十二月七日為司勛員外郎奏請改侍讀講事，見于王明清《玉照新志》卷一，《春渚紀聞》則未載其事。又任左司郎中，政和八年八月二十六日，以言者論其趨權貴之門，為偷合之計罷（《宋會要稿》職官六八之四一）。《春渚紀聞》卷一稱『友提學張公大亨』，則大亨終官當為提學，何薳作《春渚紀聞》約在紹興十一年（1141）後不久，此稱『先友』，則大亨當卒于紹興之初。《詩說永》稱『鄭（謐）有詩集，其間與張嘉父唱酬頗多』（《苕溪漁隱叢話後集》卷三六

99霖案：原注云：「吳澄」前，浙、粵本有「元」字。

100霖案：原注云：「朱彝尊」前，浙、粵本有「澄非剽襲人書者，殆偶未見傳本歟」。

101霖案：原注云：「然」前，浙、粵本有「已非彝尊之所見」。

102霖案：原注云：「凡」前，浙、粵本有「作于明初」。

）。可見大亨亦頗能詩。」（頁十五）

五、清道光戊子（八年）王誦莪手鈔本：(宋)張大亨撰《春秋五禮例宗》七卷，一冊，十行，行二十字，序文有紹聖四年二月十七日霅川張大亨集，另有微捲、微片、精裝複製本，鈐印有「積學齋徐乃昌藏書」朱文長條印，「張伯元別字芙川」白文方印，「清河伯子」朱白合文方印，「虞山張蓉鏡芙川信印」朱文長方印，正文卷端題「張氏」，本書為國家圖書館前代管北平圖書館藏書，已移置故宮博物院。

六、鈔本：張大亨撰《春秋五禮例宗》七卷，二冊，十一行，北京圖書館有藏本。

【霖案】中國國家圖書館藏有二部，一題作「清抄本」，有「清吳騫跋」；一為「清孔氏藤梧館抄本」，二種版本各為七卷，且俱為「抄本」形式，而所缺卷數，均為「四、五、六」等三卷，未詳王重民所著錄之本，究竟為那一種版本，今附記於此，以俟後考。

【增補】王重民：《中國善本書提要》曰：「【春秋五禮例宗】殘　存七卷　二冊（《四庫總目》卷二十七）（北圖）

　　鈔本〔十一行〕

　　宋張大亨撰。按原書凡十卷今闕卷第四至六，故《四庫全書總目》作七卷也。卷內有：「友竹軒」、「己丑進士太史圖書」、「宋氏蘭揮藏書善本」、「藏真精舍隅得」、「延古堂李氏珍藏」等印記。

自序〔紹聖四年（一〇九七）〕」（頁二四）

七、清顧氏藝海樓舊抄本：宋張士亨撰《春秋五禮例宗》十卷，存七卷〔一至三　七至十〕，復旦大學圖書館有藏本。

【增補】《嘉業堂藏書志》卷一曰：「宋張大亨撰。大亨字嘉父，吳興人，登元豐乙丑乙科，官至直秘閣。此書凡《吉禮》一卷，《凶禮》二卷，《軍禮》四卷，《賓禮》二卷，《嘉禮》一卷，共十卷。舊缺第四至第六《軍禮》三卷，與各家著錄相同。首有紹興四年自序。有『翰林院印』、『結一廬藏書印』朱文方印。（繆稿）」（頁一五八）

八、清咸豐十一年(1861)南海伍氏刊本：(宋)張大亨撰《春秋五禮例宗》存七卷，缺卷四、卷五、卷六，台北：國家圖書館有藏本。

九、清孔氏抄本：宋張大亨撰；清孔繼涵跋《春秋五禮例宗》十卷，上海圖書館有藏本。

十、清抄本：宋張大亨撰；清丁丙跋《春秋五禮例宗》十卷，存七卷〔一至三　七至十〕，南京圖書館有藏本。

十一、清抄本：宋張大亨撰《春秋五禮例宗》十卷，存七卷〔一至三　七至十〕，南京圖書館有藏本。

十二、民國五十五年(1966)藝文印書館百部叢書集成初編影印本：(宋)張大亨撰《春秋五禮例宗》七卷，台北：國家圖書館有藏本。

【增補】張大亨〈序〉曰：「昔杜元凱作釋例以明春秋異同之義，事類相發，各為條綱，使覽者用力少而見功多，可謂善矣。然其間雜以傳例，與經踳駁，而又摘數端，不能該盡，學者病之。唐陸淳乃因啖、趙之餘，別為纂例，其所條列，一出於經，比於杜公詳顯完密，後之說者謂之要例。然淳拘於微文，捨事從例，故事以相濟以成，而反裂為數門者，非特差失其始終、抑亦汩昏其義趣，聖經大旨，支離失真，迷眩後生，莫此為甚。蓋人之美惡，小大萬殊，聖人因其實而被之以名，豈顓拘於繩約？若乃定其筆削以示後世，則固有典要存焉。善學者因其人之美惡，以推聖人之心，而究觀其典要之所在，則其旨不辨而自白矣。顧予非知經者，特懼子弟之溺於斯，乃綴緝本文，通其乖舛，以刊前作之誤，名曰春秋五禮例宗。蓋周禮盡在魯矣，聖人以為法，凡欲求經之軌範，非五禮何以質其從違，觀者或無間於古今，則當信予言之不妄也。紹聖四年二月十七日序。」（轉錄《國立中央圖書館善本序跋集錄》經部，頁三一九）

【增補】王重民：《中國善本書提要》曰：「【春秋五禮例宗】

殘存七卷　二冊（北圖）

鈔本〔十一行二十字〕

宋張大亨撰。自序後題：「海虞女士者香王誦莪錄于歐白閣」，卷末又題：「道光戊子孟秋日錄畢者香。」卷內有：「張伯元別字芙川」、「清河伯子」、「虞山張蓉鏡芙川信印」、「在處有神物持」、「虞山張氏」、「畹芳女士」、「勤襄公五女」、「積學齋徐乃昌藏書」、「南陵徐乃昌校勘經籍記」、「積餘秘笈識者寶之」、「延古堂李氏珍藏」等印記。

自序。」（頁二四至頁二十五）

陳振孫曰[103]：「《例宗》考究，亦[104]為詳洽。」

【增補】〔補正〕陳振孫條內「亦為詳洽」，「亦」當作「未」。（卷八，頁一）

【增補】何廣棪：《陳振孫之經學及其《直齋書錄解題》經錄考證》曰：「案：《經義考》卷一百八十三《春秋》十六著錄：『《五禮例宗》，《宋志》十卷，存。陳振孫曰：『《例宗》攷究，亦為詳恰。』』是彝尊所見《解題》，字作『亦』不作『未』也。《總目》『《春秋五禮例宗》七卷』條云：『蓋《禮》與《春秋》，本相表裏。大亨是編以杜預《釋例》與經踳駁，兼不能賅盡。陸淳所集啖、趙《春秋纂例》，

103霖案：《直齋書錄解題》卷三，頁461、《文獻通考．經籍考》卷十，頁258。

104「亦」，備要本同，應依《補正》、四庫本作「未」。　霖案：《經義考新校》頁3360校文，無「備要本同」四字；另於「四庫本」之前，尚有「《四庫薈要》本、文淵閣」等字。今考「亦」字，實同於《文獻通考》，雖然「四庫本」改作「未」字，但是竹垞既據《文獻通考》甄錄原文，則應維繫作「亦」字為宜。

亦支離失真。因取《春秋》事蹟，分吉、凶、軍、賓、嘉五禮，依類別記，各為《總論》。義例賅貫，而無諸家拘例之失。陳振孫稱為考究詳恰，殆非溢美。』是撰《總目》者所見之《解題》正作『亦為詳恰』，與彝尊同。」（頁五七四至頁五七五）

鄧氏驥《春秋指蹤》

【作者】鄧驥，字德稱，延平人。有《春秋指蹤》二十一卷。

《宋志》：「二十一卷。」

佚。

程端學曰[105]：「延平鄧驥[106]，字[107]德稱。」

黃氏裳《春秋講義》

【作者】黃裳，字文叔，號兼山，普成人。乾道五年進士，累官嘉王府翊善。寧宗即位，改禮部尚書，兼侍讀，復上奏數千言。紹熙五年卒，年四十九，謚忠文。有《王府春秋講義》、《兼山集》。

佚。

《姓譜》[108]）：「裳，字冕仲，浦城人。[109]元豐五年[110]，對策[111]第一[112]，後官[113]尚書，贈資政殿大學士，謚忠文[114]。」

沈氏括《春秋機括》（宋）

105霖案：程端學：《春秋本義》〈春秋傳名氏〉，(《通志堂經解》（冊25）《春秋本義》）頁13861。

106霖案：「鄧驥」，《春秋本義》題作「鄧氏驥」，其中「驥」字為注文。

107霖案：「字」，《春秋本義》無此字，當據刪。

108霖案：《萬姓統譜》卷四十七（台北：商務印書館影四庫全書本，冊九五六，民國七十五年三月，初版），頁717。

109霖案：「浦城人」三字下，應依《萬姓統譜》補入「為書生時，嘗有魁天下之志。元豐四年，郡之譙門一柱，忽為迅雷所擊，裳聞之，口占四句云：『風雷昨夜破枯株，借問天公有意無。莫是臥龍蹤跡困，放教頭角直亨衢。』」等六十三字。

110霖案：「元豐五年」，《萬姓統譜》原作「次年」，乃是承繼前文「元豐四年」之事而來，竹垞刪去前文，而於此逕改作「元豐五年」，雖年份無錯，但實非《萬姓統譜》之文。

111霖案：「對策」二字下，應依《萬姓統譜》補入「為天下」三字。

112霖案：「第一」二字下，應依《萬姓統譜》補入「政和間，知福州。裳為禮部侍郎。」等十二字。

113霖案：「官」，應依《萬姓統譜》作「遷」。

114霖案：「文」字下，應依《萬姓統譜》補入「裳端純孝友，每講讀隨事納忠，所著有《春秋講義》及《真山集》。」等二十三字。

《宋志》：「二卷。」《玉海》[115]：「三卷。」[116]

【卷數】《郡齋讀書志》卷第三，頁一〇六、《文獻通考·經籍考》卷十，頁二五九著錄，惟卷數均題作「一卷」。

未見。

【霖案】本書未見其他傳本，且《春秋總義論著目錄》注曰「佚」，當已久佚，故改注曰「佚」。

晁公武曰[117]：「《春秋》[118]譜也。」

王應麟曰[119]：「元豐中，沈括撰《春秋機括》三卷[120]。上卷以魯公甲子紀周及十二國年譜，中卷載周及十二國譜系世次，下卷記列國公子諸臣名氏，其無異名者不錄。」

《春秋左氏紀傳》（宋）

《宋志》：「五十卷。」《通考》：「三十卷。」

【書名】【卷數】《文獻通考·經籍考》卷十，頁二七〇著錄，惟書名題作《左氏紀傳》；卷數亦題作「五十卷」，二者皆有不同。

佚。

李燾曰[121]：「不著撰人名氏。取邱明所著二書，用司馬遷《史記》法，君臣各為紀傳，凡欲觀某國之治亂，某人之臧否，其行事本末，畢陳於前，不復錯見旁出，可省繙閱之勤；或事同而辭異者，皆兩存之，又因以得文章繁簡之度，雖編削附離，尚多不滿人意，然亦可謂有其志矣。獨所序《世族譜繫》，既與《釋例》不同，又非史遷所記，質諸《世本》，亦不合也；疑撰者別據他書，今姑仍其舊，以竢考求。」　又曰[122]：「後在陵陽觀沈存中〈自誌〉，乃知此書存中所著。存中喜述作，而此書終不滿人意，史法信未易云。」

陸氏佃《春秋後傳》

【作者】陸佃，字農師，號陶山，山陰人，陸珪之子。居貧苦學，映月讀書，嘗受經

115霖案：《玉海》卷四○，頁800。又已見《經義考》卷183「王應麟曰」條。

116霖案：「三卷」，今考《玉海》作「二卷」，惟文下解題云：「上卷，以魯公甲子紀周及十二國年譜；中卷載周及十二國譜系世次；下卷記列國公子諸臣名氏，其無異名者不錄。」，據此，可知為三卷，惟《玉海》正文卻誤作「二卷」，竹垞據內容改正。

117霖案：《郡齋讀書志》卷第三，頁106、《文獻通考．經籍考》卷十，頁259。

118霖案：「《春秋》」二字之前，《文獻通考》另有「皇朝沈括存中撰。」等七字。

119霖案：《玉海》冊二，卷四○，頁800。

120霖案：「三卷」，《玉海》原誤作「二卷」，竹垞根據文末解題分卷，逕改作「三卷」。

121霖案：《文獻通考．經籍考》卷十，頁270。

122霖案：《文獻通考．經籍考》卷十，頁270。

王安石，而不以新法為是。擢熙寧三年甲科，補國子監直講。徽宗時為尚書右丞。後罷知亳州，卒封「楚國公」，撰有《埤雅》二十卷，《禮象》，《春秋後傳》二十卷，《鶡冠子註》一卷，《陶山集》十六卷。

《宋志》：「二十卷。」

【卷數】《直齋書錄解題》卷三，頁四六〇、《文獻通考．經籍考》卷十，頁二五七著錄此書，惟另有《補遺》一書，合計「二十一卷」，顯見《補遺》別為一卷。惟《春秋後傳補遺》為陸佃之子陸宰之作，竹垞別立於陸氏宰《春秋後傳補遺》一項以繫之，說法見於下文。

未見。

【霖案】本書未見其他傳本，且《春秋總義論著目錄》頁二二注曰「佚」，當已久佚，故改注曰「佚」。

【增補】何廣棪：《陳振孫之經學及其《直齋書錄解題》經錄考證》曰：「廣棪案：宋慈抱《兩浙著述考．經術考．春秋類》著錄：『《春秋後傳》二十卷、《補遺》一卷，宋山陰陸佃撰。《補遺》，其子宰撰。佃有《爾雅新義》已詳前。是書見《直齋書錄解題》。《經義考》云未見。宰，字元鈞，游之父，官朝請大夫，直秘閣。紹興間建秘閣，求天下遺書，首命紹興府錄宰家書來上，凡萬三千卷有奇，見《宋史》本傳。』所記較《解題》為詳。」（頁五七〇）

張氏根《春秋指南》

【作者】張根（1062～1121），字知常，號吳園，饒州德興人。元豐五年進士，歷臨江司理參軍、遂昌令，遷通判杭州，提舉江西常平，官至淮南轉運使。撰著有《春秋指南》一書，已佚。又另有《吳園易解》一書，存於世。

《宋志》：「十卷。」

【卷數】《直齋書錄解題》卷三，頁四六二著錄，卷數題作「二卷」

佚。

汪藻〈序〉曰[123]：「《六經》惟《春秋》為仲尼作，聖人見其所志之書也。學而不明乎是非，何以為人？治而不明乎賞罰，何以為國？此書之所以作而為萬世法也。雖曰以匹夫而行天子事，有所謂婉而成章者，然其褒貶一出乎天下是非之公，豈故為殊絕甚高之論，使後人有不可及之歎哉？不知班固何所授之，立為弟子，退而異言之說，開後世諸儒相詬病之端。使當時誠有異同，不應復云『游、夏之徒不能贊一辭』也。孟子去孔子百餘年，於《書武成》、《詩雲漢》莫不疑之，至《春秋》則曰『《詩》亡然後《春秋》作』、『孔子成《春秋》，而亂臣賊子懼』、『知我者《春秋》，罪我者《春秋》』而已，未嘗片言致疑於其間

123霖案：出自：四庫：冊1128，頁151，卷17《浮溪集．吳園先生春秋指南序》、四庫本，冊1128，頁372，卷八；又《浮溪文粹．同上》，又冊1375-頁247-卷17《新安文獻志》亦有之。

也。彼亂臣賊子者，豈曉然知道理之人哉？一見《春秋》而知懼焉，非懼聖人之書也，懼天下是非之公也。自《三傳》出，而聖人之《經》始不勝其繁，好異者曰：『聖人之言窅然幽深，必有不可以近情常理度者，當冥思而力探之。』於是枝葉蕃滋，無所不至，人人務其己說之勝，而莫知求至當之歸；乃至子而以父學為非，弟子而以師說為愚，況其他哉？則《春秋》不明，《三傳》亂之也。本朝自熙寧以來，學者廢《春秋》不用，數十年間，篤學而好之者，蓋不為無人；然一時章分句析之學勝，故雖《春秋》，亦穿鑿破碎，而不見聖人之渾全。政和間[124]，余過山陽，吳園先生張公在焉。先生謂余曰：『學《春秋》而不編年，無以學為也。余嘗以諸國縱橫例而類見之，聖人之意了然矣，當令子見吾書。』余未及受而先生亡。未幾，先生之書盛行於士大夫間，因得伏而讀之，曰：『嗟乎！聖人之意豈遠人哉？曲學蔽之耳。先生閉戶讀書二十餘年，其見於世者，固已碩大光明，而所出裁一二而已，則求聖人之心而得之者，豈獨此書乎哉？』雖然，以此書考之，先生之志亦可以概見矣。[125]」

【增補】〔補正〕汪藻〈序〉末當補云：「紹興十年七月，門人汪藻〈序〉。」（卷八，頁一）

案：汪藻張公〈行狀〉：「公諱根，字知常，唐宰相文瓘之後，今為饒州德興人。元豐五年擢進士第，年二十有一，歷官朝散大夫、知龍圖閣，宣和二年六月十七日卒，年六十。（卷八，頁一——二）

晁公武曰[126]：「吳園先生張根知常撰，以征伐會盟年經而國緯。[127]」

陳振孫曰[128]：「專以編年旁通該括諸國之事，如指掌[129]；又為《解例》，亦用旁通法，其他《辨疑》、《雜論》諸篇略，要義多所發明。」

【增補】〔補正〕陳振孫條內「如指掌」，「指」下脫「諸」字。（卷八，頁二）

【增補】何廣棪：《陳振孫之經學及其《直齋書錄解題》經錄考證》曰：「廣棪案：《讀書志》卷第三《春秋類》著錄：『《春秋指南》十卷。右吳園先生張根知常撰。以征伐會盟，年經而國緯。汪藻為之《序》。』是《讀書志》亦謂此書以編年法以治《春秋》。汪藻所撰《序》略云：『本朝自熙寧以來，學者廢《春秋》不用。數十年

124「間」，《四庫》本誤作「門」。　霖案：《經義考新校》頁3363校文，於「《四庫》」二字之前，另有「文淵閣」三字。

125「矣」下，應依《補正》補入「紹興十年七月，門人汪藻序」。

126霖案：《郡齋讀書志》卷第三，頁105。又《文獻通考．經籍考》卷十，頁259。

127霖案：「緯」字下，《文獻通考．經籍考》尚有「汪藻為之序」，由於竹垞已錄汪藻序文，故略去不論。

128霖案：《直齋書錄解題》卷三，頁462；又出自《文獻通考．經籍考》卷十，頁259。

129「指掌」，《備要》本同，應依《補正》、《四庫》本作「《指諸掌》」。　霖案：《經義考新校》頁3363校文，於「《四庫》」二字之前，另有「《四庫薈要》本、文淵閣」等字。今考《文獻通考．經籍考》題作「指掌」，而非「指諸掌」。據此，則竹垞所錄之文，大抵同於《通考》之文。

間，篤學而好之者蓋不為無人，然一時章分句析之學勝，故雖《春秋》亦穿鑿破碎，而不見聖人之渾全。政和間，余過山陽，吳園先生張公在焉。先生謂余曰：『學《春秋》而不編年，無以學為也。余嘗以諸國縱橫例而類見之，聖人之意了然矣。當令子見吾書。』余未及受，而先生亡。未幾先生之書盛行於士大夫間，因得伏而讀之，曰：嗟乎！聖人之意豈遠人哉，曲學蔽之耳。先生閉戶讀書二十餘年，其見於世者固已碩大光明，而所出裁一二而已。則求聖人之心而得之者，豈獨此書乎哉！雖然，以此書考之，先生之志亦可以概見矣。』是根亦自言以編年之法學《春秋》，以諸國縱橫例而治《春秋》也。惜此書已佚，無由探悉根求聖人之心及其撰作此書之志矣。此書《解題》作二卷，然證以全書既有《解例》，又有《辨疑》、《雜論》諸篇，殊非二卷所能盡，似以《讀書志》及《宋志》之作十卷為長也。」（頁五八二）

林氏之奇《春秋通解》

佚。

黃澤曰[130]：「林少穎[131]《春秋》說[132]大抵不純，其書〈時月日篇〉[133]曰：『或曰：「《經》之書月書日，豈都無意乎？」曰：「此史例也，非《經》意也。何以言之？夫史以編年為書，故必書日月以次事之先後，若事無巨細，概[134]書月書日，則事紊而無條矣。勢必先為之法，何等事則時而已，何等事則月之，何等事則月而又日之，所以分事之輕重緩急也。故事之緩者，則書時或月；事之急者，則書日焉。所謂緩者何？人事則朝聘、會遇、侵地、伐國、逆女、乞師，災異則螟、水旱、無冰、星孛之類，皆非一日之事，故或時或月焉；所謂急者何？祭祀、盟戰、外諸侯內大夫卒、災異、日食、地震、星隕、火災之類，皆一日之事，故日之也；間有當日而不日者，史闕文也。且日食當日者也，莊公之世有不日者二；內大夫卒亦當日者[135]，自隱至宣時有不日者，蓋世遠而簡編有不完者也；又有例皆不日而日者，如《經》書葬諸侯幾百處，書日者數處而已，蓋諸侯之葬雖有以我往而書，然亦須彼來告而我方往也，故告以日則書日焉，然則葬多不以日告者，不可必其日也。以魯國猶有雨不克葬者二，況他國乎？或曰：『葬而來告，豈有據乎？』曰：『成公十年五月，晉侯獳卒，七月，公如晉，明年三月始還自晉；晉侯書卒而不書葬者，以公在其國而不來告也。』夫事或時而不月，或月而不日，或時月而又日之，舊史之文也；二百年後，而孔子修《春秋》，使直欲書日以謹惡，而史或闕之，則何以補之哉？孟子曰：『其文則史，其義則丘竊取焉。』則以知尊王律諸侯、誅叛黜僭，此出於聖人修經之法也。若夫編年以著代，書時日月以別事之同異，皆循

130霖案：《春秋師說》卷中，通志堂經解本，頁14838-14839。

131霖案：「穎」字下，應依《春秋師說》補入「有」。

132霖案：「說」字下，應依《春秋師說》補入「數十處，然」等四字。

133霖案：「〈時月日篇〉」，應依《春秋師說》作「〈時日月下篇〉」。又「篇」字下，應依《春秋師說》補入「最善，其言」等四字。

134霖案：「概」，《春秋師說》作「槩」。

135霖案：「者」字下，應依《春秋師說》補入「也」。

舊史而無所增損焉。」』林氏書時月日凡兩篇，此篇最當理[136]。」

葉氏夢得《春秋傳》(宋)

【作者】葉夢得(1077～1148)，字少蘊，號肖翁，又號石林，吳縣人，清臣從曾孫。紹聖四年進士，徽宗朝累遷翰林學士。夢得撰有《石林春秋傳》、《石林居士建康集》、《石林詞》、《避暑錄話》、《石林燕語》、《石林詩話》等書。

【書名】本書異名如下：

一、《石林先生春秋傳》：《現存宋人著述目略》頁十九著錄。

二、《葉氏春秋傳》：張壽平《公藏先秦經子注疏書目》頁一三四著錄。

《宋志》：「二十卷。」

【卷數】本書卷數異同如下：

一、《文獻通考・經籍考》卷十，頁二六〇著錄，惟合《春秋傳》、《春秋考》、《春秋讞》三書為「七十二卷」，與《宋志》所錄稍有不合。

二、《直齋書錄解題》卷三，頁四六〇著錄，卷數題作「十二卷」。

三、何廣棪：《陳振孫之經學及其《直齋書錄解題》經錄考證》曰：「廣棪案：夢得《春秋傳・自序》於文末處明言：『作《春秋傳》二十卷。』《解題》作『十二卷』，疑字顛倒耳。今《四庫》本據曝書亭藏本仍為二十卷。《攷》、《讞》二書，彝尊《經義考》云已佚，《四庫》本據《永樂大典》排比綴緝，編成《攷》十六卷、《讞》二十二卷。」(頁五七五)

存。

【版本及藏地】本書版本及藏地如下：

一、通志堂經解本：宋葉夢得撰《石林先生春秋傳》二十卷，四冊，《現存宋人著述目略》頁十九著錄，馬來西亞大學圖書館有藏本(二部)。

二、文淵閣四庫全書本：台北故宮博物院有藏本。

【增補】永瑢等撰《欽定四庫全書總目》曰：「春秋傳二十卷[137]　浙江朱彝尊家曝書亭藏本

宋葉夢得撰。夢得字少蘊，號石林，吳縣人，紹聖四年進士。南渡後官至崇信軍節度使，事迹具《宋史・文苑傳》。夢得以孫復《春秋尊王發微》主於廢傳以從經，蘇轍《春秋集解》主於從《左氏》而廢《公羊》、《穀梁》，皆不免有弊，故是[138]書參

136霖案：「理」字下，應依《春秋師說》補入「故錄以備觀覽」等六字。

137霖案：原注云：按：文淵閣庫書題作《葉氏春秋傳》二十卷。

138霖案：原注云：「是」，浙、粵本作「其」。

考三傳以求經。不得於事，則考於義，不得於義，則考於事，更相發明，頗為精核。開禧中，其孫筠刊於南劍州，真德秀跋之，稱其『辟邪說，黜異端，有補世教不淺』。《宋史・藝文志》又載夢得別有《春秋考》三十卷，《讞》三十卷，《指要總例》二卷，《石林春秋》八卷，今《讞》、《考》二書，散見《永樂大典》中，尚可得其大概，餘皆散佚。惟此傳猶為完書。《南窗紀事139》載：『夢得為《春秋》書，其別有四：解釋音義曰『傳』，訂正事實曰『考』，掊擊三傳曰『讞』，編列凡例曰『例』。嘗語徐惇濟曰：『吾之為此名，前古所未見也。』惇濟曰：『吳程秉著書三萬餘言，曰《周易摘》、《尚書駁》、《論語弼》，得無近是乎』』云云。案此傳不專釋音義，其說已非。至於以一字名書，古人多有，即以《春秋》而論，傳為通名，不必言矣。如《漢志》所載鐸氏、張氏，皆有《春秋微》，《公羊傳疏》有閔因《春秋序》，《後漢書》有鄭眾《春秋刪》，《隋志》有何休《春秋議》、崔靈恩《春秋序》、孫炎并先有《春秋例》，夢得博洽，安得不見！乃以為古無此名，必非事實。且《宋志》載夢得《春秋指要總例》亦不名曰『春秋例』，殆小說附會之詞，不足據也。」（卷二十七，頁三四三）

【增補】邵懿辰撰、邵章續錄：《增訂四庫簡明目錄標注》卷三曰：「《春秋傳》二十卷，宋葉夢得撰。

通志堂本。

〔續錄〕宋開禧乙丑葉筠本，佳。（頁一〇八）

三、摛藻堂薈要本：台北故宮博物院有藏本。

四、清同治十二年(1873)粵東書局重刊本：(宋)葉夢得撰《石林先生春秋傳》二十卷，台北：國家圖書館有藏本。

五、聚珍本：宋葉夢得《春秋考》十六卷，前有紹興八年自序，目錄，總論三。

【增補】耿文光《萬卷精華樓藏書記》卷八曰：「《春秋考》十六卷　宋葉夢得撰

聚珍本。前有紹興八年自序，目錄，總論三，列十二公為十三卷。按，《宋志》葉氏所著有《春秋傳》二十卷，《春秋讞》三十卷，考亦三十卷，三書本相輔而行，不可偏廢，而是書久佚。

四庫館從《大典》錄出，雖編次悉仍其例，而所取存僅十之七八矣。

葉氏自序曰：吾所謂失者，非苟去之也，以其無益於義也。吾所謂非者，非臆排之也，以其無驗於事也。乃論次其求古而得之可信不疑者，為考三十卷。」（頁三〇一）

六、宋開禧乙丑葉筠本：參考邵懿辰撰、邵章續錄：《增訂四庫簡明目錄標注》卷三，頁一〇八。

七、清鈔本：《中國古籍善本書目》、《春秋總義論著目錄》頁二二著錄，上海圖書

139霖案：原注云：「記事」，浙、粵本作「紀談」。

有藏本。

夢得〈自序〉曰[140]：「《春秋》為魯而作乎？為周而作乎？為當時諸侯而作乎？為天下後世而作乎？曰：『為魯而作《春秋》，非魯之史也。』曰：『為周作《春秋》，非周之史也。』曰：『為當時諸侯作《春秋》，非當時諸侯之史也。』夫以一天下之大，必有與立者矣；可施之一時，不可施之萬世，天下終不可立也。然則為天下作歟？為後世作歟？故即魯史而為之經，求之天理，則君臣也、父子也、兄弟也、朋友也、夫婦也，無不在也；求之人事，則治也、教也、禮也、政也、刑也、事也，無不備也。以上則日星、雷電、雨雹、霜雪之見於天者，皆著也；以下則山崩、地震、水旱、無冰之見於地者，皆列也；泛求之萬物，則螽、螟、蝝、蜚、麋、惑[141]、鸜鵒之於鳥獸，麥、苗、李、梅、雨、冰、殺菽之於草木者，亦無一而或遺也。而吾以一王之法，筆削於其間，穹然如天之在上，未嘗容其心，而可與可奪，可是可非，可生可殺，秋毫莫之逃焉。迎之不見其始，要之不見其終；是以其書斷取十有二公，以法天之大數；備四時以為年，而正其行事；號之曰《春秋》，以自比於天；由是可以為帝，由是可以為王，由是霸者無所用其力，由是亂臣賊子無所竄其身。前乎此聖人者作，固有堯、舜、禹、湯、文、武、周公焉，而莫能外也；後乎此聖人者作，復有堯、舜、禹、湯、文、武、周公焉，而莫能加也。是以當孔子時，雖游、夏之徒不能贊[142]一辭，自孔子沒而三家作，吾不知於孔子親聞之歟？傳聞之歟？至於今千有餘歲，天下之言《春秋》者，惟三而已。孟子不云乎：『其事則齊桓、晉文，其文則史。』而子之自言，則曰：『其義則丘竊取之矣。』夫《春秋》者，史也，所以作《春秋》者，經也，故可與通天下曰事，不可與通天下曰義。《左氏》傳事不傳義，是以詳於史而事未必實，以不知《經》故也；《公羊》、《穀梁》傳義不傳事，是以詳於《經》而義未必當，以不知史故也。由乎百世之後，而出乎百世之上，孰能覈事之實而察義之當歟？惟知《春秋》之所以作，為天下也，為後世也；其所自比者，天也；其所同者，堯、舜、禹、湯、文、武、周公也。不得於事則考於義，不得於義則考於事，事義更相發明，猶天之在上，有目所可共覩，則其為與為奪、為是為非、為生為殺者，庶幾或得而窺之矣。『天之既喪斯文也，後死者不得與於斯文也；天之未喪斯文也，後世必有作者焉。』乃酌三家，求史與經，試嘗為之言，以俟後之君子而擇其中，其亦有當爾乎？其亦無當爾乎？作《春秋傳》二十篇。」

【增補】孫能傳等撰《內閣藏書目錄》卷二曰：「《石林先生春秋傳》五冊，全。宋葉夢得注，有真西山〈後跋〉。」（頁四七七）。

【霖案】黃虞稷、周在浚等人《徵刻唐宋祕本書目》頁一四四一轉錄此序節文，而孫能傳等人所謂「有真西山〈後跋〉」者，竹垞將其置入葉夢得《春秋讞》條下，僅題作「真德秀曰」，而翁方綱《經義攷補正》曾有所考證，說法詳見下文。

《春秋考》（宋）

【霖案】根據《現存宋人著述目略》頁二〇著錄，葉夢得有《春秋攷》十六卷，疑即

140霖案：葉適：《春秋傳》〈石林先生春秋傳序〉，通志堂經解本，頁11821。

141霖案：「惑」，當依《春秋傳》作「蜮」。

142霖案：「贊」，當依《春秋傳》作「措」。

為《春秋考》之誤題。

《宋志》：「三十卷。」

【卷數】《文獻通考．經籍考》卷十，頁二六〇著錄，惟合《春秋傳》、《春秋考》、《春秋讞》三書為「七十二卷」，與《宋志》所錄稍有不合。

又廣雅書局刊武英殿聚珍版全書題作「十六卷」。

佚。

【存佚】《春秋總義論著目錄》頁九錄作「存」，今此書實有四庫全書輯本，雖非全本，故應改注曰「闕」。

【版本及藏地】本書版本及藏地如下：

一、文淵閣四庫全書本：台北故宮博物院有藏本。

【增補】永瑢等撰《欽定四庫全書總目》曰：「春秋考十六卷　永樂大典本

宋葉夢得撰。是書於寧宗開禧中與《春秋傳》、《春秋讞》同刻於南劍州。元程端學作《春秋三傳辨疑》多引其說，則當時猶有傳本。自明以來，藏書家皆不著錄，故朱彝尊《經義考》注曰『已佚』。惟《永樂大典》頗載其文，以次檢校，尚可得什之八九。今排比綴輯，復勒成書[143]。其書大旨，在申明所以攻排三傳者，實本周之法度制作以為斷，初非有所臆測於其間。故所言皆論次周典以求合於《春秋》之法。其文辨博縱橫，而語有本原，率皆典核。陳振孫《書錄解題》稱其『辨定考究，無不精詳』，殆不誣也。原書前有《統論》，其後乃列十二公，逐條詮敘，而不錄經文，今悉仍舊例。其卷帙則約略篇頁，輯為《統論》三卷，隱公以下，以次編為十三卷，不復拘《宋志》三十卷之數。據夢得《自序》稱：『自其《讞》推之，知吾所正為不妄，而後可以觀吾《考》。自其《考》推之，知吾所擇為不誣，而後可以觀吾《傳》。』然《書錄解題》已先列《傳》，次列《考》，次列《讞》。蓋《傳》其大綱，而《考》、《讞》其發明之義疏也。今仍從陳氏之序，次於《傳》後焉。」（卷二十七，頁三四三）

【增補】邵懿辰撰、邵章續錄：《增訂四庫簡明目錄標注》卷三曰：「《春秋考》十六卷，宋葉夢得撰，原本久佚，今從《永樂大典》錄出。

聚珍板本。

〔續錄〕宋開禧中，與《春秋傳》、《春秋讞》同刻於南劍州，閩覆本，昭文張氏有舊鈔本。（頁一〇八）

【增補】〔校記〕四庫有輯《大典》本十六卷。（《春秋》，頁四九）

二、清乾隆四十六年武英殿聚珍本：台北故宮博物院有藏本。

143霖案：原注云：「書」，浙、粵本作「編」。

三、廣雅書局刊武英殿聚珍版全書本：宋葉夢得撰《春秋考》十六卷，五冊，馬來西亞大學圖書館有藏本。

四、宋開禧乙丑葉筠本：參考邵懿辰撰、邵章續錄：《增訂四庫簡明目錄標注》卷三，頁一〇八。

《春秋讞》（宋）

【書名】本書異名如下：

一、《春秋左傳獻》：根據《現存宋人著述目略》頁十八、頁二〇著錄，錄有葉夢得《春秋左傳獻》十卷、《公羊傳獻》六卷、《穀梁傳獻》六卷等三書，疑即此書。

二、《春秋三傳讞》：張壽平《公藏先秦經子注疏書目》頁一三四著錄。

【考證】《春秋公羊傳論著目錄》曰：「諸家皆併三傳題為《春秋讞》三十卷，《經義考》云已佚，《四庫全書》係由《永樂大典》中輯出二十二卷，已非原帙，今依《叢書子目類編》所載，三傳分列，題為《春秋公羊傳讞》，六卷。」（頁二二）又《春秋穀梁傳論著目錄》曰：「諸家皆併三傳題為《春秋讞》三十卷，《經義考》云已佚，《四庫全書》係由《永樂大典》中輯出二十二卷，已非原帙，今依《叢書子目類編》所載，三傳分列，題為《春秋穀梁傳讞》，六卷。」（頁二十至頁二一），可見此書被裁篇而出，分立三目。

《宋志》：「三十卷。」

【卷數】本書卷數分合如下：

一、《文獻通考．經籍考》卷十，頁二六〇著錄，惟合《春秋傳》、《春秋考》、《春秋讞》三書為「七十二卷」，與《宋志》所錄稍有不合。

二、二十二卷：《嘉業堂藏書志》卷一，頁一五八、張壽平《公藏先秦經子注疏書目》頁一三四著錄。本書分為《春秋左傳讞》十卷、《公羊傳讞》六卷、《穀梁傳讞》六卷，合計二十二卷，為今通行之本。

佚。

【存佚】《春秋總義論著目錄》頁五五注曰「存」，然本書今有四庫全書本，題作二十二卷，雖非全本，但仍應改注曰「闕」。。

【版本及藏地】本書版本及藏地如下：

一、文淵閣四庫全書本：《春秋讞》二十二卷，台北故宮博物院有藏本。

【增補】永瑢等撰《欽定四庫全書總目》曰：「春秋讞二十二卷144　永樂大典本

144霖案：原注云：按：文淵閣庫書作《春秋三傳讞》，左、公、穀三傳分別為十、六、六卷，計二十二卷。

宋葉夢得撰。是書抉摘三傳是非，主於信經不信傳，猶沿啖助、孫復之餘波，於《公羊》、《穀梁》多所駁詰。雖《左傳》亦據傳末『韓魏反而喪之』之語，謂智[145]伯亡時，左氏猶在，斷以為戰國時人（案經有續書，傳亦有續書，夢得蓋未深考。語詳『左傳注疏』條下，）昌言排擊。如辨諸侯世相朝為衰世之事，辨宰孔勸晉獻公及魯穆姜悔過之言皆出附會，辨十二次分十二國之謬，辨夾谷之會孔子沮齊景公事亦出假託，辨墮郈墮費非孔子本意，辨諸侯出入有善有惡，辨諸侯之卒[146]或日或不日非盡屬褒貶，魯侯之至與不至亦不可拘牽成例。雖辨博自喜，往往有瀾翻過甚之病。於經旨或合或離，不能一一精確，而投之所向，無不如志，要亦文章之豪也。惟古引《春秋》以決獄，不云以決獄之法治《春秋》。名書以『讞』，於義既為未允，且左氏、公羊、穀梁皆前代經師，功存典籍，而加以推鞫之目，於名尤屬未安。是則宋代諸儒藐視先儒之錮習，不可為[147]訓者耳。考《宋・藝文志》，是書本三十卷，又夢得自記《左傳》四百四十二條，《公羊》三百四十條，《穀梁》四百四十條。今據《永樂大典》所載，參以程端學《春秋辨疑》，通加檢核，《左傳》闕九十條，《公羊》闕六十五條，《穀梁》缺八十四條，蓋已非完帙。然其大較已略具矣。謹依類排次，釐為《左傳讞》十卷，《公羊》、《穀梁讞》各六卷。」（卷二十七，頁三四四）

【增補】邵懿辰撰、邵章續錄：《增訂四庫簡明目錄標注》卷三曰：「《春秋讞》二十二卷，宋葉夢得撰，原本久佚，今從《永樂大典》錄出。

路有鈔本。」（頁一〇八）

【增補】胡玉縉撰、王欣夫輯《四庫全書總目提要補正》卷七曰：「陸氏《儀顧堂續跋》云：『其自序曰：『以《春秋》為用法之君而已聽之，有不盡其辭則欺民，有不盡其法則欺君，凡啖、趙論三家之失為《辨疑》，劉氏廣啖、趙之遺為《權衡》，合二書正其差誤而補其疏略，目之曰《讞》』』，見陳振孫《書錄解題》，今本失載。是石林此書，承啖、趙、劉三家之緒論，非創格也，特《讞》之名為過當耳。」（頁一六八）

二、民國二十三年(1934)至二十四年(1935)上海商務印書館四庫全書珍本初集影印文淵閣本：(宋)葉夢得撰《春秋讞》12冊，扉頁印記:「商務印書館受教育部中央圖書館籌備處委託景印故宮博物院所藏文淵閣本」，鈐有「國立中央圖書館籌備處之章」朱文方印，台北：國家圖書館有藏本。

又台北：台灣師範大學圖書館另有藏本，題作「民國二十三年上海商務印書館影印本」，疑與台北：國家圖書館同屬一本。

三、藝海樓鈔本：復旦大學圖書館有藏本。

145霖案：原注云：「智」，浙、粵本作「知」。

146霖案：原注云：「之卒」，浙、粵本作「卒之」。

147霖案：原注云：「為」前，浙、粵本有「以」字。

【增補】《嘉業堂藏書志》卷一曰：「《春秋三傳讞》二十二卷　藝海樓鈔本　宋葉夢得撰。夢得字少蘊，號石林，吳縣人，《宋史》有傳。《宋藝文志》本三十卷。今《左傳》為十卷，《公》、《穀》各六卷，蓋輯自《大典》，較原本佚去二百三十餘條，非完書也。皆抉摘《三傳》是非，以決獄之法治《春秋》，故名曰「讞」。亦藝海樓鈔本。（繆稿）」（頁一五九）。

【增補】〔校記〕四庫有輯大典本二十二卷。（春秋，頁四九）

四、四庫全書珍本初集：宋葉夢得撰《春秋左傳讞》十卷、《公羊傳讞》六卷、《穀梁傳讞》六卷，十二冊，馬來西亞大學圖書館有藏本（二部）。

五、宋開禧乙丑葉筠本：參考邵懿辰撰、邵章續錄：《增訂四庫簡明目錄標注》卷三，頁一〇八。

六、國立北京圖書館藏傳抄本：宋葉夢得撰《春秋公羊傳讞》六卷。

【增補】《續修四庫全書總目提要》：「春秋公羊傳讞六卷　國立北京圖書館藏傳抄本　　張壽林

宋葉夢得撰。夢得字少蘊。號石林。吳縣人。紹聖四年丁丑進士。南渡後官至崇信軍節度使。事蹟具宋史文苑傳。著有春秋傳二十卷。春秋考十六卷。春秋讞二十卷。四庫已著錄。是編現藏國立北京圖書館。卷首有學部印。知其為遜清學部舊物。用竹紙抄寫。每半頁九行。行二十字二十一字不等。字體凡庸。殆出抄胥之手。其書都凡六卷。大旨在抉摘公羊是非。而主於信經不信傳。按四庫著錄夢得所撰春秋讞二十卷。提要云。宋藝文志。是書本三十卷。又夢得自記左傳四百四十二條。公羊三百四十條。穀梁四百四十條。今據永樂大典所載。參以程端學春秋辨疑。通加檢核。左傳闕九十條。公羊闕六十五條。穀梁闕八十四條。蓋已非完帙。謹依類排次。釐為左傳讞十卷。公羊穀梁讞各六卷。是編分卷。與四庫本無殊。殆即據四庫本春秋讞抄出單行者歟。其書於公羊之說。昌言排擊。於何氏之注。尤多所攻駁。如隱公元年春王正月條云。何休曰。王者然後改元立號。春秋託新王受命於魯。害經之弊。莫甚於此。王者以正朔一天下。故巡狩之所謹者。協時月。正日而已。乃若各隨其即位之年。一二以數之。此天子諸侯之所同也。初未嘗為之禁。自漢以後。天下始一於用天子之年。非禁其改元也。禁改號也。而何休乃因其時所見為說。言諸侯不得改元立號。方春秋時。安得所謂號哉。又如辨會與盟不同之類。持論皆頗稱博辨。雖其間亦不免矯枉過直。流於偏駁。然其於經旨或合或離。是則在讀者之審擇焉。」(頁七一六)

真德秀曰[148]：「[149]《春秋讞》、《考》[150]、《傳》三書，石林先生葉公之所作也。自熙寧用事之臣倡為『新經』之說，既天下學士大夫以談《春秋》為諱有年矣。是書作於絕學

148「真德秀曰」，應依《補正》作「真德秀〈跋〉曰」。　霖案：此文出自葉適：《葉氏春秋傳》卷二十，通志堂經解本，頁12022。

149「《春秋讞》」上，應依《補正》補「右」字。

150霖案：「《考》」，《春秋傳》作「攷」。

之餘，所以闢邪說，黜異端，章明天理，遏止人欲，其有補於世教為不淺也。公之聞[151]孫來守延平，出是書鋟木而傳之，蓋有意於淑斯人如此，學者其勉旃[152]。」

【增補】〔補正〕「真德秀曰」，「曰」上脫「〈跋〉」字，下脫「右」字；「公之聞孫」，「聞」當作「文」。（卷八，頁二）

按：西山此〈跋〉在《春秋傳》後，末云：「開禧乙丑九月一日，祕閣校勘文林郎南劍州軍事判官真德秀備書。」蓋此三書，開禧中，葉石林孫筠刻于南劍州也。石林《春秋考》〈自序〉云：「自其《讞》推之，知吾所正為不妄，而後可以觀吾《考》；自其《考》推之，知吾所擇為不誣，而後可以觀吾《傳》。」蓋先成《讞》，次成《考》，而後作《傳》也。〈自序〉又云：「吾讀《周官》，至五等諸侯封國之數、大國次國小國之軍制與夫諸侯之邦交世相朝者，喟然知其出於僭亂者之所為，而上下數千餘載之間卒未有辨者，乃復論次其求古而得之可信不疑者，作《攷》三十卷，紹興八年正月旦。」（卷八，頁二）

陳振孫曰[153]：「夢得《傳》、《考》、《讞》三書[154]各有〈序〉，其序《讞》曰：『以《春秋》為用法之君而已，聽之有不盡其辭則欺民[155]，有不盡其法則欺君[156]，凡啖、趙論三家之失為《辨疑》[157]，劉氏廣啖、趙之遺為《權衡》，合二書，正其差誤而補其疏略[158]，目之曰《讞》。』其序《考》曰：『君子不難於攻人之失，而難於正己之是。必有得也，乃可知其失；必有是也，乃可斥其非。自其《讞》推之，知吾之所正為不妄也，而後可以觀吾《考》；自其《考》推之，知吾之所擇為不誣也，而後可以觀吾《傳》。』其序《傳》曰：『《左氏》傳事不傳義，是以詳於史，而事未必實，以其不知經也；《公》、《穀》傳義不傳事，是以詳於《經》，而義未必當，以其不知史也。乃酌三家，求史與經，不得於事則考於義，不得於義則考於事，更相發明以作《傳》。』其為書，辨[159]訂考究，無不精詳，然

151「聞」，《備要》本同，應依《補正》、《四庫》本作「文」。　霖案：《經義考新校》頁3367校文，於「《四庫》」二字之前，另有「《四庫薈要》本、文淵閣」等字。

152霖案：「勉旃」二字下，應依《春秋傳》補入「開禧乙丑，九月一日校勘文林郎南劍州軍事判官真德秀　謹書」等二十五字。

153霖案：《直齋書錄解題》卷三，頁461、《文獻通考．經籍考》卷十，頁260。

154霖案：「夢得《傳》、《考》、《讞》三書」諸字，《文獻通考》僅作「葉夢得撰。」四字，竹垞據原文意加入「《《傳》、《考》、《讞》三書」諸字。

155霖案：「以《春秋》為用法之君而已，聽之有不盡其辭則欺民」二句，應斷作「以《春秋》為用法之君，而己聽之，有不盡其辭，則欺民；」等句，其中「已」字，《文獻通考》引作「己」字。

156霖案：「有不盡其法則欺君」，可斷作「有不盡其法，則欺君」。

157霖案：「《辨疑》」，《文獻通考》作「《辯疑》」。

158霖案：「正其差誤而補其疏略」，可斷作「正其差誤，而補其疏略，」。

159霖案：「辨」字，《文獻通考》作「辯」字。

其取何休之說，以十二公為法天之大數，則所未可曉也。」

【增補】何廣棪：《陳振孫之經學及其《直齋書錄解題》經錄考證》曰：「案：《經義考》卷一百八十三《春秋》十六僅引夢得《春秋傳・自序》，《攷》、《讞》二《序》則未具引。蓋彝尊未見《攷》、《讞》二書，故亦無由引其《序》。《四庫》本《春秋考》有《自序》，《春秋讞》之《自序》則散佚。」（頁五七六）

【增補】何廣棪：《陳振孫之經學及其《直齋書錄解題》經錄考證》曰：「案：真德秀曰：『《春秋讞》、《考》、《傳》三書，石林先生葉公之所作也。自熙寧用事之臣倡為《新經》之說，既天下學士大夫以談《春秋》為諱有年矣。是書作於絕學之餘，所以闢邪說，黜異端，章明天理，遏止人欲，其有補於世教為不淺也。』（《經義考》卷一百八十三《春秋》十六『《春秋讞》』條引）。德秀對葉氏三書之評價固高。《總目》亦曰：『夢得以孫復《春秋尊王發微》主於廢《傳》以從經，蘇轍《春秋集解》主從《左氏》而廢《公羊》、《穀梁》，皆不免有弊。故其書參考《三傳》以求經。不得於事則考於義，不得於義則考於事。更相發明，頗為精核。』（卷二十七《經部》二十七《春秋類》二『《春秋傳》二十卷』條）。又曰：『其書大旨在申明所以攻排《三傳》者，實本周之法度制作以為斷，以求合於《春秋》之法。其文辨博縱橫，而語有本原，率皆典核。陳振孫《書錄解題》稱其辨定（廣棪案：《解題》作『訂』）。考究，無不精詳。殆不誣也。』（『《春秋考》十六卷』條。）《總目》所稱『精核』、『典核』者，以此評論葉書，無異《解題》。」（頁五七六至頁五七七）

【增補】何廣棪：《陳振孫之經學及其《直齋書錄解題》經錄考證》曰：「案：夢得《春秋傳自序》有言：『是以其書斷取十有二公以法天之大數，備四時以為年，而正其行事，號之曰《春秋》，以自比於天。』《解題》即據此作議論，謂『所未可曉』。其實葉氏之書亦多小疵。《總目》評其《春秋讞》一書，即曰：『是書抉摘《三傳》是非，主於信經不信《傳》，猶沿啖助、孫復之餘波。於《公羊》、《穀梁》多所駁詰。 雖《左傳》亦據《傳》末韓、魏反而喪之之語，謂知伯亡時左氏猶在，斷以為戰國時人。昌言排擊。……雖辨博自喜，往往有瀾翻過甚之病。於經旨或合或離，不能一一精確。而投之所向，無不如志，要亦文章之豪也。惟古引《春秋》以決獄，不云以決獄之法治《春秋》。名書以『讞』，於義既為未允。且左氏、公羊、穀梁皆前代經師，功存典籍，而加以推鞫之目，於名尤屬未安。是則宋代諸儒藐視先儒之錮習，不可以為訓者耳。』《總目》所評，皆葉書之瑕累，夢得所以如是立說之故，《總目》雖有所推論，然猶《解題》所謂：『則所未可曉也』。」（頁五七七至頁五七八）

葉筠曰[160]：「先祖左丞著《春秋讞》、《考》[161]、《傳》三書，各為之序[162]，併刊[163]

160霖案：葉適：《葉氏春秋傳》卷二十，通志堂經解本冊２１，頁12021-12022。

161霖案：「《考》」，《葉氏春秋傳》作「《攷》」。

162霖案：「各為之序」，應依《葉氏春秋傳》作「〈自序〉云：『自其《讞》推之，知吾之改正為不妄於南劍[164]郡齋[165]。」

《春秋指要總例》（宋）

《宋志》：「二卷。」

佚。

《南窗紀談》[166]：「葉石林為《春秋》書，其別有四，解釋音義曰《傳》，訂證事實曰《考》，掊擊《三傳》曰《讞》，編排凡例曰《例》。嘗語徐惇濟曰：『吾之為此名，前古所未有也。』惇濟曰：『吳程秉著書三萬餘言，曰《周易摘》、《尚書駁》、《論語弼》，得毋近是乎？』石林大喜。」

《石林春秋》（宋）

《宋志》：「八卷。」

佚。

【存佚】此書有「通志堂經解本」，且《春秋總義論著目錄》頁二二注曰「存」，今據以改作「存」。

【版本及藏地】本書版本及藏地如下：

一、通志堂經解本：《石林春秋》八卷，《春秋總義論著目錄》頁二二著錄。

也，而後可以觀吾《攷》，自其《攷》推之，知吾之所擇為不誣也，而後可以觀吾《傳》。』，竹垞以意改之，題作「各為之序」，實非葉筠原文。

163霖案：「併刊」二字前，應依《葉氏春秋傳》補入「是以」二字。

164霖案：「劍」，《葉氏春秋傳》作「劒」。

165霖案：「郡齋」二字下，應依《葉氏春秋傳》補入「開禧乙丑歲九月一日，孫朝散郎權發遣劒南州軍州兼管內勸農事　筠　謹書」等三十字。

166霖案：四庫本有之，不分卷。

卷一百八十四　春秋十七經義考卷一百八十四春秋十七

劉氏絢《春秋》

《通考》：「十二卷。」《玉海》[1]：「五卷。」

【書名】《直齋書錄解題》題作「《春秋傳》」。

【卷數】《郡齋讀書志》卷第三，頁一〇四著錄，卷數同於《玉海》。

【著錄】《文獻通考．經籍考》卷十，頁二五三；又《直齋書錄解題》卷三，頁四六〇。

佚。

【存佚】本書有明夢鹿堂抄本，惟缺首二卷，故今改注曰：「闕」。

【版本及藏地】本書版本及藏地如下：

一、明夢鹿堂抄本：宋劉絢撰，李待問題款　清丁世楠　錢馥跋，《劉質夫先生春秋通義》十二卷，缺首二卷，浙江圖書館有藏本。《中國古籍善本書目》、《春秋總義論著目錄》頁二二著錄。

晁公武曰[2]：「皇朝劉絢質夫撰。絢學於二程，伯淳嘗語人曰：『他人之學，敏則有之，未易保也，斯人之至，吾無疑焉。』正叔亦曰：『游吾門者亦多矣，而信之篤，得之多，行之果，守之固，若子者幾希？有李參〈序〉[3]。』

陳振孫曰[4]：「所解明正簡切。」

【增補】何廣棪：《陳振孫之經學及其《直齋書錄解題》經錄考證》曰：「案：《解題》評程頤《春秋傳》二卷，謂其『略舉大義，不盡為說』。《中興國史志》曰：『絢《傳》說多出於頤書。』（《經義考》『劉氏絢《春秋》』條引。）是絢書與頤書其撰作特色應為一致，故《解題》謂其『所解明正簡切』，則與頤書同風。」（頁五六八）

《中興國史志》[5]：「絢傳說多出於頤書，而頤以為不盡本意，更[6]為之，未及竟，故莊公以後解釋多殘闕。」

1霖案：《玉海》卷四○，頁801。

2霖案：《郡齋讀書志》卷第三，頁104、《文獻通考．經籍考》卷十，頁253。

3霖案：「有李參〈序〉」諸句，應為晁公武之說，故當出於引號之外，《點校補正經義考》則視為正叔之言，誤也。

4霖案：《直齋書錄解題》卷三，頁460、《文獻通考．經籍考》卷十，頁253。

5霖案：《文獻通考．經籍考》卷十，頁253。

6霖案：「更」字之前，《文獻通考》另有「故」字。

楊氏時《春秋說》

一卷。

未見。

【霖案】本書未見其他傳本，且《春秋總義論著目錄》頁二二注曰「佚」，當已久佚，故改注曰「佚」。

蕭氏楚《春秋經辨》（宋）

【增補】《現存宋人著述目略》頁十九錄有清·陸心源《春秋辨疑校》一卷，係校補蕭楚之書而作，應據以補入。

【書名】本書異名如下：

一、《春秋經辯》：《文獻通考·經籍考》卷十，頁二六八。

二、《春秋辨疑》：《東北師範大學圖書館藏古籍善本書目解題》頁三六、《現存宋人著述目略》頁十九著錄。

三、《春秋辦認》：張壽平《公藏先秦經子注疏書目》頁一三四著錄，其中「辦」字為「辨」字之誤。

四、《春秋辦疑》：張壽平《公藏先秦經子注疏書目》頁一三四著錄，其中「辦」字為「辨」字之誤。

《宋志》：「十卷。」

【卷數】本書卷數異同如下：

一、四卷本：《東北師範大學圖書館藏古籍善本書目解題》頁三六、《現存宋人著述目略》頁十九著錄。

佚。

【霖案】《春秋總義論著目錄》頁五六注曰「存」，並且指出：「考證：《遂初堂書目》題為《蕭子荊經辨》，子荊為其字。《四庫全書總目》、《叢書子目類編》二種，均題為《春秋辨疑》四卷，《總目》云：『或後來更定，史弗及詳歟。』今本四卷，蓋有佚脫。」，據此，則該書雖有存本，惜有佚脫之處，理當改注曰「闕」。

【版本及藏地】本書版本及藏地如下：

一、清乾隆三十八年武英殿聚珍版叢書本：宋蕭楚撰《春秋辨疑》四卷，九行二十一字，小字雙行二十一字。白口，四周雙邊。書口下題于鼎校、繆晉校。有紀昀等乾隆三十八年奏章，序端題「武英殿聚珍版」。四冊，附〈校勘記〉一卷，清周自得撰。《國立故宮博物院善本舊籍總目》，上冊，頁九十五著錄，台北：故宮博物院、長春東北師範大學圖書館有藏本。

【增補】《東北師範大學圖書館藏古籍善本書目解題》：「是書大旨在於尊主，蓋為蔡京盜竊威福而作。

蕭楚：宋，泰和人，字子荊。元符鄉奉，其學以窮經為主，尤深春秋。著經辨四十九篇，卒後，門人私謚清節先生。」（頁三六）

二、廣雅書局刊武英殿聚珍版全書：宋蕭楚撰《春秋辨疑》四卷，〈校勘記〉一卷，馬來西亞大學圖書館有藏本。《現存宋人著述目略》頁十九著錄。

【增補】耿文光《萬卷精華樓藏書記》卷八曰：「《春秋辨疑》四卷　宋蕭楚撰

浙江重刊聚珍本。錄自《永樂大典》。

提要曰：子荊明《春秋》之學，趙暘、馮澥、胡銓皆師之。是書《宋志》十卷，明人所編止三卷，《江西志》及《萬姓統譜》皆云四十九篇，今止四十五篇。前有乾道壬辰胡銓序，書內有原注、原附注及胡銓附注，皆別題之，而以今校正各附於下。

胡氏序曰：羅氏兄弟泳泌鋟板以傳，乞銓序。李日華曰：《春秋》書法之妙，妙六鷁退飛過宋都，謂人仰觀見為六物，察之知為鷁，而退飛極望，知其為過宋都。蓋先得數，次得物，次得地也。隕石於宋五，謂見有隕自天者，察之石也。所隕之地為宋，而數之為五，蓋先有睹，次得物，次得地，而後得數也。一句不數字而一時俯仰情態宛然，書法之妙無逾是矣。（小注云：錄自竹懶題跋。）（頁三〇〇至頁三〇一）

三、清芬堂叢書本：宋蕭楚撰《春秋辨疑》四卷，馬來西亞大學圖書館有藏本。《現存宋人著述目略》頁十九著錄。

四、清光緒十八年(1892)蕭作梅閒餘軒重校刊本：(宋)蕭楚撰《春秋辨疑》四卷，二冊，正文卷端題「宋蕭楚撰 邑後學 蕭作梅重校刊」等字，刊記有「光緒十八年季夏重刊版藏蕭氏閒餘軒」諸字，台北：國家圖書館有藏本。《現存宋人著述目略》頁十九著錄。

又中國國際圖書館有藏本。

五、文淵閣四庫全書本：(宋)蕭楚撰《春秋辨疑》四卷，二冊《國立故宮博物院善本舊籍總目》，上冊，頁九十五著錄，台北：故宮博物院有藏本。

【增補】永瑢等撰《欽定四庫全書總目》曰：「春秋辨疑四卷　永樂大典本

宋蕭楚撰。楚字子荊，廬陵人。紹聖中游太學，貢禮部不第。於時蔡京方專國，楚憤疾[7]其奸，謂京且將為宋王莽，誓不復仕。遂退而著書，明《春秋》之學。趙暘、馮澥、胡銓皆師事之。建炎四年始卒。曾敏行《獨醒雜志》稱『所著《春秋經辨》，行於廬陵』。《宋史》亦載其《春秋經解》十卷。朱彝尊《經義考》謂其已佚，僅摭錄胡銓之序。此本所載銓序與《經義考》合，惟題曰『春秋辨疑』為小異，或後來更定，史弗及詳歟？《江西通志》及《萬姓統譜》皆云是書四十九篇，今止四十四篇，蓋

[7]霖案：原注云：「疾」，浙、粵本作「嫉」。

有佚脫[8]。《宋志》云十卷，今《永樂大典》所載止二卷，則明人編輯所合併也。書之大旨，主於以統制歸天王，而深戒威福之移於下。雖多為權奸柄國而發，而持論正大，實有合尼山筆削之義。與胡安國之牽合時事、動乖經義者有殊；與孫復之名為尊王，而務為深文巧詆者，用心亦別。陳振孫《書錄解題》稱：『胡銓以《春秋》登第，歸拜床下，楚告之曰：『學者非但拾一第，身可殺，學不可辱，毋禍我《春秋》乃佳。』』厥後銓以孤忠讜論，震耀千秋，則其師弟之於《春秋》，非徒以口講耳受者矣。每篇各有注文，皆楚自作，亦間有胡銓及他弟子所附入。謹以原注及胡銓附注別題之，而以今所校正附其下，俾各不相淆焉。」（卷二十六，頁三三九至頁三四〇）

【增補】邵懿辰撰、邵章續錄：《增訂四庫簡明目錄標注》卷三曰：「《春秋辨疑》四卷，宋蕭楚撰，其門人胡銓等附注，從《永樂大典》錄出。

聚珍板本，許氏有盧抱經校本。

〔續錄〕汪氏有宋本十卷，宋乾道羅氏刊本，佳。閩覆聚珍本，杭縮本，海寧新刊本，光緒十八年蕭氏閒餘軒刊本，四卷。」（頁一〇七）

【增補】胡玉縉撰、王欣夫輯《四庫全書總目提要補正》卷七曰：「陸氏《藏書志》有元刊元印十卷本，其案語云：『《四庫》所收，乃從《永樂大典》輯出，此則其原本也。《大典》篇目相同，惟〈王、天子、天王辨〉末『又可知矣』下，脫注文數百字，正文數百字，〈書滅辨〉下篇『然後辨故』下，脫三百餘字，餘則無大異也。兩本皆只四十五篇，《江西志》、《萬姓統譜》作四十九篇者誤也。朱竹垞《經義考》僅錄胡澹菴序，謂其已佚，則是書之罕見可知矣。《大典》本胡序脫二十餘字，以《澹菴文集》較之，則此本又有不同。《澹菴集》有〈蕭先生墓誌〉，亦館臣所未見也。』其《儀顧堂題跋》同。」（頁一六六）

【增補】〔校記〕《四庫》有輯《大典》本《春秋辨疑》四卷。（《春秋》，頁四九）

六、摛藻堂四庫全書薈要本：(宋)蕭楚撰《春秋辨疑》四卷，《國立故宮博物院善本舊籍總目》，上冊，頁九十五著錄，台北：故宮博物院有藏本。

七、清乾隆四十二年(1777)福建刊武英殿聚珍版本：(宋)蕭楚撰《春秋辨疑》四卷，二冊，有「高陽紀念圖書館」朱文鐘印，台北：國家圖書館有藏本。

又中國國際圖書館有藏本。

八、民國五十八年(1969)藝文印書館百部叢書集成初編影印本：(宋)蕭楚撰《春秋辨疑》四卷，台北：國家圖書館有藏本。

九、清道光戊子(八年;1828)福建重刊同治間至光緒甲午(二十年;1894)續修增刊本：(宋)蕭楚撰《春秋辨疑》四卷，台北：國家圖書館有藏本。

---

[8]霖案：原注云：按：據陸心源《藏書志》有元刊十卷本，其案語云《四庫》所收《永樂大典》本，則其原本，二本皆只作四十五篇，四十九篇為誤。四十四篇之數亦不確。

十、叢書集成本：宋蕭楚撰《春秋辨疑》四卷，馬來西亞大學圖書館有藏本。（二部）

十一、元刊元印本：三楚隱士子荊蕭楚著，臨江後學性善周自得校正《春秋辨疑》十卷，《皕宋樓藏書志》卷八錄之，並云：「四庫所收，乃從《永樂大典》輯出，此則其原本也。《大典》篇目相同，惟『王天子，天王辨末，又可知矣』下脫註文數百字，正文數百字。書『滅辨下篇，然後辨故』下脫三百餘字，餘則無大異也。兩本皆只四十五篇，《江西志》、《萬姓統譜》作四十九篇者，誤也。朱竹垞《經義考》僅錄胡澹菴〈序〉，謂其已佚，則是書之罕見可知矣。「大典本」胡〈序〉脫二十餘字，以《澹菴文集》較之，則此本又有不同，《澹菴集》有蕭先生〈墓誌〉，亦館臣所未見也。」。又《儀顧堂題跋》卷一，有〈元槧春秋辨疑跋〉，其文近同。

胡銓〈序〉曰[9]：「左朝散郎試兵部尚書諸路軍事都督府參謀軍事呂祉奏：『禮部牒檢尚書省黃牒三省同奉手詔：「朕以寡昧，御艱難之統，明不能燭，德不能綏，思聞讜言，以輔不逮，乃稽舊章，設賢良方正之科，而未有應令，豈朕菲德，不足以來四方之賢歟？抑搜揚之道有未至也？朕既遭家不造，煢煢在疚，而天成[10]朕躬，太陽有異，氛氣四合，朕甚懼焉。中外侍從之臣，其遵俞後詔書，各舉能直言極諫之士一人，朕將詳延於廷，諏以過失，次第施用，承天意者。」臣伏　左承直郎新改差判湖南路提點刑獄司幹辨[11]公事胡銓，性行恬粹，器識宏遠，自少年登甲科，屏居田里，不願出仕，日從鄉人蕭楚學《春秋》，明《易》象，博極群書，歷考前代治亂，多識前賢[12]往行，十餘年間，所蓄頗富，試而用之，必有可觀。伏望朝廷更賜審察，使候(旨。)五月二十八日，三省同奉聖旨劄與呂祉依紹興元年九月十一日已降指揮具官胡某[13]詞業繳進，右劄付胡某[14]，蓋七年六月一日也。其[15]既進詞業，即其日除樞密院編修官，於是先生歿已數年，其學始大行於世。時宰相張忠獻公浚參知政事，

9霖案：四庫本:冊148-，頁109有胡銓〈序〉，但文句不同！

10「成」，應依《四庫》本、《備要》本作「戒」。　霖案：《經義考新校》頁3371校文，於「《四庫》本」題作「《四庫》諸本」等字。

11「辨」，《備要》本同，應依《四庫》本作「辦」。　霖案：《經義考新校》頁3372校文，無「《備要》本同」四字；另於「《四庫》本」三字，改作「《四庫》諸本」。

12「賢」，《備要》本同，應依《補正》、《四庫》本作「言」。　霖案：《經義考新校》頁3372校文，無「《備要》本同」四字；另於「《四庫》本」改作「《四庫》諸本」。

13「胡某」，《備要》本同，應依《補正》、《四庫》本作「胡銓」。　霖案：《經義考新校》頁3372校文，無「《備要》本同」四字；另於「《四庫》」二字之前，另有「文淵閣」三字。

14「胡某」，《備要》本同，應依《補正》、《四庫》本作「胡銓」。　霖案：《經義考新校》頁3372校文，無「《備要》本同」四字；另於「《四庫》」二字之前，另有「文淵閣」三字。

15「其」，《備要》本同，應依《補正》、《四庫》本作「銓」。　霖案：《經義考新校》頁3372校文，「《備要》本同」改作「文津閣《四庫》本作『某』」；另於「《四庫》」二字之前，另有「《四庫薈要》本、文淵閣」等字。

張公守、陳公與義聞先生名，皆願見其書而不可得，後忠獻公得先生所著《戰辨》，喟然嘆謂：『某16是可謂切中時病矣。』明年於17，某18以妄言不可與金虜19和議，觸宰相秦檜嗔，罷編修官，削爵竄嶺表；凡八年，而新州守張棣觀望朝廷意旨，奏徙某20朱崖島上；又八年而內徙合江。險阻艱難，食有併日，衣無禦冬，而先生之書，未嘗一日去手，暇則教子，且訓生徒，各授一經，朝夕肄業，所得綴集成《易》、《禮記》、《春秋傳》，又覃思《詩》、《書》、《周官》，凡十有七年而未能卒業；然彭費21之說、骩骳之文，皆先生緒餘也。某22自癸未夏迄辛卯秋，凡四入經筵，咫天顏，備顧問，或及經學，則謹對曰：『先生實臣之師。』頃得旨進群經傳，玉旨23丁寧，有『速寫進來』之喻，儻遂一經天目，則先生之學爝然愈光，豈特某24得以□25思遺老而已哉？羅氏兄弟泳、泌，博學君子也，欲鋟板以傳，且乞某26敘，所以固辭不可，於是乎書。乾道壬辰。』

【增補】〔補正〕胡銓〈序〉內「多識前賢往行」，「賢」當作「言」；「右劄付胡某」，「某」當作「銓」；「其既進」，「其」當作「銓」；「明年於」，「於」當作「冬」；「然彭費之說」，「彭費」當作「冗贅」；「以□思遺老，「思」上一字是「糾」。（卷八，頁三）

16「某」，《備要》本同，應依《四庫》本作「銓」。　霖案：《經義考新校》頁3372校文，無「《備要》本同」四字；另於「《四庫》」二字之前，另有「《四庫薈要》本、文淵閣」等字。

17「於」，《備要》本同，應依《補正》、《四庫》本作「冬」。　霖案：《經義考新校》頁3372校文，無「《備要》本同」四字；另於「《四庫》本」改作「《四庫》諸本」。

18「某」，《備要》本同，應依《四庫》本作「銓」。　霖案：《經義考新校》頁3372校文，無「《備要》本同」四字；另於「《四庫》」二字之前，另有「《四庫薈要》本、文淵閣」等字。

19霖案：《經義考新校》頁3372新出校文如下：「『金虜』，文津閣《四庫》本作『金人』。」

20「某」，《備要》本同，應依《四庫》本作「銓」。　霖案：《經義考新校》頁3372校文，無「《備要》本同」四字；另於「《四庫》」二字之前，另有「《四庫薈要》本、文淵閣」等字。

21「彭費」，《備要》本同，應依《補正》、《四庫》本作「冗贅」。　霖案：《經義考新校》頁3373校文，無「《備要》本同」四字；另於「《四庫》本」改作「《四庫》諸本」。

22「某」，《備要》本同，應依《四庫》本作「銓」。　霖案：《經義考新校》頁3373校文，無「《備要》本同」四字；另於「《四庫》」二字之前，另有「《四庫薈要》本、文淵閣」等字。

23「旨」，《四庫》本作「音」。　霖案：《經義考新校》頁3373校文，「《四庫》本」改作「《四庫》諸本」。

24「某」，《備要》本同，應依《四庫》本作「銓」。　霖案：《經義考新校》頁3373校文，無「《備要》本同」四字；另於「《四庫》」二字之前，另有「《四庫薈要》本、文淵閣」等字。

25「□，《備要》本同，應依《補正》、《四庫》本作「糾」。　霖案：《經義考新校》頁3373校文，無「《備要》本同」四字；另於「《四庫》本」改作「《四庫》諸本」。

26「某」，《備要》本同，應依《四庫》本作「銓」。　霖案：《經義考新校》頁3373校文，無「《備要》本同」四字；另於「《四庫》」二字之前，另有「《四庫薈要》本、文淵閣」等字。

陳振孫曰[27]：「廬陵蕭楚子荊撰。紹聖中，貢禮部，不第。蔡京用事，與其徒馮澥書言：『蔡將為宋王莽，誓不復仕。』死建炎中，自號三顧隱客，門人諡為清節先生。胡邦衡師事之，以《春秋》登甲科，歸拜:下，楚告之曰：『學者非但拾一第，身可殺，學不可辱，毋禍我《春秋》乃佳。』邦衡志其墓。」

【增補】何廣棪：《陳振孫之經學及其《直齋書錄解題》經錄考證》曰：「廣棪案：此書《四庫》本稱《春秋辨疑》，凡四卷。書名與卷數均與《解題》著錄不同。《總目》卷二十六《經部》二十六《春秋類》一載：『《春秋辨疑》四卷，（《永樂大典》本。）宋蕭楚撰。楚字子荊。廬陵人。紹聖中游太學，貢禮部不第。於時蔡京方專國，楚憤嫉其姦，謂京且將為宋王莽。誓不復仕，遂退而著書。明《春秋》之學，趙暘、馮澥、胡銓皆師事之。建炎四年始卒。曾敏行《獨醒雜志》稱所著《春秋經辨》行於廬陵。《宋史》亦載其《春秋經解》十卷。（廣棪案：《宋志》作《春秋經辨》十卷，此處誤。）朱彝尊《經義考》謂其已佚，僅摭錄胡銓之《序》。此本所載銓《序》與《經義考》合，惟題曰《春秋辨疑》為小異。或後來更定，史弗及詳歟？······陳振孫《書錄解題》稱胡銓以《春秋》登第，歸拜床下。楚告之曰：『學者非但拾一第，身可殺，學不可辱，毋禍我《春秋》乃佳。』厥後銓以孤忠讜論震耀千秋，則其師弟之於《春秋》，非徒以口講耳受者矣。』《總目》所記與《解題》大同而略異。《江西通志》曰：『蕭楚，泰和人。自漢、唐以來，《春秋》專門概癖於《傳》，楚獨以經授，著《經辨》四十九篇。』（《經義考》卷一百八十四《春秋類》七『蕭氏楚《春秋經辨》條引。』）是則楚此書亦可謂卓爾不群矣。」（頁六〇六至頁六〇七）

【增補】何廣棪：《陳振孫之經學及其《直齋書錄解題》經錄考證》曰：「案：銓《澹菴文集》卷五《墓誌銘》有《清節蕭先生墓誌銘》，曰：『江左有隱君子曰蕭子荊，諱楚，號三顧隱客。父仲舒死，以甥從羅公括學，攻苦二十年，仕意不汲汲。紹興間，以母夫人命，預螺川賢書，不中禮部程。留太學，時方較聲律，己獨窮經，於《春秋》尤深。淮海孫氏、伊川程氏皆以《三傳》聞，授業者常千人，先生往質疑焉。歸嘆曰：『政未免著文字相。』作《經辨》，眾高之，謂是將名家，乃更北面。會母老，且蔡氏方君圖，遂慨然引還入林下。其與馮澥書，謂：『蔡氏欺國，將為宋王莽，誓不復仕。』澥得之驚，今始證其不狂。嘗游巴峽甌輿，氣愈豪放，其寓於詩文者，鉤章棘句，及閒談清苦，然種種譏切，不苟作。自漢、唐迄今，家《春秋》者且千，概癖于《傳》，而先生漸以經。弟子餘百人。傳《春秋》大義者纔三四，如賢良方正趙暘與澥，其人也。澥以忠鯁名天下。初王氏出新學，廢麟書，士媚進無大略。靖康改元，澥驟見，與丞相吳公敏白上，詔可之，後置學官議。蓋先生出，晚以其餘授銓幾十稔。偶發甲科，為《春秋》第一。歸拜床下。先生曰：『學者非但格一第止耳，身可殺，學不可辱，無禍吾《春秋》乃佳。』異時有友生誣繫大理獄，先生冒盛暑往救，終得不冤，人皆道其義。先生性嫉惡，至亢聲色，數不少卹。及見善，談不釋口。暮年依明德江陳公，及與先君伯仲為方外友。以累免，應得官，不屑就。大臣約

27霖案：《直齋書錄解題》卷三，頁463-464、又《文獻通考．經籍考》卷十，頁268。

薦之朝，度不可強，亦已。建炎四年十月二十四日，以疾終。清風滿床，文字枕履，茶數串橫斜而已。享年六十七，卜十一月庚申葬於永樂赤岡之原吉。門人緣臨且挽，固以清節易先生名。』可據是《銘》略推知楚之生平行誼風範。」（頁六〇七至頁六〇八）

《江西通志》28：「蕭楚，泰和人。自漢、唐以來，《春秋》專門，概癖於《傳》，楚獨以《經》授，著《經辨》四十九篇。」

【增補】《江西通志》卷之二十八，「吉安府」下云：「蕭楚，字子荊，泰和人。苦學二十年，不求仕進，其學以窮經為本，尤深於《春秋》。自漢、唐以來，《春秋》專門概癖於《傳》，楚獨以《經》授，著《經辯》四十九篇，時學者推為名家，咸北面焉。會蔡氏。方盛楚貽書馮獬，謂『蔡必召亂。』，誓不復仕。胡銓，楚之門人，登進士，為《春秋》第一，歸拜牀下。楚曰：『身可殺，學不可辱，無禍吾《春秋》』，胡後躋顯要，議論懇切，卓然為天下名臣，楚與有力焉。楚以所聘溫氏女死，節誓不再娶，或諷以無後。楚曰：『顏淵、孟軻無胄，而祭典百世。』終不聽。門人私謚曰：『清節先生』」。（《四庫全書存目叢書》史一八三冊，頁三九七）

黃氏穎《春秋左氏事類》

佚。

周氏武仲《春秋左傳編類》

【作者】周武仲（1074～1128），字憲之，浦城人。年十七補太學生，登紹聖四年進士，官左司員外郎。高宗召為刑部侍郎，進尚書，轉吏部尚書，建炎二年八月卒，年五十五，撰有《春秋左傳編類》三十卷。

三十卷。

【著錄】竹垞當係根據楊時《龜山集》卷三六，頁四五著錄此書。

佚。

楊時作〈墓志〉曰29：「公30常病《春秋左氏傳》敘31事隔涉年月，學者不得其統，於是創新，銓次其事，各列於32諸國，俾易覽焉。」

28霖案：參考《江西通志》卷二十八，「吉安府」條下解題。惟文句參差過大，說法詳見此文下【增補】一條，今不校錄。又另可參考四庫本：卷七五、又《四庫全書存目叢書》史部．冊一八二，頁183亦有相關內容。

29 霖案：楊時，《龜山集》卷三六，「誌銘七」，〈周憲之墓誌銘〉，(台北：臺灣商務印書館，「景印文淵閣四庫全書」冊一一二五，民國七十五年三月，初版)，頁445。

30 霖案：「公」字，《龜山集》無此字，蓋為竹垞刪略前文，乃據文意酌添一「公」字。

31 霖案：「敘」字，《龜山集》題作「叙」字。

32霖案：「於」字，《龜山集》題作「于」字。

《閩書》33：「周武仲，字憲之，浦城人34。歷官吏部尚書35，以36朝請大夫致仕。」

羅氏棐恭《春秋指蹤》

佚。

《春秋盟會圖》

佚。

胡銓〈志墓〉曰：「棐恭，字欽若，廬陵人，武岡軍太守。增廣《左氏指蹤》、《春秋盟會圖》二書，有詩文三十卷，號《不欺先生集》。」

曾氏元忠《春秋歷法》

【作者】曾元忠，字居正，永豐人。崇寧五年進士，官廣州教授，及卒，門人私諡「文節先生」，撰有《春秋歷法》、《論語解》、《周易解》等書。

佚。

江氏琦《春秋經解》

【作者】江琦，字全淑，建陽人，江立之子。宣和三年進士，嘗攝新昌令，後曾官至主管台州崇道觀。紹興十二年卒，年五十八。有《春秋經解》三十卷，《辯疑》、《語孟說》各五卷。

三十卷，《辨疑》一篇37。

佚。

胡銓〈志墓〉曰：「琦，字全叔，建陽縣人。宣和三年，賜進士出身、左宣教郎。生平無他嗜好，獨研究《春秋》之旨，裒古今傳注，參校取舍，雖祁寒盛暑不少輟者十年。嘗述其所見數條，就正於楊公時，楊公撫書歎曰：『百世之絕學，留心者幾希，吾老矣，之子勉旃，後進有望焉。』著《春秋經解》三十卷、《辨疑》一篇，以紹興十二年卒。」

羅氏從彥《春秋指歸》

【作者】羅從彥（1072～1135），字仲素，南劍人。從學楊時於蕭山，建炎間授博羅

33霖案：《閩書》卷九十九（《四庫全書存目叢書》史部，冊二○六），頁520-523A。竹垞引錄此文，剪裁甚多，難於校錄，讀者可參看原書。

34霖案：「浦城人」三字，《閩書》文句未見此三字，當暫刪除。又「字憲之」三字下，竹垞刪去眾多文句，與原書文句不合。

35霖案：「歷官吏部尚書」六字，係竹垞改寫文句，並刪除諸多職銜所致。原書文句，前後多有文句為竹垞所略，且「歷官吏部尚書」之句，原應作「遷吏部尚書」五字。

36霖案：「以」字之前，竹垞刪去諸多文字，且「以」字應作「尋轉」二字。

37「一篇」，《四庫》本誤作「一卷」。　霖案：《經義考新校》頁3375校文，於「《四庫》」二字之前，另有「文淵閣」三字。

主簿，官滿，入羅浮山靜坐，絕意仕進。紹興五年卒，年六十四。學者稱「豫章先生」，淳祐間諡「文質」，一云諡「文貞」，一云「文靖」。有《尊堯錄》、《春秋毛詩語解》、《中庸說》、《春秋指歸》、《豫章集》。

佚。

從彥〈自序〉曰[38]：「余聞伊川先生有緒言曰：『三王之法，各是一王之法；《春秋》之法，乃百王不易之通法也。聖人以謂三王不可復回，且慮後世聖人之不作也，故作此一書以遺惠後人，使後之作者不必德若湯、武，亦足以啟[39]三代之治也。』大略如此。《春秋》誠百王之通法邪？先儒之說《春秋》不然，先儒紛紛不足道[40]，孟子於聖門，蓋得其傳者也，曰：『王者之迹熄而《詩》亡，《詩》亡，然後《春秋》作。』又曰：『《春秋》，其事則桓、文。』『孔子成《春秋》，而亂臣賊子懼。』此孟子之說《春秋》者也，然未嘗以《春秋》為百王之通法也，伊川何從而得之哉？已而反求諸其心，不立一毫，不失不曠，一以其言徵之，豁若夢覺，曰：『《春秋》之為《春秋》也，尚矣，乃今知之。自周室板蕩，宣王撥亂反正，其詩美之，小有〈吉日〉、〈鴻雁〉，大有〈崧高〉、〈烝[41]民〉，不幸繼以幽王，而驪山之禍作焉；然而文、武之澤未殄也，故平王東遷，人猶望其興復[42]也；及其久也，政益衰，法益壞，〈黍離〉變為《國風》，陵遲極矣。方是時也，去文王已五百餘歲矣[43]，天生聖人，又不見用，《春秋》於此時儻不復作，天下不胥為[44]禽獸者，吾不敢信也。故夫子因魯史一十二公，始隱終麟，以二百四十年之事，創為一代之典；善善而惡惡，是是而非非，寬不慢，猛不殘，文不華，實不陋，久而彌光，可謂垂後世，傳無窮，真後王之懿範也。所謂考諸三王而不謬，百世以俟聖人而不惑者，其此書之謂乎！』或者曰：『《春秋》其事則桓、文；孔子成《春秋》，而亂臣賊子懼。其信然乎？』曰：『《春秋》自隱公以來，征伐四出，盟會紛然，迨莊歷僖，楚人大為中國患，於[45]時尊天子、攘夷狄[46]，使天下不遂左衽[47]者，桓、文二公之力也；故伐楚之役，齊桓稱爵，城濮之戰，文公以霸。自後世言之，

---

38 霖案：羅從彥，《豫章文集》「雜著」，〈春秋指歸序〉，(台北：臺灣商務印書館，「景印文淵閣四庫全書」冊一一三五，民國七十五年三月，初版)，頁749-751。

39 霖案：「啟」字，《豫章文集》作「起」字，乃同音異字也。

40 霖案：「道」字下，館臣於《豫章文集》另有小注云：「此處有誤」。

41 霖案：「烝民」，《豫章文集》作「蒸民」。

42 霖案：「興復」，應依《豫章文集》作「復興」，二字互為乙倒也。

43 霖案：「矣」字下，應依《豫章文集》補入「冠履顛倒，夷狄亂華」八字，蓋此八字，有諱清諱，故刪之，今據原書之文補入。

44 霖案：「為」字下，應依《豫章文集》補入「夷狄」二字。

45 霖案：「於」字，《豫章文集》作「于」字。

46霖案：《經義考新校》頁3377新出校文如下：「『夷狄』，文津閣《四庫》本改作『荊舒』。」。

47霖案：《經義考新校》頁3377新出校文如下：「『不遂左衽』，文津閣《四庫》本改作『尚知禮法』。」

二公之功烈莫盛焉，自三王之時言之，不免為罪也，首止之會，河陽之狩是也；夫子因其事以[48]辭之，以明王道，故曰：「《春秋》其事則桓、文。」古之聖人，能以天下為一家，中國為一人者，非有甚高難行之行、卓異之術也，君君、臣臣、父父、子子，而天下治矣。《書》曰：「天敍[49]有典，勑我五典五惇哉！天秩有禮，自我五禮有庸哉！』蓋典也、禮也，皆天也，堯、舜之治天下，不越乎君臣父子之間，而禮以文之者也，故《春秋》誅一世子止而天下之為人子者莫敢不孝，戮一大夫盾而天下之為人臣者莫敢不忠，故曰：「孔子成《春秋》，而亂臣賊子懼。」孟氏之言，抑有由也。」或曰：『孔子刪《詩》、《書》，定禮、樂，贊[50]《易》道，三王之道盡於此矣，而又作《春秋》，何也？』曰：『《五經》論其理，《春秋》見之行事。《春秋》，聖人之用也。龜山嘗告[51]人曰：「《春秋》其事之終與[52]！學者先明《五經》，然後學《春秋》，則其用利矣。」亦以此也。』久矣哉！《春秋》之拚於傳注也，猶鑑拚於[53]塵，不有人[54]刮垢摩光，以還其明，則是後之學者將終不覩聖人之心，天下生靈將終不見三代之治，而夫子生平之志將終不行；理必無是也，此伊川之所以有《春秋傳》也。近世說《春秋》者多矣，政和歲在丁酉，余從龜山先生於[55]昆[56]陵，授[57]學有[58]年，盡[59]袁得其書以歸，惟《春秋傳》未之或[60]覩也。宣和之初，自輦下趨郟鄏，門人尹焞出以授予，退而考合於《經》，驗之獲[61]心，而參之以古今之學，蓋其所得者十五六，於《春秋》大義，譬如日月經天，河海帶地，莫不昭然；微詞妙旨，譬如璣衡之察，時有所見，用是掇其至當者，作《指歸》；又因前人纂集之功，分別條章，裁成義例者，作《釋例》；未知中否？要須雍容自盡於燕閑[62]靜一之中，遲之以歲月，積之以力久，優而游之，使自求之，饜而飫之，使自趨之，則於《春秋》之學，其庶幾乎！」

---

48 霖案：「以」字，應依《豫章文集》作「而」字。

49 霖案：「敘」字，《豫章文集》作「敍」字。

50 霖案：「贊」字，《豫章文集》作「讚」字。

51 霖案：「告」字，《豫章文集》作「語」字。

52霖案：「與」字，《豫章文集》作「歟」字。

53 霖案：「於」字下，應依《豫章文集》補入「傳註，也猶鑑拚於」等七字。

54 霖案：「人」字下，應依《豫章文集》補入「焉」字。

55霖案：「於」字，《豫章文集》作「于」字。

56霖案：「昆」字，《豫章文集》作「毗」字。

57「授」，《備要》本作「受」。 霖案：今考《豫章文集》作「授」字。

58霖案：「有」字，應依《豫章文集》作「經」字。

59霖案：「盡」字，《豫章文集》無此字，當刪。

60 霖案：「或」字，應依《豫章文集》改作「獲」字。

61「獲」，《備要》本作「予」。 霖案：今考《豫章文集》題作「以」字。

62霖案：「閑」字，《豫章文集》作「間」字。

陸氏宰《春秋後傳補遺》

【作者】陸宰（1088～1148），字元鈞，山陰人，陸佃之子。官朝請大夫、直秘閣。家中藏書甚富，紹興間建秘閣，求天下遺書，首命紹興府錄宰家書，凡萬三千卷有奇。紹興十八年卒，年六十一。有《春秋後傳補遺》一卷。

《宋志》：「一卷。」

未見。

【霖案】本書未見其他傳本，且《春秋總義論著目錄》頁二二注曰「佚」，當已久佚，故改注曰「佚」。

陳振孫曰[63]：「陸佃撰《春秋後傳》[64]，《補遺》者，其子宰所作也。宰，字元鈞，游之父[65]。」

稅氏安禮《春秋列國圖說》

【著錄】李一遂〈左氏春秋著錄書目研究〉頁一〇五著錄。

一卷。

存。

【存佚】此書未見諸家傳本，當已久佚，故改注曰：「佚」。

安禮〈自序〉曰[66]：「《傳》稱武王克商，光有天下，兄弟之國[67]，十有五人，姬姓之國[68]，四十人，爵五品而土[69]三等，公侯百里，伯七十里，子男五十里，不滿[70]為附庸，蓋[71]

63霖案：《文獻通考．經籍考》卷十，頁257。又《直齋書錄解題》卷三，頁59錄之。

64霖案：「《春秋後傳》」四字，《文獻通考．經籍考》無此四字，乃是竹垞據著錄內容補入，今據原書刪正。

65霖案：「父」字下，應依《文獻通考．經籍考》補入「也」字。

66霖案：馬端臨，《文獻通考》卷二六一（台北：臺灣商務印書館，「景印文淵閣四庫全書」冊六一五，民國七十五年三月，初版），頁204、胡廣等奉敕撰，《春秋大全·列國圖說》（台北：臺灣商務印書館，「景印文淵閣四庫全書」冊一六六，民國七十五年三月，初版），頁25、章潢撰，《圖書編》卷三二（台北：臺灣商務印書館，「景印文淵閣四庫全書」冊九六九，民國七十五年三月，初版），頁621均將此文列為蘇東坡之作；又《四庫全書考證》卷47等錄之。

67「國」下脫「者」字，《備要》本同，應依《補正》、《四庫》本補。　霖案：《經義考新校》頁3378無「《備要》本同」四字，又「《四庫》」二字之前，另有「《四庫薈要》本、文淵閣」等字。今考《春秋大全．列國圖說》、《圖書編》俱有「者」字，然《文獻通考》引及「東坡蘇氏曰」之文，並無「者」字。

68「國」下脫「者」字，《備要》本同，應依《補正》、《四庫》本補。　霖案：霖案：《經義考新校》頁3378無「《備要》本同」四字，又「《四庫》」二字之前，另有「《四庫薈要》本、文淵閣」等字千八百國。周室既衰，轉相吞滅，數百年間，列國耗盡，春秋之世，見於《經》、《傳》者[72]，總一百二十四國[73]。若夫二百四十二年之中，朝會盟聘圍[74]滅[75]入，孔子筆之於《經》，邱明[76]發明於《傳》，至今[77]想見其處，今掇其著[78]者附次之[79]。」

【增補】〔補正〕〈自序〉內「兄弟之國，十有五人，姬姓之國，四十人」，「國」下俱脫「者」字；「圍滅入」，「圍」下脫「伐」字。（卷八，頁三）

陸元輔曰：「世所傳《春秋列國指掌圖說》刊本，以為蘇軾撰，誤也，蓋稅安禮作。」

王氏居正《春秋本義》

。今考《春秋大全．列國圖說》、《圖書編》俱有「者」字，然《文獻通考》引及「東坡蘇氏曰」之文，並無「者」字。

69 霖案：「土」字，《文獻通考》題作「別」字。《春秋大全．列國圖說》作「上」字，顯然「土」字應為「上」字之誤寫，蓋形近而誤入也。

70 霖案：「滿」字下，《文獻通考》另有「者」字。

71 霖案：「蓋」字下，《文獻通考》另有「一」字。

72 霖案：「者」字，《圖書編》無此字，，然《春秋大全．列國圖說》、《文獻通考》引及相關文句，正有「者」字。

73 霖案：「總一百二十四國」七字，《文獻通考》題作「一百六十五國」，國家計數不同也。又「國」字下，應依《圖書編》補入「至其他蠻夷狄，不在其間。」等十字（《春秋大全．列國圖說》作「蠻荒外域，不在其間」八字），事涉諱礙字眼，故《經義考》刪去不錄，今據《圖書編》補入。又《文獻通考》題作「蠻夷戎狄，亦在其間」，顯然內容有所不同，蓋《文獻通考》所錄國家數為「一百六十五國」，而《圖書編》錄作「一百二十四國」，從二者計數不同推算，則「蠻夷戎狄」之數，應為四十一國，是以其後文辭，有較大歧異，乃是緣自計數不同之故也。

74「圍」下脫「伐」字，《備要》本同，應依《補正》、《四庫》本補。　霖案：霖案：《經義考新校》頁3379無「《備要》本同」四字，又「《四庫》」二字之前，另有「《四庫薈要》本、文淵閣」等字。今考《文獻通考》、《春秋大全．列國圖說》、《圖書編》俱有「伐」字。

75 霖案：「滅」字，《文獻通考》無此字也。

76霖案：《經義考新校》頁3379新出校文如下：「《四庫》諸本、《備要》本『邱明』下有『公穀』二字。今考「邱明」，《春秋大全．列國圖說》、《圖書編》俱作「丘明」，又《文獻通考》作「《公》、《穀》」二字，而非「丘明」，二者有所不同。

77 霖案：「今」字下，《春秋大全．列國圖說》、《文獻通考》俱有「猶」字。

78 霖案：「著」字，《春秋大全．列國圖說》、《文獻通考》作「尤」字。

79 霖案：「之」字，《春秋大全．列國圖說》、《文獻通考》作「於後」二字。又綜合上述諸多註語，則竹垞所引之文，當較近於《圖書編》之文，惟待考安禮是否另有〈自序〉之文，再行補校此文內容。

【作者】王居正，字剛中，江都人，學者稱竹西先生。宣和三年進士，高宗時為起居郎，後出知婺州，尋奪職奉祠。紹興二十一年卒，年六十五。王氏之學根據六經，楊時器之，有《春秋本義》十二卷，《竹西論語感發》十卷，《孟子疑難》十四卷，《竹西集》十卷，《西垣集》五卷。

十二卷。

佚。

呂氏本中《春秋集解》

【作者】《直齋書錄解題》卷三，頁四六三著錄，惟作者題為「呂祖謙撰」。

【作者】呂本中（1084～1145），初名大中，字居仁，壽州人，徙居京師，呂好問之子。紹興六年賜進士出身，以蔭補承務郎，累遷中書舍人兼直學士院。紹興十五年卒，年六十二，諡「文清」，學者稱「東萊先生」，著有《春秋集解》，《童蒙訓》，《師友淵源錄》，《東萊詩集》，《紫薇詩話》，《紫薇雜說》。

【書名】本書異名如下：

一、《呂氏春秋集解》：張壽平《公藏先秦經子注疏書目》頁一三五著錄。

《宋志》：「十二卷。」又呂祖謙《集解》三十卷。

【卷數】本書卷數異同如下：

一、三十卷本：張壽平《公藏先秦經子注疏書目》頁一三五著錄。

【分類】《郡齋讀書志》卷第五上〈附錄〉，頁三六一著錄，隸屬「經解類」。

【霖案】據永瑢等撰《欽定四庫全書總目》（整理本）上冊，卷二十七，頁三四四註六云：「崔富章：《宋志》本作二卷，朱彝尊誤為十二卷，《總目》不辨而因之。」，是則《宋志》原作「二卷」，竹垞誤引作「十二卷」。

存。

【版本及藏地】本書版本及藏地如下：

一、文淵閣四庫全書本：《春秋集解》三十卷，台北故宮博物院有藏本。

【增補】永瑢等撰《欽定四庫全書總目》曰：「春秋集解三十卷[80]　內府藏本

宋呂本中撰。舊刻題曰『呂祖謙』，誤也。本中字居仁，好問之子。《宋史》本傳載其靖康初官祠部員外郎，紹興六年賜進士，擢起居舍人，八年遷中書舍人兼侍講，權直學士院，學者稱為東萊先生。故趙希弁《讀書附志》稱是書為東萊先生撰。後人因祖謙與朱子遊，其名最著，故亦稱為東萊先生。而本中以詩擅名，詩家多稱『呂紫微』，東萊之號稍隱，遂移是書於祖謙。不知陳振孫《書錄解題》載是書，固明云本中

80霖案：原注云：按：文淵閣庫書題作《呂氏春秋集解》三十卷。

撰也。朱彝尊《經義考》嘗辨正之，惟以《宋志》作十二卷[81]為疑。然卷帙分合，古今每異，不獨此書為然。況振孫言：『是書自《三傳》而下，集諸儒之說不過陸氏、兩孫氏、兩劉氏、蘇氏、程氏、許氏、胡氏數家，而采擇頗精，全無自己議論。』以此本考之亦合，知舊刻誤題審矣。惟《宋志》此書之外，別出祖謙《春秋集解》三十卷，稍為牴牾，疑宋末刻本已析其原卷，改題祖謙，故相沿訛異，史亦因之重出耳[82]。祖謙《年譜》備載所著諸書，具有年月，而《春秋集解》獨不載，固其確證，不必更以他說疑也。本中嘗撰《江西宗派圖》，又有《紫微詩話》，皆盛行於世，世多以文士目之，而經學深邃乃如此。林之奇從之受業，復以其學授祖謙，其淵源蓋有自矣。」（卷二十七，頁三四四）

【增補】邵懿辰撰、邵章續錄：《增訂四庫簡明目錄標注》卷三曰：「《春秋集解》三十卷，宋呂本中撰，舊題呂祖謙者誤也。

通志堂本。

〔續錄〕日本安政五年薩摩府學重刊乾隆本，附《名號歸一圖》二卷，年表一卷。」（頁一〇八）

【增補】胡玉縉撰、王欣夫輯《四庫全書總目提要補正》卷七曰：「案呂公著之子曰希哲，希哲之子曰好問，好問五子，長曰本中，次曰揆中，又次曰弸中，又次曰用中，又次曰忱中；弸中之子曰大器，其長子曰祖謙，則本中為祖謙從祖也。衹以本中、祖謙學者多稱為東萊先生遂不免致誤耳。」（頁一六八）

【增補】崔富章《四庫提要補正》曰：「孫詒讓曰：《春秋》一經，自啖、趙以後，說者大抵屏（摒）棄《三傳》，習為繳繞苛刻以測經旨。宋南渡後，《胡氏傳》盛行，《三傳》之學益微。止齋《後傳》依經求義，大旨主於本《左氏》以徵事，參《公》、《穀》以明例。故其論《左氏》，則謂著其所不書，以見《春秋》之所書，皆左氏之力。又謂《春秋》褒貶天下之君大夫，托（託）魯以行王法，莫備於隱、桓、莊之世（《後傳》莊十六年『邾子克卒』傳），及有所謂隱、桓、莊、閔之《春秋》，有所謂僖、文、宣、成之《春秋》，有所謂襄、昭、定、哀之《春秋》，諸義與董子《春秋繁露》分十二公為三等（《楚莊王》篇），何氏《公羊解詁》『張三世』諸例相近，在宋儒說《春秋》書中最有根據。至傳中精論，如：本何邵公說，謂惟王者然後改元；據『晉少姜卒，公如晉，晉來辭，非伉儷者也』，謂古者諸侯不再娶，再娶亦妾也；據《史記・六國世表》廢〔斥〕秦襄公作西畤祠白帝為僭，謂諸侯有郊禘為東遷之僭禮；并義精理確，與空談褒貶者異。樓宣獻敘其書，以為深究經旨，詳閱世變；元趙子常又以為在《三傳》之後，卓然名家；信不虛也。（《溫州經籍志》卷五

81霖案：原注云：崔富章：《宋志》本作二卷，朱彝尊誤為十二卷，《總目》不辨而因之。

82霖案：原注云：崔富章：宋刻《東萊先生呂成公點句春秋經傳集解》三十卷，是為《宋志》著錄之《呂祖謙春秋集解》三十卷之本，同時又著錄《呂本中春秋解》二卷，《總目》不辨，故有此不確之論。又祖謙之書既為「點句」，《年譜》以不為著述而不書，亦為得體。

）

章炳麟曰：左丘明者，太史公以為魯君子，《別錄》、《七略》以為魯太史，《論語》稱其同『耻』，而班彪謂在定、哀間，本與孔子同纂《春秋》，无待自述緣起。《顏氏春秋》引《觀周》篇，孔子將修《春秋》，與左丘明乘入周，觀書於周史，歸而修《春秋》之經，丘明為之《傳》，共為表裏。桓譚《新論》稱《左氏傳》與《經》，猶衣之表裏，相持而成。所以爾者，《經》有從赴告諱國惡之文，不以實事付之於《傳》，則遠慚南、董之直；必改赴告忌諱以從周室《史記》，則非魯之《春秋》，是以相持成書，事義始備。（《春秋左氏疑義答問》卷一）

《總目》據兩江總督采進本著錄，版本不明。《摛藻堂四庫全書薈要》收載陳傅良《春秋後傳》十二卷，依內府所藏《通志堂經解》本繕錄，據趙與之本校對。《四庫》七閣當出通志堂本。翁方綱編《通志堂經解目錄》云『從勤德堂刊本抄寫者也』。考錢曾《讀書敏求記》著錄『陳止齋春秋後傳十二卷。茶陵所刻，字多訛舛；此則勤德堂刊本也』。茶陵本係元大德間陳仁子所刻，勤德堂本待考、錢曾述古堂所藏，今不知飄落何所。通志堂乃據傳抄本重刻，孫詒讓謂『奪誤甚多，不足依據』。然今亦无別本可供校勘。文瀾閣庫書原本佚，今存丁氏補抄本，十二卷六冊，亦源出《通志堂經解》本。」（頁一六〇至頁一六一）

二、摛藻堂薈要本：台北故宮博物院有藏本。

三、藍格舊鈔本：台北故宮博物院有藏本。

四、通志堂經解本：杜信孚等編纂《同名異書匯錄》頁一四二著錄。

【增補】朱彝尊《曝書亭集》卷四二錄有〈呂氏春秋集解跋〉一文，其文之價值，等同於竹垞的案語，茲錄之如下：

《春秋集解》三十卷，趙希弁《讀書附志》第云：「東萊先生所著」，長沙陳邕和為之序，而不書其名，蓋呂氏自右丞好問徙金華，成公述家傳，稱為東萊公，而居仁為右丞子，學山谷為詩，作西江宗派圖，學者亦稱為東萊先生，然則呂氏三世皆以東萊為目，成公特最著耳。陳氏《書錄解題》，撮居仁《集解》大旨，謂自三傳而下，集諸儒之說，不過陸氏、兩孫氏、兩劉氏、蘇氏、程氏、許氏、胡氏數家，合之今書，良然。而《宋史藝文志》於《春秋集解》三十卷，直書成公姓名，世遂因之。考《成公年譜》，凡有著述必書，獨《春秋集解》不書，疑世所傳三十卷，即居仁所撰，惟因陳和父之序無存，此學者之疑未能釋爾。同里徐亨，從予學《春秋》，書以示之。（頁五一六至頁五一七）

五、明朱絲欄抄本：駱兆平《新編天一閣書目》頁二七二著錄。

六、日本安政五年薩摩府學重刊乾隆本：參考邵懿辰撰、邵章續錄：《增訂四庫簡明目錄標注》卷三，頁一〇八。

趙希弁曰[83]：「《春秋集解》三十卷，東萊先生[84]所著也，長沙陳邕和父為之〈序〉。」

陳振孫曰[85]：「《春秋集解》十二卷，呂本中[86]撰。自《三傳》而下，集諸家之說，各記其名氏，然不過陸氏及兩孫氏、兩劉氏、蘇氏、程氏、許崧老、胡文定數家而已，大略[87]如杜諤《會議》[88]，而所擇頗精，卻無自己議論。」

【增補】〔補正〕陳振孫條內「杜諤《會議》」，「議」當作「義」。（卷八，頁三）

朱子曰[89]：「呂居仁《春秋》亦甚明白，正如某《詩傳》相似。」

《宋史》[90]：「呂本中，字居仁，元祐宰相公著之曾孫，好問之子[91]。從楊時、游酢、尹焞遊[92]。紹興六年[93]，賜進士出身，擢起居舍人，兼權中書舍人[94]；八年[95]，遷中書舍人[96]，兼侍講[97]，權直學士院[98]。學者稱為東萊先生，卒諡[99]文清。」

83霖案：《郡齋讀書志》卷第五上〈附錄〉，頁361。

84霖案：「東萊先生」四字之前，《郡齋讀書志》應有「右」字，竹垞刪去此字，當據原書補入。

85霖案：《直齋書錄解題》卷三，頁463。又出自《文獻通考．經籍考》卷十，頁263。

86霖案：《直齋書錄解題》卷三題作「呂祖謙」。四庫館臣考此書作者當為「呂本中」，而《經義考》亦直接改作「呂本中」也。

87霖案：「略」字，《直齋書錄解題》引作「畧」字。

88「《會議》」，《備要》本同，應依《補正》、《四庫》本作「《會義》」。　霖案：《經義考新校》頁3380於「《四庫》」二字之前，另有「《四庫薈要》本、文淵閣」等字。今考《直齋書錄解題》亦題作「《會議》」，而《補正》、《四庫》本作「《會議》」，或許依據《直齋書錄解題》之文。

89霖案：《語類》卷83、《文獻通考．經籍考》卷十，頁263。又「朱子曰」，《通考》引作「《朱子語錄》曰」。

90霖案：《宋史》卷三七六，頁11635。然而，竹垞引錄此文之時，剪裁極多，致使文句參差極大，難於校改，讀者可自行參看《宋史》原書文句。

91霖案：「好問之子」四字下，《宋史》另有諸多文句，讀者可參看《宋史》原書。

92霖案：「游」字下，竹垞剪裁《宋史》諸多文句，讀者可自行參看原書。

93霖案：「年」字下，《宋史》另有「召赴行在，特」等五字，今據以補入。

94霖案：「舍人」二字下，《宋史》另有諸多文句，讀者可自行參看原書。

95霖案：「八年」二字下，《宋史》另有「二月」二字，今據以補入。

96霖案：「舍人」二字下，《宋史》另有「三月」二字，今據以補入。

97霖案：「兼侍講」三字下，《宋史》另有「六月，兼」三字，今據以補入。

98霖案：「權直學士院」五字下，《宋史》另有諸多文句，讀者可自行參看原書。

99霖案：「卒諡」二字，《宋史》題作「賜諡」二字，今據原書改正。

按：趙氏《讀書附志》以《春秋集解》為東萊先生所著，而不書其名。蓋呂氏自右丞、好問徙金華，成公述《家傳》，稱為東萊公，而居仁為右丞子，學山谷為詩，作《西江宗派圖》，學者亦稱為東萊先生。然則呂氏三世皆以東萊為目，成公特最著者耳。陳氏《書錄解題》撮居仁《集解》大旨，謂自《三傳》而下，集諸儒之說，不過陸氏、兩孫氏、兩劉氏、蘇氏、程氏、許氏、胡氏數家，合之今書，良然；而《宋史．藝文志》於《春秋集解》三十卷直書成公姓名，世遂因之。考成公《年譜》，凡有著述必書，獨《春秋集解》不書，疑世所傳三十卷即居仁所撰，惟卷帙多寡未合，而陳和父之〈序〉無存，此學者之疑猶未能釋也。

【增補】〔補正〕竹垞按：趙氏《讀書附志》以《春秋集解》為東萊先生所著，而不書其名。蓋呂氏自右丞、好問徙金華，成公述《家傳》，稱為東萊公，而居仁為右丞子，學山谷為詩，作《西江宗派圖》，學者亦稱為東萊先生。然則呂氏三世皆以東萊為目，成公特最著者耳。杰按：《新唐書藝文志》有《東萊呂氏家譜》一卷，据此，則東萊之號遠自唐時，非始右丞也。（卷八，頁三）

【增補】〔校記〕《四庫》本三十卷，《提要》謂：「舊題呂祖謙撰，誤。《宋史》于呂本中此書外，別載呂祖謙《春秋集解》三十卷，乃致誤之由。」（《春秋》，頁四九）

謝氏逸《春秋廣微》

【作者】謝逸（？～1113），字無逸，號溪堂，臨川人。少孤，博學工文詞，操履峻潔，從呂希哲學。再舉進士不第，遂不仕。政和三年卒，年未五十。謝氏嘗作蝶詩三百首，多佳句，人呼為謝蝴蝶，撰有《春秋廣微》、《樵談》、《溪堂集》、《溪堂詞》。

佚。

《姓譜》[100]：「逸，字無逸，臨川人[101]。舉進士不第，以詩文自娛[102]，學者稱為谿[103]堂先生。」

徐氏俯《春秋解義》

佚。

《中興聖政錄》[104]：「紹興三年二月[105]，右諫議徐俯進《春秋解義》，至『天王使宰

100霖案：《萬姓統譜》卷一○五，（《四庫》本，冊九五七）頁476A。

101霖案：「人」字下，《萬姓統譜》有「也，屢」二字，今據原書補入。

102霖案：「自娛」二字下，《萬姓統譜》有「號溪堂」三字，竹垞刪此三字，今據原書補入。

103霖案：「谿」字，《萬姓統譜》題作「溪」字，書寫習慣差異所致。

104霖案：《中興聖政錄》卷十三，，頁557。又《建炎以來繫年要錄》卷六三，頁2072、《宋史全文》卷十八下錄之。

105霖案：《玉海》卷四○錄及相關文句，於「二月」二字下，另有「丁亥朔」三字，明顯敘明上呈之日，而《中興聖政錄》卷十三、《建炎以來繫年要錄》卷六三所錄之文，則未有「紹興三年二月

渠伯糾[106]來聘』，用《左氏》說『父在故名』，上謂俯曰：『魯威公[107]簒立，天王當致討，既四年不問，乃使其宰往聘，失政刑矣，故書名以貶之。』[108]俯乞編之記注。」

陳氏禾《春秋傳》

【作者】陳禾，字秀實，鄞人，陳秉之弟。元符三年進士，累官殿中侍御史，遷左正言。後歷知和州、秀州，調舒州，命下而卒，謚「文介」。撰有《易傳》九卷、《春秋傳》十二卷、《論語孟子解》各十卷。

《宋志》：「十二卷。」

佚。

《春秋統論》

《宋志》：「一卷。」

佚。

張氏浚《春秋解》

六卷。

佚。

李氏光《左氏說》

十卷。

佚。

許氏翰《襄陵春秋集傳》

【作者】許翰（？～1133），字崧老，襄邑人。元祐三年進士，紹興初累官資政殿大學士，紹興三年五月卒。有《論語解》，《春秋傳》，《襄陵集》等書。

佚。

」等六字，二者稍有不同。竹垞既引《中興聖政錄》一書，惟考及此書原文，不當有「紹興三年二月」等六字，當據以刪除相關六字，並附考證之文或注文，以說明其確切時日即可。

106霖案：「伯糾」二字，《玉海》卷四○錄作「伯糾」二字。

107霖案：「魯威公」三字，《建炎以來繫年要錄》卷六三引作「魯桓公」，今考魯國國君者，未見「威公」者，而《建炎以來繫年要錄》既引作「魯桓公」，則「桓」、「威」之別，乃在避諱之故所致，蓋宋代避宋欽宗趙桓之名，而將「桓」字改作他字，此處作「魯威公」者，當係避宋欽宗諱所致。

108霖案：「之」字下，《建炎以來繫年要錄》另有「戊子」二字，明言徐俯乞編之記注之日，乃是進呈之日的隔天，雖然此二字並非屬於《中興聖政錄》的原文，但此書所錄「戊子」，實有參考價值，今校錄於此，以供讀者參考。

李綱〈後序〉曰[109]：「孔子道大，天下莫能用，因魯史，作《春秋》，以俟後世君子。雖其義難知，然大旨不過尊王、黜霸、褒善、貶惡、內諸夏、外夷狄[110]、志天道、謹人事而已。《春秋》經世，其言簡而法；《三傳》緯經，其說博而詳。簡而法者，必待夫博而詳者載事實、釋義例，然後聖人之志因以不泯，而後世得以知之，猶天之垂象，昭回森布，推步占驗，非得甘石之書，則何以仰觀？此《三傳》之於聖人，所以不為無功也。然三家者所聞、見異辭，所傳異辭，各有所長，而時有異同不合之說，則學《春秋》者，宜精思深考，揆之以道，索之以理，取其是而去其非，則聖人經世之志得矣。或者舍《經》而信《傳》，則是得枝葉而忘本也；棄《傳》而觀《經》，則是去甘石之書而窺天也。二者胥失，余患此久矣。襄陽許崧老作《春秋集傳》，取三家之說不悖於聖人者著之篇，刪[111]去其所不然，又斷以自得之意；有發於《三傳》之所不能言者，得[112]而讀之，豁然[113]如披雲霧而覩天日之清明，燦然如汰沙石而見金玉之精粹，然後知《三傳》果有功於《春秋》，而《集傳》又有功於《三傳》。至於斷以自得之意，則與三家者齊驅而並駕也，其於學者豈小補哉？噫！孔子作《春秋》，而亂臣賊子懼，蓋筆削之餘[114]，游、夏不能措一辭，使得其時而道可行於天下，則誅賞廢置宜何如哉？雖不見行事，而垂之空言，猶足以使後世知君臣、父子之道，故太史公曰：『有國者不知《春秋》[115]，守經事而不知其宜，遭變事而不知其權；為人君父者[116]不通《春秋》之義，必蒙首惡之名；為人臣子者不通《春秋》之義，必陷[117]誅絕[118]之罪。』其實皆以善為之而不知其義，被之空言不敢辭，然則學者其可不盡心乎？欲盡心焉，當自此書始[119]。」

王褘曰[120]：「泰山孫氏[121]專以書法論褒貶，襄陵許氏、永嘉陳氏專以書法論世變。」

109霖案：李綱《梁谿集》卷一六三，〈書襄陵春秋集傳後〉（台北：臺灣商務印書館，「景印文淵閣四庫全書」冊一一二六，民國七十五年三月，初版），頁718-719。

110霖案：《經義考新校》頁3384新出校文如下：「『夷狄』，文津閣《四庫》本改作『荊楚』。」。

111霖案：「刪」字之前，宜據《梁谿集》補入「而」字。

112霖案：「得」字之前，宜據《梁谿集》補入「余」字。

113霖案：「豁然」二字，《梁谿集》題作「廓然」。

114霖案：「餘」字，《梁谿集》題作「際」字。

115霖案：「《春秋》」二字之後，宜據《梁谿集》補入「前有讒而不見，後有賊而不知，為人臣，不知《春秋》。」等十九字。

116霖案：「者」字下，應據《梁谿集》補入「而」字。

117霖案：「陷」字下，應據《梁谿集》題作「蹈於」二字。

118霖案：「絕」字下，應據《梁谿集》題作「死」字。

119霖案：「始」字下，應據《梁谿集》補入「建炎己酉歲正月五日武陽李綱書」等十四字。

120霖案：四庫本：《王忠文集》卷二○，〈叢錄〉，（四庫全書本，冊一二二六），頁423。

121霖案：「孫氏」二字下，《王忠文集》另有「闕（□）氏」，由於未能明白標示何人何氏，故竹垞引

胡氏銓《春秋集善》

【作者】胡銓（1102～1180），字邦衡，號澹庵，廬陵人。建炎二年進士，紹興六年以兵部尚書呂祉之薦，應賢良方正能直言極諫科，高宗賜對便殿，授樞密院編修官，後以敷文閣直學士奉祠歸。淳熙七年五月卒，年七十九，諡忠簡。有《澹庵集》三十二卷，《易拾遺》十卷，《書解》四卷，《春秋集善》三十卷，《周官解》十二卷，《禮記解》十三卷，《經筵二禮講義》一卷，《奏議》三卷，《學禮編》三卷，《詩話》二卷，《活國本草》三卷。

【增補】胡氏另有《春秋解》十六卷，杜信孚等編纂《同名異書匯錄》頁一四三著錄，竹垞未曾著錄，當據以補入。

《宋志》：「十三卷。」

【卷數】本書卷數異同如下：

一、十一卷：《直齋書錄解題》卷三，頁四六三、《文獻通考・經籍考》卷十，頁二六八。

【增補】〔補正〕按：《郡齋讀書附志》、《直齋書錄解題》、《文獻通考》竝作「十一卷。」（卷八，頁三一四）

佚。

【存佚】《春秋總義論著目錄》頁五六注曰「存」，並且指出：「傳本：《中國古籍善本書目》收清鈔本一種，十五卷」，今據以考作「存」。

【版本及藏地】本書版本及藏地如下：

一、清抄本：宋胡銓撰，清沈善登校，《春秋集善》十五卷，復旦大學圖書館有藏本。

陳振孫曰[122]：「端明殿學士廬陵胡銓邦衡撰。銓既事蕭楚為《春秋》學，復學於胡文定公安國，南遷後作此書，張魏公為之序。」

【增補】何廣棪：《陳振孫之經學及其《直齋書錄解題》經錄考證》曰：「廣棪案：蕭楚有《春秋經辨》十卷，《解題》已著錄，銓為之《序》，中云：『胡銓性行恬粹，器識宏遠，自少年登甲科，屏居田里，不願出仕，日從鄉人蕭楚學《春秋》。』《宋元學案》卷三十四《武夷學宋》『忠簡胡澹庵先生銓』亦云：『丁父憂，從鄉先生蕭子荊學《春秋》。』是銓事楚為《春秋》學之證。至其後，學於胡安國，則別無所聞。《宋元學案》王梓材謹案：『先生初事蕭三顧，為《春秋》學，復學于胡文定。南遷後作《春秋集善》十一卷，張魏公為之《後序》。』惟梓材之案語則顯據《解題》者也。惜張浚所撰《後序》，今已不可見。」（頁六〇九）

錄之時略去，今校錄如上。

122霖案：《直齋書錄解題》卷三，頁463、《文獻通考．經籍考》卷十，頁268。

洪氏皓《春秋紀詠》

《宋志》：「三十卷。」

佚。

程端學[123]曰：「鄱陽洪[124]皓元弼撰。」

宇文氏虛中《春秋紀詠》（宋）

【著錄】李一遂〈左氏春秋著錄書目研究〉頁一〇〇錄之。

《宋志》：「三十卷。」

佚。

辛氏次膺《春秋屬辭比事》

《宋志》：「五卷。」

佚。

王氏葆《東宮春秋講義》

【作者】王葆，字彥光，崑山人，億子。弱冠通諸經，宣和六年進士，紹興中累遷監察御史。後出知廣德軍，移守漢瀘二州，皆著政績。歷浙東提刑，乞祠歸。乾道三年卒，年七十，諡文毅。撰有《東宮春秋講義》，《春秋集傳》十五卷，《春秋備論》二卷。

《宋志》：「三卷。」

佚。

《春秋備論》

二卷。

【卷數】竹垞於《春秋集傳》條下引「龔明之曰」，題《備論》為五卷，而此題作二卷者，或為一時筆誤所致。

佚。

《春秋集傳》

【書名】竹垞引「龔明之曰」，題作《集解》，而非《集傳》。

《宋志》：「十五卷。」

【著錄】《直齋書錄解題》卷三，頁四六二著錄。

【卷數】《宋志》題作「十五」卷，而竹垞引錄龔明之之語，誤作「五卷」，今考之

123霖案：程端學：《春秋本義》〈春秋傳名氏〉(《通志堂經解》(冊二五))，頁13860。

124霖案：「洪」字下，《春秋本義》另有「氏」字，今據以補入。

龔明之《中吳紀聞》之文，實作「兩卷」。

佚。

周必大作〈墓志〉曰[125]：「葆，字彥光[126]，吳郡崑山人[127]。宣和六年進士[128]，權國子司業，拜監察御史，兼崇政殿說書[129]，出[130]為浙東提點刑獄[131]積官左朝請大夫[132]，留意經學，尤[133]邃於[134]《春秋》。嘗讀《孟子》『彼善於此』之句，悟聖人作經本旨[135]，以為[136]

---

125 霖案：周必大，《文忠集》卷九十，《省齋別稿》十．〈左朝請大夫王公葆墓誌銘（代閣直學士張震乾道三年〉》（台北：臺灣商務印書館，「景印文淵閣四庫全書」冊一一四七，民國七十五年三月，初版），頁911-914。

126 霖案：「字彥光」，應依〈左朝請大夫王公葆墓誌銘（代閣直學士張震乾道三年〉》作「彥光，字也。」，竹垞據原書文句刪改，雖合乎精簡原則，但非原書文句矣。

127 霖案：「人」字下，應依〈左朝請大夫王公葆墓誌銘（代閣直學士張震乾道三年〉》補入「曾祖制，祖申，皆隱居不仕，父億樂道好善，一鄉推長者，以公升朝累贈右中散大夫，母令人史氏，公自幼志識絕人，讀書幾廢寢食，弱冠，以通經能文稱，由學校貢太學，每試，常右諸生。登」（頁912）等七十一字。

128 霖案：「進士」二字下，〈左朝請大夫王公葆墓誌銘（代閣直學士張震乾道三年〉》有若干文句，由於文句頗多，難於逐一校補，讀者可參看原書文句，特此說明。

129 霖案：「書」字下，〈左朝請大夫王公葆墓誌銘（代閣直學士張震乾道三年〉》有若干文句，由於文句頗多，難於逐一校補，讀者可參看原書文句，特此說明。

130 霖案：「出」字，〈左朝請大夫王公葆墓誌銘（代閣直學士張震乾道三年〉》作「改」字。

131 霖案：「獄」字下，應有標點符號區隔（如銜諸下文，則以句號為宜；若逕接竹垞解題文句，則應以逗號為宜），蓋〈左朝請大夫王公葆墓誌銘（代閣直學士張震乾道三年〉》於「獄」字下，另有「時隆興元年春也，會稽近行闕政，尚姑息，公屢行帥事，疾惡彌厲。歲歉，請厚捐民租，仇家因飛謀造謗，會公疾，得請，遂主管台州崇道觀。初，宜興民懷公不已，公亦樂其溪山，乃卜居焉。乾道三年，公年七十矣，以六月告老，是月十九日，卒于正寢。」等句，其下始接「積官左朝請大夫」一句，是以此句應於「獄」字下，稍事區隔。

132 霖案：「夫」字下，〈左朝請大夫王公葆墓誌銘（代閣直學士張震乾道三年〉》另有若干文句，由於文句頗多，難於逐一校補，讀者可參看原書文句，特此說明。

133 霖案：「尤」字之前，應依〈左朝請大夫王公葆墓誌銘（代閣直學士張震乾道三年〉》補入「而」字。

134 霖案：「於」字，〈左朝請大夫王公葆墓誌銘（代閣直學士張震乾道三年〉》作「于」字。

135 霖案：「本旨」，應依〈左朝請大夫王公葆墓誌銘（代閣直學士張震乾道三年〉》改作「深旨」。

136 霖案：「以為」二字，應依〈左朝請大夫王公葆墓誌銘（代閣直學士張震乾道三年〉》改作「以謂」二字。

當時名卿有功而賢者，莫如管仲、子產、晏子，而[137]三人者姓名略[138]不概見，其他可類推矣。又云：『聖經如化工[139]造物，有自然法象。』蓋昔人所未嘗及者。用心三十年，乃成《集傳》十五卷，去取是非，不措一毫私意於其間。書成，歎[140]：『吾精力盡於此，後當有知我者。』嗚呼![141]庶幾無愧古之儒者矣。」

陳振孫曰[142]：「監察御史王葆彥光撰，朱新仲為作〈序〉。葆，周益公之婦翁也，其說多用胡氏。」

【增補】何廣棪：《陳振孫之經學及其《直齋書錄解題》經錄考證》曰：「廣棪案：《宋史·藝文志》卷七《藝文》七《集類·別集類》著錄：『《朱翌集》四十五卷。』惜已散佚。《四庫全書》據《永樂大典》輯為《灊山集》三卷，翌所撰之《序》於《灊山集》未見，或已無可考矣。周益公，名必大，葆之婿《周文忠公集》卷九十有《王公墓誌銘》，內述及葆之生平及此書，略云：『葆字彥光，吳郡崑山人。宣和六年進士，權國子監司業，拜監察御史，兼崇政殿說書，出為浙東提點刑獄，積官左朝請大夫。留意經學，尤邃於《春秋》。嘗讀《孟子》『彼善於此』之句，悟聖人作經本旨。以為當時名卿有功而賢者，莫如管仲、子產、晏子，而三人者，姓名略不概見，其他可類推矣。』又云：『聖經如化工造物，有自然法象，蓋昔人所未嘗及者。用心三十年，乃成《集傳》十五卷，去取是非，不措一毫私意於期間。書成，歎吾精力盡於此，後當有知我者。嗚呼！庶幾無愧古之儒者矣。』則葆撰此書之成就，略見一斑。」（頁五九一至頁五九二）

【增補】何廣棪：《陳振孫之經學及其《直齋書錄解題》經錄考證》曰：「案：指用胡安國《春秋傳》、《通例》、《通旨》之說。《解題》已著錄安國此三書，云：『事按《左氏》，義採《公》、《穀》之精，大綱本《孟子》，而微旨多以程氏之說為證。此乃安國治《春秋》之法，亦即葆本安國以為說之圭臬也。』（頁五九二）

龔明之曰[143]：「彥光[144]最長於《春秋》，有《集解》[145]十五卷、《備論》[146]五卷[147]。」

---

137 霖案：「而」字，〈左朝請大夫王公葆墓誌銘（代閣直學士張震乾道三年〉無此字，當刪。

138 霖案：「略」字，〈左朝請大夫王公葆墓誌銘（代閣直學士張震乾道三年〉作「畧」字。

139 霖案：「工」字下，應依〈左朝請大夫王公葆墓誌銘（代閣直學士張震乾道三年〉補入「之」字。

140 霖案：「歎」字，〈左朝請大夫王公葆墓誌銘（代閣直學士張震乾道三年〉作「嘆」字。

141 霖案：「嗚呼」二字之下，應依〈左朝請大夫王公葆墓誌銘（代閣直學士張震乾道三年〉補入「如彥光」三字。

142霖案：《直齋書錄解題》卷三，頁462、《文獻通考．經籍考》卷十，頁263。

143霖案：龔明之《中吳紀聞》卷六，頁149（粵雅堂叢書本）。

144霖案：「彥光」二字，《中吳紀聞》卷六所錄位置，不同於竹垞輯錄解題的位置，蓋竹垞參酌前後文句所加，當刪正（或以小注行之亦可）。

蔡氏幼學《春秋解》

【作者】《春秋總義論著目錄》頁二三曰:「《浙江通志》以為明人。」,惟竹垞列入宋人之籍。今考蔡幼學(1154-1217),字行之,瑞安人。乾道八年(1172 年)進士,試禮部第一。歷官寶謨閣直學士、提舉萬壽宮,進權兵部尚書兼太子詹事。《全宋词》曾录其詞词一首,故蔡氏應列入宋人,而非明人,《浙江通志》誤其朝代也。

佚。

145霖案:「《集解》二字,《中吳紀聞》卷六引作「《春秋集傳》」,蓋同於竹垞著錄之書名,而竹垞解題引龔明之之語,實刪去「《春秋》」二字,並誤作「《集解》」,今當據原書之文改作「《春秋集傳》」,此書名引錄有誤,當改正。

146霖案:「《備論》」二字,《中吳紀聞》題作「《春秋備論》」,今據原書改正。

147霖案:「五卷」二字,《中吳紀聞》題作「兩卷」,此為卷數誤題,當據原書改正。

卷一百八十五　春秋十八經義考卷一百八十五春秋十八

胡氏安國《春秋傳》（宋）

【作者】胡安國（1074～1138），字康侯，建寧崇安人，胡淵之子。紹聖四年進士，擢太學博士。靖康初除太常少卿、起居舍人，皆辭。高宗時以張浚薦，除中書舍人兼侍講，獻時政論二十一篇，尋以疾求出，留兼侍講。安國卒於紹興八年四月，年六十五，諡文定，學者稱武夷先生，有《文集》十五卷，《春秋傳》三十卷，《通鑑舉要補遺》一百卷。又有《上蔡語錄》。

【書名】本書異名如下：

一、《春秋胡傳》：《中國人民大學圖書館古籍善本書目》頁十四著錄，附「林堯叟音注」。

二、《胡氏春秋傳》：張壽平《公藏先秦經子注疏書目》頁一三〇著錄。

三、《春秋》：張壽平《公藏先秦經子注疏書目》頁一三一著錄。

四、《春秋胡氏傳》：張壽平《公藏先秦經子注疏書目》頁一三〇著錄。

五、《春秋集注》：《東北師範大學圖書館藏古籍善本書目解題》頁二七著錄，然其下案語謂胡安國「有《春秋傳》，《通鑒舉要補遺》。又有《上蔡語錄》等」，則《春秋集注》當為《春秋傳》之別稱。

六、《春秋集傳》：《八戶市立圖書館漢籍分類目錄》頁十三著錄。

七、《增入音註括例始末胡文定公春秋傳》：《中國古籍善本書目》（經部）頁二六五著錄。

【增補】本書有不著撰人《春秋胡傳選鈔》十二卷，為節選本，現藏於台北：國家圖書館有藏本。

又《經義考》未錄胡氏《春秋綱領》一書，今據《春秋總義論著目錄》頁九補入之。

《宋志》：「三十卷。」

【卷數】本書卷數分合如下：

一、十四卷（殘）：張壽平《公藏先秦經子注疏書目》頁一三〇著錄。

二、八卷（殘）：張壽平《公藏先秦經子注疏書目》頁一三〇著錄。

三、十九卷（殘）：張壽平《公藏先秦經子注疏書目》頁一三〇著錄。

【霖案】《通考》將《春秋傳》、《通例》、《通旨》合為「三十二卷」，而竹垞則分立三目，《春秋傳》為三十卷，另《通例》、《通旨》各一卷。而《通旨》由於係胡安國之子胡寧輯為一書，竹垞乃將其置於胡寧所作。

存。

【版本及藏地】《春秋總義論著目錄》頁二三曰：「傳本：《四庫全書》國立中央圖書館藏九種本；《叢書子目類編》載五種；《中國古籍善本書目》收四十四種本，北京大學圖書館藏四種。」，可見此書版本實多，今參酌諸家書目及館藏資料，得知相關版本如下：

一、嘉靖３５年（１５５６）廣東崇正堂刊本：宋・胡安國撰《春秋胡傳》三十卷，２０×１５・４　八行，大字十四，小字十八，四周雙欄，黑口，雙魚尾。日本九州大學文學部有藏本，見於周彥文《日本九州大學文學部書庫漢籍目錄》頁十。

又王重民：《中國善本書提要》頁二五著錄，北京大學圖書館有藏本。

【增補】王重民：《中國善本書提要》曰：「【春秋三十卷】四冊（北大）

明嘉靖間刻本〔八行十四字小十八字（19.6×14.5）〕

原題：「胡安國傳。」卷末有牌記云：「嘉靖丙辰歲仲秋廣東崇正堂重刊。」卷內有：「頤雅堂」、「子子孫孫永寶用」等印記。

自序。」（頁二五）

二、明刻本：歷來館藏善本書目所題胡安國《春秋胡傳》一書的版本，有未能考明確切版本，而僅以「明刻本」、「明刊本」稱之者，例如：臺灣大學圖書館藏有二部。又普林斯敦大學葛思德東方圖書館藏有一本，題作《春秋》三十卷，八冊，二函，由於不確知究為何本，今暫附於此。

【增補】屈萬里《普林斯敦大學葛思德東方圖書館中文善本書志》曰：「《春秋》三十卷　八冊　二函

宋胡安國傳

明刊本。　九行十七字。板匡高一九公分，寬一三・五公分，上欄高一・四公分。　是本無校刊人姓名及刻書序跋；相其字體，似嘉靖間刊本。卷內有『吳師古氏家藏圖書』『莫友芝圖書印』『莫印彝孫』『莫印繩孫』等印記。」（頁三七）

霖案：除了上述版本之外，另有若干題作「明刊本」者，可依其行款、書名等資訊，可以釐析為若干種版本，說明如下：

（一）九行十七字，小字雙行同，白口，四周雙邊本：《中國人民大學圖書館古籍善本書目》頁十四著錄，無直格。鈐「龍山墊廬藏書章」印，藏於中國人民大學圖書館。

又中國國家圖書館藏有一本，題作「宋胡安國撰、林堯叟音注《春秋胡傳》三十卷，《綱領》一卷，《正經音訓》一卷，《諸國興廢說》一卷，《春秋列國東坡圖說》一卷，《提要》一卷，雙行同十七字小字雙行同黑口四周雙邊。

又北京：故宮博物院藏有一本，題作「宋胡安國撰《春秋胡傳》三十卷」，九行十七字小字同白口四周雙邊。

又揚州市圖書館藏有一本，題作「宋胡安國撰《春秋胡傳》三十卷，《諸國興廢說》一卷，《春秋正經音訓》一卷」，九行十七字小字雙行同白口四周雙邊。

又四川圖書館另藏有一本，題作「宋胡安國撰《春秋胡傳》三十卷，九行十七字小字雙行十八四周雙邊。

（二）九行十七字小字雙行同白口四周雙邊本：宋胡安國撰《高明大字春秋胡傳》三十卷，重慶市圖書館有藏本。此書版本行款雖同於上述版本，但是書名錄作「《高明大字春秋胡傳》」，顯然與上述版本不同。

（三）九行十七字小字雙行同白口雙魚尾四周單邊本：宋胡安國撰《春秋胡傳》三十卷，《諸國興廢說》一卷，北京大學圖書館、上海圖書館有藏本。

（四）九行十七字小字雙行十六字白口四周單邊本：此本行款似乎同於上述（三）的版本，惟書名題作「《春秋傳》」，與上述版本不同，或為另一版本，華東師範大學圖書館、東北師範大學圖書館、重慶市圖書館均有藏本。

（五）九行十八字小字雙行白口四周雙邊黑尾本：宋胡安國撰《春秋胡傳》三十卷，河南師範大學（開封市）、湖南省邵陽師範學校圖書館有藏本。

（六）九行十八字小字雙行同白口四周單邊本：宋胡安國撰《春秋胡傳》三十卷，《諸國興廢說》一卷，《春秋正經音訓》一卷，《提要》一卷，上海師範大學圖書館、無錫市圖書館、常熟縣圖書館、華南師範學院圖書館有藏本。

（七）九行十八字小字雙行同白口左右雙邊本：宋胡安國撰《春秋胡傳》三十卷，《春秋諸國興廢說》一卷、《春秋列國圖說》一卷，福建省圖書館有藏本。

（八）九行十八字小字雙行同白口左右雙邊本(二)：此本行款同於上述版本，惟所錄書籍內容小有異同，此一版本題作「宋胡安國撰《春秋胡傳》三十卷，《綱領》一卷，《諸國興廢說》一卷，《提要》一卷」，南京圖書館、天一閣文物保管所各藏一本，與上述版本雖同為「九行十八字小字雙行同白口左右雙邊本」，但是此本錄作「《諸國興廢說》」，與上述版本錄作「春秋諸國興廢說」略有不同，且無「《春秋列國圖說》一書，但是卻有「《春秋綱領》」一書，且另增列《提要》一書，惟未見二種版本，難以判斷二書異同，今暫分列二種版本，以俟後考。

綜合上述所論諸本，雖皆同判為「明刊本」或「明刻本」，但是衡諸行款內容，實有不同，應為不同時地的版本，惟相關版本散聚各方，今僅據基本行款，釐析其版本異同，說明如上。

三、元刊本：(宋)胡安國撰《春秋傳》，存卷七至卷十二、卷二十二至卷二十六、卷二十八至卷三十，四冊，《國立中央圖書館典藏國立北平圖書館善本書目》，頁七著錄，台北：國家圖書館代管前北平圖書館藏書，現已移交台北：故宮博物院。

又王重民：《中國善本書提要》頁二五亦錄有一部「元刻本」，藏於北京圖書館。

【增補】王重民：《中國善本書提要》曰：「【春秋傳】　殘　存十四卷　　四冊（《四庫總目》卷二十七）（北圖）

元刻本〔十二行二十四字（21.2╳15.6）〕

宋胡安國撰。按《天祿琳琅書目後編》卷八，載元刻本兩種；第二本云：「經傳俱大書，傳低一格」，疑即此本。此本卷末有後序，大字行書，不見朱氏《經義考》，因佚下款，未知誰作。」（頁二五）

四、明正統十二年（１４４７）司禮監刊本：(宋)胡安國撰《春秋傳》三十卷，四冊，22.6x16.2 公分，8 行，行 14 字，夾註雙行字數同，雙欄，版心大黑口，雙魚尾，中間記書名卷第，下方記葉次，為吳興劉承幹嘉業堂舊藏之物，有微捲，台北：國家圖書館有藏本。

又杭州市文管會另藏一本，題作「明正統十二年司禮監刻五經本」，惟行款題作「小字雙行十七字黑口雙魚尾四周雙邊」，與台北：國家圖書館藏本略有不同，今暫附於此，以俟後考。

【增補】《國家圖書館善本書志初稿》：「【春秋傳三十卷四冊】

明正統十二年（1447）司禮監刊本　00523

宋胡安國撰。安國（1071-1135）字康侯，建寧崇安人。中哲宗紹聖四年（1097）進士第。

版匡高 22.6 公分，寬 16.2 公分。左右雙邊，每半葉八行，行十四字，註文小字雙行，字數同。經文每年附刻干支以墨蓋子白文別出。版心大黑口，雙魚尾（魚尾相隨），中間記書名卷第（如『春秋胡傳卷一』，下方記葉次。

首卷首行頂格題『春秋卷之一』，次行低四格題『胡安國傳』。卷末有尾題。各冊封面書簽題『春秋傳』並各冊首末卷次。卷首有正統十二年司禮監奉旨刻書序，次有春秋胡傳序。正文前附刻春秋興廢說，春秋世次圖，春秋列國圖及春秋總例。經、傳文俱附音註。卷一有朱筆批點，它卷則無。

書中鈐有『吳興劉氏嘉/業堂藏書記』朱文長方印、『國立中/央圖書/館考藏』朱文方印。

《欽定天祿琳瑯續目》有著錄。」(頁 143)。

五、明內府朱絲欄鈔本：(宋)胡安國撰《春秋傳》，存卷一至卷三、卷十一至卷十五等八卷，3 冊;全幅 27.2x19.1 公分，9 行，行 18 字，有微捲、微片、精裝複製本，《國立中央圖書館典藏國立北平圖書館善本書目》，頁七著錄，台北：國家圖書館代管前北平圖書館藏書，現已移交台北：故宮博物院。

又王重民：《中國善本書提要》頁二五錄有「明鈔本」一本，題作北京圖書館藏本，即後來移交到台北：國家圖書館，現藏於台北：故宮博物院之本。

【增補】王重民：《中國善本書提要》曰：「【春秋傳】　殘存八卷　三冊　（北圖）

明鈔本〔九行十八字（27.2×19.1）〕

宋胡安國傳。此本僅存卷第一至三，又十一至十五。

自序。」（頁二五）

六、明內府刊本：(宋)胡安國撰《春秋胡傳》三十卷，附《春秋興廢說》、《春秋列國圖》一卷，《國立故宮博物院善本舊籍總目》，上冊，頁九十五著錄，四冊。半頁八行十四字，四周雙邊，上下黑口，雙魚尾。框高22‧9厘米，寬15‧7厘米。題『胡安國傳』。台北故宮博物院、哈佛大學燕京圖書館、北京、浙江圖書館等均有藏本。

又故宮博物院另有一本，題作「十六冊」，《國立故宮博物院善本舊籍總目》，上冊，頁九十五著錄。

【增補】沈津著《美國哈佛大學燕京圖書館中文善本書志》：「0089 明內府刻本春秋傳　T690/4236

《春秋傳》三十卷，宋胡安國撰；《諸國興廢說》一卷《列國圖說》一卷。明內府刻本。四冊。半頁八行十四字，四周雙邊，上下黑口，雙魚尾。框高22‧9厘米，寬15‧7厘米。題『胡安國傳』。

胡安國，字康侯。紹聖進士。擢太學博士。王安石廢《春秋》，安國曰：先聖傳心要典，乃使人主不得聞，學士不得聞，可乎？遂潛心專講《春秋》。累官給事中。卒謚文定。事迹詳《宋史，儒林傳》。

《四庫全書總目》入經部春秋類。《提要》云：『案《玉海》載紹興五年四月，詔徽猷閣待制胡安國經筵舊臣，令所著《春秋傳》纂述成書進入。十年三月書成上之，詔獎諭，除寶文閣直學士，賜銀幣。是安國此書，久已屬稿，自奉敕撰進，又覆訂五年而後成也。』『其書作於南渡之後，故感激時事，往往借《春秋》以寓意，不必一一悉合於經旨。朱子《語錄》曰，胡氏《春秋傳》有牽強處，然議論有開合精神。亦千古之定評也。』

《中國古籍善本書目》著錄。北京圖書館、浙江圖書館等十二館亦有入藏。」（頁四二）

七、清康熙間內府刊五經四書本：(宋)胡安國撰《春秋》三十卷，五冊，《國立故宮博物院善本舊籍總目》，上冊，頁九十六著錄，台北：故宮博物院有藏本。

八、文淵閣四庫全書本：(宋)胡安國撰《春秋傳》三十卷，附《諸國興廢》一卷，八冊，《國立故宮博物院善本舊籍總目》，上冊，頁九十六著錄，現藏於台北：故宮博物院。

【增補】永瑢等撰《欽定四庫全書總目》曰：「春秋傳三十卷[1] 通行本

宋胡安國撰。安國事迹，詳《宋史・儒林傳》。案《玉海》載：『紹興五年四月詔：『徽猷閣待制胡安國，經筵舊臣，令以所著《春秋傳》纂述成書進入。』十年三月書成上之，詔獎諭，除寶文閣直學士，賜銀幣。』是安國此書[2]久已屬稿，自奉敕撰進，又覆訂五年而後成也[3]。俞文豹《吹劍錄》稱其『自草創至於成書，初稿不留一字』，其用意亦勤矣。顧其書作於南渡之後，故感激時事，往往借《春秋》以寓意，不必一一悉合於經旨。《朱子語錄》曰：『胡氏《春秋傳》有牽強處，然議論有開合精神，亦千古之定評也。』明初定科舉之制，大略承元舊式，宗法程、朱，而程子《春秋傳》僅成二卷，闕略太甚，朱子亦無成書。以安國之學出程氏，張洽之學出朱氏，故《春秋》定用二家。蓋重其淵源，不必定以其書也。後洽《傳》漸不行用，遂獨用安國書，漸乃棄經不讀，惟以安國之《傳》為主。當時所謂經義者，實安國之《傳》義而已。故有明一代，《春秋》之學為最弊。馮夢龍《春秋大全・凡例》有曰：『諸儒議論，儘有勝胡氏者。然業已尊胡，自難并收以亂耳目。』則風尚可知矣。爰逮本朝，敦崇經術，《欽定春秋傳說匯纂》，於安國舊說，始多所駁正，棄瑕取瑜，擷其精粹，已足以綜括原書。第其書行世已久，亦未可竟廢。謹校而錄之，以存一家之言，若其中紕漏之處，則《欽定匯纂》中業已抉摘無遺，昭示海內，茲不復論辨焉。」（卷二十七，頁三四五）

【增補】邵懿辰撰、邵章續錄：《增訂四庫簡明目錄標注》卷三曰：「《春秋傳》三十卷，宋胡安國撰。

明成化甲午崇仁書堂刊本，嘉靖癸未贛州清獻堂刊本，內府刊六經本，明正統十二年刊六經本，天祿後目有元刊本二部，南潯劉氏藏宋刊本，卷末有元人至正三年題記，即瓶花館舊物也。繡谷亭書錄謂宋本前列進書表及論名諱劄子，今本往往缺載。怡府刊巾箱本。

〔附錄〕見宋刻密行小字于，胡安國銜全載，列大題後一行，稱奉聖旨纂修，每半葉十四行，行二十六字，左朝散郎充徽猷閣待制提舉江州太平觀賜紫金魚袋臣胡安國奉聖旨纂修。（懿榮）

〔續錄〕李木齋藏宋本，大板心，十行二十字，傳低一格，小黑口，魚尾上間紀字數，下人名，後有曾孫修職郎隆興府同戶參軍絳校勘，從政郎隆興府府學教授黃汝嘉校勘兩行，又黃汝嘉跋八行。毛斧季有元人五色標點本，以三傳標於上。元本《

1霖案：原注云：按：文淵閣庫書題作《胡氏春秋傳》三十卷，又有《春秋諸國興廢說》一卷、《春秋提要》一卷。

2霖案：原注云：「書」，浙、粵本作「傳」。

3霖案：原注云：按：涵芬樓有影印宋刊本，張元濟跋云：「安國進書表，實在紹興六年十二月，館臣未見此表，致沿《玉海》之訛，疏矣。」十年三月，當為六年三月之誤，且五年而後成，當為一年而後成。

春秋胡氏傳》，題下有附林堯叟考注格例始末陰文八字，半葉十五行，行二十八字，黑口雙邊。又見元本，十五行二十字，傳二十七字。明湖廣刊本，崇道堂刊本，永懷堂刊本。（頁一〇八至頁一〇九）

【增補】胡玉縉撰、王欣夫輯《四庫全書總目提要補正》卷七曰：「涵芬樓有影印宋刊本，張元濟跋云：『安國進書表，實在紹興六年十二月，館臣未見此表，致沿《玉海》之訛，疏矣。』玉縉案：《玉海》『十』字係『六』字傳刻之誤耳。　瞿氏《目錄》有宋刊本，云：『前有自序及紹興六年進書表，論名諱劄子，又有〈述綱領〉、〈明類例〉、〈謹始例〉、〈敘傳授〉四篇，汲古毛氏俱遺之，添入音注、失舊本之真矣。』玉縉案：《提要》所據通行本，非此本，故概未論及。　王紳《珍盎堂文集・論三傳胡傳》云：『文定《傳》，深者少和平之氣，刻者無忠厚之情，穿鑿附會，牽強而不可解，非經生之迂談，則申、韓之苛法矣。且其中往往有相牴牾者，如尊君父，例也，而三國從王為貶桓，國君被逐為累上，焉在其為尊君乎？討亂賊正人心，例也，而商臣稱楚子為向善，文姜稱小君為無貶，焉在其為討賊乎？敘先後之倫，秩上下之序，例也，而不書即位為首絀隱公，王不稱天為再貶天王，焉在其為秩分乎？至於伐與國則專罰被伐，殺大夫則皆謂累上，聘問天子所以親諸侯；而王使之來無不譏，會盟諸侯所以謹邦交；而公卿之出無不刺，天子不葬，則以為魯不會，天子不崩，則以為王不赴。甚至魯事稱我也，而濟西以稱我為譏，莒卒不葬也，而去疾以不葬為罰，與當時情勢戾矣。大抵文定之書，取《公》、《穀》之餘論而甚之者也。』（頁一六九至頁一七〇）

【增補】楊武泉《四庫全書總目辨誤》曰：「王應麟《玉海》卷四〇《紹興春秋傳》條曰：『紹興五年四月一日，詔徽猷（閣）待制胡安國經筵舊臣，令以所著《春秋傳》纂述成書進入。十年三月書成上之（下注：『《表》云六年十二月上』），詔獎諭（下注：『除寶文（閣）直學士，賜銀幣』）』。胡寅《斐然集》卷二五《先公行狀》云：『方公之奉詔纂修也，雖寒暑不少懈，畢精竭慮，殆忘寢食，疾遂日增。至是上章謝事，以紹興八年四月十三日，歿于書堂正寢，享年六十有五。遺表上聞，紹贈四官。』對比之下，《行狀》云紹興八年已歿，而《玉海》却云紹興五年奉詔，又覆訂五年而后成書，至紹興十年書成上之，豈非囈語？蓋《玉海》抄舊聞，隨即加注：『《表》云六年十二月上。』今不錄其注，徑自以為『十年三月書成上之』，豈非草率之甚？

本《總目》卷二八《春秋胡傳考誤》條云：『（胡）安國是編，自紹興乙卯奉敕纂修，至紹興庚申而后繕本進御，豈有未完之理哉？乙卯為紹興五年，庚申為紹興十年，其誤與本條同。

胡玉縉《四庫全書總目提要補正》頁一六九《春秋傳》條引張元濟跋云：『安國進書表，實在紹興六年十二月，館臣未見此表，致沿《玉海》之訛，疏矣。』武泉按，《玉海》『十年三月書成上之』下有注云：『《表》云六年十二月上。』是已指正其誤，惟未改正原有之記著耳，謂《玉海》之誤，似不確。」（頁二九至三〇）。

九、摛藻堂薈要本：台北故宮博物院有藏本。

十、舊鈔本：墨批，台北國家圖書館有藏本。

十一、民國三十二年上海復性書院校刊本：台灣師範大學圖書館有藏本。

十二、朝鮮舊刊本：(宋)胡安國撰《春秋胡氏傳》三十卷，十冊，23.9x17.2 公分，10 行，行 19 字，小字雙行字數同，單欄，版心白口，雙魚尾，上魚尾上方記書名卷第，下魚尾上方記葉次，有微捲，台北：國家圖書館有藏本。

又黃建國、金初昇主編《中國所藏高麗古籍綜錄》頁十四著錄一部，臺中圖書館、上海圖書館另有藏本。

【增補】《國家圖書館善本書志初稿》：「【春秋胡氏傳三十卷十冊】

朝鮮舊刊本　00524

宋胡安國撰。

版匡高 23.9 公分，寬 17.2 公分。四周單邊，左上欄外有耳題記篇名。每半葉十行，行十九字，版心白口，雙花魚尾（魚尾相向），上魚尾上方記書名卷第（如「胡傳一」），下魚尾上方記葉次。

首卷首行頂格題『春秋胡氏傳卷之一』，下小字雙行註云:『附林堯叟音註括例始末』。卷末隔五行有尾題。各冊書封面簽題『春秋』並小字卷數。首卷有『春秋胡氏傳序』，次有諸國興廢說。

書中鈐有『國立中央圖/書館收藏』朱文長方印。」(頁 143)。

十三、元建刊本：(宋)胡安國撰《春秋胡氏傳》存卷一至卷十二，卷二十一至卷二十七，三冊，《國立中央圖書館典藏國立北平圖書館善本書目》，頁八著錄，國家圖書館前代管北平圖書館藏書，已移置故宮博物院。

又王重民：《中國善本書提要》頁二五著錄，題作「元刻本」，北京圖書館藏書，其所存各卷，均同於台北：國家圖書館藏本。

又《中國古籍善本書目》（經部）頁二六五著錄，僅題作「元刻本」，然其書名題作《春秋胡氏傳》，當同於此本，今南京圖書館有藏本，有清丁丙〈跋〉，十五行經二十字傳廿七字大黑口四周雙邊。

又一本，北京大學、中國科學院、四川省圖書館均有藏本。

【增補】王重民：《中國善本書提要》曰：「【春秋胡氏傳】殘存十九卷　三冊　（北圖）

元刻本〔十五行經二十字傳二十八字（19.2×11.8）〕

宋胡安國撰。卷端載《諸國興廢說》、《春秋總例》、《東坡指掌圖并說》、《春秋始終圖說》、《諸侯興廢圖》、《春秋會盟圖》、《春秋名號歸一圖》、《春秋二十國年表》。書題下有陰文一行，云：「附林堯叟音註括例始末」，《始末》載十二公前，《音註》附經文下。按元《延祐格》，以《胡傳》取士，而《林注》正行於民間，坊賈遂應士子之需求，合林於胡，故卷端亦載林堯叟《音註春秋括例始末綱目》。惟以功令故，林胡之名不並著。明承元制，明亡而《胡傳》始廢，然民間故仍有通行者。余見道光辛丑五雲樓《重訂監本春秋》，文字與此本全同。今人見舊刻則收藏之，考訂之，而不知凡通行於民間之本，即數百年後，通俗書坊猶刊行不廢也。惜此本已殘，今存卷第一至十二，又卷二十一至二十七。

自序。」（頁二五）

十四、明永樂丙戌（四年）廣勤書堂刊本：(宋)胡安國撰，林堯叟音注《春秋胡氏傳》存首三卷，一冊，19.2x11.8 公分，15 行，經 20 字，傳 28 字，有微捲、微片、精裝複製本，《國立中央圖書館典藏國立北平圖書館善本書目》，頁八著錄，國家圖書館前代管北平圖書館藏書，已移置故宮博物院。

十五、明永樂丙戌（四年）廣勤書堂刊本（第二部）：(宋)胡安國撰，林堯叟音注《春秋胡氏傳》存首三卷，《中國古籍善本書目》（經部）頁二六五著錄，北京圖書館有藏本，惟此本僅卷一至卷三，十六行經二十一字傳廿九字黑口四周雙邊。

【霖案】從所存卷數及出版時間、出版書堂來看，王重民著錄的《春秋胡氏傳》藏於北京圖書館（即今中國國家圖書館），且卷數亦僅卷一至卷六，疑與現藏於台北：故宮博物院代管北平圖書館藏書為同本，且俱為「明永樂丙戌（四年）廣勤書堂刊本」，然其行款竟不相同，實為不同版本。王重民僅考其為「明永樂間刻本」，然今存於中國國家圖書館的藏本，卻題作「明永樂四年廣勤書堂刻本」，似乎又與現存台北：故宮博物院所藏之本相同，只是驗之行款，卻又各自不同，然何以同一書堂，在同一年之中，竟會有二種完全不同的版刻，實有不解之處，今暫記疑點如上，以俟後考。

【增補】王重民：《中國善本書提要》曰：「【春秋胡氏傳】　殘存三卷　一冊（北圖）

明永樂間刻本〔十六行經二十一字傳二十九字〕（20.4╳12.8）

宋胡安國撰。此本與前本同，卷端所載亦同。《春秋二十國年表》後有牌記云：「永樂丙戌孟秋廣勤書堂新刊。」今存卷第一至三。

進表

《論名諱劄子》

自序。」（頁二五）

十六、明繡谷吳繼武校刊本：(宋)胡安國撰，林堯叟音注《春秋胡傳》三十卷，四冊，20.3x13.2 公分，上欄高 1.3 公分，9 行，小字雙行，單欄，版心白口，版心上方記篇目卷第，下方記葉次，卷前有刊記「繡谷吳繼武重校梓一字無差」等字，有「國立中央圖書館」、「張繼」等印，有微捲、朱筆圈點，台北：國家圖書館有藏本，該書錄有程頤〈序〉、胡安國〈序〉等二序。

又一本，九行十八字白口四周單邊，《中國古籍善本書目》（經部）頁二六六著錄，天一閣文物保管所、吉林市圖書館有藏本。

【增補】《國家圖書館善本書志初稿》：「【春秋胡傳三十卷四冊】

明繡谷吳繼武校刊本　00528

宋胡安國撰，林堯叟音注。

版匡高 20.3 公分（上欄高 1.3 公分），寬 13.2 公分。四周單邊，分上下欄，上欄用書音注。版心上方記篇目卷第（如『隱公一卷』），下方記葉次。

首卷首行頂格題『春秋胡傳卷之一』，次行低一格題『附林堯叟音註括例始末』，卷末有尾題。各冊封面書簽題『春秋胡傳』，卷首序後有:『繡谷吳繼武重校梓一字無差』牌記。卷首收錄有杜預『左氏傳序』，何休『公羊傳序』，范甯『穀梁傳序』，程頤『程子傳序』，胡安國『胡氏傳序』。序後有諸國興廢說、凡例、綱領、音訓、提要各一卷。文中附音註。正文中朱筆圈點，不知出何人手。

書中鈐有『國立中央/圖書館/藏書』朱文方印、『張/繼』朱文方印。」(頁 143~144)。

十七、朝鮮舊刊本：(宋)胡安國撰，林堯叟音註《春秋》三十卷，十冊，20.7x17.9 公分，12 行，行 20 字，小字雙行字數同，單欄，版心白口，雙魚尾，中間記卷次，下方記葉次，有微捲、墨批，台北國家圖書館有藏本。

又黃建國、金初昇主編《中國所藏高麗古籍綜錄》頁十三著錄「朝鮮後期刊本」，題藏地在「臺中」，疑為「臺中東海大學圖書館」之簡省。

【增補】《國家圖書館善本書志初稿》：「【春秋三十卷十冊】

朝鮮舊刊本　00529

宋胡安國撰，林堯叟音注。

版匡高 20.7 公分，寬 17.9 公分。四周單邊，左上欄外有耳題書『春秋』，每半葉十二行，行二十字，經文上方紀年，以墨圍別出，記該年干支。版心白口，花魚尾，中間記卷次（如『卷一隱公』），下方記葉次。

首卷首行頂格題『春秋卷一』，次行低六格註云:『附林堯叟音註括例始末』、「胡安國傳」。卷末隔二行有尾題。各冊封面以墨筆書『春秋』，並以小字記冊數及篇名。書首載成化壬寅（1482）劉憲『重刻春秋集註序』及杜預『左氏傳序』、何休『公羊傳序』、范甯『穀梁傳序』、程頤『程子傳序』，胡安國『胡氏傳序』。序後有春秋集註凡例、春秋集註綱領、春秋提要及春秋諸國興廢說各一卷。經文、傳文俱附音註。提要上方書眉處有墨批，不知出自何人。

書中鈐有『國立中央圖/書館收藏』朱文方長印。」(頁 144)。

【增補】《國家圖書館善本書志初稿》：「【春秋三十卷十冊】

朝鮮舊刊本　00529

宋胡安國撰，林堯叟音注。

版匡高 20.7 公分，寬 17.9 公分。四周單邊，左上欄外有耳題書『春秋』，每半葉十二行，行二十字，經文上方紀年，以墨圍別出，記該年干支。版心白口，花魚尾，中間記卷次（如『卷一隱公』），下方記葉次。

首卷首行頂格題『春秋卷一』，次行低六格註云:『附林堯叟音註括例始末』、「胡安國傳」。卷末隔二行有尾題。各冊封面以墨筆書『春秋』，並以小字記冊數及篇名。書首載成化壬寅（1482）劉憲『重刻春秋集註序』及杜預『左氏傳序』、何休『公羊傳序』、范甯『穀梁傳序』、程頤『程子傳序』，胡安國『胡氏傳序』。序後有春秋集註凡例、春秋集註綱領、春秋提要及春秋諸國興廢說各一卷。經文、傳文俱附音註。提要上方書眉處有墨批，不知出自何人。

書中鈐有『國立中央圖/書館收藏』朱文方長印。」(頁 144)。

十八、怡府刊本：杜信孚等編纂《同名異書匯錄》頁一三九著錄。

十九、宋乾道四年（１１６８）隆興府刻本，慶元五年（１１９９）黃汝嘉修補本：十行二十字細黑口左右雙邊有刻工，北京大學圖書館有藏本。

【增補】李盛鐸著．張玉範整理《木犀軒藏書題記及書錄》曰：「【春秋傳】三十卷〔宋胡安國撰〕　宋刊本〔宋乾道四年（１１６８）刻慶元五年（１１９９）黃汝嘉修補本〕　李９０７１

半葉十行，行二十字。板心上有字數，下有刊工名。白口、左右雙邊。刊工有王禮、余山、吳世榮、曾立、吳俊、陳道、高安禮、上官信、袁準、江定夫、吳伸、余章、彭卞、羅忠、余章、吳震、高仲、袁新、鄧安等名。前有自序，次訥名諱劄子，次紹興六年〔１１３６〕十二月進書表，次《述綱領》、《明類例》、《謹始例》、《敘傳授》等篇。板心題『春秋附』，次經文、傳文（分公）、字數及通計字數。標題『春秋傳卷第一』，次行低二格『左朝散郎充徽猷閣待制提舉江州太平觀賜紫金魚袋臣胡安國奉』，三行低二格『聖旨纂修』，四行低四格『隱公上』，五行低一格『孟子曰』云云。以後經文頂格，傳大字低一格。卷十、卷二十三、卷二十五、二十八末均有『曾孫修職郎隆興府司戶參軍絳校勘，』從政郎充隆興府府學教授黃汝嘉校勘」二行。卷三十末低三格跋云：『右文定胡公《春秋傳》三十卷。發明經時』當與三家並行。乾道四年〔１１６８〕，忠肅劉公出」鎮豫章，鋟木郡齋，以惠後學，歲久磨滅，」讀者病之。汝嘉備員分教，輒請歸於學」官，命工刊修，會公之曾孫絳疕職民曹，」因以家傳舊稿重加是正，始為善本。〔工〕迄告成，姑識歲月於卷末。慶元己未〔１１９９〕中」夏既望莆田黃汝嘉謹書」共八行。蓋板刊於乾道四年；慶元僅修補，胡匡、桓缺筆，而惇字不缺。通體舊人以五色點抹。眉端有墨筆考證。有『閩缶齋林誌尚默家藏』朱文大方印。」（頁七三至頁七四）

二〇、宋刊本：瞿鏞編纂．瞿果行標點．瞿鳳起覆校《鐵琴銅劍樓藏書目錄》卷五，惟僅能考知「每半葉十四行，行廿六字」行款內容，今考題作「宋刊本」者，凡四種版本，說明如下：

（一）、《胡先生春秋傳》三十卷，宋胡安國撰，上海圖書館有藏本。

（二）、《春秋傳　　中國國家圖書館有藏本。

（三）、《春秋傳，上海圖書館有藏本。

（四）、《春秋傳，中國國家圖書館有藏本。

今考上述「（二）」一項，行款同於《鐵琴銅劍樓藏書目錄》所錄內容，未詳是否同為一物？今暫列於此，以俟後考。

【增補】瞿鏞編纂・瞿果行標點・瞿鳳起覆校《鐵琴銅劍樓藏書目錄》卷五曰：「題：『左朝散郎充徽猷閣待制提舉江州太平觀賜紫金魚袋臣胡安國奉聖旨纂修。』前有自序及紹興六年〈進書表〉、〈論名諱劄子〉，又有〈述綱領〉、〈明類例〉、〈謹始例〉、〈敘傳授〉四篇，汲古毛氏刻本俱遺之，添入音注，失舊本之真矣。陳直齋謂紹興中經筵所進者。此本『慎』字闕筆，其刻當在孝宗時。每半葉十四行，行廿六字，《傳》文低《經》一格。（小注云：卷首有『顧從德印』、『顧從義氏』二朱記。）

按：商務印書館四部叢刊續編影印本（頁一四〇）

二一、明成化崇仁書堂刻本：宋胡安國撰，宋林堯叟音注《春秋胡傳》三十卷，《綱領》一卷，《提要》一卷，《列國東坡圖說》一卷，《諸國興廢說》一卷，《正經音訓》一卷，原三十卷，存二十七卷，存卷一至七，十一至三十。九行十八字白口四周雙邊〕存二十七卷〔一至七　十一至三十〕，寧波天一閣文物保管所有藏本。

又另有一本，存九卷，亦藏於寧波天一閣文物保管所。

二二、明金陵奎壁齋莆陽鄭元美刻本：《春秋傳》三十卷，宋胡安國撰，宋林堯叟音注，八冊。半頁九行十八字，左右雙邊，白口，無魚尾，上刻註，書口下刻卷數。框高 18・9 厘米，寬 12・4 厘米。題『胡安國傳』。前有胡安國序。青海省圖書館、哈佛大學燕京圖書館有藏本。

【增補】沈津著《美國哈佛大學燕京圖書館中文善本書志》：「0090 明金陵奎壁齋刻本春秋傳　　T690/4236 D

《春秋傳》三十卷，宋胡安國撰，宋林堯叟音注；《綱領》一卷《提要》一卷《列國圖說》一卷《諸國興廢》一卷。明金陵奎壁齋莆陽鄭元美刻本。八冊。半頁九行十八字，左右雙邊，白口，無魚尾，上刻註，書口下刻卷數。框高 18・9 厘米，寬 12・4 厘米。題『胡安國傳』。前有胡安國序。

是書序後有牌記，刊『莆陽鄭氏訂本，金陵奎壁齋梓』。扉頁刊『奎壁春秋。正韻字體。金陵鄭元美梓行』，鈐有『閩蕭鄭氏訂本』、『狀元境書林』印。卷三十末刊『金陵奎壁齋訂本，莆陽鄭氏校梓』一行。按奎壁齋為金陵書肆，其主人為鄭思鳴，字元美，閩人。又刻有《歌林初集》十種、《二集》十四種、《新鐫樂府名時曲萬家錦》二卷、《養正圖解》二卷等書。

《中國古籍善本書目》著錄。青海省圖書館亦有入藏。

鈐印有『奎壁齋藏』、『閩鄭氏記』、『鄭漢』、『鄭氏訂本』、『濯川』、『庚辰』、『馬場文庫』。」（頁四三）

二三、明萬曆閔家刻本：《春秋胡傳》三十卷，哈佛大學燕京圖書館有藏本。

【增補】沈津著《美國哈佛大學燕京圖書館中文善本書志》：「0091 明萬曆閔家刻本春秋胡傳　T690/4236 B

《春秋胡傳》三十卷，宋胡安國撰、宋林堯叟音注；《綱領》一卷《提要》一卷《列國東坡圖說》一卷《諸國興廢說》一卷《正經音訓》一卷。明萬曆二十一年（1593）閔家刻本。四冊。半頁九行十八字，四周單邊，白口，單魚尾，書眉上刻註。框高 18·7 厘米，寬 13·8 厘米。題『附林堯叟音註括例始末』。前有成化十八年（1482）劉憲序。

扉頁刻『閔家三訂春秋胡傳』，并鈐有『吉日癸巳』。按此印當為閔家刻書發兌之印。嘉靖十二年、萬曆二十一年皆為癸巳，據字體、紙張定為萬曆本。

查《中國古籍善本書目》著錄有明崇禎六年閔齊伋刻本。行款同此本，但為左右雙邊，顯非此本。

鈐印有『知止堂』、『家在九峰高處』、『原氏所藏』。」（頁四三）

二四、明崇禎六年閔齊伋刻本：宋胡安國撰，宋林堯叟音注《春秋胡傳》三十卷，《綱領》一卷，《提要》一卷，《列國圖說》一卷，《諸國興廢說》一卷，《中國古籍善本書目》（經部）頁二六七著錄，九行十八字小字雙行同白口左右雙邊，北京故宮博物院、南開大學、吉林大學、哈爾濱市、山東省、即墨縣、曲阜師範學院、泰州市、浙江、安徽省、河南省、四川省等圖書館均有藏本。。

二五、明崇禎毛氏汲古閣刻四書六經讀本：《春秋胡傳》三十卷，哈佛大學燕京圖書館有藏本。

【增補】沈津著《美國哈佛大學燕京圖書館中文善本書志》：「0092 明崇禎毛氏汲古閣刻四書六經讀本本春秋胡傳　T690/4236 C

《春秋胡傳》三十卷，宋胡安國撰；《綱領》一卷《提要》一卷《列國東坡圖說》一卷《諸國興廢說》一卷。明崇禎十四年（1641）毛氏汲古閣刻《四書六經讀本》本。十冊。半頁九行十七字，左右雙邊，白口，無魚尾，欄下刻註，書口下刻『汲古閣』。框高 17·6 厘米，寬 12·9 厘米。前有序。

毛氏汲古閣刻書甚多，其《十三經註疏》收有《春秋左傳註疏》六十卷、《春秋公羊註疏》二十八卷、《春秋穀梁註疏》二十卷。此為《四書六經讀本》之零種。按《四書六經讀本》全帙傳世不多，大陸僅遼寧省圖書館一帙。

此書有凡例十三則。扉頁刻『春秋。毛氏正本。汲古閣藏版』。

鈐印有『蘇生辛記』。」（頁四三）

二六、明崇禎十五年刻本：宋胡安國撰、林堯叟音注、明張我成、沈明掄點校《春秋胡傳》三十卷，《春秋提要》一卷、《綱領》一卷、《諸國興廢說》一卷、《古今輿地考》一卷，九行，大字十八字，小字雙行十七至十八字，白口，左右雙邊。有張我城崇禎壬午十五年序，四冊，《中國古籍善本書目》（經部）頁二六七、《東北師範大學圖書館藏古籍善本書目解題》頁二七著錄，長春：東北師範大學圖書館、上海圖書館均有藏本。案：《中國古籍善本書目》（經部）題作「明崇禎刻本」，未言及「十五年」，然其中收錄東北師範大學所藏善本，今參以《東北師範大學圖書館藏古籍善本書目解題》所記內容，而定為此本。

二七、明成化十八年刻本：宋胡安國傳，林堯叟音注《春秋集注》三十卷，其中《春秋集注》當為《春秋傳》之誤。又明成化間有崇仁書堂刻本，亦題作「宋胡安國撰，林堯叟音注」，該本現藏於寧波天一閣，說法已見上文。然而，由於著錄過於簡略，未知此本是否即崇仁書堂之刻本，今暫列於此，以俟後考。此本為九行十八字，小字雙行十七字。白口，左右雙邊，有劉憲成化壬寅十八年序，曰：乃命新安同知張英重刻，胡氏傳以嘉惠初學刻既訖工，六冊，長春：東北師範大學圖書館有藏本。

【增補】《東北師範大學圖書館藏古籍善本書目解題》云：「是書於高宗十年奏御，多藉以托訊時事，借春秋以寓意，未必悉合經旨。明初科舉宗程、朱，以安國之學出程氏，故以胡傳為主，胡有明一代春秋之學最弊。

胡安國：宋，崇安人，淵子，字康侯。紹聖進士，擢太學博士。卒謚文定。有《春秋傳》、《通鑒舉要補遺》。又有《上蔡語錄》等。」（頁二七）

二八、明成化十八年徽州府同知張英退思堂刻本：宋胡安國撰　林堯叟音注《春秋胡傳》三十卷，《春秋提要》一卷，《諸國興廢說》一卷，《春秋列國東坡說》一卷，《春秋胡傳綱領》一卷，《春秋正經音》，十一行廿一字上下黑口四周雙邊雙魚尾，上海圖書館、上海辭書出版社圖書館、河北大學圖書館、安徽省博物館、湖南省圖書館、湖南省博物館、重慶市圖書館有藏本

【霖案】此本與前本俱為「明成化十八年」之本，惟行款不同，故應為同年不同之本，今暫列於此，以俟後考。

二九、明刻本：宋胡安國撰《春秋胡傳》三十卷，九行，十八字，小字雙，十七字。白口，左右雙邊，八冊。長春：東北師範大學圖書館有藏本，《東北師範大學圖書館藏古籍善本書目解題》頁二七著錄。

三〇、明刻本：宋胡安國撰《春秋傳》三十卷，書名據序端，九行十七字，小字雙行十六字，亦有十七字者，白口四周單邊，五冊，長春：東北師範大學圖書館有藏本，《東北師範大學圖書館藏古籍善本書目解題》頁二七著錄。

三一、民國二十三年(1934)上海商務印書館四部叢刊續編影印宋刊本：(宋)胡安國撰，張元濟校《春秋傳》三十卷，附〈校勘記〉一卷，四冊，原書高二十一公分，寬十五公分，台北：國家圖書館；馬來西亞大學圖書館有藏本。

三二、舊鈔本：不著選鈔人《春秋胡傳選鈔》十二卷，二冊，全幅26.8x17.4公分，

有微捲，有墨批，10 行，行 25 字，小字雙行字數同，為頤志齋主人舊藏之物，現藏於台北：國家圖書館。

【增補】《國家圖書館善本書志初稿》：「【春秋胡傳選鈔十二卷二冊】

舊鈔本　00525

不著選鈔人。

全幅高 26.8 公分，寬 17.4 公分。每半葉十行，行二十五字。

首卷首行頂格題『春秋胡傳』，緊接小字『左公穀三傳附』。各冊封面書簽題『春秋胡傳選鈔』，右下小字『左公穀三傳附』。本書並沒有清楚的標出卷目，僅以春秋魯十二公為每一篇之劃分。書眉、行間皆有墨批，不知出自何人之手。文中有朱筆圈點。

書中鈐有『國立中央/圖書館/藏書』朱文方印、『頤志齋/主人珍藏』朱文長方印。」(頁 143)。

三三、明覆內府刊清初修補本：(宋)胡安國撰《春秋胡傳》三十卷，附《春秋興廢說》、《春秋列國圖》一卷，四冊，《國立故宮博物院善本舊籍總目》，上冊，頁九十五著錄，台北：故宮博物院有藏本。

三四、清補刊國子監本新刊五經之一：:(宋)胡安國撰《春秋傳》三十卷，《國立故宮博物院善本舊籍總目》，上冊，頁九十六著錄，台北：故宮博物院有藏本。

三五、明刊本：(宋)胡安國撰《春秋胡傳》存二十八卷，十五冊，缺卷第七、第八等二卷，台北：故宮博物院有藏本。

又一本，題作宋胡安國撰，宋林堯叟音注《春秋胡傳》三十卷，天一閣文物保管所有藏本。

三六、民國三十一年復性書院銘字本：（宋）胡安國撰《春秋胡氏傳》二冊，台中：東海大學圖書館有藏本。

三七、明內府刊，清初修補本：台北：故宮博物院有藏本。

三八、明內府刊本：（宋）胡安國傳《春秋》三十卷，十二冊，書簽題：春秋傳，書口題：春秋胡傳，八行，十四字，小字雙行，十八字，小黑口，四周雙邊。有「馬孔乾印」「漁煙小隱」「世傳清白」等朱印。大陸：中山大學圖書館有藏本。

三九、明嘉靖九年（１５３０）湖廣官刻本：《春秋經傳》三十八卷，卷首一卷，二十四冊（合訂三冊）　有圖，九行，十六字，小字雙行，字數同，白口，左右雙邊，版心下鐫「湖廣官書」，本書係合輯《左》《胡》二書，大陸：中山大學圖書館有藏本。

四〇、明嘉靖三十年（一五五一）刻萬曆二十三年（一五九五）修補本：宋胡安國傳，宋林堯叟音註《春秋集註》三十卷，半葉九行，行十八字，杭州大學圖書館有藏本。

四一、光緒二年江南書局仿宋相台五經本：宋胡安國撰，林堯叟音注《春秋胡傳》三十卷，馬來西亞大學圖書館（三部）有藏本。

【增補】《杭州大學圖書館善本書目》曰：「《春秋集註》三十卷，《首》一卷　宋胡安國傳　宋林堯叟音註　明嘉靖三十年（一五五一）刻萬曆二十三年（一五九五）修補本　半葉九行　行十八字　有『呂氏書巢珍藏』及嘉業堂等藏印　八冊。」（頁八）

四二、承應二年《五經集註》刊本：宋胡安國撰《春秋集傳》三十七卷，十冊，日本八戶市立圖書館有藏本。

四三、明萬曆元年金陵唐廷仁刻本：宋胡安國撰，宋林堯叟音注《春秋集註》三十卷，《首》一卷，《中國古籍善本書目》（經部）頁二六七著錄，浙江、安徽省圖書館有藏本。

四四、明嘉靖三十年倪淑刻萬曆二十三年倪甫英、倪家　重修本：宋胡安國撰，林堯叟音注《春秋集註》三十卷，《首》一卷，中國歷史博物館、上海師範大學、東北師範大學、浙江、杭州大學等地圖書館均有藏本。

四五、明嘉靖三十年逢原谿館刻本：宋胡安國撰，林堯叟音注《春秋集註》三十卷，《首》一卷，旅大市、江西師範大學等圖書館均有藏本。

四六、明刻本：宋胡安國撰，林堯叟音注《高明大字春秋胡傳》三十卷，重慶市有藏本。

四七、明崇禎三年張閬岳新賢堂刻本：宋胡安國撰，宋林堯叟音注《春秋胡傳》三十卷，《綱領》一卷，《提要》一卷，《列國東坡圖說》一卷，《諸國興廢說》一卷，《正經音訓》一卷，九行十八字白口四周雙邊單魚尾，河南省圖書館有藏本。

四八、明刻本：宋胡安國撰，宋林堯叟音注《春秋胡傳》三十卷，《綱領》一卷，《提要》一卷，《列國東坡圖說》一卷，《諸國興廢說》一卷，《正經音訓》一卷，《中國古籍善本書目》（經部）頁二六七著錄，由於其書錄有《正經音訓》一卷，疑此本即「明崇禎三年張氏新賢堂刻本」或「明金陵奎壁齋莆陽鄭元美刻本」、或「明萬曆三十三年新賢堂刻本」，或「明萬曆二十五年金陵唐對溪刻本」，或「明成化崇仁書堂刻本」，或「明成化十五年徽州府退思堂刻本」，但其版本僅著錄為「明刻本」，未詳確切版刻，今暫列於此，以俟後考。揚州市、四川省圖書館有藏本。

又一本，北京圖書館有藏本。

四九、明刻本：又一本，題作宋胡安國撰，宋林堯叟音注《春秋胡傳》三十卷，《綱領》一卷，《提要》一卷，《列國東坡圖說》一卷，《諸國興廢說》一卷，上海師範大學圖書館有藏本。

五〇、明書林詹霖宇刻本：宋胡安國撰，宋林堯叟音注《春秋胡傳》三十卷，《首》一卷，九行十八字小字雙行同白口四周雙邊，北京圖書館有藏本。

五一、明萬曆三十三年新賢堂刻本：宋胡安國撰，宋林堯叟音注《春秋胡傳》三十卷，《綱領》一卷，《提要》一卷，《列國東坡圖說》一卷，《諸國興廢說》一卷，《正經音訓》一卷，山東省圖書館有藏本。

五二、明萬曆二十五年金陵唐對溪刻本：宋胡安國撰，宋林堯叟音注《春秋胡傳》三十卷，《綱領》一卷，《提要》一卷，《列國東坡圖說》一卷，《諸國興廢說》一卷，《正經音訓》一卷，山東省圖書館有藏本。

五三、明慎獨書齋刻本：宋胡安國撰，宋林堯叟音注《春秋胡傳》三十卷，《綱領》一卷，《提要》一卷，《列國東坡圖說》一卷，《諸國興廢說》一卷，《正經音訓》一卷，天一閣文物保管所有藏本。

五四、明成化十五年徽州府退思堂刻本：宋胡安國撰，宋林堯叟音注《春秋胡傳》三十卷，《綱領》一卷，《提要》一卷，《列國東坡圖說》一卷，《諸國興廢說》一卷，《正經音訓》一卷，上海、上海辭書出版社、河北大學、安徽省博物館、湖南省、湖南省博物館、重慶市等圖書館有藏本。

五五、元刻本：宋胡安國撰，林堯叟音注《增入音註括例始末胡文定公春秋傳》三十卷，《中國古籍善本書目》（經部）頁二六五著錄，山東省博物館有藏本。

五六、明豹變齋刻本：宋胡安國撰《春秋胡傳》三十卷，《中國古籍善本書目》（經部）頁二六五著錄，九行十八字小字同白口四周單邊，北京故宮博物院有藏本。

五七、元刻本：《中國歷史博物館古籍善本書目》頁八著錄此書，中國歷史博物館有藏本，按此本行款與其他元刻本不同，當為別本，今暫記如下，以俟後考。

【增補】《中國歷史博物館古籍善本書目》曰：「春秋胡氏傳　三十卷

宋胡安國撰　　元刻本

存一頁（春秋傳進書表第二頁和劄）　十一行二十二字

白口四周雙邊　　　　　　　　（善３５６）」（頁八）

五八、萬曆二十三年倪甫英倪家胤重修印本：《中國歷史博物館古籍善本書目》頁八至頁九著錄此書，該館有藏本。

【增補】《中國歷史博物館古籍善本書目》曰：「春秋集注　　三十卷卷首一卷

宋胡安國撰　林堯叟音注　明〔萬〕曆二十三年倪甫英倪家胤重修印本　　八冊

九行十八字小字雙行三十六字白口左右雙邊版心下鐫刻工名　有明劉憲序明林堯叟音注　　　（善５２４）」（頁八至頁九）

五九、清監本：河北省圖書館有藏本。

【增補】《河北省圖書館館藏古籍目錄》曰：「０１５３

春秋胡傳　三十卷首一卷／（宋）胡安國傳．－清監本．－５冊（１函）

經153」（頁十六）

六〇、明刻本：《春秋胡傳》三十卷，九行十八字小字雙行同白口單魚尾四周雙邊，遼寧省圖書館有藏本。

六一、明嘉靖二年刻本：宋胡安國撰《春秋胡傳》三十卷，十行二十字白口四周單邊，中共北京市委圖書館、復旦大學圖書館有藏本。

六二、明隆慶五年興正書堂刻本：宋胡安國撰《春秋胡傳》三十卷，九行十八字小字雙行同白口四周雙邊，鄭州市圖書館有藏本。

六三、明書林張閩岳新賢堂刻本：僅有《春秋胡傳》三十卷，九行十八字小字雙行同白口四周單邊」，上虞縣圖書館有藏本。案：此本與「明崇禎三年張閩岳新賢堂刻本」的版本著錄，或有不同，蓋「明崇禎三年張閩岳新賢堂刻本」為「九行十八字白口四周雙邊單魚尾」，且內容涵攝「宋胡安國撰，宋林堯叟音注《春秋胡傳》三十卷，《綱領》一卷，《提要》一卷，《列國東坡圖說》一卷，《諸國興廢說》一卷，《正經音訓》一卷」等書，與此書僅有「《春秋胡傳》」一書，顯然有所分別，今暫列為另一版本，以俟後考。

六四、明天啓二年朱墨套印本：宋胡安國撰《春秋傳》三十卷，十行二十字白口四周單邊，遼寧大學圖書館有藏本。

六五、元刊本：宋胡安國撰　林堯叟音注《增入音注括例始末胡文定公春秋傳》三十卷，十四行十八字小黑口四周雙邊，山東省博物館有藏本。霖案：此本行款與前文所論及的元代刻本不同，故應為別本，今暫列於此。

六六、明萬歷元年黃氏興正堂、秀宇堂刻本：宋胡安國撰《春秋胡傳》三十卷，《綱領》一卷、《諸國興廢説》一卷、《春秋正經音訓》一卷、《提要》一卷，九行十八字小字雙行同白口四周雙邊，南京圖書館有藏本。

六七、明萬歷二十五年金陵唐對溪富春堂刻本：宋胡安國撰、林堯叟音注《春秋胡傳》三十卷，《綱領》一卷，《提要》一卷，《諸國興廢説》一卷，《列國東坡圖説》一卷、《正經音訓》一卷，九行十八字白口四周單邊，山東省圖書館有藏本。

六八、明初刻本: 晉杜預注　宋林堯叟音注《春秋左傳》三十卷，(卷十八　二十一二十二配清抄本)十行二十一字小字雙行同黑口四周雙邊，遼寧省圖書館有藏本。

又北京：清華大學圖書館另有藏本，十行二十一字小字雙行黑口雙邊〕存十九卷〔十二至三十〕。

安國〈自序〉曰[4]：「古者列國各有史官，掌記時事。《春秋》，魯史爾，仲尼就[5]加筆

4霖案：台北：國家圖書館藏有「明繡谷吳繼武校刊本」，其中即收錄胡氏序文，《國立中央圖書館善本序跋集錄》頁320-321有此序文。又孫承澤《五經翼》卷十三，經一五一冊，頁769錄有其文。

5霖案：「就」，「明繡谷吳繼武校刊本」題作「親」。

削，乃史外傳心之要典也；而孟氏[6]發明宗旨，目為天子之事者。周道衰微，乾綱解紐，亂臣賊子，接迹當世，人欲肆而天理滅矣。仲尼，天理之所在，不以為己任而誰可？五典弗惇，己所當敘，五禮弗庸，己所當秩；五服弗章，己所當命；五刑弗用，己所當討，故曰：『文王既沒，文不在茲乎？天之將喪斯文也，後死者不得與於斯文也，天之未喪斯文也，匡人其如予何？』聖人以天自處，斯文之興喪在己，而由人乎哉？故曰：『我欲載之空言，不如見諸行事之深切著明也。』空言獨能載其理，行事然後見其用，是故假魯史以寓王法，撥亂世，反之正，敍先後之倫而典自此可惇，秩上下之分而禮自此可庸，有德者必褒而善自此可勸，有罪者必貶而惡自此可懲，其志存乎經世，其功配乎[7]抑洪水、膺戎狄、放龍蛇、驅虎豹，其大要則皆天子之事也，故曰：『知我者，其惟《春秋》乎!罪我者，其惟《春秋》乎!』知孔子者，謂此書之作，遏人欲於橫流，存天理於既滅，為後世慮至深遠也；罪孔子者，謂無其位而託二百四十二年南面之權，使亂臣賊子禁其欲而不得肆，則戚矣。是故《春秋》見諸行事，非空言比也。公好惡則發乎《詩》之情，酌古今則貫乎《書》之事，興常典則體乎《禮》之經，本忠恕則導乎《樂》之和，著權制則盡乎《易》之變，百王之法度，萬世之準繩，皆在此書，故君子以謂：五經之有春秋，猶法律之有斷例也。學是經者，信窮理之要矣；不學是經而處大事決大疑能[8]不惑者，鮮矣。自先聖門人以文學名科，如游、夏尚不能贊一辭，蓋立義之精如此。去聖既遠，欲因遺經窺測聖人之用，豈易能乎？然世有先後，人心之所同然一爾，苟得其所同然者，雖越宇宙，若見聖人親炙之也，而《春秋》之權度在我矣。近世推隆王氏新說，按為國是，獨於《春秋》，貢舉不以取士，庠序不以設官，經筵不以進讀，斷國論者無所折衷，天下不知所適，人欲日長，天理日消[9]，其效使夷狄亂華[10]，莫之遏也。噫!至此極矣。仲尼親手筆削、撥亂反正之書，亦可以行矣。天縱聖學，崇信是經乃於斯時。奉承詔旨，輒不自揆，謹述所聞，為之說以獻，雖微辭奧義或未貫通，然尊君父、討亂賊、闢邪說、正人心、用夏變夷，大法略具，庶幾聖王經世之志小有補云。」

【增補】張元濟《涉園序跋集錄》曰：「安國〈自序〉稱：『近世推隆王氏新說，按為國是，獨於《春秋》貢舉不以取士，庠序不以設官，經筵不以進讀，斷國論者，無所折衷，天下不知所適。』又云：『天縱聖學，崇信是經，迺於斯時，奉承詔旨，謹述所聞為之說以獻。』是《春秋》一經，當時晦於新說，安國本褒德貶罪之旨，撰為是書，上以御府。《四庫總目》稱：『《玉海》載紹興五年四月詔徽猷閣待制胡安國，經筵舊臣，令以所著《春秋傳纂述》成書進入，十年三月書成，上之。是安國此傳，久已屬稿；自奉敕撰進，又覆訂五年而後成』云云。今按安國〈進書表〉實在紹興

6「孟氏」，《備要》本作「孟子」。　　霖案：今考「明繡谷吳繼武校刊本」、《五經翼》所錄序文均題作「孟氏」。

7霖案：「乎」，「明繡谷吳繼武校刊本」、《五經翼》均題作「於」。

8霖案：「能」，「明繡谷吳繼武校刊本」序文作「而」。《五經翼》所錄則作「能」字，可見竹垞引文，或據《五經翼》而錄之。

9霖案：「消」字，《文獻通考．經籍考》卷十，頁285引作「銷」字。

10霖案：《經義考新校》頁3389新出校文如下：「『夷狄亂華』，文津閣《四庫》本作『人民塗炭』。」

六年十二月，館臣未見此表，致沿《玉海》之訛，疏矣！是本宋諱避至慎字，當為孝宗時刻本。其〈自序〉、〈進書表〉、〈論名諱劄子〉，及〈述綱領〉、〈明類例〉、〈謹始例〉、〈敍傳授〉四篇，涵芬樓舊藏元刊汪氏《纂疏》本尚存，惟〈進書表〉首尾已多刪削。至毛氏汲古閣刻本則盡遺之，全失舊本之真矣。元延祐二年定經義、經疑取士條格，《春秋》用三傳及〈胡安國傳〉，其書始立於學官。明襲其制，增張洽《春秋集注》。後洽書漸微，而此傳獨行。入清懲於明代偏勝之弊，廢置不用，誦習者希。胡氏此書，成於南渡之後，激於時事，語多感僨。其所貶者：於莊公四年紀候大去其國，則不與其去而不存；十年荊以蔡侯獻舞歸，則賤其失地；哀公八年，吳伐我，則諱其為城下之盟。其所褒者：於莊公十七年齊人殲于遂，則嘉其以亡國餘民，能殲強齊之戍；昭公十一年楚執蔡世子有以歸，則與其與民守國，効死不降。胡氏當日無非對證發藥之言。然自今觀之，胡氏之言，又豈僅為南渡後宋之君臣發哉！吾竊願讀是書者，時時毋忘胡氏之苦口也。」（頁十八至頁十九）

【增補】台北：國家圖書館藏「明繡谷吳繼武校刊本」有宋・程頤〈序〉、胡安國〈序〉等二篇序文，又國家圖書館另有「朝鮮舊刊本」則錄有明・劉憲〈序〉，三篇序文均為《國立中央圖書館善本序跋集錄》所收錄，竹垞僅錄胡〈序〉，今據以補入程〈序〉、劉〈序〉等二篇序文。

【增補】程頤〈序〉曰：「天之生民，必有出類之才，起而君長之，治之而爭奪息、道之而生養遂、教之而倫理明，然後人道立、天道成、地道平。二帝而上，聖賢世出，隨時有作，順乎風氣之宜，不先天以開人，各因時而立政。暨乎三王迭興，三重既備，子丑寅之建正、忠質文之更尚，人道備矣，天道周矣。聖王既不復作，有天下者雖欲倣古之迹，亦私意妄為而已。事之謬，秦以建亥為正；道之悖，漢專以智力持世，豈復知先王之道也。夫子當周之末，以聖人之不復作也，順天應時之治不復有也。於是做春秋，為百王不易之大法，所謂考諸三王而不謬、建諸天地而不悖、質諸鬼神而無疑、百世以俟聖人而不惑者矣。先儒之論曰，游夏不能贊一辭，辭不待贊也，言不能與於斯耳。斯道也惟顏子嘗聞之矣，行夏之時、乘殷之輅、服周之冕，樂則韶舞，此其準的也。後世以史視春秋，謂褒善貶惡而已，至於經世之大法，則不知也。春秋大義數十，其義雖大，炳如日星，乃易見也；惟其微辭隱義、時措時宜者為難知也，或仰或縱、或與或奪、或進或退、或微或顯，而得乎義理之安、文質之中、寬猛之宜、是非之公，乃制事之權衡、揆道之模範也。夫觀百物而後知化工之神；聚眾材而後知作室之用，於一事一義而欲窺聖人之用心，非上智不能也，故學春秋者必優遊涵泳、默識心通，然後能造其微也。後王知春秋之義，則雖德非禹湯，尚可以法三代之治；自秦而下，其學不傳，予悼夫聖人之志不明於後世也，故作傳以明之，俾後之人，通其文而求其義，得其意而法其用，則三代亦可復也。是傳也，雖未能極聖人之蘊奧，庶幾學者得其門而入矣。有宋崇寧二年癸未四月乙亥，河南程頤正叔序。」（轉錄《國立中央圖書館善本序跋集錄》經部・頁三一九至頁三二〇）

【增補】劉憲〈序〉曰：「吾友上饒婁君克讓，以名御史奉勅董學於南畿，不數年教行信孚，士風翕然以變，君不自假，敬敷之餘，輒校讎經傳，謂春秋孔氏要典，儒先為說者紛如，初學之士茫然無入頭處，惟胡氏傳事按左氏，義擇公穀，大綱本孟子，微詞則證程氏，視諸說為備，學者由是學焉，庶有歸著，聖人之心可漸得矣。乃命新安同知張英重刻胡氏傳，以嘉惠初學，刻既訖工，屬予引其端，予惟吾夫子之作春秋，其心也神，其義也精，其慮也遠，孟氏推其功配，抑洪水、兼夷狄、驅猛獸誠矣哉！宋王安石柄國，創制新說，顧以春秋束諸高閣，卒肇靖康之禍。高宗南渡，雖命安國為傳以進，亦弗克用，上下陵遲，馴至夷狄入主中國，莫之遏也。天乃命我太祖高皇帝肅清中原，臨御之初，即詔天下設科取士，春秋本左氏、公穀氏、程氏、胡氏傳。太宗文皇帝又命儒臣纂修性理諸書，春秋一以集註為主，尊信表章，莫此為至，百數十年于茲，粲然君臣之義，凜然夷夏之辨，吾夫子之功，至是為大，胡氏之言，至是不為虛文矣。噫！有志春秋者果能從事是傳，沈潛反復，味其言、索其義，以自得乎聖人之心，他日奮庸于時，必能議大政、持大節，以樹勳業於天下國家，匪直為取科第之捷徑而已夫。然是傳之刻有益於學者，豈淺淺哉！成化壬寅秋閏八月丁巳，後學餘于劉憲序。」（轉錄《國立中央圖書館善本序跋集錄》經部．頁三二一至頁三二二）

張九成曰[11]：「近世《春秋》之學，伊川開其端，劉質夫廣其意，至胡文定而其說大明。」

晁公武曰[12]：「皇朝胡安國被旨撰。安國師程頤，其傳《春秋》，事按《左氏》，義取《公》、《穀》之精者，采[13]孟子、莊周、董仲舒、王通、邵堯夫、程明道、張橫渠、程正叔之說以潤色之[14]。」

【增補】〔補正〕晁公武曰：「安國師程頤。」杰按：《宋史．儒林傳》：「安國所與游者：游定夫、謝顯道、楊中立。」不及事程正叔也，晁語未知所据。（卷八，頁四）

朱子曰[15]：「胡氏[16]《春秋傳》有牽強處，然議論有開闔[17]精神。」　又曰：「《春秋》是魯史，合作時王之月。」　又曰：「夫子，周之臣子，不改周正朔。」

11霖案：四庫本：冊一一三八；頁388-391。

12霖案：《郡齋讀書志》卷第三，頁105、《通考》卷十，頁285。

13霖案：「采」字，《文獻通考．經籍考》作「採」字。

14霖案：「之」字下，《通考》所引「晁氏」之說，內文有「胡安國〈序略〉：『近世推隆王氏新說，按為國是，獨於《春秋》，貢舉不以取士，庠序不以設官，經筵不以進讀，斷國論者無所折衷，天下不知所適，人欲日長，天理日銷，其效使夷狄亂華，莫之遏也。』」等字。

15霖案：《文獻通考．經籍考》卷十，頁258。又《通考》題作「《朱子語錄》」，且於「胡氏《春秋傳》」諸字之前，另有「胡文定《春秋》非不好，卻不合。這件事聖人意是如何下字，那件事聖人意又如何下字，要知聖人只是直筆據見在而書，豈有許多切但?」諸字，今據以補入。

16霖案：「氏」字，《文獻通考．經籍考》無此字，當是竹垞自行所加之文。

17霖案：「闔」字，《文獻通考．經籍考》作「合」字。

《中興國史志》18：「安國書與孫覺合者十六七。」

陳振孫曰19：「紹興中，經筵所進，大綱本《孟子》，而微旨多以程氏之說為據，近世學《春秋》者皆宗之。《通旨》者，所與其徒問答及其他議論條例，凡二百餘章，其子寧輯為一書。」

【增補】何廣棪：《陳振孫之經學及其《直齋書錄解題》經錄考證》曰：「案：《讀書志》卷第三《春秋類》著錄：『胡氏《春秋傳》三十卷。右皇朝胡安國被旨撰。安國師程頤，（廣棪案：翁方綱《經義考補正》卷八引丁杰曰：『按《宋史・儒林傳》，安國所與游者，游定夫、謝顯道、楊中立，不及事程正叔也。晁語未知所據。』意公武所謂師者，乃私淑之謂也。）其傳《春秋》，事按《左氏》，義取《公》、《穀》之精者，採孟子、莊周、董仲舒、王通、邵堯夫、程明道、張橫渠、程正叔之說以潤色之。』《玉海》同上引，亦謂其書『載孟氏而下七家發明綱領之詞于卷首，事按《左氏》，義采《公》、《穀》之精者，大綱本《孟子》，而微詞多以程氏之說為證』。所述均與《題解》相發明。」（頁五八五）

【增補】何廣棪：《陳振孫之經學及其《直齋書錄解題》經錄考證》曰：「案：張九成曰：『近世《春秋》之學，伊川開其端，劉質夫廣其意，至胡文定而其說大明。』（《經義考》『胡氏安國《春秋傳》』條引，下同。）何喬新曰：『宋之論《春秋》而有成書者，無如胡文定公。文定之《傳》精白而博贍，忼慨而精切。』卓爾康曰：『胡文定當南渡時，發憤著書，志固有在，中間詞旨激揚或有所過，而昭大義，明大法，炳如日星，不可磨滅也。』足證安國《春秋》學為南宋諸人所宗。然亦有評論其書之失當者。朱子曰：『胡氏《春秋傳》有牽強處。』梁寅曰：『信《公》、《穀》之過，求褒貶之詳，未免蹈先儒之繆。此胡康侯之失也。』尤侗曰：『胡《傳》專以復讎為義，割經義以從己說。此宋之《春秋》，非魯之《春秋》也。』是則此書亦瑜瑕互見，棄瑕取瑜，在善學者。」（頁五八五至頁五八六）

【增補】何廣棪：《陳振孫之經學及其《直齋書錄解題》經錄考證》曰：「案：《玉海》同上引曰：『《傳》外復有總貫條例與證據史傳，及學徒問答二百餘章，子寧集錄，名曰《通旨》一卷。』《通旨》有吳萊《後序》，曰：『胡氏正《傳》三十卷，《傳》外又有總貫條例，證據史傳之文二百餘章，子寧集之，名曰《春秋通旨》，輔《傳》而行。』考胡寧，《宋史》卷四百三十五《列傳》第一百九十四《儒林》五附《胡安國傳》。陸元輔曰：『胡寧，字和仲，崇安人，安國季子，用蔭補官，召試館職，除敕令所刪定官，遷太常寺丞，祠部郎，出為夔州路安撫司參議官，除知澧州，不赴，奉祠歸。安國之傳《春秋》也，編纂檢討多出寧手。又著《春秋通旨》以羽翼之，世稱茅堂先生。』《宋元學案》卷三十四《武夷學案》『《參議胡茅堂先生寧》

18霖案：《文獻通考．經籍考》卷十，頁258。又《文獻通考．經籍考》錄作「《中興史志》」，而竹垞直接改作「《中興國史志》」。

19霖案：《文獻通考．經籍考》卷十，頁258；又《直齋書錄解題》卷三，頁462錄之。本文採以《文獻通考．經籍考》入校。

』條曰：『文定作《春秋傳》，修纂檢討盡出先生手。又自著《春秋通旨》，總貫條例，證據史傳之文二百餘章，輔《傳》而行。吳淵穎（廣棪案：及吳萊。下所言者即據吳氏《後序》）。曰：『胡氏《傳》文，大概本諸程氏。程氏門人李參所集程說，頗相出入，而胡氏多取之。蓋欲觀其正《傳》，又必先求之《通旨》，故曰史文如畫筆，經文如化工。若一以例觀，則化工與畫筆何異。惟其隨學變化，則史外傳心之要典，聖人時中之大權也。世之讀《春秋》者自能知之，不可以昔者向、歆之學而異論也。』由吳氏之言觀，則茅堂《通旨》之書多與文定相參考，可以互證者矣。』是則上引諸家，有謂《通旨》乃寧所著，其書且可與定國之《傳》相參互證者也。」（頁五八六至頁五八七）

黃仲炎曰[20]：「孔子雖因顏淵之問有取於夏時，不應修《春秋》而遽有所改定也。胡安國氏謂《春秋》以夏時冠月，而朱熹氏非之，當矣。孔子之於《春秋》，述舊禮者也，如惡諸侯之強而尊天子、疾大夫之偪而存諸侯、憤吳、楚之橫而貴中國，此皆臣子所得為者，孔子不敢辭焉。若夫更革當代之王制，如所謂夏時冠周月，竊用天子之賞罰，決非孔子意也。夫孔子修《春秋》，方將以律當世之僭，其可自為僭哉？」　又曰：「說元年曰：『體元』，所謂體元者，《春秋》以一為元，示大始而欲正本也。王者即位，必體元以立極，使如其說，則《春秋》果黜周而王魯矣。」

黃震曰[21]：「文定說《春秋》[22]，以春為夏正之春，建寅而非建子可也；以月為周之月，則時與月異，又存疑而未決也。故晦庵先生以為：若如胡氏學，則月與時事常差兩月，恐聖人作經，不[23]若是之紛更也。」

黃淵曰[24]：「胡文定潛心三十年而傳始成，然[25]夏時冠周月之論，至今可疑。」

《宋鑑》[26]：「紹興四年[27]夏四月，新除徽猷閣待制知永州胡安國乞以本官奉祠，詔：

20霖案：出自：四庫本：《春秋通說》卷一，頁3上有之。

21霖案：黃震：《黃氏日抄》卷七，頁66。

22霖案：「說《春秋》」三字，係竹垞根據《黃氏日抄》前文所加，原文於「文定」二字下，逕接「以春秋夏正之春」，今當刪去「說《春秋》」三字，以合乎原書文句。

23霖案：「不」字之前，應依《黃氏日抄》加入「又」字。

24霖案：孫承澤：《五經翼》卷十三，〈講春秋序〉（《四庫全書存目叢書》經一五一），頁780。

25霖案：「然」字，《五經翼》無之，衍文當刪。

26霖案：四庫本：《宋史全文》卷19中，《建炎以來繫年要錄》卷八七錄之。又《中興聖政錄》頁1328錄之。

27「四年」，據《補正》或作「五年」。　霖案：《經義考新校》頁3391校文「據」字改作「依」字。今考《中興聖政錄》亦列入「五年」，惟「紹興四年夏四月」諸字，應係置於卷前之語，非逕接「新除徽猷閣待制永州胡安國乞以本官奉祠」諸字之前。又《中興聖政錄》將此文置於「紹興五年夏四月甲辰朔」，可補《宋鑑》言而未盡，且能補其謬誤情況。

安國經筵舊臣以[28]疾辭[29]郡，重憫勞之，可從其請，提舉江州太平觀，令纂修《春秋傳》，俟書成[30]進入，以稱朕崇儒重道之意。」

【增補】〔補正〕《宋鑑》條內「紹興四年夏四月，新除徽猷閣待制知永州胡安國乞以本官奉祠」，杰按：《玉海》作「五年」，考《宋史・儒林傳》亦作「五年。」（卷八，頁四）

《玉海》[31]：「紹興五年四月[32]，詔徽猷閣待制胡安國經筵舊臣，令以所著《春秋傳》纂述成書進入，十年三月書成[33]，上之，詔獎諭除寶文直學士，賜銀幣[34]，傳[35]凡三十卷十萬餘[36]言，載孟氏而下七家，發明綱領之辭[37]於首[38]，傳外復有總貫條例與證據史傳及學徒問答二百餘章，子寧集錄，名曰《通旨》一卷。」

熊朋來曰[39]：「孔子所謂『行夏之時』，見於答[40]顏淵問為邦者然也，至於因魯史作《春秋》，乃當時諸侯奉時王正朔，以為國史所書之月為周正，所書之時亦周正，經傳日月自可互證，而儒者猶欲執夏時之說以棄[41]之，譬如孔子言車，豈必止言殷輅哉？」

28霖案：「以」字，《中興聖政錄》作「引」字。

29霖案：「辭」字，《中興聖政錄》作「辤」字，「辤」、「辝」字形相近而誤入。

30霖案：「書成」二字，應依《中興聖政錄》改作「成書」，二字互倒也。

31霖案：王應麟《玉海》卷四○，頁802。

32霖案：「四月」二字下，《玉海》另有「一日」二字，竹垞刪除二字，今據《玉海》之文補入。

33霖案：《玉海》注文云：「表云：『九年十二月上』」，顯見上書之年月猶有出入。

34霖案：「除寶文直學士，賜銀幣。」等九字，《玉海》，列入注文，而非正文，竹垞將上述九字列入正文，實有不當之處。

35霖案：「傳」字，《玉海》無之，當係竹垞參酌前後文句所加，今當刪除此字，以合乎《玉海》原文文句。

36霖案：「餘」字，《玉海》誤作「錢」字。

37霖案：「辭」字，《玉海》作「詞」字。

38霖案：「於首」二字，《玉海》作「于卷首」三字，於「首」字前多一「卷」字，當據以補入。又「首」字之下，《玉海》另有「事按《左氏》，義采《公》、《穀》之精者，大綱本《孟子》，而微詞多以程氏之說為證。」等二十七字，事涉胡安國《春秋傳》的體例，不當刪去，今補之如上，以供讀者參考。

39霖案：熊朋來《熊先生經說》（通志堂經解本），卷第三，〈春秋時月皆周正〉，頁23235。

40霖案：「答」字，《熊先生經說》作「荅」字，書寫習慣不同所致。

41霖案：「棄」之，應依《熊先生經說》改作「紊」字，蓋「紊」者，「紊亂」之意，而「棄」者，「揚棄」之意，二者意義不同，今依原書改正。

陳櫟曰[42]：「月數[43]於周而改，春隨正而易，證以《春秋》、《左傳》、《孟子》[44]、《後漢書．陳寵傳》極為明著。成[45]十年『六月丙午，晉侯使甸人獻麥』，六月乃夏四月也。僖[46]五年『十二月丙子，朔，晉滅虢』，先是卜偃言克虢之期其九月十月之交乎，丙子朔必是時也，偃以夏正言，而《春秋》以周正書，可見十二月丙子為夏十月也。僖五年『春王正月辛亥朔，日南至』，王正月冬至，豈非夏十一月乎？經有只書時者，僖[47]十年『冬，大雨雪』，蓋以酉戌為冬也，使夏時之冬而大雪，何足以為異而記之？襄[48]二十八年『春，無冰』，蓋以子丑月為春也；使夏時之春而無冰，何足以為異而記之？《春秋》祥瑞不錄，災異乃載，惟夏時八九月而大雪，不當嚴寒而嚴寒；夏時十一月十二月而無冰，當嚴寒而不嚴寒，故異而書之耳。春蒐、夏苗、秋獮、冬狩，四時田獵定名也。桓[49]四年『春正月，公狩于[50]郎』，杜氏註曰：『冬獵曰狩。周之春，夏之冬也。』魯雖按夏時之冬而於子月行冬田之狩，夫子即[51]書曰『春狩于[52]郎』，此所謂春，非周之春而何？哀[53]十四年『春，西狩獲麟』亦然。

---

42 霖案：史伯璿，《管窺外篇》卷上（台北：臺灣商務印書館，「景印文淵閣四庫全書」冊七〇九，民國七十五年三月，初版），頁630-631；唐順之，《稗編》卷十四，（台北：臺灣商務印書館，「景印文淵閣四庫全書」冊九五三，民國七十五年三月，初版），頁289；顧棟高，《春秋大事表》卷一（台北：臺灣商務印書館，「景印文淵閣四庫全書」冊一七九，民國七十五年三月，初版），頁29有之。案：從引文文句加以檢視，則竹垞引用來源，當近於《稗編》卷十四之文，特此說明。

43 霖案：「月數」二字之前，《管窺外篇》另有「愚按：蔡氏主不改月之說，遂謂併不改時，殊不知」等句。

44 霖案：「《左傳》、《孟子》」，《管窺外篇》題作「《孟子》、《左傳》」，二書書名有互倒現象。惟唐順之《稗編》則錄作「《左傳》、《孟子》」，文句同於竹垞解題，是以竹垞所錄引文來源，當是據《稗編》一書。

45 霖案：「成」字下，《管窺外篇》另有「公」字。又《稗編》之文，實無「成」字，可見竹垞解題之文，當是引自《稗編》一書。

46霖案：「僖」字下，《管窺外篇》另有「公」字。又《稗編》之文，實無「成」字，可見竹垞解題之文，當是引自《稗編》一書。

47霖案：「僖」字下，《管窺外篇》另有「公」字。又《稗編》之文，實無「成」字，可見竹垞解題之文，當是引自《稗編》一書。

48霖案：「襄」字下，《管窺外篇》另有「公」字。又《稗編》之文，實無「成」字，可見竹垞解題之文，當是引自《稗編》一書。

49霖案：「桓」字下，《管窺外篇》另有「公」字。又《稗編》之文，實無「公」字，可見竹垞解題之文，當是引自《稗編》一書。

50霖案：「于」字下，《稗編》、《管窺外篇》作「於」字。

51 霖案：「即」字，《稗編》作「只」字。

定[54]十三年『夏，大蒐于[55]比蒲』，魯雖按夏時之春於卯辰之月行[56]春田之蒐，夫子只書曰『夏，蒐于[57]比蒲』，此所謂夏，非周之夏而何？以[58]次年又書『五月，蒐[59]于[60]比蒲』亦然也。〈陳寵傳〉尤明白曰：『天以為正，周以為春。』註曰[61]：『今十一月也。』『地以為正，殷以為春。』註[62]云：『今十二月也。』『人以為正，夏以為春。』註云[63]：『今正月也。』孟子：『七八月之間旱』等，不待多言而[64]明，是三代之正子丑寅三陽月，皆可以春言[65]也。胡氏《春秋傳》不敢謂[66]王正月為非子月，而於春王正月之春字謂以夏時冠周月，皆考之不審，安[67]有隔兩月而以夏時冠周月之理？」

盛如梓曰[68]：「『春王正月』，胡文定[69]謂以夏時冠月，以周正紀事，晦庵以為不如此，然宗之者眾。」

黃澤曰[70]：「諸家[71]說《春秋》，於經不合，則屈傳以伸經；於傳不合，亦屈經以伸傳。

52霖案：「于」字下，《管窺外篇》作「於」字。《稗編》作「于」字。

53霖案：「哀」字下，《管窺外篇》另有「公」字。又《稗編》之文，實無「公」字，可見竹垞解題之文，當是引自《稗編》一書。

54霖案：「定」字下，《管窺外篇》另有「公」字。又《稗編》之文，實無「公」字，可見竹垞解題之文，當是引自《稗編》一書。

55霖案：「于」字下，《管窺外篇》作「於」字。《稗編》作「于」字。

56 霖案：「行」字，《稗編》作「乃」字。。

57霖案：「于」字下，《管窺外篇》作「於」字。《稗編》作「于」字。

58霖案：「以」字，《管窺外篇》、《稗編》俱無此字，當刪。

59 霖案：「蒐」字之前，應依《管窺外篇》、《稗編》補入「大」字。

60霖案：「于」字下，《管窺外篇》作「於」字。《稗編》作「于」字。

61霖案：「註曰」二字，《管窺外篇》作「注云」。《稗編》作「註曰」。

62霖案：「註」字，《管窺外篇》作「注」字。《稗編》作「註」字。

63 霖案：「註云」二字，《管窺外篇》無此二字。《稗編》有此二字。

64 霖案：「而」字下，《管窺外篇》另有「自」字，然《稗編》無「自」字。

65 霖案：「春言」二字，應依《管窺外篇》作「言春」，二字有互倒之失，然《稗編》之文，適作「言春」二字。

66 霖案：「謂」字，《管窺外篇》作「以」字。《稗編》無「以」字。

67 霖案：「安」字下，《管窺外篇》有「得」字。《稗編》無「得」字。

68霖案：《庶齋老學叢譚》卷一，頁3837。

69霖案：「定」字下，應依《庶齋老學叢譚》補入「公」字。

70霖案：《春秋師說》卷中，(通志堂經解本，冊二六)，頁14834。

屈經伸傳者，杜預輩是也，屈傳伸經者，胡文定[72]諸公是也[73]，如[74]謂夫子用夏時冠周月，其為聖經之害者[75]，莫此為甚。」　又曰[76]：「《春秋》遵用周正，理明義正，無可疑者。胡文定公始有夏時冠周月之說，蔡氏雖自謂晦庵[77]門人，而其《書傳》乃直主不改月之說，亦引商、秦為證，是不改月之說開端於文定，而遂成於蔡氏。按[78]胡氏云：『以夏時冠月，垂法後世；以周正紀事，示無其位，不敢自專。』據此，所謂以夏時冠周月最害大義，於聖經之累不小，據所引商、秦不改月為證，是周亦未嘗改月；據夏時冠周月，是孔子始改時，又云仲尼無其位而改正朔，則是正月亦皆孔子所改，其舛誤最[79]甚。蓋由所見實未明，而欲含糊兩端，故雖主周正，而又疑於時之不可改；既主夏時，而亦疑於建子之非春，是以徒費心思而進退無據，其誤在於兼取用夏從周，是欲兩可，而不知理實不通，古人註[80]釋縱謬，卻[81]不至此。晦庵先生曰[82]：『某親見文定家說，文定《春秋》說：夫子以夏時冠周月，以周正紀事，謂如公即位依舊是十一月，只是孔子改正作春正月。某便不敢信，恁地時二百四十二年，夫子只證得箇行夏之時四箇字。據今《周禮》有正月、有正歲，則周實是元改作春正月，夫子所謂行夏之時，只是為他不順欲改從建寅，如《孟子》說「七八月之間旱」，這斷然是五六月，十一月徒杠成、十二月輿梁成，這分明是九月十月。』晦庵[83]之說明白如此，

71霖案：「諸家」二字，應依《春秋師說》改作「諸儒」。

72霖案：「胡文定」三字之前，應依《春秋師說》補入「若」字。

73霖案：「也」字下，應依《春秋師說》補入「其屈經也，不言可知其失矣；而屈傳者，亦未必真合於經，如曰：『經文脫漏，經誤之類，是屈經也。』，然不知有未嘗脫漏，未嘗誤者存，如：君氏為尹氏仲子，非桓母之類，是屈傳也，而不知傳之事實有不可誣者。

74霖案：「如」字，應依《春秋師說》改作「又」字。

75霖案：《春秋師說》無「者」字，當刪正。

76霖案：《春秋師說》卷中，(通志堂經解本，冊二六)，頁14835。

77霖案：「庵」字，《春秋師說》作「菴」字，書寫習慣不同所致。

78霖案：「按」字，《春秋師說》作「案」字。

79「最」，「《四庫》」作「益」。　霖案：《經義考新校》頁3393於「《四庫》」二字之前，另有「文淵閣」三字。今考《春秋師說》正作「最」，與竹垞所錄解題相同，則「四庫本」作「益」者，或為館臣誤植所致。

80霖案：「註」字，《春秋師說》作「注」，書寫習慣不同所致。

81霖案：「卻」字，《春秋師說》作「刦」字，書寫習慣不同所致。

82霖案：「晦庵先生曰……」以下諸文，《春秋師說》列於「春秋遵用周正」諸句之前，而竹垞引錄解題之時，反置於後，明顯有錯簡之情事，今依《春秋師說》原書改正。又「晦庵」二字，《春秋師說》作「晦菴」，實乃書寫習慣不同所致。

83「晦庵」二字，《春秋師說》作「晦菴」，實乃書寫習慣不同所致。

而不能救學者之惑，可勝歎哉!」　又曰[84]：「『春王正月』，此不過周之時、周之正月，而據文定，則春字是夫子特筆，故曰『以夏時冠周月』；又謂：孔子有聖德無其位，而改正朔，如此則正月亦是夫子所改；蔡九峰則謂周未嘗改月，引《史記》冬十月為證，如此則時或是夫子所移易，以此說夫子，豈不誤哉？澤之愚見只是依據《三傳》及漢儒之說定，以夫子《春秋》是奉王者正朔以建子為正，此是尊王第一義，決無改易，其答[85]顏子行夏之時乃是為萬世通行之法，非遂以之作《春秋》也。」

蔣悌生曰[86]：「近世明經取士，專用《胡氏傳》[87]，蓋取其議論正大；若曰一一合乎筆削之初意，則未敢必其然也[88]。」

梁寅曰[89]：「信《公》、《穀》之過[90]，求褒貶之詳[91]，未免蹈先儒之謬，此胡康侯之

84霖案：《春秋師說》卷下，(通志堂經解本，冊二六)，頁14852。

85霖案：「答」字，《春秋師說》作「荅」字，書寫習慣不同，致「竹」、「卄」常互混用。

86霖案：蔣悌生：《五經蠡測》卷六，(通志堂經解本)，頁23428。又四庫本184冊：《五經蠡測》卷6，頁4。

87霖案：「《胡氏傳》」三字，應依《五經蠡測》改作「胡氏及《三傳》」，而竹垞僅云「《胡氏傳》」者，於實情稍有不同。又「傳」字之下，亦應依《五經蠡測》補入「程子、朱子亦以為然」等八字。

88霖案：「也」字下，《五經蠡測》另有「大抵《春秋》之作，不過欲正人心，存天理，明人倫，正名分，尊王賤伯，內中國，外夷狄，雖聖人復生，亦將有取於胡氏之言，又何必一一盡合於筆削之初意乎？」等字，事涉夷狄之論，故竹垞刪去上述文句。然而，上述諸句，適能補足前文「未敢必其然也」的議論，實不當刪去，今據以補入。

89霖案：梁寅：《新喻梁石門先生集》(北京：書目文獻出版社，「北京圖書館古籍珍本叢刊」，一九八七年)卷六，〈春秋傳〉，頁440。又《明文海》卷147；《明文衡》卷26；《文章辨體彙選》卷233等錄及相關文句。

90霖案：「過」字之前，應依《新喻梁石門先生集》補入「大」字。

91霖案：「詳」字之前，應依《新喻梁石門先生集》補入「大」字。又「詳」字之下，應依《新喻梁石門先生集》補入「多非其旬，若陳氏之論世變，以為有隱、桓、莊、閔之《春秋》；有僖、文、宣、成之《春秋》，有昭、襄、定、哀之《春秋》，然其於褒貶以傳之，所書而論經之所不書，則傳事又豈一一皆實乎？噫！蔽雲霧者，終不能以見青天；航池潢者，終不能以至滄海，欲求聖人之大意，又曷若束三傳而究遺經也哉！」等字，蓋上述諸文均為竹垞略去，僅改以「未免蹈先儒之謬，此胡康侯之失也。」，實未足以完其原意，今據以補梁氏原文，以供讀者參考。又竹垞引錄梁氏之文，僅言胡氏之失，惟原文實記若干胡氏之善者，皆為竹垞所略，今將梁氏原文輯錄如下：「文定之《傳》，精白而博贍、慷慨而精切，其於義利之分、夷夏之辨、綱常之正、亂賊之討，彰彰乎烈日之明也、凜凜乎秋霜之肅也。」。據此，梁氏非僅論及胡氏之失，亦言及其善，惟內容亦涉及夷狄之辨，有礙清諱，故刪去之，今補錄如上，以供讀者參考。

失也。92」

劉永之曰93：「胡康侯之學術正矣，其論議辨而嚴矣，其失則承乎前儒而甚之者也。朱子嘗曰：『有程子之《易》94可自為一書。』謂其言理之精而非經之本旨也。若胡氏之《春秋》自為一書焉可也。」

何喬新曰95：「宋之論《春秋》而有成書者，無如胡文定公96；文定之傳，精白而博97贍，忼98慨而精切99，然所失者，信《公》、《穀》100太過，求褒貶101太詳，多非本旨。」

彭時曰102：「先生103平生著述皆有關104名教，而發明《春秋》之功為尤大。蓋《春秋》，孔子之親筆，聖人經世之志在焉，非若他經可以訓詁通。自《左》105、《公》、《穀》以來，傳注106之行無慮百家，文舛辭煩107，卒無定說，聖人之宏綱大旨往往鬱而不明，致使

92霖案：「未免蹈先儒之謬，此胡康侯之失也。」諸句，乃是竹垞根據前後文句所擅改，梁氏原文詳見前註。

93霖案：《皇明文衡》卷二十六，〈答梁孟敬書〉，頁237。又四庫本：《稗編》12-7下有之。

94霖案：「《易》」字下，應依《皇明文衡》補入「又曰」二字。

95霖案：何喬新：《椒邱文集》卷一，〈六經〉，頁83。又四庫本：何喬新：《椒邱文集》卷一，《四庫全書存目叢書》子部，冊174，偉文出版明代論著叢刊，文海出版：明人文集叢刊第一期等有之。

96霖案：「公」字下，應依《椒丘文集》補入「其次，則永嘉陳傅良也。」等字，竹垞以其與此處典籍無涉，故刪之矣，今據原書補入。

97霖案：「博」字，《椒丘文集》作「愽」字。

98霖案：「忼」字，應依《椒丘文集》作「慷」字。

99霖案：「精切」二字，應依《椒丘文集》補入「其於義利之分，夷夏之辨，綱常之正，亂賊之討，彰彰乎烈日之明也，凜凜乎秋霜之肅也。」等字，此事涉「夷夏之辨」，恐有諱清諱，因而見刪，今據以補入。

100霖案：「《穀》」字下，應依《椒丘文集》補入「之」字。

101霖案：「貶」字下，應依《椒丘文集》補入「之」字。

102霖案：明程敏政編：《皇明文衡》(台北：臺灣商務印書館，「四部叢刊正編(大本原式精印)」，民國六十八年十一月，臺一版)，卷一○○，彭時〈重修胡文定公書院記〉，頁757-758。

103霖案：「先生」二字，為竹垞根據文句所改寫，以替換原文「其」字，蓋竹垞引錄此文之時，刪去前文達三百七十五字，故而改寫「其」字為「先生」，以示敬稱之意。

104霖案：「關」字，〈重修胡文定公書院記〉作「觀」字，然視文意，或應作「關」字為佳。

105霖案：「《左》」字下，應依〈重修胡文定公書院記〉補入「氏」字。

106霖案：「注」字，〈重修胡文定公書院記〉作「註」字。

107霖案：「煩」字，應依〈重修胡文定公書院記〉作「僻」字。

王安石詆以為斷爛朝報，直廢棄之，不列於學官，庸非聖經以眾說晦而安石無獨見之明故邪[108]？先生自壯年即[109]服膺是經，心領神悟，獨得聖人之精微，當宋南渡時，執經進講，深見獎重，及承詔作傳，乃參考百家，一折衷之以至理，推闡微辭，發明奧義，其於抶[110]三綱、敍[111]九法、抑邪說、正人心，與夫尊王[112]內夏[113]之意，尤惓惓焉，自是《春秋》之大義復明矣。於戲！周東遷而《春秋》作，宋南渡而傳義明，先聖後賢，千古一心，豈斯文之興固自有其時與[114]？向[115]使安石幸而生先生之後，得聞其說，將崇信是經之不暇，而何[116]詆棄之邪？惟其不幸出於先生之前，不能超眾說以有見，是以得罪於聖人，取譏於後世也。然則先生之於是經，誠可謂繼往聖於既絕，開來學於無窮，其衛[117]道息邪之功於是為大矣[118]。」

胡居仁曰[119]：「胡氏《春秋傳》多穿鑿[120]，文定既[121]學於謝顯道，不應不取程子《傳》

108霖案：「邪」字，〈重修胡文定公書院記〉作「耶」字。

109霖案：「即」字，〈重修胡文定公書院記〉有一墨丁，當是刻工誤刻文字所致。

110霖案：「抶」字，當依〈重修胡文定公書院記〉改作「扶」字，「抶」、「扶」字形相近而誤入，今據原書文句改正。

111霖案：「敍」字，〈重修胡文定公書院記〉作「敘」字。

112霖案：「尊王」二字下，應依〈重修胡文定公書院記〉補入「賤覇」二字。

113霖案：「內夏」二字下，應依〈重修胡文定公書院記〉補入「外夷」二字，蓋「夷」字觸清廷諱，故刪去「外夷」二字，惟「尊王賤覇」、「內夏外夷」實兩兩對應，今若刪去「外夷」二字，致使文意不順，乃併合刪去「賤覇」二字，今據原書文句，當分別補入「賤覇」、「外夷」二詞。

114霖案：「與」字，〈重修胡文定公書院記〉作「歟」字。

115霖案：「向」字，〈重修胡文定公書院記〉誤作「鄉」字，今審度文意，當以「向」字為宜，蓋「鄉」、「嚮」字形相近，「嚮」、「向」形義相同，因而原書版本誤作「鄉」字，竹垞根據前後文意而改作「向」字。

116霖案：「何」字下，應依〈重修胡文定公書院記〉補入「敢」字。

117霖案：「衛」字下，〈重修胡文定公書院記〉作「衞」字。

118霖案：「矣」字下，應依〈重修胡文定公書院記〉補入「我朝推崇先生，列諸從祀，誠萬世之公論，而崇安乃先生鄉邑，矧可無專祠以起後人之景仰也哉？此太守所為盡心於書院，而不敢後也，繼今學者，仰而瞻其容，俯而讀其書，一惟其道德言論，是式是循，庶幾進德脩業，早有成效，然後無負於太守表章風勵之意。太守名鉞，字仗德，世家安成，為贈學士忠愍公之子，浙江憲副釪之兄，父子兄弟相繼以《春秋》第進士，而太守為政，尤汲汲於重名節，表風俗，亦其學有所本，且知所自云。」等字。上述諸多文句，對於瞭解胡文定公的學術地位及其影響力，實有偌大的作用，今補之如上，以供讀者參考。

119 霖案：胡居仁，《居業錄》卷八，(台北：臺灣商務印書館，「景印文淵閣四庫全書」冊七一四，民國七十五年三月，初版)，頁107。

120 霖案：「胡氏《春秋傳》多穿鑿」八字，原書置於「而以為己說也」諸字之下，而竹垞錄之，有而自作傳，雖有祖程子者，又[122]不當不表程子而以為己說也。」

李蓑曰：「宋儒病漢儒好言災異，而胡康侯傳《春秋》往往引用其說，如文公十四年『有星孛於北斗』[123]，昭公十七年『有星孛於大辰』，康侯之傳何嘗不全用董仲舒、劉向之說邪？然又不明言也。」

【增補】〔補正〕李蓑條內「有星孛於北斗」，「於」當作「于」，上脫「入」字。（卷八，頁四）

卓爾康曰：「胡文定當南渡時，發憤著書，志固有在。中間詞旨激揚，或有所過，而昭大義，明大法，炳如日星，不可磨滅也。」

羅喻義曰：「胡氏誤認天子之事為《春秋》賞人[124]黜人作許大舉措，及問所黜，則滕、杞而已，此豈天子事邪？」

尤侗曰：「胡《傳》專以復讎為義，割經義以從己說，此宋之《春秋》，非魯之《春秋》也。」

俞汝言曰：「胡氏之傳，借經以抒己志，非仲尼之本旨。」

何其偉曰：「《春秋》晉荀吾[125]帥師伐陸渾之戎，書以大之也。胡氏乃曰：『舉其名氏，非褒辭也，猶廑廑以戒窮兵於遠者。』夫胡氏當建炎間以《春秋》入侍，此何時也，而猶廑廑焉以戒窮兵於遠者？金人之起海角也，遠者也，宋未嘗窮兵也，胡為而徽、欽北？胡為而康王南，尋則奔明州，走溫州？胡氏以《春秋》進而輒戒窮兵，其君復詡詡曰：『安國所講《春秋》，吾率二十四日讀一遍。』嗟夫！惟熟於胡氏之《春秋》而戒窮兵，戒窮兵而厭兵，厭兵而後和議決矣。吾不知所謂因事而進規者，其義安在？」

【增補】〔補正〕何其偉條內「晉荀吾」，「吾」當作「吳」。（卷八，頁四）

毛奇齡曰[126]：「《胡氏傳》解經之中，畔經尤甚；《胡氏傳》出，而孔子之道熄矣。」又曰：「三正紀云：正朔三而改。此三代以前皆改正也，且改正必改月，改月必改時，亦無可擬議者，而胡氏曰：『前乎周者，以丑為正，其書始即位曰「惟元祀十有二月乙丑」，則

錯簡之失。

121 霖案：「既」字，《居業錄》作「旣」字。

122 霖案：「又」字，《居業錄》無此字，當刪。

123「有星孛於北斗」，「四庫本」作「有星孛入於北斗」，應依《補正》作「有星孛入于北斗」。　霖案：《經義考新校》頁3395校文有較大改動，其文如下：「『有星孛於北斗』，依《補正》應作『有星孛入于北斗』。《四庫薈要》本、文淵閣《四庫》本俱作『有星孛入於北斗』。」。

124霖案：《經義考新校》頁3395有新校文如下：「『人』，《備要》本誤作『入』。」

125「荀吾」，應依《補正》、《四庫》本作「荀吳」。　霖案：《經義考新校》頁3396於「《四庫》」二字之前，另有「《四庫薈要》本、文淵閣」等字。

126霖案：出自：四庫本：毛奇齡：《春秋毛氏傳》卷3錄之，有《皇清經解》本、《西河合集》本。

知月不易也；後乎周者，以亥為正，其書始建國曰「元年冬十月」，則知時不易也。』不知商亦改月。《左傳》昭十七年，冬，有星孛于大辰。梓慎曰：『火出于夏為三月，于商為四月，于周為五月。』是明言夏、殷、周之盡改月也，陳寵曰：『十二月，地以為正，殷以為春。』是商亦改時也。《漢律歷志》引〈書序〉及〈古伊訓篇〉文，云『惟太甲元年，十有二月朔，伊尹祀于先王，誕資有牧方明』，而班固隨解之曰：『言雖有成湯、太丁、外丙之服，以冬至越茀祀先王于方明，以配上帝。』蓋是年值月朔冬至，故云。則是十二月者，乃夏之十一月正冬至郊祀之時，故因祀方明，奉先王以配上帝，並非新君即位改元之始月也。若夫《春秋》之改時月可指數者，莊七年『秋，大水，無麥苗』，夫秋當有麥苗乎？桓八年『冬十月，雨雪』，此八月雪也，若十月則小雪矣，而何書也？隱九年『三月，震電』，此正月雷也，若三月則啟蟄久矣，而何足怪也？桓十四年『春正月，無冰』，成元年『春二月，無冰』，此非春也，冬也，若果春，則冰泮矣。又若僖五年傳：『春王正月，日南至。』天下無寅月而冬至者。昭二十年傳：『二月，日南至。』夫二月春將分矣，而日始南至，無是理也。乃胡氏不知何據，逞其武斷，謂以夏時冠周月，致有明數百年盡為所惑。夫子月稱正冬、月稱春，經傳顯然而云《春秋》用夏時，不可解也。至隱公不書即位，胡氏自造一例曰：上不稟命於天子，內不承國於先君，大夫扳已立而即立之，則不書即位，隱之不書，是仲尼削之也。則春秋二百四十餘年，凡列國立君，或爭或篡，或出或入，何嘗一稟命天子，至不承先君，則桓不承隱、宣，不承文、定，不承昭，而三君偏得書即位，何也？據曰『隱之不書，仲尼削之』，則桓之得書，將必仲尼褒之矣。夫亂賊其可褒乎？乃自知難通於桓即位，傳則曰：『美惡不嫌同辭。』於宣即位，傳則曰：『一美一惡，不嫌相同。』夫美惡可同，是善惡混也。亂莫大於善惡混，乃以夫子作《春秋》而使善惡混，則或褒或貶，何所分別？吾不意胡氏之學一開卷間，即辭窮理屈如此。」

《春秋通例》（宋）

《宋志》：「一卷。」

【霖案】《通考》卷十，頁二五八。

存。

【版本及藏地】《春秋總義論著目錄》頁四四注曰「傳本：《中國古籍善本書目》均附於《春秋胡氏傳》之下，題為《綱領》、《卷首》不一，共二十一種」，詳細情形，請參看胡安國《春秋傳》條下考證。

胡氏寧《春秋通旨》

【作者】《通考》將本書置於「胡文定(安國)」之下，而竹垞則以本書為安國之子胡寧所輯，而立胡寧為其作者，實有待商榷。胡寧，字和仲，崇安人，安國次子，以蔭補官，召試館職，後出為夔州路安撫司參議官，知澧州，不赴卒。安國作《春秋傳》，修纂檢討，盡出寧手。又著《春秋通旨》以羽翼其書，學者稱「茅堂先生」。

《宋志》：「一卷。」

未見。

【霖案】本書未見其他傳本，且《春秋總義論著目錄》頁九錄為佚籍，當已久佚，故改注曰「佚」。

【霖案】《通考》卷十，頁二五八錄之。

吳萊〈後序〉[127]曰：「自宋季德安之潰，有趙先生者北至燕，燕、趙之間，學徒從者殆百人，嘗手出一二經傳及《春秋胡氏傳》，故今胡氏之說特盛行。胡氏正傳三十卷，傳外又有總貫條例、證據史傳之文二百餘章，子寧集之，名曰《春秋通旨》，輔傳而行。當胡氏傳《春秋》時，光堯南渡，父讎[128]未報，國步日蹙，將相大臣去戰主和，寖忘東京宮闕、西京陵寢而不有[129]者，是故特假《春秋》之說進之經筵，且見內夏外夷[130]若是之嚴，主辱臣死若是之酷[131]，冀一悟主聽，則長淮不至於自畫，江左不可以偏安，此固非後世學《春秋》之通論也。然而胡氏傳文大概[132]本諸程氏，程氏門人李參所集程說頗相出入，胡氏蓋多取之，欲觀正傳，又必先求之《通旨》，故曰：史文如畫[133]筆，經文如化工。若一以例觀，則化工與畫[134]筆何異？惟其隨事而變化，則史外傳心之要典，聖人時中之大權也。世之讀《春秋》者，自能知之，固不可以昔者歆、向之學而異論矣。趙先生者，諱復，字仁甫，國初南伐攻德安，潰之，仁甫遭擄，遇姚文獻公軍中，文獻與言，信奇士，仁甫方以國破家殘不欲北，且蘄死，會夜月出，即逃，乃亟被鞍躍馬號積尸間，見其解髮脫屨，仰天呼泣，蓋欲求至水裔而未溺也。文獻曉以徒死無益，乃還，然後盡出程、朱《性理》等書及諸經傳，故今文獻與許文正公遂為當代儒宗，仁甫為有以發之也。先正[135]有云：世之去聖日遠，故學者惟傳經最難，仁甫當天下擾攘之際，乃能盡發先儒傳疏而傳之，不亦難乎？上在潛邸嘗召見，曰：『我欲取宋，卿可導之乎？』對曰：『宋，父母國也，未有引他人之兵以伐父母者。』故仁甫雖在燕久，常有江漢之思，誠若是，則吾仁甫亦無媿乎胡《傳》之學矣。」

陸元輔曰：「胡寧，字和仲，崇安人，安國季子，用蔭補官，召試館職，除敕令所刪定，

127霖案：《五經翼》卷十四，〈春秋通旨後題〉，頁788。（「四庫全書存目叢書」本，經一五一）。又四部叢刊本《淵穎集·春秋通旨後題》卷十二，頁120錄之。

128霖案：「讎」字，《五經翼》卷十四引作「讐」字，《淵穎集·春秋通旨後題》正作「讎」字。

129霖案：《經義考新校》頁3398有新出校文如下：「『不有』，文津閣《四庫》本作『不顧』。」

130霖案：《經義考新校》頁3398有新校文如下：「『內夏外夷』，文津閣《四庫》本作『內外之防』。今考「夷」字，《五經翼》卷十四引作「彝」字，蓋《淵穎集·春秋通旨後題》正作「夷」字，竹垞所錄文句，顯然與《淵穎集》較為接近。

131霖案：《經義考新校》頁3398有新出校文如下：「『主辱臣死若是之酷』，文津閣《四庫》本作『君臣之際若是其謹』。」等字。

132霖案：「概」字，《五經翼》卷十四、《淵穎集》均引作「槩」字。

133霖案：「畫」字，《五經翼》卷十四引作「書」字，《淵穎集》正作「畫」字。

134霖案：「畫」字，《五經翼》卷十四引作「書」字，《淵穎集》正作「畫」字。

135霖案：「先正」二字，《五經翼》卷十四引作「先生」，《淵穎集·春秋通旨後題》正作「先正」，可見竹垞所據之文，大抵根據《淵穎集》而來。

官遷太常寺丞祠部郎，出為夔州路安撫司參議官，除知澧州，不赴，奉祠歸。安國之傳《春秋》也，編纂檢討多出寧手，又著《春秋通旨》以羽翼之，世稱茅堂先生。」

卷一百八十六　春秋十九經義考卷一百八十六春秋十九

鄭氏樵《夾漈春秋傳》

《宋志》：「十二卷。」

【霖案】《文獻通考・經籍考》卷十，頁二六二著錄，惟合《春秋考》、《地名》共「十四卷」，而竹垞徵引《宋志》，三書合計「三十四卷」，卷數分合頗有不同。

未見。

【霖案】本書未見其他傳本，且《春秋總義論著目錄》頁二三注曰「佚」，當已久佚，故改注曰「佚」。

《春秋考》

《宋志》：「十二卷。」

【卷數】《直齋書錄解題》卷三，頁四六二著錄，卷數題作「一卷」

未見。

【霖案】本書未見其他傳本，且《春秋總義論著目錄》頁五六注曰「佚」，當已久佚，故改注曰「佚」。

《春秋地名譜》

【書名】本書異名如下：

一、《地名譜》：《直齋書錄解題》卷三，頁四六二。

二、《地名》：《文獻通考・經籍考》卷十，頁二六二。

《宋志》：「十卷。」

【卷數】《直齋書錄解題》卷三，頁四六二著錄，卷數題作「十卷」

未見。

【霖案】本書未見其他傳本，當已久佚，故改注曰「佚」。

樵〈自述〉曰[1]：「按《春秋》之經則魯史記也，初無同異之文，亦無彼此之說，良由三家所傳之書有異同，故是非從此起。臣作《春秋考》，所以是正經文，以凡有異同者皆是訛謬[2]。古者簡編艱繁，學者希見親書，惟以口相授，左氏世為楚史，親見官書，其訛差少，然有所訛從文起，《公》、《穀》，漢之經生惟是口傳，其訛差多，然有所訛從音起。以此

1霖案：《文獻通考．經籍考》卷十，頁262。

2霖案：「訛謬」,《文獻通考》作「訛誤」。

辨之，了無滯礙[3]。又有《春秋傳》十二卷，以明經之旨備見周之憲章。[4]」

陳振孫曰[5]：「其學大抵工於考究，而義理多迂僻。」

【增補】何廣棪：《陳振孫之經學及其《直齋書錄解題》經錄考證》曰：「廣棪案：樵撰《通志》二百卷成，其《自述》中曰：『按《春秋》之經，則魯史記也。初無同異之文，亦無彼此之說，良由三家所傳之書有異同，故是非從此起。臣作《春秋攷》，所以是正經文，以凡有異同者，皆是訛謬。古者簡編艱繁，學者希見親書，惟以口相授。左氏世為楚史，親見官書，其訛差少，然有所訛從文起。公、穀，漢之經生，惟是口傳，其訛差多，然有所訛從音起。以此辨之，了無滯礙。又有《春秋傳》十二卷，以明經之旨，備見周之憲章。』是則《春秋攷》者，其書乃考究經文異同正訛，直齋以為樵所工者也。《春秋傳》者，其書闡述義理，直齋以為樵迂僻者也。惜樵書已佚，無由相質正矣。」（頁五八九）

石氏公孺《春秋類例》

《宋志》：「十二卷。」

佚。

《中興聖政錄》[6]：「紹興初[7]，詔鄉貢進士石公孺[8]、李郁並令赴都堂審察。公孺[9]，臨海人，長於《春秋傳》，不事科舉。郁，光澤人，父深，元祐黨人，母，陳瓘[10]兄弟也，郁早從楊時學，時以女[11]妻之。[12]」

3霖案：「滯礙」，《文獻通考》作「滯疑」。

4霖案：「以明經之旨備見周之憲章。」，應斷作「以明經之旨，備見周之憲章。」。

5霖案：《直齋書錄解題》卷三，頁462、《文獻通考．經籍考》卷十，頁262。

6霖案：《中興聖政錄》卷十三，「紹興三年」下，頁1249。又《建炎以來繫年要錄》卷六七，頁2191、《宋史全文》卷十八下錄之。

7霖案：「紹興初」三字，《中興聖政錄》並無此三字，乃是竹垞根據前後文句擅加所致。又原書於「詔鄉貢進士石公孺」諸字之前，有「丙寅」二字，歸屬於「秋七月」之下，且此事記載於「紹興三年」之下，則「紹興初」三字，明顯是「紹興三年秋七月丙寅」之省稱，惟原書文句僅有「丙寅」二字，則其確切發生之年、月、日，應以注文標示為佳。

8霖案：「石公孺」三字，《建炎以來繫年要錄》卷六七，頁2191誤作「石公儒」，其中「孺」、「儒」形近而誤。

9霖案：「公孺」三字，《建炎以來繫年要錄》卷六七，頁2191誤作「公儒」，其中「孺」、「儒」形近而誤。

10霖案：「陳瓘」二字下，《中興聖政錄》、《建炎以來繫年要錄》均多出「女」字，衡諸前後文句，應有「女」字，竹垞漏略「女」字，使得姊妹誤作兄弟，顯然親屬關係有誤。

11霖案：「女」字，《中興聖政錄》原作「其子」，竹垞擅改作「女」字，雖字義並無不同，但文句顯程端學曰[13]：「會稽石氏公孺[14]。」

《姓譜》[15]：「字長孺[16]，高隱不仕[17]，高宗詔求遺逸[18]，召對稱旨命之官，固辭，高宗曰：『卿當為朕勉受一官。』乃授迪功郎。進其所作《春秋類例》，命藏祕閣[19]。」

李氏棠《春秋時論》

《宋志》：「一卷。」

佚。

程端學[20]曰：「蜀李氏棠子思。」

王應麟曰[21]：「建炎中[22]，李棠[23]專采時議為論，一十八篇。」

任氏續《春秋五始五禮論》

【作者】任續，字似之，潼川郪縣人。起家為雒縣尉，又尉永川，登紹興二十一年進士，任澧州州學教授。當路交薦，累擢守涪州，易恭洲，罷為主管台州崇道觀，乾道六年卒，年五十七，撰有《仙雲集》二十卷，《任氏春秋》十五卷，《春秋五始五禮論》五卷，《篆隸石刻譜》二十卷等書。

五卷。

佚。

有差異，今應還其本文，將此「女」字改作「其子」。

12霖案：「妻之」二字下，《中興聖政錄》另有「宣諭朱巽言其賢，故召。」等九字，係明言此字詔見之因，不當刪除，今據以補入。

13霖案：程端學：《春秋本義》〈春秋傳名氏〉，(《通志堂經解》冊25)，頁13861。

14霖案：「會稽」、「公孺」均為注文之字。

15霖案：《萬姓統譜》卷一百二十一，(《四庫》本，冊九五七)，頁667b。蓋此文雖出出自《萬姓統譜》，但均係出自注文。

16霖案：「長孺」二字下，應依《萬姓統譜》補入「石城曾孫，警悟孝友，有經術。」等十一字。

17霖案：「仕」字下，應依《萬姓統譜》補入「丞相謝克家禮為國士。」等九字。

18霖案：「遺逸」二字下，應依《萬姓統譜》補入「使者朱巽薦其長於《三傳》」等十字。

19霖案：「祕閣」，應依《萬姓統譜》改作「館閣」二字。又「閣」字下，應依《萬姓統譜》補入「再授監南岳，不久還山，卒。」等十字。

20霖案：程端學：《春秋本義》〈春秋傳名氏〉(《通志堂經解》(冊25))，頁13862。

21霖案：王應麟《玉海》冊二，卷四○，頁802A。

22霖案：「建炎中」三字之前，《玉海》另有「一卷」二字，可見此書為一卷，一十八篇。

23霖案：「李棠」二字下，《玉海》另有「撰」字，竹垞引錄之時，未及此字，當據以補正。

高氏閎《息齋春秋集注》24（宋）

【作者】高閎（1097～1153），字抑崇，號息齋，鄞人。八歲通經史大義，紹興元年以上舍選賜進士第，召為秘書省正字，累官國子司業，學制多閎所建明，除禮部侍郎，後被劾出知筠州，不赴，紹興二十三年正月卒，年五十七，諡「憲敏」。

【書名】本書異名如下：

一、《春秋集注》：《東北師範大學圖書館藏古籍善本書目解題》頁三六著錄。

二、《高氏春秋集註》：張壽平《公藏先秦經子注疏書目》頁一三五著錄。

三、《春秋集註》：張壽平《公藏先秦經子注疏書目》頁一三五著錄。

【增補】〔補正〕案：《宋史．儒林傳》作《集傳》，與此異。（卷八，頁四）

《通考》：「十四卷。」

【卷數】本書卷數異同如下：

一、十四卷：《文獻通考．經籍考》卷十，頁二六一著錄。

二、四十卷：張壽平《公藏先秦經子注疏書目》頁一三五著錄。

未見。

【存佚】是書久佚，四庫館臣輯自《永樂大典》，使得原書復存於世，竹垞注曰「未見」，乃合於當時實情，惟今日既已自《永樂大典》輯出，應可重新改注曰「存」。

【版本及藏地】本書版本及藏地如下：

一、文淵閣四庫全書本：(宋)高閎撰《高氏春秋集注》四十卷，十四冊，國立故宮博物院善本舊籍總目，上冊，頁九十七著錄，台北：故宮博物院有藏本。

【增補】永瑢等撰《欽定四庫全書總目》曰：「春秋集注25四十卷　永樂大典本

宋高閎撰。閎字抑崇，鄞縣人。紹興元年以上舍選賜進士第，歷官禮部侍郎，事迹具《宋史．儒林傳》。是書以程子《春秋傳》為本，故仍冠以程子原序，其說則雜采唐、宋諸家，熔以己意，不復標舉其姓名。史稱：『秦檜疑閎薦張九成，出知筠州，不赴，卒。』而樓鑰序是書則云：『以直道忤時宰，一斥不復，家食累年，略不以事物自攖，日有定課，風雨不26渝。』蓋閎家居以後，歷久始卒。晚年精力，盡在是書。《史》文言之未詳也27。閎大旨雖宗程《傳》，然如程子據漢薄昭《與淮南王書》有

24「《息齋春秋集注》」，據《補正》，或作「《息齋春秋集傳》」。

25霖案：原注云：按：文淵閣庫書題作《高氏春秋集注》。

26霖案：原注云：「不」，浙、粵本作「弗」。

27霖案：原注云：李裕民：《宋史》故言之不詳，然樓鑰所記甚籠統。《建炎以來繫年要錄》載之甚詳：紹興十四年五月十五日，詔以高閎知筠州；同年十月十六日致仕；二十三年正月九日，卒於家

『齊桓殺弟』之語，遂謂『子糾為弟，齊桓為兄』，閌則仍用三傳、《史記》、《荀子》之文云：『子糾小白，皆襄公弟。糾居長，為當立。』絕不依阿牽就，務存門戶之私。他如解『衛人立晉』，解『夫人氏之喪至自齊』，解『取濟西田』諸條，皆深得聖人之微旨。其解『及向戍盟於劉』云：『凡因來聘而盟者，必在國內。劉，王畿采地，豈有來聘魯而遠盟于劉者。蓋下文有劉夏，傳者以為春夏之夏，與文四年『夏，逆婦姜于齊』文同，故誤增『于劉』二字。又如以『州蒲』為『州滿』之訛，亦皆足以備一解。惟隱公九[28]年『會防』之『防』，在琅邪華縣東南，十年『取防』之『防』，在高平昌邑縣西南；文公十二年『城諸及鄆』之『鄆』，在城陽姑幕南，成公四年『城鄆』之『鄆』[29]，在東郡廩邱縣東。閌皆混為一地，未免於考據少疏耳。原書久佚，惟[30]散見《永樂大典》中。謹按次排比，薈粹成編，其《永樂大典》原闕者，則采各書所引閌說補之。首尾完具，復為全帙。陳振孫《書錄解題》稱是書十四卷。今以篇頁繁重，析為四十卷。又《宋史》本傳稱閌有《春秋集解》，而《永樂大典》實作《集注》，與《書錄解題》同，當是宋本原題，今并從之。至所載經文，多從《左氏》，而亦間有從《公》、《穀》者。蓋宋代諸儒大都兼采三傳，不盡如漢世專門之學也。』（卷二十七，頁三四五至頁三四六）

【增補】邵懿辰撰、邵章續錄：《增訂四庫簡明目錄標注》卷三曰：「《春秋集注》四十卷，宋高閌撰，原本久佚，今從《永樂大典》錄出。

聚珍板本。

〔續錄〕閩覆本。」（頁一〇九）

【增補】李裕民《四庫提要訂誤》曰：「《宋史》本傳言之未詳，確為事實。然館臣所引樓鑰語也甚籠統，年月不具。此事《建炎以來繫年要錄》所載甚詳，詔以高閌知筠州在紹興十四年（１１４４）五月十五日，（卷一五一）致仕在同年十月十六日（卷一五二），卒于紹興二十三年（１１５８）正月九日（卷一六四），家居凡九年。」（頁十五）

二、清乾隆四十五年武英殿聚珍版叢書本：宋・高閌《春秋集注》四十卷，九行二十字。白口，四周雙邊。書口下題：繆晉校。有紀昀等乾隆四十五年奏章。目端題：武英殿聚珍版。十冊。《國立故宮博物院善本舊籍總目》，上冊，頁九十七著錄，台北：故宮博物院、長春東北師範大學圖書館有藏本。

【增補】《東北師範大學圖書館藏古籍善本書目解題》云：「是編以程子《春秋傳》為主，其說則雜采唐、宋諸家，熔以己意。

。家居凡九年。

28霖案：原注云：「九」，底本誤作「元」，據浙、粵本及《春秋》原文改正。

29霖案：原注云：「之鄆」，底本漏，據浙、粵本補。

30霖案：原注云：「惟」，底本誤作「隹」，據浙、粵本改。

高閌：宋，鄞人，字抑崇。八歲通經史大義。紹興初以上舍進賜進士第，召為秘書省正字，累官國子司業。卒謚憲敏，學者稱息齋先生。」（頁三六）

【增補】〔校記〕《四庫》有輯《大典》本四十卷。（《春秋》，頁四九）

三、清道光戊子(八年;1828)福建重刊同治間至光緒甲午(二十年;1894)續修增刊本：(宋)高閌撰《春秋集註》四十卷，台北：國家圖書館有藏本。

四、民國二十四年(1935)四明張氏約園刊本：(宋)高閌撰《春秋集註》四十卷，國家圖書館有藏本。

五、民國五十八年(1969)藝文印書館百部叢書集成初編影印本：(宋)高閌撰《春秋集註》四十卷，台北：國家圖書館；馬來西亞大學圖書館有藏本（二部）。

六、光緒廿五年廣州廣雅書局刊武英殿聚珍版全書：宋高閌撰《春秋集註》四十卷，八冊，馬來西亞大學圖書館有藏本。

陳振孫曰[31]：「禮部侍郎鄞高閌抑崇撰。其學專本程氏，〈序〉文可見。」

【增補】何廣棪：《陳振孫之經學及其《直齋書錄解題》經錄考證》曰：「廣棪案：此書《自序》首則曰：『昔伊川先生欲著《春秋傳》，而先為之《序》曰。』而以下則全照程頤《序》文迻錄，無一字增減，以迄全《序》之結束。由是已足覘閌學之專本程氏，《解題》所言不誤。此書樓鑰亦有《序》，略曰：『伊、洛二程先生之門，得其傳以歸者，惟故禮部侍郎高公。……自頃王荊公廢《春秋》之學，公獨耽玩遺經，專以程氏為本。又博采諸儒之說為之集注，其說粹然一出於正。』則樓鑰亦以為閌傳二程之學者。是故閌所撰《集注》，乃以頤之《春秋傳》為本也。」（頁五八八至頁五八九）

程珌曰[32]：「公之學[33]，蓋欲沿[34]伊川之書以求聖人之心者，如言平王在位日久，恬於

31霖案：《直齋書錄解題》卷三，頁462；又出自《文獻通考．經籍考》卷十，頁261。

32 霖案：程珌撰，《洺水集》卷八〈四明高氏春秋解後序〉(台北：臺灣商務印書館，「景印文淵閣四庫全書」冊一一七一，民國七十五年三月，初版)，頁340。

33 霖案：「公之學」三字之前，應依《洺水集》補入「王者以道治天下，則《春秋》之道隱，不以道治天下，而惡其書之著，則王臨川是也。先儒謂聖人謹四時之春，正天地之經也。謹一王之書，振君臣之綱也；謹日月之書，順方物之宜也；謹人名之書，辯君子、小人之道也；謹中國外戎之書，正華戎之分也；謹父子、兄弟、夫婦之書，序人道之正也。禮樂、征伐之權，朝覲、會同之節，凡大經大法粲然，靡所不備，用之則王，舍之則亡，雜之則霸，方周之衰，王道寖微，聖人憂之，此書之所為作也。若曰：道雖不行於一時，書則可垂于萬世，有王者興，猶可稽之以為驗，操之以為決。故曰：王道之權衡也，先儒嘗病丘明昧於經意，汨亂綱常，若天王於卿士而言貳與叛上，公下臨侯國而言拜成，王室討諸侯而言背盟，君臣三綱之首也，而悖謬若是，則改而正之，寧無望於後人乎？」等句，上述諸句，事涉華戎之分，實有諱清廷之忌諱，而為竹垞略之，今據以補入。

頹靡，無復振起之略[35]，諸侯專肆，變法壞紀，亂臣賊子接迹海內[36]，平王不可望矣，故託[37]始於隱公；及二百四十年之後，齊[38]、晉又衰，政出大夫，吳、楚橫行中國，不復知有周矣，故終於越入吳。其志慮可謂深長，而規模可謂正大。惜乎排擯沮抑，不使其身獲安於朝廷之上，書雖不廢於當時，而道則不行於天下[39]，愚是以讀公之書，悲公之志[40]，然猶幸其書之存也[41]。」

樓鑰〈序〉曰[42]：「吾鄉四明，慶歷皇祐間，杜、楊、二王及我高祖正議號五先生，俱以文學行誼表率於鄉，杜先生又繼之講明經術，名公輩起，儒風益振。其[43]後伊洛二程先生之門[44]得其傳以歸者，惟故禮部侍郎高公，公天資純粹，濟以勤敏、師友淵源、學問精詣入上庠，登舍選，已有盛名，諸公貴人爭欲壻之，拂衣而歸。建炎二年，陞[45]補上舍；紹興改元德音，免殿試賜[46]進士出身；十三年，高宗初建太學，遴擇名儒，為四方所推服者，為少司，成公實應選，士子雲集，凡學之規則，皆所裁定；明年三月，車駕幸學，講《易．泰卦》於上前，擢貳卿，將嚮用矣，以直道忤時[47]，卒[48]一斥不復，家居數[49]年，中壽而歿。頃[50]端

---

34 霖案：「沿」字，《洺水集》題作「㳂」字，蓋書寫習慣而異，文意實無異同也。

35 霖案：「略」字，《洺水集》作「畧」字。

36 霖案：「內」字下，應依《洺水集》補入「荊楚強暴，憑陵中國」等八字，此八字有違清廷之諱，故刪之，今據以補入。

37 霖案：「託」字，《洺水集》題作「托」字，此字偏旁有異也。

38 霖案：「齊」字之前，應依《洺水集》補入「則」字。

39 霖案：「下」字下，應依《洺水集》補入「蓋臨川欲滅其書，是猶畏《春秋》之存也。金陵之泰，則眎書存亡，皆以為不足計矣。王黜聖經，實基戎禍，秦害忠良，蓋稔戎驕，流毒千古，吾不知何時而已耶！」等字，蓋此數句，亦有諱清廷之諱，故刪之，今據原書文句補入，以足其文氣。

40 霖案：「志」字，應依《洺水集》題作「心」字，又「心」字下，原書另有「為之掩卷三嘆」等六字，亦一併補入其文。

41 霖案：「也」字下，應依《洺水集》補入「庶幾有望於後之君子焉」等十字。

42 霖案：樓鑰，《攻媿集》卷五十一，〈息齋春秋集註序〉，（台北：臺灣商務印書館，「景印文淵閣四庫全書」冊一一五二，民國七十五年三月，初版），頁793-794。

43 霖案：「其」字，應依《攻媿集》改作「厥」字。

44霖案：「門」字，應依《攻媿集》改作「興」字。

45霖案：「陞」字，《攻媿集》作「升」字。

46霖案：「賜」字下，應依《攻媿集》補入「同」字。

47霖案：「時」字下，應依《攻媿集》補入「宰」字。

48霖案：「卒」字，《攻媿集》無此字，當據刪正。

49霖案：「數」字，應依《攻媿集》改作「累」字。

明汪公登從班，奏言學行出處之詳，始詔復次對官諸子，而公之名愈顯矣。自頃王荊公廢《春秋》之學，公獨耽玩遺經，專以程氏為本，又博采諸儒之說為之集注[51]，其說粹然，一出於正，然猶未行於世也。仲子得全知黃州，始取遺稿[52]刻之，而屬某[53]以序。某[54]生長外家汪氏，于[55]公有連，雖生晚不及承教，而猶記拜公牀下。竊聞之，公既投閑[56]，杜門屏居，略[57]不以事物自攖，日有定課，風雨弗[58]渝，此書之所以成也。嗚呼!泰山孫公明復著《尊王發微》，深欲明夫子褒貶之旨；伊川先生則謂後世以史觀《春秋》，謂褒善貶惡而已，至於經世之大法則不知也。自有《春秋》以來，未有發此祕者。公亦曰：「仲尼懼先王經世之法墜地莫傳，欲立為中制，俾萬世可以通行，故假周以立王法，而託始於隱公[59]，以文、武之道期後王，以周公之事[60]望魯之子孫也。以此推之，《春秋》固非一王之法，乃萬世通行之法也。」其推明伊川之意類如此。昔曾子每誦夫子之言，則必曰『吾聞諸夫子』，子夏使西河之民疑女[61]於夫子，曾子罪之，說者曰：『言其不稱師也。』觀公之〈序〉，直引伊川之〈序〉，不更一詞[62]，可謂稱師而知[63]其所本矣。伊川有〈序〉而傳未成，公之書成而未有序，此當屬之深於《春秋》者。某[64]何人而敢與[65]此？黃州言之再四，竊幸得託名於不腐，乃勿[66]敢辭。公諱閎，字抑崇，子孫能守家法，其興未有[67]艾也。」

50霖案：「頃」字，應依《攻媿集》改作「洎」字。

51霖案：「注」字，《攻媿集》題作「註」字。

52霖案：「稿」字，《攻媿集》題作「藳」字。

53 霖案：「某」字，應依《攻媿集》改作「鑰」字。

54 霖案：「某」字，應依《攻媿集》改作「鑰」字。

55霖案：「于」字，《攻媿集》作「於」字。

56霖案：《經義考新校》頁3404新出校文如下：「『閑』，文淵閣《四庫》本、文津閣《四庫》本俱作『閒』。」，今考「閑」字，《攻媿集》正作「閒」字。

57霖案：「略」字，《攻媿集》作「畧」字。

58霖案：《經義考新校》頁3404新出校文如下：「『弗』，文津閣《四庫》本作『不』。」

59霖案：「公」字下，應依《攻媿集》補入「焉」字。

60霖案：「事」字下，應依《攻媿集》補入「業」字。

61霖案：「女」字，應依《攻媿集》改作「汝」字。

62霖案：「詞」字，《攻媿集》題作「辭」字。

63「知」，「四庫本」作「得」。　霖案：《經義考新校》頁3404於「四庫」二字之前，另有「文淵閣」三字。今考《攻媿集》正作「知」字。

64 霖案：「某」字，應依《攻媿集》改作「鑰」字。

65霖案：「與」字，應依《攻媿集》改作「預」字。

66霖案：「勿」字，《攻媿集》作「弗」字。

67 霖案：「未有」二字，應依《攻媿集》改作「蓋未」二字。

張萱曰[68]：「宋紹興間[69]禮部侍郎廣陵高閌著其說，專以《程傳》為本，又博采諸儒之論而集為注。大旨[70]謂仲尼懼先王經世之法莫傳，立為中制，俾萬世可通行，故假周以立法，而託始於隱公，皆推明伊川之意也[71]。」

《浙江通志》：「高閌，字抑崇，鄞縣人，紹興元年進士。」

鄭氏剛中《左氏九六編》

三卷。

佚。

剛中〈自序〉曰[72]：「《左氏》載《春秋》卜筮頗詳，筮之遇《周易》者之卦，一十三變為二十六，无變者三；論卦體以明事，而不由筮得者八，總三十有七卦；蠡凡兩書，予志欲集為一書，久而未暇，近乃成之。凡卦之見於《左氏》者，各畫其所得象，具載事本與筮史之論，其有疑渾可加臆說，或近世推占之說[73]似相契驗者，輒附會其後，仍以八宮分卦并逐卦[74]之變體先之，共三卷，通號曰《左氏九六篇》[75]，庶簡而易求也，所集成，偶讀元凱書：太康元年，自江陵還襄[76]，會汲縣民有發其界內舊塚[77]者，大得古書，皆科斗文字，藏入祕府[78]，元凱晚得見之，書多雜碎奇怪，惟《周易》及《紀年》最為分了，又別一卷，純集《左氏傳》卜筮事，上下次第及其文義皆與《左氏》同，名曰《師春》，『師春』似是抄集人名。異哉!予今所作，是乃師春之意乎？其人其書，茫然千古之上，疏集同異，不可得

68霖案：孫能傳等撰《內閣藏書目錄》卷二，頁477。

69霖案：「間」，《內閣藏書目錄》作「閒」。

70霖案：「大旨」，《內閣藏書目錄》作「大指」。

71霖案：「也」字下，應依《內閣藏書目錄》補入「四明樓鑰序」五字。

72霖案：四庫本《北山集》冊一一三八，卷二十五，〈左氏九六編序〉，頁265。

73霖案：「說」字，應依《北山集》改作「法」字。

74霖案：「卦」字，應依《北山集》改作「宮」字。

75霖案：「《左氏九六篇》」五字，應依《北山集》改作「《左氏九六編》」，蓋竹垞著錄此書題作「《左氏九六編》，同於《北山集》之文，而竹垞著錄此書之時，應是根據《北山集》而來，故應據此書改正。「篇」、「編」雖僅一字之別，但事涉書籍正名，故仍應改正為是。

76「襄」，應依《補正》、「四庫本」作「襄陽」。　霖案：《經義考新校》頁3405「四庫本」題作「《四庫薈要》本、文淵閣《四庫》本、文津閣《四庫》本應」等字。今考《北山集》正作「襄陽」二字，而《經義考補正》、「四庫本」、《點校補正經義考》所據內容，當係根據《北山集》而來，今據此書改正為「襄陽」二字。

77霖案：「塚」字，應依《北山集》改作「冢」字。

78霖案：「祕府」二字，應依《北山集》改作「秘府」二字。

而知矣。紹興庚午正月[79]。」

【增補】〔補正〕〈自序〉內「自江陵還襄」，下脫「陽」字。（卷八，頁四）

韓氏璜《春秋人表》

《宋志》：「一卷。」

佚。

王應麟曰[80]：「紹興中作[81]。」

程端學曰[82]：「璜，字叔夏，潁川人[83]。」

環氏中《左氏二十國年表》

《宋志》：「一卷。」

佚。

《春秋列國臣子表》

《宋志》：「十卷。」

佚。

程端學[84]曰：「環中，字應仲，淮陽人[85]。」

《中興聖政錄》[86]：「紹興四年六月[87]，《玉海》作「五年五月」[88]。祕書丞環中知臨

79霖案：「月」字下，應依《北山集》補入「日觀如居士序」等六字。

80霖案：《玉海》冊二，卷四○，頁801。

81霖案：「作」字，應依《玉海》改作「韓璜撰《人表》一卷。」，竹垞據文意改之，今據原書改正。

82霖案：程端學：《春秋本義》〈春秋傳名氏〉(《通志堂經解》(冊25))，頁13862。

83霖案：此處所錄《春秋本義》之文，與其他諸處引文方式不同，也較不合於著錄體例，詳見李棠《春秋時論》條。今引《春秋本義》之文如下：「潁川韓氏璜叔夏。」，竹垞引文實係改寫，雖內容合乎實情，但引用方式不同，其既云「程端學曰」，則必須合乎《春秋本義》所錄之文，今校錄如上，以供讀者參考。

84霖案：程端學：《春秋本義》〈春秋傳名氏〉(《通志堂經解》(冊25))，頁13862。

85霖案：此處所錄《春秋本義》之文，與其他諸處引文方式不同，也較不合於著錄體例，詳見李棠《春秋時論》條。今引《春秋本義》之文如下：「淮陽環氏中應仲。」，竹垞引文實係改寫，雖內容合乎實情，但引用方式不同，其既云「程端學曰」，則必須合乎《春秋本義》所錄之文，今校錄如上，以供讀者參考。

86霖案：《中興聖政錄》卷十八「高宗皇帝十八」，頁806。又《建炎以來繫年要錄》卷九○、《宋史全文》卷十九中錄之。本文採用《中興聖政錄》原文校錄。

87霖案：「紹興四年六月」等六字，係竹垞根據前後文所加，所論雖有參考價值，但未能明確表達時

江軍中，嘗進《春秋年表》，沈與求奏不當先魯而後周，上曰：『士大夫著述，譌[89]舛容有之，中為人臣，乃不知尊王之義，豈可置[90]之三館？』」

鄧氏名世《春秋四譜》（宋）

【增補】根據《姓譜》之文，則鄧氏尚有《春秋論說》、《春秋類史》、《春秋公子譜》、《列國諸臣圖》、《左氏韻語》諸書，竹垞俱皆不錄，今據以補入。

《宋志》：「六卷。」

佚。

《宋鑑》[91]：「紹興四年三月[92]，詔草澤鄧名世引見上殿，名世初以劉大中薦召赴行在獻所，著《春秋四譜》[93]，上[94]命為迪功郎。」

《玉海》[95]：「鄧名世[96]上《春秋四譜》六卷，以經、傳、《國語》參合援據，為《國譜》、《年譜》、《地譜》、《人譜》[97]。三月[98]引見，九月[99]賜出身，充史館校勘。」

日，今據《中興聖政錄》原文，應可考出環中進《春秋年表》一書，應是「紹興四年六月戊辰」。

88霖案：「《玉海》作『五年五月』。」等七字，應是竹垞校錄之文，《中興聖政錄》未有上述諸字，當據刪。

89霖案：「譌」字，應依《中興聖政錄》作「訛」字。

90霖案：「置」字，應依《中興聖政錄》作「寘」字。

91霖案：《宋史全文續資治通鑑》卷十九，「高宗四」，頁1272。又《建炎以來繫年要錄》卷七四亦錄此文。又《中興聖政錄》卷十五，「高宗皇帝十五」，頁648亦錄及相關之文，率皆同於《宋史全文續資治通鑑》所錄之文。

92霖案：「紹興四年三月」等六字，乃是竹垞根據相關書文所加，惟此文所載之事，雖係紹興四年三月之事，但是「詔草澤鄧名世」諸文之前，並未連接此六字，故應刪除之。此外，如據書中前後文字所述，則此事應是「紹興四年三月乙亥」之事，今補敘於此，以供讀者參考。

93霖案：「《春秋四譜》」四字下，應依《宋史全文續資治通鑑》補入「《古今姓氏》」等四字，此四字實為其他撰著，雖非「春秋類」相關撰著，也不應刪去，今據以補入。

94霖案：「上」字下，應依《宋史全文續資治通鑑》補入「遂」字。

95霖案：王應麟：《玉海》卷四○，頁802C。

96霖案：「鄧名世」三字之前，《玉海》另有「四年」二字，竹垞或以前引《宋鑑》之文，已有指出「紹興四年三月」諸字，較之此處僅及「四年」二字為詳，故刪去「四年」二字，今校之如上。

97霖案：「以經、傳、《國語》參合援據，為《國譜》、《年譜》、《地譜》、《人譜》」諸字，《玉海》列入注文之中，而竹垞直接置於「《春秋四譜》六卷」之下解題，若不經還原原書，則易使讀者誤認相關文句為《玉海》正文，今校之如上，以供讀者參考。又《玉海》於「《春秋四譜》六卷」諸字之下，另有「辨論譜說十篇一卷」等八字，竹垞或以此八字非關《春秋四譜》一書，而刪去相

《姓譜》100：「鄧名世101，字元亞，臨川人102。先是議臣禁學《春秋》103，名世獨104嗜之，試有司，屢以援《春秋》見黜105，乃106益研究經旨107，考《三傳》同異，往往108發諸儒所未及109。御史劉大中宣諭江南110，錄其書以進，遂以布衣上殿111賜出身，除敕令所刪修，官兼史館校勘112，又有《春秋論說》、《春秋類史》、《春秋公子譜》、《列國諸臣圖》、《左氏韻語》113。」

《辨論譜說》

《宋志》：「一卷。」

佚。

王應麟曰114：「《辨論譜說》十篇一卷，辨先儒言經傳之失，考訂明切。」

關文句，衡諸內容，不當刪除相關文句，今補入上述八字，以合《玉海》原文。

98霖案：「三月」二字下，《玉海》另有「二十五日」四字，事涉詳細時間，不當刪去，今補之如上。

99霖案：「九月」二字下，《玉海》另有「六日」二字，事涉詳細時間，不當刪去，今補之如上。

100霖案：《萬姓統譜》(《四庫》本，冊九五七)卷一○九，頁532A。

101霖案：「鄧元世」三字以下皆為注文方式行之。

102霖案：「臨川人」三字下，應依《萬姓統譜》補入「天資篤厚，為文長於敘事。」等十字。

103霖案：「《春秋》」二字下，應依《萬姓統譜》補入「及諸史者」等四字。

104霖案：「獨」字下，應依《萬姓統譜》補入「酷」字，此為加重語氣。

105霖案：「黜」字下，應依《萬姓統譜》補入「同舍又告其藏元祐黨人文集，笑曰：『是足以廢吾身乎？』乃杜門却掃。」等二十六字。

106霖案：「乃」字，原書無之，當刪。此為竹垞刪除相關文句，為免文句不順，因而加入「乃」字。

107霖案：「經旨」二字，應依《萬姓統譜》改作「經史」，方能合於前文。

108霖案：「往往」二字，《萬姓統譜》作「徃徃」，二字之異，只是書寫習慣不同所致，意義並無不同。

109霖案：「及」字，應依《萬姓統譜》改作「到」字。

110霖案：「江南」二字下，應依《萬姓統譜》補入「得所著《春秋四譜》等書，薦之，命」等十二字

111霖案：「殿」字下，應依《萬姓統譜》補入「進治人務實等說，上嘉納，尋」等十一字。

112霖案：「勘」字下，應依《萬姓統譜》補入「時紹興四年也。所著書」等九字，事涉相關年月，不得任意刪除，今補之如上。

113霖案：「《左氏韻語》」四字之下，應依《萬姓統譜》補入「《國朝宰相年表》、《古今姓氏辨證》、《皇極大衍數》、《大樂書》、《文集》等合三百餘卷。」，事涉鄧氏他撰著，雖非關於《三傳》，但亦有參考價值，今補錄如上。

114霖案：出自：《玉海》冊二，卷四○，頁802C。

朱氏震《春秋左氏講義》

三卷。

佚。

《玉海》115：「紹興五年三月116，詔侍講朱震、范沖專講《左氏傳》，震進《講義》三卷117。」

范氏沖《春秋左氏講義》

《宋志》：「四卷。」

佚。

《玉海》118：「紹興中，侍講范沖進《左氏講義》四卷。」

李氏繁《春秋至當集》

佚。

《春秋機關》

佚。

《春秋集解》

佚。

魏了翁〈誌〉曰119：「公字清叔，蜀人120。紹興十八年進士，倉部員外郎，總領四川

115霖案：《玉海》冊一，卷二六，頁565上。又冊二，卷四○，頁802下。

116霖案：「三月」二字下，《玉海》卷二六，頁565另有「丁丑」二字，當據以補正。

117霖案：《玉海》卷二六未有「震進《講義》三卷」等六字。惟《玉海》卷四○錄有「紹興中侍講朱震《講義》三卷」，惟未見「進（呈）」字樣，但衡諸該篇內容前文，述及「（紹興）三年二月丁亥朔，右諫議徐俯進《春秋解義》」等字，而竹垞或許依據相關文句，參綜整《玉海》二處之文，而有「震進《講義》三卷」

118霖案：出自《玉海》卷四○，頁802B。

119霖案：文出自《鶴山先生大全文集》（叢刊本）卷七八，〈朝奉大夫府卿四川總領財賦累贈通奉大夫李公墓誌銘〉，頁638-644。

120霖案：「蜀人」二字，〈朝奉大夫府卿四川總領財賦累贈通奉大夫李公墓誌銘〉題作「系出趙郡，趙郡始於秦司徒曇，曇生璣，璣生牧，牧相趙，因家焉。牧之孫曰左軍，左軍之曾孫曰秉，徙潁川。秉之六世孫就，徙江夏。秉之七世孫頡，徙南鄭。頡生郃，郃生固，皆漢三公，繇[由]是李氏為蜀望。」等字，竹垞當係根據「繇[由]是李氏為蜀望」一句，而綜整李氏籍貫為蜀人。又竹垞徵引此文，實多剪裁之舉，由於文章頗長，難於逐一備錄，讀者可參看原文。

財賦、軍馬、錢糧，郎中太府少卿[121]，自號桃溪先生[122]。公講學臨篇[123]，皆探源[124]尋流，取法前古，有[125]《春秋至當集》、《春秋機關》、《春秋集解》[126]、《經語提要》。」

【增補】〔補正〕魏了翁〈誌〉內「郎中太府少卿」，「郎」上脫「升」字，「太府」上脫「擢守」二字。（卷八，頁四）

【補證】根據〈朝奉大夫府卿四川總領財賦累贈通奉大夫李公墓誌銘〉所錄，李氏卒於淳熙四年閏六月壬辰，葬以六年二月甲子，墓在晉原縣鵠鳴鄉。

黃氏顏瑩《春秋說》

佚。

陳氏長方《春秋傳》

【作者】陳長方（1108～1148），字齊之，長樂人，陳侁之子。紹興八年進士，為江陰軍學教授，從王蘋游，隱居鄉里，閉戶研窮經史，以教學者，學者稱「唯室先生」，紹興十八年卒，年四十一。有《步里客談》、《尚書傳》、《春秋傳》、《禮記傳》、《兩漢論》、《唐論》、《唯室集》等書。

佚。

張昶曰[127]：「長方字齊之，其先長樂人，居吳中步里，紹興間以進士終江陰軍教授，所著有《春秋》、《禮記》、《尚書傳》。」

【增補】《閩中理學淵源考》卷二，〈教授陳齋之先生長方〉曰：「陳長方，字齋之，長樂人。父侁見游氏學派。長方長外家，從王信伯蘋游，紹興中，舉進士，授江陰

121「郎中太府少卿」，應依《補正》作「升郎中擢守太府少卿」。　霖案：《經義考新校》頁3409校文無「應」字，另於「《補正》」二字之下，有「、《四庫薈要》本」等字。

122霖案：「自號桃溪先生」六字，〈朝奉大夫府卿四川總領財賦累贈通奉大夫李公墓誌銘〉原置於「《經語提要》」諸字之後，而竹垞引錄之時，將此四字提前，有錯簡之虞。

123霖案：「篇」字，應依〈朝奉大夫府卿四川總領財賦累贈通奉大夫李公墓誌銘〉改作「政」字。

124霖案：「源」字，〈朝奉大夫府卿四川總領財賦累贈通奉大夫李公墓誌銘〉作「原」字。

125霖案：「有」字之前，應依〈朝奉大夫府卿四川總領財賦累贈通奉大夫李公墓誌銘〉補入「讀書」二字。

126霖案：「《春秋集解》」四字之下，另有李氏的其他撰著，竹垞省略相關撰著資料，僅錄及經學相關著作，總計李氏另有《戰國新書》、《通鑑漢唐詳節》、《漢唐事類》、《三國捷徑》、《南北精華》、《騷壇》、《忘筌集》、《薤露碎珠》、《韓退之書墓式》、《理財要術》、《荒政錄》、《鼓舞集》、《經總條書》《臺備錄》、《西憲雜記》、《榷收集》、《山南雜記》、《帥閫備錄》、《總所財賦源流》、《總司雜記奏》、《免和糴錄目》、《桃溪集》等諸多撰著，竹垞引錄解題之時，均刪去不錄，惟其原文頗多，難於一一備錄，今舉其條目如上。

127霖案：可參考：王蘋:王著作集5-12下〈吳郡志〉有類似資料可供參考。

教授，尋歸居吳中步里，終日閑戶，研窮經史，著書名《步里客談》，及《春秋》、《禮記》、《尚書傳》、《漢唐論》俱行世。學者稱『唯室先生』，弟少方，字同之，亦端慧不羣，孝宗朝為東宮講官，號『二陳』（《三山新志》）」（冊四六〇，頁三〇）

吳氏曾《春秋考異》

【書名】《直齋書錄解題》卷三，頁四六三著錄，書名題作《春秋攷異》。

《宋志》：「四卷。」

佚。

按：《春秋考異》，陳氏《書錄解題》云：「不著名氏，錄《三傳》經文之異者，而《宋藝文志》題作吳曾，今從之。」

【霖案】《經義考》將《春秋考異》四卷判為吳曾之書，且有竹垞案語，說明其判斷的準據，乃是根據《宋史．藝文志》而來。然而，何廣棪根據《直齋書錄解題》題作「不者名氏」，且《宋志》明分為二書，而斷定竹垞不當輕混二書為一，說法詳見下文。綜觀竹垞與何氏的取材，同出一源，但判別互異，此乃見解不同所致，而何氏之說，實較為謹慎。筆者曾考《文獻通考．經籍考》與《經義考》的互異，得出竹垞往往坐實疑偽之說[128]，使其著錄的作者題名，頗與前目不同，是以何氏之言，雖是根據學術見解得出的結論，但較為有據。

上述有關竹垞的案語，標點不確，陳氏《書錄解題》之文，當止於「錄《三傳》經文之異者」，至於「而《宋藝文志》題作吳曾，今從之」二句，當為竹垞案語，二者宜釐清之。

【增補】何廣棪：《陳振孫之經學及其《直齋書錄解題》經錄考證》曰：「廣棪案：考《宋史・藝文志》卷一《經類・春秋類》所著錄，既有不知作者之《春秋考異》四卷，又有吳曾《春秋考異》四卷。《經義考》卷一百八十六《春秋》十九『吳氏曾《春秋考異》』條，彝尊按：『《春秋考異》，陳氏《書錄解題》云：『不著名氏。錄《三傳》經文之異者。』而《宋史，藝文志》題作吳曾，今從之。』是《經義考》以此書為吳曾撰。然《宋志》既明分兩書，而《解題》亦不作吳曾之書，似不宜將二書隨意輕率混同之。且此書已佚，亦難以考得其真矣。」（頁六〇九至六一〇）

《左氏發揮》

《宋志》：「六卷。」

【著錄】《直齋書錄解題》卷三，頁四六四、《文獻通考・經籍考》卷十，頁二六九著錄此書。

128參考楊果霖：〈《經義考》徵引《文獻通考．經籍考》考述〉（台北：《孔孟月刊》第三十八卷第十期，民國八十九年六月廿八日），頁26。

佚。

陳振孫曰[129]：「臨川吳曾虎臣撰。取《左氏》所載時事[130]為之論，若史評之類。」

【增補】〔補正〕陳振孫條內「所載時事」，當作「事時」。（卷八，頁五）

【增補】何廣棪：《陳振孫之經學及其《直齋書錄解題》經錄考證》曰：「廣棪案：《經義考》卷一百八十六《春秋》十九『《左氏發揮》』條引《宋鑑》曰：『紹興十一年六月壬午，布衣吳曾特補右迪功郎。曾獻所著《春秋發揮》，而宜有是命。』是曾以獻此書而補右迪功郎，《解題》漏載其官銜，或未詳悉此故事也。」（頁六一一）

《宋鑑》[131]：「紹興十一年六月壬午[132]，布衣吳曾特補右迪郎[133]，曾獻所著《春秋發揮》[134]而宜[135]有是命。」

【增補】〔補正〕《宋鑑》條內「特補右迪郎」，「迪」下脫「功」字。（卷八，頁五）

夏氏沐《春秋素志》

【作者】《宋志》確實題作者為「夏沐」所撰，惟《玉海》引及此書之時，卻題作「夏休」，《宋元學案補遺別附》卷二，頁八九題作「夏沐」，並指出：夏氏撰《春秋素志》三百十五卷，凡三百萬言，謂出于元聖素王之志，名曰《素志》。又略其文而約說之，為《麟臺獨講》十一卷，蓋其文當是出自王應麟《玉海》之言，是則《玉海

129霖案：《直齋書錄解題》卷三，頁464、又出自《文獻通考．經籍考》卷十，頁269。

130「所載時事」，應依《補正》、「四庫本」作「所載事時」。　霖案：《經義考新校》頁3410校文，「四庫本」改作「《四庫薈要》本、文淵閣《四庫》本應」等字。

131霖案：《宋史全文續資治通鑑》卷二十一，「高宗六」，頁1541錄之。又《建炎以來繫年要錄》卷140錄之。

132霖案：「紹興十一年六月壬午」等字，係竹垞根據前後文句所加，原書文句於「布衣吳曾」文字之前，僅有「壬午」二字。

133「右迪郎」，應依《補正》、「四庫本」、「備要本」作「右迪功郎」。　霖案：《經義考新校》頁3410校文，「四庫本」改作「《四庫薈要》本、文淵閣《四庫》本」等字；又「作」字改作「應作」二字。今考《宋史全文續資治通鑑》作「右迪功郎」，同於《補正》、「四庫本」、「備要本」所錄之文。

134霖案：《玉海》卷四○，頁803云：「（紹興）十一年六月壬午，吳曾獻所著《左氏發揮》，補右迪功郎。」，獻書年月日同於《宋鑑》之文，惟「《春秋發揮》」作「《左氏發揮》」，同於《宋志》、《直齋書錄解題》所錄，今考《宋史全文續資治通鑑》所錄之文，適作「《左氏發揮》」，可見「《春秋發揮》」應係「《左氏發揮》」之誤寫。

135霖案：《宋史全文續資治通鑑》無「宜」字，應刪正。

》題作「夏休」，蓋或版本不同之異，而其作者，應從《宋志》為是。

《宋志》136：「三百一十五卷。」

佚。

《春秋麟臺獨講》

《宋志》137：「十一卷。」

佚。

王應麟曰138：「夏沐139撰《春秋素志》三140百十五卷，凡三百萬言，謂出於元聖素王之志，名曰《素志》，又略141其文而約說之，為《麟臺獨講》十一卷。」

句龍氏傳《春秋三傳分國紀事本末》

【著錄】《文獻通考·經籍考》卷十，頁二七一、黃虞稷《千頃堂書目》卷二，頁四七著錄。

【作者】《文獻通考·經籍考》實作「句龍傳」，而「傳」、「傅」形近而誤入，今應依《文獻通考》改作「句龍傳」，惟黃虞稷《千頃堂書目》錄作「句龍傅」，則竹垞或是根據黃書而改也。

佚。

馬端臨曰142：「夾江句龍傳143明甫撰。」

劉光祖序略曰144：「傳，字明甫，精於《春秋三傳》，145博146習詳考，又分國而紀之，

136霖案：《宋史》卷二○二，頁5063。

137霖案：《宋史》卷二○二，頁5063。

138霖案：《玉海》冊二，卷四○，頁802D。

139霖案：「夏沐」二字，《玉海》題作「夏休」。

140「三」,「四庫本」作「二」。　霖案：《經義考新校》頁3411校文略有調整，其註腳位置於「三百十五卷」的「卷」字之下，而其新校之文如下：「『三百十五卷』，文淵閣《四庫》本誤作『二百十五卷』。」，使得校文數字較為完整清楚。今考《玉海》、《宋志》俱作「三百十五卷」，可見四庫館臣題作「二百十五卷」，確為誤植所致。

141霖案：「略」字，《玉海》作「畧」字

142霖案：《文獻通考．經籍考》卷十，頁271。

143霖案：「句龍傅」，應依《文獻通考》作「句龍傳」。

144霖案：《文獻通考．經籍考》卷十，頁261。

145霖案：「傳，字明甫，精於《春秋三傳》，」諸句，《文獻通考》無此數句，當是竹垞根據他書補入。

自東周而下，大國、次國特書，小國、滅國附見，不獨紀其事與其文，而兼著其義，凡采其說者數十家，蓋[147]嗜古尊經之士，確乎其能自信者也。」

【增補】黃虞稷《千頃堂書目》卷二曰：「（句龍傳）字明甫，嘉定州人，後溪劉光祖為之序，稱其嗜古尊經，確乎自信云。」（頁四七）

黃氏叔敖《春秋講義》

【作者】黃叔敖，字嗣深，分寧人，黃廉之子。元祐六年，中進士乙科，累官廣東轉運判官，兼提舉市舶，後遷戶部尚書致仕。有《文集》及《奏議》二十卷、《春秋講義》三卷。

《宋志》：「五卷。」

佚。

程氏迥《春秋傳》

【作者】程迥，字可久，號沙隨，應天寧陵人，避亂徙居餘姚，隆興元年進士，卒官朝奉郎。程氏嘗受經學於崑山王葆、嘉禾聞人茂德、嚴陵喻樗，撰有《古易考》一卷、《古占法》一卷、《古易章句》十卷、《易傳外編》一卷，又有《春秋傳顯微例目》、《淳熙雜志》、《南齋小集》等書。

《宋志》：「二十卷。」

佚。

朱子曰[148]：「沙隨《春秋解說》[149]滕子來朝[150]最好。隱十一年方書滕侯、薛侯來朝如何[151]，桓三年[152]便書滕子來朝[153]，或以為時王所黜[154]，不知是時時王已不能行黜陟之典[155]，

146霖案：「博」字，《文獻通考．經籍考》作「傳」字。

147霖案：「蓋」字之前，應依《文獻通考》補入「君」字。

148霖案：《朱子語類》卷八十三，頁854。

149霖案：「《春秋解說》，應依《朱子語類》作「《春秋解》只有說」。

150霖案：「來朝」二字下，應依《朱子語類》補入「一處」。

151霖案：「如何」二字，當依「桓三年便便書滕子來朝」為一句，標點本誤植句讀。

152「三年」，應依《補正》、「四庫本」作「二年」。　霖案：《經義考新校》頁3412校文，「四庫本」改作「《四庫薈要》本、文淵閣《四庫》本、文津閣《四庫》本應」等字。今考《朱子語類》亦作「二年」。

153霖案：「來朝」二字下，應依《朱子語類》補入「先輩為說甚多」。

154霖案：「黜」字下，應依《朱子語類》補入「故降而書子」。

155霖案：「典」字下，應依《朱子語類》補入「就使能黜陟諸侯，當時亦不止一滕之可黜。」等十七字。

或以為[156]《春秋》惡其朝桓，特削而書子，自此之後，滕皆[157]書子，豈惡其朝桓而并後代子孫削之乎？或以為當喪未君前，又不見滕侯卒，皆不通之論，沙隨謂此見得春秋時小國事大國，其朝聘貢賦之多寡，隨其爵之崇卑；滕子之事魯以侯禮見，則所供者多，故自貶降而以子禮見，庶得貢賦省少易供。此說卻是[158]，何故緣後面鄭朝晉云：『鄭伯，男也，而使從公侯之賦。』見得鄭本是男爵，後襲用侯伯之禮以交於大國，初焉不覺其貢賦之難辦，後來益困[159]，非獨是鄭伯，當時小國多是如此。」

【增補】〔補正〕朱子條內「桓三年」當作「二年」。（卷八，頁五）

《春秋顯微例目》

【書名】《玉海》卷四〇，頁八〇三著錄此書，書名省作「《顯微例目》」

《宋志》：「一卷。」

【卷數】《玉海》卷四〇，頁八〇三著錄此書，注文云：「三卷，六十五首。」，與《宋志》所錄不同，蓋《宋志》成書稍晚於《玉海》，故所錄一卷，或為殘本所致。

佚。

方氏淑《春秋直音》

《宋志》：「三卷。」

【著錄】《直齋書錄解題》卷三，頁四六四、《文獻通考·經籍考》卷十，頁二六九著錄。

佚。

陳振孫曰[160]：「德清丞方淑智善撰，劉給事一止為作序。以學者多[161]不通音切，故於每字切腳之下直著其音，蓋古文未有反切為音訓者皆如此，[162]服虔、如淳、文穎輩，於《漢書》音義可見。」

【增補】何廣棪：《陳振孫之經學及其《直齋書錄解題》經錄考證》曰：「廣棪案：徐獻忠《吳興掌故集》卷三曰：『方淑，字智善，祥符人。紹興初舉進士，為德清丞，愛其溪山之勝，遂家焉。以持論平正，不附秦檜意罷官。』《解題》卷十八《別集

156霖案：「以為」，應依《朱子語類》作「以」。

157霖案：「皆」，應依《朱子語類》作「一向」。

158霖案：「是」字前，應依《朱子語類》補入「恐」。

159霖案：「困」字下，應依《朱子語類》補入「於此，方說出此等話。」八字。

160霖案：《直齋書錄解題》卷三，頁464、《文獻通考．經籍考》卷十，頁269。

161霖案：「多」字，《文獻通考》題作「或」字。

162霖案：「故於每字切腳之下直著其音，蓋古文未有反切為音訓者皆如此，」，斷句應作「故於每字切腳之下，直著其音，蓋古文未有反切，為音訓者皆如此。」。

類》下著錄：『《非有齋類稿》五十卷，給事中吳興劉一止行簡撰。宣和三年進士。居瑣闥僅百餘日，忤秦檜罷去。閒居十餘年，以次對致仕。檜死，被召，力辭，進雜學士而終，年八十二，實紹興庚辰。』據是，方、劉二人固意氣相投，皆以不附秦檜而罷職。《四庫全書》有一止《苕溪集》五十五卷，惟中已闕載為此書所撰之《序》矣。」（頁六一一至頁六一二）

畢氏良史《春秋正辭》

【作者】畢良史（？～1150），字少董，一字伯瑞，號死齋，上蔡人，畢士安五世孫。紹興初進士，閉戶著《春秋正辭》,《論語探古》等書，紹興二十年卒。著有《春秋正辭》二十卷，又有《繙經堂集》八卷。

《宋志》：「二十卷。」

【卷數】《文獻通考·經籍考》卷十，頁二六一著錄，合《通例》作「三十五卷」。又《直齋書錄解題》卷三，頁四六二著錄，卷數題作「二十卷」

佚。

《春秋通例》

十五卷。

【著錄】《文獻通考·經籍考》卷十，頁二六一著錄，合《春秋正辭》作「三十五卷」。

【卷數】《直齋書錄解題》卷三，頁四六二著錄，卷數題作「十五卷」。

佚。

《玉海》163：「紹興十三年正月164，畢良史獻《春秋正辭》二十卷，詔諫議羅汝楫、司業高閌看詳來，上特改京官。」

陳振孫曰165：「知盱眙軍東平畢良史撰。166良史為東平167留守屬官，東京再陷，留金168三年，著此書，已而得歸，表上之。」

163霖案：《玉海》卷四○，頁803A。

164霖案：「正月」二字下，《玉海》尚有「戊午」二字，不當任意刪除，今補之如上。

165霖案：《直齋書錄解題》卷三，頁462、《文獻通考．經籍考》卷十，頁261。

166霖案：「知盱眙軍東平畢良史撰。」，斷句應作「知盱眙軍，東平畢良史撰。」，又「良史」二字下，應依《文獻通考》補入「少董」二字。

167「東平」，應依《補正》、「四庫本」作「東京」。　霖案：《經義考新校》頁3414校文，將「四庫本」改作「《四庫薈要》本、文淵閣《四庫》本、文津閣《四庫》本應」等字。今考《文獻通考》正作「東京」。

168霖案：「金」字，應依《文獻通考》作「虜中」，此係避清廷忌諱，而改作「金」字。

【增補】〔補正〕陳振孫條內「為東平留守」，「平」當作「京」。（卷八，頁五）

【增補】何廣棪：《陳振孫之經學及其《直齋書錄解題》經錄考證》曰：「廣棪案：張擴《東窻集》卷十三《制》八有《畢良史進〈春秋正辭〉并〈通例〉特改右承務郎制》。其《制》曰：『敕具官某：朕惟麟經之作，垂法萬世。言微而指遠，文約而義詳。由漢以來，諸儒紛紛各開戶牖，橫生戈矛，其失聖人之意多矣。唐文宗謂穿鑿之學，徒為異同，豈不信哉！今觀爾所上《正辭》、《通例》之書，議論精深，發明過半，有嘉好古，宜被異恩，俾從更秩之榮，式示右文之勸。』是則良史此二書頗備崇揚，因是特改右承務郎，其官歷固不止曾知盱眙軍也。」（頁五八八）

《北盟會編》[169]：「畢良史，字少董，蔡州人。」

陳氏知柔《春秋義例》

【作者】陳知柔，字體仁，號休齋，溫陵人。紹興十二進士，歷知循州賀州。淳熙十一年卒。有《易本旨》十六卷、《春秋義例》十二卷、《易大傳》二卷、《易圖》一卷、《論語後傳》十卷。

十二卷。

佚。

吳氏仁傑《春秋論》

未見。

【霖案】本書未見其他傳本，且《春秋總義論著目錄》頁五六注曰「佚」，當已久佚，故改注曰「佚」。

洪氏邁《春秋左氏傳法語》

《宋志》：「六卷。」

未見。

【霖案】本書未見其他傳本，且《左傳論著目錄》頁七九錄作佚籍，今從之，故改注曰「佚」。

徐氏端卿《麟經淵源論》

十篇。

佚。

魏了翁〈志〉曰[170]：「武義徐君[171]，諱端卿，字子長[172]，紹興十一年[173]進士[174]，教授

169霖案：宋徐夢莘編《三朝北盟會編》（台北：大化書局），頁158。

170霖案：叢刊本《鶴山先生大全文集·鎮江府教授徐君墓誌》卷七七，頁634-635，又四庫:冊1173-頁200-卷七七《鶴山集．鎮江府教授徐君墓誌銘》。本文採叢刊本入校。又「〈志〉」，應題作「〈誌〉」為佳。

鎮江[175]，嘗著[176]《麟經淵源論》十篇。」

董氏自任《春秋總鑑》

《宋志》：「十二卷。」

佚。

《玉海》[177]：「紹興十二年十二月[178]，詔董自任上《春秋總鑑》可采宜處，以太學錄之，職其書祕省錄進凡十二卷，類集本末而為解義。」

程端學曰[179]：「廬陵人[180]。」

劉氏本《春秋中論》

《宋志》：「三十卷。」

佚。

王應麟曰[181]：「紹興中著[182]。」

171霖案：「徐君」二字下，〈鎮江府教授徐君墓誌銘〉原文有若干文句，皆為竹垞刪去，其中明言徐氏「以淳熙六年十一月丙申卒于鎮江府教授。明年十一月甲午葬溪上原徐家塢。」，此一文句頗有參考價值，不當刪去，今據以補入，然其他諸多被刪文句，由於文句頗多，難於逐一甄錄，讀者可自行參看原書。

172霖案：「子長」二字下，竹垞亦刪去為數眾多的文句，今難於逐一甄錄，讀者可自行參看原書。

173霖案：「紹興十一年」，〈鎮江府教授徐君墓誌銘〉題作「紹興二十一年」，是則中舉年代有誤也，今依原書文句改正。

174霖案：「進士」下，竹垞亦刪去為數眾多的文句，今難於逐一甄錄，讀者可自行參看原書。

175霖案：「教授鎮江」四字，原應位於該篇文章之首，而竹垞將其移至於「進士」二字之下，有錯簡之誤。

176霖案：「嘗著」二字之上，竹垞刪去為數眾多的文句，且「嘗著」二字，原應題作「著有」二字。

177霖案：《玉海》卷四○，頁803A。

178霖案：「十二月」三字下，《玉海》另有「庚申」二字，不當任意刪除，今據原書補入二字。

179霖案：程端學：《春秋本義》〈春秋傳名氏〉(《通志堂經解》(冊25))，頁13862。

180霖案：「廬陵人」三字，此處著錄方式與竹垞其他引文體例不同，說法已見前文，茲不贅述。又《春秋本義》錄作「廬陵董氏自任。」，竹垞省去「董氏自任」，並將「廬陵」逕改作「廬陵人」，今據原書校錄如上。

181霖案：《玉海》冊二，卷四○，頁801。

182霖案：「紹興中著」四字，《玉海》入注文之中，而非正文。又原書未見「著」字，或為竹垞據已意補入。

程端學曰[183]：「長樂人[184]。」

洪氏興祖《春秋本旨》

《通考》：「二十卷。」

【著錄】《文獻通考・經籍考》卷十，頁二六一著錄。

未見。

【霖案】本書未見其他傳本，且《春秋總義論著目錄》頁九錄作「佚」，當已久佚，故改注曰「佚」。

陳振孫曰[185]：「知饒州丹陽洪興祖慶善撰。[186]其〈序〉言三代各立一王之法，其末皆有弊，《春秋》，經世之大法，通萬世而無弊。又言《春秋》本無例，學者因行事之迹[187]以為例，猶天本無度，歷者[188]即周天之數以為度。又言屬辭比事，《春秋》教也。學者獨求於義，則其失迂而鑿，獨求於例，則其失拘而淺。若此類，多先儒所未發，其解經義，精而通矣。興祖嘗為程瑀作《論語解序》，忤秦檜，貶昭州以死。」

【增補】何廣棪：《陳振孫之經學及其《直齋書錄解題》經錄考證》曰：「廣棪案：本書彝尊《經義考》已曰未見，故興祖之《自序》亦僅見《解題》所引述，其餘無可考。《經義考》卷一百八十六《春秋》十九『洪氏興祖《春秋本旨》』條引黃震曰：『浮溪序《春秋本旨》，直謂仲尼復生不能易，而末乃歸之興祖可草辟雍、封禪之儀。則文人之妄意談經，其外甚矣。』考浮溪即汪藻，以有《浮溪集》六十卷，故名。是藻對此書亦備極推譽也。」（頁五八三）

【增補】何廣棪：《陳振孫之經學及其《直齋書錄解題》經錄考證》曰：「案：《經義考》卷二百一十五《論語》五『程氏瑀《論語解》』條引徐自明曰：『知饒州洪興祖以經學得名，龍圖閣直學士程瑀嘗注《論語》，興祖為之《序》。摘取瑀發明聖人忠厚之言，所謂『不使大臣怨乎不以者，表而稱之』。興祖嘗忤秦檜，檜疑興祖託經以議己，遂責昭州安置。』所記與《解題》足相發明。惟徐自明謂『責昭州安置』

183霖案：程端學：《春秋本義》〈春秋傳名氏〉(《通志堂經解》(冊25))，頁13862。

184霖案：「長樂人」三字，此處著錄方式與竹垞其他引文體例不同，說法已見前文，茲不贅述。又《春秋本義》錄作「長樂劉氏本。」，竹垞省去「劉氏本」，並將「長樂」逕改作「長樂人」，今據原書校錄如上。

185霖案：《直齋書錄解題》卷三，頁462、《文獻通考．經籍考》卷十，頁261。

186霖案：「知饒州丹陽洪興祖慶善撰。」諸句，斷句應作「知饒州，丹陽洪興祖慶善撰。」。

187霖案：「迹」字，《文獻通考》作「跡」字。

188「歷者」,「四庫本」作「治歷者」。　霖案：《經義考新校》頁341校文，「四庫本」改作「文淵閣《四庫》本」等字。今考《文獻通考》作「歷者」，則四庫本作「治歷者」，其中「治」字應為館臣所擅加所致，當刪。

，直齋謂『貶韶州以死』。考昭州在今廣西省平樂縣，韶州在今廣東省曲江縣，皆宋世偏遠荒陬之地。而《宋史》卷四百三十三《列傳》第一百九十二《儒林》三有興祖《傳》，亦謂『興祖坐嘗作故龍圖閣學士程瑀《論語解序》，與涉怨望，編管昭州，卒年六十有六』。則興祖殊非『貶韶州以死』。《題解》或以傳聞失實，或以『昭』、『韶』字近而誤，故生此畱耳。」（頁五八三至頁五八四）

【增補】何廣棪：《陳振孫之經學及其《直齋書錄解題》經錄考證》曰：「廣棪案：《宋鑑》曰：『紹興四年夏四月，新除徽猷閣待制、知永州胡安國乞以本官奉祠。詔：『安國經筵舊臣，以疾辭郡，重憫勞之，可從其請，提舉江州太平觀，令纂修《春秋傳》，俟書成進入，以稱朕崇儒重道之意。』』（《經義考》卷一百八十五《春秋》十八『胡氏安國《春秋傳》』條引，下同）。《玉海》卷四十《藝文・春秋》曰：『紹興五年四月一日，詔徽猷閣待制胡安國，經筵舊臣，令以所著《春秋傳》纂述成書進入。十年三月書成，上之。詔獎諭，除寶文直學士，賜銀幣。《傳》凡三十卷，十萬餘言。』此乃安國紹興四年至十年間纂成《春秋傳》，上之於朝，並蒙詔獎諭之實況也。」（頁五八四至頁五八五）

黃震曰[189]：「浮溪[190]序[191]《春秋本旨》，直謂仲尼復生不能易，而末乃歸之興祖可草辟雍[192]封禪之儀則。文人之妄意談經，其舛甚矣。」

晁氏公武《春秋故訓傳》

《宋志》：「三十卷。」

佚。

《續館閣書目》[193]：「淳熙中，晁公武進《春秋訓傳》[194]三十卷。」

【增補】〔補正〕《續館閣書目》條內「晁公武進《春秋訓傳》三十卷」，「訓」上脫「故」字。（卷八，頁五）

張氏九成《春秋講義》（宋）

189霖案：黃震撰，《黃氏日抄》卷六十六（京都：中文出版社，一九七九年五月），頁732。

190霖案：「浮溪」二字，係竹垞根據前文所加，原來所在位置，並非位於「序《春秋本旨》」之前，特此說明。

191霖案：「序」字下，應依《黃氏日抄》補入「洪興祖」三字。

192霖案：「雍」字，《黃氏日抄》作「廱」字。

193霖案：《玉海》卷四○，頁802d~頁803。惟《玉海》所引書名省作「《續目》」二字

194「春秋訓傳」，應依《補正》、「四庫本」作「春秋故訓傳」。　霖案：《經義考新校》頁3417校文，「應依」二字改作「依」字；又「四庫本」改作「《四庫薈要》本、文淵閣《四庫》本應」等字。今考《補正》、「四庫本」均作「《春秋故訓傳》」，而「點校本」依循其說，惟考之《玉海》所錄之文，實僅作「《故訓傳》」，並無「《春秋》」二字，今據《玉海》所引之文，校之如上。

一卷。

【卷數】本書見於四庫全書本《橫浦集》卷十三，十四，合計二卷，其中卷十三題作〈邇英春秋進講〉；卷十四題作〈春秋講義〉（此海昌縣庠所講），二者略有不同，此處竹垞題作「一卷」，或當即指《橫浦集》卷十四〈春秋講義〉，不應包含卷十三〈邇英春秋進講〉。

存。

【版本及藏地】本書版本及藏地如下：

一、四庫全書本《橫浦集》本：（宋）張九成撰《春秋講義》二卷，當即併合〈邇英春秋進講〉、〈春秋講義〉二卷言之，《國立故宮博物院善本舊籍總目》上冊，頁九十六著錄，台北：故宮博物院有藏本。

按：張氏《春秋講義》載《橫浦集》，邇英殿進講凡三篇：一曹伯來朝；一齊人歸公孫敖之喪；一六月辛丑朔，日有食之，鼓用牲于社。海昌縣庠所講二篇，一發題；一隱公元年春王正月。又《日新錄》，載翬帥師一篇。

【霖案】竹垞卷數既題作「一卷」，當即指《橫浦集》卷十四〈春秋講義〉的部份，然案語所云，則包含《橫浦集》卷十三〈邇英春秋進講〉的內容，實則海昌縣庠所講的二篇，方是題作〈春秋講義〉，而竹垞著錄之中，往往有「別裁」之法的運用，故而著錄張九成《春秋講義》一書，然此書多附屬於《橫浦集》，未見單行本的發行，竹垞既知其出自《橫浦集》，且卷數亦題作「一卷」，則不當併合〈邇英春秋進講〉、〈春秋講義〉言之。

王氏彥休《春秋解》

佚。

王庭珪〈序〉曰[195]：「王澤竭於不競之晚周，然後《春秋》作；然《六經》俱焚於秦，自漢以來，采[196]取古文[197]，逸篇往往出於菑川、濟南、齊、魯諸生之所掇拾，惟《春秋》出聖人之筆，時有斷闕，要非後之儒者所能竄一詞也。世之為《春秋》學者，其說鋒[198]起，解詁論釋至數十百家，類以詞氣相擊排，黨枯竹，護朽骨，徒為異論以相訾也。孔子曰：『吾猶及史之闕文也。』彼去聖人千百年之後，取其焚餘殘脫之篇，益鑿其說，以出新意，失其旨矣。余崇寧中始遊廬陵郡學，是時朝廷方以經術訓士，薄海內外悉用三舍法，獨《春秋》不置博士，故鼓篋升堂無問《春秋》者，惟王彥休以宿學老儒時能誦說，而學者終不暇習。彼年復詔天下立學，以是經天子之事，首尊用之，於是彥休之學久湮沒而近乃出焉，若彥休

195 霖案：王庭珪，《盧溪文集》卷三六，〈王彥休春秋解序〉（台北：臺灣商務印書館，「景印文淵閣四庫全書」冊一一三四，民國七十五年三月，初版），頁264至頁265。

196 霖案：「采」字，《盧溪文集》題作「採」字。

197 霖案：《經義考新校》頁3418新出校文如下：「『古文』，文淵閣《四庫》本誤作『古人』。」。

198 霖案：「鋒」字，應依《盧溪文集》作「蜂」字。

者，可謂能守其所學，窮年而不易，特未見有入室操戈而伐之者耳[199]。惜其老矣，不能以是發策決科，編次其書，丐余文以冠之。」

羊氏永德《春秋發微》

佚。

《括蒼彙紀》[200]：「羊永德[201]，縉雲人[202]，紹興[203]中進士，官[204]奉議郎、徽州通判，師事呂成公[205]。」

桂氏績《類左傳》　寰宇志作「桂續」。　（宋）

十六卷。

佚。

《廣信府志》[206]：「桂績，字彥成，紹興乙丑進士[207]，終浙西運辦[208]。」

---

199 霖案：「耳」字，《盧溪文集》作「爾」字。

200霖案：《括蒼彙紀》(《四庫全書存目叢書》本）史部，冊一九三，卷十二，頁648A。

201霖案：「羊永德」三字之下的文句，《括蒼彙紀》採用雙行夾注方式行之，僅是正文的註解而已。竹垞採錄此文之時，不僅正文、注文未分，且隨意綜整各處引文，且前後文句互倒，而有改進之處。又「羊永德」之下，應接「師呂成公，著《春秋發微》，由進士終奉議郎、徽州通判。」等夾注之文，竹垞引錄此文之時，將「師呂成公」四字，移至解題之末，且在「師」字下，另加「事」字，與原注文的位置、文句皆為不合。又竹垞刪除「著《春秋發微》」五字，以其出現於著錄之下，故不錄之，也與實際文句不合。又「縉雲人」三字，原注文未見此三字，疑是移自他處之文，並且綜整文句而來，惟此句出自何處？待查。又原注文僅作「由進士」三字，其中「由」字或為「中」字之誤，然注文未見「紹興」二字，當是竹垞擅加之文，由此可見，短短數句解題，竟有多種刪削改篡的情形，顯見《經義考》所錄解題，應有重新校對的空間。

202霖案：《括蒼彙紀》無「縉雲人」三字，今考此三字，或是來自黃宗羲《宋元學案》卷七十三，該文於文末亦有「見《括蒼彙紀》」等五字，顯然可能出自於此書內容，惟考及《括蒼彙紀》原文，實無「縉雲人」三字。

203霖案：《括蒼彙紀》無「紹興」二字，當為竹垞擅加所致，說法詳見前註。

204霖案：《括蒼彙紀》無「官」字，僅於「奉議郎」三字前，有「終」字。

205霖案：「師事呂成公」五字，原注應作「師呂成公」四字，並無「事」字，且此四字，原置於「羊永德」條文之下，注文之首，而非本文之末。

206霖案：《信郡志》卷十七，(《四庫全書存目叢書》本，史部，冊一八六），頁151。

207霖案：「進士」二字，《信郡志》作「及第」二字，竹垞將其逕改作「進士」，今將據原文改正。又「第」字下，應依原書補入「歷丞尉，陞沅江令。」等七字。

208霖案：「辦」字，原書作「幹」字。又「幹」字下，應依原書補入「乞致事，所著有《類左傳》十六卷、《節唐書》五十卷」等字。

黃氏開《春秋妙旨》、《麟經總論》

【作者】黃開，字必先，號浣溪，諸暨人。登紹興二十四年進士，官崇安令，撰有《語孟發揮》、《周易圖說》、《孟子辨志》、《麟經總論》、《春秋妙旨》、《六經指南》、《諸史決疑》、《暨陽雜俎》、《浣溪文集》，共二百六十餘卷。

佚。

徐氏人傑《春秋發微》

【作者】徐人傑，一作仁傑，字漢英，玉山人。紹興進士，隱居篤學，撰有《易傳》、《春秋發微》及《文集》。

佚。

朱氏悎《春秋群疑辨》

【作者】朱悎，浦江人。元祐、紹聖間，師薛大觀，悉傳其春秋之學，著《春秋群疑辨》若干卷。

二卷。

佚。

晏穆曰：「浦陽朱悎師黃山薛大觀，大觀善於說《春秋》，能紹述平陽孫公復遺旨，登其門者亡慮千餘人，惟悎實得其要領。」

柳貫曰[209]：「浦陽朱悎撰，後有石陵倪朴〈跋〉語。觀其所述，大概本《尊王發微》。」

王氏十朋《春秋解》

【作者】王十朋，字龜齡，號梅溪，樂清人。紹興二十七年廷對忠鯁，高宗親擢第一。孝宗時，歷知饒夔湖泉諸州，累官太子詹事，以龍圖閣學士致仕。乾道七年卒，年六十。諡「忠文」，有《梅溪集》，《春秋（解）》、《尚書（解）》、《論語解》、《會稽三賦》、《東坡詩集注》。

佚。

周氏聿《春秋大義》

【作者】周聿，青州人。紹興中召對，陳經綸匡濟策稱旨，累官戶部侍郎，撰有《春秋文義》、《易說》等書。

佚。

張氏震《春秋奧論》

佚。

【存佚】《春秋總義論著目錄》頁九錄作「佚」，惟《春秋總義論著目錄》頁五五錄有

209霖案：出自：四庫本：《待制集》卷18，葉4上。

張震《春秋論》一書，疑為同書，該處錄有《十先生奧論註前集》本，實存張氏之書，今據以改作「存」。

右見章俊卿《群書考索》載一篇。

鄭氏綺《穀梁合經論》

佚。

晏穆〈志墓〉曰：「處士諱綺，字宗文，傳家學，以《春秋》為宗，其所篤好獨在穀梁氏，撰《穀梁合經論》三萬言，乾道中賜號曰沖素處士。」

揭傒斯曰：「處士《穀梁合經論》多發摘微辭。」

《金華府志》[210]：「浦江義門鄭氏起宋建炎，迄明正統[211]，歷三百餘年[212]，五十四世[213]，合居聚食自綺始也[214]。」

210霖案：《金華府志》(《四庫全書存目叢書》史部，冊一七六)，頁740c。案：《金華府志》與竹垞所引之文，頗有不同之處，實難於校改，不知何故如此。

211霖案：《金華府志》無「浦江義門鄭氏起宋建炎，迄明正統」諸字。

212霖案：「三百餘年」，《金華府志》作「歷二百年」，所錄時間差距一百餘年。

213霖案：《金華府志》無「五十四世」，不知竹垞據何本加入。

214霖案：《金華府志》無「合居聚食自綺始也」等字，乃是竹垞根據文意改寫，考之《金華府志》之文，意義雖同，但用字卻異。

卷一百八十七　春秋二十經義考卷一百八十七春秋二十

薛氏季宣《春秋經解》、《指要》

【作者】薛季宣（1134～1173），字士龍，一作字士隆，號艮齋，永嘉人，薛徽言之子。年十七，從荊南帥孫汝翼辟書寫機宜文字，獲事袁溉，溉嘗從程頤學，盡以學授之，召為大理寺主簿，除大理正，出知湖州，改常州，未上卒，時乾道九年七月，年四十。諡「文憲」，撰有《書古文訓》，《詩性情說》，《春秋經解》、《指要》，《大學說》，《論語小學約說》，《浪語集》等書。

《通考》：「共十四卷。」

【著錄】【卷數】《文獻通考．經籍考》卷十，頁二六二著錄。又《直齋書錄解題》卷三，頁四六二著錄，題作《春秋經解》十二卷；《指要》二卷。

【書名】《指要》一書，陳傅良〈行狀〉作「《旨要》，又薛季宣《浪語集．經解春秋旨要序》亦題作「《旨要》」，則此書原來題稱，應以「《旨要》」為正。又從薛季宣〈自序〉得知，此書應名《經解春秋旨要》，是以僅僅一篇〈序〉文，則竹垞據《通考》錄作二書，題作「《春秋經解》」、「《指要》」二書，與實際題稱，或有未合之處。

【考證】《春秋總義論著目錄》頁九曰：「考證：原附於薛氏《春秋經解》十二卷之下，《經義考》則合為十四卷，今以性質不同，分別登錄。」

佚。

季宣自序《指要》曰[1]：「《春秋》[2]，魯史[3]之名也，史[4]何以名《春秋》？[5]魯歷之所為更也。何更爾？變周也。何言乎變周？周正建子，以建寅為正歲，夏時得天，猶用夏也，《春秋》之序魯，變之也[6]，加春於建子，而為王正月建卯[7]之月，而為夏四月，魯史之作也。故

1 霖案：薛季宣撰，薛旦編，《浪語集》卷三〇〈經解春秋旨要序〉（台北：臺灣商務印書館，「景印文淵閣四庫全書」冊一一五九，民國七十五年三月，初版），頁480-481錄之。又《浪語集》題作〈經解春秋旨要序〉，顯然「《指要》」應作「《旨要》」。

2 霖案：「《春秋》」二字之下，應依《浪語集》補入「者何？」二字。

3 霖案：「史」字下，應依《浪語集》補入「記」字。

4 霖案：「史」字下，應依《浪語集》補入「記」字。

5 霖案：「《春秋》」二字之下，應依《浪語集》再補入「《春秋》」二字，竹垞或以二字重複而刪之，今據原書補入。

6 霖案：「也」字下，應依《浪語集》補入「然則魯變四時之序，何史始官也。」等十三字。

7 霖案：「卯」字，《浪語集》作「夘」字。

凡《春秋》之序，皆舍周之舊也[8]。何始於隱公，疾始變常也。昉[9]於此乎？前此矣。前此則曷為始於此？[10]《魯春秋》之始也。《魯春秋》之始作於[11]隱公也。先王之制，諸侯無史，天子有外史，掌四方之志，而識[12]於周之太史；隱之時也，始更魯歷而為魯史，諸侯之有史，其周之衰乎[13]？晉《乘》始於殤叔，秦史作於文公，王室之微，諸侯之力政焉爾。然則《春秋》何取於魯？因也。其因何？因魯之史以[14]為《春秋》，仲尼之志也。《春秋》何以為仲尼之志？善揚其善，惡書[15]其惡[16]，直筆以書其事[17]，不為褒貶抑揚而亂是非之正也[18]。褒貶非仲尼之意也，三家者託褒貶以為傳[19]，舍褒貶則無以為傳矣[20]，此[21]不知《春秋》者也[22]。

---

8 霖案：「也」字下，應依《浪語集》補入「曷為舍周之舊僭也？僭，則《春秋》何以為經？《春秋》，反正之經也，《禮》、《易》、《詩》、《書》始終乎正，《春秋》記錄不正，所以反之正，反之正，反正以其所不正，則五經之教，無時而或替也。《春秋》常事不書，書，變常也，變常則」等句。

9 霖案：「昉」字之前，應依《浪語集》補入「始變」二字。

10 霖案：「此」字之下，應依《浪語集》補入「託始焉爾，奈何」等六字。

11 霖案：「作於」二字，應依《浪語集》題作「何史始之作於諸侯也？諸侯孰謂」等十三字。

12「識」，應依《補正》、「四庫本」作「職」。　霖案：《經義考新校》頁3422注文，「應依」改作「依」字。「四庫本」改作「《四庫薈要》本、文淵閣《四庫》本應」等字。今考《浪語集》亦作「識」字，此或翁辺綱《經義考補正》所據之本也。

13 霖案：「乎」字下，應依《浪語集》補入「〈費誓〉、〈秦誓〉列於《周書》；〈甘棠〉，韓奕編之；〈南雅〉、〈烏在〉，諸侯之有史也。」等句。

14 霖案：「以」字，應依《浪語集》題作「記其」二字。

15 霖案：「書」字，應依《浪語集》作「言」字。

16 霖案：「惡」字下，應依《浪語集》補入「而無私焉爾，何用見其善善惡惡而無私也，曰：」等十八字。

17 霖案：「事」字下，應依《浪語集》補入「因事而致其離，善則善，惡則惡」等十二字。

18 霖案：「也」字下，應依《浪語集》補入「《春秋》用褒貶為道，其曰：『不為褒貶，何也？』等十五字。

19 霖案：「傳」字下，應依《浪語集》補入「也，何託褒貶以為傳」等八字。

20 霖案：「矣」字下，應依《浪語集》補入「三《傳》之所為褒貶，何也？」等九字。

21 霖案：「此」字，《浪語集》無此字，當刪。

22 霖案：「也」字下，應依《浪語集》補入「三《傳》何以不知《春秋》，《春秋》之教，治棼而不亂，處羣而不黨，是是非非，而天下之理歸之矣。不知體要，不存教法，心移於毀譽，而事奪於《春秋》，則褒貶之說，亂是非之正也；事辭為教，《春秋也》，攷辭而知其事，因事以觀其理，不能顯白而待《傳》以發，曰：『晦』也。晦之為道，《傳》之為《經》，則事辭之教荒矣。孟軻有言曰：『王者之迹熄，而《詩》亡；《詩》亡，然後《春秋》作，平王之東也，變《風》害《雅》

仲尼修《春秋》[23]，將以反經之正[24]而還於舊[25]也，是故直言[26]以明得失謂之辭，正辭以別是非謂之事，屬辭比事莫善於《春秋》。《春秋》之道，治亂之法也[27]；可行於當世，可示於四方[28]，小人憚焉，君子達焉[29]，亂臣賊子云：誰之不懼。撥亂世而反之正，《春秋》之用[30]也[31]。《指要》[32]之謂，辭達而已。君子苟《春秋》之為好，不以棄傳為過而反求之，《春秋》之義也[33]。」

【增補】〔補正〕〈自序〉內「而識于周之太史」，「識」當作「職」。（卷八，頁五）

陳傅良作〈行狀〉曰[34]：「右奉議郎新權發遣常州借紫薛公[35]季宣字士龍，永嘉人[36]，

，五侯擅政，蠻夷亂夏，陪臣柄國。』」等句。

23 霖案：「《春秋》」二字下，應依《浪語集》補入「以明實錄」四字。

24 霖案：「正」字下，應依《浪語集》補入「典常禮法，無所與存焉，正亂常」等十二字。

25 霖案：「舊」字下，應依《浪語集》補入「物」字。

26 霖案：「言」字，應依《浪語集》作「書」字。

27 霖案：「也」字下，應依《浪語集》補入「因史之僭，事亂之本也，事易其常，莫之或止，《禮》、《樂》崩壞，《春秋》見之，且夫事有是非，道有邪正，治亂之所繇分也，邪正不白，是非不辨，人行其意，其誰能有反，於是列紀以著之，修辭以述之，會盟朝聘之作，師役祠祀之行，畋漁遊觀之為，崩薨卒葬之禮，苟失其舊，無不備舉。」等句。

28 霖案：「四方」，應依《浪語集》題作「方來」二字。

29 霖案：「焉」字下，應依《浪語集》補入「則《春秋》之所用心，盡在是矣，其事則齊桓、晉文昭其義也，其文則史正，其辭也昭，義正辭則」等句。

30 霖案：「用」字，應依《浪語集》改作「謂」字。

31 霖案：「也」字下，應依《浪語集》補入「今夫淺害深，非亂是，新變舊，《傳》掩《經》，所謂反常也。《經》之云正，不累於辭，所謂服仁也，道反常，三《傳》之失也。服仁守正，復古之道也，經解之造，《經》用釋《經》，而歸正於《經》者也。」等句。

32 霖案：「《指要》」二字，《浪語集》作「《旨要》」二字。

33霖案：「也」字下，應依《浪語集》補入「專門墨守，則非下走之，所敢知」等句。

34霖案：《止齋先生文集》卷五十一，〈右奉議郎新權發遣常州借紫薛公行狀〉，(四部叢刊本)頁251-256。案：竹垞刪錄許多文句，難於一一補錄，讀者可自行參看原書。

35霖案：「右奉議郎新權發遣常州借紫薛公」係行狀名，非論述內容，當刪。此為篇名誤入正文之例。

36霖案：「永嘉人」三字，〈行狀〉云：「其先世家河東，後徙福之長溪廉村，至唐補闕令之後，又自廉村徙永嘉。」，竹垞根據〈行狀〉之文，改作「永嘉人」，然其先世遷居路徑，卻無緣得知，今補其文如上。又「永嘉」之後，竹垞刪錄許多文句，難於一一補錄，讀者可自行參看原書。

有《春秋經》37若干卷，《指要》38一卷。」

朱子曰39：「薛常州解《春秋》，不知如何率意若40此，只是幾日，成此文字，如何說諸侯無史，內則尚有閭史；又如趙盾、崔杼事，皆史臣所書。」

陳振孫曰41：「知常州永嘉薛季宣士龍撰《指要》，列譜例於前42。季宣博學通儒，不事科舉，陳止齋師事之。季宣死當乾道九年，年四十，其為此書實紹興三十二年，蓋甫二十歲云。」

【增補】〔補正〕陳振孫條內「其為此書實紹興三十二年」。杰按：「三十二年」疑當作「二十二年」，然《書錄解題》及《通考》皆作「三十二年」，姑仍之。（卷八，頁五）

【增補】何廣棪：《陳振孫之經學及其《直齋書錄解題》經錄考證》曰：「廣棪案：《經義考》卷一百八十七《春秋》二十『薛氏季宣《春秋經解》、《指要》』條引季宣《指要自序》，略曰：『先生之制，諸侯無史。天子有外史，掌四方之志，而識于周之太史。隱之時也，始更魯曆而為魯史。諸侯之有史，其周之衰乎?』薛《序》『職』作『識』，『周曆』作『魯曆』，與《解題》所載有所不同。惟朱子則甚不以季宣此說為允恰。《經義考》續引朱子曰：『薛常州解《春秋》，不知如何率意若此。只是幾日成此文字，如何說諸侯無史。《內則》尚有閭史。又如趙盾、崔杼事，皆史臣所書。』是則季宣『諸侯無史』之說，似不能成立。又《經義考》 所引『陳振孫曰』，闕自『其《序》專言諸侯無史』，至『始更周曆而為魯史』數句，與《四庫》本不同。」（頁五九〇）

【增補】何廣棪：《陳振孫之經學及其《直齋書錄解題》經錄考證》曰：「案：《宋史》卷四百三十四《列傳》第一百九十二《儒林》四《薛季宣傳》載：『年十七，起從荊南帥，辟書寫機宜文字，獲事袁溉。溉嘗從程頤學，盡以其學授之。季宣既得溉學，於古封建、井田、鄉遂、司馬法之制，靡不研究講畫，皆可行於時。』同卷《陳傅良傳》載：『陳傅良，字君舉，溫州瑞安人。……當是時，永嘉鄭伯熊、薛季宣皆

37霖案：「《春秋經》」三字，《止齋先生文集》題作「《春秋經解》」，竹垞於標目題作《春秋經解》，乃為正確名稱。

38霖案：「《指要》」，《止齋先生文集》題作「《旨要》」。

39霖案：《朱子語類》卷83、《文獻通考．經籍考》卷十，頁262。又《文獻通考》題作「《朱子語類》曰」。

40霖案：「若」字，《文獻通考》作「如」字。

41霖案：《直齋書錄解題》卷三，頁462、《文獻通考．經籍考》卷十，頁262。

42霖案：「知常州永嘉薛季宣士龍撰《指要》，列譜例於前」，斷句應作「知常州、永嘉薛季宣士龍撰，《指要》列譜例於前，」。又「前」字下，應依《文獻通考》補入「其序專言諸侯無史，天子有外史，掌四方之志。而職於周之太史。隱之時，更周歷而為魯史。」等三十五字。

以學行聞，而伯熊於古人經制、沿法，討論尤精，傅良皆師事之，而得季宣之學為多。』《解題》所述，參之《宋史》，無不合。」（頁五九〇至頁五九一）

【增補】何廣棪：《陳振孫之經學及其《直齋書錄解題》經錄考證》曰：「案：《宋史・薛季宣傳》曰：『卒年四十。』與陳傅良所撰季宣《行狀》同。季宣卒年既在乾道九年（一一七三），年四十，則其作此書之紹興三十二年（一一六二），時甫二十九歲。是則不惟直齋記載季宣行年有誤，盧氏所伸算亦與史實有些微出入也。」（頁五九一）

陳氏傅良《左氏章指》（宋）

【作者】陳傅良（1137～1203），字君舉，號止齋，溫州瑞安人，曾師事鄭伯熊、薛季宣，傳永嘉之學。乾道八年登進士甲科，累遷起居舍人。其後為中書舍人，兼侍讀，直學士院。嘉泰初知泉州，進寶謨閣待制致仕。嘉泰三年卒，年六十七。諡文節，撰有《詩解詁》、《周禮說》、《春秋後傳》、《左氏章旨》、《歷代兵制》、《永嘉八面鋒》、《止齋論祖》、《止齋文集》等書。

【書名】《郡齋讀書志》卷第五上〈附錄〉，頁三六一著錄，書名題作《春秋左氏章指》。

《宋志》：「三十卷。」

【卷數】《郡齋讀書志》卷第五上〈附錄〉，頁三六一著錄，卷數作「十七卷」。又《文獻通考・經籍考》卷十，頁二六七著錄，合《春秋後傳》為「四十二卷」。

未見。

【霖案】本書未見其他傳本，且《左傳論著目錄》頁七五錄作佚籍，當已久佚，故改注曰「佚」。

《春秋後傳》（宋）

【書名】本書異名如下：

一、《春秋左氏後傳》：《郡齋讀書志》卷第五上〈附錄〉，頁三六一著錄。

二、《止齋春秋後傳》：《直齋書錄解題》卷三，頁四六三著錄。

三、《陳氏春秋後傳》：張壽平《公藏先秦經子注疏書目》頁一三五著錄。

四、《止齋先生春秋後傳》：《馬來西亞大學中文圖書目錄》六九〇・五著錄。

《宋志》：「十二卷。」

【分類】《郡齋讀書志》卷第五上〈附錄〉，頁三六一著錄，隸屬「經解類」。

存。

【版本及藏地】本書版本及藏地如下：

一、文淵閣四庫全書本：台北故宮博物院有藏本。

【增補】永瑢等撰《欽定四庫全書總目》曰：「春秋後傳十二卷　兩江總督採進本

宋陳傅良撰。傅良字君舉（案傅良或作傅良，諸本互有異同。然其字曰『君舉』，則為『傅說舉於版築』之義，故今定為『傅』字，）號止齋，溫州瑞安人。乾道八年進士，官至中書舍人、寶謨閣待制，謚文節。事迹具《宋史》本傳。是編有其門人周勉跋，稱傅良為此書，『將脫稿而病，學者欲速得其書，俾傭書傳寫。其已削者或留其帖於編，增入是正者或揭去弗存。』是今所傳，已非傅良完本矣。趙汸《春秋集傳自序》於宋人說《春秋》者，最推傅良，稱其『以《公》、《穀》之說，參之左氏，以其所不書，實其所書，以其所書，推其43所不書，得學《春秋》之要。在三傳後，卓然名家。而惜其誤以《左氏》所錄，為魯史舊文，而不知策書有體，夫子所據以加筆削者，《左氏》亦未之見。《左氏》書首所載『不書』之例，皆史法也，非筆削之旨。《公羊》、《穀梁》每難疑，以『不書』發義，實與左氏異。師陳氏合而求之殊，失其本。故於《左氏》所錄而經不書者，皆以為夫子所筆削，則其不合於聖人者亦多』云云。考左氏為《春秋》作傳，非為策書作傳，其所云某故不書者，不得經意或有之，必以為別發史例，似非事實。況『不修春秋』二條，《公羊傳》尚有傳聞，不應左氏反不見，恐均不足為傅良病。惟以《公》、《穀》合《左氏》，為切中其失耳。自王弼廢象數，而談《易》者日增，自啖助廢《三傳》，而談《春秋》者日盛，故解五經者，惟《易》與《春秋》二家著錄獨多。空言易騁，茲亦明效大驗矣。傅良於臆說蜂起之日，獨能根據舊文，研求聖人之微旨。樓鑰序稱其『於諸生中，擇能熟誦三傳者三人，曰蔡幼學、曰胡宗、曰周勉，游宦必以一人自隨，遇有所問，其應如響』。其考究可謂44至詳。又其書雖多出新意，而每傳之下，必注曰此據某說，此據某文，其徵引亦為至博。以是立制，世之枵腹而談褒貶者，庶有豸乎！傅良別有《左氏章旨》三十卷，樓鑰所序，蓋兼二書言之。朱彝尊《經義考》注曰『未見』。今《永樂大典》中尚存梗概，然已殘闕不能成帙，故不復裒錄焉。」（卷二十七，頁三四六）

【增補】邵懿辰撰、邵章續錄：《增訂四庫簡明目錄標注》卷三曰：「《春秋後傳》十二卷，宋陳傅良撰。

通志堂本。

〔續錄〕宋勤有堂刊本。宋殘施械本，均佳。」（頁一〇九）

二、摛藻堂薈要本：台北故宮博物院有藏本。

三、清同治十二年(1873)粵東書局重刊本：(宋)陳傅良撰《止齋先生春秋後傳》十二卷，台北：國家圖書館有藏本。

四、通志堂經解本：宋陳傅良撰《止齋先生春秋後傳》十二卷，二冊，馬來西亞大學圖書館有藏本（二部）。

43霖案：原注云：「其」前，浙、粵本有「見」字。

44霖案：原注云：「謂」底本作「為」，據浙、粵本改。

五、宋勤有堂刊本：參考邵懿辰撰、邵章續錄：《增訂四庫簡明目錄標注》卷三，頁一〇九。

樓鑰〈序〉曰[45]：「《春秋後傳》、《左氏章指》二書，故中書舍人止齋陳公傅良之所著也。《春秋》之學不明久矣，啖、趙之後，至於[46]本朝而後有泰山孫先生復《尊王》之說，公是[47]劉先生敞《權衡》、《意林》等書[48]，伊川程先生頤雖無全書，而一〈序〉所該，聖人之大法備矣。自王荊公安石之說盛行，此道幾廢。建炎、紹興之初，高宗皇帝復振斯文，胡文定安國承伊洛之餘，推明師道，勸講經筵，然後其學復傳，學者以為標準，可謂大全矣。東萊呂公祖謙又有《集解》行於世，《春秋》之義殆無餘蘊。止齋生於東嘉，天資絕人，誦書屬文，一旦迥出諸老，先生上歛[49]，然布衣聲名四出，《六經》之說流行萬里之外，而其學尤深於《春秋》。鑰非深於此者，嘗涉獵諸公之書，非不明白，然亦不過隨文辨釋，間有前後相為發明者，亦不見體統所在。鑰[50]從止齋遊，雖不得執經其門，嘗深叩之。同在西掖時，始以隱公後傳數篇相示，因為道《春秋》之所以作，左氏之所以有功於經者，其說卓然；且曰：『自余之有得於此而欲著書，於諸生中擇其能熟誦《三傳》者，首得蔡君幼學，蔡既壯，又得二人焉，曰胡宗、曰周勉，游宦必以一人自隨，遇有所問，其應如響，而此書未易成也。』未幾去國，而鑰亦歸[51]。朋友之來，必以此書為問，雖親炙之者，跪以請，則曰：『此某身後之書也。』既不幸卒於嘉泰三年，而此書始出於笥中，其壻林子燕最得其傳，又四年而後，長子師轍與其徒汪龍友以二書來。鑰老矣[52]，屏去他[53]書，窮晝夜讀之，始盡得其大意。嗚呼!盛哉!蓋未有此書也。先儒以例言《春秋》者切切然，以為一言不差，有不同者則曰變例，竊以為未安。公之書不然，深究經旨，詳閱世變，蓋有所謂隱、桓、莊、閔之《春秋》，有所謂僖、文、宣、成之《春秋》，有所謂襄、昭、定、哀之《春秋》。始焉猶知有天子之命，王室猶甚威重，自霸者之令行，諸侯不復知有王矣。桓公之後，齊不競而晉霸；文公既亡，晉不競而楚霸；悼公再霸而又衰，楚興而復微；吳出而盟諸侯[54]，於越入吳而《春秋》終矣。自杜征南以來，謂平王東周之始王，隱公遜國之賢君，其說甚詳；而公以

45霖案：陳傅良：《陳氏春秋後傳》〈樓鑰序〉，此文題作〈春秋後傳左氏章指序〉，「通志堂本」，頁12023-12024。又可參考：《直齋書錄解題》卷三，頁463所錄之文，該文為一節文。

46霖案：「於」，《陳氏春秋後傳》作「于」。

47霖案：「公是」二字前，應依《陳氏春秋後傳》補入「彌彰」二字。

48霖案：「書」字下，應依《陳氏春秋後傳》補入「訂證尤詳」四字。

49霖案：「歛」，應依《陳氏春秋後傳》作「斂」。

50霖案：「鑰」字下，應依《陳氏春秋後傳》補入「自客授之初，即」等六字。

51霖案：「歸」字下，應依《陳氏春秋後傳》補入「雖若相忘於江湖，而」等八字。

52霖案：「矣」字下，應依《陳氏春秋後傳》補入「如獲希世之珍」等六字。

53霖案：「他」，《陳氏春秋後傳》作「它」。

54霖案：「諸侯」，應依《陳氏春秋後傳》作「諸夏」。

為不為平王，亦不為隱公，而為威王[55]，其說為有據依。又其大節目，如諸侯改元，前所未有，齊、魯諸大國比數世間有世而無年，至記[56]厲王奔彘，始有紀年。古者諸侯無私史，《乘》與《檮杌》、《春秋》，皆東遷之史也。書齊、鄭盟于石門，以志諸侯之合；書盟于鹹，以志諸侯之散，是春秋之終始也。隱、桓、莊之際，惟鄭多特筆；襄、昭、定、哀之際，惟齊多特筆。諸侯專征，而後千乘之國有弒其君者矣；大夫專將，而後百乘之家有弒其君者矣。宋、魯、衛、陳、蔡為一黨，齊、鄭為一黨，公會齊、鄭[57]於[58]中邱[59]，而後諸侯之師衡行於天下，罪莫甚於鄭莊，宋、魯、齊、衛[60]次之，而父子兄弟之禍亦莫甚於五國，是可為不臣者之戒矣。齊桓公卒，鄭遂朝楚，夏之變夷[61]，鄭為亂階；侵蔡遂伐楚，以志齊桓之霸；侵陳遂侵宋，以志楚莊之霸，足以見夷夏之盛衰矣[62]。書公孫茲帥師、書公孫敖帥師、書公子季友卒，習見三家之所從。始首止之盟，鄭伯逃歸不盟則書，以其背夏盟也；厲之役，鄭伯逃歸不書，蓋逃楚也，夷夏之辨[63]嚴矣。自隱而下，春秋治在諸侯；自文而下，治在大夫。有天下之辭，有一國之辭，有一人之辭，於干戈無不貶，於玉帛之使則從其爵，勸懲著矣。文十年而狄秦，又三十年而狄鄭，又五十餘年而狄晉；鄭猶可也，狄晉甚矣，貶不於甚，則於事端餘實錄而已矣。此皆先儒所未發。至僖之三十一年，『四卜郊，不從，乃免牲，猶三望』，極言魯之用天子禮樂，以明堂位之言為不然。惠公始乞郊而不當用，僖公始作頌，所以郊為夸；引祝鮀之言為證，此猶[64]為前所未聞也。若《左氏》或以為非為經而作，惟公以為著其不書以見《春秋》之所書者，皆《左氏》之力，《章指》一書，首尾專發此意。昔人

55霖案：《經義考新校》頁3425新出校文如下：「『威王』，《四庫薈要》本誤作『桓王』」。

56「記」，「四庫本」作「紀」。　霖案：《經義考新校》頁3425校文，「四庫本」改作「文淵閣《四庫》本」等字。

57「齊、鄭」，「四庫本」誤作「齊侯」。　霖案：《經義考新校》頁3426校文，「四庫」二字之前，另有「文淵閣」三字；又「誤作」改作「作」字，顯然校者對於此條「《四庫》本」作「齊侯」的看法，立場有些改變。今考《陳氏春秋後傳》〈樓鑰序〉作「齊、鄭」，同於竹垞所錄之文。

58霖案：「於」，《陳氏春秋後傳》〈樓鑰序〉作「于」。

59霖案：「中邱」，《陳氏春秋後傳》〈樓鑰序〉作「中丘」。

60「齊、衛」，「四庫本」作「齊侯」。　霖案：：《經義考新校》頁3426校文，「四庫」二字之前，另有「文淵閣」三字。今考四庫本誤作「齊侯」也，當從《陳氏春秋後傳》〈樓鑰序〉作「齊、衛」。

61霖案：《經義考新校》頁3426新出校文如下：「『夏之變夷』，文津閣《四庫》本作『是楚之橫』。」

62霖案：《經義考新校》頁3426新出校文如下：「『夷夏之盛衰矣』，文津閣《四庫》本作『盛衰之有自矣』。」

63霖案：《經義考新校》頁3426新出校文如下：「『夷夏之辨』，文津閣《四庫》本作『筆削之義』。」

64「猶」，應依《補正》作「尤」。　霖案：《經義考新校》頁3427校文，「應依」改作「依」字；「作」字改作「應作」二字，用語稍有不同。今考《陳氏春秋後傳》〈樓鑰序〉亦作「尤」字，當為翁方綱《經義考補正》所據之本。

以杜征南為邱明65忠臣，然多曲從其說，非忠也。公之章指謂『君子曰者』，蓋博採善言禮也者，蓋據史舊聞非必皆合於《春秋》，或曰後人增益之，或曰後人依倣之，或以凡例義淺而不取，或以例非《左氏》之意，蓋愛而知其惡者，乃66所以為忠也。又言莊公元年至七年，及十九年以後訖終篇，多無傳，疑有佚墜，公之求於傳者詳矣。嗚呼!與止齋遊67，前後三十年，不得卒業於其門，既興殄瘁之悲，而後得二書，其間尚有欲質疑而不可得，此所以撫卷三歎而不能自已也。68」

【增補】〔補正〕樓鑰〈序〉內「此猶為前所未聞也」，「猶」當作「尤」；〈序〉末當補云：「開禧三年冬至日」。（卷八，頁五）

周勉〈跋〉曰69：「先生為《後傳》，將脫稿70而病，期71歲而病革，學者有欲速得其書，俾傭書傳寫。其已削者，或留其帖於72編；增入是正者，或揭去弗存也。勉宦江陵還，始得朋友訂正之，然已削者可刊帖於73編，而增入是正者不可復求矣。惜哉!勉從先生於74桂陽、於75衡、於76潭，日受經焉；及《後傳》且就先生每語友朋將面授勉，使盡質所疑而後出，已而暌隔77，函丈不果。質今訂正78，猶先生之志云79。」

蔡幼學作〈行狀〉曰80：「公深於《春秋》，其81發明獨至，又以《左氏》最有功，於

65霖案：「邱明」，應依《陳氏春秋後傳》〈樓鑰序〉作「丘明」。

66霖案：「乃」，《陳氏春秋後傳》〈樓鑰序〉作「迺」。

67霖案：「遊」，《陳氏春秋後傳》〈樓鑰序〉作「游」。

68據《補正》，當補「開禧三年冬至日」七字。　霖案：《經義考新校》頁3427校文改作：「『也』下，依《補正》應補『開禧三年冬至日』七字。」，用語稍有不同。

69霖案：陳傅良：《陳氏春秋後傳》〈周勉序〉，「通志堂本」，頁12024。案：此書「通志堂本」置於書前，當為〈序〉。

70霖案：「稿」，《陳氏春秋後傳》〈周勉序〉作「稾」字。

71霖案：「期」，《陳氏春秋後傳》〈周勉序〉作「朞」。

72霖案：「於」，《陳氏春秋後傳》〈周勉序〉作「于」。

73霖案：「於」，《陳氏春秋後傳》〈周勉序〉作「于」。

74霖案：「於」，《陳氏春秋後傳》〈周勉序〉作「于」。

75霖案：「於」，《陳氏春秋後傳》〈周勉序〉作「于」。

76霖案：「於」，《陳氏春秋後傳》〈周勉序〉作「于」。

77霖案：「暌隔」，《陳氏春秋後傳》〈周勉序〉作「睽隔」。

78霖案：「正」，《陳氏春秋後傳》〈周勉序〉作「證」。

79霖案：「云」字下，當依《陳氏春秋後傳》〈周勉序〉補入「嘉定元年七月朔日門人周勉謹書」等十四字。

80 霖案：陳傅良，《止齋集》．附錄．〈蔡幼學行狀〉（台北：臺灣商務印書館，「景印文淵閣四庫全書

經能存其所不書，以實其所書，故作《章指》以明筆削之義。」

陳振孫曰[82]：「陳傅良撰，樓參政鑰為之序。大略謂《左氏》存其所不書以實其所書，《公羊》、《穀梁》以其所書推見其所不書，而《左氏》實錄矣，此《章指》之所以作也。若其他發明多新說，〈序文〉略見之。」

【增補】何廣棪：《陳振孫之經學及其《直齋書錄解題》經錄考證》曰：「廣棪案：《讀書附志》卷上《經解類》著錄：『《春秋左氏後傳》十二卷、《春秋左氏章指》十七卷。右止齋陳傅良所著也。四明樓忠簡公序其前，清海崔清獻公與之識其後，而刻於惟揚郡庠。』是《讀書附志》所著錄，其書名稱謂既與《解題》略異，而《章旨》一書之卷數亦有多寡之不同。傅良門人為《春秋後傳》作《後序》曰：『先生為《後傳》，將脫稿而病，歲而病革。學者有欲速得其書，俾傭書傳寫。其已削者或留，其帖於編增入，是正者或揭去弗存也。』惟揚郡庠所刻《章旨》僅十七卷，疑非完本，或遭傭書傳寫時任意揭削，故刊刻時乃不全也。」（頁六〇四）

【增補】何廣棪：《陳振孫之經學及其《直齋書錄解題》經錄考證》曰：「案：樓鑰《序》惟曰：『若《左氏》，或以為非為經而作，惟公以為著其不書，以見《春秋》之所書者，皆《左氏》之力。《章指》一書，首尾專發此意。』其餘無所及。未知直齋何所據而所記竟與樓《序》相異。」（頁六〇四）

【增補】何廣棪：《陳振孫之經學及其《直齋書錄解題》經錄考證》曰：「案：鑰《序》曰：『又其大節目，如諸侯改元，前所未有。齊、魯諸大國，比數世間，有世而無年。至記厲王奔彘，始有紀年。古者諸侯無私史，《乘》與《檮杌》、《春秋》皆東遷之史也。書齊盟于石門，以志諸侯之合；書盟于鹹，以志諸侯之散者，是《春秋》之終始也。隱、桓、莊之際，惟鄭多特筆；襄、昭、定、哀之際，惟齊多特筆。諸侯專征而後，千乘之國有弒其君者矣；大夫專將而後，百乘之家有弒其君者矣。宋、魯、衛、陳、蔡為一黨。齊、鄭為一黨。公會齊、鄭于中丘，而後諸侯之師衡行於天下。罪莫甚於鄭莊，宋、魯、齊、衛次之；而父子、兄弟之禍，亦莫甚於五國，是可為不臣者之戒矣。齊桓公卒，鄭遂朝楚；夏之變夷，鄭亂為階。侵蔡，伐楚，以志齊桓之霸，侵陳，遂侵宋，以志楚莊之霸，足以見夷夏之盛衰矣。書公孫茲帥師，書公孫敖帥師，書公子季友卒，習見三家之所從始。首止之盟，鄭伯逃歸，不盟則書，以見其背夏盟也；厲之役，鄭伯逃歸，不書，蓋逃楚也。夷夏之辨嚴矣。自隱而下，《春秋》治在諸侯；自文而下，治在大夫。有天下之辭，有一國之辭，有一人之辭，於干戈無不貶，於玉帛之使則從其爵，勸懲著矣。十年而狄秦，而三十年而狄鄭，又五十餘年而狄晉；狄鄭猶可也，狄晉甚矣。貶不於甚，則於事端，餘實錄而已矣。此皆先儒所未發。』又曰：『至僖之三十一年，四卜郊不從，乃二牲，猶三望極言。魯之

」冊一一五〇，民國七十五年三月，初版），頁930。

81 霖案：「其」字之下，應依《止齋集》補入「於王霸尊卑，盛衰消長之際，及亂臣賊子之所由來，」等句。

82霖案：《直齋書錄解題》卷三，頁463、《文獻通考．經籍考》卷十，頁267。

用天子禮樂，以《明堂位》之言為不然。惠公始乞郊，而不當用。僖公始作《頌》，所以郊為夸，引祝鮀之言為證。此尤為前所未聞也。』此即《解題》所謂『其他發明多新說』者也。」（頁六〇五至頁六〇六）

黃淵曰[83]：「陳止齋欲著《後傳》，於諸生中擇能誦者一人自隨，似不草草，然[84]謂書王存周，未免[85]又落窠臼[86]。」

何喬新曰[87]：「陳氏論世變，以為有隱、桓、莊、閔之《春秋》，有僖、文、宣、成之《春秋》，有襄、昭、定、哀之《春秋》；然其於褒貶以傳之所書而論經之所不書，則傳事又豈一一皆實乎？」

張萱曰[88]：「止齋[89]取《左傳》，每段以數語括[90]其大指[91]，間有評駁。」

趙希弁[92]曰：「《春秋左氏後傳》十二卷、《左氏章指》十七卷，止[93]齋陳傅良所著也。四明樓忠簡公鑰序其前，清海崔清獻公與之識其後，而刻[94]之維揚郡庠。」

呂氏祖謙《春秋集解》（宋）

【作者】呂祖謙（1137～1181），字伯恭，婺州人，呂大器之子。隆興元年進士，復中博學弘詞，官至秘閣著作郎國史院編修，呂氏與朱熹、張栻齊名，稱為東南三賢。呂氏於《詩》、《書》、《春秋》，多究古義，於十七史皆有詳節，故詞多根柢，學者稱「東萊先生」。淳熙八年卒，年四十五，諡曰「成」。著有《古周易》，《易說》，《書說》，《春秋左氏傳說》，《東萊左氏博議》，《大事記》，《歷代制度詳說》，《呂氏家塾讀詩記》，《少儀少傳》，《近思錄》，《麗澤論說集錄》，《臥遊錄》，《詩律武庫》，《東萊呂太

83霖案：孫承澤：《五經翼》卷十三，〈講春秋序〉(《四庫全書存目叢書》經一五一)，頁780-781。

84霖案：「然」字，《五經翼》無之，當刪。

85霖案：「未免」二字前，當依《五經翼》補入「正」字。

86霖案：「窠臼」，《五經翼》題作「科臼」。

87霖案：何喬新：《椒邱文集》卷一，〈六經〉，頁83-84。又四庫本:何喬新：《椒邱文集》卷一，《四庫全書存目叢書》子部，冊174，偉文出版明代論著叢刊，文海出版：明人文集叢刊第一期等有之。

88霖案：孫能傳等撰《內閣藏書目錄》卷二，頁475。

89霖案：「止齋」，應依《內閣藏書目錄》作「宋止齋陳傅良」。

90霖案：「括」，《內閣藏書目錄》作「檃」。

91霖案：「指」，《內閣藏書目錄》作「旨」。

92霖案：《郡齋讀書志》卷第五上〈附錄〉，頁361。

93霖案：「止」字前，《郡齋讀書志》另有「右」，竹垞刪去此字，當據原書補入。

94「刻」，「四庫本」作「列」。　霖案：《經義考新校》頁3428校文，於「四庫本」之前，另有「文淵閣」三字。今考《郡齋讀書志》題作「刻」字，可見「四庫本」作「列」字，當誤。

史集》，所輯有《古文關鍵》，《皇朝文鑑》等書。

【增補】〔補正〕案：此書今刻於《通志堂經解》，而納蘭容若〈序〉疑其或是呂本中所作，其卷內則書呂伯恭。又按：此書竹垞兩載於此卷內，一以為呂本中，一以為呂祖謙，蓋誤複耳。（卷八，頁六）

【增補】何廣棪：《陳振孫之經學及其《直齋書錄解題》經錄考證》曰：「廣棪案：《宋史・藝文志》卷一《經類・春秋類》著錄：『呂本中《春秋解》二卷。』又：『呂祖謙《春秋集解》三十卷。』是《四庫》館臣與盧文弨各依所本，《四庫》本仍以此書為祖謙撰，盧氏以為本中撰，而卷數則二者均與《解題》著錄不同。惟《讀書附志・經解類》著錄：『《春秋集解》三十卷。右東萊先生所著也。長沙陳邕和父為之《序》。』《經義考》卷一百八十四《春秋》十七『呂氏本中《春秋集解》』條彝尊曰：『按趙氏《讀書附志》以《春秋集解》為東萊先生所著，而不書其名。蓋呂氏自右丞好問徙金華，成公述《家傳》稱為東萊公，而居仁為右丞子，學山谷為詩，作《西江宗派圖》，學者亦稱為東萊先生。然則呂氏三世皆以東萊為目，成公特最著者耳。陳氏《書錄解題》撮居仁《集解》大旨，謂自《三傳》而下，集諸儒之說，不過陸氏、兩孫氏、兩劉氏、蘇氏、許氏、胡氏數家，合之今書良然。而《宋史・藝文志》於《春秋集解》三十卷，直書成公姓名，世遂因之。考《成功年譜》，凡有著述必書，獨《春秋集解》不書，疑世所傳三十卷即居仁所撰，惟卷帙多寡未合。而陳和父之《序》無存，此學者之疑猶未能釋也。』所謂成公即祖謙，居仁即本中也。《四庫》館臣按語亦曰：『趙希弁《讀書志》第云東萊先生所著，長沙陳邕和父為之《序》，而不書其名。蓋呂氏望出東萊，故三世皆以為稱，成公特其最著者耳。而《宋史・藝文志》於《春秋集解》三十卷，直書成公姓名，世遂因之，攷《呂祖謙年譜》，凡有著述必書。獨《春秋集解》不書，疑世所傳三十卷，及本中所撰也。朱子亦云：『呂居仁《春秋》甚明白，正與某《詩傳》相似。』』綜上所引，則此書乃本中撰。或作十二卷，或作三十卷，疑莫能明。然以此書既『自《三傳》而下，集諸家之說』而成，則其卷帙必多，絕不能僅作二卷，固可裁奪而定之者也。」（頁五九三至頁五九四）

【增補】何廣棪：《陳振孫之經學及其《直齋書錄解題》經錄考證》曰：「案：據《解題》，此書集諸家之說，計為：陸質《春秋集傳纂例》、《辨疑》，孫明復《春秋尊王發微》，孫覺《春秋經社要義》、《春秋經解》，劉敞《春秋傳》、《權衡》、《意林》、《說例》，劉絢《春秋傳》，蘇轍《春秋集傳》，程頤《春秋傳》，許翰《襄陵春秋集傳》及胡安國《春秋傳》、《通例》、《通旨》等。除許氏書外，《解題》均有著錄。許氏此書，李綱嘗為《後序》，略謂：『襄陽許崧老作《春秋集傳》，取三家之說不悖於聖人者著之篇，刪去其所不然，又斷以自得之意，有發於《三傳》之所不能言者。得而讀之。豁然如披雲霧而睹天日之清明，燦然如汰沙石而見金玉之精粹，然後知《三傳》果有功於《春秋》，而《集傳》又有功於《三傳》。至於斷以自得之意，則與三家者齊驅而並駕也。其於學者，豈小補哉！』惜其書已散佚。至杜諤《春秋會義》二十六卷，《解題》謂其書『自《三傳》及啖、趙諸儒迄於孫氏《經社》，凡三十餘家，集而繫之，特述以己意』。呂氏此書之體例正與之同，固《解

題》云『大略如杜諤《會義》』也。」（頁五九四至頁五九五）

《宋志》：「三十卷。」

【卷數】《直齋書錄解題》卷三，頁四六三著錄，卷數題作「十二卷」。耿文光《萬卷精華樓藏書記》卷八，頁三〇二著錄，卷數題作「二十五卷」。

未見。

【存佚】本書世間已有傳本，且《春秋總義論著目錄》頁二四注曰：「存」，故當改注曰「存」。

【版本及藏地】本書版本及藏地如下：

一、清乾隆五十年(1785)內府刊本：(宋)呂祖謙撰《春秋集解》三十卷，台北：國家圖書館有藏本，為秦蕙田舊藏之物。

二、清同治十二年(1873)粵東書局重刊本：(宋)呂祖謙撰《春秋集解》三十卷，台北：國家圖書館有藏本。

三、通志堂經解本：宋呂祖謙撰《春秋集解》三十卷，十冊，馬來西亞大學圖書館有藏本（二部）。

四、清吟閣正本：宋呂祖謙《春秋集解》二十五卷，耿文光《萬卷精華樓藏書記》卷八，頁三〇二著錄。

【增補】耿文光《萬卷精華樓藏書記》卷八曰：「《東萊左氏博議》二十五卷　宋呂祖謙撰

清吟閣正本。道光戊戌錢塘瞿世瑛校刊，有跋，首刻提要，凡例，目錄，凡一百七十篇，與坊行四卷之本不同。乾道五年伯恭自序。

呂氏自序曰：左氏博議者，為諸生課試之作也。始予屏處東陽之武洲，居半歲，里中稍稍披蓬，友從予游談，余語隙波及課試之文，乃取左氏書理亂得失之迹，疏其說於下。旬儲月積，浸就篇帙，遂次第其語，以諗觀者。

瞿氏跋曰：書之刻於當時者既不可得見，而宋元來重雕之本多脫文訛字，而今世通行本為明人所掇取者尤闕略而不完，故為是正文字，重刊以惠來者。

瞿氏刊書例曰：今本八十六篇，且刪節字句，改題篇目，殊失真面。今悉照宋刻登載。當時傳鈔，輾轉沿訛，故宋元本誤字甚多。今參合明本元本、文瀾閣本及平湖胡氏所藏宋本，悉心讎校，無慮數過，舍短從長，衷於一是。宋本詳載左氏傳文，今不贅列。宋本於徵引史事略為注釋，遺漏甚多，蓋博議在宋時為經生家揣摩之本，流行甚廣，坊肆謬加訓釋，名為詳注，用以標異投時，非呂氏之舊，故悉汰之。宋本於篇目下用黑文白字標絜主意，如論天理、論名分之類，亦陋者所施，今刪之。」（頁三〇二）

張萱曰[95]：「呂祖謙博考[96]《三傳》以來至宋儒諸說，摭其合於經者，撮要編之[97]。」

【增補】何廣棪：《陳振孫之經學及其《直齋書錄解題》經錄考證》曰：「案：《經義考》卷一百八十七《春秋》二十『呂氏祖謙《春秋集解》』條引張萱曰：『呂祖謙博考《三傳》以來，至宋儒諸說，摭其合於經者，撮要編之。』此書『所擇頗精』，而『卻無自己議論』，其故正如張萱所述，撰作體例使然也。」（頁五九五）

《左傳類編》（宋）

【書名】本書異名如下：

一、《東萊呂太史春秋左傳類編》：孫能傳等撰《內閣藏書目錄》卷二，頁四七五、《現存宋人著述目略》頁十七著錄，又附有胡文楷〈校勘記〉一卷。

二、《左氏類編》：孫能傳等撰《內閣藏書目錄》卷二，頁四七五著錄。

《宋志》：「六卷。」

【卷數】《直齋書錄解題》卷三，頁四六三、《文獻通考・經籍考》卷十，頁二六三著錄，均題作六卷本，惟《現存宋人著述目略》頁十六著錄，尚附有胡文楷〈校勘記〉一卷。

佚。

【存佚】本書有諸家抄本，故應改注曰「存」

【版本及藏地】本書版本及藏地如下：

一、民國二十三年(1934)上海商務印書館四部叢刊續編影印舊鈔本：(宋)呂祖謙撰《東萊呂太史春秋左傳類編》六卷，附胡文楷〈校勘記〉一卷，三冊，《現存宋人著述目略》頁十七著錄，係影自鐵琴銅劍樓藏舊鈔本，原書葉心高十九公分，寬十四公分，台北：國家圖書館有藏本。

馬來西亞大學圖書館有藏本。

二、舊鈔本：《現存宋人著述目略》頁十七著錄，該書為鐵琴銅劍樓藏本。

【增補】瞿鏞編纂・瞿果行標點・瞿鳳起覆校《鐵琴銅劍樓藏書目錄》卷五曰：「宋呂祖謙撰。是書取《左傳》中事類而析之，分十九則，曰〈周〉、曰〈齊〉、曰〈晉〉、曰〈楚〉、曰〈吳越〉、曰〈夷狄〉、曰〈附庸〉、曰〈諸侯制度〉、曰〈風俗〉、曰〈禮〉、曰〈氏族〉、曰〈官制〉、曰〈財用〉、曰〈刑〉、曰〈兵制〉、曰〈地理〉、曰〈春秋前事〉、曰〈春秋始末〉，終之以〈論議〉者，取《左傳》中論議之言也。案：成公生平研究《春秋左氏傳》，凡著三書：一曰《春秋傳說續說》，

95霖案：孫能傳等撰《內閣藏書目錄》卷二，頁477。

96霖案：「考」，《內閣藏書目錄》作「攷」。

97霖案：「之」字下，應依《內閣藏書目錄》補入「凡三十卷」。

一曰《博議》，一即是編，世尟傳本，《四庫》未經采錄，幸而僅存。覈之《直齋書錄》、《中興館閣書目》，猶為完帙。惟張氏萱曰，《春秋前事》一則，取左氏所引唐虞以來典故，此編前事類，自惠公之季年至宋武公之世，共七條，疑有脫佚處也。

案：商務印書館《四部叢刊續編》影印本。（頁一四〇至頁一四一）

三、明抄本：《春秋左傳類編》不分卷，中國歷史博物館有藏本，崔富章《四庫提要補正》頁一六二著錄。

四、清抄本：《東萊呂太史春秋左傳類編》不分卷，北京圖書館、復旦大學圖書館有藏本，崔富章《四庫提要補正》頁一六二著錄。

五、國立北京圖書館藏刊本：呂祖謙《春秋左傳類編》不分卷。

【增補】《續修四庫全書總目提要》：「春秋左傳類編不分卷　國立北京圖書館藏刊本　張壽林

宋呂祖謙撰。祖謙字伯恭。金華人。隆興元年進士。復中博學宏詞科。官至直秘閣著作郎。國史院編修。與朱熹張栻齊名。時稱東南三賢。其文詞閎肆辯博。凌厲無前。於易詩書春秋多究古義。於十七史皆有詳節。卒謚成。後改謚忠亮。學者稱東萊先生。所著有古周易。呂氏家塾讀詩記。春秋左氏傳說續說。東萊左氏博議。東萊集等書行於世。事蹟詳宋史儒林傳。按宋史藝文志經部春秋類。著錄左傳類編六卷。呂祖謙撰。直齋書錄解題。中興館閣書目均同。此本不分卷。與皕宋樓所藏舊鈔本及張金吾之說同。全書釐為十有九類。曰周。曰齊。曰晉。曰楚。曰吳越。曰夷狄。曰附庸。曰諸侯制度。曰風俗。曰禮。曰氏族。曰官制。曰財用。曰形。曰兵制。曰地理。曰春秋前事。曰春秋始末。而終之以論議。又於官制論議。別分子目。官制自周至家臣。凡為目九。論議自典禮至名臣。凡為目七。又以年表三十。綱領二十二則。列之編首。年表者以魯紀年。而以諸國征伐會盟諸大事。列之其下。綱領者。雜採尚書。周禮。禮記。論語。孟子。國策。史漢及晉杜預。宋呂希哲。謝良佐之說。以發明全經綱領也。至於類編各門。則取內外傳中事類而析之。以類相從。列之各門之下。按祖謙潛心甲部之學。於春秋左氏傳。凡著三書。一曰春秋左氏傳說續說。一曰東萊博議。一即是編。惟是編朱氏經義考已注其佚。四庫全書總目提要。亦謂其久無傳本。此本乃猶存其全帙。洵稱奇秘。然今核其書。割裂分配。彌覺繁瑣。或重複糾結。或互相牴牾。已嫌其治絲益棼。稽其持論。亦頗無可採。視傳說博議二書。不如遠甚。程端學春秋本義。謂其為門人所編。信不誣也。」(頁六七八~六七九)

陳振孫曰[98]：「分類[99]內外傳、事實、制度、論議，凡十九門，首有綱領數則，兼采[100]他書。」

98霖案：《直齋書錄解題》卷三，頁463、《文獻通考．經籍考》卷十，頁263。

99霖案：「分類」二字之前，《文獻通考》另有「呂祖謙撰。」四字，竹垞以其重複而刪之。

100霖案：「采」字，《文獻通考》作「採」字。

【增補】何廣棪：《陳振孫之經學及其《直齋書錄解題》經錄考證》曰：「廣棪案：《經義考》卷一百八十七《春秋》二十著錄：『《左傳類編》，《宋志》六卷，佚。』又引張萱曰：『中分十九則，曰周，曰齊、曰晉，曰楚，曰吳越，曰戎狄，曰附庸，皆列國行事。曰諸侯制度，曰風俗，曰禮，曰氏族，曰官制，曰財用，曰刑，曰兵制，曰地理，曰春秋前事，自唐、虞以來《左氏》所引典故。曰論議，則《左氏傳》中論議之文也。』惟與《解題》所述比勘，未盡翔實而切合。其實此書未散佚，清嘉慶間張金吾藏有舊抄本。《愛日精廬藏書志》卷五《經部・春秋類》著錄：『《東萊呂太史春秋左傳類編》，（舊抄本。）宋呂祖謙撰。不分卷。自周至論議凡十九門。官制分子目九：曰周，曰魯，曰晉，曰楚，曰齊，曰宋，曰鄭，曰衛，（附諸小國。）曰家臣。論議分子目七：曰典禮，曰兵，曰土功，曰荒政，曰火政，曰諸侯政事，曰名臣議論。每門俱前列《左傳》，而以《國語》附其後。首有年表三十，綱領二十二則。年表者，以魯紀年，而諸侯征伐、會盟諸大事列其下。綱領者，雜採《尚書》、《周禮》、《禮記》、《論語》、《孟子》、《國策》、《漢書》，及晉杜預、宋呂氏希哲、謝氏良佐之說，以為一書之綱領也。是書《直齋書錄解題》、《宋史・藝文志》、《明內閣書目》著錄六卷，《經義考》注佚。伏讀《欽定四庫全書總目》曰：『《左傳類編》久無傳本。』則是書之佚久矣。此本首尾完整，洵稱奇秘，惟不分卷數，與陳氏等所載不符。或傳寫者合并歟？』是張氏《藏書志》所記，可補《解題》之未備。」（頁五九六至頁五九七）

張萱曰[101]：「中[102]分十九則：曰周，曰齊，曰晉，曰楚，曰吳、越，曰戎狄[103]，曰附庸，皆列國行事；曰諸侯制度，曰風俗，曰禮，曰氏族，曰官制，曰財用，曰刑，曰兵制，曰地理，曰春秋前事，自唐、虞以來《左氏》所引典故，曰論議，則《左氏傳》中論議之文也。」

《左氏博議》（宋）

【增補】《現存宋人著述目略》頁十七錄有呂祖謙撰、清劉鍾英輯注《增批輯注東萊博議》四卷，竹垞未錄此書名，今據以補入。

【作者】黃建國、金初昇主編《中國所藏高麗古籍綜錄》頁十四著錄，惟作者誤作「呂祖廉撰」。

【書名】本書異名如下：

一、《春秋左氏博議》：《郡齋讀書志》卷第五上〈附錄〉，頁三六一。

二、《詳註東萊先生左氏博議》：《國立中央圖書館善本序跋集錄》頁三六一、張壽平《公藏先秦經子注疏》書目，頁一二一著錄。

101霖案：孫能傳等撰《內閣藏書目錄》卷二，頁475。

102霖案：「中」字前，應依《內閣藏書目錄》補入「宋呂祖謙編」五字。

103霖案：「戎狄」，應依《內閣藏書目錄》改作「夷狄」。

三、《東萊先生博議》：《現存宋人著述目略》頁十七著錄。

四、《增批輯注東萊博議》：《現存宋人著述目略》頁十七著錄，本書為呂祖謙撰，清劉鍾英輯注，有光緒三十一年上海寶善齋排印本。

五、《東萊博議》：《中國館藏和刻本漢籍書目》頁四五。

六、《評註東萊博議》：《中國館藏和刻本漢籍書目》頁四六。

七、《精選東萊先生左氏博議句解》：張壽平《公藏先秦經子注疏書目》頁一二一著錄。

八、《呂東萊先生左氏博議》：張壽平《公藏先秦經子注疏書目》頁一二一著錄。

九、《詳註東萊左氏博議》：張壽平《公藏先秦經子注疏書目》頁一二一著錄。

十、《東萊先生左氏博議句解》：黃建國、金初昇主編《中國所藏高麗古籍綜錄》頁十四著錄。

十二、《京本詳增補註東萊先生左氏博議》：瞿鏞編纂．瞿果行標點．瞿鳳起覆校《鐵琴銅劍樓藏書目錄》卷五，頁一四一著錄。

十三、《精選東萊先生博議句解》：《天一閣遺存書目》頁九著錄。

十四、《東萊先生左氏博議》：《馬來西亞大學中文圖書目錄》七一五著錄。

十五、（精選東萊先生）《左氏博議句解》：《大東急記念文庫書目》頁四〇八著錄。

《宋志》：「二十卷。」

【卷數】本書卷數異同如下：

一、二十五卷：《郡齋讀書志》卷第五上〈附錄〉，頁三六一。又《國立中央圖書館善本序跋集錄》頁三六一著錄「明初刊巾箱本」；又《金華叢書》經部收錄此書。

二、六卷：《中國館藏和刻本漢籍書目》頁四六著錄。

三、二十卷：《直齋書錄解題》卷三，頁四六三。《文獻通考．經籍考》卷十，頁二六四。

四、四卷本：《中國館藏和刻本漢籍書目》頁四五著錄。

五、十六卷：張壽平《公藏先秦經子注疏書目》頁一二一著錄。

六、十二卷：張壽平《公藏先秦經子注疏書目》頁一二一著錄。

七、八卷本：黃建國、金初昇主編《中國所藏高麗古籍綜錄》頁十四著錄。

【增補】〔校記〕《四庫》本二十五卷。（《春秋》，頁四九）

存。

【版本及藏地】本書版本及藏地如下：

一、明初刊巾箱本：(宋)呂祖謙撰，張成招註《詳註東萊先生左氏博議》二十五卷，十三冊，13.6x9.5 公分，10 行，行 20 字，夾註雙行字數同。雙欄。版心小黑口，雙魚尾，中間記卷第，下方記葉次。清宣統三年楊敬宸手書題記，台北國家圖書館有藏本。

【增補】楊敬宸〈題記〉曰：「此為元翻刻元印宋巾箱本也，即世所謂小黑口本者，而紙頗類宋，惜無羅紋，而刻工稍差，間有訛字，豈當日刻時，無人校勘耶？後序已脫末幅，殊深惜之。卷端有璜川吳氏收藏圖書一，攷吳為吳泰來，江蘇吳縣人，國初曾官內閣中書，其家藏書處曰璜川書屋，凡其所藏書籍，皆精本也。宣統三年，歲次辛亥，三月下澣，鐵嶺楊敬宸心室氏購于曲阜孔氏之紀許姓家。」（轉錄《標點善本題跋集錄》頁二六）

【增補】《國家圖書館善本書志初稿》：「【詳註東萊先生左氏博議二十五卷十三冊】

明初刊巾箱本　00607

宋呂祖謙撰，張成招註。成招，呂祖謙門人，著有標注左氏博議綱目一卷。

版匡高 13.6，寬 9.5 公分。左右雙邊。每半葉十行，行二十字。註文小字雙行，字數同，版心小黑口，隻魚尾(魚尾相隨)，中間記卷第(如『卷之一』)，下方記葉次。

首卷首行頂格題『詳註東萊先生左氏博議卷之一』，次行低二格題『鄭莊公共叔段』。卷末有尾題。封面書簽題『元刻本小字東萊博議』，下小字『共十三冊』。卷首有呂祖謙東萊先生左氏博議序，卷末有缺文東萊博議題後。序後有目錄。扉葉有清宣統三年(1911)楊敬宸手書題記，並附印記。

書中鈐有『國立中央圖/書館收藏』朱文長方印、『鐵嶺楊氏/守硯齋珍/藏祕笈印』朱文方印、『璜川吳/氏收藏/圖書』朱文方印。」(頁 163~164)。

二、明崇禎壬申（五年，西元１６３２年）刊本：宋呂祖謙撰，明陶珽編《呂東萊先生左氏博議》六卷，六冊，20.2x14 公分，9 行，行 19 字，單欄，版心白口，上方記書名，中間記卷第，下方書葉次，台北：國家圖書館有藏本。

【增補】《國家圖書館善本書志初稿》：「【呂東萊先生左氏博議六卷六冊】

明崇禎壬申(五年，1632)刊本　00609

宋呂祖謙撰，明陶珽編。

版匡高 20.2 公分，寬 14 公分。左右單邊，每半葉九行，行十九字。版心花口，上方記書名(『東萊博議』)，中間記卷第，下方書葉次。『出處』、『主意』、『釋義』以墨圍別出。

首卷首行頂格題『呂東萊先生左氏博議卷一』，次行低九格題『黃巖陶珽稺主父彙編』，再次行低九格題『仁和宋鉞聖錫父較訂』。卷末有尾題。卷首有陶珽、瞿景淳、呂祖謙序三篇。序後有凡例、目錄。書眉附刻各家評語。卷二十五至三十五疆理書首附各地地圖。

書中鈐有『國立中央圖/書館收藏』朱文長方印、『澤存/書庫』朱文方印。」(頁 164)。

三、金華叢書本第四十五——五十冊：宋呂祖謙撰《東萊先生左氏博議》二十五卷，《現存宋人著述目略》頁十七著錄，馬來西亞大學圖書館有藏本。

四、日本元祿十三年（１７００）刻本：宋呂祖謙撰．明黃之寀校《東萊博議》十二卷，四冊，18.4x13.2 公分，9 行，行 18 字，小字雙行字數同，單欄，版心白口，單魚尾，上方記書名，魚尾下方記卷第， 再下方書葉次，《中國館藏和刻本漢籍書目》頁四四著錄，臺北國家圖書館、南京圖書館有藏本。

【增補】《國家圖書館善本書志初稿》：「【東萊博議十二卷四冊】

日本元祿庚辰(十三年，1700)刊本　00610

宋呂祖謙撰。

版匡高 18.4 公分，寬 13.2 公分。四周單邊，內無行線。每半葉九行，行十八字。註文小字雙，字數同。版心花口，單魚尾，上方記書名，魚尾下方記卷第，再下方書葉次。註文的『出處』、『評註』以大字別出。

首卷首行頂格題『呂東萊先生左氏博議卷之一』，次行低八格題『宋呂祖謙伯恭撰』，再次行低八格題『明黃之寀亮父校』。卷末有尾題。書名葉中間大字題『重訂東萊博議』，右上方小字『孫執升先生評』，左下方小字『大雅堂梓行』。左上方另有朱文印記『歲寒堂所藏附與明倫堂敬承蘊義塾不敢出他方同門看讀者肅無致孟浪』。卷末有『京師書林吉林吉左衛門/永原屋孫兵衛/梓行』牌記。卷首有呂祖謙、陶珽、瞿景淳序。書後有元祿庚辰日人伊藤原臧題跋。序後有凡例及目錄。書眉附刻諸家評註，正文附刻日文音讀。朱筆圈點，不知出自何人。

書中鈐有『歲寒堂所藏/附與明倫堂/敬承蘊義塾/不敢出他方/同門看讀者/肅無致孟浪』朱文方印、『國立中央圖/書館收藏』朱文長方印。」(頁 164)。

又香港中文大學圖書館有藏本。

《香港中文大學圖書館古籍善本書錄（增訂版）》曰：「０７０　PL2470.Z6 L8 1700

《呂東萊先生左氏博議》十二卷

宋呂祖謙撰

日本元祿十三年（１７００）京都書林吉村吉左衛門、永原屋孫兵衛刻本

二冊

匡高十八．六公分，寬十三．二公分

九行十八字，小字雙行同

白口，單魚尾，四周單邊，無直格

內封題"重訂東萊博議，孫執升先生評，大雅堂梓行"，卷末牌記題"京師書林吉村吉左衛門、永原屋孫兵衛梓行"

卷端署"宋呂祖謙伯恭撰，明黃之寀亮父校"

前有瞿景淳序，壬申（崇禎五年）陶珽序，呂祖謙序；後有元祿十三年伊滕長胤跋

鈐有"國相府印"、"奇□隊印"、"磻源居人"印」

伊滕跋云："今所刊者，專係黃之寀校本。陶、瞿二序及凡例、評注、釋義参取陶稚圭本。其考異、辨疑，所新附者，別加小圈云。"

按：是書《中國館藏和刻本漢籍書目》未見著錄。」（頁二二）

五、日本明治十二年（１８７９）汎愛堂、文玉圃刻本：宋呂祖謙撰，日本阪谷素評註，《中國館藏和刻本漢籍書目》頁四六著錄，台北圖書館、復旦、遼寧等圖書館有藏本。韓國：藏書閣亦有藏本。

【增補】韓國精神文化研究院編纂《藏書閣圖書目本版總目錄》曰：「（註評）《東萊博議》（2-104）

瞿世瑛（清）校本·阪谷素（日）評注訓點·木板本，汎愛堂，明治１２（１８７９）刊·

6卷6冊·四周雙邊，半郭１８·４×１２cm，無界，半葉１１行２０字，註雙行，上黑魚尾，２２·８×１５·３cm·線裝。

版心題：東萊先生左氏博議·

序：明治十二年（１８７９）秋八月三日甕江川田剛撰。

跋：明治十二年（１８７９）十一月土佐細川潤撰·

：明治己卯（１８７９）　月二松學人三島毅撰·

刊記：明治十二年（１８７９）五月六日版權免許，汎愛堂文玉圃梓·

印：李王家圖書之章·宮本矩條，

紙質：楮紙。」（頁十八）

六、元刊本：宋呂祖謙撰，佚名選輯句解，中研院史語所有藏本。又邵懿辰撰、邵章續錄：《增訂四庫簡明目錄標注》卷三，頁一一〇著錄，題作「元麻沙本」。

又中國國家圖書館另有一本，題作「元刻本」，宋呂祖謙《精選東萊先生左氏博議句解》十六卷，十二行廿二或廿三字小字雙行同黑口左右雙邊。

【增補】《中央研究院歷史語言研究所善本書目》曰：「《精選東萊先生左氏博議句解》十六卷六冊　宋呂祖謙撰　佚名選輯句解　元刊本。」（頁八）

【增補】瞿鏞編纂．瞿果行標點．瞿鳳起覆校《鐵琴銅劍樓藏書目錄》卷五曰：「宋呂祖謙撰。不著何人所注，攷《宋志》有《博議綱目》一卷，為成公門人張成招標注，疑此本即張氏舊注，後人羼入之也。原書或作二十卷，或作二十五卷，此元人所刻刪節本。楊文貞稱別有一本十五卷，題曰『精選』，或即是本未可知。惟卷數微不合耳。」（頁一四一）

七、明刊黑口本：宋呂祖謙撰，明張成招註《精選東萊先生左氏博議句解》十六卷，八冊，19.9x12.5 公分，10 行，行 20 字，夾註雙行字數同，雙欄，版心大黑口，四魚尾，上雙魚尾中間記卷第，下雙魚尾中間記葉次。台北國家圖書館、故宮博物院有藏本。

【增補】《國家圖書館善本書志初稿》：「【精選東萊先生左氏博議句解十六卷八冊】

明刊本　00608

宋呂祖謙撰，張成招註。

版匡高 19.9 公分，寬 12.5 公分。左右雙邊。每半葉十行。行二十字。註文小字雙行。字數同。版心大黑口。四魚尾(魚尾兩兩相向)。上雙魚尾中間記卷第。下雙魚尾中間記葉次。『出處』、『主意』以墨蓋子別出。

首卷首行頂格題『精選東萊先生左氏博議句解卷之一』，次行低二格題『鄭莊公共叔段』，卷末有尾題。卷首有目錄。文中朱筆圈點。

書中鈐有『曉/霞』朱文方印、『徐鈞/印』白文方印、『長林/愛日』白文方印、『徐/安』朱文方印、『國立中/央圖書/館考藏』朱文方印、『愛日館收藏印』朱文長方印。」(頁 164)。

八、文淵閣四庫全書本：《詳註東萊左氏博議》二十五卷，台北故宮博物院有藏本。

【增補】永瑢等撰《欽定四庫全書總目》曰：「詳注東萊左氏博議二十五卷[104]　浙江巡撫採進本

宋呂祖謙撰。相傳祖謙新娶，於一月之內成是書。今考自序，稱：『屏處東陽之武川，居半歲，里中稍稍披蓬藋從子遊。談餘語隙，波及課試之文，乃取《左氏》書理亂得失之迹，疏其說於下。旬儲月積、浸就篇帙。』又考祖謙《年譜》，其初娶韓元吉女，乃紹興二十七年，在信州，不在東陽。後乾道三年五月，持母喪，居明招山，學者[105]有來講習者。四年已成《左氏博議》。五年二月，除母服。五月乃繼娶韓氏女

[104]霖案：原注云：按：文淵閣庫書題作《春秋博議》二十五卷。

[105]霖案：原注云：「者」，浙、粵本作「子」。

弟。則是書之成，實在喪制之中，安有新娶之事！流俗所傳誤也。書凡一百六十八篇，《通考》載作二十卷，與此本不同，蓋此本每題之下附載《左氏》傳文，中間徵引典故，亦略為注釋，故析為二十五卷。其注不知何人作，觀其標題版式，蓋麻沙所刊。考《宋史・藝文志》有祖謙門人張成招標注《左氏博議綱目》一卷，疑當時書肆以成招標注散入各篇也。楊士奇稱別有一本十五卷，題曰『精選』。黃虞稷稱明正德中有二十卷[106]刊本，今皆未見。坊間所鬻之本，僅十二卷，非惟篇目不完，并字句亦多妄削。世久不見全書。此本有董其昌名、字二印，又有朱彝尊收藏印，亦舊帙之可寶者矣。」（卷二十七，頁三四七至頁三四八）

【增補】邵懿辰撰、邵章續錄：《增訂四庫簡明目錄標注》卷三曰：「《詳注東萊左氏博議》二十五卷，宋呂祖謙撰，其門人張成招注。

明正德中書林劉氏安正堂刊本，近年瞿氏清吟閣刊本，瞿氏有元刻本，題《新刊京本詳增補注東萊先生左氏博議》二十五卷，汝水文峰胡嶽英錄正，十二行，二十六字，每篇文句下有注，甚淺陋，余前助瞿氏校刊時，未見此本，僅見安正堂本，此本乃後得也。通行本六卷，不全，然亦宋人刪本也。

〔附錄〕正德癸酉歲雲衢堂刻本，末卷有木記，又正德乙巳張偉後識，短本小字二十五卷，此本余已得之。（懿榮）

〔續錄〕孫氏有宋刊本，元麻沙本，明刊小字本，金華叢書本。」（頁一一〇）

【增補】胡玉縉撰、王欣夫輯《四庫全書總目提要補正》卷七曰：「楊紹和《楹書隅錄》云：『正德本載在《天一閣書目》，有正德己巳江東張偉跋，謂『《博議》全帙久不見於天下，正德丁卯，鉛山張侍御以十卷授予兄廷鎮，未幾，復得十卷於當塗濮內翰，吾卿梅留守又出其所鈔末五卷，盱江何冬官亦以世藏手敘見寄，始為完璧』云云，實二十五卷，故俞邰以為獨全，《總目》所據，蓋偶脫五字耳。明時尚有劉氏安正堂刊本，標題『《新刊京本詳增補注東萊先生左氏博議》，亦二十五卷，俞邰想未之見也。』玉縉案：瞿氏《目錄》有劉本，又有元刊本《精選東萊先生左氏傳博議句解》十六卷，云楊文貞稱別有一本十五卷，題曰精選，或即是本未可知，惟卷數微不合耳！丁氏《藏書志》有元刊巾箱本二十五卷，云『道光己亥，瞿氏清吟閣重雕時假得平湖胡氏宋槧本，參以元本、明本校讎，宋本惟東萊自序後多『乾道九年五月初四日』九字，餘無別異。』』」（頁一七一）

【增補】崔富章《四庫提要補正》曰：「宋淳祐九年（１２４９）趙希弁《郡齋讀書志附志》著錄『春秋左氏博議二十五卷。右東萊先生所著也，自為之序。』幾乎與趙氏同時，陳振孫《直齋書錄解題》著錄『左氏博議二十卷，呂祖謙撰。方授徒時所作。自序曰：《春秋》經旨，概不敢僭議，而枝辭贅喻。則舉子所資課試也。』元初，馬端臨《文獻通考》但引陳氏《解題》，不引趙氏《附志》，《宋史・藝文志》遂著

106霖案：原注云：崔富章：黃氏原文為二十五卷，《總目》誤引為二十卷。

錄二十卷本。其實，二十五卷、二十卷兩本，宋代并存。今北京圖書館藏宋刻本《增注東萊先生左氏博議》二十五卷存十卷（一至十）是其明證。從其『舉子所資課試』，東萊名家，故暢銷，歷久不衰。元、明坊刻，層出不窮。或書名小異（一般是加冠詞），或卷數有別，以標新立異，擴大銷路。歷代藏書家，目錄家局於一隅，各執一端，紛然淆亂（詳胡宗楙《金華經籍志》卷四）。今特就《提要》所及，開列版本、藏家於下，以便學者稽考。

增注東萊先生左氏博議二十五卷存十卷（一至十）宋刻遞修本，十三行二十五字，小字雙行同，細黑口，左右雙邊。北京館藏，有門人張成招標注。下同。

新刊詳增補注東萊先生左氏博議二十五卷明正德六年劉氏安正堂刻本，十二行二十六字，黑口，四周雙邊。遼寧省館藏。又，北京館藏本有清季錫疇校，跋。按：黃虞稷稱『世所行《東萊博議》，皆刪節，惟正德刊本二十五卷獨全。即此本。《提要》誤引作『二十卷』。

詳注東萊先生左氏博議二十五卷　明刻本，十行二十字，線黑口，四周雙邊。南京、北京、遼寧館藏。南京館藏本有丁丙跋，為四庫底本。館臣誤認為宋麻沙本。丁跋稱：宋本惟東萊《自序》後多『乾道九年五月初四日』九字，餘無別異。

詳注東萊先生左氏博議二十五卷　明刻本，十行二十字，白口，左右雙邊。北京、上海辭書出版社、山東大學、安徽大學等館藏。

詳注東萊先生左氏博議二十五卷　清乾隆抄本，復旦大學館藏。

精選東萊先生左氏博議句解十六卷　元刻本，十二行二十二或二十三字，小字雙行同，黑口，左右雙邊。北京館藏。又，元刻明修本，北京館藏。按：原本一百六十八篇，此選八十六篇，有張成招標注。下同。

精選東萊先生左氏博議句解十六卷　明弘治七年蔡紳刻本，十二行二十三字，小字雙行，黑口，四周雙邊。北京館藏。又，南京館藏本有丁丙跋稱：殆從元刊復雕者。『桓』皆作『威』，尚承宋刻之遺。其篇目下列『出處』二字即《傳》文也、『主意』二字即議之綱領也。不知何人所增刪，當自元代已然。

精選東萊先生博議句解十六卷　明刻本，十行二十字，黑口，四個黑魚尾，四周雙邊。天一閣藏（存八卷，九至十六）。

精選東萊先生左氏博議句解十六卷　明瞿景淳選　明刻本，十行二十二字，白口，四周雙邊。山東館藏。

新刻翰林批選東萊先生左氏博議句解十二卷　明萬曆九年書林源泰堂刻本，九行十九字，小字雙行同。白口，四周雙邊。北京館藏。

精選東萊先生左氏博議八卷　明刻本，十行二十字，黑口，四周雙邊。北京館、吉林省館藏。

呂東萊先生左氏博議八卷　明陶珽輯　明崇禎刻本，九行十九字，黑口，四周單邊。北京大學、安徽省館、福建省館藏。又，上海館藏明崇禎刻本為『白口』，存三卷（一至三），清張觀瀾批校并跋。

呂東萊先生左氏博議十二卷　明黃之案刻本，九行十八字，小字雙行，白口，單魚尾，四周雙邊。北京大學、清華大學、中共中央黨校、哈爾濱市館并藏之。

四庫館據浙江巡撫采進朱彝尊藏本繕錄。《浙江采集遺書總錄》著錄為『宋槧』，不確。其書發還後，輾轉為丁丙收得，《善本書室藏書志》著錄為『元刊巾箱本』，亦不確。直到１９７８年編製《中國古籍善本書目》，始鑒定為明刻本（十行二十字線黑口四周雙邊），今藏南京圖書館。

文瀾閣庫書原本佚，今存丁氏補抄本二十五卷十二冊，與原抄同出一本。」（頁一六三至頁一六六）。

九、清道光十九年刻本：台北圖書館有藏本。

十、朝鮮舊刻本：黃建國、金初昇主編《中國所藏高麗古籍綜錄》頁十四著錄，北京圖書館有藏本。又大東急記念文庫有藏本。案：《中國所藏高麗古籍綜錄》頁十四誤作呂祖廉撰。

十一、明正德刊本：宋呂祖謙撰　張成招注《精選東萊先生博議句解》二十卷，十行二十字黑口四個黑魚尾四周雙邊〕存八卷〔九至十六〕，一冊。作者題為「宋呂祖謙撰，張成招註。」，寧波天一閣有藏本

【增補】瞿鏞編纂．瞿果行標點．瞿鳳起覆校《鐵琴銅劍樓藏書目錄》卷五曰：「此二十五本，迺呂氏全書，黃俞邰謂世所傳本皆刪節，惟正德刊本獨全，其注與句解本同。惟《左傳》標題下無「主意」。後有墨圖記云：『汝水文峰胡獄英錄正』。」（頁一四一）

十二、明刻本：《精選東萊先生左氏博議句解》十六卷，二冊，半頁十行二十字，四周雙邊，上下黑口，四魚尾。框高２０．３厘米，寬１２．５厘米，目錄頁題『善本大字東萊先生博議句解』，哈佛大學燕京圖書館有藏本。

【增補】沈津著《美國哈佛大學燕京圖書館中文善本書志》：「0080 明刻本精選東萊先生左傳博議句解　　T715／6630 B

《精選東萊先生左氏博議句解》十六卷，宋呂祖謙撰。明刻本。二冊。半頁十行二十字，四周雙邊，上下黑口，四魚尾。框高２０．３厘米，寬１２．５厘米。目錄頁題『善本大字東萊先生博議句解』。

祖謙，字伯恭。隆興進士，復中博學弘詞。官至直秘閣著作郎國史院編修，與朱熹、張栻齊名。其文詞閎肆辨博，凌厲無前，於《詩》、《書》、《春秋》，多究古義，於十七史皆有詳節。學者稱東萊先生。卒謚成，後改謚忠亮。

《中國古籍善本書目》著錄，有元刻本、元刻明修本、明弘治七年蔡紳刻本。此本無序跋。按明弘治七年蔡紳刻本為十二行二十三字，四周雙邊，黑口，板框較大，卷一後有牌記，刊『弘治甲寅孟秋梅軒蔡氏新刊』，當非此本。又寧波天一閣藏有

明刻本此書，然為宋張成招注，殘存八卷（九至十六），其行款及魚尾皆同此本，但此本無張注，當為另一刻。

缺名朱筆圈點。日人裝訂。

鈐印有『耕讀齋之家藏』、『石川家藏』。」（頁三八至頁三九）

十三、民國五十九年(1970)藝文印書館百部叢書集成初編影印本：呂祖謙撰《東萊先生左氏博議》二五卷，三冊，台北：國家圖書館有藏本。

又馬來西亞大學圖書館有藏本（二部）。

十四、民初文明書局排印本：(宋)呂祖謙撰《東萊博議》四卷，四冊，台北：國家圖書館有藏本。

又《中國國際圖書館中文舊籍目錄》頁五著錄此本，惟卷數題作「二十五卷」，不知其故為何？

十五、民初育文書局石印本：(宋)呂祖謙撰《東萊博議》四卷，一冊，台北：國家圖書館有藏本。

又《中國國際圖書館中文舊籍目錄》頁五著錄此本，惟卷數題作「二十五卷」，不知其故為何？

十六、民國上海沈鶴記書局排印本：(宋)呂祖謙撰《增批輯註東萊博議》四卷，二冊，台北：國家圖書館有藏本。

十七、清同治七年(1868)永康胡氏退補齋刊本：(宋)呂祖謙撰《東萊先生左氏博議》二五卷，台北：國家圖書館有藏本。

十八、民國二十年(1931)上海世界書局石印本：(宋)呂祖謙撰《新體廣註東萊博議》四卷，二冊，台北：國家圖書館有藏本，為中國國際圖書館舊藏之物。

十九、民國十五年(1926)上海文明書局排印本：(宋)呂祖謙撰《東萊博議約選》二卷，二冊，為節選之本，台北：國家圖書館有藏本。

二〇、光緒二十四年江左書林刊本：宋呂祖謙撰《東萊先生左氏博議》二十五卷，四冊，馬來西亞大學圖書館有藏本。

二一、日本寬政十一年（西元１７９９年）大阪書林柳原喜兵衛據明黃之寀校本重刊本：宋呂祖謙撰，明黃之寀校《東萊博議》四卷，韓國藏書閣有藏本。

又日本八戶市立圖書館有藏本。題作「宋呂祖謙撰，日本伊藤長胤點」。

又香港中文大學圖書館有藏本。

【增補】韓國精神文化研究院編纂《藏書閣圖書日本版總目錄》曰：「《東萊博議》（1-99）　呂祖謙（宋）撰・黃之寀（明）校・有隣館藏版木板本，寬政１１（１７９９）刊本。

４卷４冊·四周單邊，半郭１５·３×９·６cm，無界，半葉　９行２２字，註雙行，上白口，１７·９×１２·２cm·線裝

序：東萊呂祖謙伯恭撰·

　：壬申（？）黃日黃巖陶珽識·

書後：元祿庚辰（１７００）之春伊藤長胤原臧謹書·

藏版記：寬政十一己未（１７９９）歲初冬有隣館藏板。

印：李王家圖書之章·

紙質：楮紙。」（頁十八）

【增補】《香港中文大學圖書館古籍善本書錄（增訂版）》曰：「０７１　PL2470.Z6 L8 1799

《東萊博議》四卷

宋呂祖謙撰

日本寬政十一年（１７９９）大阪積玉圃刻本

四冊

匡高十五·六公分，寬十公分

九行二十二字

白口，無魚尾，四周單邊，無直格

上下二欄，上刻評，下刻正文

內封題"寬政改鐫，浪華書林、積玉圃藏"，並注曰"以東涯先生真本訂正，點畫之無誤。"

牌記題"寬政十一年己未歲初冬，有隣館藏板，浪華書林心齋橋通北太良町柳原喜兵衛"

卷端署"宋呂祖謙伯恭，明黃之寀亮父校"

前有壬申（崇禎五年）陶珽序，呂祖謙序；後有元祿十三年伊縢長胤跋

鈐有"山崎藏書"印

按：《中國館藏和刻本漢籍書目》著錄，國內僅南京圖書館藏有是書。

０７２　PL2470.Z6 L8 1799

又一部

四冊

鈐有"阿波國毛利氏藏書記"、"毛利氏圖書記"印」（頁二二至頁二三）

二二·清道光１８年（戊戌１８３８）錢唐瞿世瑛刻本：河北省圖書館有藏本。

【增補】《河北省圖書館館藏古籍目錄》曰：「０１３４

東萊先生左氏博議　二十五卷／（宋）呂祖謙撰；（清）張成招注·－清道光１８年（戊戌１８３８）錢唐瞿世瑛刻本·－3冊（1函）·一版口下鐫清吟閣正本
經１３４」（頁十四）

二二、國立北京圖書館藏明刊本：不著撰人姓氏《精選東萊先生左氏博議句解》八卷。

【增補】《續修四庫全書總目提要》：「精選東萊先生左氏博議句解八卷　國立北京圖書館藏明刊本　張壽林

不著撰人姓氏。朱氏經義考及諸家書目。亦罕見著錄。是編現藏國立北京圖書館。據該館目錄。著錄為明刊本。觀其版式行款。亦頗近是。考宋史藝文志。著錄呂祖謙門人張成招撰標注左氏博議綱目一卷。竊疑是編蓋當時坊間據成招標改訂者也。其書都凡八卷。按呂氏博議。通考作三十卷。此外諸家書目所載。又有二十五卷。二十卷。十五卷諸本。而坊間所刻。則多為十二卷。蓋其書輾轉翻刻。久失其真。至於是編。僅存八卷。不知為何人所選。不惟篇目不完。字句尤多脫誤。如臧僖伯諫觀魚篇。公將布樂觀魚者。布樂為如棠之誤。鄭伯侵陳篇。謂成于陳。謂為請之誤。齊魯鄭入許篇。戰則避患而居前。前為後之誤。善處無功者莫如鄭也。無為有之誤。若斯之類。皆疏於校勘。其書於每題之下。節錄左氏傳文。以注其出處。並總括全篇大義。以明其旨要。其於東萊原文。亦逐段逐句。為之解釋。或疏解音義。或徵引典故。大抵隨文衍義。鮮有發明。如周鄭交惡終篇。以名分主張。臧僖伯諫觀魚篇。以禍理心三字為經。以長信樂三字為緯之類。凡其所釋。皆不免失之空疏。惟其間徵引故實。注解字義。尚稱篤實。亦足資初學之參考。是其書固未嘗無功於呂氏也。」(頁六七九)

二三、民國十五年民眾圖書公司吳明標點本：李一遂〈左氏春秋著錄書目研究〉頁一三二著錄。

二四、宋刻遞修本：宋呂祖謙撰《增注東萊先生左氏博議》二十五卷存十卷（一至十），十三行二十五字，小字雙行同，細黑口，左右雙邊。北京館藏，有門人張成招標注。下同。

二五、明正德六年劉氏安正堂刻本：宋呂祖謙撰《新刊詳增補注東萊先生左氏博議》二十五卷，十二行二十六字，黑口，四周雙邊。遼寧省館藏。又，北京圖書館、浙江圖書館另有藏本，有清季錫疇校，跋。按：黃虞稷稱『世所行《東萊博議》，皆刪節，惟正德刊本二十五卷獨全，即此本。《提要》誤引作『二十卷』。

二六、明崇禎擁萬堂刻本：宋呂祖謙撰　明陶珽輯《呂東萊先生左氏博議》六卷，清佚名校，九行二十字白口四周單邊，復旦大學圖書館有藏本。

二七、明黃之寀刻本：《呂東萊先生左氏博議》十二卷，九行十八字，小字雙行，白口，單魚尾，四周雙邊。北京大學、清華大學、中共中央黨校、齊齊哈爾市館并藏之。

二八、元刻明修本：宋呂祖謙撰《精選東萊先生左氏博議句解》十六卷，北京圖書館藏本。按：原本一百六十八篇，此選八十六篇，有張成招標注。十二行廿三字黑口左右雙邊。

二九、明弘治七年蔡紳刻本：宋呂祖謙撰，《精選東萊先生左氏博議句解》十六卷，十二行二十三字，小字雙行，黑口，四周雙邊。北京圖書館藏本。又南京館藏本，另有丁丙跋。

三十、明萬曆九年書林源泰堂刻本：宋呂祖謙撰《新刻翰林批選東萊先生左氏博議句解》十二卷，九行十九字，小字雙行同。白口，四周雙邊。中國國家圖書館有藏本。

三一、明刻本：明瞿景淳選《精選東萊先生左氏博議句解》十六卷，十行二十二字，白口，四周雙邊。山東圖書館有藏本。

三二、明崇禎刻本：明陶珽輯《呂東萊先生左氏博議》八卷，九行十九字，黑口，四周單邊。北京大學、安徽省館、福建省館藏。又，上海館藏明崇禎刻本為『白口』，存三卷（一至三），清張觀瀾批校并跋。

三三、明刻本：宋呂祖謙撰《詳注東萊先生左氏博議》二十五卷，十行二十字，線黑口，四周雙邊。南京、北京、遼寧館藏。又南京館藏本有丁丙跋，為四庫底本。又北京圖書館藏本，有「清翁同龢抄補」。

三四、明刻本：宋呂祖謙撰《詳注東萊先生左氏博議》二十五卷，十行二十字，白口，左右雙邊。北京、上海辭書出版社、山東大學、安徽大學等館藏。

三五、清乾隆抄本：宋呂祖謙撰　宋張成招注《詳注東萊先生左氏博議》二十五卷，復旦大學館藏。

三六、明刻本：宋呂祖謙撰《精選東萊先生左氏博議》八卷，十行二十字，黑口，四周雙邊。北京圖書館、吉林省圖書館皆有藏本。

三七、明刻本：宋呂祖謙撰《詳注東萊先生左氏博議》二十五卷，十行二十字白口四周雙邊］存九卷［一至四　七至十四］，安徽省博物館有藏本。

祖謙〈自序〉107曰：「《左氏博議》者，為諸生課試之作也。始予屏處東陽之武川，

107霖案：《直齋書錄解題》卷三，頁463。《文獻通考．經籍考》卷十，頁264均錄有節文。又《國立中央圖書館善本序跋集錄》頁361-362錄有「明初刊巾箱本」有完整序文，且另有闕名〈題後〉一文。又「明崇禎壬申（五年）刊本」錄有陶珽〈序〉、瞿景淳〈敘〉等二文。又「日本元祿庚辰（十三年）刊本」錄有日本伊藤長胤〈跋〉一文。

仰林俯壑，出戶而望，因108盡無來人，居半歲，里中稍稍披蓬藋從予遊，譚餘語隙，波及課試之文，予思有以佐其筆端，乃取《左氏》書理亂得失之蹟，疏其說於下。旬儲月積，寖109就編帙，諸生歲時休沐，必抄置110楮中，解其歸裝無虛者，並舍㜞111黨，復從而廣之，曼衍四方112，漫不可收。客或咎予之易其言，予徐113應之曰：『子亦聞鄉鄰之求醫者乎？深痼隱疾，人所羞道而諱稱者，揭之大塗，惟恐行者不閱，閱者不播，彼豈靦然忘114世115哉？恥116欲蓄而病欲彰也。予離群而索居有年矣，過而莫予輔也，跌而莫予挽也，心術之差見聞之誤而莫予正也，幸因是書而胸中所存、所操、所識、所習，毫忽髮謬，隨筆呈露，舉無留藏；又幸而假課試以為媒，借逢掖以為郵，徧致於117諸公長者之側，或矜而鐫，或慍而讁118，或悔119而譙，一語聞則一病瘳，其獲不既豐矣乎？傳愈博而病愈白益愈眾，於120予也奚裨？遂次第其語，以諗觀者。凡春秋經旨概121不敢僭論122，而枝辭贅喻則舉子所以資課試者也。123』

【增補】〔補正〕〈自序〉內「恥欲蓄」，「恥」當作「德」。（卷八，頁六）

【增補】闕名〈題後〉曰：「昔六經遭秦火，而孔壁之所藏者卒出，昌黎文章磨滅於

108霖案：「因」字，應依「明初刊巾箱本」序文改作「目」字。

109霖案：「寖」字，「明初刊巾箱本」序文作「浸」字。

110霖案：「置」字，「明初刊巾箱本」序文作「寘」字。

111霖案：「㜞」字，「明初刊巾箱本」序文作「淵」字。

112霖案：「方」字，應依「明初刊巾箱本」序文作「出」字。

113霖案：《經義考新校》頁3430新出校文如下：「『徐』，文津閣《四庫》本脫漏。」

114霖案：《經義考新校》頁3430新出校文如下：「『忘』，《四庫薈要》本作『忌』。」

115霖案：「世」字，應依「明初刊巾箱本」序文作「恥」字。

116「恥」，應依《補正》、「四庫本」作「德」。　霖案：《經義考新校》頁3430「應依」改作「依」字；「四庫本」改作「《四庫薈要》本、文淵閣《四庫》本、文津閣《四庫》本」等字；「作」字改作「應作」二字。今考「明初刊巾箱本」序文亦作「德」字，當為翁方綱《經義考補正》所本來源。

117霖案：「於」字，「明初刊巾箱本」序文作「于」字。

118「讁」，「四庫本」作「謫」。　霖案：今考「明初刊巾箱本」序文亦作「謫」字。

119霖案：「悔」字，應依「明初刊巾箱本」序文作「侮」字。

120霖案：「於」字，「明初刊巾箱本」序文作「于」字。

121霖案：《文獻通考》卷十，頁264錄之，未有「概」字。

122霖案：「論」字，《文獻通考》作「議」字。

123霖案：「而枝辭贅喻則舉子所以資課試者也」，斷句應作「而枝辭贅喻則，舉子所以資課試者也」。又「也」字下，應依「明初刊巾箱本」序文補入「東萊呂祖謙伯恭敘」等八字。

五季之後，而歐陽子復收錄於頽壁敗篋之中，世皆歸於數，予意不然。蓋物之萃渙固有定數，而其靈異不群者，天地鬼神實呵護之，雖微孔壁、歐陽子將遂已乎。今東萊先生左氏博議，市肆間行之已久，獨其全帙不見於天下，間有蓄者又多缺亡，而窮鄉下（後闕）……。」（轉錄《國立中央圖書館善本序跋集錄》經部．頁三六二）

【增補】陶珽〈序〉曰：「余既評鐘伯敬史懷而行世矣，復謀所以通古於今者，夫今之文瀾浩漫，以辭議相高，新陳錯而翻案奇，何渠能如古之折衷於聖王之道哉？余竊憂其為横議耳。闈中之業，聖祖以為人品心術之攸關，而識者以卜氣運人材之升降。有世道之憂者，奈何甘為之倡，而不恤為名教地乎？東萊呂先生，家傳文獻，學有淵源。當時退居東陽，以進勉後來為己任，故所著者博議一書，先生亦自題之為舉子課試之資。今讀其文，粹然大儒，而論必衷於正道，脩身治世，兩無忝焉，先生殆亦為當時砭救焉耳，而顧自云，播其病以求療於諸公長者，則先生之托指可知矣。蓋世界痿痺，而聖賢救之以功與言，子輿氏之所謂不得已也。遠古無論，即吾夫子之作春秋，而寄其意於知我罪我，夫子亦惟恐人之不之知也，與瘼不相關，無寧求罪焉，則何也？論議瞶則僉壬慚、是非公則悖亂阻，夫行而不得遂、謀而不得成，險巇幽僻之徑塞、光明正大之路開，則必有畸行邪說以相與混淆而角逐之，中材以下，決擇其難之矣。虞廷精一之授受，而兢兢於人心道心，則從來理之為欲障也久耳。風會益衰，欲益波而理愈渺，夫子以筆削奮其滌靄之吹嘘，而療春秋世之病者，立萬古之方書也。丘明氏別其溫涼燥濕之宜，而公穀二子，間亦發其南北川嶽之用，而夫子不惜致願於知罪者，則以知聖賢者見千萬世之病而病之，如以其身焉者也。惟夫子以賞罰二百四十年者，為揭之大塗之醫王，而萬世之精神、心術之疾瘳。惟左公穀三子，互闡其致病之繇，而萬世論列紕謬之症顯，而今之大病，乃反見之經學舉業之中，豈非處方定劑者之過也哉？抑亦有本焉？枵腹而應世，數如饑者之觸寒暑；窺牖而譚天，類如酲者之飲酖毒。倫行未脩，而徒以文章自命，又數如癘瘋之摶飯而強食也，其為病不更侈大乎！余所以慨慕於伯恭先生，而漫為之廣其指，其亦自揭其深痼隱疾云爾。壬申春日，黃巖陶珽識。」（轉錄《國立中央圖書館善本序跋集錄》經部．頁三六二至頁三六三）

【增補】瞿景淳〈敘〉曰：「蓋聞孔子以暮齡而作春秋于洙、泗之間，乃游、夏號文學之雋，不能贊一辭，而獨與左丘明，何也？謂古之王者，世有史官，君舉必書，所以慎言行、昭法戒也。左史記言，右史記事，事為春秋，言為尚書，帝王靡不同之。夫作史不獨以其才焉，其心行貴直，直則不隱；其好惡貴公，公則不私。劉子駿有曰，丘明好惡與聖人同，親見夫子，與之共議而書往，其不隱不私，當必有當于聖心者，而公、穀在七十子後，傳聞之與親見，其詳略有不同也。然則左氏固非二傳之比，而東萊獨博左氏之議而命名者，蓋取諸此，而二氏該之矣。惜秦火之後，傳左氏者，始則魯國桓公，趙則貫公、膠東庸生，無大發明。繼則劉歆、賈逵、杜預之徒，未能深明作者之意，而猥以文義稱，遂令後之儒者，從而誣之艷之，甚則非之，互為詆譌。各立門戶，是非長短，籠聒分競，日自嘵嘵不暇，而何以定二百四十年之功罪乎？夫春秋非魯史也，上之則天子之事，下之則齊桓、晉文之事，雖謂之周書可也，何也？隱以前周天子令猶行于列國，隱而後始大陵夷，始于魯隱，繼詩亡以存王迹。筆為魯史，則自周公、魯公而下，皆當評記而大書之，而曷始隱也？且春秋凡魯僭禮，如三望、如郊禘，俱備書不貸曷為？其以天子與魯也。夫子號素王，安得以天王之權而假魯？若謂夫子假天子之權以褒貶人，業已自僭，曷以討僭竊乎？由是而知，丘明可稱夫子之素臣，而東萊又可稱左氏之忠臣矣。是編之傳，東萊自敘之詳矣。顧梨棗日久，不無魯魚亥豕之訛，不佞詳加評品，重梓以傳。嗟嗟！明月夜光，處寠人子之囊，而市珠者至詆以魚目，非珠之罪，藏珠者之罪也。若左氏固不私其藏，得東萊以發之，後之作者，其能無善發東萊之藏者乎？是為敘。虞山後學瞿景淳漫題。」（轉錄《國立中央圖書館善本序跋集錄》經部・頁三六三至頁三六四）

【增補】伊藤長胤〈跋〉曰：「傳春秋者三家，而左氏最純，無公、穀歇後之失。然其是非不能無詭乎聖人，則不能無待乎後賢之折衷，此呂子之所以不得已於議也。後之讀者，或議其過於刻、或嫌其傷於巧、或咎其失於冗，何也？鋪敘富麗則疑乎冗，締搆密緻則類乎巧，辨究覈實則似乎刻，宜其議之、嫌之、咎之也。然文之弊常緩，故其詞貴覈實；文之疵常拙，故其製貴密緻；文之病常枯，故其體貴鋪敘，勢也，法也。蓋呂子之作，專為舉業設，則難以註疏家繩墨裁之。今所刊者，專係黃之寀校本，陶瞿二序，及凡例評注釋義，參取陶稚圭本，其考異疑誤，今所新附者，別加小圈云。元祿庚辰之春，伊藤長胤元臧謹書。」（轉錄《國立中央圖書館善本序跋集錄》經部・頁三六四）

陳振孫曰[124]：「伯恭[125]授徒時所作。[126]」

【增補】何廣棪：《陳振孫之經學及其《直齋書錄解題》經錄考證》曰：「廣棪案：祖謙撰《自序》，其首即曰：『《左氏博議》者，為諸生課試之作也。始予屏處東陽之武川，仰林俯壑，出戶而望，因盡無來人。居半歲，里中稍稍披蓬從予遊，譚餘語隙，波及課試之文，予思有以佐其筆端。乃取《左氏》書理亂得失之蹟，疏其說於下，旬儲月積，寖就編帙。』可悉此書撰寫之背景。陳櫟曰：『呂成公《博議》乃初年之作，不過以教授後生作時文，為議論而已。其議《左氏》多巧說，未得盡為正論。』（《經義考》卷一百八十七《春秋》二十『《左氏博議》』條引。）則祖謙此書雖不敢僭議《春秋》，然於《左傳》則多所議論。因既屬初年之作，且用以教生徒作時文，故其議論，乃有偶欠醇正，故備受櫟所糾彈也。」（頁五九七至頁五九八）

陳櫟曰[127]：「呂成公《博議》[128]乃初年之作，不過以[129]教後生作時文為議論而已，其

124霖案：《直齋書錄解題》卷三，頁463、《文獻通考．經籍考》卷十，頁264。

125霖案：「伯恭」二字，《文獻通考》作「呂祖謙撰。方」等五字。

126霖案：「作」字之下，《文獻通考》另有「〈自序〉曰：『《春秋》經旨，不敢僭議，而枝辭贅喻，則舉子所以資課試者也。』」，而竹垞或以錄及原〈序〉，是以此剪裁之文，乃略去不錄，以省篇幅。

127霖案：《定宇集》卷七，〈問呂成公博議朱子不以為然〉，(台北：商務印書館影印「文淵閣四庫全書本，冊一二〇五」，頁240。

128霖案：「呂成公《博議》」五字，應依《定宇集》改作「《博議》一書」四字。

[130]議《左氏》多巧說，未得盡為正論[131]。」

楊士奇曰[132]：「考[133]東萊先生[134]年譜，乾道戊子成此書，吾家所有[135]十五卷，題曰《精選》，則知其所著非止乎此也。」

黃虞稷曰：「世所行《東萊博議》皆刪節，惟正德中刊本二十五卷獨全。」

《左氏說》(宋)

【增補】《嘉業堂藏書志》卷一，頁一五六、《現存宋人著述目略》頁十七錄有呂祖謙《左氏傳續說》十二卷，竹垞未錄此書，今據以補入。

【書名】本書異名如下：

一、《左氏傳說》：《現存宋人著述目略》頁十七著錄。

二、《春秋左傳說》：張壽平《公藏先秦經子注疏書目》頁一一四著錄。

三、《春秋左氏傳說》：張壽平《公藏先秦經子注疏書目》頁一一四著錄。

《通考》：「三十卷。」今本二十卷。

【卷數】本書卷數分合如下：

一、三十卷本：《直齋書錄解題》卷三，頁四六三。《文獻通考・經籍考》卷十，頁二六四著錄。

二、二十卷本：《現存宋人著述目略》頁十七著錄。

【增補】〔校記〕《四庫》本《左氏傳說》廿卷，又輯《大典》本《續說》十二卷，《提要》謂《書錄解題》謂此書三十卷，乃兼《續說》十卷計之。(《春秋》，頁四九)

存。

129霖案：「不過以」三字，應依《定宇集》改作「而意不過以之」等六字。

130霖案：「其」字下，應依《定宇集》補入「於」字。

131霖案：「論」字下，應依《定宇集》補入「不特朱子不取之，成公晚年亦自甚悔之，非之戒學者勿看，以為誤人，此說見于成公《文集》中，乃答學者之問劣。」等字，事涉東萊先生之見解，不應任意刪之，今據以補入。

132霖案：《東里續集》卷十六，〈左傳博議〉，(台北：商務印書館影印「文淵閣四庫全書本，冊一二三八」，頁581。

133霖案：「考」字之前，應依《東里續集》補入「東萊先生《左傳博議》」等八字，竹垞以其與本條著錄相同，故刪去。

134霖案：「東萊先生」四字，應依《東里續集》刪去此四字。

135霖案：「所有」二字，應依《東里續集》改作「一冊」二字。

【存佚】《左傳論著目錄》頁十八錄作「未見」，又曰「考證：《通考》作三十卷。疑即《春秋左氏傳說》」，而同書錄有呂氏《春秋左氏傳說》二十卷，題作「存」。

【版本及藏地】本書有如下版本：

一、通志堂經解本：宋呂祖謙撰《春秋左氏傳說》二十卷，二冊，《現存宋人著述目略》頁十七著錄，馬來西亞大學圖書館有藏本（二部）。。

二、文淵閣四庫全書本：(宋)呂祖謙撰《左氏傳說》二十卷，《卷首》一卷，六冊，《國立故宮博物院善本舊籍總目》，上冊，頁八十六著錄，台北：故宮博物院有藏本。

【增補】永瑢等撰《欽定四庫全書總目》曰：「春秋傳說二十卷[136]　兩江總督採進本

宋呂祖謙撰。祖謙有《古周易》，已著錄。其生平研究《左傳》，凡著三書，一曰《左傳類編》，一曰《左傳博議》，一即是編。其《類編》取《左氏》之文，分別為十九目，久無傳本[137]，惟散見《永樂大典》中，頗無可采。《博議》則隨事立義，以評其得失。是編持論與《博議》略同，而推闡更為詳盡。陳振孫《書錄解題》稱其『於《左氏》一書多所發明，而不為文，似一時講說，門人所鈔錄者』，其說良是。《朱子語錄》亦稱其『極為詳博，然遣詞命意，頗傷於巧』。考祖謙所作《大事記》[138]，朱子亦謂『有纖巧處』，而稱其『指公孫弘、張湯奸狡處皆說得羞愧殺人』云云，然則朱子所謂巧者，乃指其筆鋒穎利，凡所指摘，皆刻露不留餘地耳，非謂巧於馳辨，至或[139]顛倒是非也。《書錄解題》載是書為三十卷，此本僅二十卷。考明張萱《內閣書目》所載《傳說》四冊外，尚有《續說》四冊，知陳氏所謂三十卷者，實兼《續說》十卷計之。今《續說》別於《永樂大典》之中裒采成帙，以其體例自為起訖，仍分著於錄云。」（卷二十七，頁三四六至頁三四七）

【增補】邵懿辰撰、邵章續錄：《增訂四庫簡明目錄標注》卷三曰：「《春秋左氏傳說》二十卷，宋呂祖謙撰。

通志堂本，類編昭文張氏有舊鈔本，蔣生沐亦有之，不分卷。明內閣書目六卷，《直齋書錄解題》同。

〔續錄〕金華叢書本。

136霖案：注文云：按：文淵閣庫書題作《左氏傳說》二十卷，卷首《看左氏規模》一卷。浙、粵本則皆作《春秋左氏傳說》二十卷。是《總目》三本皆不與庫書相應。

137霖案：注文云：崔富章：今中國歷史博物館藏明抄本《春秋左傳類編》不分卷，北京、復旦大學館藏清抄本《東萊呂太史春秋左傳類編》不分卷。《四部叢刊續編》輯入是書之鐵琴銅劍樓藏舊抄本。

138霖案：注文云：「記」，底本作「紀」，據浙、粵本改。

139霖案：注文云：「至或」，浙、粵本作「或至」。

張目有影鈔宋刊本《左氏摘奇》十二卷，宋胡元質撰，亦見書錄解題。」（頁一〇九）

【增補】胡玉縉撰、王欣夫輯《四庫全書總目提要補正》卷七曰：「張氏《藏書志》有舊鈔本《類編》云：『不分卷，自周至論議凡十九門，官制分子目九：曰周，曰魯，曰晉，曰楚，曰齊，曰宋，曰鄭，曰衛，附諸小國，曰家臣。議論分子目七：曰典禮，曰兵，曰土功，曰荒政，曰火政，曰諸侯政事，曰名臣議論，每門俱前列《左傳》而以《國語》附其後。首有《年表》三十，《綱領》二十二則，《年表》者，以魯紀年而諸國征伐、會盟諸大事列其下；《綱領》者，雜采《尚書》、《周禮》、《禮記》、《論語》、《孟子》、《國策》、《漢書》及晉杜預、宋呂希哲、謝良佐之說以為一書之綱領也。是書《直齋書錄解題》、《宋史・藝文志》、明《內閣書目》著錄六卷，《經義考》注佚。此本首目完整，惟不分卷數，與陳氏等所載不符，或傳寫者合并歟？』玉縉案：陸氏《藏書志》載此書並引張說，瞿氏《目錄》則云六卷。」（頁一七〇）

【增補】崔富章《四庫提要補正》曰：「呂祖謙《左傳類編》六卷，《直齋書錄解題》、《文獻通考》、《宋史・藝文志》、明《文淵閣書目》、《內閣書目》皆著錄。清初，朱彝尊《經義考》稱『佚』。《四庫提要》沿襲朱說，謂『久无傳本』，非也。考陸氏《皕宋樓藏書志》卷八載『東萊呂太史春秋左傳類編不分卷，舊抄本』。今中國歷史博物館藏《春秋左傳類編》不分卷，明抄本；北京圖書館、復旦大學并藏《東萊呂太史春秋左傳類編》不分卷。，清抄本。民國二十三年，上海涵芬樓借常熟瞿氏鐵琴樓藏舊抄本影印，輯入《四部叢刊續編》，先大事年表，次綱領，次取《左氏傳》文，類而析之：列國行事九則、唐虞以來左氏所引典故十則、議論一則，計二十則。近年有重印精裝本易得。」（頁一六二）

三、摛藻堂薈要本：(宋)呂祖謙撰《左氏傳說》二十卷，《卷首》一卷，八冊，《國立故宮博物院善本舊籍總目》，上冊，頁八十六著錄，台北：故宮博物院有藏本。

四、鈔本： (宋)呂祖謙撰《春秋左氏傳說》二十卷，四冊，《國立故宮博物院善本舊籍總目》，上冊，頁八十六著錄，台北：故宮博物院有藏本。

五、民國五十九年(1970)藝文印書館百部叢書集成初編影印本：呂祖謙撰《左氏傳說》二十卷，〈首〉一卷，二冊，國家圖書館有藏本。

　　又馬來西亞大學圖書館有藏本（二部）。

六、清同治十二年(1873)粵東書局重刊本：(宋)呂祖謙撰《左氏傳說》二十卷，台北：國家圖書館有藏本。

七、清同治八年(1869)永康胡氏退補齋刊本：(宋)呂祖謙撰《左氏傳說》二十卷，卷首一卷，台北：國家圖書館有藏本。

八、清乾隆五十年(1785)內府刊本：(宋)呂祖謙撰《左氏傳說》二十卷，台北：國家圖書館有藏本，為秦蕙田舊藏之物。

又《國立故宮博物院善本舊籍總目》，上冊，頁八十六錄有一本，題作「清康熙十九年通志堂刊乾隆五十年修補本」，台北：故宮博物院有藏本。案：此本書名、卷帙與上述之本相同，且刊刻時間相同，當係同本。

九、金華叢書本：宋呂祖謙撰《左氏傳說》二十卷，四冊，馬來西亞大學圖書館有藏本。

朱子曰：[140]「伯恭論[141]說《左氏》之書極為詳博，然遣辭命意亦頗傷巧[142]。」

張萱曰[143]：「今內閣藏本，《傳說》四冊，《續說》四冊。」

陳振孫曰[144]：「呂祖謙[145]於《左氏》一書多有發明[146]，而不為文，似一時講說，門人所抄[147]。」

【增補】〔補正〕陳振孫條內「多有發明」，「有」當作「所」；「門人所抄」下當補「錄者」二字。（卷八，頁六）

【增補】何廣棪：《陳振孫之經學及其《直齋書錄解題》經錄考證》曰：「廣棪案：《總目》卷二十七《經部》二十七《春秋類》二著錄：『《春秋左氏傳說》二十卷，（兩江總督採進本。）宋呂祖謙撰。……《書錄解題》載是書為三十卷。此本僅二十

140霖案：《宋元學案》卷五十一，〈東萊學案〉，「珍倣宋版印」，頁16。又《朱子語類》未見此文，而《文獻通考．經籍考》卷十，頁264引錄「《朱子語錄》」之文如下：「《朱子語錄》曰：東萊有《左氏說》亦好，是人記錄他言語。」二文相較，雖有相近之處，但內容頗有不同，今錄於上，以供參證。

141霖案：「伯恭論」三字，應依《宋元學案》作「向見」。

142霖案：「巧」字下，應依《宋元學案》補入「矣」。

143霖案：本文係竹垞將孫能傳等撰《內閣藏書目錄》卷二，頁475之文，改寫而成，原文僅作「《左氏傳說》四冊，全。呂東萊祖謙著。　《春秋左傳續說》四冊，全。」，並無「今內閣藏本」五字，竹垞根據《內閣藏書目錄》著錄二書，而以內閣有藏本，雖不失事實，但實非原書之文，故題作「張萱曰」者，實誤。

144霖案：《直齋書錄解題》卷三，頁463、《文獻通考．經籍考》卷十，頁264。

145霖案：「呂祖謙」三字下，應依《文獻通考》補入「撰」字。

146「多有發明」，應依《補正》、「四庫本」作「多所發明」。　霖案：《經義考新校》頁3431「應依」改作「依」字；「四庫本」改作「《四庫薈要》本、文淵閣《四庫》本；「作」改作「應作」二字。今考《文獻通考》之文，適作「多有發明」，可見竹垞引文，當是來自《文獻通考》之文。

147「門人所抄」下，應依《補正》、「四庫本」補「錄者」二字。　霖案：《經義考新校》頁3431「應依」改作「依」字；「四庫本」改作「《四庫薈要》本、文淵閣《四庫》本；「作」改作「應作」二字。今考《文獻通考》所錄之文，並無「錄者」二字，顯係竹垞所據之本，應是根據《文獻通考》之文而來。

卷。考明張萱《內閣書目》所載《傳說》四冊外，尚有《續說》四冊，知陳氏所謂三十卷者，實兼《續說》十卷計之。』是則此書《四庫》本稱《春秋左氏傳說》，凡二十卷，惟另有《春秋左氏傳說》十二卷，乃據《永樂大典》所編就。《說》、《續說》合共三十二卷，仍與《解題》著錄卷數不符。」（頁五九八至頁五九九）

【增補】何廣棪：《陳振孫之經學及其《直齋書錄解題》經錄考證》曰：「案：朱子曰：『伯恭論說《左氏》之書，極為詳博。』（《經義考》卷一百八十七《春秋》二十『《左氏說》』條引。）《總目》『《春秋左氏傳說》三十卷』條亦曰『《博議》則隨事立義，以評其得失。是編持論與《博議》略同，而推闡更為詳盡。』宋慈抱《兩浙著述考．經術考．春秋類》『《春秋左氏傳說》三十卷』條亦曰『《博議》與此書，據事發揮，指陳得失，此書尤推闡詳盡。』上述所引，皆與《解題》所述至可參證。」（頁五九九）

《左氏博議綱目》（宋）

《宋志》：「一卷。」

未見。

【存佚】《左傳論著目錄》頁八七注曰「未見」，然本書未見其他傳本，當已久佚，故改注曰「佚」。《左傳論著目錄》頁八七曰：「考證：此書未見單行本，但散見於《詳註東萊左氏博議》中。」，則是書仍有佚文存於世間。

《宋志》[148]：「祖謙門人張成招標注。」

《春秋講義》（宋）

一卷。

存。

【版本及藏地】本書版本及藏地如下：

一、《東萊集別集》本：《春秋總義論著目錄》頁二四著錄。

黃震曰[149]：「成公《春秋講義》[150]亦少年之作，但不至如《博議》之太刻耳。」

《左傳手記》（宋）

一卷。

存。

【存佚】《左傳論著目錄》頁十八錄作「未見」，又另錄一本，題作〈甲午左傳手記〉，云「傳本：《方舟集》卷十三；《四庫全書》第一一五〇冊，頁３２８」。今審〈甲午

148霖案：《宋史》卷二百二，〈藝文一〉志第一百五十五，「《左氏博議綱目》」條下注文，頁5064。

149霖案：黃震：《黃氏日抄》卷四十，〈春秋講義〉條，頁523。

150霖案：「《春秋講義》」四字為標目，「成公」二字為竹垞根據文意所加，《黃氏日抄》無之。

左傳手記〉、《左傳手記》，書名近同，且同為呂氏之作，當係同書，只是著錄差異不同。〈甲午左傳手記〉既存於世，當題作「存」。

黃震曰[151]：「《手記》視《講義》稍不衍文。」

陸氏九淵《太學春秋講義》（宋）

【書名】《象山先生全集》卷二十三錄有陸九淵〈講義〉一卷，共分為〈白鹿洞書院講義〉、〈大學春秋講義〉、〈荊門軍上元設廳講義〉等，竹垞將〈大學春秋講義〉裁篇而出，題作《太學春秋講義》，「大」、「太」二字相通。又〈白鹿洞書院講義〉考辨《論語》內容；〈荊門軍上元設廳講義〉考辨《尚書》內容，均與《春秋》經無涉。

一卷。

存。

【版本及藏地】本書版本及藏地如下：

一、《象山集》本：《春秋總義論著目錄》頁二四著錄。

右陸氏《講義》凡二十二條。

【霖案】陸九淵〈大學春秋講義〉，見於《象山先生全集》卷二十三，其中共有二十四條講義，而非竹垞題作「二十二條」，是以竹垞所計之數，蓋一時誤計所致。又根據《象山先生全集》的注文，得考《太學春秋講義》的完成年月，在其考訂的二十四條講義之中，總計成於「淳熙九年八月十七日」者，計六條；成於「淳熙十年二月七日」者，計九條；成於「淳熙十年七月十七日」者，計五條；成於「淳熙十年十一月二十二日」者，計四條，合計二十四條，歷時一年三月始成。考竹垞案語，未及於此，今補計於上，以供參考。

陳氏藻《春秋問》

【書名】陳藻《樂軒集》卷六，〈策問十二首〉，其中有一篇題作〈春秋〉，銜諸「春秋」之名，列於〈策問〉之一篇，則「《春秋問》」之名，當為竹垞自定之書名。

一卷。

【卷數】陳藻《樂軒集》卷六，〈策問十二首〉，其中有一篇題作〈春秋〉，銜諸「春秋」之名，列於〈策問〉之一篇，實則此一作品，應為「一篇」，而非「一卷」，竹垞題作「一卷」者，誤也。

存。

【存佚】此書未見諸家藏本，惟陳藻《樂軒集》卷六，〈策問十二首〉，其中有一篇題作〈春秋〉，而竹垞題此書為「存」者，或指此篇文章。

151霖案：黃震：《黃氏日抄》卷四十，〈左傳手記〉條，頁523。

王氏炎《春秋衍義》

佚。

卷一百八十八　春秋二十一經義考卷一百八十八春秋二十一

楊氏簡《春秋解》（宋）

【增補】《中國古籍善本書目》（經部）頁二六七錄有楊簡《慈湖春秋傳》十二卷，竹垞未錄此書，當據以補入。

《宋志》：「十卷。」

未見。

【存佚】《春秋總義論著目錄》頁二四於楊簡《春秋解》條下云：「傳本：《中國古籍善本書目》收《慈湖春秋傳》一種，清鈔本」，或以為《春秋解》即《慈湖春秋傳》，今審二者卷數不同，當係不同之作，而根據諸家館藏未錄楊簡《春秋解》一書，當已久佚，乃定作「佚」。

簡〈自序〉曰[1]：「《易》[2]、《詩》、《書》、《禮》、《樂》、《春秋》，一也，天下無二道，《六經》安得有二旨？以屬辭比事為《春秋》者，國俗之所教習也，非孔子之旨也，故孔子曰：屬辭比事而不亂，則深於《春秋》者矣。不亂者，不睹其[3]紛紛，一以貫之也。《春秋》之不亂，即《詩》之不愚，即《書》之不誣，即《樂》之不奢，《易》之不賊，《禮》之不煩也，一也。孔子繼曰：『天有四時，春秋冬夏，風雨霜露，無非教也；地載神氣，神氣風霆，風霆流形，庶物露生，無非教也。清明在躬，志氣如神，嗜欲將至，有開必先，天降時雨，山川出雲。』見諸《孔子家語》而《小戴》所記，乃脫簡於〈孔子閒居〉之後。〈閒居〉之旨已明，繼此章為贅。此言《詩》之不愚、《書》之不誣、《樂》之不奢、《易》之不賊、《禮》之不煩、《春秋》之不亂，旨猶未白，不可無此章以發揮也。聖言至矣，不可以思慮得也，不可以言語索也，孔子不得已而有言曰：『吾志在《春秋》。』於二百四十二年擾擾顛倒錯亂中，而或因或作，是是非非，靡不曲當，所是是道，所非非道，如四時之錯行，如日月之代明，皆所以彰明[4]大道。古諸侯無私史，《周官》小史掌邦國之志，〈費誓〉，〈周書〉；〈漢汝〉、〈江沱〉之詩，編諸二南，自晉之《乘》、楚之《檮杌》、魯之《春秋》，三史[5]作而諸侯有私史矣，孔子因之，道之變也。」

林氏栗《春秋經傳集解》（宋）

【書名】李一遂〈左氏春秋著錄書目研究〉頁一一九題作「《春秋左氏傳集解》」。

1 霖案：楊簡《慈湖遺書》（台北：臺灣商務印書館，「景印文淵閣四庫全書」冊一一五六，民國七十五年三月，初版），頁607。

2 霖案：「《易》」字之前，應依《慈湖遺書》補入「簡敬惟」三字。

3 霖案：「其」字下，應依《慈湖遺書》補入「為」字。

4 霖案：「彰明」二字，《慈湖遺書》作「明彰」，二字誤倒也。

5 霖案：《經義考新校》頁3435有新校文如下：「『三史』，《備要》本誤作『二史』」。

《宋志》：「三十三卷。」

【著錄】《直齋書錄解題》卷三，頁四六三、《文獻通考・經籍考》卷十，頁二六六著錄。

未見。

【霖案】本書未見其他傳本，且《春秋總義論著目錄》頁二四注曰「佚」，當已久佚，故改注曰「佚」。

《玉海》[6]：「淳熙[7]十年六月[8]知潭州林栗著《春秋經傳集解》[9]三十三卷，乞投進，十一年十二月[10]上之，付祕省。」

陳振孫曰[11]：「其學[12]專主《左氏》而黜二傳，故為《左氏傳解》表上之。」

【增補】何廣棪：《陳振孫之經學及其《直齋書錄解題》經錄考證》曰：「廣棪案：《玉海》卷四十《藝文・春秋》曰：『淳熙十年六月，知潭州林栗著《春秋經傳集解》三十三卷，乞投進。十一年十二月上之，付秘省。』可考見此書投進及表上之歲月。」（頁六〇三）

王氏日休《春秋明例》　《宋志》作《名義》。

【作者】王日休，字虛中，龍舒人。誨誘後學，最為諄切，嘗撰《易解》,《春秋解》,《春秋名義》,《養賢錄》等書。

【書名】《玉海》卷四〇，頁八〇二題作「《紹興春秋明例》」，明白標示此書為紹興年間所撰之籍。

《宋志》：「一卷。」

佚。

《春秋孫復解三傳辨失》

《宋志》：「四卷。」

6霖案：《玉海》卷四○，頁803B。

7霖案：「淳熙」二字，《玉海》原來書文未及此二字，僅標題作「《淳熙春秋集解》」，竹垞參酌前後文句所加，此處既然引《玉海》原文，應刪除「淳熙」二字。

8霖案：「六月」二字下，《玉海》卷四○另有「二十二日」三字，竹垞刪除上述三字，使得讀者未知確切月日，今據《玉海》補入上述三字。

9霖案：「《春秋經傳集解》」六字，《玉海》僅作「《經傳集解》」四字，竹垞參酌內容，加入「《春秋》」二字，故宜刪除上述二字，以合於原書文句。

10霖案：「十二月」三字下，《玉海》另有「四日」二字，竹垞不宜刪去二字，故應予以補入。

11霖案：《直齋書錄解題》卷三，頁463、《文獻通考．經籍考》卷十，頁266著錄。

12霖案：「其學」二字之前，《文獻通考》另有「林栗撰。」三字。

佚。

《中興書目》[13]：「《春秋明例》一卷[14]，紹興中舒州布衣王日休撰，凡十篇，通謂之明例，又冠以例要、例釋、例意[15]，又有《孫復解三傳辨[16]失》四卷。」

《左氏正鑑》

佚。

葛立方曰：「虛中治《春秋》學，為《四傳辨失》、《左氏正鑑》。紹興初，嘗抱其書質於先人文康公，文康深許之，濡削遺之曰：『遠類康成，發《公羊》之墨守，下卑元凱，為《左氏》之忠臣。』」

趙氏敦臨《春秋解》

【作者】趙敦臨，字庇民，鄞人。紹興五年進士，授蕭山縣簿，郡守使者交薦之，改湖州教授，撰有《春秋解》。

佚。

周氏孚《春秋講義》（宋）

一卷。

存。

【版本及藏地】本書版本及藏地如下：

一、清四庫本《蠹齋鉛刀編》卷二十一：(宋)周孚撰《春秋講義》一卷，臺灣商務印書館影印四庫本《蠹齋鉛刀編》卷二十一，冊一一五四，頁六四七至頁六五一，《國立故宮博物院善本舊籍總目》，上冊，頁九十九著錄，台北：故宮博物院有藏本。

按：周氏《講義》止及隱公，凡一十六條，附載《蠹齋鉛刀編》。

【霖案】竹垞云「周氏《講義》止及隱公，凡一十六條」，卻未能明言十六篇之名，今查原書內容，得知一十六條之名如下：「〈春秋〉」、「〈元年〉」、「〈春王正月〉」、「〈三月公及邾儀父盟于蔑〉」、「〈五月鄭伯克段于鄢〉」、「〈秋七月天王使宰咺來歸惠公仲子之賵〉」、「〈九月公及宋人盟于宿〉」、「〈祭伯來〉」、「〈冬十有二月公子益師卒〉、「〈二年公會戎于潛〉」、「〈夏五月莒人入向無駭帥師入極〉」、「〈秋八月庚辰公及戎盟于唐〉」、「〈九月紀裂繻來逆女冬十月

13霖案：《玉海》冊二，卷四○，頁802D錄及此文，惟標題省作「《書目》」，並不云出自「《中興書目》」，而此係《玉海》編纂慣例。

14霖案：「《春秋明例》一卷」六字，《玉海》僅作「一卷」

15霖案：「例釋、例意」四字，《玉海》所引之文，實作「例意、例釋」，顯見竹垞所引之文，實有誤倒之虞，今應依《玉海》之文改正。

16霖案：「辨」字，《玉海》題作「辯」。

伯姬歸于紀〉、「〈紀子伯莒子盟于密〉、「〈十有二月乙卯夫人子氏薨鄭人伐衛三年春王二月己巳有食之三月庚戌天王崩夏四月辛卯尹氏卒〉」、「〈秋武氏子來求賻〉」等文，合計十六篇，同於竹垞所錄之數。

又竹垞另將〈春王正月〉一篇，裁篇而出，著錄題作「周氏孚《春王正月說》」，而其餘十五條內容，卻未能同時著錄，顯然著錄體例多有未合。

胡氏元質《左氏摘奇》(宋)

《通考》：「十二卷。」

【著錄】《文獻通考．經籍考》卷五五，頁一二七二、張壽平《公藏先秦經子注疏書目》頁一二三著錄。

佚。

【存佚】本書有其他傳本，故應改注曰「存」。

【版本及藏地】本書版本及藏地如下：

一、清嘉慶間阮元進呈影寫宋鈔本：(宋)胡元質撰《左氏摘奇》十二卷，四冊，即宛委別藏本，《現存宋人著述目略》頁十七、《國立故宮博物院善本舊籍總目》，上冊，頁八十七著錄，台北：故宮博物院有藏本。

又馬來西亞大學圖書館有藏本，三冊，二部。

二、舊鈔本：(宋)胡元質撰《春秋左傳摘奇》十二卷，八冊，8冊，全幅26.5x17公分，10行，行23字，版心上方記魯公號，中間記卷第，下方書葉次，書中朱筆圈點，有微卷，有乾道四年二月十七日吳郡胡元質〈春秋經傳左氏摘奇序〉，藏印有「國立中央圖書館收藏」朱文長方印；「何印元錫」白文方印；「夢華館藏書印」白文方印，「秀野堂顧氏藏書印」朱文方印，「讀好書　說好話　行好事　做好人」朱文方印等，台北：國家圖書館有藏本。

【增補】《國家圖書館善本書志初稿》：「【春秋左傳摘奇十二卷八冊】

舊鈔本　00604

宋胡元質撰。元質字長文，平江府長洲縣人。中紹興十八年(1148)進士。歷官祕書正字、校書郎等，終敷文閣大學致仕，封吳郡侯，卒年六十三。

全幅高26.5公分，寬17公分。每半葉十行，行二十三字。版心上方記魯公號(如『隱』)，中間記卷第(如『卷一』)，下方書葉次。

首卷首行頂格題『春秋左傳摘奇卷之一』，次行低九格題『給事中吳郡胡元質長文撰』。卷末左下方記『一卷終』。第一冊封面書簽題『左氏摘奇』。卷首錄鞏經室外集及直齋書錄解題各一則。其後有胡元質『春秋經傳左氏摘奇序』。序後有『春秋左傳摘奇總目』及『王室封侯原委』，周王世系、魯公世系等圖。文中摘錄春秋經傳，胡氏評文則低一格，以示區別。書中朱筆圈點。

書中鈐有『國立中央圖/書館收藏』朱文長方印、『莚圃/收藏』朱文長方印、『何印/元錫』白文方印、『夢華/館藏/書印』白文方印、『秀野/堂顧氏/藏書印』朱文方印、『讀好書/說好話/行好事/做好人』朱文方印。」(頁 163)。

三、民國二十四年(1935)上海商務印書館影印本：(宋)胡元質撰《左氏摘奇》十二卷，三冊，據宛委別藏鈔錄影宋本影印，台北：國家圖書館有藏本。

四、民國六十一年(1972)藝文印書館四部分類叢書集成三編影印本：(宋)胡元質撰《左氏摘奇》十二卷，台北：國家圖書館有藏本。

五、清經解續集：李一遂〈左氏春秋著錄書目研究〉頁一一五著錄。

六、影鈔宋刊本：宋胡元質撰《左氏摘奇》十二卷。

【增補】邵懿辰撰、邵章續錄：《增訂四庫簡明目錄標注》卷三曰：「張目有影鈔宋刊本《左氏摘奇》十二卷，宋胡元質撰，亦見書錄解題。」（頁一〇九）

七、國立北京圖書館藏刊本：宋胡元質撰《左氏摘奇》不分卷。

【增補】《續修四庫全書總目提要》：「左氏摘奇不分卷　國立北京圖書館藏刊本　張壽林

宋胡元質撰。元質字長文。長洲人。幼穎悟尚義行。乾道間中進士。光宗時歷秘書省正字。終敷文閣大學士。按宋史藝文志著錄西漢字類五卷。注云宋胡元質撰。元質字長文。吳郡人。官給事中。又經部春秋類。著錄左氏摘奇十二卷。則云不知作者姓氏。然考文獻通考。直齋書錄解題。著錄是編。皆以為元質撰。則宋志云不知作者姓氏者。殆失考歟。其書不分卷。與宋史藝文志。文獻通考著錄作十二卷。直齋書錄解題著錄作十三卷者均異。惟細審今本。首尾完具。不似闕佚。則亦未必非胡氏之舊也。編末有乾道癸巳元質自記云。左氏摘奇。皆手所約取。鋟木於當涂道院。與同志者共之。知其書實成於宋孝宗乾道九年癸巳。始刊於當涂道院。善本書室藏書志著錄影鈔本左氏摘奇十二卷。即據原刊本影鈔者。據此知直齋書錄解題作十三卷者。三當為二之誤也。其書蓋摘錄經傳中字句之古雅新奇者。彙為一編。故名曰摘奇。惟於文句之下。兼採杜預集解。略加詮釋。其謹嚴處視林鉞之漢雋。蘇易簡之文選雙字類要。勝之遠矣。總之其書。雖非說經之正軌。然尚無荒誕之處。宋史藝文志入之經類。似較直齋書錄解題入之子部類書者為是。故從之以入經部焉。」(頁六七九)

陳振孫曰[17]：「給事中吳郡胡元質長文撰。」

盧熊《蘇州府志》：「胡元質，字長文，長洲人。紹興中，進士高第，淳熙中，四川制置使，知成都，卒贈少師，謚獻惠。」

按：《宋志》有《左氏摘奇》十二卷，不著撰人姓氏，當即是書。

余氏嚞《春秋地例增釋紀年續編》

17霖案：《文獻通考．經籍考》卷五五，頁1272。

佚。

謝氏諤《春秋左氏講義》

【作者】謝諤（1121～1194），字昌國，號艮齋，一號定齋，新喻人。紹興二十七年舉進士，歷樂安尉、吉州錄事參軍，知分宜縣。所至有惠政，三遷至監察御史。學者稱「艮齋先生」。晚居桂山，故亦稱「桂山先生」。紹熙五年十一月卒，年七十四。有《聖學淵源》五卷，《詩書解》，《論語解》，《左氏講義》，《柏臺諫垣奏議》，《經筵總錄》，《孝史》，《艮齋集》等。

三卷。

佚。

陳氏持《左氏國類》（宋）

【作者】陳持（1104～1175），字守之，婺州永康人。淳熙二年卒，年七十二。有《左氏國類》二十卷，《遂至齋錄》十卷，《筠陽雜著》二卷等書。

二十卷。

【著錄】竹垞著錄此書，當係根據呂祖謙《東萊集》卷十二，〈永康陳君迪功基誌銘〉一文而來。

佚。

按：持，字守之，金華人，官迪功郎、筠州高安縣主簿，呂伯恭為作〈墓志〉。

【考證】呂祖謙（伯恭）所撰之〈墓志〉，全文見於《東萊集》卷十二，〈永康陳君迪功墓誌銘〉，明標白標示陳氏為永康人，而非金華人，今考〈永康陳君迪功基誌銘〉之後，另有〈金華曹君將仕墓誌銘〉一篇，則竹垞誤將陳氏視為金華人，或係因此而誤耶？

【增補】據〈永康陳君迪功基誌銘〉一文，陳持卒於「淳熙二年八月十一日。

唐氏閱《左史傳》

【書名】四部叢刊本《止齋先生文集‧徐得之左氏國紀序》卷四〇，頁二〇四云：「嘗見唐閱《左氏史》與《國紀》（指：徐得之《春秋左氏國紀》一書）略同，而無所論斷。」，則此書或應題作「《左氏史》」。

五十一卷。

佚。

《紹興府志》[18]：「唐閱，字進道，山陰人[19]，舉進士，歷[20]都官員外郎，乾道間[21]為

[18]霖案：《紹興府志》卷四十三，(《四庫全書存目叢書》史部，冊二○一)，頁323B。

[19]霖案：「山陰人」三字下，應依《紹興府志》補入「少為學刻苦，夜未嘗卧。」等九字。

浙東檢察[22]，嘗以《左氏春秋》做[23]遷、固史例，以周為紀，列國為傳，又為〈表〉、〈志〉、〈贊〉，合五十一卷，號《左史傳》行於世。」

石氏朝英《左傳約說》

《宋志》：「一卷。」

【卷數】《文獻通考．經籍考》卷十，頁二六九著錄，合《百論》作「二卷」，今竹垞依《宋志》各題作「一卷」。

佚。

《左傳百論》

《宋志》：「一卷。」

佚。

陳振孫曰[24]：「奉議郎新昌石朝英撰，又有《王道辨》一書，未板行，僅存其書於此篇[25]之末，其為說平平，無甚高論。」

【增補】〔補正〕陳振孫條內「于此篇之末」，「篇」當作「編」。（卷八，頁六）

【增補】何廣棪：《陳振孫之經學及其《直齋書錄解題》經錄考證》曰：「廣棪案：《經義考》卷一百八十八《春秋》二十一著錄：『石氏朝英《左傳約說》，《宋志》一卷，存。《左傳百論》，《宋志》一卷，佚。』今此二書均佚。惟《解題》既評為『其說平平，無甚高論』，則此二書之價值可推知。」（頁六一二）

李氏燾《春秋學》　程氏本義作集注考。

【作者】李燾（1115～1184），字仁甫，一字子真，號巽巖，丹稜人。登紹興八年進士，累官禮部侍郎，進敷文閣學士，同修國史。淳熙十一年卒，年七十，諡「文簡」，撰有〈反正議〉十四篇、《續資治通鑑長編》、《易學》，《春秋學》，《六朝通鑑博議》，《說文解字五音韻譜》，《巽巖文集》等書，總千數百卷。

【考證】《直齋書錄解題》卷一著錄李燾述《春秋古經》一卷（頁四五五），或為李

20霖案：「歷」字，應依《紹興府志》改作「屢遷」二字。

21霖案：「乾道間」三字下，應依《紹興府志》補入「兩浙饑，詔」等四字，此四字明言其任浙東檢察的原因，不當刪去。

22霖案：「浙東檢察」四字下，應依《紹興府志》補入「賑濟州、縣、所，全活甚眾。」等九字。

23霖案：「做」字，《紹興府志》題作「放」字。

24霖案：《直齋書錄解題》卷三，頁464、《文獻通考．經籍考》卷十，頁269。

25「篇」，應依《補正》、「四庫本」作「編」。　霖案：《經義考新校》頁3439校文，「應依」改作「依」字；「四庫本」改作「《四庫薈要》本、文淵閣《四庫》本」；「作」改作「應作」二字。今考《文獻通考．經籍考》亦題作「篇」字，可見竹垞乃是據《通考》之文錄之。

燾《春秋學》取用的底本。

《宋志》：「十卷。」

佚。

何氏涉《春秋本旨》

【作者】何涉，字濟川，南充人。刻苦讀書，自六經百家及山經地志醫卜之術，無所不學，過目終身不忘。舉進士，累官知合州，遷司封員外郎，撰有《治道中術》、《春秋本旨》、《廬江集》等書。

佚。

程端學曰[26]：「涉，字濟川[27]。」

章氏沖《春秋左傳類事始末》[28]（宋）

【作者】章沖，字茂深，吳興人，章惇之曾孫。淳熙中嘗知台州，頗究心《春秋》，撰有《春秋左氏傳事類始末》一書。

【書名】本書異名如下：

一、《春秋類事始末》：《直齋書錄解題》卷三，頁四六四、《文獻通考・經籍考》卷十，頁二六九著錄。

二、《春秋左氏傳事類始末》：張壽平《公藏先秦經子注疏書目》頁一一五著錄。

三、《左傳事類本末》：駱兆平《新編天一閣書目》頁二七三著錄。

四、《左氏傳事類始末》：李一遂〈左氏春秋著錄書目研究〉頁一一一著錄。

【增補】〔補正〕案：「類事」當作「事類」。（卷八，頁六）

《宋志》：「五卷。」

【著錄】《山東省圖書館館藏海源閣書目》頁二七著錄，另有《附錄》一卷。又台北：故宮博物院藏有「文淵閣四庫全書本」、「清康熙十九年通志堂刊乾隆五十年修補本」，除《附錄》一卷之外，也有《目錄》一卷。

存。

26霖案：程端學：《春秋本義》〈春秋傳名氏〉(《通志堂經解》(冊25))，頁13863。

27霖案：此處所錄《春秋本義》之文，與其他諸處引文方式不同，也較不合於著錄體例，詳見李棠《春秋時論》條。今引《春秋本義》之文如下：「何氏涉濟川」，竹垞引文實係改寫，雖內容合乎實情，但引用方式不同，其既云「程端學曰」，則必須合乎《春秋本義》所錄之文，今校錄如上，以供讀者參考。

28「《春秋左傳類事始末》」，應依《補正》作「《春秋左傳事略始末》」。　霖案：《經義考新校》頁3440校文，「應依」改作「依」字；「作」改作「應作」。

【版本及藏地】本書版本及藏地如下：

一、明藍絲欄抄本：駱兆平《新編天一閣書目》頁二七三著錄。

二、清康熙19年成德通志堂刻本：宋章沖撰《春秋左氏傳事類始末》五卷，《附錄》一卷，三冊，山東省圖書館有藏本。

又馬來西亞大學圖書館有藏本。

【增補】《山東省圖書館館藏海源閣書目》曰：「《春秋左氏傳事類始末》　五卷，附錄一卷／（宋）章沖撰．－清康熙19年（1680）成德通志堂刻本．－2冊（1函）；19．1×14．9cm．－（通志堂經解）．－13行23字，白口，左右雙邊，雙對黑魚尾，版心下刻：通志堂。」（頁二七）

三、文淵閣四庫全書本：(宋)章沖撰《春秋左氏傳事類始末》五卷、《目錄》一卷、《附錄》一卷，六冊，台北：故宮博物院有藏本。

四、摛藻堂薈要本：(宋)章沖撰《春秋左氏傳事類始末》五卷、《目錄》一卷、《附錄》一卷，五冊，台北：故宮博物院有藏本。

五、清同治十二年(1873)粵東書局重刊本：(宋)章沖撰《春秋左氏傳事類始末》五卷，《附錄》一卷，台北：國家圖書館有藏本。

六、清康熙十九年通志堂刊乾隆五十年修補本：(宋)章沖撰《春秋左氏傳事類始末》五卷、《目錄》一卷、《附錄》一卷，三冊，台北：故宮博物院有藏本。

又國家圖書館藏有一本，題作「清乾隆五十年(1785)內府刊本」，當屬此本。(宋)章沖撰《春秋左氏傳事類始末》五卷，《附錄》一卷，鈐有「味經窩藏書印」朱文長方印，「秦蕙田味經氏」白文長方印，「味經曾觀」朱文方印等印。

沖〈自序〉[29]曰：「始沖少時，侍石林葉先生為學，先生作《春秋讞》、《考》、《傳》，使沖執《左氏》之書，從旁備檢閱。《左氏》傳事不傳義，每載一事，必先經以發其端，或後經以終其旨。有越二三君數十年而後備，近者亦或十數年；有一人而數事所關，有一事而先後若異，君臣之名字，有數語之間而稱謂不同，間見錯出，常病其不屬，如遊群[30]玉之府，雖珩璜圭璧，璀璨可愛，然不以彙聚，驟焉觀之，莫名其物。沖竊謂：《左氏》之為邱[31]明與受經於仲尼，其是否固有能辨[32]之者，若夫文章富豔，廣記備言之工，學者掇其英精，會其離析，各備其事之本末，則所當盡心焉者。古今人用力於是書亦云多矣，而為之事類者，未之見也。沖因先生日閱以熟，乃得原始要終，攟摭推遷，各從其類。有當省文，頗多裁損，亦有裂句摘字聯累而成文者，二百四十二年之間，小大之事，靡不采取，約而不煩，一覽盡

29霖案：章沖：《春秋左氏傳事類始末．序》（通志堂經解本，冊２２），頁12697。

30霖案：「群」，章沖：《春秋左氏傳事類始末．序》作「羣」。

31霖案：「邱」，章沖：《春秋左氏傳事類始末．序》作「丘」。

32霖案：「辨」，章沖：《春秋左氏傳事類始末．序》作「辯」。

見，又總記其災異、力役之數，時君之政，戰陣之法，與夫器物之名，併繫於[33]後，讀之者不煩參考而畢陳於目前。惜乎先生已沒，不及見類書之成。久欲鋟板，勉卒前功而慮有闕遺，載加訂證，未敢自以為無恨也。姑廣其傳，以便童蒙，則庶幾焉。淳熙[34]乙巳歲，沖假守山陽，嘗刊之郡庠，適會臥疾，繼有易地之命，卒卒讎校[35]，其間多有字畫謬誤、題空差失者。揭來天台，簿[36]領之暇，遂加是正，復刊之郡庠，尚冀有可教者。[37]」

【增補】〔補正〕〈自序〉末當補云：「淳熙丁未十月。」（卷八，頁六）

謝諤〈序〉[38]曰：「諤幼年於諸書，愛《左氏》之序事，因一事必窮其本末，或繙一二葉，或數葉，或展一二卷，或數卷，惟[39]求指南於張本，至其甚詳，則張本所不能盡，往往一事或連日累旬不得要領，況掣肘於他書他事，則力有不專，自長至老，應桑蓬於四方，辨[40]此者為誰氏。近收天台使[41]君章沖茂深書，且以《左氏事類本末》為寄，於是恍然，見所未見。蓋《春秋》之法，年為主而事繫之；使君之法，事為主而年繫之。以事繫年而事為之碎，以年繫事而事為之全，二者不可一廢。紀年也，故以事繫而年全；紀事也，故以年繫而事全。事繫年而年全者，史法也；年繫事而事全者，考史法也。乃相為表裏歟？初，使君由山陽移天台，諤久知其政之宜乎民，今又知其書之明乎[42]古。書之明古，所以為政之宜民，又豈有二道耶？使君欲諤題數字，遂以喜於見所未見者報之。[43]」

【增補】〔補正〕謝諤〈序〉末當補云：「淳熙十五年十二月。」（卷八，頁七）

33霖案：「於」，章沖：《春秋左氏傳事類始末．序》作「于」。

34霖案：「淳熙」二字前，應依章沖：《春秋左氏傳事類始末．序》補入「爾」。

35霖案：「校」，章沖：《春秋左氏傳事類始末．序》作「挍」。

36霖案：「簿」，章沖：《春秋左氏傳事類始末．序》作「薄」。

37依《補正》當補「淳熙丁未十月」。　霖案：《經義考新校》頁3441校文，「依」字前，尚有「句末」二字；「當補」改作「應補」二字；「淳熙丁未十月」之下，補入「六字」。又《(點校補正)經義考》據翁方綱考訂之文補之。惟據章沖：《春秋左氏傳事類始末．序》一文，於「月」字下，尚有「望日，奉直大夫知台州軍事兼管內勸農使章沖序」等二十字，顯然翁氏所補內容，尚多遺漏之處。

38霖案：章沖：《春秋左氏傳事類始末》，謝諤〈序〉(通志堂經解本，冊２２)，頁12697。

39霖案：「惟」，謝諤〈序〉作「唯」。

40霖案：「辨」，謝諤〈序〉作「物色辨」。

41霖案：「使」，謝諤〈序〉作「史」。下文「使君」皆作「史君」，不另出註腳說明。

42霖案：「乎」，謝諤〈序〉作「於」。

43應《補正》當補「淳熙十五年十二月」。　霖案：《經義考新校》頁3441校文，「依」字前，尚有「句末」二字；「當補」改作「應補」二字；「淳熙十五年十二月」之下，補入「八字」。今考謝諤〈序〉文，「月」字下，尚有「十二日癸酉，臨江謝諤序於擒文堂」等十四字，當據以補入。

陳振孫曰[44]：「朝請大夫吳興章沖茂深撰。子厚之曾孫，葉少蘊之壻。」

【增補】何廣棪：《陳振孫之經學及其《直齋書錄解題》經錄考證》曰：「廣棪案：此書《宋志》作《左氏類事始末》五卷，《經義考》作《春秋左傳類事始末》五卷，《總目》作《春秋左氏傳類事始末》五卷，四者均同書而異稱也。《總目》卷四十九《史部》五《紀事本末類》著錄：『《春秋左氏傳類事始末》五卷，（江蘇巡撫採進本。）宋章沖撰。沖字茂深，章惇之孫也。淳熙中嘗知台州。其妻乃葉夢得女。夢得深於《春秋》，故沖亦頗究心於《左傳》。取諸國事蹟，排比年月，各以類從。使節目相承，首尾完具。前有沖《自序》及謝諤《序》。』沖《自序》曰：『始沖少時，侍石林葉先生為學。先生作《春秋讞》、《考》、《傳》，使沖執《左氏》之書從旁備檢。』是則沖不惟為夢得壻，亦夢得之門人，此書即傳夢得《春秋》之學者也。《序》末云：『淳熙丁未十月望日，奉直大夫、知台州軍事，兼管內外勸農使章沖序。』是沖之官銜應為奉直大夫，疑《解題》作朝請大夫者有誤也。」（頁六一〇）

陳耆卿曰：「沖，霅川人，淳熙十四年以奉直大夫守台州。」

李氏孟傳《左氏說》

【作者】李孟傳（1136～1219），字文授，上虞人，李光幼子。光南遷日方六歲，以光遺表恩累官至太府丞，韓侂冑願見之，不可，由是出知江州。以朝請大夫直寶謨閣致仕。嘉定十二年卒，年八十四。有《盤溪文稿》五十卷，《宏詞類稿》十卷，《左氏說》、《讀史》、《雜志》各十卷，《記善》、《紀異錄》各五卷。

《宋志》：「十卷。」

【卷數】《宋史》卷四〇一，頁一二一七八錄及李氏撰著，未明言卷數，而同書卷三六三，頁一二三四二錄及此書，則明言「十卷」，同於《宋志》的卷數。

佚。

《宋史》[45]：「李孟傳，字文授，學士[46]光之子[47]也。浙東提點刑獄[48]加直祕閣[49]進直寶

---

[44] 霖案：《直齋書錄解題》卷三，頁464、《文獻通考．經籍考》卷十，頁269。

[45] 霖案：《宋史》卷三六三，頁11342；又卷四○一，頁12176-12717。竹垞所錄《宋史》之文，乃是綜整多處內容所致，與《宋史》原文多有不同。又竹垞所引解題，率皆出自《宋史》卷四○一，頁12176-12177等兩頁。

[46] 霖案：「學士」二字之前，《宋史》卷四○一另有「資政殿」三字，今據以補入。

[47] 霖案：「子」字，《宋史》卷四○一作「季子」，蓋「季子」意指「年齡最小的兒子」或「次子」，有指明李孟傳兄弟排行之意，而「子」，只是泛指「兒子」，雖然「季子」亦是「兒子」，但是意義有別，而竹垞卻直接省作「子」，則不若《宋史》原文題作「季子」。

[48] 霖案：「浙東提點刑獄」諸字，距離「資政殿學士光季子也。」尚有一段文字，且其上另有「遷」字，而其下另有「未數月，申前請，章再上，」等字，始連接「加直祕閣」四字，竹垞顯然併合

謨閣致仕。」

李氏心傳《春秋考義》

【作者】李心傳（1167～1244），字微之，一字伯微，號秀巖，隆州井研人，李舜臣長子。慶元初下第，閉戶讀書，寶慶二年以薦為史館校勘，賜進士，修《中興四朝帝紀》。又踵修《十三朝會要》，端平間成書，擢工部侍郎，以言罷。奉祠，居湖州，淳祐四年卒，年七十八。著有《高宗繫年錄》二百卷，《學易編》五卷，《誦詩訓》五卷，《春秋考義》十三卷，《禮辨》二十三卷，《讀史考》十二卷，《舊聞證誤》十五卷，《建炎以來朝野雜記》甲乙集各二十卷，《道命錄》五卷，《西陲泰定錄》九十卷，《辨南遷錄》一卷，《詩文集》一百卷。

《宋志》：「十三卷。」

佚。

胡氏箕《春秋三傳會例》

【作者】胡箕（1122～1194），字斗南，廬陵人，胡銓從子。年幼之時，志趣不群，既長，貫穿經史，尤精於《春秋》，官迪功郎監潭州南嶽廟。紹熙五年卒，年七十三，撰有《春秋三傳會例》三十卷。

三十卷。

【著錄】竹垞應是根據周必大《文忠集》卷七一，〈胡斗南墓誌銘〉一文所錄內容甄錄而來。

佚。

周必大曰[50]：「箕，字斗南，廬陵人[51]，迪功郎，監潭州南岳廟[52]。」

《吉安府志》：「箕，忠簡公從子。」

【增補】《江西通志》卷二十八「吉安府」曰：「胡箕，字斗南，廬陵人。自幼志趣不群，官脩職郎，箕事親孝，父沒，免喪櫝衰冠於墓側。遇忌日及四時，必服以上塚

諸多《宋史》內容，並且稍加改寫，致使文句參差頗大，讀者宜多還原《宋史》原書，始能得到更多內容。

49霖案：「加直祕閣」四字下，應據《宋史》補入「移江東，不赴，主管明道宮。」等十字。

50 霖案：周必大，《文忠集》卷七一，《平園續稿》三十一．〈胡斗南（箕）墓誌銘（紹興五年）〉（台北：臺灣商務印書館，「景印文淵閣四庫全書」冊一一四七，民國七十五年三月，初版），頁749-750。

51 霖案：「廬陵人」三字，《文忠集》作「其先秣陵徙廬陵。」，未言「廬陵人」三字，竹垞以其祖徙至廬陵，而以胡氏為廬陵人，雖合乎事實，但非周氏原書文句矣！

52 霖案：「迪功郎，監潭州南岳廟」諸句，《文忠集》列於「箕，字斗南」諸句之前數句，竹垞變換文句位置，有錯簡之失。

。平生廉介，服用簡質，居無惰容戲言，所著有《三傳會例》、《孫吳子注解》，并遺稿三十卷。」（《四庫全書存目叢書》史部・一八三冊，頁四○二）

沈氏棐《春秋比事》（宋）

【作者】文淵閣四庫全書本題作者為「舊題宋沈棐撰」，可見其作者的認定，猶有爭議之處。余嘉錫《四庫提要辨證》以為「此書信為劉朔作矣。」（頁五八），其說頗有創見，說法詳見下文。

又《馬來西亞大學中文圖書目錄》六九〇・五著錄，作者題為「沈渠」，為「四庫全書珍本初集」，則其中「渠」字當為「棐」字之誤題。

【書名】《中國古籍善本書目》（經部）頁二六八題作「《沈先生春秋比事》」。

《宋志》：「二十卷。」

【著錄】《直齋書錄解題》卷三，頁四六三、《文獻通考・經籍考》卷十，頁二六六著錄。

佚。

【存佚】本書今有四庫全書本，且《春秋總義論著目錄》頁五六注曰「存」，故應改注曰「存」。

【版本及藏地】本書版本及藏地如下：

一、文淵閣四庫全書本：《春秋比事》二十卷，台北故宮博物院有藏本。

【增補】永瑢等撰《欽定四庫全書總目》曰：「春秋比事二十卷　浙江吳玉墀家藏本

舊本題宋沈棐撰[53]。棐，始末無可考，惟是書前有陳亮序稱其『字文伯，湖州人，嘗為婺之校官。』陳振孫《書錄解題》曰：『案湖有沈文伯，名長卿，號審齋居士。為常州倅，忤秦檜，貶化州。不名棐也，不知同父何以云。然豈別有名棐而字文伯者乎？然則非湖人也』云云，其說與亮迥異。都穆《聽雨紀談》又據嘉定辛未廬陵譚月卿序，以為莆陽劉朔撰，并稱月卿親見劉氏家本。此本不載月卿序，亦未審穆何所據，疑以傳疑，無從是正。以陳亮去棐世近，姑從所序，仍著棐名。其書前以諸國類次，後以朝聘、征伐、會盟事迹相近者，各比例而為之說，持論頗為平允。本名《春秋總論》，亮為更此名。元至正中，嘗刊於金華。其板久毀，世罕傳本。故朱彝尊《經義考》注曰『已佚』。此本前有中興路儒學教授王顯仁序，蓋猶從元刻傳錄者也。」（卷二十七，頁三四八）

【增補】邵懿辰撰、邵章續錄：《增訂四庫簡明目錄標注》卷三曰：「《春秋比事》二十卷，宋沈棐撰。

53霖案：原注云：余嘉錫：是書作者當作劉朔。朔字復之，莆田人。紹興庚辰，以《春秋》登第，調溫州司戶，累知福清縣，入為秘書省正字。事見於《後村集》卷一○七《二大父遺文跋》、《水心集》卷十二《二劉墓志》中。

路有鈔本，四庫箸錄，係吳玉墀家鈔本，繡谷亭書錄跋此書考撰人甚詳。

〔附錄〕東湖叢記云，元刊本有嘉定辛未譚卿月，至元己卯王顯仁跋，首題沈先生《春秋比事》。（紹箕）

〔續錄〕宋陳亮刊本，佳。元至正中金華刊本。」（頁一一〇）

【增補】胡玉縉撰、王欣夫輯《四庫全書總目提要補正》卷七曰：「陸氏《儀顧堂續跋》影元本跋有二則，其一稱：『嘉定辛未廬陵譚卿月浚明跋，秖存『頃得劉氏家本，特表而出之，且讎正三十六字，乙者十有三，減者六，注者十有七云』三行而缺其前。因據《繫年要錄》、《輿地紀勝》、《嚴州圖經》、《咸淳毘陵志》歷攷沈文伯之仕履，以為無言其治《春秋》者，無怪同甫、直齋均有疑辭。』其二云：『都穆《聽雨紀談》據譚卿月序以為劉朔作，《四庫》所據本無譚序，故《提要》著錄仍題沈棐名，此本譚序秖存末三行，但以『頃得劉氏家本特表而出之』二語證之，必以為劉朔作。考朔為後村之祖，《後村集》有〈二大夫遺文跋〉云：『麟台歿於信安傳舍中，故遺槀尤少，有《春秋比事》二十卷，別為書』，與譚卿月之言合，則此書信為劉朔作矣。朔字復之，莆田人，與兄夙皆受業於林光朝，少喜《易》，蘄以名家，以《春秋》久為王介甫茅塞，更治《春秋》。紹興庚辰，以《春秋》登第，調溫州司戶，累知福清縣，入為祕書正字，疾作，求為福建參議官，行至信安，卒於傳舍，見《中興館閣錄》及《葉水心集．二劉墓誌》。朔既以《春秋》名家，又有《後村集》、譚卿月序可證，其為朔著無疑。惟文伯氣節文章卓然有以自立，必非竊書以為名者，同甫所見之本並無撰人姓名，序稱或曰沈文伯所為，亦未必定為文伯作也，直齋乃始誤會，當改題劉朔名為是。其書卷一周天王云云，卷二十夷狄，《春秋》之教，比事屬辭，雖著於《禮》經，而漢、唐以來說《春秋》者，無有依經比類合為一書而加以論斷者，有之自此書始，故水心推為三家之外自出新義爾雅獨至也。是書初刊於同甫，當在淳熙中，再刊行嘉定，三刊於至元，惟王顯仁所見之嘉定刊本，譚卿月序不全，又未細繹陳序，遂題為沈先生《春秋比事》，其誤蓋始於陳直齋而成於王顯仁，同甫不任咎也。文淵閣著錄《春秋比事》兩部，亦題文伯名，蓋皆元刊，惟都穆所見之本，譚卿月序完全，當為嘉定刊耳，安所得譚序完全者一證明之。《經義考》亦不載譚卿月序，又引吳師道說，謂沈棐字文約，衢人，未知何據？』」（頁一七二至頁一七三）

【增補】余嘉錫《四庫提要辨證》曰：「《儀顧堂續跋》卷三有是書影元本跋云：『沈先生《春秋比事》二十卷，影寫元刊本前有至正乙卯中興路教授王顯仁序，嘉定辛未廬陵譚月卿浚明跋祇存三行，而缺其前，頃得劉氏家本，特表而出之。且讎正三十六字，乙者十有三，減者六，注者十有七云。《直齋書錄解題》曰：『《春秋比事》，沈棐文伯撰。陳同甫序曰，文伯名棐，湖州人，嘗為婺之校官。以文辭稱，而不聞其以經稱也。湖有沈文伯，名長卿，號審齋居士；為常州倅，忤秦檜，貶化州；不名棐也。不知同甫何以云然，豈別有名棐字文伯者乎？然則非湖人也。』愚案：《建炎以來繫年要錄》卷九十一，左儒林郎新婺州教授沈長卿為祕書正字，尋不行。是文伯嘗為婺州教官信而有徵，名棐字文伯於義亦通。意者長卿初名棐，而後改名歟，惜無確證耳。長卿，靖康時太學生，元年二月二十二日曾上書數千言，論諸生伏闕事，見

《北盟會編》。建炎二年進士，累官臨安府觀察推官，紹興中，湖南安撫使李綱辟為屬，旋除婺州教授。五年，除祕書省正字，不行。十八年，以左通直郎通判常州。三月，以將作監丞改判嚴州。十九年十月，進左議郎，罷。嘗與芮煇同賦牡丹詩，有『甯令漢社稷，變作莽乾坤』之句，為鄰人所告，檜以為譏訕，二十五年，追兩官，勒停。檜死，復左朝奉郎，主管台州崇道觀。三十年，葉義問使金，辟為書狀官，比還，卒于保州，見《繫年要錄》。《輿地紀勝》、《嚴州圖經》、《減淳毘陵志》，長卿仕履大略具是，無言其治《春秋》者，無怪同甫、直齋均有疑辭也。』又云：『都穆《聽雨紀談》據譚月卿序以為劉朔撰，四庫所據本無譚序，故《提要》著錄仍題沈棐名。此本譚序祗存末三行，但以『頃得劉氏家本，特表而出之』二語證之，必以為劉朔作。考劉朔為後村之祖，《後村集》有〈二大父遺文跋〉云：『麟台公歿於信安傳舍中，故遺稿尤少，有《春秋比事》二十卷，別為書。』與譚月卿之言合，則此書信為劉朔作矣。朔字復之，莆田人，與兄夙皆受業於林光朝。少喜《易》，蘄以名家，以《春秋》久為王介甫茅塞，更治《春秋》。紹興庚辰，以《春秋》登第，調溫州司戶，累知福清縣，入為祕書省正字，疾作，求為福建參議官，行至信安，卒於傳舍。見《中興館閣錄》及《葉水心集二劉墓誌》。朔既以《春秋》名家，又有《後村集》、譚月卿序可證，其為朔著無疑。惟文伯氣節文章，卓然有以自立，必非竊書以為名者，同甫所見之本，並無撰人姓名，序稱『或曰沈文伯所為』，亦未定為文伯作也。直齋乃始誤會，當改題劉朔名為是。《春秋》之教，比事屬辭，雖著於《禮經》，而漢、唐以來，說《春秋》者，無有依經比類會為一書而加以論斷者，有之，自此書始。故水心推為三家之外，自出新義，爾雅獨至也。是書初刊於同甫，當在淳熙中，再刊於嘉定，三刊於至元，惟王顯仁所見之嘉定刊本譚月卿序不全，又未細繹陳序，遂題為沈先扛《春秋比事》。其誤蓋始於陳直齋，而成於王顯仁，同甫不任咎也。文淵閣著錄《春秋比事》兩部，亦題文伯名，蓋皆元刊，惟都穆所見之本，譚月卿序完全，當為嘉定刊耳。安所得譚序完全者一證明之？《經義考》亦不載譚月卿序，又引吳師道說，謂沈棐字文約，衢人，未知何據。』陸氏題跋，此篇最佳，雖仍不免引書不著卷數之病，然頗能補《提要》所不及，且可祛其疑，亦足尚矣。所引《後村集·二大父遺文跋》，在《後村大全集》一百單七卷內，《水心集·二劉墓誌》見《水心集》卷十六，二劉者，劉朔及其兄夙字賓之也。（頁五七至頁五九）

二、民國二十三年上海商務印書館影印本：台灣師範大學圖書館、國立政治大學圖書館有藏本。

三、《四庫全書珍本初集》本：宋沈渠（棐）《春秋比事》二十卷，八冊，馬來西亞大學圖書館有藏本（二部）。

四、清王氏十萬卷樓抄本：題宋沈棐撰《沈先生春秋比事》二十卷，卷十至十二配另一清抄本，有清王宗炎校，丁丙〈跋〉，《中國古籍善本書目》（經部）頁二六八著錄，南京圖書館有藏本。

五、明祁氏淡生堂抄本：題宋沈棐撰《沈先生春秋比事》二十卷，北京圖書館有藏本。

六、宋陳亮刊本：邵懿辰撰、邵章續錄：《增訂四庫簡明目錄標注》卷三，頁一一〇著錄。

七、元至正中金華刊本：邵懿辰撰、邵章續錄：《增訂四庫簡明目錄標注》卷三，頁一一〇著錄。

陳亮〈序〉[54]曰：「《春秋》繼四代而作者也。聖人經世之志寓於屬辭比事之間，而讀書者每患其難通，其善讀則曰：以傳考[55]經之事迹，以經考[56]傳之真偽。如此則經果不可以無傳矣，游、夏之徒胡為而不能措一辭也？余嘗欲即經以類次其事之始末，考[57]其事以論其時，庶幾抱遺經以見聖人之志。客有遺余[58]以《春秋總論》[59]者，曰：『是習《春秋》者之祕書也。』余[60]讀之，灑然有當於予[61]心，雖其論未能一一中的，而即經類事以見其始末，使聖人之志可以捨傳而獨考[62]，此其為志亦大矣。惜其為此書之勤而卒不見其名也，或曰是沈文伯之所為也。文伯名棐，湖州人，嘗為婺之校官，以文字稱而不聞以經傳也。使其非文伯也，此書可不傳乎？使其果文伯也，人固不可以淺料也。[63]因為易其名，曰《春秋比事》，鋟[64]諸木，以與同志者共之。」

【增補】何廣棪：《陳振孫之經學及其《直齋書錄解題》經錄考證》曰：「廣棪案：亮《序》略曰：『《春秋》繼四代而作者也，聖人經世之志寓於屬辭比事之間。……余嘗欲即經以類次其事之始末，考其事以論其時，庶幾抱遺經以見聖人之志。客有遺余《春秋總論》者，曰：『是習《春秋》之秘書也。』余讀之，灑然有當於予心，雖其論未能一一中的，而即經類事以見其始末，使聖人之志可以捨《傳》而獨考，此其為志亦大矣。惜其為此書之勤，而卒不見其名矣。或曰是沈文伯之所為也。文伯名棐，湖州人，嘗為婺之校官，以文字稱，而不聞以經傳也。使其非文伯也，此書可不傳乎？使其果文伯也，人固不可以淺料也。因為易其名曰《春秋比事》，鋟諸木以與同

54霖案：《直齋書錄解題》卷三，頁463。又出自《文獻通考．經籍考》卷十，頁266。又《五經翼》卷十三，頁9（經一五一冊，頁773）。本文係參校《五經翼》之文。

55霖案：「考」字，《五經翼》卷十三引作「攷」字。

56霖案：「考」字，《五經翼》卷十三引作「攷」字。

57霖案：「考」字，《五經翼》卷十三引作「攷」字。

58霖案：「余」字，《五經翼》卷十三引作「予」字。「余」、「予」字義雖通，但用字不同。

59霖案：「《春秋總論》」四字，《五經翼》卷十三題作「《春秋論》」，書名稍異。

60霖案：「余」字，《五經翼》卷十三引作「予」字。「余」、「予」字義雖通，但用字不同。

61霖案：「余」字，《五經翼》卷十三引作「予」字。「余」、「予」字義雖通，但用字不同。

62霖案：「考」字，《五經翼》卷十三引作「攷」字。

63霖案：「以文字稱而不聞以經傳也。使其非文伯也，此書可不傳乎？使其果文伯也，人固不可以淺料也。」諸字，《五經翼》卷十三未有上述諸字，特此說明。

64霖案：「鋟」字，《五經翼》卷十三題作「鐫」字，文意雖通，但用字不同，特此校之。

志者共之。』是此書本名《春秋總論》，亮乃改為今名也。唯於書之撰者，亮實未敢定為棐所作。」（頁五九九至六〇〇）

【增補】何廣棪：《陳振孫之經學及其《直齋書錄解題》經錄考證》曰：「案：據亮《序》及《解題》所述以考之，則直齋認為湖州沈長卿字文伯，與沈棐字文伯者，顯屬兩人；惟肯定棐非湖人，蓋直齋曾撰《吳興人物志》，故敢明斷若是。然都穆《聽雨紀談》曰：『《春秋比事》二十卷，舊名《春秋總論》，宋陳龍川謂湖州沈棐文伯撰，為更其名曰《比事》，序而刻之。嘉定辛未廬陵譚卿月《序》，則以為著於莆陽劉朔，非文伯也。蓋譚親見劉氏家本，故云。』是則譚卿月《序》以此書為劉朔撰。惟《總目》則未以都穆所記為然。《總目》卷二十七《經部》二十七《春秋類》二載：『《春秋比事》二十卷，（浙江吳玉墀家藏本。）舊本題宋沈棐撰。……此本不載月卿（廣棪案：應作卿月。）《序》，亦未審穆何所據。疑以傳疑，無從是正。以陳亮去棐世近，姑從所序，仍著棐名。』蓋上述諸家所考，猶疑莫能明也。陸心源《儀顧堂續跋》卷三《影元本春秋比事跋》曾詳予考證，曰：『沈先生《春秋比事》二十卷，（影寫元刊本。）每頁二十行，每行二十字。前有至元乙卯中興路儒學教授王顯仁《序》，從仕郎、山南江北道肅政廉訪司管勾、承發架閣兼照磨趙君庸，從事郎、廉訪司知事范勿登，仕郎、廉訪司經歷伯家奴，朝列大夫、僉廉訪司事李執中，奉政大夫、僉事李世藩，奉訓大夫、僉事保保，朝列大夫、廉訪副使李守仁，亞中大夫、副使木八沙，中奉大夫、廉訪司圖魯刊版銜名。嘉定辛未廬陵譚卿月浚明跋，祇存『頃得劉氏家本。特表而出之。且讎正三十六字，乙者十有三，減者六，注者十有七云』三行，而缺其前。《直齋書錄解題》曰：『《春秋比事》，沈棐文伯撰。陳同甫《序》曰：『文伯名棐，湖州人。嘗為婺之校官，以文辭稱，而不聞其以經稱也。』湖有沈文伯名長卿，號審齋居士，為常州倅，忤秦檜，貶化州。不名棐也。不知同甫何以云然。豈別有名棐字文伯者乎？然則非湖人也。』愚案：《建炎以來繫年要錄》卷九十一：『左儒林郎、新婺州教授沈長卿為秘書正字，尋不行。』是文伯嘗為婺州教官，信而有徵；名棐字文伯，於義亦通。意者長卿初名棐，而後改名歟，惜無確證耳。長卿，靖康時太學生，元年二月二十二日曾上書數千言，論諸生伏闕事，見《北盟會編》。建炎二年進士，累官臨安府觀察推官。紹興中，湖南安撫使李剛辟為屬，旋除婺州教授。五年，除秘書省正字，不行。十八年，以左通直郎通判常州。三月，以將作監丞改判嚴州。十九年十月，進左奉議郎，罷。嘗與芮燁同賦《牡丹詩》，有『甯令漢社稷，變作莽乾坤』之句，為鄰人所告，檜以為譏訕。二十五年，追兩官，勒停。檜死，復左朝奉郎，主管台州崇道觀。三十年，葉義問使金，辟為書狀官，比還，卒于保州，見《繫年要錄》、《輿地紀勝》、《嚴州圖經》、《咸淳毘陵志》，長卿仕履大略具是，無言其治《春秋》者，無怪同甫、直齋均有疑辭也。』心源《春秋比事跋》二又曰：都穆《聽雨紀談》據譚卿月《序》以為劉朔撰，《四庫》所據本無譚《序》，故《提要》著錄仍題沈棐名。此本譚《序》祇存末三行，但以『頃得劉氏家本，特表而出之。』二語證之，必以為劉朔作。考劉朔為後村之祖，《後村集》有《二大父遺文跋》云：『麟台公歿于信安傳舍中，故遺稿尤少，有《春秋比事》二十卷，別為書。』與譚月卿（廣棪案：應作卿月。）之言合，則此書信為劉朔作矣。朔字復之，莆田人，與兄夙皆受業于林光朝。少善《易》，蘄以名家。以《春秋》久為王介甫茅塞，更治《春秋》。紹興庚辰，以《春秋》登第，調溫州司戶，累知福清縣，入為秘書省正字，疾作，求為福建參議官，行至信安，卒于傳舍。見《中興館閣錄》及《葉水心集，二劉墓誌》。朔既以《春秋》名家，又有《後村集》、譚卿月《序》可證，其為朔著無疑。惟文伯氣節文章，卓然有以自立，必非竊書以為名者，同甫所見之本，並無撰人姓名，《序》稱『或曰沈文伯所為』，亦未定為文伯作也。直齋乃始誤會，當改題劉朔名為是。」是則此書乃劉朔復之所撰，《解題》考之未審也。」（頁六〇〇至頁六〇三）

吳師道曰[65]：「棐，衢人[66]，字文約[67]，陳亮〈序〉以為湖州人，陳振孫謂湖有沈文約[68]名長卿，不名棐[69]，知亮誤也。」

都穆曰[70]：「《春秋比事》二十卷，舊名《春秋總論》，宋陳龍川謂湖州沈棐文伯撰，為更其名曰《比事》，序而刻之。嘉定辛未，廬陵譚卿月[71]〈序〉則以為著於[72]莆陽劉朔，非文伯也，蓋譚[73]親見劉氏家本，故云。」

張萱曰[74]：「宋淳熙間[75]，婺州校官沈棐注[76]。前以諸國為類，後以朝聘、盟會、侵伐等類，凡事之相同者，各為之說。[77]」

李氏起渭《春秋集解》

65霖案：四庫本：吳師道《吳禮部集》卷十六〈古三墳書後題〉一文。又《續編》本137，《簡編》本125，圖家圖書館出版《元代珍本文集彙刊》本均有之。

66霖案：「衢人」二字前，〈古三墳書後題〉另有「亦」字。

67霖案：「文約」二字，〈古三墳書後題〉題作「文伯」，又「伯」字下，應依〈古三墳書後題〉補入「嘗為婺校官，著《春秋比事》」等十字。

68霖案：「文約」二字，〈古三墳書後題〉題作「文伯」。

69霖案：「棐」字下，應依〈古三墳書後題〉補入「今因此書題識。」等六字。

70霖案：都穆著，吳兔牀校正：《南濠居士文跋》（文學山房聚珍板印本）卷一，〈春秋比事〉，頁2014。

71霖案：「譚卿月」三字，《南濠居士文跋》誤作「談卿月」，惟元刊本有嘉定辛未譚卿月〈序〉，故以「譚卿月」為是。

72霖案：「於」字，《南濠居士文跋》題作「于」字。

73霖案：「譚」字，《南濠居士文跋》誤作「談」字。

74霖案：孫能傳等撰《內閣藏書目錄》卷二，頁477。

75霖案：「間」，《內閣藏書目錄》作「閒」，又「間」字下，應依《內閣藏書目錄》補入「陳亮序云：莫詳編撰姓氏，疑」等十一字。

76霖案：「注」下，應依《內閣藏書目錄》補入「也」字。

77霖案：「說」下，應依《內閣藏書目錄》補入「共二十卷」等四字。

佚。

劉氏夙《春秋講義》

一卷。

佚。

真德秀〈後序〉[78]曰：「昌黎公〈寄玉川子詩〉有『《春秋》《三傳》束高閣』之語，學者疑之，謂未有舍傳而可求經者。今觀著作劉公《講義》，一以聖筆為據依，其論秦穆公以人從死者、晉文之召王、宋襄之用人于社，皆以經證傳之失，所謂偉然者也。昔歐陽子患偽說之亂經，著為論辨，自謂時雖莫同，千歲之後，必有予同；曾未二百年，而劉公之論《春秋》蓋與之合，公而有知，當不恨後世之無子雲矣。所講纔十有二[79]條，麟經大指，略[80]盡於此。其言曰：『吾聞法吏以一字輕重矣，未聞聖人以一字輕重《春秋》也。』旨哉言乎！足以破世儒之陋學者，其深味之。」

葉適〈志墓〉[81]曰：「隆興、乾道中，天下稱莆之賢曰二：劉公著作諱夙，字賓之，弟正字諱翔[82]，字復之[83]。二公治[84]《春秋》於三家凡例外，自出新義，爾雅獨至，無能及者。著作[85]釋褐，調吉州司戶臨安府教授[86]，召試館職[87]，除祕書省正字減員，移樞密院編修官[88]

78霖案：《五經翼》卷十三，頁784〈題劉著作春秋講論〉。

79霖案：「二」字，《五經翼》卷十三錄作「三」。然而，由於劉夙《春秋講義》一書，久佚於世，究竟係「三」？抑或是「二」？，則礙於文獻之故，未能考出。

80霖案：「略」字，《五經翼》錄作「畧」字，二者只是字形差異而已。

81霖案：四部叢刊本《水心先生文集·著作正字二劉公墓誌銘》卷十六，頁187~190，又四庫本：冊1164-309《水心集．著作正字二劉公墓誌》。

82霖案：「翔」字，《水心先生文集》卷十六錄作「朔」字。又另考陳騤《南宋館閣錄》卷八、李俊甫《莆陽比事》卷一、謝維新《事類備要》續集卷十三「類姓名」、陳道《(弘治)八閩通志》卷七十一「人物」、凌迪知《萬姓統譜》卷五十九、鄭嶽《莆陽文獻列傳》、黃宗羲《宋元學案》卷四十七、李清馥《閩中理學淵源考》卷九〈正字劉復之先生朔〉、魯曾嶽《(乾隆)福州府志》卷四十八、《經義考》卷二十五，劉氏朔《易占》條下等書，均詳細註明劉朔，字復之，且既然《水心先生文集》明示為劉朔，則《經義考》此處所錄作「劉翔」，乃為錯誤之例。

83霖案：「復之」二字下，竹垞刪去眾多解題內容，由於文字眾多，難於逐一校錄其文，讀者可參看葉適〈著作正字二劉公墓誌銘〉一文。

84霖案：「二公治」三字為竹垞所加，蓋竹垞刪略為數眾多的內容，故加此三字，以貫串前後文句。

85霖案：「著作」二字下，應依〈著作正字二劉公墓誌銘〉補入「既」字。

86霖案：「教授」二字下，應依〈著作正字二劉公墓誌銘〉補入「會正字迎游夫人於永嘉，易教授溫州。」等十五字。

87霖案：「館職」二字下，竹垞刪去若干文句，難於逐一校補，讀者可參看原文。

兼史院編修官[89]，除著作佐郎[90]，出[91]知衢州。」

周氏淳中《春秋說約》

【作者】周淳中（1122～1189），字仲古，溫州瑞安人。登進士第，乞監南嶽廟，教授全州。後教授廣德軍，改知台州寧海縣，終淮東安撫司參議官。淳熙十六年卒，年六十八。有《春秋說約》六卷，《文集》十卷。

六卷。

佚。

葉適〈志墓〉曰[92]：「淳中字仲古，溫州瑞安縣人[93]。及進士第，乞監潭州南岳[94]廟教授全州，以心喪去；又教授廣德軍[95]，改[96]知台州寧海縣[97]，主管淮西安撫司機宜文字[98]，授茶陵軍使[99]，乞主管台州崇道觀、成都府玉局觀，授淮東安撫司參議官[100]，乞主管建寧府武夷山沖佑觀，淳熙十六年[101]卒[102]，著《文集》十卷、《春秋說約》六卷。」

88霖案：「官」字下，應依〈著作正字二劉公墓誌銘〉補入「母老，屢求去，不許。」等七字，事涉其兼史院編修官之因，不當任意刪去，今補之如上。

89霖案：「官」字下，應依〈著作正字二劉公墓誌銘〉補入「著作曰：『求去以便私也，美職可因而得乎？』力辭不就。右正言陳良祐、侍御史周操疑其必去，合疏留之。」等三十九字。

90霖案：「郎」字，竹垞刪去若干字，由於文字繁多，難於逐一校補，今說明如上。

91霖案：「出」字，〈著作正字二劉公墓誌銘〉無此字，乃是竹垞根據前後文句所加，當刪去。

92霖案：四部叢刊本《水心先生文集·故朝散大夫主管建寧府武夷山沖佑觀周先生墓誌銘》卷十三，頁156。

93霖案：「溫州瑞安縣人」等六字，原應置於文章中篇，而竹垞移動文字位置，致有錯簡情形。

94霖案：「岳」字，〈故朝散大夫主管建寧府武夷山沖佑觀周先生墓誌銘〉作「嶽」字。

95霖案：「廣德軍」三字下，應依〈故朝散大夫主管建寧府武夷山沖佑觀周先生墓誌銘〉補入「廣德之學，自錢公輔、洪興祖先生增制學宮，教以義利先後，人用知勸，滿秩有咨其賢者共為薦。」等字。

96霖案：「改」字下，應依〈故朝散大夫主管建寧府武夷山沖佑觀周先生墓誌銘〉補入「官」字。

97霖案：「縣」字下，竹垞刪去若干文句，難於逐一校補，讀者可參看原文。

98霖案：「字」下，應依〈故朝散大夫主管建寧府武夷山沖佑觀周先生墓誌銘〉補入「帥欲奏邊狀，必請先生，廼具還。」等十二字。

99霖案：「使」字下，應依〈故朝散大夫主管建寧府武夷山沖佑觀周先生墓誌銘〉補入「茶陵闕遠，故求之。已而，遂。」等十字。

100霖案：「官」字下，應依〈故朝散大夫主管建寧府武夷山沖佑觀周先生墓誌銘〉補入「當上，又」三字。

101霖案：「十六年」三字下，應依〈故朝散大夫主管建寧府武夷山沖佑觀周先生墓誌銘〉補入「五月

馬氏之純《春秋左傳紀事》

【作者】馬之純，字師文，號野亭，東陽人。隆興元年進士，潛心經籍，人稱「茂陵先生」，撰有《尚書中庸論語說》，《周禮隨釋》，《左傳類編》，《紀事編年》及詩文若干卷。

佚。

徐氏得之《春秋左氏國紀》

【作者】徐得之，字思叔，臨江人，徐夢莘之弟。淳熙十一年舉進士，部使者以廉吏薦，官至通直郎致仕，撰有《左氏國紀》，《史記年紀》，《靜安作具》，《敝篋筆略》，《鼓吹詞》，《郴江志》諸書。

【書名】《文獻通考．經籍考》卷十，頁二六四著錄，書名題作《左氏國紀》，而《玉海》卷四〇，頁八〇三錄及此書，亦題作「《左氏國紀》」，惟標題附加「隆興」二字，係指隆興年間編纂之籍

《宋志》：「二十卷。」

【分類】【卷數】《郡齋讀書志》卷第五上〈附錄〉，頁三六一著錄，隸屬「經解類」。又《文獻通考．經籍考》卷十，頁二六四著錄，未題卷數。

佚。

陳傅良〈序〉曰[103]：「自荀悅、袁宏以兩漢事編年為書，謂之《左氏》體，蓋不知《左氏》於是始矣。昔夫子作《春秋》，博[104]極天下之史矣，諸不在撥亂世、反之正之科，則不錄也。《左氏》獨有見於經，故采史記次第之，某國事若干，某事書，某事不書，以發明聖人筆削之旨云爾，非直編年為一書也。古者事、言各有史，凡朝廷號令與其君臣相告語為一書，今《書》是已；被之絃[105]歌謂之樂章為一書，今《詩》是已；有司[106]藏焉，而官府、都鄙、邦國習行之為一書，今《儀禮》若《周官》之六典是已；自天子至大夫士氏族傳序為一書，若所謂帝繫、《世本》[107]是已；而他星卜、醫祝皆各為書，至編年則必序[108]事，如

，已未」四字，事涉卒年月日，不當任意刪去，今補之如上。

102霖案：「卒」字下，竹垞刪去若干文句，難於逐一校補，讀者可參看原文。

103霖案：四部叢刊本《止齊先生文集·徐得之左氏國紀序》卷四○，頁204，又《文獻通考．經籍考》卷十，頁264-265。

104霖案：「博」字，《止齋先生文集》作「愽」字。

105霖案：「絃」字，《止齋先生文集》作「弦」字。

106霖案：「司」字，《止齋先生文集》作「可」字。

107霖案：「《世本》」二字，《止齋先生文集》題作「書」字，未云何書，竹垞逕改作「《世本》」者也。

108霖案：「序」字，《止齋先生文集》作「敘」字。

春秋三代而上，僅可見者周譜，他往往[109]見野史，《竹書》、《穆天子傳》之類[110]。自夫子始以編年作經，其筆削嚴矣；《左氏》亦始合事言，二史[111]與諸書之體[112]，依經以作傳，附著年月下，苟不可以發明筆削之旨[113]，則亦不錄也。蓋其辭足以傳遠而無與於經義[114]，則別為《國語》；至夫子所見書，《左氏》有不盡見，又闕不敢為傳，唯謹如此，後作者顧以為一家史體[115]，而讀《左氏》者浸失其意見，謂不釋經，是書之存亡幾無損益於《春秋》，故曰袁、荀二子為之也。由是言之，徐子所為《左氏國紀》曷可少哉？余讀《國紀》，周平、桓之際，王室嘗有事於四方，其大若置曲沃伯為侯，詩人美焉，而經不著師，行非一役，亦與王風刺詩合，而特書伐鄭一事，王子頹之禍，視帶為甚；襄書而惠不書也。學者誠得《國紀》，伏而讀之，因其類居而稽之經，某國事若干，某事書，某事不書，較然明矣。於是致疑，疑而思，思則有得矣。徐子殆有功於《左氏》者也。余苦不多見書，然嘗見唐閱《左氏史》與《國紀》略同，而無所論斷；今《國紀》有所論斷矣，余故不復贊而道其有功於《左氏》者，為之序。」

趙希弁曰[116]：「右清江徐得之所編也，自周而下，各繫以國，又因事而為之論斷。」

【增補】《玉海》卷四〇，頁八〇三引《續館閣書目》云：「《續目》：『《左氏國紀》三十卷，隆興初徐得之編，析諸國之事，每國各繫以年，疏其說於後。』」，其說可與趙氏之說相互參看。

《江西通志》[117]：「徐得之，字思叔，清江人，夢莘之弟。淳熙中，登進士，歷任州縣，以朝請郎致仕，時號西園先生。」

謝氏疇《春秋古經》

【作者】謝疇，字元錫，潼川人。從李燾遊，著有《春秋古經》十篇。

十二篇。

未見。

【霖案】本書未見其他傳本，當已久佚，故改注曰「佚」。

109霖案：「往往」，《止齋先生文集》作「徃徃」。

110霖案：「類」字，《止齋先生文集》作「𩔗」字。

111霖案：「二史」二字，叢刊本《止齋先生文集》漫漶不清，難於辨讀，不知竹垞係據何本文字補入。

112霖案：「體」字，《止齋先生文集》作「軆」字。

113霖案：「旨」字，《止齋先生文集》誤作「指」字。

114霖案：「義」字，《止齋先生文集》作「誼」字。

115霖案：「體」字，《止齋先生文集》作「軆」字。

116霖案：《郡齋讀書志》卷第五上〈附錄〉，頁361。

117霖案：出自：四庫本：卷73。又《四庫全書存目叢書》史部182-183。

李燾〈序〉曰[118]：「《漢藝文志》有《春秋古經》一[119]十二篇，《經》十一卷，《隋》、《唐志》同。《古經》十二篇十一卷者，本《公羊》、《穀梁》兩家所傳，吳士燮[120]始為之注，《隋志》[121]載焉；又有賈逵《春秋三家經訓古》[122]十二卷、宋《三家經》二卷[123]、《唐志》又有李鉉《春秋二傳異同》十一[124]卷、李氏《三傳異同例》十三卷、馮伉《三傳異同》三卷，元和國子監修[125]定《春秋加減》一卷。士燮、賈逵、宋及李、馮、元和諸書，今皆不存，獨抱遺經者，莫適為正。蓋《公羊》得立學官最先，《穀梁》次之，《左氏》最後，故士燮但注二家，不及《左氏》；賈逵既立《左氏》，始通三家。逵、燮并宋以下《異同》、《加減》文字悉已亡佚，莫知其舉厝，何也？隋末唐初《左學》特盛，二家浸微，自杜預集解《左氏》，合經傳為一；正[126]觀十六年，孔穎達承詔修[127]疏；永徽四年，長孫無忌等重上《正義》，邱明[128]傳學愈益盛矣，而仲尼遺經無復單行。學者或從杜解抄出，獨存《左氏》，擯落二家，幸陸德明與穎達同時，於太學自落音義，兼存二家，本書仍各注《左氏》，別字顧亦無決擇；惟正[129]元末，陸淳《纂例》列[130]《三傳》經文差繆凡二百四十一條，自言考校從其有義理者，然往往亦言未知孰是，兼恐差繆[131]不止二百四十一條，惜啖、

118霖案：孫承澤《五經翼》卷十三（台北：莊嚴文化事業有限公司，「四庫全書存目叢書」冊一五一，一九九七年二月，初版一刷），頁774-775，原文題作「〈春秋古經後序〉　李眉山」，而竹垞將「李眉山」改作「李燾」。

119霖案：「一」字，《五經翼》無此字，當刪。

120霖案：《經義考新校》頁3447新增校文如下：「『吳士燮』，文淵閣《四庫》本作『吳士燮』，下同。」

121霖案：「《隋志》」二字，《五經翼》誤植「隋氏」，竹垞逕改其誤。

122「《春秋三家經訓古》」，應依《補正》、「四庫本」作「《春秋三家經本訓詁》」。　霖案：《經義考新校》頁3447校文，「應依」改作「依」字；「四庫本」改作「《四庫薈要》本、文淵閣《四庫》本」；「作」改作「應作」二字。

123霖案：「二卷」，《五經翼》題作「三卷」，此卷數有誤也。

124「十一」，應依《補正》、「四庫本」作「十二」。　霖案：《經義考新校》頁3447校文，「應依」改作「依」字；「四庫本」改作「《四庫薈要》本、文淵閣《四庫》本」；「作」改作「應作」二字。今考《五經翼》適作「十二」，可見竹垞所據之本，當是根據《五經翼》之文。

125霖案：「修」字，《五經翼》題作「脩」字。

126「正」，「備要本」俱作「貞」。　霖案：《五經翼》適作「正」字。

127霖案：「修」字，《五經翼》題作「脩」字。

128霖案：「邱明」二字，《五經翼》作「丘明」。

129「正」，「備要本」俱作「貞」。　霖案：《五經翼》適作「正」字。

130霖案：「列」字，《五經翼》無此字，當是竹垞據文意所加之字。

131霖案：「繆」字，《五經翼》作「謬」字，偏旁不同也。

趙《集傳》今俱失墜，無從審覆耳。余患苦此久矣，嘗欲即三家所傳，純取遺經，心以為是者則大書之，仍細書其不然者於其下，數十年間游走東西，志弗獲就。會潼川謝疇元錫來從余遊，其治《春秋》極有功，因付[132]以斯事，居三月而書成[133]，旁蒐遠引，不一而足，反說以約，厥功彌著。余撫其書，喜甚，亟刻板與學者共之。昔司馬遷言『《春秋》文成數萬』，張晏曰：『《春秋》才萬八千字，遷誤也。』今細數之，更闕一千四百二十八字，數最易見者尚爾錯誤，何況聖人筆削之旨乎？余向所謂心以為是者，眾未必以為是也，亦獨纂例考校從其有義理者云耳。既[134]心以為是，則於證據操舍必[135]具成說，其說自當別出。茲第刻《春秋》純經，庶學者相與盡心焉，仍用《漢志》舊名，題曰《春秋古經》，十二公各為一篇，不復分為十一卷，蓋卷第於經義初無當也。」

【增補】〔補正〕李燾〈序〉內「又有賈逵《春秋三家經訓古》十二卷」，「經」下脫「本」字，「古」當作「詁」；「又有李鉉《春秋二傳異同》十一卷」，當作「十二卷」。〈序〉又云：「蓋《公羊》得立學官最先，《穀梁》次之，《左氏》最後，故士燮但注二家，不及《左氏》。」杰按：《三國志．士燮傳》：「燮事潁川劉子奇，治《左氏春秋》，陳國袁徽與尚書荀彧書曰：『交阯士府君《春秋左氏傳》簡練精微，今欲條《左氏》長義上之。』」据此，則燮注左傳不及二家，李燾語與之相反，恐是誤記也。（卷八，頁六—七）

陸元輔曰：「謝疇，字元錫，潼川人。」

徐氏定《潮州春秋解》

【作者】徐定（1118～1191），字德操，晉江人。歷官郡武令、太平州通判，擢守潮州，紹熙二年卒，年七十四，撰有《春秋解》十二卷。

《通考》：「十二卷。」

【著錄】《文獻通考．經籍考》卷十，頁二六七著錄。

佚。

葉適〈序〉曰[136]：「昔余為〈潮州銘〉，言其學博[137]而要，文約而費，諸子又自列銘

132霖案：「付」字，《五經翼》作「附」字。

133霖案：「書成」二字，《五經翼》作「成書」，二字互倒也。

134霖案：「既」字，《五經翼》作「旣」字。

135霖案：「必」字，《五經翼》作「十」字。

136霖案：《文獻通考．經籍考》卷十，頁267、《五經翼》卷13，頁5(冊151-頁771)所錄之文皆為節文，讀者可以參詳之。又四部叢刊本《水心先生文集·徐德操春秋解序》卷十二，頁147~148有全篇序文，本文取以入校。

137霖案：「博」字，《水心先生文集》作「愽」字。

旁曰：《春秋解》十二卷、《書社問答》二卷、《禮經疑難》一卷，詩文崇孝同參[138]錄，並藏於[139]家，余頗疑之而未克見。後二十六年，始見所謂《春秋解》者，良悔前銘稱美未極[140]，且怪[141]諸子不早示余也。蓋箋傳之學，惟《春秋》為難工。經，理也；史，事也；《春秋》名經而實史也，專於經，則理虛而無證；專於史，則事礙而不通，所以難也。年時、閏朔、禘郊、廟制，理之綱條，不專於史也，濟西、河曲、邱[142]甲、田賦，事之枝葉，不專於經也；薛伯卒，經無預然，杞、滕、邾、莒之興廢固明也；詭諸卒，史無預然，戊寅、甲子之先後固察也。觀潮州此類，皆卓然[143]信明而篤矣。至於授霸者之權，彼與此奪；錄夷狄[144]之變，先略後詳，諸侯群[145]誅，大夫眾貶，凡《春秋》始終，統紀所繫，自《公》、《穀》以來，畫為義例，名分字別，族貴人微，其能本末相顧、隱顯協[146]中如潮州，殆鮮焉。然則理之熟故經而非虛，事之類故史而非礙歟？古人以教其國而使人知其深於是書者歟？雖然，《詩》、《書》、《禮》所以紀堯、舜三代之盛，而《春秋》衰世之竭澤也，示不泯絕而已。或者遂謂一事[147]一義皆聖人之用，則予[148]未敢從也。孔子曰：『桓公九合諸侯，不以兵車，管仲之力也。』又曰：『管仲之器小哉！』夫有齊桓，無晉文，夷吾為小，是《春秋》不命霸也。又曰：『齊景公有馬千駟，死之日，民無得而稱焉；伯夷、叔齊餓于首陽之下，民到于今稱之。』蓋其節目疏遠如此，則苛文密例而辨人之榮辱於毫釐[149]者非歟？余恨不及潮州而正也，因私附於後。」

又〈墓志〉曰[150]：「定，字德操，泉州晉江人[151]，解褐授秀州崇德縣尉[152]，歷處州、

138霖案：「參」字，《水心先生文集》作「叄」字。

139霖案：「於」字，《水心先生文集》作「于」字。

140「極」，「四庫本」作「免」。　霖案：《經義考新校》頁3449校文，「四庫本」之前，尚有「文淵閣」三字。今考《水心先生文集》正作「極」字，顯見「四庫本」作「免」字，實誤。

141霖案：「怪」字，《水心先生文集》作「恠」字。

142霖案：「邱」字，《水心先生文集》作「丘」字，或因避孔子諱而改之。

143霖案：「然」二字，《水心先生文集》作「而」字。

144霖案：《經義考新校》頁3450新增校文如下：「『夷狄』，文津閣《四庫》本作『吳楚』。」

145霖案：「群」字，《水心先生文集》作「羣」字。

146霖案：「協」字，《水心先生文集》作「恊」字。

147霖案：「一事」二字，《水心先生文集》作「一字」，二者皆能通義，今當從《水心先生文集》作「一字」為宜。

148霖案：「予」字，《水心先生文集》作「余」字，二者皆能通義，今當從《水心先生文集》作「余」字。

149霖案：「釐」字，《水心先生文集》作「厘」字。

150霖案：四部叢刊《水心先生文集》卷十四，〈徐德操墓誌銘〉，頁162-163，又四庫：冊1164-頁270-卷14《水心集．徐德操墓誌銘》。

台州[153]教授，知[154]邵武縣[155]，判太平州，知潮州[156]。」

蘇氏權《春秋解》

【作者】蘇權，字元中，仙遊人，蘇洸之子。侍洸官賓州，因學於張栻，淳熙十一年登第，歷梧州推官，調福州教授，改秩知餘干縣，終辰州守，撰有《春秋解》三卷。

三卷。

佚。

《閩書》[157]：「權，字元中[158]，仙遊人[159]，從張南軒[160]，登淳熙第，調梧州推官[161]，終辰州守[162]。」

陳氏震《春秋解》

【作者】陳震，字省仲，晉江人。登淳熙十四年進士。累知韶州，遷太府丞，奏減二廣丁錢，奉祠卒，著有《春秋解》、《史編雜著》數十卷。

佚。

《閩書》[163]：「震，字省仲[164]，晉江人，淳熙進士[165]，累官太府丞[166]。」

151霖案：「晉江人」之下，竹垞刪去若干字，讀者可自行參看《水心先生文集》。

152霖案：「縣尉」之下，應依《水心先生文集》補入「母喪，不行。」等四字。

153霖案：「台州」二字，應依《水心先生文集》改作「吉州」。

154霖案：「知」字下，應依《水心先生文集》補入「邵武軍」三字。

155霖案：「縣」字下，應依《水心先生文集》補入「幹辦福建路轉運司公事，通」等十一字。

156霖案：《經義考新校》頁3450新增校文如下：「『余恨不及潮州而正也』至『判大平州，知潮州』五十四字、「蘇權《春秋解》」，文津閣《四庫》本俱脫漏。」。今考「知潮州」三字下，應依《水心先生文集》補入「還。奏事，謁病，主管武夷山沖祐觀。紹熙二年九月丙戌卒，年七十四。」等字，又「年七十四」之下，另有長篇〈墓誌銘〉的內容，由於文句頗多，難於一一備錄，讀者可自行參看原書。

157霖案：《閩書》卷一一三，〈英舊〉(《四庫全書存目叢書》史二○七冊)，頁66。

158霖案：「字元中」三字下，應依《閩書》補入「少侍父倅賓州。」等六字。

159霖案：「仙遊人」，原書無此四字，當據刪正。

160霖案：「軒」字下，應依《閩書》補入「學」字。

161霖案：「推官」二字下，應依《閩書》補入「帥蔡戡，聞權世有廡名，檄攝帥屬，調三山教官，訓迪不卷，改秩知餘，干洸舊治也。」等三十一字。

162霖案：「終辰州守」四字下，應依《閩書》補入「有《春秋解》三卷，子國台，從爪山潘柄講學，從孫三英早登洪天錫、徐明叔之門，克世其家。」等三十四字。

163霖案：《閩書》卷八十二，〈英舊〉(《四庫全書存目叢書》史二○六)，頁180。

湯氏璹《春秋要論》

佚。

盧熊曰：「湯璹，字君寶[167]，潭州瀏陽人。淳熙十四年進士，歷樞密、國子兩院編修，除祕書丞，兼權禮部郎官，忤韓侂冑，謫居贛州；寶慶初，以中大夫直徽猷閣致仕。」

李氏浹《春秋廣誨蒙》[168]

【增補】〔補正〕當作《左氏廣誨蒙》。（卷八，頁七）

《宋志》：「一卷。」

未見。

【存佚】本書未見其他傳本，且《左傳論著目錄》頁十三錄作「佚」，今從之，故改注曰「佚」。

鄭元慶曰：「李浹，字謙善，德清人，丞相彥穎子，以冑監授承務郎監淮西惠民局，復鎖廳試禮部，詞致瓌特，有司异之，曰：『此執政子也。』嫌弗敢上，親友交唁之。浹曰：『吾既仕矣，學有大於此者，科目何為？』遂不復求試。博覽群書，尤好《左氏》，著有《廣誨蒙》，曰：『眾寶所藏也，獵而有之在我矣。』寧宗朝，歷提舉浙東、常平，至太府少卿，建言忤韓侂冑，出為福建運判，二年召還，卒。」

按：《廣誨蒙》一卷，西亭宗正《聚樂堂藝文志》有之。

164霖案：「字省仲」三字下，應依《閩書》補入「知甌寧縣，歲旱，勸分捐俸為倡，再令新建適更新楮，以帑積舊券代，下戶輸租，通判饒州，知韶州，攝憲節郤臺府，例券數千緡，召除軍監器丞，遷太府丞。奏乞減二廣丁錢，繕郡城壁，填諸州軍籍，乞祠歸，有《春秋解》雜著數十卷。」等八十六字。

165霖案：「晉江人，淳熙進士」七字，《閩書》無之，或出於《閩書》其他卷數，待檢原文證之。

166霖案：「累官太府丞」，原書作「遷太府丞」，原文見上註文。

167霖案：《經義考新校》頁3451新增校文如下：「『君寶』，《四庫薈要》本作『君寶』。」

168「《春秋廣誨蒙》」，應依《補正》作「《左氏廣誨蒙》」。　霖案：《經義考新校》頁3452校文，「應依」改作「依」字；「作」字改作「應作」二字。

卷一百八十九　春秋二十二經義考卷一百八十九春秋二十二

張氏洽《春秋集傳》（宋）

【作者】張洽（1161～1237），字元德，號主一，清江人。從朱熹學，自六經傳注而下，皆究其指歸。第嘉定元年進士，歷袁州司理參軍，尋知永新縣，通判池州，皆有善政。端平初除直秘閣。嘉熙元年以疾乞致仕，旋卒，年七十七，諡文憲，撰有《春秋集注集傳》，《左氏蒙求》，《續通鑑長編事略》，《歷代地理沿革表》及《文集》。

【增補】李一遂〈左氏春秋著錄書目研究〉頁一一四錄有張洽《左氏蒙求》一書，竹垞未錄此書，當據以補入。

二十六卷。

【卷數】本書卷數異稱如下：

一、十九卷（殘）：張壽平《公藏先秦經子注疏書目》頁一三六、瞿鏞編纂．瞿果行標點．瞿鳳起覆校《鐵琴銅劍樓藏書目錄》卷五，頁一四二著錄。

二、十一卷（殘）：杜信孚等編纂《同名異書匯錄》頁一四二著錄。

三、二十卷（殘）：《中國古籍善本書目》（經部）頁二六九著錄。

佚。

【存佚】《春秋總義論著目錄》頁二四注曰「存」，實則本書雖有殘本傳世，而未能完備，理應改注曰「闕」

【版本及藏地】《春秋總義論著目錄》頁二四至頁二五曰：「傳本：國立中央圖書館藏殘本一種，存十九卷十冊；《中國古籍善本書目》收殘本五種，皆存十九卷。北大圖書館藏有鈔本《通志堂經解》」，今參考諸家書目及館藏，得知此書版本及藏地如下：

一、元祐甲寅（元年）臨江路學刊本：(宋)張洽撰《春秋集傳》存十九卷，十冊，缺卷十八至二十，二十三至二十六，台北故宮博物院有藏本，張壽平《公藏先秦經子注疏書目》頁一三六著錄，卷數題作「十九卷」，當為阮元進呈之本。然而，羅振玉《經義考目錄．校記》卻題作「十七卷」，如細數其闕卷，應為「十九卷」之誤。

【增補】〔校記〕阮氏進呈元延祐臨江路學本十七卷，缺十八至二十、又二十三至二十六卷。（《春秋》，頁五十）

二、鈔本：(宋)張洽撰《春秋集傳》殘存十九卷，缺卷十八至卷二十；卷二十三至二十六，凡七卷，視其版本，當同於元祐元年臨江路學刊本。全書十冊，9行，行21字，小字雙行字數同，版心中間記卷第，下方書葉次，全幅24x13.3公分，有微卷，冊一文末題有「延祐甲寅李教授委職校正捐俸補完」，正文卷端題「春秋卷第一　張洽集傳」等字，有乾隆五十八年杭東里人盧文弨〈書後〉、乾隆甲寅 苕水嚴元照久能氏書于芳椒堂〈跋〉，有「絜園主人」朱文方印、國立中央圖書館收藏」朱文長方印諸印，另有嚴元照手書題跋，台北：國家圖書館有藏本。

【增補】《國家圖書館善本書志初稿》：「【春秋集傳存十九卷十冊】

鈔本　00531

宋張洽撰。洽（1161-1237）字元德，號主一，清江人，從朱熹學。

全幅高 24 公分，寬 13.3 公分。每半葉九行，行二十一字，版心中間記卷第，下方書葉次。全書二十六卷，殘缺卷十八至卷二十、卷二十三至二十六凡七卷，此外書中仍有空白缺文者多處。

首卷首行頂格題『春秋卷第一』，同行低七格題『張洽集傳』。卷末隔二行有尾題。卷二十二正文後隔四行有『乾隆癸丑嘉平十有一日盧文弨閱，時年七十有七』，隔一行有『文弨借觀』方印一。正文後收錄『春秋綱領』一文，文後附牌記一，文日:『路學所刊集傳無綱領庭堅延祐甲寅承命校正遂以此請李廣文併刊方為全書諸費皆廣文自為規劃不申支不題助故事成而人不知第集注沿革未刊庭堅繼今圖之百拜謹識』。卷首前有張洽『繳省投進狀』一紙，文並不全。卷末有過錄乾隆五十八年(1793)盧文弨跋，及翌年嚴元照手書題跋，後者說明如何購得此元代刊本，及手錄副本之經過。題跋後有『附錄諸君來往小札』數篇，并元照札後識語。

書中鈐有『國立中央圖/書館收藏』朱文長方印、『芷圃/收藏』朱文長方印、『絜園/主人』朱文方印。

《愛日精盧藏書志》卷五有著錄。」(頁 144)。

三、宛委別藏本：宋張洽撰《春秋集傳》二十六卷，十冊，杜信孚等編纂《同名異書匯錄》頁一四二著錄，此本即阮元進呈之本，現存台北故宮博物院。

【增補】《續修四庫全書總目提要》：「春秋集傳十九卷　宛委別藏影印元延祐元年臨江路學刻本　　　張壽林

宋張洽撰。洽字元德。清江人。嘉定初進士。歷官著佐郎。卒謚文憲。所著有春秋集注十一卷。綱領一卷。四庫已著錄。又清朱彝尊經義考著錄是編。及春秋歷代郡縣地理沿革表二十七卷。均注云佚。四庫全書總目亦稱集注遺本僅存。而所謂集傳。則佚之久矣。按經義考是編元本二十六卷。此本為元延祐間臨江路學所刊。惜卷十八至卷二十。又卷二十三至二十六。皆已殘闕。所存者惟卷一至十七。及卷二十一至二十二。都凡十有九卷。考洽嘗遊於朱子之門。為白鹿書院長。生平心思。皆萃於春秋。是編蓋以春秋一書。因時君之行事。以斷是非之公。為生人之大倫。致治之良法。故從師友傳習講論。而參以漢唐以來。諸儒之議論。考覈研究。會其異同。間有所得。乃取其足以發明聖人之意者。附於每事之左。以為之傳。因以春秋集傳名其書。核其所註。大抵集諸家之長。而折衷之。以歸於至當。殊無胡氏牽合之弊。據洽進書狀。及曾孫庭聖後序。知其書端平元年甲午嘗進於朝。而久無刊本。至元延祐間李廣文萬敵始延庭堅校正補刊之。蓋即此本也。明洪武初頒五經四子書於學官。傳注多宗朱子。惟易兼用程朱。春秋則胡氏張氏並存。迄永樂中集大全專以胡氏為主。采其與胡氏相發明者。而去其與胡氏相剌戾者。至此學者不復知有洽書矣。今考其書。釋春王正月。本朱子之說。以改月改時為正。與胡氏之本。康候夏時冠周月之義多別。開卷便枘鑿不相入。宜夫士子之棄之惟恐不遠。而其書亦漸闕失。今得是編。雖非完本。然全書崖略。尚可推尋。亦足珍貴矣。」(頁七四二)

四、通志堂經解本:葉德輝《徵刻唐宋祕本書目考證》頁一四七一錄之,題作《春秋集註》十一卷。又杜信孚等編纂《同名異書匯錄》頁一四二著錄。

五、舊鈔本:復旦大學圖書館有藏本。

【增補】《嘉業堂藏書志》卷一曰:「《春秋集傳》二十六卷 舊鈔本 宋張洽撰。洽字元德,清江人,嘉定中進士,官至著作佐郎。家居著書,朝廷宣命,謄寫以進。書上,除知寶章閣,未出而卒,謚文憲。以其書付秘閣。首有端平二年《繳省投進狀》。是書之佚已久,阮文達公巡撫浙江時,得元延祐中李教授萬敵刻於臨江路學、洽之曾孫庭堅校正本,進呈內府,始有影鈔。原缺十八至二十、二十三至二十六,共七卷。此舊鈔,有孫子瀟手跋。有『張伯元別字芙川』白文方印,『蓉鏡珍藏』白文方印,『琴川張氏小瑯嬛清閟精鈔秘帙』朱文方印,『汪士鐘曾讀』朱文方印。 孫氏手跋曰:張文憲《春秋集傳》二十六卷,《綱領》一卷,元槧久佚。茲所鈔亦僅存十九卷,其第十八卷至二十、第二十三至二十六,不可得而完矣。其書與所傳《集注》無甚大異,特此更條晰,蓋先有是書,後更撮其精要,詮次其說,以為《集注》,故有詳略而無異同。其定春王正為周建子之月,足訂胡安國之 。《集注》但撮舉其要,而於經、傳之錯見互異處,未盡證明。此書反覆辯晰,多至八百餘字,實《集注》所未傳。以資考核,則固此善於彼也。道光元年辛巳四月,心青居士孫源湘記。(繆稿)」(頁一五九至頁一六〇)

【增補】瞿鏞編纂.瞿果行標點.瞿鳳起覆校《鐵琴銅劍樓藏書目錄》卷五曰:「宋張洽撰。案:文憲游朱子之門,湛深經學,於《春秋》有《集注》、《集傳》、《地里沿革表》三書。朱氏《經義考》云:《集傳》已佚,《四庫全書總目》亦未收入。原本二十六卷,今佚第十八至二十、第二十三至末,凡七卷。其書與《集注》例異,首列《左氏》、《公》、《穀》程氏、胡氏傳及諸儒之解,後另行作《辨說》以折衷至當。其釋『春王正月』,主改月改時而言。左氏亦有錯出處,如太子申生之死,《經》書於僖六年之春,而《傳》以為五年之冬;韓之戰,《經》書十一月壬戌,而《傳》以為九月壬戌;以至奚齊、卓子之弒,里克丕鄭之殺,皆《傳》先而《經》後。蓋是時晉之國史,不用周正,而用夏正,是以有差。左氏訛以為《經》從『告』而書之,使即從『告』,何以每差兩月?且訃告雖後,而告以日月則從實,豈有始經國史之錄,再經夫子之修,而不能釐正其文者?故知周正、夏正,因兩存而混淆,其說甚辨。後來諸儒不宗胡氏夏時冠周月之解,其論實肇於文憲。其他若邾儀父之盟,謂幽厲以來,屢盟長亂,春秋惡盟,誓謹參盟,所以撥亂反正,初獻六羽,謂當從《公羊》。程子說見前。此用八佾之僭,胥命于蒲,謂謹霸政擅命之始,與《集注》大略相似,蓋此書為《集注》之權輿也。前有〈進書狀〉,謂《春秋》之書,嘗從師友傳習,於漢唐以來諸儒議論,莫不弦覈研究,會其異同,而參其中否。積年既久,取其足以發明聖人之意者,附於每事之左,以為之傳。衛氏宗武所云:『索幽闡秘,研精極微者，洵不誣也。』其書嘗刊於延祐甲寅，《綱領》一卷附後。今惟《綱領》刻《通志堂經解》中。此本有曾孫廷堅〈書後〉一則，猶原本也。（頁一四二）

六、民國二十四年(1935)上海商務印書館影印本：(宋)張洽撰《春秋集傳》二六卷，十冊，據宛委別藏元延祐刻本影印，原缺卷十八至二十；又卷二三至二六，合計殘存十九卷，台北：國家圖書館．台北：東吳大學．中央圖書館台灣分館．台灣大學等地圖書館均有藏本。

又馬來西亞大學圖書館有藏本（二部）

七、民國六十一年(1972)藝文印書館四部分類叢書集成三編影印本：(宋)張洽撰《春秋集傳》二六卷，台北：國家圖書館．新竹清華大學． 靜宜大學蓋夏圖書館．嘉義：中正大學圖書館．台南：成功大學圖書館均有藏本。

八、清抄本：宋張洽撰《春秋集傳》二十六卷，《綱領》一卷，（存二十卷，一至十七；二十一至二十二，《綱領》），有丁丙〈跋〉，《中國古籍善本書目》（經部）頁二六九著錄，南京圖書館有藏本。

九、清抄本：宋張洽撰《春秋集傳》二十六卷，《綱領》一卷，（存二十卷，一至十七；二十一至二十二，《綱領》），有清張鑑〈跋〉，浙江圖書館有藏本。

十、清抄本：宋張洽撰《春秋集傳》二十六卷，《綱領》一卷，（存二十卷，一至十七；二十一至二十二，《綱領》），北京師範大學圖書館有藏本。

十一、清抄本：宋張洽撰《春秋集傳》二十六卷，《綱領》一卷，（存二十卷，一至十七；二十一至二十二，《綱領》），北京圖書館有藏本。

十二、清抄本：（又一部）宋張洽撰《春秋集傳》二十六卷，《綱領》一卷，（存二十卷，一至十七；二十一至二十二，《綱領》），北京圖書館有藏本。

十三、鈔本：張洽《春秋集傳》十九卷，六冊，北京大學圖書館有藏本。案：此本與今台北：國家圖書館藏本近同，然實為二本。

【霖案】王重民著錄此本之時，謂之藏於「北京大學」的藏書館，而今查相關館藏圖書館，卻發現此本卻藏於北京師範大學圖書館，未詳是否為王重民一時誤記所致？抑或其後典籍自北京大學流至北京師範大學？今附記疑點如上。

【增補】王重民：《中國善本書提要》曰：「【春秋集傳　殘存十九卷　綱領一卷】六冊（《四庫未收書目》卷二）（北大）

鈔本〔十行二十二字〕

原題：「張洽集傳。」張洽《狀》後題：「延祐甲寅李教授捐俸補刊于臨江路學。」《綱領》末又有題識云：「路學所刊《集傳》無《綱領》，庭堅延祐甲寅承命校正，遂以此請李廣文併列，方為全書。諸費皆廣文自為規畫，不申支，不題助，故事成而人不知。第《集注》沿革未刊，庭堅及今圖之，百拜謹識。」按「路學所刊《集傳》」，即庭堅《春秋集注》後序所稱「魯齋副使臧公移文本路」所刊之本也。因其本「雖成，而章卷倒亂，文字差訛不可讀，屏廢久之」，蓋至「延祐甲寅，李教授」始為「捐俸補刊」。又以原本無《綱領》，庭堅乃請「李廣文併列，方為全書」也。此所述頗明白，而張鑑等作跋，似稍有誤解。又是書清代所傳凡兩本：一為嚴元照抄本，《抱經堂集》卷八，《悔菴學文》卷六，並有跋；一為張鑑跋本，見《皕宋樓藏書志》卷八。此本有張鑑跋，為從張本出者。張氏雖不言其本從嚴本出，然並闕卷十八至二十，又二十三至二十六，溯其源，兩本當從一本出也。茲依此本迻錄張鑑跋文於後：

秀水朱彝尊《經義攷》，宋張氏洽《春秋集傳》二十六卷，《春秋歷代郡縣地里沿革表》二十七卷，《目錄》二卷，並佚。又《春秋集注》十一卷，《綱領》一卷存。今《四庫》書內衹有洽《集注》及《綱領》一卷。此本為《集傳》二十六卷，內缺第十八、十九、二十、二十三、二十四、二十五、二十六，共七卷，唯外附《綱領》一卷，則與《集注》同。疑當日《集傳》、《集注》本為一書，自後人專尚《集注》，遂以《綱領》附之以行。書既久佚，竟亦無從是正。洽字元德，清江人，為朱子門人，嘉定初成進士，歷官著作佐郎，卒謚文憲。《經義攷》又載其曾孫庭堅《集注後序》云：曾大父文憲公所著《春秋集傳》、《集注》、《地里沿革表》三書，宋端平甲午宣進于朝，付秘閣。後《集注》刊郡庠，景定庚申燬焉。皇元大德庚子，雪崖黃先生慨是書之不傳而願見者眾，欲鋟梓而未集。辛丑歲，文臺二提舉張思敬、滕斌亦求助好事者，僅成三卷。瑞教虞汲留洪上其事于文臺，轉申憲司，時魯齋副使臧公移文本路總府，下學刊刻《沿革》、《集傳》二書。《集傳》雖成，而主司任事，不得其人，遂致章卷倒亂，文字差訛，不可讀，屏廢久之，而《沿革》一書，亦無復舉行。迨皇慶癸丑，江南諸道行御史臺行移各路，《春秋》用張主一傳，延祐庚寅詔興科目，而遠方士友購求《傳注》者頗多。時李廣文萬敵，主教此邦，俾庭堅赴學校正補刊，于是《集傳》始為全書，流行四方。則此書在元時亦止兩刊。此刻字畫端謹，篇次詳慎，其為在後校正補刊之本無疑。且古人著書，綱目多在卷末，此傳因當時本與《集注》並刻，故得附于卷終。不必以延祐以後重刊《集注》而疑其有《綱領》也。至其書大致于《三傳》之外，兼採啖氏助《春秋集傳》，趙氏匡《春秋闡發》、《纂類》、《義統》，陸氏淳《集注春秋》，孫氏復《春秋尊王發微》，劉氏敞《春秋傳》、《春秋權衡》、《春秋意林》，孫氏覺《春秋經集解》，程子頤《春秋傳》，蘇氏軾《春秋集解》，胡氏安國《春秋傳》，集數十家之說，而折其衷，議論平允，非後世鑿空者可比。自永樂中《大全》之說行，而習科舉者專守一家之言，遂棄而不問，此可慨也。其《沿革表》今不傳，竟無從識其崖略矣。道光甲午，烏程張鑑跋。」（頁二五至頁二六）

十四、民國八十四年上海古籍出版社<<續修四庫全書>>本 **133**：高雄師大．新竹清華大學．東海大學等地圖書館均有藏本。

十五、民國七十年台北商務印書館影印宛委別藏本：新竹清華大學．台灣大學．靜宜大學蓋夏圖書館．中央圖書館臺灣分館．國立台中圖書館（二部）．高雄中山大學．嘉義：中正大學圖書館．南華大學圖書館等地圖書館均有藏本。

十六、民國七十四年台北新文豐出版事業股份公司叢書集成三編本：南華大學圖書館有藏本。

十七、民國八十五年台北新文豐出版事業股份公司叢書集成三編本：(宋)張洽撰，《春秋集傳》二十六卷，台北國家圖書館有藏本。

十八、民 77 江蘇古籍出版 ：江蘇省新華書店發行本： (宋)張洽撰 ，春秋集傳 十九卷 ，台中：東海大學圖書館．佛光人文社會學院圖書館有藏本。

《春秋歷代郡縣地里沿革表》(宋)

二十七卷，又《目錄》二卷。

佚。

《春秋集注》(宋)

【霖案】《徵刻唐宋秘本書目》頁一四四一著錄。又《中國館藏和刻本漢籍書目》頁四六錄有《春秋集註》三十七卷，未題撰人，疑為張洽《春秋集傳》、《春秋集注》合編本，今未見其書，姑附於此。

【書名】本書異名如下：

一、《春秋集註》：張壽平《公藏先秦經子注疏書目》頁一三六著錄。

二、《張氏春秋集注》：張壽平《公藏先秦經子注疏書目》頁一三六著錄

十一卷，又《綱領》一卷。

【卷數】本書卷數異稱如下：

一、十二卷：張壽平《公藏先秦經子注疏書目》頁一三六著錄。

二、三十五卷：《馬來西亞大學中文圖書目錄》六九〇．五著錄。

【霖案】《綱領》一書，有文淵閣四庫全書本、舊鈔殘本（瞿鏞編纂．瞿果行標點．瞿鳳起覆校《鐵琴銅劍樓藏書目錄》卷五，頁一四二著錄）

存。

【版本及藏地】本書版本及藏地如下：

一、《通志堂經解》本：宋張洽撰《春秋集注》十一卷，《綱領》一卷，二冊，葉德輝《徵刻唐宋祕本書目考證》頁一四七〇著錄，馬來西亞大學圖書館有藏本（二部）。

二、宋端平二年臨江軍刊本：(宋)張洽撰《春秋集注》十一卷，《綱領》一卷，二冊，《國立故宮博物院善本舊籍總目》，上冊，頁九十八著錄，台北：故宮博物院有藏本。

三、文淵閣四庫全書本：《春秋張氏集注》十一卷，《綱領》一卷，四冊，《國立故宮博物院善本舊籍總目》，上冊，頁九十八著錄，台北：故宮博物院有藏本。

【增補】永瑢等撰《欽定四庫全書總目》曰：「春秋集注十一卷[1]綱領一卷　江西巡撫採進本

宋張洽撰。洽字元德，清江人，嘉定中進士，官至著作佐郎。端平元年，朝廷知洽家居著書，宣命臨江軍守臣以禮延訪，齎紙札謄寫以進。書既上，除洽知寶章閣。會洽卒，諡之曰『文憲』。以其書付祕閣。書首有洽進書狀，自言：『於漢、唐以來諸儒之議論，莫不考核研究，取其足以發明聖人之意者，附於每事之左，名曰《春秋集傳》。既又因此書之粗備、復仿先師文公《語》、《孟》之書，會其精意，論[2]次其說，以為《集注》』云云。考《朱子語錄》深駁胡安國夏時冠周月之說，洽此書以春為建子之月，與《左傳》『王周正月』義合。足破支離轇轕之陋。車若水《腳氣集》乃深以洽改從周正為非，門戶之見殊不足據。至若水謂：『於[3]《春秋》一書，質實判斷不得，除非起孔子出來，說當時之事，與所以褒貶去取之意，方得。今作《集注》，便是質實判斷，此照《語》、《孟》例不得。《語》、《孟》是說道理，《春秋》是紀事。且首先數句便難明。『惠公仲子』，不知惠公之仲子耶？或惠公同仲子耶？『尹氏卒』，一邊道是婦人，一邊道是天子之世卿。諸儒譏世卿之說，自是明訓，恐是舉燭尚明之論。理雖是而事則非也』云云。其論亦頗中洽之病，要其合者不可廢也。明洪武中以此書與胡安國《傳》同立學官，迨永樂間，胡廣等剽襲汪克寬《纂疏》為《大全》，其說專主胡《傳》，科場用為程式，洽書遂廢不行。今此書遺本僅存[4]，而所謂《集傳》則失之矣[5]。」（卷二十七，頁三五〇）

【增補】邵懿辰撰、邵章續錄：《增訂四庫簡明目錄標注》卷三曰：「《春秋集注》十一卷，《綱領》一卷，宋張洽撰。

通志堂本，何子貞有宋本集注。

洽所箸集注之外，另有集傳二十六卷，《春秋地理沿革表》二十七卷。

路有不全元刊本《春秋集傳》原二十六卷，朱修伯曰：「洽有集傳，久已失傳。」明宗室西亭氏有刊本，見《列朝詩小傳》。嚴久能有元延祐刊本，缺十八至二十，又二十三至二十六，凡七卷，張目似即從元刊本傳錄。

〔附錄〕陸有影寫元刊本十九卷。陸藏寫本後有道光甲午烏程張鑑跋云，此書元時兩刊，此為在後校正補刊之本，《東湖叢記》以嚴久能所得為宋刊本，即十九卷

1霖案：原注云：按：文淵閣庫書題作《張氏春秋集注》十一卷。

2霖案：原注云：「論」，浙、粵本作「詮」。

3霖案：原注云：「於」，浙、粵本無。

4霖案：原注云：「存」，底本作「傳」，據浙、粵本改。

5霖案：原注云：「失之矣」，浙、粵本作「佚之久矣」。又，崔富章：《集傳》全書二十六卷，清嘉慶間，阮元在浙江訪得元延祐元年臨江路學刻本十九卷進呈，今浙江、南京、北京、北京師大等館藏清抄本十九卷。

本，蓋未確。嚴久能講書時，與錢廣伯、朱朗齋往來書札，俱云宋刊。（紹箕）

〔續錄〕集注有務滋堂刊本，集傳李氏木犀軒有清鈔本二十六卷，殘存卷一至十七，卷二十一至二十二，附《綱領》一卷。」（頁一一一至頁一一二）

【增補】胡玉縉撰、王欣夫輯《四庫全書總目提要補正》卷七曰：「案《集傳》殘本十九卷，見阮氏《揅經室外集》及瞿氏《目錄》、張氏、陸氏《藏書志》。陸氏並載張鑑手跋云：『古人著書，綱目多在卷末，此傳因當時本與《集注》並刻，故得附於卷終，不必以延祐以後重刊《集注》而疑其有《綱領》也。』玉縉案：翁方綱《通志堂經解目錄》云：『《春秋諸傳會通》所引張洽《集傳》其書之佚久矣』，此說與《提要》同。其《經義考補正》亦以為李廉所采者乃《集注》非《集傳》，實則元至間未必已佚，或李廉偶未見耳？」（頁一七五）

【增補】崔富章《四庫提要補正》曰：「丁丙《善本書室藏書志》卷三有『張洽《春秋集傳》十九卷，抄本。阮氏元巡撫浙江時，得元延祐中李教授萬　刻於臨江路學、洽之曾孫庭堅校正本進呈，內府始有影抄。卷首有宋端平二年繳省投進經狀，題銜朝奉郎直秘閣主管建康府崇禧觀賜緋魚袋張洽。惜中缺卷十八至二十、又卷二十三至二十六，共七卷。然全書崖略尚可推尋。餘詳《揅經室外集》提要。』

【按】張洽《進書狀》稱『卒忘其冒昧，而經以上陳其《春秋集傳》二十六卷、《春秋集注》十一卷并《綱領》一卷、《歷代郡縣地理沿革表》二十七卷并《目錄》二卷，已送臨江軍繕寫裝禙了畢』，是《集傳》全書為二十六卷，清嘉慶間阮元在浙江訪得元延祐元年臨江路學刻本僅十九卷進呈，民國二十三年編印《故宮善本書目》（《宛委別藏書目》）仍見著錄，計十冊。今浙江、南京、北京、北京師範大學等館并藏清抄本十九卷。浙館藏本有清道光甲午烏程張鑒跋，陸氏皕宋樓舊藏本。

又，張洽《春秋集注》，《總目》據江西巡撫採進本著錄。檢《四庫採進書目·江西巡撫海續購書目》載『春秋集注四本』，版本不明。今北京館藏宋寶祐三年臨江郡庠原刻本（八行十六字小字雙行同白口左右雙邊有刻工）；又宋刻本（十行十八字小字二十七字白口左右雙邊）；又明抄本；又清初毛氏汲古閣影宋抄本。上海館藏清影宋抄本。上海、天津、西北大學并藏明嘉靖四十三年朱睦㮮聚樂堂刻本（九行十九字白口四周雙邊）。均可與庫書互勘。庫書源出《通志堂經解》本，小四庫同。」（頁一六六至頁一六七）

四、摛藻堂薈要本：(宋)張洽撰《春秋張氏集注》十一卷，《綱領》一卷，六冊，《國立故宮博物院善本舊籍總目》，上冊，頁九十八著錄，台北故宮博物院有藏本。

五、舊鈔本：(宋)張洽撰《春秋集註》十一卷，6冊，24公分，有宗室盛昱收藏圖書印，群碧樓鈔本等印記，首有《春秋綱領》，又端平元年朝奉郎直秘閣主管建康府崇禧觀賜緋張洽照會一通，排架號: 6-1-2，光碟代號: OD004B，台北中研院史語所善本書室有藏本。

【增補】《中央研究院歷史語言研究所善本書目》曰：「《春秋集註》十一卷六冊　宋張洽撰　舊鈔本。」（頁九）

六、清光緒十七年（辛卯）求志書局鉛印排印本：台北中研院史語所有藏本。

七、宋寶祐三年臨江郡庠原刻本：宋張洽撰《春秋集注八行十六字小字雙行同白口左右雙邊，有刻工，北京圖書館有藏本，見於《中國古籍善本書目》（經部）頁二六八、崔富章《四庫提要補正》頁一六七著錄。

八、明抄本：宋張洽撰《春秋集註》十一卷，《綱領》一卷，北京圖書館有藏本。《中國古籍善本書目》（經部）頁二六九、崔富章《四庫提要補正》頁一六七著錄。

九、清初毛氏汲古閣影宋抄本：宋張洽撰《春秋集註》十一卷，《綱領》一卷，北京圖書館有藏本。崔富章《四庫提要補正》頁一六七著錄。

十、清同治十二年(1873)粵東書局重刊本：(宋)張洽撰《春秋集註》十一卷，《綱領》一卷，台北：國家圖書館有藏本。

十一、清乾隆五十年(1785)內府刊本：(宋)張洽撰《春秋集註》一一卷，《綱領》一卷，有「味經窩藏書印」朱文長方印；「秦蕙田味經氏」白文長方印，「味經曾觀」朱文方印，台北：國家圖書館有藏本。

十二、清康熙十九年通志堂刊乾隆五十年修補本：(宋)張洽撰《春秋集注》十一卷《綱領》一卷，二冊，《國立故宮博物院善本舊籍總目》，上冊，頁九十八著錄，台北：故宮博物院有藏本。

十三、明嘉靖四十三年朱睦㮮聚樂堂刻本：宋張洽撰《春秋集註》十一卷，《綱領》一卷，《中國古籍善本書目》（經部）頁二六九著錄，上海、天津市人民圖書館、西北大學等圖書館均有藏本。

【增補】《西北大學圖書館善本書目》曰：「九行十九字，小字雙行，白口，四周雙邊，版心上鐫『聚樂堂』。卷首有嘉靖四十三年睦㮮序。張洽，宋清江人，字元德，從朱熹學，自六經傳注而下，皆究其指歸，嘉定進士。四冊。」（頁四）

十四、五經集註本：宋張洽撰《春秋集註》三十五卷，十五冊，馬來西亞大學圖書館有藏本。

十五、清影宋抄本：宋張洽撰《春秋集註》十一卷，《綱領》一卷，上海圖書館有藏本。

十六、宋刻本：宋張洽撰《春秋集注十行十八字小字廿七字白口左右雙邊，《中國古籍善本書目》（經部）頁二六八著錄，中國國家圖書館有藏本。

十七、明抄本：宋張洽撰《春秋集注》，中國國家圖書館有藏本。

【增補】【考證】《春秋總義論著目錄》頁九曰：「諸書（指：《春秋綱領》等書）皆附於張氏《春秋集傳》之下，今以性質不同，分別為二書登錄。」

【增補】【存佚】《綱領》一書，有文淵閣四庫全書本、舊鈔殘本（瞿鏞編纂・瞿果行標點・瞿鳳起覆校《鐵琴銅劍樓藏書目錄》卷五，頁一四二著錄），又《春秋總義論著目錄》頁九云：「傳本：《四庫全書》、《中國古籍善本書目》收十一種；北大圖書館藏鈔本一種。」。

【增補】【版本及藏地】《春秋綱領》一書版本及藏地，參看張洽《春秋集注》條下。

洽進〈書狀〉曰[6]：「竊以為：《春秋》一[7]書，聖筆所刊，皆因時君之行事，斷以是非之公，示之萬世，而生人之大倫，致治之大法，所賴以不泯者也，嘗從師友傳習講論，凡二百四十二年之行事，與漢、唐以來諸儒之議論，莫不考覈研究，會其異同而參其中否，積年既久，似有得於毫[8]髮之益，過不自度，取其足以發明聖人之意者，附於每事之左以為之傳，名曰《春秋集傳》，既又因此書之麤[9]備，復倣先師文公《語孟》之書，會其精意，詮次其說以為《集注》[10]，而間[11]有一得之愚，則亦竊自附於諸賢之說之後。雖生平[12]心思萃[13]在此書，然智識昏[14]耗，學殖弗深，豈敢自謂盡得聖人筆削之大指？至於地理一書，則以封域分合之參差，古今名號之因革，此同彼異，驟改忽更，散在[15]群[16]書，莫能統會，蓋自誦習之初已病其然，乃博稽載籍，重加參究，竊規司馬遷十表之模範，述為一編，以今之郡縣為經，而緯以上下數千年異同之故，庶幾案圖而考，百世可知。然而私家文籍所有幾何，郡邑圖志未閱千一，雖綱條麤[17]立，而其間遺闕尚多有之，故凡後來之升降，諸書之所未載，聞見之所未詳，大抵皆仍其舊而已，牴牾[18]舛謬，不敢自保。始蓋期於餘力休暇之時，尚求它書增而備之，而自登仕版，心志專於所職，不復能有所是正；間當甲申待次、庚寅奉祠以來，僅能整次《集注》[19]之書，麤[20]成編次，猶冀未遂，首邱[21]之日，凡有一聞一見，悉皆刊定，

6霖案：《春秋集注》(《通志堂經解》本，冊二三)，頁13120-13121。

7霖案：「一」，《春秋集注》題作「之」字。

8霖案：「毫」，《春秋集注》誤作「豪」字。

9霖案：「麤」，《春秋集注》題作「粗」字。

10霖案：「《集注》」，《春秋集注》題作「《集註》」字。

11霖案：「間」，《春秋集注》題作「閒」字。

12霖案：「生平」，《春秋集注》題作「平生」，竹垞引文，二字互為乙倒。

13霖案：「萃」，《春秋集注》題作「粹」字。

14「昏」，《春秋集注》題作「昬」字。

15「在」，「四庫本」作「此」字。　霖案：《經義考新校》頁3454校文，於「四庫」二字之前，尚有「文淵閣」三字。今考《春秋集注》作「在」字，則四庫本作「此」字，誤也。

16霖案：「群」，《春秋集注》題作「羣」字。

17霖案：「麤」，《春秋集注》題作「粗」字。

18霖案：「牴牾」，《春秋集注》題作「抵捂」。

19霖案：「《集注》」，《春秋集注》題作「《集註》」。

20霖案：「麤」，《春秋集注》題作「粗」字。

使就條理，未嘗敢以為成書也。載惟草野愚儒，章句末學，豈應妄有著述？所以犯是不韙者，不過以[22]前賢已成之說，略加編劉，統會群[23]言，掊擊偽辨[24]，以私便覽觀[25]而已。敢圖公朝，俯加訪問，稱其有補治道，給札取將，且欲以上備乙夜之覽，殊命下臨，不勝驚懼。然在疏遠賤士，匿不以聞，秖[26]益為罪，但惟此書實未得為全備，故自聞命之後，雖復益加修潤，而自顧蕪陋，何所取材，踧踖累月，不敢以進；而終以方命為懼，是以卒忘其冒昧，而徑以上陳其《春秋集傳》二十六卷、《春秋集注》[27]一十一卷，并《綱領》一卷、《歷代郡縣地理沿革表》[28]二十七卷、并《目錄》二卷，已送臨江軍繕寫裝褙了畢。敢因申發之次，具此申控情悰，欲望朝廷先賜看詳，如其書無所發明，迂闊於事，即乞免行奏御，塵瀆睿覽；若猶採其葑菲，遂以投進，伏乞敷奏前件所陳，冀逃有隱之誅。洽[29]無任惶懼，俟命之至[30]。端平元年九月日，朝奉郎直祕閣主管建康府崇禧觀賜緋張洽狀。」

曾孫庭堅〈後序〉曰[31]：「曾大父文憲公所著《春秋集傳》、《集注》、《地理沿革表》三書，宋端平甲午宣進於[32]朝，付祕[33]閣。後《集注》刊郡庠，景定庚申燬焉。皇元大德庚子，雪崖黃先生慨是書之不傳，而願見者眾，欲[34]鋟梓而未集。辛丑歲，文臺二提舉張思敬、滕斌亦求助[35]好事者，僅成三卷，瑞教[36]虞汲留洪[37]上其事於文臺，轉申憲司，時魯齋副使

21霖案：「邱」，《春秋集注》題作「丘」字。

22霖案：「以」，《春秋集注》題作「因」字。

23霖案：「群」，《春秋集注》題作「羣」字。

24霖案：「辨」，《春秋集注》題作「辯」字。

25霖案：「覽觀」，《春秋集注》題作「覽觀」，竹垞引文，二字互為乙倒。

26霖案：「秖」，《春秋集注》題作「祇」字。

27霖案：「《春秋集注》」，《春秋集注》題作「《春秋集註》」。

28霖案：「《歷代郡縣地理沿革表》」，《春秋集注》題作「《歷代郡縣地理㳂革表》」。

29霖案：「洽」字下，應依《春秋集注》補入「下情」二字。

30霖案：「至」字下，應依《春秋集注》補入「須至申聞者，右謹具由，臨江軍使衙，伏望指揮施行。」等二十字。

31孫承澤：《五經翼》卷十三，〈春秋集註序〉（《四庫全書存目叢書》經一五一），頁718-722。惟孫氏引作「〈春秋集註序〉張洽」，而竹垞根據逕自改作「曾孫庭堅〈後序〉」，顯見來源當有不同。

32霖案：「於」，《五經翼》引作「于」字。

33霖案：「祕」，《五經翼》引作「秘」字。

34霖案：「欲」，《五經翼》題作「為序其事，以表率桑梓諸公」等字。

35霖案：「求助」，《五經翼》題作「序其事，告當路」等字。

36霖案：「瑞教」二字前，應依《五經翼》補入「時」字。

37霖案：「留洪」二字下，應依《五經翼》補入「見而嘆曰：『豈貧士所能辦！』於是率同志為」等字

臧公[38]移文本路總府下學，刊刻《集傳》、《沿革》二書，《集傳》雖成[39]，而主司任事[40]不得其人，遂致章卷倒亂，文字差訛不可讀，屏廢久之，而《沿革》一書亦無復舉行。迨皇慶癸丑冬，江南諸道行御史臺[41]行移各路，《春秋》用張主一傳，延祐庚寅[42]詔[43]興科目，而遠方士友購求傳注者頗多，時李廣文萬敵主教此邦，俾庭堅赴學校正補刊，於是《集傳》始為全書，流行四方；而庭堅所刊《集注》，拘於授徒，竟弗克就。延祐庚申冬，訓導郡庠[44]，與學正涂鼎語及《集注》、《沿革》之未成，遂以其事[45]上申總府，適際提舉學校官[46]趙文炳[47]為賢德[48]君子，即出學帑以成《集注》，不三月而訖工[49]，庭堅[50]識其事於卷尾[51]。」

【增補】〔補正〕曾孫庭堅〈後序〉內「延祐庚寅」，當作「甲寅」。（卷八，頁七）

。

38霖案：「公」字下，應依《五經翼》補入「實主張之」等四字。

39霖案：「成」字下，應依《五經翼》補入「於壬寅之冬」等六字，可據以知其刊刻完成之時。

40霖案：「事」字下，應依《五經翼》補入「者」字。

41霖案：「行御史臺」，應依《五經翼》作「御史臺行」，竹垞引文，四字互為乙倒。

42「延祐庚寅」，應依《補正》作「延祐甲寅」。　霖案：《經義考新校》頁3452校文，「應依」改作「依」字；「《補正》」二字之下，新出校文如下：「《四庫薈要》本、文津閣《四庫》本」；「作」改作「應作」二字。今考《五經翼》亦作「延祐甲寅」。

43「詔」，「四庫本」作「紹」。　霖案：《經義考新校》頁3456校文，「四庫本」作「文淵閣《四庫》本」。

44霖案：「郡庠」二字下，應依《五經翼》補入「又因循，及至治壬戌夏」等九字，蓋其時非延祐庚申冬，而係至治壬戌夏，二者時代參差不一。

45霖案：「事」字下，應依《五經翼》補入「牒呈本學，而教授劉豈蟠慨然」等十二字，則上書者，非庭堅及涂鼎，而係劉豈蟠，蓋人名有誤。

46霖案：「官」字下，應依《五經翼》補入「同知」二字。

47霖案：「趙文炳」三字下，應依《五經翼》補入「經歷呂邦直，俱」等六字，則其事非僅趙文炳之功，而另有呂邦直者，此漏略人名者也。

48霖案：「德」，《五經翼》作「明」字。

49霖案：「工」字下，應依《五經翼》補入「廣文亦敘其本末於其端矣。而」等十二字。

50霖案：「庭堅」二字下，應依《五經翼》補入「承委校正，誠恐呫嗶之煩，尚多遺缺，敢」等十五字。

51霖案：「尾」字下，應依《五經翼》補入「以質之四方同志，而是正焉。《沿革》一書，繼今其圖之。」等字。

《江西通志》[52]：「張洽字元德，清江人，嘉定初進士，歷官著作佐郎，卒謚文憲。」

納蘭成德〈序〉曰[53]：「清江張元德遊[54]朱子之門，為白鹿書院長，終著作佐郎，追除直寶章閣，而元德已歿矣。其於《春秋》有《集傳》、《集注》[55]、《地理沿革表》三書，端平中進於[56]朝，宣付祕閣[57]。朱子常[58]報元德書矣：『《春秋》某所未學，不敢強為之說，而於《尚書》，則謂[59]老師宿儒所未曉者。』夫學至朱子，智[60]足以知聖人矣，而於《尚書》、《春秋》無傳，非不暇為，亦慎之至也。明洪武初，頒《五經》四子書[61]於[62]學官，傳注多宗朱子，惟《易》則兼用程、朱傳義，《春秋》則《胡氏傳》、《張氏注》並存。久之，習《易》者舍程傳而專宗朱子，習《春秋》者，《胡傳》單行而《集注》流傳日鮮矣。余誦其書，集諸家之長，而折衷歸於至當，無胡氏牽合之弊，允宜頒之學官者也。昔明太祖不主蔡仲默七政左旋之說，乃命學士劉三吾率儒臣二十六[63]人更定《書傳》，曰《書傳會選》，今其書漸廢而仍行《蔡傳》。顧元德是書，昔之所頒行者，反不得與蔡氏並書之，取舍興廢，蓋亦有幸不幸焉，可感也已[64]。」

【增補】〔補正〕納蘭成德〈序〉內「率儒臣二十六人」，「六」當作「七」。（卷八，頁七）

陸元輔曰：「《春秋集注》十一卷，清江張洽元德撰。朱子門人也。洪武中，命士子習胡氏，兼用洽注。自永樂中，集《大全》專以胡氏為主，采其與胡氏相發明者，去其與胡氏相剌戾者，自此學者不復知有洽書矣。然即『春王正月』解觀之，本朱子之說，而以改月改

52霖案：出自：《四庫全書存目叢書》史182-183。

53霖案：張洽：《春秋張氏集注》〈清江張氏春秋集注序〉（《通志堂經解》本，冊二三），頁13114。

54霖案：「遊」，《春秋張氏集注》〈清江張氏春秋集注序〉題作「游」字。

55霖案：「《集注》」，《春秋張氏集注》〈清江張氏春秋集注序〉題作「《集註》」。

56霖案：「於」，《春秋張氏集注》〈清江張氏春秋集注序〉題作「于」字。

57霖案：「祕閣」，《春秋張氏集注》〈清江張氏春秋集注序〉題作「秘閣」。

58霖案：「常」，《春秋張氏集注》〈清江張氏春秋集注序〉題作「嘗」字，蓋竹垞誤作「常」字。

59霖案：「謂」字下，應依《春秋張氏集注》〈清江張氏春秋集注序〉補入「有」字。

60「智」，「四庫本」作「知」。　霖案：今考《春秋張氏集注》〈清江張氏春秋集注序〉之文，正是題作「智」字。

61霖案：「四子書」，《春秋張氏集注》〈清江張氏春秋集注序〉題作「四書」。

62霖案：「於」，《春秋張氏集注》〈清江張氏春秋集注序〉題作「于」字。

63「六」，應依《補正》作「七」。　霖案：《經義考新校》頁3457校文，「應依」改作「依」字；「作」字改作「應作」二字。

64霖案：「已」字下，應依《春秋張氏集注》〈清江張氏春秋集注序〉補入「康熙丁巳二月納蘭成德容若序」等十三字。

時為正，勝於康侯夏時冠周月之義多矣。舉一可以例其餘，知此書之不可不讀也。」

按：張氏《集注》釋「春王正月」云：「此所謂春乃建子月，冬至，陽氣萌生在三統：曰天統，蓋天統以氣為主，故月之，建子即以為春。」其說與胡氏夏時冠周月之義別，一開卷便枘鑿不相入，宜士子棄之惟恐不遠矣。今《春秋大全》專襲環谷汪氏《纂疏》，汪氏既主《胡傳》，故張氏之注不復見錄。若纂修《大全》諸公，張氏《集注》并未寓目，非以其與胡氏剌戾去之也。

【霖案】黃虞稷、周在浚等人《徵刻唐宋祕本書目》云：「洽字元德，清江人，朱子門人。洪武中，命士子習胡傳，兼用洽注。今人只知有胡，不知有洽之有此書，有此人矣。」（頁一四四一），觀陸元輔、朱彝尊之文，率同於此。

范氏士衡《春秋本末》、《尊經傳》

【作者】范士衡，字正平，一字平甫，豐城人。授欽州推官，以廉能著。嘗謂《春秋》一經，其說曼衍，皆傳註害之，作《尊經辨》及《春秋本末》，晚事朱熹，以書請益，熹報之，稱為老友。

佚。

《南昌府志》：「士衡，字正平，豐城人。馬平主簿謂：春秋一經，其說漫衍，皆傳注害之，作《尊經傳》及《春秋本末》。晚師朱晦菴，晦菴稱為老友，其書謝艮齋謂為編次而序之。」

鄭氏可學《春秋博議》

【作者】鄭可學（1152～1212），字子上，號持齋，莆田人。少孤貧，屢試不第，從學朱熹之門，久之最得精要。及熹知漳州，延可學教其子弟，熹晚年刪定《大學》一編，曰：此書欲附托得人，惟子上足以當之。後以特科調衡州司戶。嘉定五年卒，年六十一，撰有《春秋博議》十卷，《師說》十卷，《三朝北盟舉要》一卷。

十卷。

佚。

《閩書》[65]：「可學[66]，字子上，莆田人[67]，受業[68]朱文公[69]，晚以特科授惠州文學，補

65霖案：《閩書》卷一○六，〈英舊〉篇，（《四庫全書存目叢書》史二○六），頁656。又《閩書》卷一○五謂「鄭可學，濟從孫」（頁640），可知鄭可學為鄭濟從之孫，今補錄於此，以供參考。

66霖案：「可學」二字，今本《閩書》漫漶不清，竹垞之文，適能補此二字。

67霖案：「莆田人」，《閩書》無此三字，當刪。

68霖案：「業」，《閩書》題作「學」。

69霖案：「公」字下，應依《閩書》補入「自知性下，用力懲忿，久之，□（得）其精要，四方來學。文公多使質焉。文公知漳州，延實西塾，其後刪定《大學》一編，曰：『此書惟子上可託之。』□□三奉大對」等五十六字。

[70]衡州司戶[71]。」

廖氏德明《春秋會要》

【作者】廖德明，字子晦，號槎溪，南劍州順昌人。受業於朱熹，登乾道五年進士，以宣教郎知莆田縣，後累遷吏部左選郎官，奉祠卒，撰有《文公語錄》，《春秋會要》，《槎溪集》等書。

佚。

《閩書》[72]：「廖德明，字子晦，延平人[73]，受業朱文公[74]，舉進士[75]，累知廣州，遷吏部左選郎官奉祠。」

王氏介《春秋臆說》

十卷。

佚。

真德秀〈志墓〉曰[76]：「介，字元石，世家於吳，徙[77]金華[78]，受學於呂成公[79]，紹興庚戌進士，三人及第[80]，歷官[81]國子監[82]祭酒[83]，以[84]右文殿修撰知嘉興府[85]，改知慶元[86]，

---

[70]霖案：「補」，應依《閩書》題作「調」字。

[71]霖案：「戶」字下，應依《閩書》補入「著《春秋博議》十卷，《三朝北盟舉要》一卷，《師說》十卷。」等十九字。

[72]霖案：《閩書》卷一○三，〈英舊〉篇，(《四庫全書存目叢書》史二○六)，頁600-601。案：原文頗長，竹垞刪略頗甚，且原文部份文句漫漶不清，難於校補，讀者可以自行參看原書。惟文末有「有《文公語錄》、《春秋會要》、《槎溪集》」等字，可以提供讀者參考資訊。

[73]霖案：「延平人」三字，《閩書》無此三字，當刪。又「字子晦」三字下，應依《閩書》補入「少學釋氏，及得楊龜山書，讀之大悟，遂」等十五字。

[74]霖案：「文公」二字下，應依《閩書》補入「始德明諸生時，乞夢大乾廟，見懷刺候謁題曰：『宣教郎』。既」等二十二字。

[75]霖案：「進士」二字下，竹垞刪截頗多，且多漫漶之字，難於校補，讀者可自行參看原書。

[76]霖案：真德秀：《真文忠公文集》卷四六，〈宋集英殿修撰王公墓誌銘〉，(四部叢刊本)，頁712-722。又《西山文集》(四庫本，冊一一七四，臺灣商務印書館印行)，頁744-745亦錄其文。

[77]霖案：「徙」字前，應依《真文忠公文集》補入「後」字。又「徙」字後，應依《真文忠公文集》補入「婺之」二字。

[78]霖案：「金華」二字下，應依《真文忠公文集》補入「曾祖矩，祖敏，泰州助教，考嵩鄉通直郎，贈朝奉大夫。妣杜氏，贈太恭人。公以」等二十九字。

[79]霖案：「受學於呂成公」等六字，《真文忠公文集》無之，當刪。

[80]霖案：「紹興庚戌進士，三人及第」文句，殊不可通，考及《真文忠公文集》，「三人」之前，實應

兼沿海制置。」

繆泳曰：「金華王介，朱文公弟子，嘗知嘉興府事，卒諡忠簡。」

鄭氏文遹《春秋集解》

【作者】鄭文遹（1167～1224），字成叔，號庸齋，福州人。嘉泰四年貢士，初學於黃榦，後同登朱熹之門。嘗觀《太極圖》，悟性善之旨。嘉定十七年卒，年五十七。著有《易學啟蒙或問》，《春秋集解》，《喪禮長編》，《庸齋集》等書，凡五十卷。

佚。

鄒氏補之《春秋注》

【作者】鄒補之，字公袞，開化人。受業朱呂之門，登淳熙進士，官江寧通判，撰有《春秋語孟註》、《兵書解》、《宋朝職略》等書。

佚。

孫氏調《左氏春秋事類》

二十卷。

佚。

蔡氏沆《春秋五論》

加入「第」字，又「庚戌」二下，應依《真文忠公文集》補入「龍飛」二字，原文題作「紹興庚戌龍飛進士第三人及第。」，點校本未校及原書，故不知其原委，而致誤其標點斷句，致文句不通，今補校於上，可供參考。又「及第」二字下，應依《真文忠公文集》補入「積階自承事郎，以恩霈磨勘，七轉至朝奉大夫，歷任僉書昭慶軍節度判官，入為國子錄太學愽（博）士，引親嫌通判紹興府，知邵武軍罷奉祠，知廣德軍，丁大夫公憂，服除，知饒州，未上，再入為祕書郎度支郎官，罷，再奉祠江淮荊浙福建廣南路都大提點，坑冶鑄錢，召除侍左郎官，兼右司，兼太子侍講，兼國史院編修，實錄院檢討。」等字，均係一連串的官職，竹垞均置之不論，今補校於上，以供參考。

81霖案：「歷官」二字，原書無此二字，竹垞刪其眾多官職，而以「歷官」二字代之，今以補其官職如上，故此二字當刪。

82霖案：「監」字，《真文忠公文集》無此字，當刪。

83霖案：「祭酒」二字，應依《真文忠公文集》補入「充金國賀生辰接送伴使，祕書監兼太子右諭德宗正少卿，兼權中書舍人，起居舍人，除。」等字。

84霖案：「以」字，《真文忠公文集》無此字，當刪。

85霖案：「府」字下，應依《真文忠公文集》補入「集英殿修撰，知襄陽府，京西安撫。」等十三字。

86霖案：「元」字下，應依《真文忠公文集》補入「府」字。

【作者】蔡沆，字復之，號復齋居士，建陽人，蔡淵之弟。父元定憐外表兄虞英無子，與之為嗣，更名知方。及領鄉舉，從母命歸宗，入則受教家庭，出則從朱熹學，官至文林郎，兩浙運幹。有《春秋五論》、《春秋大義》、《春秋衍義》等書，人稱其有功於《春秋》者也。

五卷。

存。

【版本及藏地】本書版本及藏地如下：

一、蔡氏九儒書本：蔡重重輯《復齋公集》，《四庫全書存目叢書》集三四六冊，頁七三六至七五五。

《閩書》[87]：「沆，字復之，元定三子[88]，使淵紹[89]《易》學，沈紹[90]《書》學，而以[91]發明《春秋》屬沆[92]，所著《春秋五論》行世，人稱復齋先生。」

沆〈自序〉曰[93]：「慶元丁巳春，先君謫舂陵，以《易》授兄淵，以《皇極》命弟沈，著沆承乎《春秋》。竊[94]惟麟經一書，乃[95]先聖孔夫子之親筆，聖人體道，經世之志存焉。雖假託二百四十二年南面之權，使亂臣賊子禁制之而不得肆其欲，然褒貶公平，是非的實，善惡暴白，而萬世之名分於是乎定，非若他經可以訓詁通也。自《左氏》、《公》、《穀》以來，傳注[96]者無慮百家，往往辭舛意詭[97]，訖[98]無定說，聖人[99]之宏綱大旨鬱而不彰[100]，

87霖案：《閩書》卷一二八，〈韋布〉(《四庫全書存目叢書》史二○七)，頁313。

88霖案：「三子」，根據《經義考》卷一八九，虞知方《春秋衍義》條下引真德秀〈序〉題作「次子」，二者所論或有矛盾，今校錄於此，以俟後考。

89霖案：「紹」字下，應依《閩書》補入「其」字。

90霖案：「紹」字下，應依《閩書》補入「其」字。

91霖案：「以」字下，應依《閩書》補入「所」字。

92霖案：「沆」字下，應依《閩書》補入「沆一日讀《易》，豁然悟曰：『《易》一卦一爻為義各異，謂《春秋》以一例該眾事，可乎？』，讀《書》至道心人心，則歎云：『《春秋》二百四十餘年間，諸侯大夫，行　發於道心者無幾，聖人於賵仲子納郜鼎，皆據大義，以止私欲之流，一書綱領，率在此矣。』，沆所闡父師之傳，以開示後進者，以敬為入德門戶，義為一身主宰，復為學者遷善改過之幾，時時以敬義示人，與人講明復卦言，當以不違復為法，以頻復為戒。」等字。

93霖案：《蔡氏九儒書》〈春秋五論序〉(《四庫全書存目叢書》集三四六冊)，頁736-737。

94霖案：「竊」字，《蔡氏九儒書》作「切」字。

95霖案：「乃」字，《蔡氏九儒書》作「迺」字。

96霖案：「注」，《蔡氏九儒書》作「註」字。

97霖案：「詭」，《蔡氏九儒書》作「訛」字。

致使荊公目之為斷[101]爛朝報[102]，經筵不以進講，考官不以取士，謂非聖經，以眾謬所晦而安石無獨見之明耶？故武夷胡先生研窮編輯，著為[103]成書，正以扶三綱，叙[104]九法，尊王賤霸，內夏外夷，而聖人精微之旨已闡揚於當世矣，豈沆淺見薄識所能彷彿其萬一哉？但其中於賵仲子、納郜鼎，皆為私欲所勝有以致之；又如彼此一事，彼以為是，此以為非，前後一人，前以為褒，後以為貶；或以爵號，或以日月，或書侯、書子、書名、書字、書人、書州、書國，前氏後名，是非褒貶，殆有不同，紛紜聚散，各立一偏[105]之見，若此者不得不推求[106]大端，研究其的實，作此《五論》以辨[107]正之，使後世學者之讀麟經，曉然知《春秋》大義所在，而是非曲直有不可掩者，以繼先人之緒耳，豈敢妄有所議，以取僭踰之罪云。」

熊禾〈序〉曰[108]：「《春秋》者，聖人史外傳心之要典，萬世人主善惡之龜鑑也。筆削之精微，義理之浩瀚，使無武夷胡先生諸儒以發明之，則人心貿貿焉莫知所之，人欲肆而天理滅矣，安能俾世之復治也耶？予嘗讀是書，麤[109]知其中之大意，而精詣之旨尚未能明。咸[110]淳甲戌試春闈，幸官寧武州，而竊有志焉；蓋竭精力者九年，而稿[111]本燼於丙子之厄。太母、少帝、三宮俱已[112]屈膝；乙[113]卯，皇綱弗振，無策匡救保全，是乃天地間一罪人也，因與胡君廷芳[114]、劉君省軒相與講切，僂指蓋十有七年[115]矣。一日，蔡君希聖挈書一帙示

98霖案：「訖」，《蔡氏九儒書》作「迄」字。

99霖案：「聖人」二字前，應依《蔡氏九儒書》補入「而」字。

100霖案：「彰」，《蔡氏九儒書》作「暢」字。

101霖案：「斷」，《蔡氏九儒書》作「斲」字。

102霖案：「朝報」，《蔡氏九儒書》作「經筵」二字。

103霖案：「為」，《蔡氏九儒書》作「而」字。

104霖案：「叙」，《蔡氏九儒書》作「敘」字。

105霖案：「偏」，《蔡氏九儒書》作「篇」字。

106霖案：「求」字下，應依《蔡氏九儒書》補入「其」字。

107霖案：「辨」，《蔡氏九儒書》作「辯」字。

108霖案：《蔡氏九儒書》〈春秋五論後序〉（《四庫全書存目叢書》集三四六冊），頁754-755。案：此人有文集在《叢書集成新編》及《四庫全書》《勿軒集》一書中，讀者可自行參考。

109霖案：「麤」，《蔡氏九儒書》作「粗」字。

110霖案：「咸」，《蔡氏九儒書》作「成」字。

111霖案：「稿」，《蔡氏九儒書》作「藁」字。

112霖案：「已」，《蔡氏九儒書》作「巳」字。

113「乙」，「四庫本」誤作「已」。　霖案：《經義考新校》頁3461校文，其校文位於「乙卯」二字下；其校文如下：「『乙卯』，《四庫薈要》本、文淵閣《四庫》本俱作『乙卯』。」。

114「廷芳」，應依「四庫本」作「庭芳」。　霖案：《經義考新校》頁3461校文，「應依」改作「依

予，拜而言曰：『此書乃吾曾祖復齋公承高大父西山公之屬[116]，所作《春秋五論》也。』予聞之斂[117]容，避席披視，誠道德仁義之言，經綸康濟之學，而其發明天命人心之懿，敷揚聖經賢傳之旨，闡筆削之謹嚴，辨[118]褒貶之攸當，義利之明，書變之論，其要悉備於此，誠為學者之指南。復齋先生之功大矣。先生諱沆，字復之，師事文公朱先生，及受[119]家庭父兄之教，隱於[120]西山前湖，書室聚徒，談道相樂，自號一菴居士。復齋先生，其學者之所尊云。餘詳徐君所作先生之墓銘，無容予之重贅[121]。」

蘇天爵〈後序〉曰[122]：「予前總政中書，弼直左右，為聖天子之股肱耳目，無暇及於《詩》、《書》，今者奉敕來鎮南服藩屏，無事留情諸子百家之學，博詢《春秋》名家，得復齋蔡先生所作《春秋五論》，與南陽山長張義秉燭讀之終篇，見其辭嚴義正，句語警切，使何休諸儒復生，亦心服而效法之，相與起先生於九原而講明焉。不但□□[123]也。若先生可謂有功於《春秋》，有補於後學者也。重加校定，正其訛舛，使聖經賢傳復明於世，後之有志於聖賢之學者，卓然有守，將尊信於[124]經之不暇，而不惑於是非曲直之途矣。其項氏《易翫辭[125]》、《占家記》已行，惟蔡氏《春秋五論》罕有知者，世鮮克傳。予官鄂省，始屬山長張義梓行，以惠天下，四方學者當珍[126]重之為拱[127]璧云。[128]」

蔡有鵾曰：「予族祖復齋先生作《春秋五論》，府縣諸志載之甚詳，況熊勿軒先生序之，

」字；「四庫本」改作「《補正》、《四庫薈要》本、文淵閣《四庫》本」；「作」改作「應作」。今考《蔡氏九儒書》題作「廷芳」，與竹垞所錄相同，則《點校補正經義考》所定之名，或有商榷之處。

115霖案：《蔡氏九儒書》無「年」字。

116霖案：「屬」，《蔡氏九儒書》作「囑」字。

117霖案：「斂」，《蔡氏九儒書》作「歛」字。

118霖案：「辨」，《蔡氏九儒書》作「辯」字。

119霖案：「受」，《蔡氏九儒書》作「授」字。

120霖案：「於」，《蔡氏九儒書》作「于」字。

121霖案：「贅」字下，應依《蔡氏九儒書》補入「至元癸未仲夏端陽日序」等十字。

122霖案：《蔡氏九儒書》〈春秋五論後跋〉(《四庫全書存目叢書》集三四六冊)，頁755。

123霖案：《經義考新校》頁3461新增校文如下：「『□□』，文津閣《四庫》本作『嘉惠』。」，今考《蔡氏九儒書》內容，此空格實作「遽巳」二字。

124霖案：「於」，《蔡氏九儒書》作「是」字。

125霖案：「《易翫辭》」三字，《蔡氏九儒書》作「《易玩辭》」。

126霖案：「珍」，《蔡氏九儒書》作「珎」字。

127霖案：「拱」，《蔡氏九儒書》作「珙」字。

128霖案：「云」字下，應依《蔡氏九儒書》補入「大德丁酉十月立冬日書」等十字。

真西山先生跋之，其刻於文集已明矣；即舊志世家云：文節公嘗語三子曰：『淵紹吾《易》學，沈演吾皇極數，而《春秋》則屬知方焉。』知方即復齋更名。此鑿鑿可據者。今熊氏以《五論》為勿軒著，則非矣；故援考諸書所載以正之，即勿軒文集與行狀皆云：勿軒著有《春秋通解》；而勿軒送胡廷芳[129]〈後序〉曰：『早歲成《春秋通解》一書，又厄於火。』云云。奈何以《五論》而為《通解》耶？此熊氏子孫不察之過也。」

【增補】〔補正〕蔡有鵾條內「胡廷芳」，「廷」當作「庭」。（卷八，頁七）

余用賓跋曰[130]：「《春秋五論》，復齋蔡先生諱沆，字復之者所作也。文學[131]精，義[132]學博，而要本之以天命，叙[133]之以民彝，達之以時中，斷之以通誼，真[134]得聖人作經之大旨，顧學者疎陋，未有深究其說者。呂氏則有《或問》五卷，實與此書相為經緯。然《五論》，《綱領》也；《或問》，條目也，欲觀《或問》，必自《五論》始。三山學宮舊刊《或問》，而此書罕有知者，予故正其亥豕，使並傳於[135]世，為君臣父子[136]而欲通《春秋》之義者[137]，可由此門而入，以得其旨意之大略[138]矣。[139]」

虞氏知方《春秋大義》

【作者】「虞知方」即為「蔡沆」，據真德秀〈序〉文所言，蔡沆「出後虞氏」，則疑蔡沆曾過繼虞氏，因而改姓「虞」，名「知方」，然考諸家之文，多以蔡沆稱之，竹垞上述輯錄蔡沆《春秋五論》一書，而此處引虞知方《春秋大義》、《春秋衍義》二書，名雖為二，實則同為一人，或應統一改作「蔡沆」，而出案語說明原委，使讀者得知其詳情。

二十二卷。

129「胡廷芳」，應依《補正》、「四庫本」作「胡庭芳」。　霖案：《經義考新校》頁3462校文，「應依」改作「依」字；「四庫本」改作「《四庫薈要》本、文淵閣《四庫》本」；「作」改作「應作」二字。

130霖案：《蔡氏九儒書》〈又跋〉（《四庫全書存目叢書》集三四六冊），頁755。

131霖案：「文學」二字，應依《蔡氏九儒書》作「文約」二字。

132霖案：「精，義」，應依《蔡氏九儒書》改作「義精」字，蓋二字互倒，而使得標點本斷句錯誤之失。

133霖案：「叙」，《蔡氏九儒書》作「敘」字。

134霖案：「真」，《蔡氏九儒書》作「直」字。

135霖案：「於」，《蔡氏九儒書》作「于」字。

136霖案：「君臣父子」，《蔡氏九儒書》作「君父臣子」四字。

137霖案：《蔡氏九儒書》無「者」字，當刪。

138霖案：「略」，《蔡氏九儒書》作「畧」字。

139霖案：「矣」字下，應依《蔡氏九儒書》補入「泰定甲子重陽日書」等八字。

佚。

《春秋衍義》

三卷。

佚。

真德秀〈序〉曰[140]：「右《春秋大義》二十二卷、《衍義》三卷，建陽虞君知方復之所著也。初西山蔡先生以道學名，當世[141]有子三人焉，長伯靜，次復之，又其次仲默。復之雖出後虞氏，而其學固蔡氏之學也。先生於經亡不通，而未及論著，顧嘗語三子曰：『淵，女宜紹吾《易》學。』曰：『沈，女宜演吾皇極數，而《春秋》則屬知方焉。』既而《易》、《皇極》二書成，獨《春秋》未得要領。居一日，讀《易》豁然有悟，曰：『夫易之一卦一爻，為義各異，而謂《春秋》以一例該眾事可乎？學者以義求經，而不以例求經，庶幾得聖人之意矣。』久之，讀《書》又豁然有悟，曰：『道心者，義理之正也；人心者，血氣之私也。正者易晦，而私者易流，大舜所以有危微之戒也。春秋二百四十餘年間，諸侯、大夫行事，其發於道心者亡幾，而凡毀彝倫、基禍亂者，皆人心之為也；故經於賵仲子、納郜鼎，皆據[142]大義以止私欲之流，一書綱領大率在此，吾聖人之心即舜之心也。夫《易》、《書》之與《春秋》，其為教亦不同，而君於是得《春秋》之指焉。』蓋天下之理無二致，故聖人之經亦無異指，昧者析之而通者一之也。西山於是乎得所託哉!君又將為《王綱霸統》一書，明王道所由[143]廢與霸權所自起，使萬世人主知履霜堅冰之戒，尤有功於世教云。」

陳氏宓《春秋三傳抄》

【作者】陳宓（1171～1230），字師復，號復齋，莆田人，陳定之弟。少登朱熹之門，長從黃榦游。嘉定七年以父任監進奏院，慷慨盡言，遷軍器監簿，後出知南康軍，改南劍州，後以直秘閣主管崇禧觀，紹定三年卒，年六十，撰有《論語注義問答》、《春秋三傳鈔》，《讀通鑑綱目》，《唐史贅疣》及《復齋先生集》等書。

佚。

《宋史》[144]：「陳宓，字師復，莆田人[145]，丞相俊卿之子，少嘗及登朱熹之門[146]，長

140霖案：真德秀：《真文忠公文集》卷三六，〈跋虞復之春秋大義〉，（四部叢刊本），頁559-560。又四庫本《西山文集》卷三六，〈跋虞復之春秋大義〉，冊一一七四，頁569。案：本文為真德秀跋《春秋大義》之文，非〈序〉，也不當置於《春秋衍義》條下，當改置於《春秋大義》條下。

141霖案：「當世」，應與「以道學名」連書，《點校補正經義考》標點有誤。

142霖案：「據」，《真文忠公文集》題作「据」字。

143霖案：「由」，《真文忠公文集》題作「繇」字。

144霖案：《宋史》卷四○八，列傳第一百六十七，〈陳宓〉，頁12310。

145霖案：「莆田人」三字，《宋史》無之，竹垞據其他文獻補之，當據刪正。又此處所補內容，實為籍貫也。

從黃幹147遊，以蔭補官148，歷149提點廣東刑獄150、直祕閣151贈直龍圖閣152。」

陳氏思謙《春秋三傳會同》

【增補】根據《閩書》之文，陳氏另撰有「《春秋列國類編》」一書，竹垞省略相關文句，是以未能著錄此書，今據以補入，說法詳見下文「《閩書》」條下註文。

四十卷。

未見。《一齋書目》有。

【霖案】本書未見其他傳本，當已久佚，故改注曰「佚」。又《經義考》另云「《一齋書目》有。」，則《一齋書目》曾錄此書，然該書未見諸家館藏，今改注曰「佚」。

《閩書》153：「陳思謙，字退之，龍溪人154。」

陸元輔曰：「思謙嘗魁鄉薦，見知於朱子，語門人李唐咨以女妻焉。」

黃氏東《春秋大旨》

佚。

戴詵曰155：「東，字仁卿，幹之兄。」

時氏瀾《左氏春秋講義》

【作者】時瀾（1156～1222），字子瀾，號南堂拙叟，蘭溪人。與兄澐同師呂祖謙，

146霖案：「門」字下，應依《宋史》補入「熹器異之」等四字。

147霖案：「黃幹」，《宋史》作「黃榦」。

148霖案：「以蔭補官」，竹垞作「以父任歷泉州南安鹽稅，主管鹽稅，主管南外睦宗院、再主管西外，知安溪縣。」等字，竹垞簡易言之，作「以蔭補官」。又「知安溪縣」四字下，竹垞刪略文字頗多，難於校改，讀者可自行參看《宋史》。

149霖案：「歷」，《宋史》無之，竹垞根據文句補之。

150霖案：「獄」字下，應依《宋史》補入「章復三上，迄不就。」等七字。

151霖案：「祕閣」，《宋史》作「秘閣」，又「閣」字下刪錄頗多，不一一校補。

152霖案：「閣」字下，應依《宋史》補入「所著書有《論語注義問答》、《春秋三傳抄》、《讀通鑑綱目》、《唐史贅疣》之稿數十卷，藏于家。」等字。

153霖案：《閩書》卷一○三，漳州府龍溪縣，(《四庫全書存目叢書》. 史二○七)，頁348。

154霖案：「龍溪人」三字，係竹垞根據《閩書》前文補之，原文於「字退之」三字下，未有「龍溪人」三字。又竹垞於「字退之」三字下，當依《閩書》補入「嘗冠鄉薦，著《春秋三傳會同》及《列國類編》。朱文公喜之，後教授來學，多所誘進。」等字。

155霖案：《朱子實紀》卷八，(《四庫全書存目叢書》史八二，頁738。

瀾舉淳熙八年進士，累官朝散郎，通判台州。祖謙輯《書說》，自秦誓沂洛誥，未畢而卒，瀾補完之。嘉定十五年卒，年六十七。有《南堂集》、《易講義》、《左氏講義》、《用錄》、《日記》。

《宋志》：「一卷。156」

【卷數】李一遂〈左氏春秋著錄書目研究〉頁一一八誤作「十卷」。

佚。

趙氏彥秬《春秋左氏發微》

十卷。

佚。

《兩浙名賢錄》157：「趙彥秬，字周錫，東陽人，師事呂祖謙，擢取應科，授右選158，精《春秋左氏傳》159，作《發微》一百篇以進，上嘉之160，旋借和州觀察使161，充接伴副使162。隆興元年，登進士，擢宣義郎，終163眉州通判。164」

【霖案】《兩浙名賢錄》為明·徐象梅撰，有天啟四年光碧堂刻本。

劉氏伯証《左氏本末》、《三傳制度辨》

【作者】劉作証，「証」字即「證」字。劉伯證，字證甫，歙縣人。以文謁魏了翁、真德秀，咸稱善，為之序。後真、魏相繼論薦，力辭不仕。著有《唐史撮要》、《左氏本末》、《三傳制度辨》等書。

俱佚。

156霖案：《經義考新校》頁3465新增校文如下：「『一卷』，《四庫薈要》本、《備要》本俱作『十卷』。」。

157霖案：《兩浙名賢錄》卷一，〈眉州通趙錫彥秬〉下，頁54。

158霖案：「右選」二字下，應依《兩浙名賢錄》補入「非其志也」。

159霖案：「《春秋左氏傳》」，《兩浙名賢錄》無「傳」字，當據刪正。

160霖案：「上嘉之」三字下，應依《兩浙名賢錄》補入「特循一資」四字。

161霖案：「和州觀察史」五字下，應依《兩浙名賢錄》補入「金吾上將軍」五字。

162霖案：「充接伴副使」五字下，應依《兩浙名賢錄》補入「事訖，撰〈虜使問答〉一篇　，上之，特轉一官。」等十五字。

163霖案：「終」字，《兩浙名賢錄》作「累遷」二字。

164霖案：「通判」下，應依《兩浙名賢錄》補入「彥秬好學有文，著述不倦，有詩凡數百篇，名《西征隨筆》。子淦夫，尤工於詩。」等二十八字。

《徽州府志》[165]：「伯証，字正甫[166]，歙縣人[167]。」

趙氏崇度《左氏常談》

【作者】趙崇度（1175～1230），字履節，號節齋，寓餘干，趙崇憲之弟。為右曹郎中，提舉湖南常平，改江西，終朝散大夫。紹定三年卒，年五十六。崇度少時謁朱熹，熹授以《大學》一編。汝愚歸臥里門，又授以《通鑑》，後撰有《磬湖集》，《左氏常談》，《史髓》，《節齋聞記》等書。

佚。

真德秀〈志墓〉曰[168]：「崇度，字履節，丞相忠定公子也[169]。為右曹郎中，提舉湖南常平，改[170]江西，以朝散大夫致仕。」

賀氏升卿《春秋會正論》

一卷。

佚。

周必大曰：「永新賀升卿著《春秋會正論》。」

林氏拱辰《春秋傳》

【作者】林拱辰，字巖起，平陽人。淳熙武舉換文登第，歷知瑞金，大理寺丞，工部尚書，累知揚州，婺州，廣東經略安撫，撰有《詩傳》、《春秋傳》等書。

《宋志》：「三十卷。」

佚。

【版本及藏地】本書版本如下：

165霖案：《徽州府志》卷七，「劉伯諶」條下，(《四庫全書存目叢書》史一八○冊)，頁812。

166霖案：「正甫」，應依《徽州府志》原文作「証甫」！(《四庫全書存目叢書．史一八○》，頁８１２)。

167霖案：「歙縣人」三字，《徽州府志》無之，係涉「劉伯諶」條下之文，而有是語。劉伯諶，伯証之兄也。又「字正甫」三字下，應依《徽州府志》補入「丰姿如神仙人，尤於書無所不讀。端平甲午，過吳門，以文謁魏文靖公。了翁因相與論理學。魏敬歎，序其文以為深衍閎暢，有朱元晦之淵源，而發以歐、蘇之體法，其推重如此。真文忠公德秀讀其文，稱善，亦為之序，有《唐史撮要》、《左氏本末》、《三傳制度辨》，詩文二十卷。晚築堂，扁曰『琴書』，真、魏二公相繼論薦，而伯証力辭，不願仕。」等字。

168霖案：《真文忠公文集》卷四三，〈提舉吏部趙公墓誌銘〉，(四部叢刊本)，頁670-674。又四庫本《西山文集》卷四三，〈提舉吏部趙公墓誌銘〉(四庫全書本，冊一一七四)，頁691亦錄之。

169霖案：「也」字下，原文頗長，竹垞刪錄頗甚，難於一一校補，讀者可以自行參看原書。

170霖案：「改」字前，當依《真文忠公文集》補入「尋」字。

一、婺州刊本：根據《溫州府志》之文，林拱辰《春秋傳》曾刊於婺州，今未見諸家館藏此書。

《溫州府志》[171]：「林拱辰，字巖起，平陽人。淳熙戊戌[172]，武舉換[173]文登第[174]，歷[175]工部尚書[176]、廣東經略[177]安撫使[178]，有《春秋傳》[179]刊於[180]婺州。」

王氏文貫《春秋傳》

佚。

程端學曰[181]：「字貫道，四明人[182]。」

潘氏好古《春秋說》

佚。

胡氏維寧《春秋類例》

佚。

《左氏類編》

佚。

171霖案：《溫州府志》卷十一（《四庫全書存目叢書》史二一一冊），頁28。

172霖案：《溫州府志》卷十一題作「淳熙戊戌」，然考之《溫州府志》卷十，〈選舉〉之文，林拱辰應屬「淳熙辛丑」榜，而「淳熙戊戌」榜單並無林拱辰之名（《四庫全書存目叢書．史二一○》，頁681）。

173霖案：「換」，《溫州府志》作「轉」。

174霖案：《溫州府志》無「登第」二字，當據以刪正。

175霖案：「歷」字下，應依《溫州府志》補入「太府丞」三字。

176霖案：「尚書」二字下，應依《溫州府志》補入「通金國謝使，除淮西安撫，直寶謨閣淮東運判，兼提舉，知揚州，後知婺州。」。

177霖案：「略」字，《溫州府志》作「畧」。

178霖案：「安撫使」三字下，應依《溫州府志》補入「立朝剛介，不附史韓，有《詩傳》刊於平江」等十五字。

179霖案：「有《春秋傳》」，《溫州府志》作「《春秋傳》」。

180霖案：「於」，《溫州府志》作「于」。

181霖案：程端學：《春秋本義》〈春秋傳名氏〉（《通志堂經解》（冊25）），頁13863。

182霖案：此處所錄《春秋本義》之文，與其他諸處引文方式不同，也較不合於著錄體例，詳見李棠《春秋時論》條。今引《春秋本義》之文如下：「四明王氏貫道」，竹垞引文實係改寫，雖內容合乎實情，但引用方式不同，其既云「程端學曰」，則必須合乎《春秋本義》所錄之文，今校錄如上，以供讀者參考。

余氏克濟《春秋通解》

【作者】余克濟，字叔濟，安溪人。慶元五年進士，由侯官尉為浙西常平幹官，遷知梅州，其學邃於《春秋》，著《春秋通解》十五卷。

十五卷。

佚。

《閩書》[183]：「克濟[184]，字叔濟，安溪人。慶元五年登第，[185]為浙西常平幹官[186]，終梅州知州[187]，其學邃於《春秋》，著《通解》十五卷。」

丁氏鋑《春秋要解》

【作者】丁鋑，字仲熊，號瓮天，新建人。以伊洛之學，倡於江右，弟子雲集，與陸九淵為友，領淳熙、慶元、嘉定三舉，官曲江縣主簿。朱熹知南康軍，聘掌白鹿書院不就，時與往復論學。著有《春秋要編》、《易通釋》、《書辨疑》、《王霸論》、《性理大旨》諸書。

佚。

葉氏儀鳳《左氏聯璧》（元）

【書名】《郡齋讀書志》卷第五上〈附錄〉，頁三六二、黃虞稷《千頃堂書目》卷二，頁五〇著錄，書名均題作《左氏連璧》。

【作者】黃虞稷《千頃堂書目》卷二，頁五〇、《元史藝文志輯本》卷三，頁六〇著錄，作者均題為「葉紹鳳」，考竹垞所錄之文，當據趙希弁之說。

八卷。

【著錄】《郡齋讀書志》卷第五上〈附錄〉，頁三六二、黃虞稷《千頃堂書目》卷二，頁五〇著錄。

【分類】《郡齋讀書志》將其隸屬「經解類」。

佚。

183霖案：《閩書》卷九十，〈英舊〉篇，(《四庫全書存目叢書》史二○六)，頁330。

184霖案：「克濟」二字，《閩書》題作「余克濟」三字。

185霖案：「安溪人。慶元五年登第，」，竹垞轉錄《閩書》卷九十，〈英舊〉，(《四庫全書存目叢書》史二○六)，頁329，蓋併合二處之文，當刪。又「叔濟」二字下，當依《閩書》補入「尉侯官有貴官求第，求尉廨地及教場益求居，帥諾之。克濟袖啟力爭，世傳誦之。」等三十一字。

186霖案：「官」字下，當依《閩書》補入「幕畫明辨，諸使交薦。」等八字。

187霖案：「終梅州知州」，《閩書》題作「知梅州」。又「州」字下，當依《閩書》補入「將上，有傳其境盜發，或勸之徐行，克濟單車就道曰：『乘其未集，可亟圖也。』克濟肫肫儒者，而勇於為義，所至治績寬平可紀，卒年八十。」等五十一字。

趙希弁曰[188]：「右三山葉儀鳳子儀撰，乃對偶之書也。」

楊氏泰之《春秋列國事目》

【作者】楊泰之（1169～1230），字叔正，號克齋，眉州青神人，楊虞仲之子。慶元元年類試，授瀘州尉，累官知晉果二州。理宗時遷大理少卿，出知重慶府。紹定三年卒，年六十二，撰有《克齋文集》、《論語解》、《老子辭》、《春秋列國事目》、《公羊穀梁類》、《詩類》、《詩名物編》、《論孟類》、《東漢三國志》、《南北史》、《唐五代類》、《歷代通鑑》、《本朝長編類》、《東漢名物編》、《詩事類》、《大易要言》、雜著，凡二百九十七卷。

十五卷。

佚。

《公羊穀梁傳類》

五卷。

佚。

林氏萬頃《春秋解》

佚。

陳氏琰《春秋傳解》

【作者】陳琰，初名夢雷，字中叔，東陽人。舉嘉定十六年武舉進士。端平中授閤門使，出知辰州，卒于郡所，撰有《春秋解傳》十卷，《左氏世系本末》四十卷。

十卷。

佚。

《左氏世系本末》

四十卷。

佚。

《金華府志》[189]：「琰，字中[190]叔，嘉定十六年擢武舉[191]，以閤門舍人出知辰州。」

188霖案：出自：《郡齋讀書志》卷第五上〈附錄〉，頁362。

189霖案：《金華府志》卷十，(《四庫全書存目叢書》史一七六冊)，頁746。原書漫漶難於校讀，惟於文末「有《太平十議》，雜著《春秋三傳》。」諸字。

190「中」，四庫本作「仲」。　霖案：《經義考新校》頁3469校文，位於「中叔」二字之下，又「四庫本」之前，尚有「文淵閣」三字。今考《金華府志》題作「中」字。又「叔」字下，當依《金華府志》補入「東陽人」三字。

191霖案：「嘉定十六年擢武舉」，《金華府志》題作「武舉進士第二」，未論及其中舉之年，竹垞據他處之文補入，當刪。

卷一百九十　春秋二十三經義考卷一百九十春秋二十三

魏氏了翁《春秋要義》(宋)

【書名】本書異名如下：

一、《春秋左傳要義》：《現存宋人著述目略》頁十七著錄。

二、《春秋左氏傳要義》：李一遂〈左氏春秋著錄書目研究〉頁一二四著錄。

《宋志》：「六十卷。」

【卷數】本書卷數異同如下：

一、三十一卷：四庫全書本為「三十一卷」，惟另有《卷首》一卷。李一遂〈左氏春秋著錄書目研究〉頁一二四著錄。

未見。

【存佚】本書今有殘本，應注曰「闕」。又《左傳論著目錄》頁十三由於錄作《春秋左傳要義》，故題作「存」。

【版本及藏地】本書版本及藏地如下：

一、清乾隆間寫文淵閣四庫全書本：(宋)魏了翁撰《春秋左傳要義》三十一卷，七冊，《國立故宮博物院善本舊籍總目》上冊，頁八十七、《現存宋人著述目略》頁十七著錄，台北：故宮博物院有藏本。

【增補】永瑢等撰《欽定四庫全書總目》曰：「春秋左傳要義三十一卷[1]　兩江總督採進本

宋魏了翁撰。亦所輯《九經要義》之一也。其書節錄注疏之文，每條之前，各為標題，而系以先後次第，與諸經《要義》體例并同。考了翁《序李明復春秋集義》云：『余嘗覽諸儒之傳，至本朝先正謂此為經世之大法，傳心之要典，余惧益深。乃裒萃以附於經，尚慮觀書未廣，擇理未精，故未敢輕出。李君乃先得我心，而為是書』云云。是了翁亦嘗裒輯眾說以注《春秋》，其書未就，而其取之[2]於注疏者，則尚見於是編。凡疏中日月、名字[3]之曲說煩重瑣屑者，多刊除不錄。而名物度數之間，則削繁舉要，本末燦然。蓋《左氏》之書，詳於典制，三代之文章、禮樂，猶可以考見其大凡，其遠勝《公》、《穀》，實在於此。了翁所輯，亦可謂得其要領矣。原本六十卷，朱彝尊《經義考》注曰『未見』。此本僅存三十一卷，末有萬歷戊申中秋後三日龍池山樵彭年手跋一篇，稱『當時鏤帙不全，後世無原本可傳，甘泉先生有此書三十一卷，藏之懷古閣中，出以相示，因識數言於後』，則亦難覯之本矣。

1霖案：注文云：按：文淵閣庫書作原三十一卷，缺卷十八至二十一，存二十七卷，又卷首一卷。

2霖案：注文云：「取之」，浙、粵本作「所取」。

3霖案：注文云：「字」，浙、粵本作「氏」。

然甘泉為湛若水之號，若水登弘治乙丑進士，至萬歷戊申，凡一百四年[4]，不應尚在。彭年與文徵明為姻家，王世貞序其詩稿，稱年死之後，家人鬻其遺稿，則萬歷末亦不復存。且《九經要義》皆刪節注疏，而跋稱其『訂定精密，為先儒所未論及』，尤不相合。疑殘本偶存，好事者偽為此跋，而未核其年月也。」（卷二十七，頁三四八）

【增補】邵懿辰撰、邵章續錄：《增訂四庫簡明目錄標注》卷三曰：「《春秋左傳要義》三十一卷，宋魏了翁撰，亦其九經要義之一，原本六十卷，今佚其二十九卷。

〔續錄〕此書本末有萬曆戊申中秋後三日龍池山樵彭年手跋，宋刊本，最佳。」（頁一一〇）

二、民國二十三年上海商務印書館《四庫全書珍本初集》本：宋魏了翁撰《春秋左傳要義》三十一卷，《首》一卷，十二冊，扉頁印記有「商務印書館受教育部中央圖書館籌備處委託景印故宮博物院所藏文淵閣本」，鈐有「國立中央圖書館籌備處之章」朱文方印，台北：國家圖書館有藏本。

又台灣師範大學圖書館有藏本。

又馬來西亞大學圖書館有藏本（二部）。

【增補】〔校記〕四庫著錄本存三十一卷。（《春秋》，頁五十）

三、臺灣商務印書館印本

高氏元之《春秋義宗》

宋志：「一百五十卷。」

未見。《一齋書目》有。

【存佚】《一齋書目》曾著錄此書，惟《經義考》注曰「未見」，然本書未見其他傳本，且《春秋總義論著目錄》頁二一注曰「佚」，當已久佚，故改注曰「佚」。

樓鑰〈志墓〉曰[5]：「端叔[6]少讀襄陵許公翰書，及從沙隨程公迥，故尤邃於[7]《春秋》，博採[8]諸儒所集，搜抉無遺，聞人有書，不[9]憚裹糧，徒步而求之。前後凡三百餘家，訂其指歸，刪其不合者，會萃[10]為一書，間出己意，號《義宗》。蓋十餘年而後成，晚多所更定[11]，

4霖案：注文云：「一百四年」，底本誤作「一百四十年」，據浙、粵本改。

5 霖案：樓鑰，《攻媿集》卷一〇三〈高端叔墓誌銘〉，（台北：臺灣商務印書館，「景印文淵閣四庫全書」冊一一五三，民國七十五年三月，初版），頁574。

6 霖案：「端叔」二字，係竹垞根據篇名所加，蓋原書此處文句，並無「端叔」二字，特此說明。

7 霖案：「於」字，《攻媿集》作「于」字。

8霖案：「採」字，《攻媿集》作「采」字。

9 霖案：「不」字之前，應依《攻媿集》補入「曾」字。

10霖案：「萃」字，《攻媿集》作「稡」字。

吾鄉及旁郡之為《春秋》者，多出君之門，或其門人之弟子也。」

李鄴嗣曰：「先生集《春秋說》三百餘家，號《義宗》，悉本經旨，究其指歸。」

王氏綽《春秋傳紀》

【作者】王綽，字誠叟，永嘉人，於書無所不讀，其年輩與葉適相等，折節從之，而適以為畏友。趙汝談嘗薦之不就，隱居授徒以終，著有《春秋傳記》，及《王徵君集》等書。

三卷。

佚。

《溫州府志》[12]：「字誠叟，永嘉人[13]。趙汝談[14]在史館奏充[15]編校不就，有[16]《春秋傳紀》[17]，門人尤熇、薛蒙守建與括皆為刊於學。」

林氏維屏《春秋論》

【作者】林維屏，字邦援，號榕臺，福寧人。林氏通《易》、《詩》、《書》三經。梁克家判福州，延禮郡庠，講道受業，一時學者雲集，撰有《易論》、《春秋論》、《韓柳辨疑》、《語錄》諸書。

佚。

程氏公說《春秋分記》（宋）

【作者】程公說（1171～1207），字伯剛，號克齋，眉山人，程公許之兄，慶元二年進士，官邛州教授，開禧三年三月，悒悒而沒，年僅三十七，撰有《左氏始終》三十六卷，《通例》二十卷，《比事》十卷，《詩古文辭》二十卷及《語錄士訓》等書，已散佚，存者有《春秋分紀》九十卷。

【書名】本書異名如下：

一、《春秋分紀》：《國立中央圖書館善本序跋集錄》頁三六四著錄。

---

11 霖案：「定」字下，應依《攻媿集》補入「專務明經，自三《傳》而下，不盡以為可。」等十四字。

12霖案：《溫州府志》卷十二，〈人物二〉，史二一一冊，頁63。

13霖案：「人」字下，應依《溫州府志》加入「有氣節，葉水心畏友也。尚書」等十一字。

14霖案：「談」下，應依《溫州府志》補入「等」。

15霖案：「在史館奏充」，應依《溫州府志》作「薦充」。

16霖案：「有」前，應依《溫州府志》補入「卒。所著」等三字。

17霖案：「《春秋傳紀》」字下，應依《溫州府志》補入「及雜文」三字。又「門人尤熇、薛蒙守建與括皆為刊於學。」等字，《溫州府志》無之，當據刪正。

二、《春秋程氏分記》：孫能傳等撰《內閣藏書目錄》卷二，頁四七五著錄。

【增補】黃虞稷《千頃堂書目》卷二，頁四七錄有程氏《左氏始終》三十卷、《春秋比事》十卷等二書，竹垞未錄，今據以補入。又《經義攷補正》卷第八，頁一一三另錄有《春秋通例》二十卷，竹垞未錄，今亦據以補入。

《宋志》：「九十卷。」

【著錄】【分類】《郡齋讀書志》卷第五上〈附錄〉，頁三六一著錄，卷數同於《宋志》，隸屬「經解類」。又《直齋書錄解題》卷三，頁四六四、《文獻通考．經籍考》卷十，頁二七〇著錄，卷數同於《宋志》。

未見。

【霖案】原書錄有游似〈序〉、程公說〈序〉、程公許〈序〉等三篇序文，惜竹垞未錄其文，當據以補入。又據邵懿辰撰、邵章續錄：《增訂四庫簡明目錄標注》卷三所錄，則「陸有朱竹垞藏書舊鈔本。（紹箕）」，是以竹垞曾藏有此書，或此處題作「未見」，或一時失檢所致；或竹垞編纂《經義考》之時，尚未錄藏此書。

【存佚】本書應注曰「存」

【版本及藏地】本書版本及藏地如下：

一、清陽湖孫氏平津館鈔本：(宋)程公說撰《春秋分紀》九十卷，17 冊;20.1x15.4 公分，10 行, 行 22 字. 單欄. 版心白口, 上方記書名, 中間記卷第, 下方書葉次，有微捲，朱筆批校，正文卷端題「春秋分記卷第一　年表一　宋程公說撰」，序：「淳祐三年夏四月乙卯南光游侶序」、「淳祐三年癸卯歲立秋節... 程公許序」，藏印有「群碧樓」朱文長方印、「鈔本」朱文長方印、「校本」朱文長方印、「奇文共欣賞」朱文橢圓印、「十萬卷樓藏書」白文方印、「臣印星衍」白文方印、「東方督漕使者」白文方印、「國立中央圖書館考藏」朱文方印、「正闇學人收藏墨本」白文方印、「披玉雲齋」朱文方印、「昔者吾友嘗從事於斯矣」朱文方印、「王端履字福將號小穀」朱文方印、「子孫永保」朱文方印等等，孫星衍、嚴可均各手校並題記，又近人鄧邦述手書題記，台北：國家圖書館有藏本。

【增補】孫星衍〈題記〉曰：「全祖望集春秋分記序云，其弟滄洲閣學曾上之秘府，而又開雕於宜春，予得故明文淵閣藏本，其後入於蘭溪趙少師書庫。卷首有云，大德十有一年，中書劄付行省下浙江提舉印上國子監脩書籍者，其後列官吏等名。

　　郡齋讀書附志春秋分記九十卷，右克齋程公說伯剛所編也，其弟公許守宜春，刻於郡齋，游丞相似為之序。

　　宋程公說春秋分記九十卷，卷數與書錄解題及文獻通考合。公說，眉山人，官止邛州校官，書作于開禧時，其弟公許牧宜春，刊行之。尚有左氏始終三十六卷、通例二十卷、比事十卷。生平為春秋之學，甚精詣，其書略如通典、會要體例，始年表，次世譜、名譜，次曆書、天文、五行、地理、禮樂、征伐、職官諸書，次周魯及列國世本，次小國，四夷終焉。條理明晰，南宋人著述之最善者。其世譜稱，得杜預世族譜、及春秋世系一書，世本見傳注則采之，以備遺亡；曆書稱，杜預仿周曆作經傳長曆，考諸家曆書、開元大衍云云，是公說所見古書，採錄甚多，今杜氏世族譜及長曆、開元大衍曆無全本，春秋世系，即崇文總目疑為顧啟期撰者，俱藉此書以存矣。地理書亦有補杜氏釋地所缺者，列國世本應有廬子國，據應劭注，在廬江郡，公說不載，豈即以廬戎當之？似非一地也。前有指掌圖，各篇後為之論，頗能該括春秋時勢，惟附載啖趙及宋人疑經蹈典之論，至不信魯郊禘受賜之說，猶是宋時結習，學者勿為所惑，而不能掩全書之長。此本借自曲阜孔氏抄帙，未見刻本，文字或有畾脫，悉依原本，不敢輕改，獨怪通志堂經解刊宋人經學之書，遺其有裨經學者，何也？孫星衍書。

乙丑四月廿九日，雨，手校于安德使署。」（轉錄《標點善本題跋集錄》頁二六至頁二七）

【增補】嚴可均〈題跋〉曰：「嘉慶乙亥歲正月三十日，校曆書、天文書、五行書訖。烏程嚴可均記。」（轉錄《標點善本題跋集錄》頁二七）

【增補】鄧邦述〈題記〉曰：「此書淵如先生論之甚當，當是淵如傳鈔而自校之者，每卷皆記年月，大半在安德使署，簿書雜廁，不廢丹黃，極見前輩之篤嗜。嚴鐵橋先生專校曆書、天文、五行三種，以墨筆題書眉上，至可寶愛。惜卷帙稍繁，不然，當已刻諸平津、岱南兩叢書中矣。余藏經部書極少，此在鈔本中可為甲觀。庚申四月，正闇。」（轉錄《標點善本題跋集錄》頁二七）

二、舊鈔本：(宋)程公說撰《春秋分紀》九十卷，40 冊;(全幅 27.5x18.2 公分, 原紙高 24.8 公分，有微捲，序文有「淳祐三年夏四月乙卯南光游侶序」、「熼開禧二年歲在乙丑春正月丙戌眉桂枝程公說伯剛甫序」、「淳祐三年癸卯歲立秋節季弟... 程公許序」，正文卷端題「宋程公說撰」，12 行，行 22 字，藏印有「國立中央圖書館收藏」朱文長方印、「澤存書庫」朱文方印、「訒菴藏書」朱文方印、「吳正有號」朱文長方印四周飾以花紋、「樝燕緒字翼夫」朱文方印、「家在蘇州望信橋」朱文方印、「寶芝堂」白文方印、「燕緒」朱文方印、「翼夫手勘之本」朱文長方印、「金衍登印」白文方印、「吳大成號」朱文長方印四周飾以花紋、「納三萬鑯等稊米」朱文方印等等，有清查燕緒手校，台北：國家圖書館有藏本。

三、清南海孔氏嶽雪樓鈔本：(宋)程公說撰《春秋分紀》九十卷，26 冊，全幅 28.6x17.3 公分，有微捲，正文卷端題「丹陵　克齋程公說　撰」，序文有「淳祐三年夏四月乙卯南光游侶序」，「開禧二年歲在乙丑春正月丙戌眉桂枝程公說伯剛甫序」、「淳祐三年癸卯歲立秋節季... 程公許序」，8 行, 行 21 字. 版心中間記書名卷第, 版心下方書葉次，首序第一葉鈐有：「孔氏嶽雪樓影鈔本」朱字，藏印有「國立中央圖書館保管」朱文方印，台北：國家圖書館有藏本。

四、精鈔本：(宋)程公說撰《春秋分紀》九十卷，20 冊；全幅 37.3x23.3 公分，有微捲，8 行, 行 21 字. 版心中間記書名卷第, 下方書葉次，正文卷端題「丹稜　克齋程公說　撰」，序文有「淳祐三年夏四月乙卯南光游侶序」、「開禧二年... 眉桂枝程公說伯剛甫序」、「淳祐三年... 程公許序」，藏印有「國立中央圖書館收藏」朱文長方印，台北：圖書館有藏本。

五、鈔本：(宋)程公說撰《春秋分記》九十卷，20冊；28公分，有宋開禧二年(1206)程氏自序，宋淳祐三年(1243)程公許等序，清孫星衍序，有「愛日精廬藏書」「秘冊」「張印月霄」「禹生父秘賞」「黃岡劉氏校書堂藏書記」「黃岡劉氏紹炎過眼」諸印記，有朱筆校，排架號: 1-1-6. 光碟代號: OD004A.台北：中研院史語所有藏本。

【增補】《中央研究院歷史語言研究所善本書目》曰：「《春秋分紀》九十卷二十冊宋程公說撰　鈔本。」（頁八）

六、文淵閣四庫全書本：(宋)程公說撰《春秋分紀》九十卷，三十冊，《國立故宮博物院善本舊籍總目》上冊，頁九十七著錄，台北：故宮博物院有藏本。

【增補】永瑢等撰《欽定四庫全書總目》曰：「春秋分紀九十卷[18]　兩淮馬裕家藏本

宋程公說撰。公說字伯剛，號克齋，丹稜人。居於宣化，年二十五登第，官邛州教授。吳曦之亂，棄官攜所著《春秋》諸書匿安固山中，修之甫成而卒，年僅三十七。是書前有開禧乙丑自序。淳祐三年其弟公許刊於宜春。凡年表九卷，世譜七卷，名譜二卷，書二十六卷，周天王事二卷，魯事六卷，大國世本二十六卷，次國二卷，小國七卷，附錄三卷。其年表則冠以周及列國，而后夫人以下與執政[19]之卿皆各為一篇。其世譜則王族、公族以及諸臣，每國為一篇，魯則增以婦人名、仲尼弟子，而燕則有錄無書，蓋原闕也。名譜則凡名著於《春秋》者，分五類列焉。書則歷法、天文、五行、疆理、禮樂、征伐、職官七門。其周、魯及列國世本，以及次國、小國附錄，則各以經傳所載分隸之，條理分明，敘述典贍，所采諸儒之說與公說所附《序論》亦皆醇正，誠讀《春秋》者之總匯也。明以來其書罕傳，故朱彝尊《經義考》注曰『未見』。顧楝高作《春秋大事表》，體例多與公說相同。楝高非剽竊著書之人，知其亦未見也。此本出揚州[20]馬曰璐家，與《通考》所載卷數相合。內宋諱猶皆闕筆，蓋從宋刻影抄者。劉光祖作公說墓誌，稱所作[21]尚有《左氏始終》三十六卷，《通例》二十卷，《比事》十卷。蓋[22]刻意於《左氏》之學者。宋自孫復以後，人人以臆見說《春秋》，惡舊說之害己也，則舉三傳義例而廢之。又惡《左氏》所載證據分明，不能縱橫顛倒、惟所欲言也，則併舉《左傳》事迹而廢之。譬諸治獄，務毀案牘之文，滅佐證[23]之口，而[24]是非曲直，乃可惟所斷而莫之爭也。公說當異說坌興之日，獨能考核舊

18霖案：原注云：按：文淵閣庫書題作《春秋分記》九十卷，又卷首《春秋分記例要》一卷。

19霖案：原注云：「執政」，浙本作「執事」。

20霖案：原注云：「出揚州」，浙、粵本作「出自揚州」。

21霖案：原注云：「稱所作」，浙、粵本作「稱其所作」。

22霖案：原注云：「蓋」，浙、粵本作「是殆」。

23霖案：原注云：「佐證」，浙、粵本作「證佐」。

24霖案：原注云：「而」，浙、粵本作「則」。

文，使本末源流犁然具見，以杜虛辨之口舌，於《春秋》可謂有功矣。」（卷二十七，頁三四八至頁三四九）

【增補】邵懿辰撰、邵章續錄：《增訂四庫簡明目錄標注》卷三曰：「《春秋分紀》九十卷，宋程公說撰，取左傳事迹，以史家表志之例分編，凡年表九卷，世譜七卷，名譜三卷，書二十六卷，周天王事二卷，魯事六卷，世本三十五卷，附錄三卷。

路有鈔本，四庫箸錄係影鈔宋本，袁漱六有舊鈔本，蔣生沐有鈔本。

〔附錄〕陸有朱竹垞藏書舊鈔本。（紹箕）朱有鈔本九十卷，附例要一卷。（懿榮）（疑盛昱筆，章記）

〔續錄〕宋淳祐三年刊本。」（頁一一〇至頁一一一）

【增補】胡玉縉撰、王欣夫輯《四庫全書總目提要補正》卷七曰：「全祖望《鮚埼亭集》有此書序云：『其為例，仿太史公《史記》，有年表，有譜，有書，有世本。間附以諸儒之說，用功既核，取材又博。』陸心源《儀顧堂續跋》云：『首為《例要》，其目曰《名諱例》，曰《說綱領》，曰《敘傳授》，年表之目十云云。游佀序，謂其書仿《史記》而作，年表仿〈十二諸侯年表〉，世譜仿〈功臣〉、〈王子侯年表〉，世本仿〈世家〉；惟既仿《史記》，則周天子宜仿〈本紀〉，魯宜列世本之首，國、小國亦宜為〈世家〉，乃周天王、魯及次、小國獨否，何也？〈疆理志〉，每國有〈指掌圖〉，頗為詳核，其所論辨，如謂似褒非國名，州來非兩地，皆足證杜預《釋例》、《釋地》之誤。預之《春秋世族譜》為《釋例》之一，今《永樂大典》所採，寥寥數條，顧啟期《春秋世系》，今已失傳，伯剛皆見全書，《世譜考異》屢引之，《世族譜》可補今本《釋例》之缺，世系可藉是以見崖略。其《敘傳授》曰：『以聖經為本而事則案《左氏》，《左氏》近誣則采《公》、《穀》及先儒義之精，文句有未安則用啖、趙例頗加刪削。論述大綱本《孟子》，而微詞多取程、胡之論』，可以見其宗旨矣。』玉縉案：《史記》有〈周本紀〉，如何再仿，此周天王事、魯事另為卷，一不仿〈本紀〉，一不列世本，最允洽，以《春秋》本為魯史也。次國、小國承大國世本而下，亦見斟酌，何必復為〈世家〉。」（頁一七三至頁一七四）

【增補】〔校記〕四庫著錄《春秋分記》九十卷。（《春秋》，頁五十）

七、民國二十三年(1934)至二十四年(1935)上海商務印書館四庫全書珍本初集影印文淵閣本：宋程公說《春秋分記》九十卷，四十六冊，扉頁有「商務印書館受教育部中央圖書館籌備處委託景印故宮博物院所藏文淵閣本」，鈐有「國立中央圖書館籌備處之章」朱文方印，台北：國家圖書館有藏本。

又馬來西亞大學圖書館有藏本（二部）。

【增補】游似〈序〉曰：「司馬子長始為紀、傳、表、書，革左氏編年之舊，踵為史者咸祖述焉。近歲程君伯剛又取左書釐而記之，一用司馬氏法，然則編年果紀、傳、表、書之不若乎？按詩王政廢興，大小分載，是為二雅，十五國事各以條列則曰國風，此固紀及世家之權輿也。懷襄既定，邦賦以成，厥有禹貢，前代時若分職以訓專為周官，此則八書之端緒也。左氏身為國史，讀夫子之春秋，將傳焉以翼之，遂為席卷載籍、包舉典故、囊括萬務、并呑異聞之規摹。然事雜而志繁、義叢而詞博，非胸臆之大，或得此而遺彼；非精力之強，或舉始而忘終，折異合同，彙分區別。君蓋善學左氏者，匪編年不記傳若也。始君為邛南校官，嘗過漢嘉。我先忠公實為守，君入謁，以春秋官制贊焉，先公異之，俾似往丹鉛點勘，不以旅寓輟。後三十餘載，書既藏秘府，君弟季與自頌臺薇省作牧宜春，鋟而廣之，以敘見屬，於是從君之子子壬取權書繙閱焉。年表之卷九、世譜七、名譜二、書二十有六、周天王事二、魯六、晉至吳世本之數與書等，次國、小國、四夷附錄十有三，其餘諸書力尤浩大。凡厥典制，宗王揭周，侯度不恭，是非自辨，封建廣狹，閏餘舛差，說多紛紜，訂使歸一。當曦之叛，棄官入山，茹涕修之事定，竟死。子壬語我猶記遺言，吾書始周終肅，謹氏金源自出，臣子可忘。嗚呼！夫子春秋有事、有文、有義，尊王抑霸，貴夏賤夷，此所謂義非耶？今事與文，君既殫精竭思矣，其於義也，不惟□之，抑又身之。自唐以來，或欲獨究遺經，閣束三傳，不知鑿空而立己見，與比事而探聖心，所謂孰多歟？與君同時獲見此書，必將曰吾改是。君名公說，籍敘宣化，故□〔眉〕徙云。淳祐三年夏四月乙卯，南光游似序。」（轉錄《國立中央圖書館善本序跋集錄》經部．頁三六四至頁三六五）

【增補】程公說〈序〉曰：「周禮有史官掌邦國四方之事、達四方之志，諸侯亦各有國史，大事書之以策，小事簡牘而已。春秋魯史也，仲尼加筆削為垂世之經，孟軻氏發明宗旨曰，世衰道微，邪說暴行有作，孔子懼，作春秋。春秋，天子之事也。是故孔子曰，知我者，其惟春秋乎！罪我者，其惟春秋乎！又曰，王者之迹熄而詩亡，詩亡然後春秋作。晉之乘，楚之檮杌，魯之春秋，一也。其事則齊桓晉文，其文則史，其義則丘竊取之以。烏乎！孟子之言則春秋傳心之要也。夫春秋為天子之事，當本之周，曷為本之魯也？本之魯而元年春王正月加王乎？其間以魯而系之王，示天下諸侯皆當宗王也。列國之事不一以，事有隱惡，安得盡見之？赴告冊書所可見者，大綱存焉。舉其大綱，則妙而天道、微而物變，與夫國異政、家殊俗可以推見，此春秋詳於內魯而亦該夫侯國之政也。左氏傳經，紀載博備，兼列國諸史之體，使後之訟事以求經不為無取，然或謂艷而富，其失也誣。公穀二傳解經多而敘事略，亦蔽於短俗。學者高則束傳而談經，下則絢文而違理，嘗竊病之，輙推春秋旨義即左氏傳分而記焉。事雖因於左氏，而義皆本諸聖經，又旁采公、穀及諸子之說精且要者附正其下，冠有周尊王也，次以魯內魯也，自晉以下為世本者十有二，次國小國各自著錄，又為年表世譜，書總九十卷，目曰春秋分記。曲明聖人遺意以示來世，至於得失盛衰之變，亦備論其故，蓋春秋則以見天下之當一乎？周而分記則以見列國之所以異，因其異而一之，此分記所為作也，尚春秋意也。開禧二年歲在乙丑春正月丙戌，眉桂枝程公說伯剛甫序。」（轉錄《國立中央圖書館善本序跋集錄》經部．頁三六五至頁三六六）

【增補】程公許〈序〉曰：「先兄伯剛自童丱至強仕，殫思於春秋一書，不自覺其心力之耗，重以感時憤懣，歿其元身，言之可為楚愴，猶幸先一年而分記書脫稾，持是以待後之學者，其為壽也，不亦多乎哉！兄早登進士科，須次親庭，及為廣都主簿、臨邛教官，公許皆得侍左右。每見其窮晝夜廢食寢節，玩索探討，鉤纂竄易，前後積稾如山。先君子、先夫人一日閲所坐團蒲穿破，意竊嘉之，而亦憂之，或□以惜精神養壽命。兄拱手答曰，學不可已，而修短不可期，苟得就此書，庶無負大人及吾母教誨。二親固疑其語之不詳，後一年而卒，死生出入，意者自有見而然耶？公許幼刻意欲自見於詩文，所習博雜，兄責之甚厲。忝繼名弟，偶以組繡鞶帨見知於當代，文章家游揚引重，謬承人乏載筆入直禁省，而經訓窔奧，未之有省，多以是有愧於吾先兄。是書嘗得備四庫之儲，塵乙夜之覽，學春秋者多欲傳抄，苦於編帙之夥，誤□□恩職，牧宜春六閱月，綱條粗整，因有餘力刻梓公帑，廣其傳於四方。兄玉立頎秀，蜀之儒先若李文懿公、楊恭惠公、劉文節公、游忠公、劉清惠公、寶謨宇文公皆深知之，而鄧元卿、薛中章、宋正仲、李德秀、馮公輔、程元甫、李貫之、張義立與今秀巖李微之太史諸賢，則同志而相與講論者也。東南鉅公將指使蜀，兄與之際遇，尤加賞，而敬愛之厚莫若大諫溫陵傅公，傅公在朝訝嗣音之間闊，適有故吏上謁，亟問以安否狀何如？吏具以答，傅公歎惋不已。兄之學於春秋為專門，然每與仲遜兄揚搉今古，所著金石刻辭極精詣，詩亦雅淡，銳欲以不朽自樹立，而皆不克壽，可悲也已。宇文公正父從南軒最久，以學行著西南，兄事之期年，得南軒講論理性之說，益以茲事自任，天假之年，其所成就詎止是耶？猶子子壬頃歲避地下峽，乃盡以兄遺文篋藏與俱，油口風濤，獨分記得免，適經進副本留京邑得參校外誤，斯文之不墜失也，而忍使之堙晦無傳可乎？若夫仲氏之詩文甚富，不幸併燬於狄難矣。兄之言行得文節劉公誌墓足以詔永久，論著之法，亦已詳所自為序及知院資政宏毅堂游公冠篇端之作。手足鍾情，愴慕奚極，凡夙昔所親見兄稽古之勤、求益之切、取友之端，具載如上方，抑以表見吾兄此書非與淺學編類，以備遺忘者，同覽者當自知之，公論在人，小人不敢得而私也。淳祐三年癸卯歲立秋節，季弟朝奉大夫、直寶謨閣、知袁州軍州事、借紫，程公許序。」（轉錄《國立中央圖書館善本序跋集錄》經部，頁三六六至頁三六七）

八、清抄本：宋程公說撰《春秋分記》九十卷，存四卷，卷十九至卷二十二，有清羅士琳校並跋，又錄清翁方綱校跋，《中國古籍善本書目》（經部）頁二六八著錄，北京圖書館有藏本。

九、清抄本：宋程公說撰《春秋分記》九十卷，存四十卷，有清翁公綱校，清羅士琳注，存一至四十等四十卷，《中國古籍善本書目》（經部）頁二六八著錄，北京圖書館有藏本。

十、清抄本：宋程公說撰《春秋分記》九十卷，有清丁丙〈跋〉，南京圖書館有藏本。

十一、清抄本：宋程公說撰《春秋分記》九十卷，北京圖書館有藏本。

十二、清影宋抄本：宋程公說撰《春秋分記》九十卷，四庫底本，《中國古籍善本書目》（經部）頁二六八著錄，上海圖書館有藏本。

十三、鈔本：宋程公說撰《春秋分記》九十卷，王重民：《中國善本書提要》頁二五著錄，十行，二十一字，北京大學圖書館有藏本。

【增補】王重民：《中國善本書提要》曰：「【春秋分記九十卷】十六冊（《四庫總目》卷二十七）（北大）

鈔本〔十行二十一字〕

原題：「宋程公說撰」，或題：「克齋程公說」，疑原題如此，其作「宋程公說撰」者，後人所改也。卷內無印記，然有校籤，稱有「底本同」，或「底本亦誤」等語，校以文淵閣《四庫全書》本，大致已改從所校，則校籤頗似過錄四庫館臣校本。此仍保存本來面目，為較勝庫本處。

游侶序〔淳祐三年（一二四三）〕

自序〔開禧二年（一二〇六）〕

程公許序〔淳祐三年（一二四三）〕

《春秋分紀墓誌銘》〔劉光祖撰〕」（頁二五）

十四、宋淳祐三年刊本：邵懿辰撰、邵章續錄：《增訂四庫簡明目錄標注》卷三，頁一一三著錄。

陳振孫曰[25]：「邛州教授眉山程公說伯剛撰，以《春秋》經、傳倣司馬遷書，[26]為《年表》、《世譜歷》、《天文》、《五行》、《地理》、《禮樂》、《征伐》、《官制》諸書，自周、魯而下及諸小國[27]皆彙次之，時有所論，發明成一家之學。公說積學苦志，早年登科，值逆曦亂，憂憤以死，年纔三十七。兄弟三人皆以科第進，中書舍人公許其季也。[28]」

【增補】何廣棪：《陳振孫之經學及其《直齋書錄解題》經錄考證》曰：「廣棪案：王應麟曰：『《春秋分記》九十卷，推《春秋》旨義，即《左氏傳》分而記焉。又旁採《公》、《穀》、諸子之說附其下。又為《年表》、《世譜》、《世本》，及《天文》、《疆域》、《禮樂》諸書，次國、小國著錄。』（《經義考》卷一百九十《春秋》二十三『程氏公說《春秋分記》』條引。）張萱曰：『宋淳祐年間，克齋程公說編。以聖經為本，而事則按《左氏》，間取《公》、《穀》及先儒論辨以證其誣。至於論述大綱悉本《孟子》，而微辭多取之程、胡二氏，復以己意為新注。又倣司馬遷《史記》為《年表》九卷、《世譜》七卷、《名譜》二卷、《書》二十有六卷、《周天王紀》二卷、《魯》及《列國世家》二十六卷、《附庸諸小國》及《四裔》十有三卷，凡九十卷。』（同上引。）《總目》卷二十七《經部》二十七《春秋類》二曰：『《春秋分記》九十卷，（兩淮馬裕家藏本。）宋程公說撰。……是書前有開禧乙丑《自序》，淳祐三年，其弟公許刊於宜春。凡《年表》九卷、《世譜》七卷、《名譜》二卷、《書》二十六卷、《周天王事》二卷、《魯事》六卷、《大國世本》二十六卷、《次國》二卷、《小國》七卷、《附錄》三卷。其《年表》則冠以周及列國，而

25霖案：《直齋書錄解題》卷三，頁464、《文獻通考．經籍考》卷十，頁270。

26霖案：「以《春秋》經、傳倣司馬遷書，」，斷句應作「以《春秋》經傳，倣司馬遷書，」。

27霖案：「小國」二字下，《文獻通考》另有「夷狄」二字，竹垞以避諱之故，因而刪之，今據以補入。

28霖案：「中書舍人公許其季也。」，斷句應作「中書舍人公許，其季也。」。

后、夫人以下與執事之卿皆各為一篇。其《世譜》則王族、公族以及諸臣每國為一篇，魯則增以婦人名、仲尼弟子。而燕則有錄無書，蓋原闕也。《名譜》則凡名著於《春秋》者分五類列焉。《書》則《曆法》、《天文》、《五行》、《疆理》、《禮樂》、《征伐》、《職官》七門。其《周》、《魯》及《列國世本》，以及《次國》、《小國》、《附錄》則各以經、《傳》所載分隸之。條理分明，敘述典贍。所采諸儒之說，與公說所附《序論》，亦皆醇正。誠讀《春秋》者之總匯也。……公說當異說坌興之日，獨能考核舊文。使本末源流犁然具見，以杜虛辨之口舌，於《春秋》可謂有功矣。』上引諸家所論，於《解題》均有所補充及闡發。」（頁六一二至頁六一四）

【增補】何廣棪：《陳振孫之經學及其《直齋書錄解題》經錄考證》曰：「案：公說字伯剛，號克齋。兄弟三人，仲弟公碩字仲遜；公許字季與，一字希穎，其季也。《宋元學案》卷七十二《二江諸儒學案》附載全謝山《程氏春秋分記序》曰：『南軒先生講學湘中，蜀人多從之。而范文叔、宇文正甫最著。眉人程克齋兄弟並遊于宇文之門，而克齋之學最醇。所著《春秋分記》九十卷、《左氏始終》三十六卷、《通例》二十卷、《比事》十卷，又纂輯諸儒說為《春秋精義》，未成而卒。別有詩古文詞二十卷、《語錄》二卷、《士訓》一卷、《程氏大宗譜》十二卷，弗盡傳也。獨《分記》則其弟滄洲閣學上之秘府，行于世。克齋官邛州教授，方為此書，未卒業，聞吳曦以蜀叛，毀車馬，棄衣冠，抱經逃歸，奉其父入山。時其次弟仲遜亦掌教益昌，誓不屈賊。而克齋悒悒尤甚，遂病。病中急就其所著，幸得成編而卒，年尚未四十也。』謝山《序》所記之南軒先生即張栻，范文叔即范仲黼，宇文正甫即宇文紹節，而滄洲閣學即程公許也。公許，《宋史》卷四百一十五《列傳》第一百七十四有《傳》，《宋元學案》卷七十二《二江諸儒學案》『《龍學滄洲先生公許》』條曰：『程公許，字季與，一字希穎，克齋先生之弟。由進士積官至權刑部尚書。生平沖澹寡欲，人不得干於私。與故相史嵩之不合，鄭清之尤悸之，所建多格不行。其知袁州時，新周茂叔祠，葺南軒書院，聘宿儒胡安之為諸生講說。及婺州召還，疏請復京學類申之法，以養士氣。清之嗾言者劾之，出知隆興，未拜命而卒。贈龍圖閣學士、宣奉大夫。所著有《塵缶集》、《內外制》、《奏議》、《奉常擬謚》、《掖垣繳奏》、《金革講義》、《進故事》行世。』綜上所引，《解題》所述公說兄弟事蹟，皆符史實。」（頁六一四至頁六一五）

趙希弁曰[29]：「右克齋程公說伯剛所編也，其弟公許守宜春，刻於郡齋，游丞相似為之序。」

王應麟曰[30]：「《春秋分記》九十卷[31]，推《春秋》旨義，即《左氏傳》分而記焉，又

29霖案：出自：《郡齋讀書志》卷第五上〈附錄〉，頁361-362。

30霖案：《玉海》冊二，卷四○，頁803B。

31霖案：「九十卷」三字下，《玉海》另有「程公說撰」四字，竹垞或以四字與作者重複，故刪去不論，今據《玉海》原書書文補入四字，以合原書文句。

旁採公、穀諸子之說附其下，又為年表、世譜、世本及天文、疆域、禮樂、諸書，次國、小國著錄。」

張萱曰[32]：「宋淳祐間[33]，克齋程公說編。以聖經為本，而事則按《左氏》，間取《公》、《穀》及先儒論辨以證其誣，至於論述大綱悉本《孟子》，而微辭多取之[34]程、胡二氏，復以己意[35]為新注，又倣司馬遷《史記》為《年表》九卷、《世譜》七卷、《名譜》二卷、《書》二十有六卷、《周天王紀》二卷、魯及列國世家二十六卷、附庸諸小國及四裔[36]十有三卷，凡九十卷。」

【增補】〔補正〕案：程氏著有《左氏始終》三十六卷、《通例》二十卷、《比事》十卷，竹垞未採，應補入。（卷八，頁七）

全祖望〈序〉補錄於此：南軒先生講學湘中，蜀人多從之，而范文叔、宇文正甫最著，眉人程克齋兄弟竝游於宇文之門，而克齋《春秋》之學最醇，所著《春秋分記》九十卷、《左氏始終》三十六卷、《通例》二十卷、《比事》十卷，又纂輯諸儒說為《春秋精義》，未成而卒，別有《詩古文詞》二十卷、《語錄》二卷、《士訓》一卷、《程氏大宗譜》十二卷，弗盡傳也。獨《分記》則其弟滄洲閣學曾上之祕府，而又開雕於宜春，故行於世。予初求《分記》不得見，及讀草廬先生《纂言》多引其說，蓋求之踰二十年，而仁和趙兄谷林得之，蓋故明文淵閣藏本，其後入於蘭谿趙少師書庫者也。其為例仿太史公《史記》，有《年表》、有《譜》、有《書》、有《世本》，間附以諸儒之說，用功既核，取材又博。克齋官邛州教授，方為此書，未卒業，聞吳曦以蜀叛，毀車馬，棄衣冠，抱經逃歸；奉其父入山時，其次弟仲遜亦掌教益昌，誓不屈賊，而克齋悒悒尤甚，遂病，病中急就其所著，幸得成編而卒，年尚未四十。嗚呼！其可悲也。予讀《宋史》至「吳曦時，蜀中士大夫忠義甚多」，顧獨失克齋不載，蓋其漏也。是書游忠公之子穀堂及滄洲皆為之序，卷首云「大德十有一年，中書劄付行省下浙江提舉印上國子監修書籍者」，其後列官吏等名，因歎元時中書尚能留心搜訪如此，今是書在世間絕少矣，幸谷林父子百計購得之，安得有力者重雕之？（卷八，頁七—九）

趙氏善湘《春秋三傳通議》

【作者】趙善湘，字清臣，寓鄞縣。慶元二年進士，歷煥章閣直學士，知紹興府。後因討逆有功，封「天水郡公」。淳祐中，進觀文殿學士致仕，撰有《周易約說》、《周易或問》、《洪範統論》、《中庸約說》、《大學解》、《論語大義》、《孟子解》、《春秋三傳通義》、《詩詞雜著》等書。

32霖案：孫能傳等撰《內閣藏書目錄》卷二，頁475。

33霖案：「間」，《內閣藏書目錄》作「閒」。

34霖案：「之」，應依《內閣藏書目錄》刪。

35霖案：「意」下，應依《內閣藏書目錄》補入「別」。

36霖案：「四裔」，《內閣藏書目錄》作「四夷」，蓋懼文字獄之禍，因而改字也。

三十卷。

佚。

戴氏溪《春秋講義》(宋)

【作者】戴溪(?～1315),字肖望,一作少望,永嘉人。淳熙五年為別頭省試第一,領石鼓書院山長。開禧時官太子詹事,兼秘書監。權工部尚書,以龍圖閣學士致仕,嘉定八年卒,紹定間追諡「文端」,一云「文靖」,學者稱「岷隱先生」,撰有《續呂氏家塾讀詩記》,《春秋講義》,《石鼓論語問答》等書。

《宋志》:「四卷。」王瓚《溫州志》作「三卷」。

佚。

【存佚】《春秋總義論著目錄》頁二五注曰「輯存」,然本書世間存本題作四卷,同於《經義考》所錄,故應改注曰「存」。

【版本及藏地】本書版本及藏地如下:

一、文淵閣四庫全書本:(宋)戴溪撰《春秋講義》四卷,六冊,《國立故宮博物院善本舊籍總目》,上冊,頁九十七著錄,台北:故宮博物院有藏本。

【增補】永瑢等撰《欽定四庫全書總目》曰:「春秋講義四卷　永樂大典本

宋戴溪撰。溪有《續呂氏家塾讀詩記》,已著錄。開禧中,溪為資善堂說書,累轉太子詹事。時景獻太子命類《易》、《詩》、《書》、《春秋》、《論語》、《孟子》、《通鑑》各為說以進。此即其《春秋說》也。書中如以『齊襄迫紀侯去國』為托復仇以欺諸侯,以『秦與楚滅庸』為由巴蜀通道,以屢書『公如晉至河乃復』為晉人啟季氏出君之漸,以『定公戊辰即位』為季氏有不立定公之心,皆具有理解。而時當韓侂胄北伐敗衄,和議再成,故於內脩外攘、交鄰經武之道,尤惓惓焉。至卒葬之類,并闕而不釋。考宋代於喪服之制,避忌頗深,如『何居』居字,語出《檀弓》,《禮部韻略》即不載,其他可知。溪之不釋此類,蓋當時講幄之體也。嘉定癸未五月,溪長子桷鋟本金陵學舍,沈光序之。寶慶丙戌,牛大年復刻於泰州。其序稱是書『期於啟沃君聽,天下學士不可得而聞,蓋非經生訓詁家言,故流傳未廣』。陳氏《書錄解題》不著於錄,殆以是歟?《宋史・藝文志》作四[37]卷,王瓚《溫州志》作三卷,朱彝尊《經義考》注曰『已佚』。今外間絕無傳本,惟《永樂大典》所采,尚散見經文各條[38]之下,今謹為裒輯校正。自僖公十四年秋至三十三年,襄公十六年三月至三十一年,《永樂大典》所闕,則取黃震《日鈔》所引補之。仍從《宋史》,釐為四卷,而每卷又各分上下,其所釋經文,多從《左氏》,故其間從《公》、《穀》者,並附案語於下方焉。」(卷二十七,頁三四九至頁三五〇)

37霖案:原注云:「四」,底本誤作「十」,據浙、粵本改。

38霖案:原注云:「經文各條」,浙、粵本作「各條經文」。

【增補】邵懿辰撰、邵章續錄：《增訂四庫簡明目錄標注》卷三曰：「《春秋講義》四卷，宋戴溪撰，乃開禧中溪為太子詹事時所進，原本久佚，今從《永樂大典》錄出。

路有鈔本。

〔續錄〕宋嘉定癸未刊本，寶慶丙戌刊本。」（頁一一一）

【增補】〔補正〕案：黃氏《日抄》多採此書之說。（卷八，頁九）

【增補】〔校記〕《四庫》輯《大典》本四卷。（春秋，頁五十）

二、四庫傳鈔本：(宋)戴溪撰《春秋講義》四卷，四冊，全幅28.2╳17.8公分，8行，行20字，夾註雙行字數同，版心上方題書名，中間書卷第，下方記葉次，有微捲，正文卷端題「春秋講義　宋戴溪撰」，藏印有「國立中央圖書館收藏」朱文長方印、「絜園主人」朱文方印等印，台北：國家圖書館有藏本。

三、敬鄉樓叢書本：宋戴溪撰《春秋講義》四卷，馬來西亞大學圖書館有藏本。

四、宋嘉定癸未刊本：邵懿辰撰、邵章續錄：《增訂四庫簡明目錄標注》卷三，頁一一一著錄。

五、寶慶丙戌刊本：邵懿辰撰、邵章續錄:《增訂四庫簡明目錄標注》卷三，頁一一一著錄。

盛如梓曰[39]：「或謂《春秋》[40]以夏[41]正紀事，近世戴岷隱[42]頗似[43]此說。」

柴氏元祐《春秋解》

【作者】柴元祐，字益之，餘干人。通五經，尤長於《易》，以窮理盡性為本，從學者眾，湯漢、饒魯、李伯玉皆其門人。著有《春秋尚書解》、《論語解》、《易繫辭》、《中庸大學說》、《宋名臣傳》，題所居齋曰「強恕」，門人稱曰「強恕先生」。

佚。

王氏鎡《春秋門例通解》　「鎡」，《宋志》作「炫」。

【作者】王鎡，字時可，石埭人。紹興八年進士，累擢御史，歷中書舍人，兼侍講致仕。通經術，善訓導，旁郡肄業者常數百人，撰有《紫微集》，《春秋門例通解》，

39霖案：《庶齋老學叢譚》卷一，頁3837。又四庫本:盛如梓《庶齋老學叢談》卷上-7上, 新編12, 筆記小說大觀27編6, 初編328, 百部29輯知不足齋叢書23函159種等有之。

40霖案：「《春秋》」二字，竹垞依前後文句增入，今依《庶齋老學叢譚》當刪。

41霖案：「以夏」, 應依《庶齋老學叢譚》作「皆寅」。

42霖案：「戴岷隱」三字下，應依《庶齋老學叢譚》補入「諸公」二字。

43霖案：「頗似」, 應依《庶齋老學叢譚》作「皆是」。

《戚里元龜》，《易象寶鑑》等書。

《宋志》：「十卷。」

佚。

李氏明復《春秋集義》（宋）

《宋志》：「五十卷，《綱領》二卷。」

【卷數】《嘉業堂藏書志》卷一，頁一五七、張壽平《公藏先秦經子注疏書目》頁一三六著錄《綱領》一書，均題作「三卷」

存。

【版本及藏地】本書版本及藏地如下：

一、文淵閣四庫全書本：《春秋集義》五十卷，《綱領》三卷，台北故宮博物院有藏本。

【增補】永瑢等撰《欽定四庫全書總目》曰：「春秋集義五十卷綱領三卷[44]　江蘇巡撫採進本

宋李明復撰。明復亦名俞，字伯勇，始末無考。據魏了翁序，知為合陽人，嘉定中太學生爾。是書首行題『校正李上舍經進《春秋集義》』，次行又題『後學巴川王夢應』。案朱彝尊《經義考》云：『《宋・藝文志》載李明復《春秋集義》五十卷，又載王夢應《春秋集義》五十卷。嘗見宋季舊刻，即李氏原本，而王氏刊行之。非王氏別有《集義》也。』此本乃無錫鄒儀蕉綠草堂藏本，核其題名，與彝尊所見本相合，知《經義考》所說有據。而《宋志》誤分為二也。張萱《內閣書目》稱其采周、程、張三子，或著書以明《春秋》，或講他經以及《春秋》，或其說有合於《春秋》者，皆廣收之。然所采如楊時、謝湜、胡安國、朱子、呂祖謙之說，不一而足，謝湜尤多。萱蓋考之未審耳。《經義考》載是書前有《綱領》二卷，又有魏了翁序，此本乃皆不載，蓋傳寫佚之。然『春王正月』條下自注曰：『余見《綱領》上、中二卷』，則《綱領》當有三卷，故有上、中、下之分。《經義考》作二卷，亦小誤矣。今檢《永樂大典》，明復所著《綱領》尚存，謹錄而補之，仍釐為三卷，以還其舊焉。」（卷二十七，頁三五〇）

【增補】邵懿辰撰、邵章續錄：《增訂四庫簡明目錄標注》卷三曰：「《春秋集義》五十卷，《綱領》三卷，宋李明復撰，舊本佚其《綱領》三卷，今以《永樂大典》所載，補成完書。

四庫箸錄，係從無錫鄒氏蕉綠草堂藏本傳鈔。

〔續錄〕路有不全元刊本。」（頁一一一）

---

[44] 霖案：原注云：按：文淵閣庫書於《綱領》三卷前有《諸家姓氏事略》一卷，《總目》失載。

【增補】胡玉縉撰、王欣夫輯《四庫全書總目提要補正》卷七曰：「陸氏《儀顧堂續跋》云：『《春秋集義》五十卷，《綱領》三卷，前有嘉定十三年山陽度正序，十四年魏了翁序及李俞進書表，諸家姓名事略，所採周子、二程子、張子、范淳夫、謝顯道、楊龜山、侯思聖、尹和靖、劉質夫、謝持正、胡康侯、呂東萊、胡五峯、李愿中、朱子、張南軒之說，凡十七家，十六家皆有事略，張子獨無，不可解也？其書以濂洛為宗，故胡安定之《口義》，孫莘老之《經解》、《經社要義》，孫明復之《尊王發微》、《春秋總論》，劉公是之《權衡》、《意林》，崔子方之《本例》、《經解》，王哲之《王綱論》，蘇穎濱之《集傳》，呂居仁之《集解》，蕭子荊之《辨疑》，雖全書具存，亦皆不採，蓋一家之學也。』」（頁一七四至頁一七五）

二、民國二十三年上海商務印書館影印本：台灣師範大學圖書館有藏本。

三、四庫全書珍本初集：宋李明復撰《春秋集義》五十卷，《綱領》三卷，十八冊，杜信孚等編纂《同名異書匯錄》頁一四一著錄，馬來西亞大學圖書館有藏本。

四、藝海樓鈔本：復旦大學圖書館有藏本。

【增補】《嘉業堂藏書志》卷一曰：「《春秋集義》五十卷　《綱領》三卷　藝海樓鈔本　宋李明復撰。明復一名俞，字伯勇，合陽人，嘉定中太學生。此書皆采周、程諸儒之說，或著書以明《春秋》，或講他經以及《春秋》，或其說有合於《春秋》者，皆廣收之，故首載諸儒姓名、事略。前有俞《進春秋集義表》，又白鶴山人魏了翁序，又山陽度正序。此亦自《大典》輯出，又附《綱領》三卷。亦藝海樓鈔本。（繆稿）」（頁一六〇）

五、清抄本：宋李明復撰《春秋集義》五十卷，《綱領》三卷，有清丁丙〈跋〉，《中國古籍善本書目》（經部）頁二六八著錄，南京圖書館有藏本。

六、元刊殘本：邵懿辰撰、邵章續錄：《增訂四庫簡明目錄標注》卷三，頁一一一。

魏了翁〈序〉曰[45]：「天地之運，盪摩屈伸[46]為五行四時，感遇聚結為風雨霜露，所以接人耳目，切人體[47]膚，告曉於人者，真不啻口訓而面命矣，人蓋有由之而弗察者。夫子[48]之政布《春秋》，正邪善惡，有目皆睹，其為五行四時、風雨霜露，不已多乎？學士大夫生乎百世之後，有能尚論古人，考求義例，參訂事實，則以為是通經已耳；於己之所存，反而思之，以求其合[49]，或鮮能焉。《孟子》曰：『孔子懼，作《春秋》。』又曰：『孔子成《春

45霖案：魏了翁：《鶴山先生大全文集》卷五十三，〈李伯勇（明復）春秋集議序〉，頁450-451。又：四庫本：155-177-附《春秋集義．原序》等有之。

46霖案：「伸」，應依《鶴山先生大全文集》作「信」。「伸」、「信」，古音通。

47霖案：「體」，《鶴山先生大全文集》作「躰」。

48霖案：「夫子」，應依《鶴山先生大全文集》作「天子」。

49霖案：「合」，應依《鶴山先生大全文集》作「舍」。

秋》而亂臣賊子懼。』《春秋》由懼而作，書成而亂[50]賊懼，亂[51]賊蓋陷溺之深者，而猶懼焉，則人性固不相遠也。學士大夫習讀是書，而己之所存則未嘗切近求之，異端所怵，利祿所誘，所以陷溺其良心者，固不減於亂[52]賊矣，而莫之知懼焉。余為之懼，又以自懼。嘗覽[53]諸儒之傳，至本朝先正，始謂此為經世之大法，為傳心之要典[54]。又曰：『非理明義精，殆未可[55]乎？然則[56]使人切己近思，以求為遷善遠罪之歸，非以考義例訂事實為足也。』余聞其說而懼益深，乃裒萃[57]以附於[58]經，將以反諸身而益求其所可懼者；尚慮觀書未廣，擇理不精；又慮開卷瞭然，秖[59]以資耳目[60]之聞[61]見，故未敢輕出也。合陽李君明復乃亦先我心之所懼而為是書，且諗予[62]為序。鳴[63]呼！予[64]安能知《春秋》亦庶幾知懼焉者耳[65]。」

張萱曰[66]：「宋嘉定間[67]，太學生李俞編進。俞舊名明復，字伯勇[68]，取周、程、張三子，或著書以明《春秋》，或講他經以及《春秋》，或其說有合於《春秋》者，皆廣收之，定其後先，審其精麤，各附於本章之次，有[69]魏鶴山〈序〉。」

50霖案：「亂」，《鶴山先生大全文集》作「乱」。

51霖案：「亂」，《鶴山先生大全文集》作「乱」。

52霖案：「亂」，《鶴山先生大全文集》作「乱」。

53霖案：「覽」，《鶴山先生大全文集》無此字。

54霖案：「要典」，《鶴山先生大全文集》作「要與」，蓋竹垞作「要典」為佳，因而改作；或係竹垞根據他本《鶴山先生大全文集》之文傳錄，因而有所差異。

55霖案：「可」字下，應依《鶴山先生大全文集》補入「學」。

56霖案：「則」字下，應依《鶴山先生大全文集》補入「是」。

57霖案：「萃」，應依《鶴山先生大全文集》作「稡」。

58霖案：「於」，《鶴山先生大全文集》作「于」。

59霖案：「秖」，應依《鶴山先生大全文集》作「祗」。

60霖案：「耳目」，應依《鶴山先生大全文集》作「口耳」。

61霖案：「聞」，《鶴山先生大全文集》無此字，當刪。

62霖案：「予」，《鶴山先生大全文集》作「余」。

63霖案：「鳴」，應依《鶴山先生大全文集》作「嗚」。

64霖案：「予」，《鶴山先生大全文集》作「余」。

65霖案：「耳」字下，應依《鶴山先生大全文集》補入「以授之」三字。

66霖案：孫能傳等撰《內閣藏書目錄》卷二，頁477。

67霖案：「間」，《內閣藏書目錄》作「閒」。

68霖案：「字伯勇」，《內閣藏書目錄》無此三字，當係竹垞根據其他文獻所加。

69霖案：「有」字前，應依《內閣藏書目錄》補入「中」字。

按：《宋史．藝文志》載李明復《春秋集義》五十卷，又載王夢應《春秋集義》五十卷，予嘗見宋季舊刻，即李氏原本，而王氏刊行之，非王氏別有《集義》也。《宋史》兩存之，誤矣。

【增補】〔校記〕《四庫》載《春秋集義》五十卷，又輯《大典》本《綱領》三卷，〈提要〉引李氏自注：「餘見《綱領》上、中二卷」，則《綱領》原本三卷，作二卷者誤也。（《春秋》，頁五十）

錢氏時《春秋大旨》

【作者】錢時，字子是，號融堂，淳安人。幼奇偉不群，絕意科舉，究明理學，江東提刑袁甫作象山書院，招主講席，其學大抵發明人心，議論宏偉，指摘痛快，聞者皆有得焉，以薦授秘閣校勘，召史館檢閱，求去，授江東帥屬歸，人稱「融堂先生」，撰有《周易釋傳》、《尚書演義》、《學詩管見》、《春秋大旨》、《四書管見》、《兩漢筆記》、《蜀阜集》、《冠昏記》、《百行冠冕集》。

佚。

楊氏景隆《春秋解》　《閩書》「隆」作「陸」。

【著錄】《宋元學案補遺別附》卷2，頁三七錄及楊氏之作，謂之撰有「《春秋漢唐通鑑史志解》」，據此，則楊氏所撰此書，非「春秋類」典籍，其「春秋」二字，應屬於朝代別，但由於此書已佚，且無其他文獻可徵，今暫記其疑點，今俟後考。

【作者】楊景隆，字伯淳，晉江人。開禧元年進士，博學強識，講授經史，生徒常數百人，著有《春秋漢唐通鑑史志解》，學者傳之。官終建寧司戶參軍。

佚。

《姓譜》[70]：「字伯淳，晉江人，開禧進士[71]，建寧司戶參軍。」

時氏少章《春秋志表日記》

【書名】時氏之書，未見諸家著錄，根據吳師道之語，則時氏撰有《春秋》四《志》、八《表》、《日記》二十餘冊，竹垞併合言之，題作「《春秋志表日記》」。

佚。

吳師道曰[72]：「時子[73]《春秋》四《志》、八《表》、《日記》二十餘冊。」

70霖案：《萬姓統譜》卷四十一，「四庫全書本」冊九五六，頁631。

71霖案：「士」字下，應依《萬姓統譜》入「博學強識，講授經史，鈎玄提要，生徒常數百人，所著有《春秋》、《漢唐通鑑史志解》，學者傳之，官終。」等三十六字。

72霖案：吳師道《吳禮部文集》卷十八，〈時所性文鈔後題〉，「續金華叢書本」，頁187-188。案：竹垞刪錄許多文句，難於一一補錄，讀者可自行參看原書。

73霖案：「時子」二字，係竹垞根據前後文句所加。

【增補】吳師道《吳禮部文集》卷十八，〈時所性文鈔後題〉曰：「少章，字天彝，瀾之季子，雖不及公門，而習聞父兄以熟，又天才絕出，能推明闡大之，著撰為最多。」（頁一八七）

郭氏正子《春秋傳語》（宋）

【作者】郭正子，字養正，號存齋，長樂人。登紹定五年進士，教授廉州，撰有《春秋傳論》十卷。

【書名】《閩中理學淵源考》作《春秋傳論》，則書名同於《經義考》卷一九四，頁二〇七郭隚《春秋傳論》，且二書同為十卷，竹垞均判為佚籍，是以竹垞未見其書，但郭正子、郭隚為父子關係，兼以《閩中理學淵源考》將「《春秋傳語》」題作「《春秋傳論》」，是以二書或為同書，然礙於文獻難以證成，特此標出，以俟後考。

十卷。

佚。

王圻曰[74]：「郭正子，紹定中進士，教授廬州[75]，著《春秋傳語》[76]十卷。」

【霖案】根據清・李清馥《閩中理學淵源考》所載，郭正子為郭隚之父，其號「存齋」，長樂人。案李清馥於徵引《閩書》之後，曾據《福州府・選舉志》考郭正子，字養正，紹定五年壬辰進士，而竹垞引「王圻曰」，僅知其為「紹定中進士」，未考其中舉之年，今據李氏之文，考之如上。

林氏希逸《春秋三傳正附論》（宋）

【作者】林希逸，字肅翁，一字淵翁，號竹溪，又號鬳齋，福清人。善畫能書，工詩。端平二年進士，歷官考功員外郎，終中書舍人，撰有《易講》、《春秋正附篇》、《老莊列三子口義》、《考工記解》、《竹溪稿》、《鬳齋續集》等書。

【霖案】《宋史》卷二〇二、柯維騏《宋史新編》卷四七、朱睦㮮《授經圖》卷十六、王太岳《四庫全書考證》卷四七、翁方綱《經義考補正》卷八，論及林氏之書時，多附帶「陳藻」之姓名，而翁氏更明指該書疑似為二人同撰之作。

《宋志》：「十三卷。」

【增補】〔補正〕按：《宋志》作：「陳藻、林希逸《春秋三傳正附論》十三卷」，似是二人同撰。（卷八，頁九）

未見。

74霖案：李清馥：《閩中理學淵源考》卷三十五，〈純德郭梅西先生隚〉一文，「四庫全書本」，冊四六〇，頁454，該書轉錄《閩書》之文，其內容與竹垞所引「王圻曰」相近。

75霖案：「廬州」，應依《閩中理學淵源考》作「廉州」。

76霖案：「《春秋傳語》」，《閩中理學淵源考》作「《春秋傳論》」。

【霖案】本書未見其他傳本，且《春秋公羊傳論著目錄》頁二三錄作「佚」，當已久佚，故改注曰「佚」。

龍氏淼《春秋傳》(宋)

【作者】龍淼，吉州人。布衣，著有《春秋傳》、《會萃經傳》等書。

佚。

李鳴復端平三年〈奏舉狀〉曰[77]：「伏見[78]吉州布衣龍淼會萃[79]經傳，科列[80]其條，治亂興衰，本末該貫，評以己見，多所發揮，如謂魯僭紀元，獨承正朔，其於名分，所補良多。」

章氏樵《補注春秋繁露》

【作者】章樵，字升道，號桐麓，昌化人，章樞之弟。嘉定元年進士，歷海州高郵山陽教官，官終知處州，撰有《章氏家訓》七卷、《補註春秋繁露》十八卷、《補註古文苑》二十卷等書。

【書名】黃虞稷《千頃堂書目》卷二，頁五〇著錄，書名題作《補春秋繁露》。

十八卷。

【著錄】黃虞稷《千頃堂書目》卷二，頁五〇著錄。

【卷數】黃虞稷《千頃堂書目》卷二，頁五〇著錄，無卷數名。

未見。

【霖案】本書未見其他傳本，當已久佚，故改注曰「佚」。

《姓譜》[81]：「樵字桐麓[82]，昌化人[83]，嘉定[84]進士[85]，朝散郎知處州事[86]。」

77霖案：黃仲炎：《春秋通說》，「通志堂本」(23)頁12984B，本文原作〈經筵講讀奏舉狀〉。案：本文為游侶、李鳴復等人合撰之文，竹垞僅引李鳴復之名，而漏題游侶之名，當據以題作「李鳴復等端平三年〈奏舉狀〉，又本文的部份文字，另見於《經義考》卷一九○，頁122，黃仲炎《春秋通說》條下解題。

78霖案：「伏見」二字，係竹垞根據前文所加，當刪。

79霖案：「萃」，《春秋通說》作「稡」。

80霖案：「列」，《春秋通說》作「別」。

81霖案：《萬姓統譜》卷四十九，「四庫全書本」，冊九五六，頁762。

82霖案：「字桐麓」，《萬姓統譜》題作「號峒麓」，不僅字號有別，且名稱亦異。考翁方綱《經義攷補正》卷第八引章樵《古文苑．序》曰：「字升道」，則竹垞所引作「字桐麓」者，當為誤題，「桐麓」當為其號，其字「升道」者也。

83霖案：「人」字下，當依《萬姓統譜》補入「相得象之胤也。父翊迪功郎主徽州婺源簿，兄樞登開熙初進士第，主信州玉山簿。樵」等三十四字。

【增補】〔補正〕《姓譜》：「樵字桐麓。」考章樵，《古文苑・序》：「字升道。」（卷八，頁九）

趙氏涯《春秋集說》

佚。87

《撫州府志》：「趙涯，字伯泳，臨川人，嘉定七年進士，歷右正言、起居舍人、權工部侍郎，知泉州，再知寧國府。」

劉氏克莊《春秋撲》

一卷。

存。

【存佚】《春秋總義論著目錄》注曰「未見」，今考此書未見諸家館藏，當已久佚，故改注曰「佚」，以俟後考。

黃氏仲炎《春秋通說》（宋）

【作者】黃仲炎，字若晦，永嘉人。窮經篤古，老而不第。紹定中，著《春秋說》，端平初進之。

【書名】《馬來西亞大學中文圖書目錄》六九〇・五著錄，書名題作《春秋說通》，考諸家之本，書名皆作《春秋通說》，疑《馬來西亞大學中文圖書目錄》所錄，乃是誤倒《春秋通說》之名，因而致誤。

《宋志》：「十三卷。」

【著錄】《直齋書錄解題》卷三，頁四六四、《文獻通考・經籍考》卷十，頁二七一、張壽平《公藏先秦經子注疏書目》頁一三六著錄。

【卷數】本書卷數異同如下：

一、不分卷八冊：張壽平《公藏先秦經子注疏書目》頁一三七著錄。

84霖案：「嘉定」二字下，當依《萬姓統譜》補入「改元，登」三字。

85霖案：「進士」二字下，應依《萬姓統譜》補入「第，歷海州高郵山陽教官，尋知漣海軍，一再上時相書，力陳李全必叛，劉琸不可任重，後全作亂，郡官多被其禍，獨樵率諸生盛服，坐堂上講誦。賊至，斂刃而退，後宰吳縣，通判常州，皆以廉公著稱。侍御史洪咨夔舉其有守，召監登聞鼓院，尋以疾丐歸，授」等九十七字。

86霖案：「事」字下，應依《萬姓統譜》補入「卒。樵學宗伊洛，議論通暢，識達時務，所著書有集《曾子》十八篇，章氏《家訓》七卷，補注漢膠西相《春秋繁露》十八卷，注補《古文苑》二十卷，行于世。」等五十四字。

87霖案：《經義考新校》頁3479新出校文如下：「『佚』，文淵閣《四庫》本脫漏。」

二、不分卷一冊：駱兆平《新編天一閣書目》頁二七二著錄。

三、四卷：《中國古籍善本書目》（經部）頁二六九著錄。

存。

【版本及藏地】《春秋總義論著目錄》頁二五至頁二六曰：「傳本：《四庫全書》、《通志堂經解》、《中國古籍善本書目》收二種：清抄全本一種，明鈔殘本一種，缺卷七至卷十。」，可見此書版本實多，今參酌諸家書目及館藏資料，得知相關版本如下：

一、文淵閣四庫全書本：(宋)黃仲炎撰《春秋通說》十三卷，六冊，《國立故宮博物院善本舊籍總目》，上冊，頁九十八著錄，台北：故宮博物院有藏本。

【增補】永瑢等撰《欽定四庫全書總目》曰：「春秋通說十三卷88　兩江總督採進本

宋黃仲炎撰。仲炎字若晦，永嘉人。其進是書表稱『肄舉業而罔功』，李鳴復奏舉狀稱『科舉之外，窮經篤古』，蓋老而不第之士也。書成於紹定三年，其奏進則在端平三年。自序謂：『《春秋》為聖人教戒天下之書，非褒貶之書。所書之法為教，所書之事為戒。自三傳以褒貶立意，專門師授，仍陋襲訛，由漢以後，類例益岐，大義隱矣。』故其大旨謂直書事迹，義理自明。於古來經師相傳王不稱天、桓不稱王之類，一切辟之。按《朱子語錄》云：『聖人據實而書，是非得失有言外之意。必於一字一辭閒求褒貶所在，竊恐未然。』仲炎表中所云『酌朱熹之論者』，蓋本於是。何夢申作呂大圭《春秋或問序》謂：『傳《春秋》者幾百家，大抵以褒貶賞罰為主。惟《或問》本朱子而盡斥之。』不知仲炎已先發之矣。中如於『南季來聘』，據三傳《戴記》，謂『天子無聘諸侯之禮，《周禮》時聘之說不足信』，於『滕薛來朝』，謂『諸侯無私相朝之禮，三傳俱謬』，則過於疑古。以『盟首止』為王世子立黨制父，則過於深文。以『子同生』為傳語誤入經文，以『葬蔡桓侯』為公字之訛，以『同圍齊』為圍字重寫之訛89，疑及正經，亦未免臆為推測。然如謂季友為臣奸竊交宮闈，則成風私事，傳有明文，詞嚴義正，足以為千古之大防矣。其論胡安國之書曰：『孔子雖因顏淵之問，有取於夏時，不應修《春秋》而遽有所改定也。』胡安國氏謂《春秋》以夏正冠月，而朱熹氏非之，當矣。孔子之於《春秋》，述舊禮者也。如惡諸侯之強而存天子，疾大夫之偪而存諸侯，憤吳、楚之横而尊中國，此皆臣子所得為者。若夫更革當代之王制，竊用天子之賞罰，決非孔子意也。夫孔子修《春秋》，方將以律當世之僭，其可自為僭哉！其立義明白正大，深得聖人之意。蓋迥非安國所及也。」（卷二十七，頁三五一）

【增補】邵懿辰撰、邵章續錄：《增訂四庫簡明目錄標注》卷三曰：「《春秋通說》十三卷，宋黃仲炎撰。

88霖案：原注云：崔富章：今北京館藏明抄本《春秋通說》四卷，是為今日得見最早之本，惟卷數與各書記載不同，未知殘缺，抑或何焯所謂徐氏所得黃虞稷家偽本？附此待問。

89霖案：原注云：「訛」，浙、粵本作「誤」。

通志堂本。

〔續錄〕從影宋本刊。」（頁一一二）

【增補】崔富章《四庫提要補正》曰：「孫詒讓云：黃若晦仲炎，舊府縣志無考。據李鳴復《奏狀》稱為溫州布衣，而狀末有甄以寵光之語。則若晦進書時，鳴復又為乞恩澤。〔萬曆〕《府志》選舉門載宋進書補官。有『永嘉黃叔炎』，叔炎即仲炎之誤（藝文門《春秋通說》下亦誤題黃叔炎撰）。然所補何官，則終無可考也。《通說》大旨，宗朱子《春秋》無褒貶之說，故其書於治亂得失推論明切，又多引後世史事參互證驗，以闡數戒之旨，雖不必果得聖人筆削之意，然以觀孫復諸人以《春秋》為有貶無褒者，其厚薄固有間矣。至如：說『考仲子之宮』，則辨晉臧燾議宣太后宜准《春秋》考宮之義，別建寢廟，為知庶母不得祔廟，而不知考宮非禮（《通說》一）；說『葬我小君敬嬴，雨，不克葬』，則謂喪事有進而無退，即啟殯不為雨止，《喪禮》有所謂潦載簑笠者，蓋備雨有具也，今遇雨止，無備可知，《春秋》書『雨，不克葬』，惡薄其妾也（《通說》八）；其辨證亦殊精博。余若趙匡、孫覺、胡安國諸人外盭之說，亦多駁正，固異於枵腹游談者。惟間喜為新說，如：於『夫人姜氏入，大夫宗婦覿，用幣』，謂大夫宗婦乃大夫與宗婦，不用《公羊》大夫妻之說（《通說》二）；於『新宮災』，謂別為新宮，如晉之築虒祁，不用《三傳》『宣公新主入廟，宮曰新宮』之說，并㢋《檀弓》以新宮為先君之宮為漢儒沿《三傳》之訛（《通說》九）；於『從祀先公』，謂從猶承也，周廟先公后稷，魯太祖周公，今推而上之，承祀后稷，同於周廟，而不從《三傳》順祀閔、僖之說（《通說》十二）；是則故為立異，違先儒說經家法矣。（《溫州經籍志》卷五）

《四庫採進書目‧兩江第一次書目》載『春秋通說，宋黃仲炎著，三本』，是為《總目》著錄之本，然版本不明。《故宮善本書目‧天祿琳琳錄外書目》載抄本『春秋通說無卷數，八冊』，是書明以前刊本未見，清初徐乾學編入《通志堂經解》中。《通志堂經解目錄》稱：『何焯曰，東海先有抄本，從黃俞邰處來，仍偽書也。後汲古得李中麓所藏影抄宋本，用以付刊。』四庫實據通志堂刊本繕寫，小四庫同。今北京館藏明抄本《春秋通說》四卷，宋黃仲炎撰，是為今日得見最早之本。惟《直齋書錄解題》、《宋史‧藝文志》、《文獻通考》皆著錄十三卷，此本四卷，不合，未知殘缺，抑或何焯所謂徐氏所得黃虞稷家偽本？附此待問。文瀾閣庫書原本佚，今存丁氏補抄本。考丁氏《善本書室藏書志》卷三：『《春秋通說》十三卷，舊抄本，朱竹垞藏書。黃仲炎若晦。……有：竹垞藏書記、竹趣山房、敦復、顧氏珍藏、竹錄珍秘書籍、何元錫印諸印。』此書當為丁氏補抄文瀾閣庫書底本，今藏南京館，存九卷（一至六、十一至十三），該館鑒定為清抄本，有丁丙跋。」（頁一六七至頁一六九）

二、摛藻堂薈要本：(宋)黃仲炎撰《春秋通說》十三卷，六冊，《國立故宮博物院善本舊籍總目》，上冊，頁九十八著錄，台北：故宮博物院有藏本。

三、鈔本：(宋)黃仲炎撰《春秋通說》十三卷，八冊，《國立故宮博物院善本舊籍總目》，上冊，頁九十八著錄，台北：故宮博物院有藏本。

四、明朱絲欄抄本：駱兆平《新編天一閣書目》頁二七二著錄。

五、清同治十二年(1873)粵東書局重刊本：(宋)黃仲炎撰《春秋通說》十三卷，台北：國家圖書館有藏本。

六、通志堂經解本：宋黃仲炎撰《春秋說通》十三卷，三冊，馬來西亞大學圖書館有藏本（二部）。

七、明抄本：宋黃仲炎撰《春秋通說》四卷，北京圖書館有藏本。

八、清抄本：宋黃仲炎撰《春秋通說》十三卷，有清丁丙〈跋〉，南京圖書館有藏本。

十、清乾隆五十年(1785)內府刊本：(宋)黃仲炎撰《春秋通說》十三卷，台北：國家圖書館有藏本，鈐有「味經窩藏書印」朱文長方印、「味經曾觀」朱文方印。

十一、清康熙十九年通志堂刊乾隆五十年修補本：(宋)黃仲炎撰《春秋通說》十三卷，三冊，《國立故宮博物院善本舊籍總目》，上冊，頁九十八著錄，台北：故宮博物院有藏本。

十二、影宋本：邵懿辰撰、邵章續錄：《增訂四庫簡明目錄標注》卷三，頁一一二著錄。

仲炎〈自序〉曰[90]：「《春秋》者，聖人教戒天下之書，非褒貶之書也。何謂教？所書之法是也。何謂戒？所書之事是也。法，聖人所定也，故謂之教，事，衰亂之迹也，為戒而已矣。彼三傳者，不知其紀事皆以為戒也，而曰有褒貶焉：凡《春秋》書人書名，或去氏、或去族者，貶惡也，其書爵書字，或稱族、或稱氏者，褒善也，甚者如日月地名之或書、或不書，則皆指曰是褒貶所繫也。質諸此而彼礙，證諸前而後違，或事同而爵異書，或罪大而族氏不削，於是褒貶之例窮矣，例窮而無以通之，則曲為之解焉。專門師授，襲陋仍訛，由漢以來，見謂明經者不勝眾多，然大抵爭辨於褒貶之異，究詰於類例之疑，滓重煙深，莫之澄掃，而《春秋》之大義隱矣。自大義既隱，而或者厭焉，不知歸咎於傳業之失，而曰聖人固爾也，故劉知幾有虛美隱惡之謗，王安石有斷爛朝報[91]之毀，遂使聖人修[92]經之志更千數百載而弗獲伸於世，豈不悲哉？故曰：《春秋》者，聖人教戒天下之書，非褒貶之書也。昔之善論《春秋》者，惟孟軻氏、莊周氏為近之，軻之說曰：『孔子作《春秋》而亂臣賊子懼。』是以戒言也。周之說曰：『《春秋》以道名分。』是以教言也。斯二者，庶幾孔子之志也。夫人之所以異於禽獸者，以其有道也，如是而君臣，如是而父子，如是而長幼、男女、親疎、內外之差等不齊也，敘此者為禮，順此者為樂，理此者為政，防此者為刑，堯、舜三王之治

90霖案：孫承澤：《五經翼》卷十三，黃仲炎〈春秋通說序〉,(《四庫全書存目叢書》經一五一冊，頁778-780。

91霖案：《經義考新校》頁3481新出校文如下：「『朝報』,《備要》本誤作『通報』。」。

92霖案：「脩」,《五經翼》作「修」。

皆是物也。時乎衰周，王政[93]不行，物情放肆，於是紊其叙[94]，乖其順，廢其理，決其防，而天下蕩然矣。孔子有憂之，而無位以行其志，不得已而即吾父母國之史，以明之陳覆轍所以懼後車也，遏人變所以返天常也。霸圖之盛，王迹之[95]熄也；盟會之繁，忠信之薄也，雖有彼善於此者，卒非治世之事也。聖人何褒焉，至於夷狄[96]之陵中國，臣子之奸君父，鬬干戈以濟貪忿之志，悖天理[97]以傷天地之和者，亦何待貶而後見為[98]惡也？若夫筆削有法而訓教存焉，崇王而黜霸，尊君而抑臣，貴華而賤夷[99]，辨禮之非，防亂之始，畏天戒，重民生，為萬世立治準焉。嗚呼!使後之為君父、為臣子、為夫婦、為兄弟、為黨友、為中國御夷狄[100]者，由其法，戒其事，則彝倫正而禍亂息矣。余由童至壯，研思是經，嘗眩於舊說，如手棼絲、目暗室，難於解辨，蓋久而後能破之，旁稽記載，互參始末，為書十有三卷，名曰《春秋通說》。《通說》者，去褒貶之茅塞，而通諸教戒之正途也。夫《春秋》固有以隻字垂法者矣，如加王於正、削吳、楚僭號而從其本爵之類是也，而非字字有義也，亦固有所謂例者矣，如書其君歿曰薨、外諸侯曰卒、內大夫書卒、外大夫不書卒之類是也，此皆通例也。先儒謂左氏非左邱明，邱明乃孔子前輩，故孔子云：『左邱明恥之，丘亦恥之。』先邱明而後己，尊之也。楚左史倚相能讀《三墳》、《五典》、《八索》、《九邱》，蓋今《左氏傳》即楚左史也。古者史世其官，則傳是書者，倚相之後也，故《左傳》載楚事比他國為特詳，是得其實。《公》、《穀》亦莫明其所自來，或云子夏門人，要皆非親受經於聖人者，故於說經首失其義，而其間亦或有得者，穀梁氏耳。若夫具載事實，則《左氏》尚可考，故當據事以觀經；事或牴牾，難於盡從，則以經為斷，上以伸仲尼之志，雖以立異取譏於世而不辭也。」

李鳴〈復奏舉狀〉曰[101]：「伏見溫州布衣黃仲炎折衷是非，事為之說，證以後代，鑒戒昭然，言古驗今，切於治道，如謂經有教戒，不為褒貶，只[102]杜擬僭，尤[103]為潛心。」

93霖案：「王政」，應依《五經翼》作「王教」。

94霖案：《經義考新校》頁3481新增校文如下：「『叙』，文淵閣《四庫》本作『序』。」

95霖案：「之」，《五經翼》作「王」。

96霖案：《經義考新校》頁3481新增校文如下：「『夷狄』，文津閣《四庫》本作『荊楚』。」今考《五經翼》作「□□」，蓋避文字禍之故，而改作「□□」。

97霖案：「天理」，《五經翼》作「理道」。

98霖案：「為」，應依《五經翼》作「其」。

99霖案：《經義考新校》頁3481新增校文如下：「『貴華而賤夷』，文津閣《四庫》本作『重內而輕外』。」，今考「夷」字，《五經翼》作「彝」，蓋避文字獄之禍，因而改動者也。

100霖案：《經義考新校》頁3481新增校文如下：「『夷狄』，文津閣《四庫》本作『四海』。」，今考「夷狄」，《五經翼》作「□□」，蓋避文字獄之禍，因而改動者也。

101霖案：「李鳴〈復奏舉狀〉曰」，標點本誤植，應作「李鳴復〈奏舉狀〉曰」。案：本文出自黃仲炎《春秋通說．表》，「通志堂本」，(23)，頁12984A~B。

102霖案：「只」，《春秋通說》作「足」。

陳振孫曰[104]：「永嘉黃仲炎若晦撰。端平中，嘗進之於朝。」

【增補】何廣棪：《陳振孫之經學及其《直齋書錄解題》經錄考證》曰：「廣棪案：此書有仲炎《自序》，中曰：『余由童至壯，研思是經。嘗眩於舊說，如手棼絲，目暗室，難於解辨，蓋久而後能破之。旁稽記載，互參始末，為書十有三卷，名曰《春秋通說》。』其《序》末署云：『紹定三年五月朔仲炎序。』則此書蓋成於宋理宗紹定三年庚寅（一二三○）也。至其進於朝，仲炎則有《繳進春秋通說表》，略謂：『臣肄舉業而罔功，抱遺經而永慨。潛心十稔，課稿一編。遠稽孟子之書，近酌朱熹之論。務陳理要，痛翦蕪繁。嗚世儒寡和之音，闢眾《傳》多歧之礙。強名《通說》，頗異舊聞。懼微命之填溝，致此書之覆瓿。僭塵閒燕，期廣緝熙。』然無繳進歲月。惟考李鳴復之《經筵講讀奏舉狀》有云：『伏見溫州布衣黃仲炎，折衷是非，事為之說。證以後代，鑒戒昭然。言古驗今，切於治道。如謂經有教戒，不為褒貶。足杜擬僭，允為潛心。』末署：『端平三年七月□日。』則仲炎表上此書之時亦應在端平三年丙申（一二三六），與《解題》所述略合。宋慈抱《兩浙著述考・經術考・春秋類》著錄：『《春秋通說》十三卷，宋永嘉黃仲炎撰。仲炎，字若晦。老而不第。此書《四庫》著錄，稱成於紹定三年。《溫州經籍志》云：『仲炎，舊府縣志無考，據李鳴復《奏狀》稱溫州布衣，《狀》未有『甄以寵光』之語，則若晦進書時，鳴復又為乞恩澤。萬曆《溫州府志・選舉門》載宋進書補官有永嘉黃叔炎，當即仲炎之誤。然所補何官，終無可考。《通說》大旨宗朱子《春秋》無褒貶之說，故其書於治亂得失，推論明切。又多引後世史事，參互證驗，以闡教戒之旨。雖不必果得聖人筆削之意，然以觀孫復諸人以《春秋》為有貶無褒者，其厚薄故有間矣。』原書有《通志堂經解》刊本。』慈抱徵引孫詒讓《溫州經籍志》所考，足補《解題》所未及。」（頁六一五至頁六一七）

繆氏烈《春秋講義》（宋）

【作者】繆烈，字允成，福安人。入國子上舍，省試第一，授福州教授，四方從遊者眾。遷正字。著有《春秋講義》十卷，《仲山集》數卷。

佚。

《閩書》[105]：「烈[106]字允成，福安人[107]。嘉熙二年進士[108]，添差福州教授[109]，遷正字，

103霖案：「尤」，《春秋通說》作「允」。又「心」字下，竹垞刪錄許多文句，難於一一補錄，其中缺錄「端平三年七月」等重要年月資料，其餘諸文，讀者可自行參看原書。

104霖案：《直齋書錄解題》卷三，頁464、《文獻通考．經籍考》卷十，頁271。

105霖案：《閩書》卷一百二十三，（《四庫全書存目叢書》，史二○七冊），頁235。

106霖案：「烈」字前，應依《閩書》補入「繆」。

107霖案：「福安人」，《閩書》無此三字，當據刪正。又「允成」二字下，應依《閩書》補入「嗜學孝親，上舍省試，皆第一」等十一字。

108霖案：「嘉熙二年進士」六字，應依《閩書》作「舉進士」三字。又今存《閩書》刊本漫漶，其中

授撫漕侍郎[110]。」

徐氏梅龜《春秋指掌圖》

【作者】《經義考》將此書列入宋代撰著之列，而《春秋總義論著目錄》頁二一九將此書列入明代撰著，惟該書頁一〇六錄作宋人之作，二處作者歸屬時代不同，今從《經義考》之說，列入宋人撰著。

佚。

《嚴州府志》[111]：「徐梅龜，字臞叟，壽昌人，霍邱縣尉，嘉熙間，蒙古兵至[112]，父子力戰死，贈宣教郎霍邱知縣。」

傅氏實之《春秋幼學記》

佚。

《江西通志》[113]：「傅實之，字莊父，清江人，登寶慶第，調袁州分宜簿。淳祐中，授承事郎，學者稱南齋先生。」

洪氏咨夔《春秋說》（宋）

【作者】洪咨夔（**1176～1236**），字舜俞，號平齋，又號蒙齋，於潛人。嘉泰二年進士，以薦歷成都通判，後官至刑部尚書、翰林學士。端平三年卒，年六十一，諡「忠文」，撰有《春秋說》三十卷、《平齋文集》三十二卷、《兩漢詔令》三十卷。

【書名】本書異名如下：

一、《春秋》：張壽平《公藏先秦經子注疏書目》頁一三七著錄。

二、《洪氏春秋說》：張壽平《公藏先秦經子注疏書目》頁一三七著錄。

三卷。

【著錄】張壽平《公藏先秦經子注疏書目》頁一三七著錄。

【卷數】本書卷數異稱如下：

一、三十卷：張壽平《公藏先秦經子注疏書目》頁一三七著錄，故竹垞著錄，或有誤

繆烈中舉之年，題作「嘉熙一（案：此字漫漶）年戊戌繆烈　羅垚　劉龍發」，考戊戌年為嘉熙二年，則竹垞當日所輯之書，或是題作「嘉熙二年」，由此可見，竹垞之文，或可補刊本之不足。

109霖案：「教授」下，應依《閩書》補入「日率子弟講明正學」等八字。

110霖案：「侍郎」下，應依《閩書》補入「著《春秋講義》、《仲山集》」等八字。

111霖案：可參考：四庫本《浙江通志》177-10上。

112霖案：《經義考新校》頁3483新增校文如下：「『蒙古兵至』，文津閣《四庫》本作『猝遇兵至』。」

113霖案：出自：四庫本，《江西通志》卷73有之。又《四庫全書存目叢書》史182-183。

題之失，或為殘本，其卷數差距頗大，原書應作「三十卷」。

二、十卷，又另有卷首一卷：張壽平《公藏先秦經子注疏書目》頁一三七著錄。

佚。

【存佚】本書世間仍有存本，且《春秋總義論著目錄》頁二六注曰「存」，當改注曰「存」。

【版本及藏地】本書版本及藏地如下：

一、文淵閣四庫全書本：(宋)洪咨夔撰《洪氏春秋說》三十卷，十冊，《國立故宮博物院善本舊籍總目》，上冊，頁九十八著錄，台北：故宮博物院有藏本。

【增補】永瑢等撰《欽定四庫全書總目》曰：「春秋說三十卷[114]　永樂大典本

宋洪咨夔撰。咨夔字舜俞，於潛人，歷官端明殿學士。事迹具《宋史》本傳。是書有咨夔自序稱：『自考功罷歸，杜門深省，作《春秋說》。』按本傳稱：『理宗初，咨夔為考功員外郎，以忤史彌遠』。又言：『李全必為國患，為李知孝、梁成大所劾，鐫秩家居者七年。』是書蓋是時所作也。又本傳第稱咨夔所著有《兩漢詔令攬抄》、《春秋說》等書，而皆不載其卷數。朱彝尊《經義考》引吳任臣之言云『止三卷』，而《永樂大典》載吳潛所作咨夔行狀則謂《春秋說》實三十卷，今考是書篇帙繁重，斷非三卷所能盡。潛與咨夔同官相契，當親見其手定之本。任臣所言，蓋後來傳聞之誤耳。其書議論明皙，而考據事勢，推勘情偽，尤多前人所未發。如以書『公子友如陳』為著季氏專魯之始，以晉侯執曹伯負芻而不為曹立君正為異日歸之之地，以書大蒐昌間為季氏示威於眾以脅國人，皆得筆削微意。惟謂『慶父出奔』為季友故縱，謂『劉子單子以王猛入王城』為不知有君，頗有[115]紕繆。然棄短取長，其卓然可傳者不能沒也。今《兩漢詔令》等書久已散佚，此書亦無傳本，惟《永樂大典》尚多載其文。謹裒輯編次，厘正訛舛，仍分為三十卷，以還舊觀。至《春秋》經文，三傳各有異同，今咨夔原本經文已不得[116]見。就其所說推之，知其大概多從《左氏》，而間亦參取於《公》、《穀》，今并加案語，附識其下。又自僖公十四年秋至三十三年，襄公十六年夏至三十一年，《永樂大典》原本已佚，而他家經解又絕無徵引，無從輯補，今亦姑闕之[117]。」（卷二十七，頁三五二）

【增補】邵懿辰撰、邵章續錄：《增訂四庫簡明目錄標注》卷三曰：「《春秋說》三十卷，宋洪咨夔撰，原本久佚，今從《永樂大典》錄出。

路有鈔本。

114霖案：原注云：按：文淵閣庫書題作《洪氏春秋說》三十卷。

115霖案：原注云：「有」，浙、粵本作「為」。

116霖案：原注云：「得」，浙、粵本作「可」。

117霖案：原注云：「之」後，浙、粵本有「焉」字。

〔續錄〕洪氏刊本。」（頁一一二）

二、清洪氏晦木齋抄本：宋洪咨夔撰《春秋說》三十卷，《中國古籍善本書目》（經部）頁二七〇著錄，南京圖書館有藏本。洪氏於清光緒十年刊行此書，惟作「十卷」，不知為何不用「三十卷」之本？

三、清光緒十年（甲申）於潛洪氏晦木齋刊本：卷數題作十卷，惟另有卷首一卷，台北中研院史語所有藏本。

咨夔〈自序〉曰[118]：「帝王誥命訖於平王，《國風》變於〈黍離〉，聖人傷王者之不作，因魯史修《春秋》以奉天命而立人極。夫天命流行於人極之中，無一息間斷，人惟不知吾心有天而外求天，謂吉凶禍福，天未嘗定，終必有時而定，天者定則人者屈，此人極之所由立也。此《春秋》成，亂臣賊子所以懼也。彼亂臣賊子惟利是計，豈懼夫空言之貶、身後之辱哉？懼夫天者定而人者屈，失其所以為利也。故凡犯天下之清議，冒天下之大罪，能逭諸一時，不能逭諸異日；能逭諸其身，不能逭諸其子若孫。人誰無愛身愛子孫之念，知天定有不可逭，則欲動於惡將有所懼而戢，此撥亂反正之筆所以有功於人極也。且《易》、《春秋》在魯，皆所以司天人之契，人欲窮而天理滅，其卦為〈剝〉，《春秋》二百四十二年，純乎剝者也。以齊威[119]霸天下始末求之，每四十年當一爻，陰愈進則亂愈盛；盟宋之後，晉以天下之權授之楚，而大夫專盟，諸侯皆廩廩乎贅斿之危，五陰之剝成矣；其末又以天下之權授之吳，吳、楚與越參立而交橫，大夫各朵頤其國，禍亂極矣，而獲麟於西狩，亂極必治，安知無王者作，此碩果不食剝，所以不終於剝也。《春秋》以傷王者不作而始，以幸王者復作而終，以魯聖賢之澤未泯，一變可至道而託之，以詔萬世，天地至教，聖人至德，備見於行事，斷斷乎循之則治，違之則亂，得之則生，失之則死，信人極非《春秋》不立也。余自考功罷歸，杜門深省，有感於聖人以天治人之意，作《春秋說》。」

吳任臣曰：「洪咨夔，字舜俞，於潛人。泰嘉[120]二年進士，累官翰林學士，知制誥，兼侍讀修國史，以端明殿學士領內祠，有《春秋說》三卷。」

【增補】〔補正〕案：此書今從《永樂大典》內抄輯，分為三十卷，僖公內有闕文；吳任臣謂三卷者，恐是脫十字耳，此書非三卷所能該也。吳任臣條內「泰嘉二年」，當作「嘉定」。（卷八，頁九）

【增補】〔校記〕《四庫》輯《大典》本三十卷，〈提要〉稱《永樂大典》載吳潛所作咨夔行狀，載《春秋說實》三十卷，朱氏引吳任臣言止三卷者，誤也。（《春秋》，頁五十）

118霖案：出自：四庫本，冊1175-頁304-，冊29《平齋集．春秋說序》。

119霖案：《經義考新校》頁3484新增校文如下：「『齊威』，《四庫薈要》本作『齊桓』。」

120「泰嘉」，應依《補正》、「四庫本」作「嘉定」。　霖案：《經義考新校》頁3484校文，「應依」改作「依」字；「四庫本」改作「《四庫薈要》本、文淵閣《四庫》本、文津閣《四庫》本」；「作」改作「應作」二字。

卷一百九十一　春秋二十四經義考卷一百九十一春秋二十四

李氏琪《春秋王霸列國世紀編》（宋）

【作者】李琪，字孟（夢）開，亦字開伯，號竹湖，吳郡人，李彌遜之孫。慶元二年進士，官國子司業，著有《春秋王霸列國世紀編》三卷，書成於嘉定四年，每國紀後有序論。

【書名】駱兆平《新編天一閣書目》頁二七三著錄，書名題作「《春秋王霸列國世紀》。

三卷。

【著錄】張壽平《公藏先秦經子注疏書目》頁一三六著錄。

存。

【版本及藏地】本書版本及藏地如下：

一、抄本：駱兆平《新編天一閣書目》頁二七三著錄，為天一閣舊藏之物。

二、文淵閣四庫全書本：(宋)李琪撰《春秋王霸列國世紀編》三卷，《國立故宮博物院善本舊籍總目》，上冊，頁九十八著錄，台北：故宮博物院有藏本。

【增補】永瑢等撰《欽定四庫全書總目》曰：「春秋王霸列國世紀編三卷　浙江范懋柱家天一閣藏本

宋李琪撰。琪字開伯[1]，吳郡人，官國子司業[2]。其書成於嘉定辛未，以諸國為綱，而以《春秋》所載事迹類編為目。前有序，後有論斷。第一卷為王朝及霸國，霸國之中黜秦穆、楚莊，而存宋襄，又於晉文以下，列自襄至定十君，而特附以魯。二卷為周同姓之國，而特附以三恪。三卷皆周異姓之國，而列秦、楚、吳、越於諸小國後，所論多有為而發。如譏晉文借秦抗楚，晉悼結吳困楚，則為徽宗之通金滅遼而言；譏紀侯鄰於仇敵而不能自強，則為高宗之和議而言。其意猶存乎鑒戒，至於稱魯已滅之後，至秦漢猶為禮義之國，則自解南渡之弱；霸國之中退楚莊、秦穆而進宋襄，則自解北轅之恥；置秦、楚、吳、越於諸小國後，則又隱示抑金尊宋之意。蓋借《春秋》以寓時事，略與胡安國《傳》同。而安國猶堅主復讎之義，琪則徒飾以空言矣。流傳已久，姑錄以備一家，且以見南宋積削之後，士大夫猶依經托傳，務持浮議以自文。國勢日頹，其來漸矣。存之亦足示炯戒也。」（卷二十七，頁三五一）

【增補】邵懿辰撰、邵章續錄：《增訂四庫簡明目錄標注》卷三曰：「《春秋王霸列

1霖案：原注云：「開伯」底本誤作「伯開」，據浙、粵本改。

2霖案：原注云：李裕民：李琪，字孟(夢)開，亦字開伯，號竹湖，吳郡人，李彌遜之孫。慶元二年進士，開禧三年八月、嘉定元年正月兩度以主管戶部架閣文字點檢試卷。嘉定四年著是書時，已官國子司業。其事詳《淳熙三山志》卷三十一、《宋會要輯稿》選舉二十一之十。

國世紀編》三卷，宋李琪撰。

通志堂本，乾隆末年當塗朱煌刊本。

〔續錄〕宋羅仲行刊本，元延祐元年刊本。」（頁一一二）

【增補】李裕民《四庫提要訂誤》曰：「琪，字孟（夢）開，亦字開伯，號竹湖，吳郡人，李彌遜（１０８９—１１５３）之孫。慶元二年（１１９６）進士（《淳熙三山志》卷三一）。開禧三年（１２０７）八月、嘉定元年（１２０８）正月，兩度以主管戶部架閣文字點檢試卷（《宋會要輯稿》選舉二一之一〇），嘉定四年著此書時，已為國子司業。」（頁十六）

三、摛藻堂薈要本：(宋)李琪撰《春秋王霸列國世紀編》三卷，三冊，《國立故宮博物院善本舊籍總目》，上冊，頁九十八著錄，台北：故宮博物院有藏本。

四、清同治十二年(1873)粵東書局重刊本：(宋)李琪撰《春秋王霸列國世紀編》三卷，台北：國家圖書館有藏本。

五、通志堂經解本：宋李琪撰《春秋王霸列國世紀編》三卷，馬來西亞大學圖書館有藏本（二部）。

六、清康熙十九年通志堂刊乾隆五十年修補本：(宋)李琪撰《春秋王霸列國世紀編》三卷，一冊，《國立故宮博物院善本舊籍總目》，上冊，頁九十八著錄，台北：故宮博物院有藏本。

七、清乾隆五十年(1785)內府刊本：(宋)李琪撰《春秋王霸列國世紀編》三卷，台北：國家圖書館有藏本，鈐有「味經窩藏書印」朱文長方印、「味經曾觀」朱文方印。

八、宋羅仲行刊本：邵懿辰撰、邵章續錄：《增訂四庫簡明目錄標注》卷三，頁一一二著錄。

九、元延祐元年刊本：邵懿辰撰、邵章續錄：《增訂四庫簡明目錄標注》卷三，頁一一二著錄。

十、乾隆末年當塗朱煌刊本：邵懿辰撰、邵章續錄：《增訂四庫簡明目錄標注》卷三，頁一一二著錄。

琪〈自序〉曰[3]：「《春秋》一書，事變至繁，經文至約，接王政之末流，則可稽世道之升降，備霸[4]事之終始，則具見中夏之盛衰；詳列國之離合，則足究人心之聚散。夫以二百四十二年之記，一百二十四國之行事；國各有史，晉《乘》、楚《杌》，故典舊章，冊書[5]浩博，是非紛糾，而《春秋》以萬八千言該之，國無不記[6]之事，事無不著之實，自學者捨

3霖案：通志堂經解本冊二二，頁12922。又《五經翼》卷十四，頁785(四庫全書存目叢書經部冊一五一)，惟該書所錄序文，實為不全之本(缺「固自知之也。」以下句。)。

4霖案：「霸」字，《五經翼》卷十四題作「伯」字。

5霖案：「冊書」，《五經翼》卷十四題作「無盡」二字。

經求傳，事始繁而晦矣。蓋始讀經者，睹本末之宏闊，而考[7]之於訓辭簡嚴之中，錯陳迭見，未究前後，不知據經以覈傳，固有按傳以[8]疑經，是不能比其事而觀之也。琪少竊妄意，叙[9]東周十有四王之統合，齊、晉十有三霸[10]之目，舉諸侯數十大國之系，皆世為之紀，不失全經之文，略備各代之實；每紀之後，序[11]其事變之由，得失之異，參諸傳之紀載，以明經之所書，雖若詳而不遺於事，豈能精而有合於理？初學問津，或有取焉。若夫《春秋》微旨奧義則不在是，深於經者固自知之也。此編作於辛亥之冬，列國諸紀檃括未竟，懼其條目[12]破碎，援筆輒止。諸老先生每索此書，無以復命，猶子韶為之補，續其未成，猥加整比，越二十年甫為全書，非敢以示學經者，姑存其稿於家塾云。[13]」

【增補】〔補正〕〈自序〉末應補云：「嘉定辛未七月。」（卷八，頁九）

周自得〈序〉[14]曰：「夫子約史記而修《春秋》，繩以文[15]、武之法度，筆削之間[16]，微辭精義雖游、夏弗與於斯，自隱迄哀凡二百四十二年，其行事筆於《春秋》者，一千九百二十有四，該萬有八千言，天道、人事、朝聘、會盟、侵伐、圍入、崩薨、卒葬、王霸[17]、華夷[18]，間[19]見錯出，轇轕紛糾，學者欲睹世變始終之會，治亂得失之由，非融會經傳，該貫首尾，默識心通，則未足以知《春秋》之要領也。余童習是經，初得竹湖李氏所著《王霸

6霖案：「記」字，《五經翼》卷十四題作「紀」字。

7霖案：「考」字，《五經翼》卷十四題作「攷」字。

8霖案：「以」字，《五經翼》卷十四題作「而」字。

9霖案：「叙」字，《五經翼》卷十四題作「敘」字。

10霖案：「霸」字，《五經翼》卷十四題作「伯」字。

11霖案：「序」字，《五經翼》卷十四題作「敘」字。

12霖案：《經義考新校》頁3487新增校文如下：「『條目』，文淵閣《四庫》本誤作『修目』。」。

13應依《補正》補「嘉定辛未七月」。　霖案：霖案：《經義考新校》頁3487校文，「應依」改作「句末依」三字；「補」改作「應補」二字；「嘉定辛未七月」之下，另有「六字」。今考《五經翼》所錄〈春秋王霸列國世紀編序〉一文，缺錄「此編作於辛亥之冬，列國諸紀檃括未竟，懼其條目破碎，援筆輒止。諸老先生每索此書，無以復命，猶子韶為之補，續其未成，猥加整比，越二十年甫為全書，非敢以示學經者，姑存其稿於家塾云。」諸字。

14霖案：李琪《春秋王霸列國世紀編》，周自得〈序〉（通志堂本，冊二十二），頁12922a~b。

15霖案：「繩以文」三字前，應依周自得序文補入「尊王賤伯，內華外夷，誅討亂賊」等十二字，疑避諱而刪去。

16霖案：「間」，周自得序文作「閒」。

17霖案：「霸」，周自得序文作「伯」。

18霖案：《經義考新校》頁3487新增校文如下：「『華夷』，文津閣《四庫》本作『興衰』。」。

19霖案：《經義考新校》頁3487新增校文如下：「『間』，文津閣《四庫》本作『疊』。」。

20列國世紀》讀之，不無拆裂經文之疑；既觀其分王霸21之行事，具世系之本末於治亂興衰之際，復序而論之，讀者一日22而洞徹原委，則極歎前輩之讀書不苟如此，間23手抄以示同志。今廬陵羅中行以家藏善本梓而傳之，斯文必盛行於世，學者由是而會經傳之大全，以探筆削之深意，則未必非通經之一助云24。」

黃虞稷曰：「琪，字孟開，吳郡人，仕國子司業，書成於嘉定辛未，每國紀後有序論，至正中，渝川周自得序而行之。」

【增補】駱兆平《新編天一閣書目》曰：「《春秋王霸列國世紀》三卷　宋李琪撰。抄本。是書分記周朝列國之事，緯以十二公羊世各繫論說。《四庫全書》收錄。」（頁一八八）

趙氏鵬飛《春秋經筌》（宋）

【作者】趙鵬飛，字企明，號木訥子，綿州人。為孫復先生之續傳，撰有《春秋經筌》十六卷。

【書名】本書異名如下：

一、《木訥先生春秋經筌》：孫能傳等撰《內閣藏書目錄》卷二，頁四七八、《現存宋人著述目略》頁二〇、《中國人民大學圖書館古籍善本書目》頁十四著錄。

二、《木訥先生經筌》：《馬來西亞大學中文圖書目錄》六九〇著錄，題作「通志堂經解」本，然該書另錄有《木訥先生春秋經筌》十六卷，亦題作「通志堂經解」本，未詳為何同為「通志堂經解」本，其書名著錄卻有不同，疑此處所題的異名，或為一時失察，而致誤入也。

十六卷。

【著錄】黃虞稷《千頃堂書目》卷二，頁四七、張壽平《公藏先秦經子注疏書目》頁一三七著錄。

存。

【版本及藏地】本書版本及藏地如下：

一、清康熙十九年（１６８０）刻《通志堂經解》本：宋趙鵬飛撰《木訥先生春秋經筌》十六卷，七冊，《現存宋人著述目略》頁二〇、《中國人民大學圖書館古籍善本

20霖案：「霸」，周自得序文作「伯」。

21霖案：「霸」，周自得序文作「伯」。

22霖案：「日」，應依周自得序文作「目」。

23霖案：「間」，周自得序文作「閒」。

24霖案：「云」字下，應依周自得序文補入「至正乙酉歲八月壬子朔，渝川後學周自得序」等十八字。

書目》頁十四著錄，十一行二十字，白口，左右雙邊，有刻工。版心下鐫「通志堂」。初印本。中國人民大學圖書館有藏本。

又馬來西亞大學圖書館有藏本（二部）。

二、文淵閣四庫全書本：(宋)趙鵬飛撰《春秋經筌》十六卷，十四冊，《國立故宮博物院善本舊籍總目》，上冊，頁九十九著錄，台北故宮博物院有藏本。

【增補】永瑢等撰《欽定四庫全書總目》曰：「春秋經筌十六卷　湖北巡撫採進本

宋趙鵬飛撰。鵬飛字企明，號木訥，綿州人。其意以說經者拘泥三傳，各護師說，多失聖人本旨，故為此書，主於據經解經。其自序曰：『學者當以無傳明《春秋》，不可以有傳求《春秋》。無傳以前，其旨安在？當默與心會矣。』又曰：『三傳固不足據，然公吾心而評之，亦有時得聖意者。』夫三傳去古未遠，學有所受，其間經師衍說，漸失本意者固亦有之，然必一舉而刊除，則《春秋》所書之人，無以核其事，所書之事，無以核其人。即以開卷一兩事論之，『元年，春，王正月』，不書即位，其失在夫婦嫡庶之閒。苟無傳文，雖有窮理格物之儒，殫畢生之力，據經文而沈思之，不能知聲子、仲子事也。『鄭伯克段於鄢』，不言段為何人，其失在母子兄弟之際。苟無傳文，雖有窮理格物之儒，殫畢生之力，據經文而沈思之，亦不能知為武姜子，莊公弟也。然則舍傳言經，談何容易。啖助、趙匡攻駁三傳，已開異說之萌，至孫復而全棄舊文，遂貽春秋家無窮之弊。蔡絛《鐵圍山叢談》載鹿溪生黃沇之說曰：『今時為《春秋》者，不探聖人之志，逐傳則論魯三桓、鄭七穆，窮經則會計書甲子者若干，書侵書伐凡幾』云云。沇從學於陳瓘、黃庭堅，其授受尚有淵源，而持論業已如此，蓋皆沿復之說也。鵬飛此書亦復之流派，其最陋者，至謂經書『成風』，不知為莊公之妾、僖公之妾，付之闕疑。張尚瑗《三傳折諸》譏其臆解談經，不知《左氏》有成風事季友而屬僖公之事，不值一噱，頗為切中其病。然復好持苛論，鵬飛則頗欲原情，其平允之處亦不可廢。寸有所長，存備一說可矣。」（卷二十七，頁三五二）

【增補】邵懿辰撰、邵章續錄：《增訂四庫簡明目錄標注》卷三曰：「《春秋經筌》十六卷，宋趙鵬飛撰。

通志堂本，何云　：「據天一閣鈔本，有脫文。」

〔續錄〕李中麓有殘宋本，明鈔本，多自序一篇。」（頁一一二）

三、摛藻堂薈要本：(宋)趙鵬飛撰《春秋經筌》十六卷，十四冊，《國立故宮博物院善本舊籍總目》，上冊，頁九十九，台北：故宮博物院有藏本。

四、墨格舊鈔本：台北故宮博物院有藏本。

五、明朱絲欄抄本：(宋)趙鵬飛撰《春秋經筌》十六卷，十冊，《國立故宮博物院善本舊籍總目》，上冊，頁九十九著錄，台北：故宮博物院有藏本。

又駱兆平《新編天一閣書目》頁二七二著錄，有范欽題籤，寧波天一閣有藏本。

六、清同治十二年(1873)粵東書局据菊坡精舍本重刊本：(宋)趙鵬飛撰《木訥先生春秋經筌》十六卷，七冊，二八公分，台北：國家圖書館、台灣大學圖書館有藏本。

七、明抄本：宋趙鵬飛撰《木訥先生春秋經筌》十六卷，存三卷，為卷七至卷九，《中國古籍善本書目》（經部）頁二七〇著錄，遼寧省圖書館有藏本。

八、明抄本：宋趙鵬飛撰《木訥先生春秋經筌》十六卷，存十二卷，為卷一至卷二，卷七至卷十六，北京圖書館有藏本。

九、明抄本：宋趙鵬飛撰《木訥先生春秋經筌》十六卷，北京、上海圖書館有藏本。

十、清康熙十九年通志堂刊乾隆五十年修補本：(宋)趙鵬飛撰《木訥先生春秋經筌》十六卷，八冊，《國立故宮博物院善本舊籍總目》，上冊，頁九十八著錄，台北：故宮博物院有藏本。

十一、清乾隆五十年(1785)內府刊本：(宋)趙鵬飛撰《木訥先生春秋經筌》十六卷，台北：國家圖書館有藏本，鈐有「味經窩藏書印」朱文長方印、「味經曾覩」朱文方印。

十二、殘宋本：邵懿辰撰、邵章續錄：《增訂四庫簡明目錄標注》卷三，頁一一二著錄。

鵬飛〈自序〉曰[25]：「木訥子作《經筌》，自〈敘〉其首曰：『魚可以筌求，而經不可以筌求。聖人之道寓於經，如二儀三光之不可以肖象，筌何足以囿之？蓋吾之所謂筌，心也，求魚之所謂筌，器也。道不可以器囿，而可以心求，求經當求聖人之心，此吾《經筌》之所以作也。然聖人作經之心安在哉？曰：聖人馭天下之柄，威福而已。二帝三王之道行，則所謂威福者，為賞、為罰、為黜陟，吾夫子之道否，則所謂威福者，為褒、為貶、為勸懲。自其賞罰而觀之，則賢不肖判然玉石矣。故雖識一丁字者，亦知黜四罪、舉十六相，誅二叔、興十亂，為二帝三王之威福也；若夫仲尼，則以是柄寓之空言，褒而伸忠魄，貶而誅奸[26]魂，其文見於片言隻字之間，而威福與二帝三王同其用，則深辭隱義詎[27]可億[28]而度哉？故《五經》鮮異論，而《春秋》多異說。麟筆一絕而三家鼎峙，董之《繁露》、劉之《調人》，紛然雜出，幾成訟[29]矣，後學何所依[30]從邪？及何休、杜預之註[31]興，則又各護所師而不知經，

25霖案：趙鵬飛撰《春秋經筌.序》(《五經翼》經一五一冊，卷十六，頁822。

26霖案：「奸」字，趙鵬飛〈序〉作「姦」。

27霖案：「詎」字，趙鵬飛〈序〉作「遽」字。

28「億」，應依「四庫本」作「臆」。　霖案：《經義考新校》頁3488校文，「應依」改作「依」字；「四庫本」之前，另有「文淵閣」三字；「作」改作「應作」。今考「臆」字，趙鵬飛〈序〉作「俄」字。

29霖案：「訟」字，趙鵬飛〈序〉作「譜」字。

30霖案：「依」字，趙鵬飛〈序〉作「適」字。

31霖案：「註」字，趙鵬飛〈序〉作「注」字。

如季氏之陪臣，知有季氏而不知有魯，非所謂忠於師者。彼所學者，則有太[32]官墨守之喻；所不學者，則興賣餅之譏。各懷私意，以護[33]私學，交持矛盾，以角單言片論之勝，於聖經何有哉？故善學《春秋》者，當先平吾心，以經明經，而無惑乎[34]異端，則褒貶自見。然世之說[35]者，例[36]以為非傳則經不可曉，嗚呼!聖人作經之初，豈意後世有三家者為之傳邪[37]？若《三傳》不作，則經遂不可明邪[38]？聖人寓王道以示萬世，豈故為是不可曉之義以罔後世哉？顧學者不沈潛其意，而務於速得，得其一家之學，已為有餘，而經之明不明不問也。愚嘗謂：學者當以無傳明[39]《春秋》，不可以有傳求《春秋》；謂《春秋》無傳之前，其旨安在？當默與心會矣。《三傳》固無足據[40]，然公吾心而評之，亦時有得聖意者，若何休癖護其學，吾未嘗觀焉。惟范甯為近公，至於論三家，則均舉其失，曰『失之誣[41]』、『失之俗』、『失之短』，不私其所學也。其師之失，亦從而箴之，故穀梁子之傳，實賴甯為多。如經書乾時之戰，我師敗績，亦曰：『不諱敗，惡內也。』甯知其妄，正之曰：『讎[42]無時而可通，惡內之言，傳失之。』經書作三軍，亦曰：『古者諸侯一軍，作三軍，非[43]也。』甯知其疏[44]，正之曰：『總言諸侯一軍，又非制也。』若是者蓋多有之，故愚以為甯之學近乎公，而王通亦曰：『范甯有志於[45]《春秋》焉。』愚學《春秋》，每尚甯之志，固願視經為的，以身為弓，而心為矢，平心而射之，期必中於的。鴈鶩翔於前，不眴也，《三傳》紛紜之論，

32霖案：「太」字，趙鵬飛〈序〉作「大」字。

33霖案：《經義考新校》頁3489新增校文如下：「『護』，《備要》本誤作『獲』。」。

34霖案：「乎」字，趙鵬飛〈序〉作「于」字。

35霖案：「說」字下，應依趙鵬飛〈序〉補入「例」字。

36霖案：「例」字，趙鵬飛〈序〉置於「說」字下，而非於「者」字之下。據此，則「者，例」二字有互倒之情事。

37霖案：「邪」字，趙鵬飛〈序〉作「耶」字。

38霖案：「邪」字，趙鵬飛〈序〉作「耶」字。

39霖案：「明」字，趙鵬飛〈序〉作「期」字。

40霖案：「據」字下，趙鵬飛〈序〉另有「者」字，今據以補入。

41「誣」，應依《補正》作「巫」。　霖案：《經義考新校》頁3489校文，「《補正》」二字之下，另有「《四庫薈要》本」等五字；又「作」改作「應作」二字。今考趙鵬飛〈序〉作「誣」字，同於竹垞所錄之文。

42霖案：「讎」字，趙鵬飛〈序〉作「讐」字。

43「非」下，應依《補正》、「四庫本」補「正」字。　霖案：《經義考新校》頁3489校文，位於「非也」二字之下，其校文如下：「非也」，依《補正》、《四庫薈要》本、文淵閣《四庫》本應作『非正也』。」今考趙鵬飛〈序〉作「誣」字，同於竹垞所錄之文。

44霖案：「疏」字，趙鵬飛〈序〉作「疎」字。

45霖案：「於」字，趙鵬飛〈序〉作「乎」字。

庸能亂吾心哉？庶有得於經而無負聖人之志。蓋《春秋》公天下之書，學者當以公天下之心求之，作《經筌》。』

【增補】〔補正〕〈自序〉內「失之誣」，「誣」當作「巫」；「作三軍，非也」，「非」下脫「正」字。（卷八，頁十）

青陽夢炎〈序〉曰[46]：「蜀在天一方，士當盛時，安於[47]山林，惟[48]窮經是務，皓首不輟，故其著述往往深得經意，然不輕於[49]自衒，而人莫之知書之藏於[50]家者；又以狄難而燬，良可嘅歎[51]。麟經在蜀，尤有傳授，蓋濂溪先生仕於[52]合，伊川先生謫於[53]涪，金堂謝持正先生親受教於[54]伊川，以發明筆削之旨，老師宿儒持其平素之所討論，傳諸其徒，雖前有斷爛朝報之毀，後有偽學之禁，而守之不變，故薰陶漸[55]漬，所被者廣，如馮公輔、朱萬里、張習之、劉光遠諸先生，皆一時所宗。吾鄉木訥趙先生，獨抱遺經，窮探冥索，實為之倡，所著《詩故》、《經筌》二書，有功於[56]聖經甚大；《詩故》湮沒不傳，惟[57]《經筌》獨存，其為說不外乎濂、洛之學，而善於[58]原情，不為傳注[59]所拘，至於[60]推見至隱，使二百四十二年事瞭如在目，其所參訂，率有依據。經生學子竊其緒言以梯科第者，踵相接也。噫!先生著書[61]以淑後學，豈為是哉？先民謂：《春秋》，孔子之刑書，傳為案[62]，經為斷，其說

46霖案：趙鵬飛撰，青陽夢炎序《春秋經筌.序》(《通志堂經解》冊二○)，頁11456。

47霖案：「於」字，《春秋經筌.序》作「于」字。

48霖案：「惟」字，《春秋經筌.序》作「唯」字。

49霖案：「於」字，《春秋經筌.序》作「于」字。

50霖案：「於」字，《春秋經筌.序》作「于」字。

51霖案：「歎」字，《春秋經筌.序》作「嘆」字。

52霖案：「於」字，《春秋經筌.序》作「于」字。

53霖案：「於」字，《春秋經筌.序》作「于」字。

54霖案：「於」字，《春秋經筌.序》作「于」字。

55霖案：「漸」字，《春秋經筌.序》作「浸」字。

56霖案：「於」字，《春秋經筌.序》作「于」字。

57霖案：「惟」字，《春秋經筌.序》作「唯」字。

58霖案：「於」字，《春秋經筌.序》作「于」字。

59霖案：「注」字，《春秋經筌.序》作「註」字。

60霖案：「於」字，《春秋經筌.序》作「于」字。

61霖案：《經義考新校》頁3490新增校文如下：「『書』，文津閣《四庫》本作『學』。」。

62「案」，「四庫本」作「按」。　霖案：《經義考新校》頁3490於此處未有校文，乃是校者刪棄之。今考《春秋經筌.序》作「案」字，與竹垞所錄內容相同。

尚矣。然至當無二，而《三傳》殊說，猶未免於[63]致其疑，有能卓然不惑於[64]好惡是非之私，不徇[65]夫牽合傅會之失，先原情以為之裁準，得其情則案[66]可斷、刑可用矣。孔子作《春秋》，必質諸人情，孰謂探索於[67]千有餘年之後，而不知原情以蔽事哉？此予[68]所以深有味於[69]是書也。予[70]與先生居同里，且受經於[71]先生之高弟，每患此書未能散見於[72]四方，謹刊諸家塾，與同志共之。讀經者儻能主濂、洛、胡文定之說，以求夫大經大法之要，又以此書原當世之人情，而歸於[73]至理，廣而充之，舉而措之，以正誼明道為心，以撥亂反正為事，使吾夫子嘗罰[74]之公不徒載之空言，尚先生明經之明□□[75]。」

張萱曰[76]：「木訥先生[77]因說經者拘泥《三傳》，多非聖人本意，乃自據經解經，故曰《經筌》。」

納蘭成德〈序〉曰[78]：「《春秋》之傳五，鄒氏無師，夾氏未有書，列於學官者三焉。《漢志》二十三家，《隋志》九十七部，《唐志》六十六家，未有舍《三傳》而別自為傳者。自啖助、趙匡稍有去取折衷，至宋諸儒，各自為傳，或不取傳注[79]，專以經解經；或以傳為案[80]，以經為斷；或以傳有乖謬，則棄而信經，往往用意太過，不能得是非之公。嗚呼！聖人

63霖案：「於」字，《春秋經筌.序》作「于」字。

64霖案：「於」字，《春秋經筌.序》作「于」字。

65霖案：「徇」字，《春秋經筌.序》作「狥」字。

66「案」，「四庫本」作「按」。　霖案：《春秋經筌.序》作「案」字，與竹垞所錄內容相同。

67霖案：「於」字，《春秋經筌.序》作「于」字。

68霖案：「予」字，應從《春秋經筌.序》改作「余」字。

69霖案：「於」字，《春秋經筌.序》作「于」字。

70霖案：「予」字，應從《春秋經筌.序》改作「余」字。

71霖案：「於」字，《春秋經筌.序》作「于」字。

72霖案：「於」字，《春秋經筌.序》作「于」字。

73霖案：「於」字，《春秋經筌.序》作「于」字。

74霖案：「嘗罰」二字，應從《春秋經筌.序》改作「賞罰」二字。

75霖案：《經義考新校》頁3491新增校文如下：「『□□』，文津閣《四庫》本脫漏。」，今考「□□」二字，原〈序〉漶漫不清，竹垞亦無法識其確切內容，然「□□」二字下，原〈序〉另有「咸湻［淳」壬申陽月朔後學石泉青陽夢炎序」等字，今據以補入。

76霖案：孫能傳等撰《內閣藏書目錄》卷二，頁478。

77霖案：「木訥先生」，應依《內閣藏書目錄》作「宋左緜趙鵬飛著」。

78霖案：趙鵬飛撰，納蘭成德序《春秋經筌.序》(《通志堂經解》冊二十)，頁11453。

79霖案：「注」字，《春秋經筌.序》作「註」字。

80「案」，「四庫本」作「按」。　霖案：應依《春秋經筌.序》改作「定」字。

之志不明於後世久矣。蓋嘗讀黃氏《日抄》，見所采木訥趙氏之說恆有契於心焉，既得《經筌》足[81]本，乃鏤板[82]傳之。善哉!木訥子之言乎：『善學《春秋》者，當先平吾心，以經明經，而無惑於異端，則褒貶自見。』『蓋《春秋》，公天下之書，學者當以公天下之心求之。』信[83]斯言也，庶幾得是非之公，而聖人之志可以勿晦也[84]已[85]。」

【增補】黃虞稷《千頃堂書目》卷二曰：「（趙鵬飛）字企明，左　人，尚著有《詩故》，失傳。」（頁四七）。

林氏堯叟《春秋左傳句解》（宋）

【增補】《現存宋人著述目略》頁十九錄有宋・胡安固（國）傳，林堯叟音註《春秋》三十卷本，竹垞未能錄及此書，當據以補入。

【書名】本書異名如下：

一、《春秋左傳杜林合注》：《東北師範大學圖書館藏古籍善本書目解題》云：「是書以宋林堯叟《左傳句解》，散附杜注之下，使學者以林解以求杜注之奧。」（頁三一），故書名與竹垞所錄不同。

又《元史藝文志輯本》卷三，頁六〇著錄失名《春秋左傳杜林合注》，疑即此書。

又本書為明王道焜、趙如源同編，有文淵閣四庫全書本，台北故宮博物院有藏本。

二、《音註全文春秋括例始末左傳句讀直解》：張壽平《公藏先秦經子注疏書目》頁一一五著錄。

三、《春秋經左氏傳句解》：張壽平《公藏先秦經子注疏書目》頁一一五著錄。

四、《春秋左傳杜林合註》：張壽平《公藏先秦經子注疏書目》頁一一六著錄。

五、《精校左傳杜林合註》：《馬來西亞大學中文圖書目錄》七一三・一著錄。

六、《左傳杜解附注》：李一遂〈左氏春秋著錄書目研究〉頁一一九著錄。

四十卷。

【卷數】本書卷數異同如下：

一、五十卷：《東北師範大學圖書館藏古籍善本書目解題》著錄，內容散附杜注之下，故卷數與竹垞所錄略有小異。

81「足」,「四庫本」作「是」。　霖案：《經義考新校》頁3491校文置於「足本」二字下，又其校文如下：「『足本』，文淵閣《四庫》本誤作『是本』。」

82霖案：「板」字，應依《春秋經筌.序》作「版」字。

83霖案：《春秋經筌.序》無「信」字，當刪。

84霖案：「也」字，應依《春秋經筌.序》改作「焉」字。

85霖案：「已」字下，應依《春秋經筌.序》補入「康熙丁巳二月納蘭成德容若序」等十三字。

二、五十八卷（殘）：張壽平《公藏先秦經子注疏書目》頁一一五著錄。

三、十八卷（殘）：張壽平《公藏先秦經子注疏書目》頁一一五著錄。

四、二卷（殘）：張壽平《公藏先秦經子注疏書目》頁一一五著錄。

五、七十卷：張壽平《公藏先秦經子注疏書目》頁一一五著錄。

存。

【版本及藏地】本書版本及藏地如下：

一、明崇禎四年刻本：晉杜預，宋林堯叟注，明韓范評閱《春秋左傳》五十卷，九行，二十字，白口，四周單邊。明崇禎十七年韓范作凡例，大陸：西北大學圖書館、長春：東北師範大學圖書館均有藏本，然根據《東北師範大學圖書館藏古籍善本書目解題》所錄，則此本當為崇禎三年所刻。又此書書名從封面頁，實作「《春秋左傳杜林全[合]注》」，卷端題《春秋左傳》，長春：東北師範大學圖書館有藏本。

又西北大學圖書館另藏一本，題作晉杜預　宋林堯叟注　明韓范評《春秋左傳》五十卷，行款同於上述所論（九行注文雙行二十字白口四周單邊），然《西北大學圖書館善本書目》頁三著錄題作「明韓范評閱」，則可補《東北師範大學圖書館藏古籍善本書目解題》之不足。

又中國科學院圖書館、故宮博物院圖書館、吉林市圖書館、東北師範大學圖書館有藏本，惟作晉杜預　宋林堯叟注　唐陸德明音義　明鐘惺評，《春秋左傳》五十卷，題作「明崇禎刻本」，九行二十字小字雙行同或注於天頭白口四周單邊，與上本所錄內容幾近相同，且東北師範大學圖書館有藏本，疑即為同一版本，惟著錄內容或異，不知其故，待查。

【增補】《東北師範大學圖書館藏古籍善本書目解題》曰：「是書以宋林堯叟《左傳句解》，散附杜注於下，使學者以林解以求杜注之奧。」（頁三一）

二、宋末建刊巾箱本：(宋)林堯叟撰《音註全文春秋括例始末左傳句讀直解》，存五十八卷，缺卷一至卷六、卷十至卷十二、卷二十五至卷二十七，凡十二卷，可見原書合計七十卷，20冊；15.4x10.6公分，12行，行22字，小註雙行字數同，四周單欄，文中傍刻釋義，版心小黑口，雙魚尾，中間記卷第葉次，魚尾上方或下方間記字數，左上欄外有書耳記魯公年，台北：國家圖書館有藏本。

【增補】《國家圖書館善本書志初稿》：「【音註全文春秋括例始末左傳句讀直解存五十八卷二十冊】

宋末建刊巾箱本　00615

宋林堯叟撰。

版匡高15.4公分，寬10.6公分。四周單邊。每半葉十二行，二十二字，註文小字雙行。左上欄外有耳題記魯公年(如『莊公二十三年』)，『經』、『傳」、干支紀年以墨蓋子白文別出。版心小黑口，雙魚尾。中間記卷第葉次，魚尾上方或下方偶刻每葉字數。匡、恆、恒、寇、慎等字缺末筆。缺卷一至卷六，卷十至卷十二，卷二十五至二十七，卷六十九缺一至二葉，卷七十第八葉後缺。

卷七首行頂格題『音註全文春秋括例始末左傳句讀直解卷之七』，次行低三格題『魯莊公三』，再低五格題『梅谿林堯叟唐翁』。卷末隔三行有尾題。

書中鈐有『國立中/央圖書/館考藏』朱文方印。」(頁 166)。

又一部，存卷三十五至卷四十四等十卷，共計三冊，原為北平圖書館藏書，曾為台北：國家圖書館代藏，現移交台北：故宮博物院。《國立中央圖書館典藏國立北平圖書館善本書目》，頁九著錄。又王重民：《中國善本書提要》頁二七錄之，題作北京圖書館藏本，二本當為同本。

【增補】瞿鏞編纂．瞿果行標點．瞿鳳起覆校《鐵琴銅劍樓藏書目錄》卷五曰：「題『梅谿林堯叟唐翁句解』。唐翁事蹟未詳，以自題里居，知為閩人。或曰南宋時人。其解《經》、《傳》，自云依杜氏古註，并采止齋陳氏議論附益之。有別出新意，以『愚案』別之。全書箋釋字句，淺顯易明，故曰『《句讀直解》』。於十二公之始，必注明周王紀年、列國紀年及列國之君，易世嗣位，以至齊、晉、秦、楚之大夫為政，使讀者即知時變。其《經》、《傳》字之異於今本者，皆與《唐石經》合。日本山井鼎《考文》引以證足利本所謂『林直解者』是也。自明王道焜、趙如源有《杜林合注》之編，或刪去以就林，或移林以冒杜，而林氏原書幾晦。《四庫全書總目》亦但錄其書。此元刊初印本，猶是曝書亭『三萬卷』中物。有好事者傳刻之，而唐翁之名，不致見蒙於《合注》一書矣。」（頁一四三）

三、元建刊本：(宋)林堯叟撰《音註全文春秋括例始末左傳句讀直解》，存卷三十四至卷五十一，合計十八卷，三冊，原為北平圖書館圖書，台北：國家圖書館曾代管其書，現今已移置台北：故宮博物院，有微捲、微片、精裝複製本，《國立中央圖書館典藏國立北平圖書館善本書目》，頁九著錄。又王重民：《中國善本書提要》頁二六至頁二七錄有一本，題作「元刻本」，其卷數同於此本，惟書名著錄稍有不同，未詳是否為同一本乎？今暫列於此，以俟後考。

又另有一本，存卷五十五、卷五十六，合計二卷，1 冊;19x12.7 公分，13 行，行 25 字，註文小字雙行，四周單欄，版心小黑口，雙魚尾，左上欄外有書耳記魯公年，中間記卷第葉次。有朱筆圈點，為原「十萬卷樓」藏書，台北國家圖書館有藏本，有微捲、有精裝複製本。

【增補】《國家圖書館善本書志初稿》：「【音註全文春秋括例始末左傳句讀直解存二卷一冊】

元建刊本　00618

宋林堯叟撰。

版匡高 19 公分，寬 12.7 公分。四周單邊，雜以雙邊，每半葉十三行，行二十五字，註文小字雙行，左上欄外有耳題記魯公年(如『昭公十八年』)，版心小黑口，雙魚尾。中間記卷第葉次。『經』、『傳」、干支紀年、音註文以墨蓋子白文別出。存卷五十五、五十六。

卷五十五首行頂格題『音註全文春秋括例始末左傳句讀直解卷之五十五』，次行低三格題『魯昭公十一』，卷末隔四行有尾題。文中朱筆圈點。

書中鈐有『國立中央/圖書館/藏書』朱文方印、『十萬/卷樓/藏書』白文方印。」(頁 166)。

【增補】王重民：《中國善本書提要》曰：「【春秋經左氏傳句解】殘存十八卷　三冊（北圖）

元刻本〔十三行二十五字（18.3╳13.2）〕

宋林堯叟注。此本似從前本出，書題或作：「音註全文春秋括例始末左傳句讀直解。」今存卷第三十四至五十一。」（頁二六至二七）

【增補】王重民：《中國善本書提要》曰：「【音註全文春秋括例始末左氏句讀直解】　殘存十卷三冊（北圖）

元刻本〔十二行二十二字（15.7╳10.3）〕

原題：「梅谿林堯叟唐翁。」按清代諸家所藏，多是此本。此僅存卷第三十五至四十四。」（頁二七）

四、元刊本：(宋)林堯叟撰《春秋經左氏傳句解》七十卷，32 冊;23.9x17.9 公分，10 行，行 22 字，註文小字雙行，左右雙欄，版心大黑口，雙魚尾，中間記書名卷第及葉次，遇宋諱桓等字缺筆，為季振宜；譚錫慶；袁克文; 劉承幹等人舊藏之物，台北：國家圖書館有藏本，有微捲、有精裝複製本。又本書有民國四年袁克文手跋。

【增補】袁克文〈跋〉曰：「孜士禮居刻季滄葦書目，有宋板左傳句解七十卷。晨風閣刻朱氏結一廬書目，載春秋經傳句解七十卷，宋林堯叟譔，宋季刊本，每半葉十行，季滄葦藏書。他家所載皆曰音注全文春秋括例始末左傳句讀直解，元本十二行或十四行覆本，無十行者。乙卯三月，寒雲。」（轉錄《標點善本題跋集錄》頁二八）

【增補】《國家圖書館善本書志初稿》：「【春秋經左氏傳句解七十卷三十二冊】

元刊本　**00619**

宋林堯叟撰

版匡高 23.9 公分，寬 17.9 公分。左右雙邊。每半葉十行，行二十二字。註文小字雙行，字數同。『經』、『傳」、釋音字以墨圍別出。版心大黑口，雙魚尾(魚尾相隨)，中間記書名卷第(如『春秋卷一』)及葉次。

首卷首行頂格題『春秋經左氏傳句解卷之一』，次行低十四格題『林堯叟注』。卷末隔三行有尾題。卷首有『春秋左氏傳括例始末句解綱目』。卷末扉葉有近人袁克文手跋，並附印記。

書中鈐有『人間/孤本』白文方印、『國立中央圖/書館收藏』朱文長方印、『吳興劉氏/嘉業堂/藏書印』朱文方印、『季印/振宜』朱文方印、『滄/葦』朱文方印、『真原王/氏之印』朱文方印、『恭邸/藏書』白文方印、『錫晉/齋印』白文方印、『㑹山/文獻』朱文方印、『文淵閣(中)/大學(右)/士章(左)』白文方印、『蘇齋』朱文長方印、『仁圃/藏書』朱文長方印，『子/孫/保之』朱文方印、『季振宜/藏書』朱文方印、『劉承榦/字貞一/號翰怡』白文方印、『文淵/閣大/學士/之章』白文方印、『篤生』朱文錢形印、『畿輔/譚氏藏/書印』白文方印、『譚錫慶/學看宋板/書籍印』朱文方印、『譚錫/慶』白文方印、『寒雲祕笈/珍藏之印』朱白文長方印。」(頁 166)。

又李一遂〈左氏春秋著錄書目研究〉題作「元刻本」，北京圖書館有藏本，疑即此本。

五、元刊本配補元建刊音註全文直解本：(宋)林堯叟撰《春秋經左氏傳句解》七十卷，二十四冊，原書卷六十四至卷七十配補，本書原為北平圖書館舊藏，曾為台北：國家圖書館代管，今已移交台北故宮博物院，有微捲、有微片，《國立中央圖書館典藏國立北平圖書館善本書目》，頁九著錄。又王重民：《中國善本書提要》頁二七錄有一本，題作「元刻本」，有北京圖書館藏本，疑其此本。

【增補】王重民：《中國善本書提要》曰：「【春秋經左氏傳句解七十卷】二十四冊（北圖）

元刻本〔十四行二十四字（18.8╳12.3）〕

原題：「林堯叟注。」卷前載《綱目》五則，述作《句解》例，末一則云「《句解》直解，並依杜氏古註，及採取止齋陳先生議論而附議之。」持與杜《注》對讀，十八九依杜氏，其有新解，即《綱目》所謂：「直述其事，為初學設，今為之句讀，訓詁直解，如名姓地理之重複互異者，直註云即某地，庶便初學之觀覽」是也。是林氏著書之旨，意在將杜預《集解》通俗化，俾初學者能讀之。其能風行宋元兩代，延及明清，猶行於民間，非無因也。後人不達其事，陳鱣《簡莊集》有跋，始能表彰其書，陸心源益暢陳說，蓋自朱彝尊以來，皆謂合林於杜，始明季王道焜也。余前見嘉靖初蜀刻杜、林本，始能駁其說，上溯於宋代。今獲閱此本，林堯叟全依杜預以作《句解》，疑合併之事，林氏自為之者。特林氏原本不題杜預名，明人翻刻其書，始冠杜預名於林堯叟前，此杜、林合注之名所由昉也。王道焜本余未見，蜀刻適不在手，茲就馮李驊本校之，其文全同於此本，則此本實即後世所稱之合注本也。又是書之有助初學，尤在所謂「括例始末」，括例謂注內見例；始末謂十二公前載《周王紀年》、《列國紀年》及《春秋二十國大事》。元代以《胡氏傳》取士，而士子猶誦習此本；余見元本胡氏傳有竄入《括例始末》者，則以《胡傳》雖在功令，而此實有助於誦習也。此本在民間潛在勢力之大，不難想見！蓋明人又漸重杜預《集解》，坊賈翻刻林氏舊本，便將杜預抬出，以迎合士大夫心理，於是林解遂稱為《杜林合注》矣。卷內直音用孫奕，亦宋元人所重，明人改用陸德明，則明人所重也。卷內有：「石庵」、「棲雲樓」、「季寓庸家藏」、「振宜家藏」、「滄葦」、「半窗明月」等印記

。卷六十四至七十為季氏用另一元刻本補配，書題作：「音註全文春秋括例始末左傳句讀直解」，十三行，二十五字。」（頁二七）

六、元刊清乾隆間鄒奕孝鈔補本：(宋)林堯叟撰《春秋經左氏傳句解》七十卷，全書20冊;24x19.7公分，10行，行22字，小字雙行字數同，版心小黑口，雙魚尾，中間記書名卷第及葉次，有微捲、有精裝複製本，有清鄒奕孝、翁同書各手跋，卷三十八至卷四十三及卷五十九、卷六十凡八卷鈔配，台北國家圖書館有藏本。

【增補】鄒奕孝〈跋〉曰：「左氏春秋，自杜林合注行，而林注單行者絕少，然林注詳而杜注簡，林可補杜所未及，且有互相發明者，林亦杜之功臣也。江南華姓儁此二十五冊，凡闕五冊，修書之暇，為補其闕，閱二年始成全書。是書有崇文院及太平戊寅三年年號，按遼聖宗太平三年非戊寅，宋太宗太平興國三年戊寅，始建崇文院，蓋賈人欲充作北宋版以求售，而又去興國作太平，偽也。又有指為南宋版者，亦非，蓋係元版明裝，其籤則董宗伯書也。浙省進遺書有此一部，板刻無二，取入內廷，外間蓋尠，是可寶也。或有以其丹鉛為病者，是真求駿足于牝牡驪黃之內者也。時乾隆四十六年，歲次辛丑，仲春，祭酒鄒奕孝書。

乾隆四十七年，歲次壬寅，孟秋上浣，於京師重裝，衹換去頁面損壞者，仍留原簽，裝法亦如其舊。錫麓記。」（轉錄《標點善本題跋集錄》頁二八）

【增補】翁同書〈跋〉曰：「明季杭州書坊刻杜林合注，而林注單行本遂晦，此元刊本為錫山秦刺史炳章所贈。鄒念喬先生序稱簽為董宗伯所書，其原闕五冊，先生據浙省所進本鈔補，遂成完璧，亦足見前輩用力之勤也。吾邑張月霄嘗收得一本，卷首有朱彝尊錫鬯，南書房舊講官兩印，今不知散落何所矣！道光二十四年九月十六日，海虞翁同書識于京邸。」（轉錄《標點善本題跋集錄》頁二八）

【增補】《國家圖書館善本書志初稿》：「【春秋經左氏傳句解七十卷二十冊】

元刊清乾隆間鄒奕孝鈔補本　**00621**

宋林堯叟撰。

版匡高24公分，寬19.7公分。左右雙邊。每半葉十行，行二十二字。註文小字雙行，字數同。音註字以墨圍別出。版心小黑口，雙魚尾(魚尾相隨)，中間記書名卷第(如『春秋卷一』)及葉次。

首卷首行頂格題『春秋經左氏傳句解卷之一』，次行低三格題『魯隱公一』，再低七格題『林堯叟注』。卷末隔三格有尾題。卷首有杜預春秋經左氏傳序。序後有綱目、目錄。文中朱筆斷句。書首扉葉有乾隆四十六年(1781)鄒奕孝手書題記。書末扉葉有鄒奕孝再題，其云『乾隆四十七年歲次壬寅孟秋上浣於京師重裝衹換去頁面損壞者仍留原簽裝法亦如其舊錫麓記』。其後有道光二十四年(1844)翁同書手書題識，並附印記。本書卷三十八至四十三，卷五十九，六十凡八卷為鈔配。另第一冊序、綱目，目錄同為鄒奕孝鈔配。本書原版部分版心刻有『崇文院』，則其左欄外耳題有『太平戊寅三年』，依鄒奕孝考證，『蓋賈人欲充作北宋版以求售而又去興國作太平，偽也』。

書中鈐有『國立中央圖/書館收藏』朱文長方印、『鄒印/念喬』朱文方印、『又任/之友』朱文方印、『大司/成章』朱白文方印、『鳩(?)/泉(?)』朱文方印、『翁印/同書』白文方印、『常熟翁生/生於鬱洲/長游京師』朱文方印。」(頁 166~167)。

七、文淵閣四庫全書本：書名題作《左傳杜林合註》，明王道焜、趙如源同編，台北故宮博物院有藏本。

【增補】永瑢等撰《欽定四庫全書總目》曰：「左傳杜林合注五十卷86　左都御史崔應階進本

明王道焜、趙如源同編。案朱彝尊《經義考》載宋林堯叟《春秋左傳句解》四十卷87，引鄭玥之言曰：『堯叟字唐翁。崇禎中杭州書坊取其書，合杜《注》行之。』又載此書五十卷，引陸元輔之言曰：『王道焜，杭州人，中天啟辛酉鄉試。與里人趙如源濬之共輯此書』云云。今書肆所行，卷數與彝尊所記合，而削去道焜、如源之名。又首載《凡例》題為堯叟所述，而中引永樂《春秋大全》，殆足哈噱。蓋即以二人編書之《凡例》改題堯叟也。杜預注《左氏》，號為精密，雖隋劉炫已有所規，元趙汸、明邵寶、傅遜、陸粲，國朝顧炎武，惠棟又遞有所補正，而宏綱巨目，終越諸家。堯叟之書，徒以箋釋文句為事，實非其匹第。古注簡奧，或有所不盡詳，堯叟補苴其義，使淺顯易明，於讀者亦不無所益。且不似朱申《句解》於傳文橫肆刊削，故仍錄存之，以備一解。中附陸德明《音義》，當亦道焜等所加，原本所有，今亦并存焉。」（卷二十八，頁三六八）

【增補】邵懿辰撰、邵章續錄：《增訂四庫簡明目錄標注》卷三曰：「《春秋左傳句解》七十卷，宋林堯叟撰，昭文張氏有元刊本，《經義考》作四十卷，陳鱣集有跋語。

〔附錄〕陳仲魚跋云：「每卷題云，音注全文春秋括例始末左傳句讀直解，凡七十卷」。東湖叢記云：「嘗見元刊四十卷本，題云，春秋正經全文左傳增注句解，次行梅谿林堯叟唐翁，後學林仲連校定。」每葉二十二行，二十一字，陸有元刊本，與陳跋同。（紹箕）

〔續錄〕宋刊本，卷末有紹興字樣一行，嘉興唐氏藏元刊本七十卷，元坊翻宋板，猶缺宋諱，一二卷，半葉十二行，行二十一至二十四字不等，雙行同，三卷以下，十三、十四行不等，行二十四、五字，不等。其經文某公某侯旁注謚法，間有旁注音義，亦有不旁注者，皆坊間所為。德化李氏木犀軒亦藏有元刊本，及元明間刻本，均七十卷。」（頁一一二至頁一一三）

八、清咸豐元年刊本：書名題作《春秋左傳杜林合註》，台北圖書館有藏本。

86霖案：原注云：按：文淵閣庫書另有《春秋提要》一卷，《總目》失載。

87霖案：原注云：胡玉縉：據陸心源《藏書志》元刊本《音注全文春秋括例始末左傳句讀直解》七十卷及案語記錄，宋林堯叟《春秋左傳句解》為七十卷。

九、朝鮮端宗三年（１４５４）錦山郡金連枝刻本：宋林堯叟《音注全文春秋括例始末左傳句讀直解》七十卷，北京圖書館有藏本，存卷六至卷七十。

又遼寧圖書館有藏本，存七十卷。

十、明刻本：七十卷，每半葉十行，行二十二字，墨口。復旦大學圖書有藏本。

又上海圖書館、重慶市圖書館另有藏本，宋林堯叟注《春秋經左氏傳句解》七十卷，十行二十二字小字雙行同細黑口左右雙邊雙魚尾。

【增補】《嘉業堂藏書志》卷一曰：「《春秋經左氏傳句解》七十卷　明刻本林堯叟注　每半葉十行，行二十二字，墨口。前有括例、始末、句解、綱目五條。周王及列國紀年，冠於十二公之始。卷一、二隱公，卷三、四桓公，卷五至七莊公，卷八閔公，卷九至十六僖公，卷十七至二十文公，卷二十一至二十五宣公，卷二十六至三十成公，卷三十二至四十四襄公，卷四十五至六十昭公，卷六十一至六十四定公，卷六十五至七十哀公，括例云：句解、直解，並依杜氏古注。卷中實皆自注，與例不符，殊不可解。宋刊本末有紹興字樣一行，此本無之，鐫工實為元刻。別有元刻作四十卷者，疑分卷不同也。有『甲』、『季印振宜』、『滄葦』、『太原王氏之印』、『恭邸藏書』、『錫晉齋印』、『文淵閣大學士章』（小注云：此印前一印有『山水金玉』等字，不可讀。）『　山文獻』、『仁圃藏書』、『子孫保之』、『季振宜藏書』諸記。（董稿）　林堯叟注。《四庫提要》收明王道焜、趙如源同編《左傳杜林合注》五十卷，此為林氏單注本。每半葉十行，每行二十二字。大板，上下黑口。卷首有春秋左氏傳、括例、始末、句解、綱目五條。雖注釋淺顯，正文與《唐石經》合。日本井鼎《考》，曾引其書。舊為季滄葦藏書，惟板式、書體當在成、弘之間，《滄葦書目》著錄宋本，疑非此帙。有『甲』、『　山文獻』、『季印振宜』、『滄葦』、『文淵閣大學士章』、『碁邸藏書』、『錫晉齋印』、『太原王氏之印』諸記。（吳稿）」（頁一五五）。

十一、明萬曆吳興閔氏刻本：《春秋左傳杜林合注》五十卷，重慶市博物館、日本內閣文庫、哈佛大學燕京圖書館有藏本。

【增補】沈津著《美國哈佛大學燕京圖書館中文善本書志》：「0079 明萬曆吳興閔氏刻本春秋左傳杜林合注　　　T717/7442

《春秋左傳杜林合注》五十卷《異名考》一卷《列國圖說》一卷《提要》一卷《列國指掌圖》一卷《諸侯興廢》一卷，晉杜預、宋林堯叟撰，唐陸德明音義，明閔夢得、閔光德輯。明萬曆二十二年（１５９４）吳興閔氏刻本。十六冊。半頁十行二十字，左右雙邊，白口，單魚尾，上刻註。框高２１．１厘米，寬１３．４厘米。題『晉杜陵杜預元凱、宋梅谿林堯叟唐翁註釋，唐姑蘇陸元朗德明音義，明吳興閔夢得禹錫、閔光德賓王編輯』。

是書乃取杜預及林堯叟二家《左傳》註彙為一編，其凡例後有閔光德識語，云：『光德甫髫，隨侍京邸，先大夫以《左氏傳》訓，因間從薦紳先生揚扢，雖未窺一斑，然而竊神王矣。比歸，習曾大父宮傅公遺書，得盡覩諸家之釋，嘗欲合杜、林二註，手彙一編，親若坐二氏于庭，北面丘明，校讎參決，令讀者瞭然指掌。不佞光德業已為政，適余家禹錫兄世受麟經，專精《左氏》，一日過齋頭，以一編眎予，則二家註也。予亦出所故嘗手彙者印可，二人相視，頗稱同調，為之躍然，於是竟業。得于杜者十不去一，得于林者十而二三，既脫稿，而于段落、于字句，復詳加研校，無慮數十過迺已。蓋時餐與餐，時沐與沐，非敢曰望左史之堂廡，聊以志嚮慕之私已爾，唯閱覽君子進而斅之。』

《四庫全書總目》未收。《中國古籍善本書目》著錄。重慶市博物館及日本內閣文庫亦有入藏。按是書天啟間又有問奇閣刻本，為明王道焜、趙汝源輯。又明金陵抱青閣十乘樓有《增補春秋左傳杜林合註》二十卷。

鈐印有『愚齋圖書館藏』、『愚齋審定善本』、『武進盛氏所藏』、『愚齋鑑藏』。」（頁三八）

十二、清刊本：(晉)杜預，(宋)林堯叟註釋《春秋左傳》存二十五卷，八冊，缺卷一至卷二五，台北：國家圖書館有藏本。

又一部，存二十四卷，缺卷一至卷二六，八冊，台北：國家圖書館有藏本。

十三、明嘉靖三十年（一五五一）刻萬曆二十三年（一五九五）修補本：宋胡安國傳，宋林堯叟音註《春秋集註》三十卷，半葉九行，行十八字，杭州大學圖書館有藏本。

【增補】《杭州大學圖書館善本書目》曰：「《春秋集註》三十卷，《首》一卷　宋胡安國傳　宋林堯叟音註　明嘉靖三十年（一五五一）刻萬曆二十三年（一五九五）修補本　半葉九行　行十八字　有『呂氏書巢珍藏』及嘉業堂等藏印　八冊。」（頁八）

十四、民國掃葉山房印本：晉杜預注，宋林堯叟註《精校左傳杜林合註》五十卷，六冊，馬來西亞大學圖書館有藏本。

十五、日本嘉永七年刊本：宋林堯叟註釋，唐陸元朗章釋，日本貫名苞校訂《春秋經傳集解》，韓國藏書閣有藏本。

十六、日本寬文元年京都上村次郎右衛門刊本：宋林堯叟撰，日本松永昌易點《音註全文春秋括例始末左傳句讀直解》七十卷，日本八戶市立圖書館有藏本。

又日本八戶市立圖書館另有一本，闕卷第一至第二。

十七、明嘉靖刊本：晉杜預，宋林堯叟註《春秋左傳》三十卷，美國國會圖書館有藏本。

【增補】王重民：《中國善本書提要》曰：「【春秋左傳三十卷】　十冊（國會）

明嘉靖間刻本〔十行二十一字（19.1╳12.8）〕

晉杜預，宋林堯叟註。卷端載《綱目》四條，左傳圖二。〔上面四凶圖，下面十二國、戰國圖。〕目錄下題：「梅谿林堯叟唐翁注」，《春秋左傳序》下題：「杜預元凱序，林堯叟唐翁解。」卷一書題次行題：「附林堯叟《音註》《括例始末》。」按林堯叟所撰《左傳句解》，今有元刊七十卷本，陳鱣《綴文》卷三、陸心源《儀顧堂集》卷十六、張氏《愛日精廬藏書志》卷五、莫氏《經眼錄》卷二並著錄。其合於杜《注》，朱彝尊、陳鱣並謂始於王道焜；道焜有《左氏杜林合注》五十卷，《四庫總目》卷二十八著錄，《提要》追述合著之始，亦援朱說。今以是書證之，殆不始於道焜也。此本《綱目》後有牌記，已被剜去；卷末又有：「巡按四川監察御史朱廷立案行，成都府知府楊銓校刊」牌記。按銓豐城人，正德九年進士，廷立通山人，嘉靖二年進士，則此本刻於嘉靖初，前於道焜者蓋百餘年。近莫氏《五十萬卷樓藏書目錄初編》卷二，載高麗本《音點春秋左傳括例始末句解綱目》，與此本正同；間缺宋諱，亦同此本。因疑元代單注本以前，或已有合於杜《注》之本，為此本及高麗本所從出。陳鱣跋云：「或刪杜以就林，或移林以冒杜」，蓋合注出於宋代坊賈之手。明清以來諸坊本，皆從之出，王道焜與趙如源同編之說，則又明末杭州書坊所託也。朱彝尊、陳鱣與四庫館臣反信其說，蓋均未詳攷也。

杜預序。」（頁二六）

十八、元刻本：《中國歷史博物館古籍善本書目》頁七著錄一本，中國歷史博物館有藏本，行款與上述元刻本不同，或另為一本，今暫列於此，以俟後考。宋林堯叟撰《音注全文春秋括例始末左傳句讀直解》七十卷，十二行廿二字小字雙行四十四字小黑口四周單邊（存四卷〔四十五　四十六　四十七　四十八〕），中國歷史博物館有藏本。

【增補】《中國歷史博物館古籍善本書目》曰：「音注全文春秋括例始末左傳句讀直解　七十卷

宋林堯叟撰　元刻本　一冊

存四卷（四十五至四十八卷）　十二行二十二字小字雙行四十四字小黑口四周單邊　（善28）」（頁七）

十九、萬曆二十三年倪甫英倪家胤重修印本：《中國歷史博物館古籍善本書目》頁八至頁九著錄此書，該館有藏本。

【增補】《中國歷史博物館古籍善本書目》曰：「春秋集注　三十卷卷首一卷

宋胡安國撰　林堯叟音注　明〔萬〕曆二十三年倪甫英倪家胤重修印本　八冊

九行十八字小字雙行三十六字白口左右雙邊版心下鐫刻工名　有明劉憲序明林堯叟音注　（善524）」（頁八至頁九）

二十、清光緒16年（庚寅1890）桂垣書局刻本：河北省圖書館有藏本。

【增補】《河北省圖書館館藏古籍目錄》曰：「0143

春秋左傳　三十卷／（晉）杜預注；（宋）林堯叟附注；（唐）陸德明音釋；（清）馮李驊集解．－清光緒16年（庚寅1890）桂垣書局刻本．－12冊（2函）

經１４３」（頁十五）

二一、清乾隆間三多堂刻本：河北省圖書館有藏本。

【增補】《河北省圖書館館藏古籍目錄》曰：「０１３２

春秋左傳　五十卷首一卷／（晉）杜預，（宋）林堯叟注；（唐）陸德明音義；（明）鍾惺，孫鑛，韓范評點．－清乾隆間三多堂刻本．－１３冊（１函）．－存４０卷：卷１～１０，卷２０～５０；１０行２０字小字雙行同，白口，單魚尾，左右雙邊
經１３２」（頁十四）

二二、清善成堂刻本：河北省圖書館有藏本。

【增補】《河北省圖書館館藏古籍目錄》曰：「０１４４

春秋左傳　五十卷／（晉）杜預，（宋）林堯叟注釋；（唐）陸德明音義；（明）鍾惺，孫鑛，韓范評點．－清善成堂刻本．－１２冊（２函）．－書名頁題春秋左傳杜林善本

部二　存２６卷：卷１～２６　６冊（２函）　經１４４」（頁十五）

二三、清光緒間經綸堂刻本：河北省圖書館有藏本。

【增補】《河北省圖書館館藏古籍目錄》曰：「０１４５

春秋左傳　五十卷／（晉）杜預注，（宋）林堯叟注釋；（唐）陸德明音義；（明）鍾惺，孫鑛，韓范評點．－清光緒間經綸堂刻本．－１６冊（２函）．－書名頁題經綸堂春秋左傳杜林　　經１４５」（頁十五）

二四、國立北京圖書館藏明刊本：國立北京圖書館藏明刊本：宋林堯叟撰《春秋左傳句解》三十卷。

【增補】《續修四庫全書總目提要》：「春秋左傳句解三十卷　國立北京圖書館藏明刊本　張壽林

宋林堯叟撰。堯叟字唐翁。梅谿人。始末未詳。清瞿鏞鐵琴銅劍樓藏書目錄。謂或曰南宋人。其書都凡三十卷。按清朱彝尊經義考春秋類第二十四。著錄堯叟所撰春秋左傳句解四十卷。鐵琴銅劍樓藏書目錄經部春秋類。著錄元刊音注全文春秋括例始末左傳句讀直解七十卷。皆與此本卷數不合。考經義考引鄭玥之言曰。堯叟字唐翁。崇禎中杭州書坊取其書合杜注行之。則明末坊間。於林氏之書每多刪並。是編卷數。殆亦坊刻所刪並。當已非林氏之舊矣。今考其書。解經皆依杜氏古注。並採止齋陳氏議論。以附益之。間亦自出新意。以推闡經旨。大抵逐句箋釋。隨文為解。故以句解名其書。其所詮解。雖不如杜注之簡奧。惟杜注或有所不盡詳。堯叟補苴其義。使淺顯易明。於讀者誠不無所益。又於十二公之始。必注明周王紀年。列國紀年及列國之君易世嗣位之事。使讀者即之以知時變。亦頗稱有見。至於經傳異文。亦往往分注於各字之下。尤便於讀者。按林氏是書。自明王道焜趙如源。有杜林合注之編。或刪杜以就林。或移林以就杜。而林氏之原書遂晦。四庫全書亦但錄合注。世人幾不復知有

林書。是編雖刻於晚明。已非林氏之舊。然僅存林注。使堯叟之面目。不致見蒙於合注。此其所以尤可貴歟。」(頁六七九)

二五、元刻本(配明刻本春秋集傳大全卷三十四)　：宋林堯叟撰《春秋正經全文左傳增注句解》四十卷，十一行廿一字黑口四周雙邊雙魚尾，上海圖書館有藏本。

二六、元刻明修本：宋林堯叟撰《音注全文春秋括例始末左傳句讀直解》七十卷，十二、十三行不等大字不等小字雙行二十四五字不等黑口四周單邊左右雙邊雙魚尾，楊守敬跋，北京大學圖書館有藏本。

二七、元刻明修本：宋林堯叟撰《音注全文春秋括例始末左傳句讀直解》七十卷，十二行廿四字黑口四周雙邊，北京：中國國家圖書館、上海圖書館、吉林大學圖書館有藏本。

二八、元刻本：宋林堯叟撰《音注全文春秋括例始末左傳句讀直解》七十卷，十三行廿四字小字雙行同細黑口四周單邊〕存三卷〔二十十一至二十三〕，北京：國家圖書館有藏本。

二九、明弘治十九年宗文堂刻本：宋林堯叟注《春秋左傳》三十卷，十行廿一字上下黑口四周雙邊雙魚尾，上海圖書館有藏本。

三十：明嘉靖二十四年書林鄭希善宗文堂刻本：晉杜預注、宋林堯叟音注《春秋左傳》三十卷，十行二十一字小字雙行同白口左，吉林省圖書館、浙江圖書館有藏本。

三一、明刊本：晉杜預注　宋林堯叟音注　明鍾惺等評點《春秋左傳》五十卷，十行二十字小字雙行白口左右雙行單魚尾，北京大學圖書館有藏本。

三二、明崇禎刻本：晉杜預　宋林堯叟注　唐陸德明音義　明鍾惺評《春秋左傳》五十卷，九行二十字小字雙行同或注於天頭白口四周單邊，中國科學院圖書館、故宮博物院圖書館、吉林市圖書館、東北師範大學圖書館有藏本。

三三、康熙四十二年龔聖錫刻本：晉杜預　宋林堯叟注　唐陸德明音義　明孫鑛、鍾惺批點《春秋左傳》五十卷，清唐仁壽批校，浙江圖書館有藏本。

三四、明刻本：晉杜預、宋林堯叟注，唐陸德明音義，明孫鑛、鍾惺批點，張岐然輯《春秋左傳綱目杜林詳注》十五卷，九行廿九字白口四周單邊，廣東省五華縣圖書館有藏本。

三五、明閔夢得、閔光德輯明萬歷二十二年刻本：晉杜預　宋林堯叟撰　唐陸德明音義《春秋左傳杜林合注》五十卷，十行二十字白口上下單邊左右雙邊，重慶市博物館有藏本。

三六、明天啟六年問奇閣刊本：江蘇國學圖書館有藏本。

晉杜預、宋林堯叟撰、唐陸德明音義、明王道昆　趙如源輯《春秋左傳杜林合注》五十卷，九行二十字小字雙行同四周單邊，華東師範大學圖書館、吉林大學圖書館、金華圖書館、湖南師範學院圖書館有藏本。

三七、明萬曆十八年金陵抱青閣十乘樓刻本：晉杜預、宋林堯叟撰《增補春秋左傳杜林合注》二十卷，十行十九字白口雙邊單魚尾，上海圖書館、河南省圖書館有藏本。

又常熟縣圖書館有藏本，題作「清錢陸燦批校並跋」。

鄭玥曰：「堯叟，字唐翁，崇禎中，杭州書坊取其書，合杜《注》行之。」

熊氏慶胄《春秋約說》

佚。

萬氏鎮《左傳十辨》

【霖案】萬鎮師事饒魯，而其撰著處於饒魯《春秋節傳》一書之前，實不合於竹垞輯纂慣例，蓋誤也。

【作者】萬鎮，字子靜，平江人。師事方暹、饒魯，魯語人曰：天下讀書，伯易第一，子靜次之。伯易謂湯漢，亦魯弟子。淳祐十年登第，授澧州司戶參軍卒。著有《左傳十辨》一卷。

一卷。

佚。

《姓譜》[88]：「鎮，字子靜，平江人[89]。登淳祐庚戌第，授豐州[90]司戶參軍[91]。」

陸氏震發《春秋叢志》

【作者】陸震發，字德甫，淳安人。少聰敏，書多淹洽，尤明於《春秋》。淳祐中，知州王佖，知縣虞贊力薦之朝，以親老乞鄉校就養，乃授學諭。著有《春秋講義叢志》一卷。

一卷。

佚。

《嚴州府志》：「陸震發，字德甫，淳安人。淳祐中，薦授儒學教諭。」

饒氏魯《春秋節傳》(宋)

【霖案】饒魯為萬鎮之師，而其撰著處於萬鎮《左傳十辨》，實不合於竹垞輯纂慣例

88霖案：《萬姓統譜》(《四庫全書》本，冊九五七)，卷一○○，頁435-436。

89霖案：「平江人」三字下，應依《萬姓統譜》補入「少師事方暹，後遊饒雙峯門，嘗稱『天下讀書，伯易第一，子靜次之。』伯易名漢，鄱陽人，與子靜為同門友，魯仕能亦稱『詞翰之上，如深山窮谷，大江大河，言論懇懇，極古今事情，非書生常談也。』」，賈似道荊辟充公安書院山長，不赴。」等字。

90「豐州」，一作「澧州」。　霖案：《徽州府志》作「澧州」。

91霖案：「軍」字下，應依《徽州府志》補入「卒，所著有《左傳十辨》」等八字。

，蓋誤也。

【作者】饒魯，字伯輿，一字仲元，一字師魯，餘干人。幼從黃榦遊，榦甚器之，嘗赴試不遇，遂專意聖學。當事累遷薦，召不起，四方聘講無虛日，作朋來館以居學者，又作石洞書院，前有兩峰，因號雙峰。及卒，門人私謚「文元」。撰有《五經講義》，《論孟紀聞》，《春秋節傳》，《學庸纂述》，《太極三圖》，《庸學七二圖》，《兩銘圖》，《近思錄註》。

【書名】李一遂〈左氏春秋著錄書目研究〉頁一二五錄作「《春秋節文》」。

佚。

舒氏津《春秋集注》

【作者】舒津（1213～1293），字通叟，奉化人，璘從孫。景定三年進士，歷太學博士，累官知平江府，蒞事勤敏。吏治之暇，雅志讀書，嘗博采傳記，著《續蒙求》。元至元三十年卒，年八十一。又有《尚書解》、《春秋集註》、《十七史綱目》等書。

佚。

胡氏康《春秋誅意讜告》

【作者】「胡康」，當據《徽州府志》改作「胡康侯」，竹垞誤漏一字，而使作者有誤。然而，此處「胡康侯」非指「胡安國」，讀者宜留意之，以免有誤認之失。

一百卷。

佚。

《徽州府志》[92]：「康[93]，婺源人[94]，進[95]《春秋誅意讜告》百卷[96]於[97]朝，理宗覽而嘉之，特旨與召試[98]，調鎮江司戶參軍。」

朱氏申《春秋左傳節解》　或作《詳節》。

---

[92]霖案：《徽州府志》(《四庫全書存目叢書》史一八一)，卷八，頁15。

[93]霖案：「康」，當依《徽州府志》作「康侯」。按此人乃胡升從子，名康侯（非胡安國），非名康。竹垞誤！（《四庫全書存目叢書．史一八一》，頁１５）

[94]霖案：「婺源人」三字，《徽州府志》無此字，竹垞據「胡升」條下注文「字潛夫，號愚齋，婺源清華人。」諸字，而胡康侯既為胡升從子，籍貫當亦同之，故竹垞擅加此三字，雖合乎其籍貫，但與《徽州府志》不同。

[95]霖案：「進」字，應依《徽州府志》改作「著」字。

[96]霖案：「百卷」二字下，應依《徽州府志》補入「進」字。

[97]霖案：「於」字，《徽州府志》作「于」字。

[98]霖案：「召試」，《徽州府志》作「殿試」。

【增補】永瑢等撰《欽定四庫全書總目‧存目》曰：「春秋左傳句解三十五卷　兩淮馬裕家藏本

元朱申[99]撰。申有《周禮句解》，已著錄。是書惟解《左傳》，不參以經文，蓋猶用杜預以前之本。其一事而始末別見者，各附注本文之下，端委亦詳。惟傳文頗有刪節，是其所短[100]。如隱公之首刪『惠公元妃[101]孟子』一節，則隱、桓兄弟之故，何自而明哉[102]？（卷三十，頁三八五）

【增補】胡玉縉撰、王欣夫輯《四庫全書總目提要補正》卷七曰：「案《周禮句解提要》以申為宋人，前後互異。丁氏《藏書志》有萬曆刊本《春秋左傳詳節句解》云：『傳文刪節過甚』，據此，則《詳節》二字不可少。」（頁一八五）

【增補】崔富章《四庫提要補正》曰：「《四庫採進書目》載《春秋左傳句解》三十五卷四本（《兩淮商人馬裕家呈送書目》），是為《總目》著錄之本，惟版本不明。傳本有宋刻元修本《增修訂正音點春秋左傳詳節句解》，北京大學藏，存三十卷：三至二十八、三十二至三十五；元刻本《春秋左傳詳節句解》，上海館藏，卷二十九至三十五配明嘉靖刻本；明初刻本《音點春秋左傳詳節句解》，北京館藏；明萬曆十年顧梧芳刻本，浙江義烏縣館藏；萬曆十三年周曰校刻本，南京館、安徽館藏；萬曆兩本并題《春秋左傳詳節》。又，明末刻本，題《重訂批點左傳狐白句解》，宋朱申撰，明孫鑛批點，河南館獨家收藏。各本書名小異，皆標『詳節』，是『傳文頗有刪節』不足為朱氏病矣。」（頁一八二）

【霖案】《現存宋人著述目略》頁十七錄有宋‧朱申撰；清‧韓菼訂《評點春秋左傳綱目句解彙雋》六卷，竹垞未錄此書，當據以補入。

【書名】本書異名如下：

一、《春秋左傳詳節句解》：駱兆平《新編天一閣書目》頁一八九、《國立中央圖書館善本序跋集錄》頁三六七著錄。

二、《音點春秋左傳詳節句解校本》：《中國館藏和刻本漢籍書目》頁四六著錄。

三、《增修訂正音點春秋左傳句解詳解》：李盛鐸著‧張玉範整理《木犀軒藏書題記及書錄》頁七四著錄。

四、《春秋左傳句解》：《四庫全書總目‧存目》錄有此書。

---

[99]按：《周禮句解》提要以朱申為宋人，前後互異。

[100]按：萬歷刊本《春秋左傳詳節句解》云：「傳文刪節過甚」，據此，則「詳節」二字不可少。

[101]「妃」，底本誤作「配」，據浙、粵本及《左傳》原文改。

[102]崔富章：《總目》著錄之書版本不明，今北京大學館藏宋刻本《增修訂正音點春秋左傳詳節句解》，存二至二十八、三十二至三十五卷。上海館藏元刻《春秋左傳詳節句解》。明刻本甚多，則分藏北京、浙江義烏縣、南京、安徽、河南等館。

三十五卷。

【著錄】黃虞稷《千頃堂書目》卷二，頁四七、黃建國、金初昇主編《中國所藏高麗古籍綜錄》頁十三著錄。

存。

【版本及藏地】本書版本及藏地如下：

一、朝鮮覆明刻本：本書有明顧梧芳校，鍾惺重訂，孫鑛批點《春秋左傳詳節句解》三十五卷，台北國家圖書館、台中圖書館；北京圖書館、杭州大學圖書館（殘本）有藏本。

【增補】《杭州大學圖書館善本書目》曰：「《春秋左傳詳節句解》三十五卷　宋朱申撰　朝鮮覆明刻本　有『洪嘉裕印』藏印　八冊　存二十八卷（一至二十八）」（頁七）

二、日本明治十六年（１８８３）刻本：《中國館藏和刻本漢籍書目》頁四六著錄，遼寧圖書館有藏本。

三、明刻本：李盛鐸著．張玉範整理《木犀軒藏書題記及書錄》頁三著錄，北京大學圖書館有藏本。

【增補】李盛鐸著．張玉範整理《木犀軒藏書題記及書錄》頁三曰：「【春秋左傳詳解句解】三五卷　宋朱申注釋　明刻本　李８３３

宋朱申撰《左傳句解》，《四庫》入《存目》，謂解《左傳》不參以經文，蓋用杜預以前之本。其一事而始末兩見者各附注本文之下，惟刪節傳文是其短。按朱申事蹟不詳，所撰尚有《周禮句解》，蓋在宋代諸儒中能講實學者。《提要》於《周禮》題『宋人』，於此書題『元人』，則館臣之失也。　丙辰〔１９１６〕驚蟄後三日，盛鐸記。」（頁三）

四、宋刊本〔宋元間刻本〕：李盛鐸著．張玉範整理《木犀軒藏書題記及書錄》頁七四著錄。又崔富章《四庫提要補正》頁一八二題此本為「宋刻元修本」，可補《木犀軒藏書記及書錄》的記載。

【增補】李盛鐸著．張玉範整理《木犀軒藏書題記及書錄》曰：「【增修訂正音點春秋左傳句解詳解】三十五卷〔（存卷三至二八卷三二至三五）〕　宋刊本〔宋元間刻本〕　李３４７１

半葉十四行，行二十五字。小黑口，左右雙邊。左欄外上方刻某公幾年，宋諱間有缺筆。收藏有『郢麓艸堂』朱文方印，『朱氏家藏』白文方印，『安』朱文圓印，『如京』朱文方印，『子文』白文長方印。缺卷一、卷二、卷二十九、卷三十、卷三十一五卷。」（頁七四至頁七五）

五、刊本：駱兆平《新編天一閣書目》頁一八九著錄，惟不明為何種刊本，今暫列於此，以供參考。

【增補】駱兆平《新編天一閣書目》曰：「《春秋左傳詳節句解》三十五卷宋朱申撰。刊本。是書融會杜《註》以下諸說，分節註解，附以論斷，并仿《通鑑》之例，以甲子表年。」（頁一八九）

六、元刻本：《春秋左傳詳節句解》，其中卷二十九至三十五配明嘉靖刻本，上海館有藏本，崔富章《四庫提要補正》頁一八二著錄。

七、明初刻本：《音點春秋左傳詳節句解》，北京圖書館有藏本，崔富章《四庫提要補正》頁一八二著錄。

八、明萬曆十年顧梧芳刻本：《春秋左傳詳節句解》，浙江義烏縣圖書館有藏本，崔富章《四庫提要補正》頁一八二著錄。

九、萬曆十三年周曰校刻本：《春秋左傳詳節句解》，南京館、安徽館有藏本，崔富章《四庫提要補正》頁一八二著錄。

十、明末刻本：《重訂批點春秋左傳狐白句解》，宋朱申撰，明孫鑛批點，河南館有藏本，崔富章《四庫提要補正》頁一八二著錄。

十一、明崇禎尊古堂刻本：《重訂批點春秋左傳詳節句解》三十五卷，宋朱申撰。明崇禎尊古堂刻本。六冊。半頁十一行二十一字，四周單邊，白口，單魚尾，書眉上刻批。框高２８厘米，寬１３·７厘米。題『宋朱申注釋，明顧梧芳較正，孫鑛批點，余元長重訂』。前有崇禎十一年（１６３８）魏邦達序、正德八年（１５１３）王鏊舊序。日本內閣文庫、哈佛大學燕京圖書館有藏本。

【增補】沈津著《美國哈佛大學燕京圖書館中文善本書志》：「0081 明崇禎尊古堂刻本重訂批點春秋左傳詳節句解　　T715/2950

《重訂批點春秋左傳詳節句解》三十五卷，宋朱申撰。明崇禎尊古堂刻本。六冊。半頁十一行二十一字，四周單邊，白口，單魚尾，書眉上刻批。框高２８厘米，寬１３·７厘米。題『宋朱申注釋，明顧梧芳較正，孫鑛批點，余元長重訂』。前有崇禎十一年（１６３８）魏邦達序、正德八年（１５１３）王鏊舊序。

孫鑛，字文融，號月峯。餘姚人。萬曆二年會試第一。為文選郎中，澄清銓法，名籍甚。累進兵部侍郎，加右都御史，後被劾乞歸。

魏序云：『舊本無評點，予友余公仁取月峯先生所評點者而增入之。頰上加三毛，換人之眼睛也哉，當不至茫如也。』是書凡例八云：『批點左氏之佳，文不加點，援我明孫月峯先生原有批本，此尤著其佳者也，但標其字法句法套句可刪等語，誠《左氏》暗室中一炬。今合而重訂之，其於蒙士未必無少補，又於本書庶成其大全云。』

《四庫全書總目》入經部春秋類存目。《提要》云：『是書惟解《左傳》，不參以經文，蓋猶用杜預以前之本，其一事而始末別見者，各附注本文之下，端委亦詳，惟傳文頗有刪節，是其所短。』

據《中國古籍善本書目》著錄，朱申是書現存最早者有元刻本，然不全，僅存三十卷，今藏北京圖書館。明代題『音點春秋左傳詳節句解』者，有明初刻本、明刻本；題『春秋左傳詳節句解』者，則有萬曆十年顧梧芳刻本，萬曆十三年周曰校刻本、明刻本；另又有『重訂批點春秋左傳句解』一種，亦孫鑛批點之明末刻本。而本館藏本則不見《中國古籍善本書目》著錄。又日本內閣文庫亦有入藏。

扉頁刻『重訂春秋左傳句解。合孫、鍾兩先生批點。尊古堂較定梓行』。并鈐有『尊古堂』印。

鈐印有『翠峰』、『原氏所藏』、『綠靜臺圖書章』等。」（頁三九）

十二、 明萬曆刊本：梁朱申《音點春秋左傳詳節句解》三十五卷，李一遂〈左氏春秋著錄書目研究〉頁一二五著錄，江蘇國學圖書館有藏本。案：考明萬曆刊本，有「萬曆十年顧梧芳刻本」、「萬曆十三年周曰校刻本」，李氏但言「明萬曆刊本」，未詳是何刊本，今暫列於此，以俟後考。

十三、宋刻元修本：《中國歷史博物館古籍善本書目》頁七至頁八著錄此本，該館有藏本。

【增補】《中國歷史博物館古籍善本書目》曰：「增修訂正音點春秋左傳詳節句解　三十五卷

宋朱申撰　宋刻元修本

存一頁（左傳卷六十三第二頁）　十四行二十五字小字雙行小黑口左右雙邊（善356）」（頁七至頁八）

王鏊〈序〉曰[103]：「《春秋左傳詳節》[104]三十五卷，宋魯齋朱申周翰注[105]釋，今董[106]南畿學政、黃侍御希武翻刻以示後學者也。侍御以近世學者莫不為文，而未知文[107]之有[108]法，故刻示之[109]。予叙[110]之曰：『文非道之所貴也，而聖賢有不廢，故冉牛、閔子、顏淵善言德行，子游、子夏[111]以文學名，孔子亦曰『言之無文，行而不遠』，而善鄭國之為詞命也，

103霖案：《國立中央圖書館善本序跋集錄》頁367-368錄有此文，係根據「朝鮮舊刊本」甄錄而來，本文採以入校。

104霖案：「《春秋左傳詳節》」，「朝鮮舊刊本」序文作「《春秋左傳狐白》」，所錄書名不同。

105霖案：「注」，「朝鮮舊刊本」作「註」字。

106霖案：「董」，「朝鮮舊刊本」誤作「薫」字。

107霖案：「文」，「朝鮮舊刊本」作「為文」二字。

108霖案：「有」字，「朝鮮舊刊本」序文無之，當據以刪去。

109霖案：「故刻示之」，「朝鮮舊刊本」序文作「故授同知蘇州府事張幼仁俾刻之郡中」等十六字。

110霖案：「叙」，「朝鮮舊刊本」作「敘」字。

111霖案：「子游、子夏」，「朝鮮舊刊本」作「子夏、子游」字。

則文豈可少哉？學者不為文則已，如為文而無法，法而不取諸古，殊[112]未可也。《左氏》疏《春秋》，於聖人[113]之旨殊未[114]得也，而載二百四十二年列國諸侯征伐、會盟、朝聘、宴饗、名卿大夫往來詞命則具焉，其文蓋爛然矣。於時若臧僖伯、哀伯、晏子、子產、叔向、叔孫豹之流，尤所謂能言而可法者；下是雖[115]疆埸[116]之人，亦善言焉，有若展喜、瑕[117]呂、飴甥、賓媚人、解揚[118]是已；方伎之賤亦善言焉，有若史蘇、梓慎、裨竈、蔡墨、醫和緩、祝鮀、師曠是已；屬國[119]之遠亦善言焉，有若郯子、支駒[120]、季札、聲子、沈無戌[121]、薳啟疆是已[122]；閨門之懿亦善言焉，有若鄧曼、穆姜、定姜、僖負羈之妻、叔向之母是已[123]。於戲!其猶有先王之風乎？其辭[124]婉而暢，直而不肆，深而不晦，鍊而不煩[125]，繩削[126]後之以文名家者，孰能遺之[127]。而為史者尤多法焉[128]；而世每病其誣，蓋神怪、妖祥、夢卜、讖兆[129]，誠有類於誣者，其亦沿舊史之失乎？雖然古今不相及，又安知其古[130]盡無也？然

112霖案：「殊」，應依「朝鮮舊刊本」作「殆」字。

113霖案：「聖人」，「朝鮮舊刊本」作「孔子」字。

114霖案：「殊未」，「朝鮮舊刊本」作「未盡」字。

115霖案：「雖」，應依「朝鮮舊刊本」作「則」字。

116霖案：「埸」，應依「朝鮮舊刊本」作「場」字。

117霖案：「瑕」，「朝鮮舊刊本」無此字，當據以刪去。

118霖案：「解揚」下，應依「朝鮮舊刊本」補入「奮揚、蹶由」等四字。

119霖案：「屬國」，應依「朝鮮舊刊本」作「夷裔」二字，蓋避文字獄而改。

120霖案：《經義考新校》頁3494新增校文如下：「『支駒』，文津閣《四庫》本誤作『駒支』。」。

121「沈無戌」，應依《補正》、四庫本作「沈尹戌」。　霖案：《經義考新校》頁3494校文，「應依」改作「依」字；「四庫本」改作「《四庫薈要》本、文淵閣《四庫》本、文津閣《四庫》本」；「作」改作「應作」二字。又「朝鮮舊刊本」題作「沈無戌」，與翁方綱、《四庫全書總目提要》所提內容不同。

122霖案：「是已」，「朝鮮舊刊本」無之，當據以刪去二字。

123霖案：「是已」，「朝鮮舊刊本」無之，當據以刪去二字。

124霖案：「辭」，「朝鮮舊刊本」作「詞」。

125霖案：「鍊而不煩」，「朝鮮舊刊本」作「精而不假」。

126霖案：「繩削」二字，「朝鮮舊刊本」作「鑱削或若剩焉而非贅也、若遺焉而非欠也。」等十七字。

127霖案：「之」字下，「朝鮮舊刊本」有「是故遷得其奇、固得其雅、韓得其富、歐得其婉，而皆赫然名于後世，則左氏之於文亦可知也。已」等三十七字，當據以補入。

128霖案：「而為史者尤多法焉」等八字，「朝鮮舊刊本」無之，當據以刪去。

129霖案：「兆」字下，應依「朝鮮舊刊本」序文補入「之類」二字。

予[131]以獲麟[132]而後，文頗不類，若非《左氏》之筆焉，豈後人續之邪[133]？未可知也。若是者，今多從削，蓋幾於[134]醇且粹矣。學者因是而求之[135]為文之法，盡在是矣。若夫究聖人筆削之旨，以寓一王之法，自當求其全以進於經[136]。』

【增補】〔補正〕王鏊〈序〉內「沈無戍」，「無」當作「尹」。（卷八，頁十）

王穉登曰：「周翰輯是書，無裨《左氏》，裨夫學《左氏》者耳。」

牟氏子才《春秋輪輻》

【作者】牟子才，字存叟，一字節叟，號存齋，井研人，牟桂之子。學於魏了翁。中嘉定十六年進士，累官權禮部尚書，卒諡「清忠」，撰有《存齋集》、《內外制》、《四朝史稿》、《奏議》、《經筵講義口義》、《故事四尚》、《易編》、《春秋輪輻》等書。

佚。

右子才未成之書，見〈墓志銘〉。

趙氏孟何《春秋法度編》

【霖案】《春秋總義論著目錄》頁五九曰：「考證：《補元史藝文志》以為元人。」，惟《春秋總義論著目錄》頁五九題作「宋」人之作，今從之。

【著錄】《元史藝文志輯本》卷三，頁五八著錄。

佚。

程端學曰[137]：「字浚南，四明人。[138]」

130霖案：「古」，應依「朝鮮舊刊本」作「果」。

131霖案：「予」，「朝鮮舊刊本」作「余」。

132霖案：「獲麟」，應依「朝鮮舊刊本」作「哀公」。

133霖案：「邪」，「朝鮮舊刊本」作「耶」。

134霖案：「於」，「朝鮮舊刊本」作「于」。

135霖案：「之」字下，應依「朝鮮舊刊本」補入「則」字。

136霖案：「經」字下，應依「朝鮮舊刊本」補入「正德癸酉二月既望，震澤王鏊敘」等十三字。

137霖案：程端學：《春秋本義》〈春秋傳名氏〉（《通志堂經解》（冊25）），頁13863。

138霖案：此處所錄《春秋本義》之文，與其他諸處引文方式不同，也較不合於著錄體例，詳見李棠《春秋時論》條。今引《春秋本義》之文如下：「四明趙氏孟何浚南。」，竹垞引文實係改寫，雖內容合乎實情，但引用方式不同，其既云「程端學曰」，則必須合乎《春秋本義》所錄之文，今校錄如上，以供讀者參考。

戴表元〈序〉[139]曰：「咸淳中，余備員太學博士弟子，見學官月講必以《春秋》，竊怪而問諸人，曰：『是自渡江[140]以為復讎[141]之書，不敢廢也。』夫復讎之說，初非《春秋》本旨，中興初，胡康侯諸公痛數千年聖經遭王臨川禁錮，乘其新敗，洗雪而彰明之，使為亂臣賊子者增[142]懼，使用夏變夷者加勸，儒者之功用，所為與天地並，如是而可耳。場屋腐生，山林曲士，因而掎摭微文，破碎大道，為可憫歎。及其久也，《春秋》之編未終，讎不得復而鼎遷科廢，學者不待申臨川之禁而絕口不復道矣。雖以余之困而願學，求欲如昔年從博士後時意氣，詎可得邪，鄉郡趙君漢弼與余[143]為同年生，精力趨[144]尚、記誦討論，視余略不衰惰；其先人清敏公嘗以《春秋經傳集解》奏之經筵，刻之琬琰者若干言。經火燬滅，漢弼追憶而補存之，摘其出於先公自著者，定為若干言，又評攷[145]二百四十二年行事合於《詩》、《書》、六典，名曰《春秋法度》之編者若干言，無近世掎摭破碎之嫌，而於儒者之功用有所發。於乎!何其能哉!蓋漢弼之為人，吾知之：生於紛華[146]之窟而能勤，長於功名之途[147]而能靜，老於艱危之境而能泰，故其於是書亦不以世故炎涼盛衰而奪，抑交游之期於漢弼何有紀極。漢弼年未甚高予[148]，戊戌春過之，見其蕭然一室，几硯在左，杵臼居右，畦蔬汲井，無一毛[149]於[150]世之色，其於《春秋法度》未可量也。」

王氏應麟《春秋三傳會考》

139霖案：四部叢刊本《剡源戴先生文集·春秋法度編序》卷七，頁65，又《遼金元文彙》(一)，頁1091。

140霖案：「江」字下，應依《剡源戴先生文集》補入「來」字。

141霖案：「讎」字，《剡源戴先生文集》作「讐」字，下文同之。

142霖案：「增」字，《剡源戴先生文集》作「增」字，而《遼金元文彙》誤作「憎」字。

143霖案：「余」字，《剡源戴先生文集》、《遼金元文彙》均作「予」字。

144霖案：「趨」字，應依《剡源戴先生文集》作「趣」字。

145霖案：「攷」字，《剡源戴先生文集》、《遼金元文彙》均作「考」字。

146霖案：「紛華」二字，《遼金元文彙》引作「粉華」，惟《剡源戴先生文集》原作「紛華」，且視文意應作「紛華」為宜，「紛」、「粉」字形相近而誤。

147霖案：「途」字，《剡源戴先生文集》作「塗」字。

148霖案：「予」字，應與「戊戌春過之」連讀為宜。又《剡源戴先生文集》作「余」字。

149「毛」，「四庫本」作「毫」。　霖案：《經義考新校》頁3496校文，「四庫本」之前，另有「文淵閣」三字。今考《剡源戴先生文集》、《遼金元文彙》均作「毛」字，「四庫本」作「毫」者，當據文意擅改。

150「於」，「四庫本」誤作「干」。　霖案：《經義考新校》頁3496校文，「四庫本」之前，另有「文淵閣」三字。今考《剡源戴先生文集》卷七、《遼金元文彙》均引作「干」字，《點校補正經義考》以為「『四庫本』誤作『干』。」者，未必合於實情，蓋「干世」被誤作「于世」，而「于世」又誤作「於世」，因而再誤矣！

【增補】《販書偶記續編》卷二，頁十五、《現存宋人著述目略》頁十七瞿鏞編纂·瞿果行標點·瞿鳳起覆校《鐵琴銅劍樓藏書目錄》卷五，頁一四三有《古文春秋左傳》十二卷，竹垞未曾錄及此書，當據以補入。又此書今台北國家圖書館有藏本，題作《古文春秋左傳賈服注》。

《宋志》：「三十六卷。」

佚。

謝氏鑰《春秋衍義》

【作者】謝鑰，字君啟，號草堂，福寧人。性至孝，居母喪哀毀廬墓，終身不仕。著有《春秋衍義》十卷、《左氏辨證》六卷。

十卷。

佚。

《左氏辨證》

六卷。

佚。

方鳳曰[151]：「謝君皋羽[152]，其父鑰，以春秋學為婦翁繆正字烈所器重，嘗著《春秋衍義》十卷、《左氏辨證》[153]六卷，藏於[154]家。」

陳氏友沅《春秋集傳》

佚。

《江西通志》[155]：「陳友沅，字直翁，豐城人[156]，景定中鄉舉[157]。」

151霖案：《存雅堂遺稾》(民國六十一年(1972)藝文印書館四部分類叢書集成三編影印永康胡氏夢選樓刊本)，卷三，〈謝君皋羽行狀〉，頁577。案此文頗長，竹垞分見二處，另見於《經義考》卷一九一，頁151謝翱《春秋左傳續辨》條下，惟二文皆節錄甚多，讀者可自行參看。又四庫本，方鳳：卷三，《閩中理學淵源考》卷四○，續金華叢書本。

152霖案：「謝君皋羽」四字，為竹垞根據前後文所加，原文作「君諱翱，字皋羽，姓謝氏，福之長溪人，後徙建之浦城，曾祖景暉，祖嘉，至」等字，竹垞逕改寫為「謝君皋羽」四字。

153霖案：「辨」，《存雅堂遺稾》作「辯」字。

154霖案：「於」，《存雅堂遺稾》作「于」字。

155 霖案：《江西通志》卷六七(台北：臺灣商務印書館，「景印文淵閣四庫全書」冊五一五，民國七十五年三月，初版)，頁336；又《四庫全書存目叢書》本，史部一八二，頁183。本文採四庫本入校，特此說明。

156 霖案：「人」字下，應依《江西通志》補入「篤學力行」四字。

黃氏震《讀春秋日抄》（宋）

【書名】《國立故宮博物院善本舊籍總目》，上冊，頁一〇〇著錄，書名題作《讀春秋》。

【增補】李一遂〈左氏春秋著錄書目研究〉頁一一二錄有黃震《左氏始終》三十六卷，竹垞未錄此書，今據以補入。

七卷。

【卷數】竹垞題作七卷，係摘自明正德間刊本《慈谿黃氏日抄分類》卷七至卷十三，合計八卷，惟卷二十亦屬論及《春秋》之事，故實應題作「八卷」，今《國立故宮博物院善本舊籍總目》，上冊，頁一〇〇著錄，則改作「八卷」，當以「八卷」為是。

存。

【版本及藏地】本書版本及藏地如下：

一、明正德間刊本慈谿黃氏日抄分類卷七－十三，二十：(宋)黃震撰《讀春秋》八卷，《國立故宮博物院善本舊籍總目》，上冊，頁一〇〇著錄，台北：故宮博物院有藏本。

震〈自序〉曰[158]：「孔子曰：『吾志在《春秋》。』孟子曰：『《春秋》，天子之事。孔子成[159]《春秋》而亂臣賊子懼。』蓋方是時，王綱解紐，簒奪相尋，孔子[160]不得其位以行其權，於是約史記而修《春秋》，隨事直書，亂臣賊[161]子無所逃其罪，而一王之法以明，所謂撥亂世而反之正，此其為志，此其為天子之事，故《春秋》無出於夫子之所自道及孟子所以論《春秋》者矣。自褒貶凡例之說興，讀《春秋》者往往[162]穿鑿聖經以求合，其所謂凡例，又變移凡例以遷就其所謂褒貶；如國各有稱號，書之所以別也，今必曰『以某事也，故國以罪之』，及有不合，則又遁其辭；人必有姓氏，書之所以別也，今必曰『以某事也，故名以誅之』，及有不合，則又遁其辭；事必有月日，至必有地所，此記事之常，否則闕文也，今必曰『以某事也，故致以危之，故不月以外之，故不日以略[163]之』，及有不合，則

157 霖案：「景定中鄉舉」五字，《江西通志》作「景定鄉舉」四字。又「舉」字下，《江西通志》另有「時兵興毀家，給民伍，捍鄰寇，渠魁就殲，脅從者，悉舍之，人以為德，所著有《春秋集傳》等書。」等諸句。

158霖案：黃震，《黃氏日抄》（京都：中文出版社，一九七九年五月），卷七，頁65〈讀春秋〉。本文採此本入校，不另說明。

159霖案：「成」字，應依《黃氏日抄》作「作」字。

160霖案：「孔子」二字，其中「孔」字，《黃氏日抄》漫漶不清。

161霖案：「賊」字，《黃氏日抄》漫漶不清。

162霖案：「往往」二字，《黃氏日抄》作「徃徃」。

163霖案：「略」字，《黃氏日抄》作「畧」。

又為之遁其辭。是則非以義理求聖經，反以聖經釋凡例也。聖人豈先有凡例而後作經乎？何乃一一以經而求合凡例耶？《春秋》正次王，王次春，以天子上承天而下統諸侯，弒君、弒父者書，殺世子、殺大夫者書，以其邑叛、以其邑來奔者書，明白洞達，一一皆天子之事，而天之為[164]也；今必謂其陰寓褒貶，使人測度而自知，如優戲之所謂隱者，已大不可，況又於褒貶生凡例耶？理無定形，隨萬變而不齊，後世法吏深刻，始於敕[165]律之外立所謂例，士君子尚羞用之，果誰為《春秋》先立例，而聖人必以是書之，而後世以是求之耶？以例求《春秋》，動皆逆詐億不信之心，愚故私摭先儒，凡外褒貶凡例而說《春秋》者，集錄之，使子孫考焉，非敢為他人發也。」

【增補】〔補正〕案：內多引用戴岷隱、趙木訥之說，全經皆錄，與其讀他經之摘文者不同。（卷八，頁十）

《讀三傳日抄》

一卷。

【卷數】本書見於《黃氏日抄》卷三十一，〈讀傳三〉，竹垞將其裁篇而出，並自擬書名。

存。

【版本及藏地】本書版本及藏地如下：

一、宋刊本：《黃氏日抄》九十七卷，涵芬樓燼餘書錄（張元濟），子部．頁八。

二、仿宋本：黃震《黃氏日抄》九十七卷，《萬卷精華樓藏書記》(耿文光)，卷七十四頁 2035

二、元後至元刻本 ：黃震《黃氏日鈔》97 卷，六府文藏本。

又丁日昌《持靜齋書目》，卷三，頁五著錄。

又羅振常《善本書所見錄》四卷，卷三，頁８０著錄。

又瞿鏞《鐵琴銅劍樓藏書目錄》，卷十三，頁十二著錄。

又張鈞衡《適園藏書志》卷六，頁六著錄。

又陸心源《儀顧堂題跋續跋》，卷九，頁七著錄。

三、明正德刊本：張鈞衡《適園藏書志》卷六，頁七著錄。

四、乾隆三十二年刊本：黃震《黃氏日抄》九十九卷，《日本九州大學文學部書庫漢

164「之為」，應依「四庫本」作「為之」。 霖案：《經義考新校》頁3498校文，「應依」改作「依」字；「四庫本」三字之前，另有「文淵閣」三字；「作」改作「應作」二字。今考《黃氏日抄》正作「之為」，適與竹垞所錄文字相同，且作「之為」二字，於文義並無不通之處。

165霖案：「敕」字，《黃氏日抄》作「勅」字。

籍目錄》頁１２６著錄。又東海大學圖書館有藏本。

五、清乾隆三十二年新安汪氏重刊本：黃震《黃氏日抄分類》九十七卷，附《古今紀要》十九卷，台大文學院圖書館有藏本。

六、文淵閣四庫全書本：故宮博物院有藏本。

七、臺灣商務１９７２年影印文淵閣四庫全書本：景印文淵閣四庫全書 ；第 707-708 冊。

八、１９８４年日本大化出版社據日本立命館大學圖書館藏書影印

九、１９７９年京都中文出版社據據日本立命館大學圖書館藏清乾隆 32 年新安汪佩鍔重校刊影印

十、２００６年北京商務印書館據據中國國家圖書館藏本影印本

十一、精抄本：《黃氏日抄》九十七卷，丁丙《善本書室藏書志》，卷十五，頁十六著錄。

十二、舊鈔本：陸心源《皕宋樓藏書志》，卷四十，頁二十著錄。

王氏柏《左氏正傳》

《宋志》：「十卷。」

未見。

【霖案】本書未見其他傳本，且《左傳論著目錄》頁十三錄作「佚」，今從之，故改注曰「佚」。

《讀春秋記》

八卷。

未見。

【霖案】本書未見其他傳本，且《春秋總義論著目錄》頁五九錄作「佚」，當已久佚，故改注曰「佚」。

呂氏大圭《春秋或問》（宋）

【作者】呂大圭，字圭叔，號樸卿，南安人。楊昭復弟子，淳祐七年進士，累官國子編修、實錄檢討官，知漳州軍，節制左翼屯戍軍馬，後為壽庚所追殺，時德祐元年，年四十九。著有《易經集解》、《學易管見》、《春秋或問》、《春秋五論》、《論孟集解》等書。

二十卷。

【著錄】張壽平《公藏先秦經子注疏書目》頁一三七著錄。

【卷數】本書卷數異稱如下：

一、十一卷（殘）：張壽平《公藏先秦經子注疏書目》頁一三七著錄，存卷五至卷十五。

存。

【版本及藏地】本書版本及藏地如下：

一、元刊明代修補十行本：(宋)呂大圭撰《春秋或問》二十卷，6 冊；22.1x15.5 公分，10 行，行 20 字，左右雙欄，版心小黑口，雙魚尾，上方記每葉字數，中間書卷次及葉次，下間記刻工名：沈成甫、林、青之(或作青)、楊青(或作青、羊青、羊)、謝(或作寸)等。鈐有「城西草堂」朱文長方印、「汪琬」朱文連珠方印、「國立中央圖書館考藏」朱文方印、「合肥李氏望雲草堂珍藏金石書畫之章」朱文方印，有微捲、有精裝複製本，正文卷端題「春秋或問卷第一　進士溫陵呂大圭述　進士溫陵呂中校正」，有寶祐甲寅何夢申序文，台北：國家圖書館有藏本。

二、元刊本：(宋)呂大圭撰《春秋或問》存卷五至卷十五，合計十一卷，5 冊；18.6x12.1 公分，有微捲、微片、精裝複製本，國家圖書館前代管北平圖書館藏書，已移置故宮博物院，《國立中央圖書館典藏國立北平圖書館善本書目》，頁八著錄，台北：故宮博物院有藏本。

又王重民：《中國善本書提要》二六錄有一本，題作「元刊本」，北京圖書館藏本，其殘存卷數同於台北：國家圖書館代藏北平圖書館舊藏之本，板框高度的記載，略有不同，不知其故，然二書當為同本，今暫列於此，以俟後考。

【增補】王重民：《中國善本書提要》曰：「【春秋或問】　殘　存十一卷　五冊（《四庫總目》卷二十七）（北圖）

元刻本〔十行二十字（22.4╳14.6）〕

宋呂大圭撰。按原書二十卷，此僅存卷第五至十五。」（頁二六）

三、文淵閣四庫全書本：(宋)呂大圭撰《春秋或問》二十卷，附《春秋五論》一卷，六冊，《國立故宮博物院善本舊籍總目》，上冊，頁九十九著錄，台北：故宮博物院有藏本。

【增補】永瑢等撰《欽定四庫全書總目》曰：「春秋或問[166]二十卷附春秋五論一卷兩江總督採進本

宋呂大圭撰。大圭字圭叔，號樸卿，南安人。淳祐七年進士，官至朝散大夫，行尚書吏部員外郎，兼國子編修、實錄檢討。官崇政殿說書，出知興化軍。嘗撰《春秋集傳》，今已散佚。此《或問》二十卷，即申明《集傳》之意也。大旨於三傳之中，多主《左氏》、《穀梁》，而深排《公羊》，於何休《解詁》斥之尤力。考三傳之中，事

166霖案：原注云：按：文淵閣庫書作《呂氏春秋或問》。

迹莫備於《左氏》，義理莫精於《穀梁》，惟《公羊》雜出眾師，時多偏駁。何休《解詁》牽合讖緯，穿鑿尤多。大圭所論，於三家得失，實屬不誣，視諸家之棄傳從[167]經，固迥然有別，所著《五論》，一曰『論夫子作《春秋》』，二曰『辨日月褒貶之例』，三曰『特筆』，四曰『論三傳所長所短』，五曰『世變』。程端學嘗稱《五論》『明白正大，而所引《春秋》事，時與經意不合』。今考《或問》之中，與經意亦頗有出入，大概長於持論而短於考實。然大圭後於德祐初由興化遷知漳州，未行而元兵至，沿海都制置蒲壽庚舉城降，大圭抗節遇害。其立身本末，皎然千古，可謂深知《春秋》之義。其書所謂明分義、正名實、著幾微為聖人之特筆者，侃侃推論，大義凛然，足以維綱常而衛名教，又不能以章句之學錙銖繩之矣。」（卷二十七，頁三五三）

【增補】邵懿辰撰、邵章續錄：《增訂四庫簡明目錄標注》卷三曰：「《春秋或問》二十卷，附春秋五論一卷，宋呂大圭撰，大圭嘗箸《春秋集傳》，其書已佚，此或問即申明集傳之意者也。

通志堂本。」（頁一一二）

四、摛藻堂四庫全書薈要本：(宋)呂大圭撰《春秋或問》二十卷，附《春秋五論》一卷，九冊，《國立故宮博物院善本舊籍總目》，上冊，頁九十九著錄，台北：故宮博物院有藏本。

五、通志堂經解本：宋呂大圭撰《春秋或問》二十卷，杜信孚等編纂《同名異書匯錄》頁一四〇著錄，馬來西亞大學圖書館有藏本（三部）。

六、清同治十二年(1873)粵東書局重刊本：(宋)呂大圭撰《春秋或問》二十卷，台北：國家圖書館有藏本。

七、元建刊本：(宋)呂大圭撰《春秋或問》，存卷一至卷二，一冊，台北：故宮博物院有藏本。

八、清康熙十九年通志堂刊乾隆五十年修補本：(宋)呂大圭撰《春秋或問》二十卷，三冊，《國立故宮博物院善本舊籍總目》，上冊，頁九十九著錄，台北：故宮博物院有藏本。

九、清乾隆五十年(1785)內府刊本：(宋)呂大圭撰《春秋或問》二十卷，鈐有「味經窩藏書印」朱文長方印，「味經曾觀」朱文方印，台北：國家圖書館有藏本。

何夢申〈跋〉曰[168]：「傳《春秋》[169]幾百家，其說大抵以褒貶賞罰為主，蓋《三傳》

167霖案：原注云：「從」，浙、粵本作「談」。

168霖案：台北：國家圖書館藏有「元刊明代修補十行本」，其中錄有何夢申之文，惟題作〈序〉，而非如竹垞所題作〈跋〉。

169霖案：「元刊明代修補十行本」所錄序文，於「秋」下有「者」字。

倡[170]之而諸儒和之也。惟朱文公以為不然，今其載於門人之所紀錄者，略見一二，獨恨未及成書耳。廣文呂先生加惠潮士，諸士有以《春秋》請問者，先生出《五論》示之，咸駭未聞，因併求全稿[171]，先生又出《集傳》、《或問》二書，蓋本文公之說而發明之。有《五論》以開其端，有《集說》[172]以詳其義，又有《或問》以極其辨難之指歸，而《春秋》之旨明白矣，噫!夫子之心至文公而明，文公之論至先生而備，先生亦有功於世教矣。夢申預聞指教，不敢私祕，與朋友謀而鋟諸梓，庶幾廣其傳。[173]」

【增補】〔補正〕何夢申〈跋〉末當補云：「寶祐甲寅。」（卷八，頁十）

《春秋五論》

一卷。

【考證】《春秋總義論著目錄》頁五九曰：「考證：《四庫全書總目》以『春秋或問二十卷』與『春秋五論一卷』統為一條，今依《經義考》分別為二書。」，今從之。

【著錄】黃虞稷《千頃堂書目》卷二，頁四七、張壽平《公藏先秦經子注疏書目》頁一三七、駱兆平《新編天一閣書目》頁二七二著錄。

存。

【版本及藏地】本書版本及藏地如下：

一、文淵閣四庫全書本：(宋)呂大圭撰《春秋或問》二十卷，附《春秋五論》一卷，六冊，《國立故宮博物院善本舊籍總目》，上冊，頁九十九著錄，台北：故宮博物院有藏本。

二、摛藻堂四庫全書薈要本：(宋)呂大圭撰《春秋或問》二十卷，附《春秋五論》一卷，九冊，《國立故宮博物院善本舊籍總目》，上冊，頁九十九著錄，台北：故宮博物院有藏本。

三、清真州吳氏傳鈔范氏天一閣藏本：(宋)呂大圭撰《春秋五論》一卷，正文卷端題「春秋五論　樸鄉先生溫陵呂大圭述」，10 行，行 25 字，1 冊；全幅 23.2x14.5 公分，有清光緒十八年范彭壽手書題記，鈐有「真州吳氏有福讀書堂藏書」朱文方印、「國立中央圖書館收藏」朱文長方印、「東浙藏書第一家」白文長方印，台北：國家圖書館有藏本。

170霖案：「倡」，「元刊明代修補十行本」題作「唱」字。

171霖案：「倡」，「元刊明代修補十行本」題作「藁」字。

172霖案：「《集說》」，應依「元刊明代修補十行本」改作「《集傳》」。

173應依《補正》補「寶祐甲寅」四字。　　霖案：《經義考新校》頁3500校文，「應依」改作「句末，依」等三字；「補」改作「應補」二字。今考「元刊明代修補十行本」於「傳」下，尚有「云。時寶祐甲寅正陽之月，門人元公書院堂長何夢申敬跋」等二十三字，則翁方綱所補文句，蓋節略之文。

【增補】范彭壽〈跋〉曰：「是編為吾范氏天一閣舊藏抄本，卷首有先侍郎公手題呂氏春秋五論六字，歷三百餘年，兵燹之餘，完好如故，讀姚檉老附記數語，在有明中葉，猶展轉借鈔，先侍郎公或從姚氏轉鈔而得，或此即姚之手鈔本，均不可得而知矣。按：呂氏，南安人，字圭叔，宋淳祐七年進士，官至朝散大夫，行尚書、吏部員外郎，出知興化軍。德祐初，遷知漳州，未行，元兵至，抗節遇害。立身本末皎然千古。其學受之鄉先生王昭，昭受之北溪陳氏；北溪，晦菴高足也，淵源之來，人稱溫陵截派；家居縣之樸兜鄉，學者因稱為樸鄉先生。其人足重，其緒言彌足重也。儀徵吳福茨師觀察浙東，前歲嘗借鈔閣藏啖趙春秋辨疑、金小史、經義模範、夏桂洲集四種，今年學政陳公按臨甯波，試畢，登閣觀書，欲借鈔隆慶儀真、寶應兩縣志，託觀察傳語余族，因并及是編，與勸忍百箴兩種。觀察於常例鈔價外，餽洋蚨百，為閣中脩理之助。彭壽往年由觀察調入崇實書院肄業，忝附弟子之末，且以見師之好書，與吾先侍郎公實異代而同揆，遠承祖澤，近仰師範，聊附數語，以誌敬佩。光緒十八年九月，天一閣後裔范彭壽謹識。」（轉錄《標點善本題跋集錄》頁二二至頁二三）

四、鈔本：(宋)呂大圭撰《春秋五論》一卷，一冊，《國立故宮博物院善本舊籍總目》，上冊，頁九十九著錄，台北：故宮博物院有藏本。

五、明藍絲欄抄本：駱兆平《新編天一閣書目》頁二七二著錄。

【增補】駱兆平《新編天一閣書目》曰：「《春秋五論》一卷　宋溫陵呂大圭述。藍絲欄抄本。見薛目。散出後曾由上海東方圖書館收藏。張元濟《涵芬樓燼餘書錄》云：『大圭後以抗元遇害，故其書彌為世人所重，是本版心有茶夢齋抄四字，天一閣舊藏，卷末有范氏後人彭壽跋。』」（頁二七二至二七三）

六、清同治十二年(1873)粵東書局重刊本：(宋)呂大圭撰《春秋五論》一卷，台北：國家圖書館有藏本。

七、清康熙十九年通志堂刊乾隆五十年修補本：(宋)呂大圭撰《春秋五論》一卷，一冊，《國立故宮博物院善本舊籍總目》，上冊，頁九十九著錄，台北：故宮博物院有藏本。

八、清乾隆五十年(1785)內府刊本：(宋)呂大圭撰《春秋五論》一卷，鈐有「味經窩藏書印」朱文長方印，「味經曾觀」朱文方印，台北：國家圖書館有藏本。

九、清康熙四年成德刻通志堂經解本：宋呂大圭撰《春秋五論》一卷，傅增湘校並跋，《中國古籍善本書目》（經部）頁二七〇著錄，北京圖書館有藏本。

十、明隆慶元年姚咨抄本：宋呂大圭撰《春秋五論》一卷，有明姚咨、清范彭壽跋，《中國古籍善本書目》（經部）頁二七〇著錄，北京圖書館有藏本。

袁桷曰[174]：「《春秋》家劉歆尊《左氏》，杜預說行，《公》、《穀》廢不講；啖、

174 霖案：袁桷《清容居士集》卷二一，〈龔氏四書朱陸會同序〉（台北：臺灣商務印書館，「景印文淵閣四庫全書」冊一二〇三，民國七十五年三月，初版），頁286。

趙出，聖人之旨微見，劉敞[175]、葉夢得[176]、呂大圭[177]其最有功者也。」

程端學曰[178]：「呂樸鄉[179]《五論》正大明白，而於明分義、正名分、著幾微三條之下，所引春秋事，時或與經意不合。」

納蘭成德〈序〉[180]曰：「《春秋論》五篇，共一卷，一曰〈論夫子作春秋〉、二曰〈辨[181]日月褒貶之例〉、三曰〈特筆〉、四曰〈論三傳所長所短〉、五曰〈世變〉，宋吏部侍郎知興化軍武榮呂大圭圭叔所著也。《五論》閎肆而嚴正，《春秋》大旨具是矣。圭叔登淳祐七年進士，授潮州教授，改贛州提舉司幹官，秩滿調袁州、福州通判，陞朝散大夫，行尚書吏部員外郎，兼國子編修實錄檢討官，兼崇政殿說書，出知興化軍，常以俸錢代中下戶輸稅，德祐初元轉知漳州軍節制左翼屯戍軍馬，未行，屬元兵至沿海，都制置蒲壽庚舉全州降，令圭叔署降箋，圭叔不肯，將殺之，會圭叔門弟子有為管軍總管者掖之出，圭叔變服遁島上，壽庚將逼以官遣追之，問其姓名，不答[182]，被害。先是圭叔緘其著書於一室，至是燬焉。《五論》與《讀易管見》、《論語》、《孟子解》以傳在學者得存，然《管見》諸書皆不可見，見者又僅此而已，惜哉！圭叔少嗜學，師事鄉先生潛軒王昭，昭為北溪陳淳[183]弟子，淳[184]受業晦庵[185]，稱高足，淵源之來，人稱溫陵截派。嗚呼！當時詆訕道學者，往往謂其迂疏[186]無濟，然宗[187]社既屋，人爭北向，圭叔獨不為詭隨，甘走海島，不憚以身膏斧鉞，大節何凜凜也。以是觀之，道學亦[188]何負於人國乎？良可歎[189]也矣！武榮即今泉郡之南安縣，唐嗣

---

175 霖案：「敞」字下，應依《清容居士集》補入「氏」字。

176 霖案：「得」字下，應依《清容居士集》補入「氏」字。

177 霖案：「圭」字下，應依《清容居士集》補入「氏」字。

178霖案：《春秋本義．通論》（《通志堂經解》冊二五），頁13866a。

179霖案：「呂樸鄉」三字，《春秋本義・通論》作「呂朴鄉」，「樸」、「朴」為書寫習慣之異所致，實並無不同。

180霖案：宋・呂大圭述，納蘭成德〈序〉，《春秋五論・序》（通志堂經解本，冊二三），頁13398。

181霖案：「辨」字，納蘭成德〈春秋五論序〉作「辯」字。

182霖案：「答」字，納蘭成德〈春秋五論序〉作「荅」字。

183霖案：「淳」字，納蘭成德〈春秋五論序〉作「湻」字。

184霖案：「淳」字，納蘭成德〈春秋五論序〉作「湻」字。

185霖案：「庵」字，納蘭成德〈春秋五論序〉作「菴」字。

186霖案：「疏」字，納蘭成德〈春秋五論序〉作「踈」字。

187霖案：「宗」字，納蘭成德〈春秋五論序〉作「宋」字。

188霖案：「亦」字，納蘭成德〈春秋五論序〉作「又」字。

189霖案：「歎」字，納蘭成德〈春秋五論序〉作「嘆」字。

聖中嘗以縣為武榮州，故名。圭叔居縣之樸兜鄉大豐山下，學者因號為樸鄉先生[190]。」

翁氏夢得《春秋指南》

【作者】翁夢得，字景說，壽昌人。通《春秋》。端平、咸淳兩中詞科，隱居教授。撰有《春秋指南》一卷，《摭實》一卷（或作二卷），《要論》十卷，《紀要》十卷，及《盤珠纂論》，《地理總括》等書。

一卷。

佚。

《春秋摭實》

二卷。

【作者】《春秋總義論著目錄》頁五九將作者誤作「葉夢得」。

佚。

《春秋要論》

【作者】《春秋總義論著目錄》頁五九將作者誤作「葉夢得」。

【考證】《春秋總義論著目錄》頁五九曰：「考證：《浙江通志》列為明人。」，惟《春秋總義論著目錄》列為宋人，今從之，亦作宋人。

十卷。

佚。

《春秋記要》

【作者】《春秋總義論著目錄》頁五九將作者誤作「葉夢得」。

十卷。

佚。

《壽昌縣志》：「翁夢得，字景說，端平、咸淳間，兩中詞科，尋隱居教授。」

周氏敬孫《春秋類例》

【作者】周敬孫，字子高，台州臨海人。太學生，師事王柏，受性理之學。有《易象占》、《尚書補遺》、《春秋類例》等書。

【著錄】《元史藝文志輯本》卷三，頁五〇著錄。

佚。

謝鐸曰[191]：「《春秋類例》，周[192]敬孫著，今亡。」

190霖案：「生」字下，另有「康熙丁巳納蘭成德容若序」等字，事涉撰序之年，不當刪去，今據以補入。

家氏鉉翁《春秋詳說》(宋)

【作者】家鉉翁(1213～?),號則堂,眉山人,家大酉之孫。身長七尺,其貌奇偉。學問該博,尤邃於《春秋》,累官端明殿學士,簽書樞密院事,撰有《春秋詳說》、《則堂集》等書。

【書名】本書異名如下:

一、《則堂先生春秋集傳詳說》:張壽平《公藏先秦經子注疏書目》頁一三七著錄。

二、《春秋集傳詳說》:《元史藝文志輯本》卷三,頁六一著錄。

【增補】黃虞稷《千頃堂書目》卷二,頁四七錄有家氏《綱領》一卷,當據以補入。

三十卷。

【著錄】孫能傳等撰《內閣藏書目錄》卷二,頁四七六、黃虞稷《千頃堂書目》卷二,頁四七、張壽平《公藏先秦經子注疏書目》頁一三七著錄。

【卷數】黃虞稷《千頃堂書目》卷二,頁四七題作《春秋集傳詳說》十六卷。

存。

【版本及藏地】本書版本及藏地如下:

一、影鈔元泰定乙丑刊本:民國庚午(十九年)祝光鑾手書題記,台北國家圖書館有藏本。

【增補】祝光鑾〈題記〉曰:「則堂先生春秋集傳詳說,凡三十卷、綱領一卷,舊鈔,依元泰定己丑刊本,通州徐氏所藏,今歸如皋祝氏漢鹿齋中。庚午除夜題識,光鑾。

余家藏尚有豐氏魯詩世學,與此本同出一人所鈔,又為徐氏同時所收者,惟書之精麤不同,故不若此本之善也,因藏之別篋中,今讀此本,因記之。同日再題于第二冊看頁。光鑾。」(轉錄《標點善本題跋集錄》頁三一)

【增補】《國家圖書館善本書志初稿》:「【則堂先生春秋集傳詳說三十卷綱領一卷二十冊】

影鈔元泰定乙丑(二年,1325)刊本　00678

宋家鉉翁撰。鉉翁號則堂。眉山人。生於南宋嘉定六年(1213)。學問該博,尤邃於春秋。奉命使元,留館中,聞宋亡,旦夕哭泣不食,元欲官之,不受,後以壽終。

版匡高 21.1 公分,寬 14.7 公分。四周雙邊藍格。每半葉九行,行二十字。版心白口,單魚尾。

191霖案:明・謝鐸等撰,《赤城新志》卷二十一,(《四庫全書存目叢書》史一七七),頁351C。

192霖案:《赤城新志》無「周」字,當刪。

首卷首行頂格題『則堂先生春秋集傳詳說卷第一』。第二卷以後有尾題。第二卷尾題後隔一行題『寧國路儒學學正余澤老校正』，再隔一行題『泰定乙丑寧國路儒學新刊』。卷首有家鉉翁『讀春秋序』。書後有龔璛跋語。第一、二冊封面各有民國庚午(十九年，1930)祝光鑾手書題記。

書中鈐有『如皋祝氏珍藏印』朱文橢圓印、『穉農/藏書』朱文長方印、『昭聲/藏書』朱文方印、『國立中央圖/書館收藏』朱文長方印、『甸清/過眼』白文方印、『漢鹿/齋藏/書印』朱文方印、『穉/農』朱文方印、『如皋祝壽/慈藏書印』朱文長方印、『穉農/秘笈』朱文長方印、『祝光/鑾』白文方印、『昭/聲』朱文方印。」(頁 182)。

二. 元泰定乙丑(二年, 1325)刊本 : 台北 : 國家圖書館藏有影鈔元泰定乙丑(二年, 1325)刊本，顯見此書原有元泰定乙丑(二年，1325)刊本，惟今諸家館藏之本，未見此一刊本，當待考。

三、藍格舊鈔本：台北故宮博物院有藏本。

四、墨格精鈔本：台北故宮博物院有藏本。

五、文淵閣四庫全書本：台北故宮博物院有藏本。

【增補】永瑢等撰《欽定四庫全書總目》曰：「春秋詳說三十卷193　兩江總督採進本

宋家鉉翁撰。鉉翁號則堂，以蔭補官，後賜進士出身，官至端明殿學士、簽書樞密院事。事迹具《宋史》本傳。是書末有龔璛《跋》曰：『至元丙子宋亡，以則堂先生歸置諸瀛州者，十年成此書。自瀛寄宣，托於其友潘公從大藏之。』今考《宋史》本傳稱鉉翁在河間以《春秋》教授弟子，河間即瀛州也。又鉉翁《則堂集》中有為其弟所作《志堂說》稱：『余自燕以來瀛，卒春秋舊業，成《集傳》三十卷。』篇末題：『甲申正望』。甲申為至元二十一年，上距宋亡凡十年，與璛跋十年之說合。下距元貞元年賜號放歸復十年，與璛跋成書於瀛之說亦合。惟鉉翁自稱《集傳》，而此曰《詳說》，或後又改名歟?其說以《春秋》主乎垂法，不主乎記事，其或詳或略、或書或不書，大率皆抑揚予奪之所繫，要當探得聖人心法所寓，然後參稽眾說，而求其是。故其論平正通達，非孫復、胡安國諸人務為刻酷者所能及。其在河間作假館詩云：『平生著書苦不多，可傳者見之《春秋》與《周易》。』蓋亦確然自信者。今惟此書存，其《周易》則不可考矣。」(卷二十七，頁三五三)

【增補】邵懿辰撰、邵章續錄：《增訂四庫簡明目錄標注》卷三曰：「《春秋詳說》三十卷，宋家鉉翁撰。

通志堂本。

〔續錄〕元泰定乙丑刊本，清鈔本。」(頁一一二)

193霖案：原注云：按：文淵閣庫書題作《春秋集傳詳說》三十卷，另有《綱領》一卷。

六、摛藻堂薈要本：台北故宮博物院有藏本。

七、清同治十二年(1873)粵東書局重刊本：(宋)家鉉翁撰《則堂先生春秋集傳詳說》三十卷，《綱領》一卷，台北：國家圖書館有藏本。

八、通志堂經解本：宋家鉉翁撰《則堂先生春秋集傳詳說》三十卷，《綱領》一卷，馬來西亞大學圖書館有藏本（二部）。

九、明抄本：宋家鉉翁撰《則堂先生春秋集傳詳說》三十卷，《綱領》一卷，（存十五卷，卷十三至卷十八，卷二十〔三〕至卷三十，《綱領》亦存），《中國古籍善本書目》（經部）頁二七〇著錄，上海、天一閣文物保管所等圖書館有藏本。惟天一閣文物保管所藏本，存十卷〔十三至十八　二十三至二十六〕；而上海圖書館藏本，存四卷〔二十七至三十　綱領一卷〕

鉉翁〈自序〉曰[194]：「《春秋》非史也，謂《春秋》為史者，後儒淺見，不明乎《春秋》者也。昔夫子因魯史修《春秋》，垂王法以示後世；魯史，史也；《春秋》則一王法也，而豈史之謂哉？陋儒曲學以史而觀《春秋》，謂[195]其間或書、或不書、或書之詳、或書之略、或小事得書、大事缺書，遂以此疑《春秋》，其尤無忌憚者；至目《春秋》為斷爛朝報，以此誤天下後世有不可勝誅之罪，由其不明聖人作經之意，妄以《春秋》為一時記事之書也。或曰：『《春秋》與晉《乘》、楚《檮杌》並傳，皆史也，子何以知其非史而為是言乎？』曰：『史者備記當時事者也，《春秋》主乎垂法，不主乎記事，如僖公二十八年，晉文始霸，是歲所書者皆晉事；莊九年，齊桓公[196]入，是歲所書者皆齊事；隱四年，衛州吁弒君，是歲所書者皆衛事；昭八年，楚滅陳，是歲所書者皆陳事；有自春徂秋止書一事者，自今年秋冬迄明年春夏，閱三時之久而僅書二三事者；或一事而累數十年[197]，或一事而屢書特書，或著其首不及其末，或有其義而無其辭[198]，大率皆予奪抑揚之所繫，而宏綱奧旨絕出語言文字之外，皆聖人心法之所寓，夫豈史之謂哉？蓋晉《乘》、楚《檮杌》[199]、魯《春秋》，史也，聖人修之則為經，昧者以史而求經，妄加擬議，如蚓蝸伏乎[200]塊壤，烏知宇宙之大，江海之深？是蓋可憫，不足[201]深責也。』鉉翁早讀《春秋》，惟前輩訓釋[202]是從，不能自

194霖案：《國立中央圖書館善本序跋集錄》頁393-394錄有此文，係根據「影鈔元泰定乙丑刊本」甄錄而來。又孫承澤：《五經翼》卷十三，〈春秋集傳詳說序〉(《四庫全書存目叢書》經一五一)，頁782-783亦錄有此文。

195霖案：「謂」，《五經翼》無此字。

196霖案：「公」，《五經翼》無此字。

197霖案：「數十年」，應依「影鈔元泰定乙丑刊本」、《五經翼》作「十數言」。

198霖案：「辭」，「影鈔元泰定乙丑刊本」、《五經翼》俱作「詞」。

199霖案：「檮杌」，「影鈔元泰定乙丑刊本」作「檮」。

200霖案：「乎」，「影鈔元泰定乙丑刊本」作「於」。

201霖案：「足」字下，《五經翼》有「為」字。

有所見，中年以後，閱習既久，粗若有得，乃棄去舊說，益求其所未至，明夏時以著《春秋》奉天時之意，本之夫子之告顏淵；原託始以昭《春秋》誅亂賊之心，本之孟子之告公都子，不敢苟同諸說之已，言不敢苟異先儒之成訓，《三傳》之是者取焉，否則參稽眾說而求其是，眾說或尚有疑，夫然後以某鄙陋所聞，具列於[203]下，如是再紀，猶不敢輕出示人，將俟晚暮輯而成編，從四方友舊更加訂證。會國有大難，奉命起家，無補於時，坐荒舊學，既遂北行，平生片文幅書無一在者，憂患困躓之久，覃思舊聞，十失五六；已而自燕來瀛，又為暴客所剽，然以地近中原，士大夫知貴經籍，始得盡見《春秋》文字，因答問以述己意，卒舊業焉。書成，撮為綱領，揭之篇端，一原《春秋》所以託始，二推明夫子行[204]夏時之意，三辨五始，四評《三傳》，五明霸，六以經正例，凡十篇，俾觀者先有考[205]於此，庶知區區積年用意之所在。若夫僭躐之罪，則無所逃[206]。」

龔璛〈跋〉曰[207]：「至元丙子，宋亡，以則堂先生歸置諸瀛者十年，率成此書，書成，自[208]瀛寄宣，託於[209]其友肅齋潘公從大藏之，蓋久而綱目十篇學士大夫已盛傳於[210]世矣。泰定乙丑，宣學以廩士之贏[211]刊《大學疏義》等書，取諸潘氏，鋟梓於學，凡三十卷，其曰《春秋集傳詳說》。蓋俟夫說約者得經旨焉，此先生著述意也。先生之祖大酉，以成都府教授列於朱文公學黨之籍，其淵源有自云[212]。」

《宋史》[213]：「家鉉翁，眉州人，以蔭[214]補官[215]，賜進士出身，官至[216]端明殿學士簽

202霖案：「訓釋」，應依「影鈔元泰定乙丑刊本」、《五經翼》作「訓說」。

203霖案：「於」，「影鈔元泰定乙丑刊本」、《五經翼》俱作「于」。

204霖案：「行」，《五經翼》題作「有」字。

205霖案：「考」，《五經翼》題作「攷」字。

206霖案：「則無所逃」下，竹垞缺錄「眉山後學寓古杭家翁謹書」等十一字，考《五經翼》之文，適刪去如上字句。

207霖案：《國立中央圖書館善本序跋集錄》頁394錄有此文，係根據「影鈔元泰定乙丑刊本」甄錄而來。

208「自」，「四庫本」誤作「於」。　霖案：《經義考新校》頁3504校文，「四庫本」之前，另有「文淵閣」三字。今考「通志堂經解」本《春秋詳說・跋》題作「自」字。

209霖案：「託於」，「影鈔元泰定乙丑刊本」作「托于」。

210霖案：「於」，「影鈔元泰定乙丑刊本」作「于」。「通志堂經解」本《春秋詳說・跋》題作「於」字，顯見竹垞竹所據之本，率皆同於「通志堂經解」本的《春秋詳說》・

211霖案：「贏」，「影鈔元泰定乙丑刊本」作「嬴」。然而，「通志堂經解」本《春秋詳說・跋》正作「贏」字。

212霖案：「其淵源有自云」下，竹垞缺錄「高郵龔璛敬跋」等六字。

213霖案：《宋史》卷四二一，（北京：中華書局本），頁12598。

214霖案：「蔭」字，應依《宋史》作「廕」字。

書樞密院事。元[217]兵次近郊[218]，為[219]祈請[220]使留館中，聞宋亡，且夕哭泣，不食飲者數月[221]。其學邃於《春秋》，自號則堂。改館河間，乃以《春秋》教授弟子[222]，成宗[223]放還，賜號處士。」

【增補】孫能傳等撰《內閣藏書目錄》卷二曰：「《春秋詳說》八冊，全。宋家鉉翁著，鈔本。」（四七六）。

黃虞稷曰[224]：「鉉翁北遷時，居河間所作，因答問以述己意，綱領凡十篇[225]。」

謝氏翱《春秋左傳續辨》

【著錄】《元史藝文志輯本》卷三，頁五七著錄。

【書名】方鳳《存雅堂遺稾》卷三，頁五七八錄之，書名題作「《春秋左氏續辨》，雖僅一字之別，且意義並無差異，但方氏之書既錄作「《春秋左氏續辨》」，則此書書名應改作「《春秋左氏續辨》為宜。

佚。

方鳳〈狀〉曰[226]：「君諱翱，字皋羽，姓謝氏，福之長溪人，後徙建之浦城[227]，試有

215霖案：「官」字下，應依《宋史》補入「累官知常州，政譽翕然。遷浙東提點刑獄，入為大理少卿，直華文閣，以祕閣修撰充紹興府長史，遷樞密都丞旨，知建寧府兼福建轉運副使，權戶部侍郎兼知臨安府、浙西安撫使，遷戶部侍郎，權侍右侍郎，仍兼樞密都丞旨。」等字。

216霖案：「官至」二字，應依《宋史》作「拜」字。

217霖案：「元」字，應依《宋史》作「大元」二字。

218霖案：「郊」字下，應依《宋史》補入「丞相吳堅、賈餘慶檄告天下守令以城降，鉉翁獨不署。元帥遣使至，欲加縛，鉉翁曰：『中書省無縛執政之理。』堅奉表」等字。

219霖案：《宋史》無「為」字，當據以刪正。

220霖案：「請」字下，應依《宋史》補入「于大元，以鉉翁介之，禮成不得命。」等字。

221霖案：「月」字下，應依《宋史》補入「大元以其節高欲尊官之，以示南服．鉉翁義不二君，辭無詭對。宋三宮北還，鉉翁再率故臣迎謁，伏地流涕，頓首謝奉使無狀，不能感動上衷，無以保存其國。見者莫不歎息。文天祥女弟坐兄故，繫奚官，鉉翁傾橐中裝贖出之，以歸其兄璧。鉉翁狀貌奇偉，身長七尺，被服儼雅。」等字。

222霖案：「子」字下，應依《宋史》補入「數為諸生談宋故事及宋興亡之故，或流涕太息。」等字。

223霖案：「成宗」二字之前，應依《宋史》補入「大元」二字。又「成宗」二字下，應依《宋史》補入「皇帝卽位，」等字。

224霖案：黃虞稷《千頃堂書目》卷二，頁47。

225霖案：「《綱領》凡十篇」，《千頃堂書目》卷二作「《綱領》凡六類，首〈原春秋託始〉，次〈原夏正〉，次〈明五始〉，次〈明三傳〉，次〈明伯〉，次〈明凡例〉，共十篇」（頁47）

司不第，落魄漳泉[228]，間會丞相信公開府署諮事參軍。」

吳氏思齊《左傳闕疑》

【書名】黃虞稷《千頃堂書目》卷二，頁四七題作《左傳缺疑》。

未見。

【存佚】本書未見其他傳本，當已久佚，故改注曰「佚」。又《元史藝文志輯本》卷三，頁五七著錄，注曰：「佚」。《元史藝文志輯本》既錄此書，當以吳思齊為元人，今考吳氏確為橫跨宋元二朝，若以亡年時代而論，當置入元人，而《左傳論著目錄》頁十九錄作宋人，二者取捨標準不同所致，今仍改隸於元人之作。

《金華府志》[229]：「吳思齊[230]，字子善，永康人[231]，用父邃蔭[232]，攝嘉興丞[233]，宋亡，隱浦陽[234]，自號全歸子[235]，與方鳳、謝翱放遊山水間[236]。」

許氏瑾《春秋經傳》

【作者】許瑾，字子瑜，號高山，剡縣人。嘗從朱熹遊，明于理學，著有《春秋經傳》十卷。

226霖案：方鳳，《存雅堂遺稾》（民國六十一年(1972)藝文印書館四部分類叢書集成三編影印永康胡氏夢選樓刊本）卷三，〈謝君皋羽行狀〉，頁577。

227霖案：「城」字下，《存雅堂遺稾》尚有「曾祖景暉，祖嘉，至其父鑰以春秋學為婦翁繆正字烈所器重，嘗著《春秋衍義》十卷，《左氏辯證》六卷，藏于家。君世業幾冠已行聲。」等四十九字，當據以補入，惟竹垞《經義考》卷一九一，頁141已錄「其父鑰」，迄於「藏於家」，故一文分見二處，而其餘諸文略去不論，今補敘如上，以供參考。

228霖案：「漳泉」，《存雅堂遺稾》作「泉漳」，竹垞誤倒二字。

229霖案：《金華府志》（《四庫全書存目叢書》史一七六），頁791d；又頁735a〈人物二〉。

230霖案：「吳思齊」三字以下之文，原書列入注文之中，而竹垞直接引錄其文，未有正文、注文之分。

231霖案：「永康人」三字以下，竹垞刪錄為數眾多文句，且《四庫全書存目叢書》本多漫漶不清之處，而竹垞部分引文，適足以補今本之不同。

232霖案：「父邃蔭」三字，今本《金華府志》漫漶不清，而透過竹垞引文，可補相關文句。

233霖案：「丞」字下，竹垞刪去眾多文句，或因原書多有漫漶之故。

234霖案：「浦陽」二字，今本漫漶不清，竹垞引文適足以補今本之不足。

235霖案：「自號全歸子」五字之下，《金華府志》另有諸多文句，竹垞刪去不錄。

236霖案：「與方鳳、謝翱放遊山水間」諸字，《金華府志》原文置於「自號全歸子」之句之前，而竹垞移置在後，致有錯簡之虞。又原書或有漫漶之處，而「與」字，原置於「放」字之前，且「翱」字下，應有一字，惟該字已不清楚，無法查知其字。據此，竹垞此一解題多有改寫之處。

十卷。

【著錄】黃虞稷《千頃堂書目》卷二，頁五〇、《元史藝文志輯本》卷三，頁五七著錄。

佚。

《紹興府志》[237]：「許瑾，字子瑜[238]，世居剡之東林[239]。宋運既改，徵辟不就[240]，學者[241]稱[242]高山先生。」

【增補】黃虞稷《千頃堂書目》卷二曰：「（許瑾）字子瑜，紹興人。」（頁五〇）

徐氏文鳳《春秋捷徑》

【作者】徐文鳳，字伯恭，壽昌人。從吳興陳存受《春秋》。咸淳間釋褐，權知象山縣，撰有《春秋捷徑》十卷。

【書名】《元史藝文志輯本》卷三，頁五七著錄，書名誤作《春秋捷經》。

十卷。

佚。

《嚴州府志》：「徐文鳳，字伯恭，壽昌人。從吳興陳存受《春秋》；咸淳間釋褐，權知象山縣，至元革命，隱居教授，著《春秋捷徑》十卷。」

曾氏元生《春秋凡例》

【作者】「曾」字，《梧溪集》注文作「一作曹」，而「叢書集成新編本」、「北京圖書館古籍珍本叢刊本」所錄正為「曺先生」，則該書作者或為曹氏。又「元生」二

237霖案：《紹興府志》卷四十三，(《四庫全書存目叢書》史部，冊二○一)，頁323B。

238霖案：「字子瑜」三字下，應依《紹興府志》補入「玄度之後」四字，蓋「許玄度」即「許詢」也，為晉之處士，《世說新語》多載其行事，讀者可自行參看。許謹既為玄度之後，則其「宋運既改，徵辟不就」，實有先祖風範，故此四字，不當任意刪去，今補之如上。

239霖案：「東林」二字下，應依《紹興府志》補入「慱[博]極經史，嘗從朱子遊，明於理學，鄉先生俞浙狀其行曰：『子瑜學慱[博]而正，行峻而和，文麗而則，君子人也。』，學者從之。隨其資禀，皆厭足所欲。」等五十三字，此明言許氏師學傳承，而俞浙所論之文，亦足供許氏傳記之參考，不當刪除，今據原書補入。

240霖案：「宋運既改，徵辟不就」四字，原應置於「高山先生」四字之下，此處有錯簡的情況。又「就」字下，原書有「所著有《春秋經傳》十卷，文稿若干卷。」等十三字，事涉學者其他撰著，今據以補入。

241霖案：原書「學者」二字，接續於俞浙〈行狀〉之文下，說法詳見前註，由於前註已補相關文句，故此處解題暫刪去二字，以免重複。

242霖案：「稱」字下，應依《紹興府志》補入「為」字。

字，四庫本、叢書集成新編本《梧溪集》均題作「先生」，蓋先生二字為尊稱，而竹垞引作「元生」，未詳是否所據版本不同所致，待查。

佚。

王逢曰[243]：「礴峰曾[244]元生[245]，江西人[246]，宋末屏居教授[247]，有《春秋凡例》、《大學演正》藏於家。」

邱氏葵《春秋通義》

【增補】《元史藝文志輯本》卷三，頁五七著錄，另有《春秋正義》一書，竹垞未曾著錄，應據以補正。

【作者】邱葵，字吉甫，同安人。有志朱子之學，親炙於呂大圭、洪天錫之門。撰有《易解義》，《書解義》，《詩解義》，《春秋通義》，《周禮補亡》等書及《詩集》四卷。

【作者】黃虞稷《千頃堂書目》卷二，頁四七著錄，作者題為「丘葵」。

未見。

【存佚】《元史藝文志輯本》卷三，頁五七著錄，注曰「佚」。

陳氏深《清全齋讀春秋編》(元)

【書名】本書異名如下：

一、《讀春秋編》：張壽平《公藏先秦經子注疏書目》頁一三七著錄。

二、《情全齋讀春秋編》：黃虞稷《千頃堂書目》卷二，頁四七著錄。

【霖案】《經義考》二〇一另錄有陳氏深《春秋然疑》一書，當移至此條之下。

243霖案：四庫本，王逢：《梧溪集》卷四，冊一二一八，頁737；又北圖本「北京圖書館古籍珍本叢刊」(北京：書目文獻出版社，，一九八七年)，卷四，頁519，又初編本2277-79，又「叢書集成新編」本卷四下，頁228(台北：新文豐出版股份有限公司，，民國七十四年元月)，本文採四庫全書本、叢書集成新編本、北京圖書館古籍珍本叢刊入校。

244霖案：「曾」字，《梧溪集》注文作「一作曹」，而「叢書集成新編本」、「北京圖書館古籍珍本叢刊本」所錄正為「曺先生」，則該書作者或為曹氏。

245霖案：「元生」二字，四庫本、叢書集成新編本《梧溪集》均題作「先生」，蓋先生二字為尊稱，而竹垞引作「元生」，未詳是否所據版本不同所致，待查。

246霖案：「人」字下，應依《梧溪集》補入「負碩學，當」等四字。又「江西人」三字，「叢書集成新編本」、「北京圖書館古籍珍本叢刊本」均置入注文之中，而非在正文位置，特此說明。

247霖案：「教授」二字，應依《梧溪集》作「講授」。又「授」字下，應依《梧溪集》補入「士多歸之」等四字。

【增補】李一遂〈左氏春秋著錄書目研究〉頁一一九錄有陳深《左傳解詁》十四卷，有《十三經解詁》本，江蘇國學圖書館藏本，竹垞未錄此書，當據以補入。

十二卷。

【著錄】黃虞稷《千頃堂書目》卷二，頁四七、張壽平《公藏先秦經子注疏書目》頁一三八著錄。

【卷數】本書卷數異稱如下：

一、三卷：《元史藝文志輯本》卷三，頁五八著錄，又曰：「《錢志》注：『一作三卷』」。

二、不分卷：張壽平《公藏先秦經子注疏書目》頁一三八著錄。

三、十三卷：清乾隆五十年(1785)內府刊本。

存。

【存佚】《元史藝文志輯本》卷三，頁五八著錄，注曰「未見」，然本書於台北故宮博物院有藏本，《元史藝文志輯本》考證有誤。

【版本及藏地】本書版本及藏地如下：

一、文淵閣四庫全書本：(宋)陳深撰《讀春秋編》十二卷，六冊，《國立故宮博物院善本舊籍總目》，上冊，頁一〇〇著錄，台北：國家圖書館有藏本。

【增補】永瑢等撰《欽定四庫全書總目》曰：「讀春秋編十二卷　內府藏本

宋陳深撰。深字子微，平江人。嘗題所居曰『清全齋』，因以為號。朱彝尊《經義考》引盧熊《蘇州志》稱：『深生於宋。宋亡，篤志古學，閉門著書。天歷間，奎章閣臣以能書薦，潛匿不出。』考鄭元祐《僑吳集》有深次子植墓誌，據其所稱，植以至正二十二年卒，年七十，則植生於至元三十年癸巳。又自稱長於植一年，少於深三十餘年，則深之生，當在開慶、景定間，宋亡之時，僅及弱冠，故至天歷間尚存也。所著有《讀易編》、《讀詩編》，今并未見[248]，惟此書僅存。其說大抵以胡氏為宗，而兼采左氏。蓋左氏身為魯史，言必有據，非公羊、穀梁傳聞疑似者比。自宋人喜以空言說《春秋》，遂併其事實而疑之，幾於束諸高閣。深所推闡，雖別無新異之見，而獨能考據事實，不為虛僑恃氣、廢傳求經之高論，可謂篤實君子，未可以平近忽之矣。」（卷二十七，頁三五三至頁三五四）

【增補】邵懿辰撰、邵章續錄：《增訂四庫簡明目錄標注》卷三曰：「《讀春秋編》十二卷，宋陳深撰。

248霖案：原注云：李裕民：陳深之《讀易編》,《永樂大典》屢有徵引，今殘本《大典》中亦可輯五十一條，四庫館臣於《永樂大典》中輯得易類書共二十八種，翻檢之時，不容不見此書，《總目》謂之未見，抑或輯佚與撰提要者非同一人而又互不通氣歟？

通志堂本。

〔續錄〕元泰定乙丑刊本，佳。」（頁一一三）

【增補】李裕民《四庫提要訂誤》曰：「朱彝尊所引實出王鏊《姑蘇志》卷五五《隱逸傳》，盧熊《蘇州府志》卷三七《陳深傳》，與此引文有小異，『荐』下有『之』，『出』作『耀』。

陳深之《讀易編》，《永樂大典》屢有徵引，今殘本卷一一八八、一一九一、一一九二、一二〇〇、三〇〇八、三〇〇九、三一一〇、一三八七二、一三八七三、一三八七四、一三八七五、一五一四〇、一五一四一、一五一四二共引五十一條，館臣于《永樂大典》中輯易類書二十八種，翻檢之時不容不見此書，或許撰提要與輯佚者非一人，而又互不通氣，故此稱『今并未見』」。（頁十六至十七）

二、摛藻堂薈要本：(宋)陳深撰《讀春秋編》十二卷，六冊，《國立故宮博物院善本舊籍總目》，上冊，頁一〇〇著錄，台北：故宮博物院有藏本。

三、鈔本：(宋)陳深撰《清全齋讀春秋編》不分卷，十冊，《國立故宮博物院善本舊籍總目》，上冊，頁一〇〇著錄，台北：故宮博物院有藏本。

【增補】黃虞稷《千頃堂書目》卷二曰：「字子淵，長興人，嘉靖乙酉舉人，雷州府推官。」（頁四一）。

四、清同治十二年(1873)粵東書局重刊本：(元)陳深撰《清全齋讀春秋編》十二卷，台北：國家圖書館有藏本。

五、通志堂經解本：元陳深撰《清全齋讀春秋編》十二卷，二冊，馬來西亞大學圖書館有藏本（二部）。

【增補】耿文光《萬卷精華樓藏書記》卷八曰：「《讀春秋編》十二卷　宋陳深撰

通志堂本。何義門曰：元人鈔本前有成德序，是書以經文一句提首，諸說分注於下。

成德序曰：宋元之際，吳中多老師宿儒，若俞石澗琬、陳清全深、余邦亮元燮、湯思言彌昌、王子英元杰，皆精究群經，咸有撰著。清全子於《易》於《詩》於《春秋》皆有編，《春秋編》原本左胡，采摭諸語，深有益於學者。偶獲元槧本，為加校勘而屬之梓。（小注云：文光案：義門以為鈔本與序不同。）

《蘇州志》：宋陳深，字子微，世為吳人，題所居曰清全齋，因以為號。生於宋末。宋亡，篤志古學，閉門著書。元天曆間，奎章閣臣以能書荐，匿不肯出，別號寧極，所著詩文名《寧極齋稿》。子直，字叔方，有孝行，能繼父業，以慎獨名其齋，蓋父子皆吳隱君子也。

文光謹案：《四庫提要》謂朱彝尊《經義考》引盧熊《蘇州志》稱深云云，今查朱氏考無此條，不知何故，且朱考於書名外更無別說。又案，元時有慎獨齋所刊諸本，當是叔方家刻。」（頁三〇三）

六、元朝慎獨齋刊本：耿文光《萬卷精華樓藏書記》卷八著錄。

【增補】耿文光《萬卷精華樓藏書記》卷八曰：「文光謹案：《四庫提要》謂朱彝尊《經義考》引盧熊《蘇州志》稱深云云，今查朱氏考無此條，不知何故，且朱考於書名外更無別說。又案，元時有慎獨齋所刊諸本，當是叔方家刻。」

【霖案】耿氏云：「今查朱氏考無此條，不知何故，且朱考於書名外更無別說。」，耿氏僅考《經義考》「陳氏深《清全齋讀春秋編》」條下，確實於書名之外，別無立說，然館臣所引證的資料，卻是見於《經義考》卷四十，頁八陳深《清全齋讀易編》條下，耿氏未能詳考竹垞之書，因而不知其故，今補述如上。

七、清康熙十九年通志堂刊乾隆五十年修補本：(宋)陳深撰《讀春秋編》十二卷，三冊，《國立故宮博物院善本舊籍總目》，上冊，頁一〇〇著錄，台北：國家圖書館有藏本。

八、清乾隆五十年(1785)內府刊本：(元)陳深撰《清全齋讀春秋編》十三卷，台北：國家圖書館有藏本。鈐有「味經窩藏書印」朱文長方印，「味經曾觀」朱文方印。

熊氏禾《春秋通解》

【作者】熊禾（1253～1312），字去非，後改名鉌，字位辛，號勿軒，又號退齋，建陽人。有志濂洛關閩之學，從朱熹門人遊，舉咸淳十年進士，授汀州司戶參軍。宋亡不仕，入武夷山，築室講讀其中，謝枋得聞禾名，自江右來訪之，又嘗與江西胡一桂論學。元仁宗皇慶元年卒，年六十，撰有《三禮考異》、《春秋論考》、《經序學解》、《勿軒集》等書。

【增補】黃虞稷《千頃堂書目》卷二，頁四七錄有熊禾《春秋論考》一書，竹垞未錄，未詳是否同為一書，今據以補入。

佚。

按：退齋〈與胡庭芳書〉249有云：「早歲成《春秋通解》一書，又厄於火。」又云：「兵難之餘，學徒解散，文集燬亡，徒抱苦心，力實不逮。」則是書燬後，不果續也。

249霖案：竹垞引文出自《勿軒集》卷一（文淵閣四庫全書本，冊一一八八），頁771。然而，原文並非題作「〈與胡庭芳書〉，而是〈送胡庭芳後序〉，其餘所引文句皆同。

卷一百九十二　春秋二十五經義考卷一百九十二春秋二十五

任氏公輔《春秋明辨》　程氏《本義》作：「《集解》。」

《宋志》：「十一卷。」

佚。

黎氏良能《左氏釋疑》

《宋志》：「一卷。」

佚。

《左氏譜學》

《宋志》：「一卷。」

佚。

趙氏震揆《春秋類論》

《宋志》：「四十卷。」

佚。

按：王氏《困學記聞》[1]載趙氏《類論》一條曰：「《左氏》之害義，未有甚於記女寬之論甚弘也。自昔聖賢未[2]有以天廢人，殷既錯天命，天子[3]則曰「自靖自獻」；周天命不乂[4]，大夫則曰「黽勉從事」。治亂安危，天之天也；危持顛扶，人之天也；以忠臣孝子為違天，則亂臣賊子為順天矣而可哉？

【增補】〔補正〕竹垞案內「困學記聞」，「記」當作「紀」。（卷八，頁十）

鄧氏埏《春秋類對》

【著錄】《玉海》卷四〇，頁八〇三錄之，惟書名僅作「《類對》」二字。

佚。

張氏冒德《春秋傳類音》

1「《困學記聞》」，應依《補正》、「四庫本」作「《困學紀聞》」。　霖案：《經義考新校》頁3508校文，「應依」作「依」字；「四庫本」改作「《四庫薈要》本、文淵閣《四庫》本」；「作」改作「應作」二字。今考本條案語所載，係出自王應麟《困學紀聞》卷六，頁82，該文未言出自《類論》，而僅題作「趙氏震揆曰」。

2霖案：「未」，《困學紀聞》作「未嘗」。

3霖案：「天子」，《困學紀聞》作「王子」。

4「乂」，「四庫本」作「又」。　霖案：《經義考新校》頁3508校文，「四庫」二字之前，另有「文淵閣」三字；又「作」字改作「誤作」，顯示校者對於此條校文內容，已有相關評論。

《宋志》：「十卷。」

佚。

韓氏台《春秋左氏傳口音》

《宋志》：「三卷。」

佚。

陳氏德寧《公羊新例》

《宋志》：「十四卷。」

佚。

《穀梁新例》

《宋志》：「六卷。」

佚。

張氏幹[5]《春秋排門顯義》

【增補】〔補正〕案：《宋志》「幹」一作「翰」。（卷八，頁十）

《宋志》：「十卷。」

佚。

袁氏希政[6]《春秋要類》

【增補】〔補正〕案：《宋志》「希政」一作「孝政」。（卷八，頁十）

《宋志》：「五卷。」

佚。

張氏德昌《春秋傳類》

《宋志》：「十卷。」

佚。

沈氏緯《春秋諫類》

《宋志》：「二卷。」

佚。

王氏仲孚《春秋類聚》

《宋志》：「五卷。」

5「幹」，據《補正》或作「翰」。　霖案：《經義考新校》頁3510校文，「據」字改作「依」字。

6「希政」，據《補正》或作「孝政」。　霖案：《經義考新校》頁3510校文，「據」字改作「依字」。

佚。

黃氏彬《春秋叙鑑》

《宋志》：「三卷。」

佚。

洪氏勳《春秋圖鑑》

《宋志》：「五卷。」

佚。

王氏叡《春秋守鑑》

《宋志》：「一卷。」

佚。

塗氏昭良《春秋科義雄覽》

《宋志》：「十卷。」

佚。

《春秋應判》

《宋志》：「三十卷。」

佚。

丁氏裔昌《春秋解問》

《宋志》：「一卷。」

佚。

邵氏川《春秋括義》

《宋志》：「三卷。」

佚。

劉氏英《春秋列國圖》

《宋志》：「一卷。」

佚。

【存佚】明內府刊本胡安國《春秋胡傳》一書，附有《春秋興廢說》、《春秋列國圖》一卷，其中《春秋列國圖》一書，或為劉英之作。又明嘉靖開州吉澄校刻本，楊一鶚重刊本《春秋四傳》一書之首，亦冠有《春秋列國圖》一幅，亦當為劉英之作。

【版本及藏地】本書版本及藏地如下：

一、明內府刊本：(宋)胡安國撰《春秋胡傳》三十卷，附《春秋興廢說》、《春秋列國圖》一卷，半頁八行十四字，四周雙邊，上下黑口，雙魚尾。框高 22·9 厘米，寬 15·7 厘米。台北故宮博物院有藏本。

二、明覆內府刊清初修補本：(宋)胡安國撰《春秋胡傳》三十卷，附《春秋興廢說》、《春秋列國圖》一卷，四冊，《國立故宮博物院善本舊籍總目》，上冊，頁九十五著錄，台北：故宮博物院有藏本。

三、明嘉靖開州吉澄校刻本，楊一鶚重刊本：長春：東北師範大學圖書館有藏本，《春秋四傳》三十八卷，《綱領》一卷，《提要》一卷，《二十年表》一卷，《列國東坡圖說》一卷，《諸國興廢說》一卷。冠春秋列國圖一幅，九行，十七字，小字雙行，十六字至十七字不等，白口下題：龔士廉書及唐麟、張憲、黃周賢等刻工姓名。八冊。嚴寶善編錄《販書經眼錄》卷一，頁九著錄。

《春秋十二國年歷》

《宋志》：「一卷。」

佚。

謝氏壁《春秋綴英》

《宋志》：「二卷。」

佚。

周氏彥熠《春秋名義》　程氏《本義》作《明義》。

《宋志》：「二卷。」

佚。

【存佚】《春秋總義論著目錄》頁十題作「未見」，《經義考》注曰「佚」，今考此書未見諸家傳本，故暫定曰「佚」，以俟後考。

程端學曰[7]：「廣信人[8]。」

毛氏邦彥《春秋正義》

《宋志》：「十二卷。」

佚。

程端學曰[9]：「三衢人[10]。」

7霖案：程端學：《春秋本義》〈春秋傳名氏〉(《通志堂經解》(冊25))，頁13862。

8霖案：此處所錄《春秋本義》之文，與其他諸處引文方式不同，也較不合於著錄體例，詳見李棠《春秋時論》條。今引《春秋本義》之文如下：「廣信周氏彥熠」，竹垞引文實係改寫，雖內容合乎實情，但引用方式不同，其既云「程端學曰」，則必須合乎《春秋本義》所錄之文，今校錄如上，以供讀者參考。

胡氏定《春秋解》

《宋志》：「十二卷。」

佚。

王氏汝猷《春秋外傳》

《宋志》：「十五卷。」

佚。

程端學曰[11]：「不用《三傳》。」

章氏元崇《春秋大旨》

佚。

毛氏友《左傳類對賦》（宋）

【著錄】李一遂〈左氏春秋著錄書目研究〉頁一〇〇著錄。

《宋志》：「六卷。」

佚。

蕭氏之美《春秋三傳合璧要覽》

《宋志》：「二卷。」

佚。

宋氏宜春《春秋新義》

佚。

張氏應霖《春秋纂說》[12]

佚。

朱氏由義《春秋解》

佚。

9霖案：程端學：《春秋本義》〈春秋傳名氏〉(《通志堂經解》(冊25))，頁13862。

10霖案：此處所錄《春秋本義》之文，與其他諸處引文方式不同，也較不合於著錄體例，詳見李棠《春秋時論》條。今引《春秋本義》之文如下：「三衢毛氏邦彥」，竹垞引文實係改寫，雖內容合乎實情，但引用方式不同，其既云「程端學曰」，則必須合乎《春秋本義》所錄之文，今校錄如上，以供讀者參考。

11霖案：程端學：《春秋本義》〈春秋傳名氏〉(《通志堂經解》(冊25))，頁13862。

12「《春秋纂說》」，「四庫本」作「《春秋纂記》」。　霖案：《經義考新校》頁3516校文，「四庫」二字之前，另有「文淵閣」三字。

趙氏與權《春秋奏議》

佚。

程端學曰[13]：「字說道，號存畊，四明人[14]。」

方氏九思《春秋或問》

佚。

田氏君右《春秋管見》（元）

【著錄】《元史藝文志輯本》卷三，頁五八著錄。

佚。

戴氏銓《春秋微》

佚。

程端學曰[15]：「字少胡，四明人[16]。」

戴氏培父《春秋志》

【書名】程端學《春秋本義》引作「《（春秋）誌》」，竹垞加入「春秋」二字，至於「志」、「誌」意義稍有不同，故應題作「《春秋誌》」為佳。

佚。

程端學曰[17]：「四明人[18]。」

延陵先生《春秋講義》

13霖案：程端學：《春秋本義》〈春秋傳名氏〉(《通志堂經解》(冊25))，頁13863。

14霖案：此處所錄《春秋本義》之文，與其他諸處引文方式不同，也較不合於著錄體例，詳見李棠《春秋時論》條。今引《春秋本義》之文如下：「四明趙氏與權說道存耕。」，竹垞引文實係改寫，雖內容合乎實情，但引用方式不同，其既云「程端學曰」，則必須合乎《春秋本義》所錄之文，今校錄如上，以供讀者參考。

15霖案：程端學：《春秋本義》〈春秋傳名氏〉(《通志堂經解》(冊25))，頁13863。

16霖案：此處所錄《春秋本義》之文，與其他諸處引文方式不同，也較不合於著錄體例，詳見李棠《春秋時論》條。今引《春秋本義》之文如下：「四明戴氏銓少胡」，竹垞引文實係改寫，雖內容合乎實情，但引用方式不同，其既云「程端學曰」，則必須合乎《春秋本義》所錄之文，今校錄如上，以供讀者參考。

17霖案：程端學：《春秋本義》〈春秋傳名氏〉(《通志堂經解》(冊25))，頁13863。

18霖案：此處所錄《春秋本義》之文，與其他諸處引文方式不同，也較不合於著錄體例，詳見李棠《春秋時論》條。今引《春秋本義》之文如下：「四明戴氏培父」，竹垞引文實係改寫，雖內容合乎實情，但引用方式不同，其既云「程端學曰」，則必須合乎《春秋本義》所錄之文，今校錄如上，以供讀者參考。

《宋志》：「二卷。」

佚。

房氏《春秋說》

佚。

范仲淹〈序〉曰[19]：「聖人之為《春秋》也，因東魯之文，追西周之制，褒貶大舉，賞罰盡在，謹聖帝明王[20]之法，峻亂臣賊子之防，其間華衮遺[21]榮，蕭斧示辱，一字之下，百王不刊；游、夏既無補於前，《公》、《穀》蓋有失於後，雖邱明[22]之傳頗多冰釋，而素王之言尚或天遠，不講不議，其無津涯。今褒博者流，咸志於道，以天命之正性，修[23]王佐之異材，不深《春秋》，吾未信也。三傳房君[24]有元凱之癖，兼仲舒之學，丈席之際，精義入神，吾輩方扣聖門，宜循師道，率[25]屬辭比事之教，洞尊王黜霸之經，由此登泰山[26]而知高，入宗廟而見美，升堂覩[27]奧，必有人焉。君子哉無廢！」

莆田陳氏《春秋說》

佚。

東海徐氏《春秋經旨》

佚。

莆田方氏《春秋集解》

佚。

三山林氏《春秋類考》

佚。

神童江氏《春秋說》

佚。

---

19 霖案：范仲淹，《范文正集》卷六，〈說春秋序〉，(台北：臺灣商務印書館，「景印文淵閣四庫全書」冊一〇八九，民國七十五年三月，初版)，頁620。

20 霖案：「王」字，應依《范文正集》作「皇」字。

21 霖案：「遺」字，應依《范文正集》題作「貽」字。

22 霖案：「邱明」二字，《范文正集》作「丘明」。

23 霖案：「修」字，《范文正集》作「脩」字。

24 霖案：「房君」二字，《范文正集》作「房公」二字。

25 霖案：「率」字，應依《范文正集》作「粹」字。

26 霖案：「泰山」二字，《范文正集》題作「太山」。

27霖案：《經義考新校》頁3518新出校文如下：「『覩』，《四庫薈要》本作『觀』字。」。

楊氏《春秋辨要》

佚。

孔氏《春秋書法》

佚。

范氏《春秋斷例》

佚。

王氏《春秋直解》

佚。

陳氏《春秋解義》

佚。

鄒氏《春秋筆記》　《宋志》作《總例》。

《宋志》：「一卷。」

佚。

陳氏《春秋世家》

佚。

張氏《春秋列傳》

佚。

亡名氏《春秋扶懸》

《宋志》：「三卷。」

佚。

《春秋策問》

《宋志》：「三十卷。」

佚。

《春秋夾氏》

《宋志》：「三十卷。」

佚。

《春秋釋疑》

《宋志》：「二十卷。」

佚。

《春秋考異》

《宋志》：「四卷。」

【著錄】《文獻通考・經籍考》卷十，頁二六八著錄。

佚。

《春秋直指》

《宋志》：「三卷。」

佚。

《春秋類》

《宋志》：「六卷。」

佚。

《春秋例》

《宋志》：「六卷。」

佚。

《春秋表記》

《宋志》：「一卷。」

佚。

《春秋王侯世系》《本義》作《世家》。

《宋志》：「一卷。」

佚。

《春秋左氏傳鑑》

《通志》：「三卷。」

佚。

《春秋機要》

《通志》：「一卷。」

佚。

《春秋國君名例》

【著錄】李一遂〈左氏春秋著錄書目研究〉頁一〇二著錄。

【考證】《春秋總義論著目錄》頁九七曰：「考證：《經義考》載有《春秋國君名例》一卷，未知與此是否同為一書，故分別列之。」，今從之，亦題作二筆著錄。

《通志》：「一卷。」

佚。

《魯史春秋卦名》

【著錄】李一遂〈左氏春秋著錄書目研究〉頁一〇九著錄。

《通志》：「一卷。」

佚。

《春秋蒙求》

三卷。

佚。

晁公武曰[28]：「皇朝王舜俞序，不知何人所作[29]。」

王應麟曰[30]：「《蒙求》，王舜俞序之。」

《左傳類要》

《宋志》：「五卷。」

佚。

《春秋義例》

《通志》：「十卷。」

佚。

《春秋氏族名謚譜》

【著錄】【書名】李一遂〈左氏春秋著錄書目研究〉頁一〇二著錄，書名誤作「《春秋氏族謚譜》」。

《通志》：「五卷。」

佚。

《春秋氏族名謚譜》

【霖案】「四庫備要本」並無此條著錄。

佚。

《春秋括甲子》

佚。

《春秋地名譜》

28霖案：《文獻通考》卷一九〇，頁1617下；又《文獻通考．經籍考》卷十七，頁434。又四庫本：《郡齋》卷一下均錄此文。

29霖案：「人」字下，應依《文獻通考．經籍考》補入「所作過於《綱領》者。」等七字。

30霖案：《玉海》卷四○，頁803b。

佚。

《春秋災異應錄》

佚。

《春秋三傳分門事類》

【書名】《郡齋讀書志》卷第五上〈附錄〉，頁三六二著錄，書名題作《三傳分門事類》，又《宋史》卷二百七，〈藝文六〉，頁五二九八錄之，書名亦題作「《三傳分門事類》」，可見此書原作「《三傳分門事類》」，而竹垞根據書名性質，補入「《春秋》」二字，有妄定書名之失。

《宋志》：「十二卷。」

【分類】《郡齋讀書志》卷第五上〈附錄〉，頁三六二著錄，隸屬「經解類」，《宋志》置於「類事類」，此係分類之時，或據本質，或據體裁，而致分類有異，竹垞擴大收集範圍，故將其他書目置於他類之下，凡是涉及「春秋」內容的典籍，多將其改置「春秋類」之下，致使在分類類目上，常有分歧的見解。

佚。

趙希弁曰[31]：「莫詳誰氏所編，以類相從而分其門也。」

釋贊寧《駁春秋繁露》（宋）

【霖案】根據《青箱雜記》卷六，頁六一所言，則釋贊寧尚撰有《抑春秋無賢臣論》一篇，竹垞未錄此書，當據以補入。

二篇。

佚。

吳處厚曰[32]：「近世釋子多務吟詠，惟[33]國初贊寧獨以著書立言、尊崇儒術為事[34]，極為王禹偁所激賞，與之書[35]曰：『[36]使聖人之道無傷於明夷，儒家者流不至於迷復。』」

31霖案：出自：《郡齋讀書志》卷第五上〈附錄〉，頁362。

32霖案：《青箱雜記》卷六，頁61。

33霖案：「惟」，《青箱雜記》作「唯」。

34霖案：「事」，《青箱雜記》作「佛事」。又「事」下，《青箱雜記》有「故所著《駁董仲舒繁露》二篇、《難王充論衡》三篇、《證蔡邕獨斷》四篇、《斥顏師古正俗七篇》、《非史通》六篇、《答雜斥諸史》五篇、《折海潮論兼明錄》二篇、《抑春秋無賢臣論》一篇，」等六十三字。

35霖案：「與之書」三字，應依《青箱雜記》作「故王公〈與贊寧書〉」等七字。

36霖案：「曰」字下，應依《青箱雜記》補入「累日前蒙惠顧謏才，辱借通論，日殆三復，未詳指歸。徒觀其滌《繁露》之瑕，劘《論衡》之玷，眼瞭《獨斷》之瞽，鍼砭《正俗》之疹，折子玄之邪說，泯米穎之巧言，逐光庭若摧枯，排孫郤似圖蔓，」等六十九字。

卷一百九十三　春秋二十六經義考卷一百九十三春秋二十六

馬氏定國《春秋傳》

佚。

杜氏瑛《春秋地里原委》

【書名】《元史藝文志輯本》卷三，頁五〇著錄，書名題作《春秋地理原委》。

十卷。

【著錄】倪氏、金氏《補三史藝文志》錄之。又李一遂〈左氏春秋著錄書目研究〉頁一〇六著錄。又黃虞稷《千頃堂書目》卷二，頁四八著錄。

佚。

馬祖常作〈碑〉曰[1]：「公諱瑛，字文玉，其先霸州人。金將亡[2]，避[3]地河南緱氏山中[4]，世祖[5]徵[6]為大名、彰德、懷孟等路提舉學校官，不[7]就[8]。杜門謝客，著書窮學，於世之貴富賤貧，一無所動其心，以優游厭飫於道藝以終其身[9]，所著[10]有《春秋地里原委》十卷、《語孟旁通》八卷、《皇極引用》八卷、《皇極疑事》四卷、《極學》十卷、《律呂禮樂雜說》三十卷。天歷己巳[11]，以孫[12]秉彝貴，贈[13]官翰林學士，階資德大夫，勛上護軍，爵魏國公，

1霖案：《石田先生文集》卷十一，〈皇元勅賜贈翰林學士杜文獻公神道碑〉，頁263-265。本篇碑文內容頗長，竹垞刪錄許多文句，難於一一補錄，讀者可自行參看原書。

2霖案：「亡」字下，應依《石田先生文集》補入「士少識時變，猶以業文辝規進取，而公獨自霸州之信安。」等二十二字。

3霖案：「避」，《石田先生文集》作「辟」。

4霖案：「中」字下，竹垞刪錄許多文句，難於一一補錄，讀者可自行參看原書。

5霖案：「世祖」下，竹垞刪錄許多文句，難於一一補錄。

6霖案：「徵」，《石田先生文集》無此字，當刪。

7霖案：「不」字前，應依《石田先生文集》補入「辝」字。

8霖案：「就」字下，應依《石田先生文集》補入「或諭使仕則曰：『後之世，雖去古之世遠，而先王之所以設施制度，其本末先後，未嘗有異也。今不能因天下之衰苦，以變更後世之弊政，以趨合先王之意棼焉而已，其勢豈易易復古哉？吾又不能窺時僶迎，以赴機檠之會，仕奚從益。』於是」等九十一字。

9霖案：「身」字下，應依《石田先生文集》補入「以歿，嗚呼！公之言若此，其尤可以窺公之志也。」等十八字。

10霖案：「所著」二字前，應依《石田先生文集》補入「其」字。

11霖案：「天歷己巳」以下諸文，原書置於〈碑文〉前，竹垞反置之於後，有前後互倒的情事。

諡文獻。」

敬氏鉉《春秋備忘》

【增補】黃虞稷《千頃堂書目》卷二，頁四七錄有敬鉉《續備忘遺說》三十卷，竹垞未錄，今據以補入。

【增補】孫能傳等撰《內閣藏書目錄》卷二曰：「鈔本，宋敬鉉著，集春秋家諸儒之說而折衷之。」（頁四七九）。

三十卷。

【著錄】黃虞稷《千頃堂書目》卷二，頁四七著錄。

又《元史藝文志輯本》卷三，頁四九著錄，卷數題作「四十卷」，且云：「《錢志》注：一作四十六卷，一作三十卷。并注敬鉉河北易州人，中都儒學提舉。」（頁四九），由此可見，其書有「四十卷」、「四十六卷」、「三十卷」之異。

佚。

《明三傳例》

【書名】孫能傳等撰《內閣藏書目錄》卷二，頁四七八、黃虞稷《千頃堂書目》卷二，頁四七、《元史藝文志輯本》卷三，頁四九著錄，書名均題作《大寧先生續明三傳例說略》，又指明該書為「鉉從孫敬儼編」。

【作者】《元史藝文志輯本》卷三，頁四九題作「鉉從孫敬儼編」。

八卷。

【著錄】黃虞稷《千頃堂書目》卷二，頁四七著錄。

佚。

吳澂〈序〉曰[14]：「《春秋》，魯史記也，聖人從而修[15]之，筆則筆，削則削，游、夏不能贊一辭。修[16]之者，約其文，有所損，無所益也。其有違於典禮者筆之，其無關於訓戒者削之，何以不能贊一辭？謂雖游、夏之文學，亦莫能知聖人修[17]經之意為何如也。蓋自周

12霖案：「孫」，當是「曾孫」！（四部叢刊本《石田先生文集·皇元敕贈翰林學士杜文獻公神道碑》，卷11，頁263～265）

13霖案：「以孫秉彝貴，贈」六字，原〈碑〉文作「皇贈處士」四字。

14 霖案：吳澂，《吳文正集》卷十八，〈春秋備忘序〉，（台北：臺灣商務印書館，「景印文淵閣四庫全書」冊一一九七，民國七十五年三月，初版），頁198-199。又「澂」同於「澄」字。

15 霖案：「修」字，《吳文正集》作「脩」字。

16 霖案：「修」字，《吳文正集》作「脩」字。

17 霖案：「修」字，《吳文正集》作「脩」字。

轍東，王迹息，禮樂征伐之柄下移，諸侯國自為政，以霸而間王，以夷狄[18]而猾夏[19]，天經紊，人理乖，災見於上，禍作於下，耳聞目見，一一皆亂世之事，王法之所不容，聖人傷之，有德無位，欲正之而不能，於是筆之於經，以俟後聖，故曰：『《春秋》，天子之事也。』又曰：『《春秋》，孔子之刑書也。』又曰：『《春秋》正王道，明大法，孔子為後世王者而修[20]也。』然此意也，當時及門之高第弟子有不能知，而況於遠者乎？然則《三傳》釋《經》，詎能悉合聖人之意哉？澂[21]嘗[22]學是經，初讀《左氏》，見其與《經》異者，惑焉；繼讀《公》、《穀》，見其與《左氏》異者，惑滋甚。及觀范氏〈傳序〉，喜其是非之公；觀朱子《語錄》，識其優劣之平，觀啖、趙《纂例》、《辨疑》，服其取舍之當；言[23]然亦有未盡也。徧觀宋代諸儒之書，始於孫、劉，終於趙、呂，其間各有所長，然而不能一也。比客京華，北方學者言《春秋》專門，亟稱敬先生鼎臣，澂[24]惜其人之亡，而不知其書之存也。先生之從孫儼參知江西行省政事，因是獲覩先生所著《春秋備忘》三十卷、《明三傳例》八卷，稽其用功次第，見於〈自序〉。弱冠受讀，學之三十年，而始著書，年幾七十而修[25]改猶未已，前後凡五易稿[26]，總數十家之說而去取之。其援據之博，采覽之詳，編纂之勤，決擇之審，至謹至重，惴惴然不偶[27]易，可謂篤志窮經者矣，非淺見謏聞所能窺測也。參政屬予[28]序其端，竊惟《春秋》一經，自《三傳》以來，諸家異同，殆如聚訟，今於眾言淆亂之中，折衷以歸於[29]一，是誠有補於後學。澂[30]之庸下，有志於斯者，亦得因先生之所同以自信，又得因先生之所異以自考，遂不讓而為之序。先生諱鉉，易水人，金朝參知政事之孫。興定四年登進士第，主郟城簿，改白水令；值中州多虞，北渡隱處。國朝訪求前代遺逸，宣授中都提舉學校官。舊讀書大寧山下，人號為大寧先生云。」

18霖案：《經義考新校》頁3528新出校文如下：「『夷狄』，文淵閣《四庫》本作『荊蠻』。」

19 霖案：「夷狄而猾夏」，《吳文正集》作「遐服而逼邇」。

20 霖案：「修」字，《吳文正集》作「脩」字。

21霖案：「澂」字，《吳文正集》作「澄」字，「澂」、「澄」同字也。又「澄」字下，《吳文正集》另有「也」字。

22霖案：「嘗」字，《吳文正集》作「常」字。

23 霖案：「言」字，《吳文正集》無此字，當刪。

24霖案：「澂」字，《吳文正集》作「澄」字，「澂」、「澄」同字也。

25霖案：「修」字，《吳文正集》作「脩」字。

26霖案：「稿」字，《吳文正集》作「藳」字。

27 霖案：「偶」字，應依《吳文正集》題作「敢」字。

28霖案：「予」字，應依《吳文正集》作「澄」字。

29霖案：「於」字，《吳文正集》作「于」字。

30霖案：「澂」字，《吳文正集》作「澄」字，「澂」、「澄」同字也。

黃溍曰[31]：「金之鉅儒大寧敬先生有《春秋備忘》，久未及行於世，暨入國朝，先生之諸孫公儼以憲節來涖於婺，橐其稿[32]，請張樞[33]子長為[34]校讎，乃因近臣以聞而刻焉。」

【增補】孫能傳等撰《內閣藏書目錄》卷二曰：「即敬鉉《春秋備忘》中一書也。」（頁四七九）。

【增補】黃虞稷《千頃堂書目》卷二曰：「集春秋諸儒之說而折衷之。」（頁四七）。

《續屏山杜氏春秋遺說》

【書名】黃虞稷《千頃堂書目》卷二，頁四七、頁四八著錄，書名題作《大寧先生續屏山杜氏遺說》。又孫能傳等撰《內閣藏書目錄》卷二，頁四七八作《太寧先生敬氏春秋備忘續遺說》，書名題稱或有不同，而未見校文錄之，今補之如上，以供讀者參考。

八卷。

【著錄】黃虞稷《千頃堂書目》卷二，頁四七、頁四八著錄。

佚。

張萱曰[35]：「敬氏[36]續杜屏山遺說，從孫儼[37]編。內曲折辨論，扶持《左氏》，罔敢訂砭，為《左》設也。[38]」

【增補】黃虞稷《千頃堂書目》卷二曰：「（敬）鉉從孫敬儼編。鉉續屏山杜氏說為左設也。」（頁四七）。

郝氏經《春秋外傳》（元）

【霖案】《元史藝文志輯本》卷三，頁六一錄有茍宗道《春秋外傳》五十卷，宗道之學本於郝經。

八十一卷。

31霖案：四庫本：《文獻集》:10下-58下。又《四部叢刊》本，名為《金華黃先生文集》，卷三十，頁308錄之，本文採《金華黃先生文集》入校。

32霖案：「稿」，《金華黃先生文集》題作「稾」。

33霖案：「張樞」二字，《金華黃先生文集》無之，當刪。

34霖案：「為」字下，應依《金華黃先生文集》補入「之」字。

35霖案：孫能傳等撰《內閣藏書目錄》卷二，頁478。

36霖案：「敬氏」，《內閣藏書目錄》作「敬鉉」。

37霖案：「儼」，應依《內閣藏書目錄》作「敬儼」。

38霖案：「也」字下，應依《內閣藏書目錄》作「凡八卷」。

【著錄】黃虞稷《千頃堂書目》卷二，頁四七著錄，本書包含《章句音義》八卷、《春秋制作本原》十卷」、《比類條目》十二卷、《三傳折衷》五十卷、《三傳序論列國序論》一卷等八十一卷。

又《元史藝文志輯本》卷三，頁五〇著錄，且云：「《錢志》注：『內《春秋章句音義》八卷、《制作本原》十卷、《比條類目》十二卷、《三傳折中》五十卷、《三傳序論列國序論》一卷。』」（頁五〇）。

佚。

經〈自序〉曰[39]：「天之於人有所窮，而後有所不窮。窮者，其時也，不窮者，其道也。是以聖人於《易》，每申明窮之理，而輒繫之不窮：於〈乾〉則繫之以〈坤〉，於〈泰〉則繫之以〈否〉，於〈剝〉則繫之以〈復〉，於〈既濟〉則繫之以〈未濟〉，復為之言曰：『《易》窮則變，變則通，通則久。』則道之所以不窮者，皆自夫窮而得之也。昔者文王、周公、孔子、孟軻嘗窮矣，拘而演《易》，變而制禮，老不用而修《六經》，尼不行而著七篇，一時之窮，萬世之不窮也。故張籍嘗遺韓文公書，勸令著書，如孟軻、揚雄以傳後；文公謂：『古之人得其時、行其道，則無所為書；書者，皆所[40]不行乎今，而行乎後世者也。』及貶斥去位，始為〈原道〉等以左右《六經》；則古之聖賢之為書，皆自夫憂患困阨，窮而無所為，而後為不窮之事業，以自見於後也。金源氏之亡，朔南搆兵幾三十年，上即位之元年，始下武昌之詔，詔經持節使宋，諭以弭兵息民意，而姦宄樂禍，誣為款兵，拘於儀真之揚子院。經之始入，三十有八年矣，歲在庚申，至於甲子，猶不見釋，經之窮則固同夫古之聖賢矣，而不德瞢昧以自速戾，其敢望於古之聖賢乎？然而宋人以一國窮於天，不以道窮於予也。豈可以人窮之而并天之不窮者，而棄之以自絕哉？河陽苟宗道嘗受業於予，時以書狀官從行，於是五年之間，講肄不輟。甲子春，宗道請傳《春秋》之學，且志其說，而無書以為據，乃以故所記憶者為《春秋外傳》，蓋自《三傳》之外而為，是不敢自同於《三傳》也。以《春秋》正《經》多不同，乃為論次，作《章句音義》八卷。求聖人之意者，必探其本以為綱，乃作《制作本原》三十一篇十卷。《春秋》一書，義在於事，必比事而觀，其義可見，乃為《比類條目》一百三十篇十二卷。《三傳》之說不同，故聖經之旨不一，乃為《三傳折衷》，俾《經》之大義定於一，凡五十卷，卷首又著《三傳序論》、《列國序論》一卷。嗚呼!窮於人而不敢自窮於天，是以為是，非敢妄意於古之聖賢之窮，而亦為之書也。其間訛缺謬戾者甚眾，俟變通之日，取諸書以考實之，度幾[41]有成，而見素患難之意云。既具，草以授宗

39霖案：郝經：《郝文忠公陵川文集》卷二八，(北京圖書館古籍珍本叢刊v97-郝文忠公陵川文集28-葉12下(28-724D~725)〈春秋外傳序〉，頁724-725。

40「所」下應據《補正》、「四庫本」補「為」字，備要本亦脫「為」字。　霖案：《經義考新校》頁3530校文改動較大，校文如下：「『皆所』依《補正》、《四庫薈要》本、文淵閣《四庫》本應作『皆所為』。」

41霖案：《經義考新校》頁3531新出校文如下：『度幾』，依《四庫薈要》本、文淵閣《四庫》本、文津閣《四庫》本應作『庶幾』。」

道，復為書此以冠篇首[42]。」

【增補】〔補正〕〈自序〉內「皆所不行乎今」，「所」下脫「為」字。（卷八，頁十）

又自序《春秋制作本原》曰[43]：「《春秋》以一字為義，一句為法，雜於數十國之眾，綿歷數百年之遠，而其所書雖加筆削，不離乎史氏紀事之策，而無他辭說，是以聖人制作之意難為究竟，學者往往以私意觀聖人，因其所書而為之說，其說愈肆，其意愈遠，其例愈繁，其法愈亂，卒使大經大典昧沒而不明，蓋不求其本原[44]，而徒用力於支流也。夫大匠之作室，必先定規模，量其高卑、廣厚、間架、棟宇，有成室於胸中，而後基構則不惢於素；聖人制作一經，垂訓萬世，又非一室之比，豈無素定之規模乎？夫其經天緯地，彰往察來，始終先後，本末原委，有一定不易之經，然後有一定不易之法。自隱公至獲麟，年雖遠，國雖眾，事雖多，則若網在綱，有條不紊，所謂吾道一以貫之者，在夫是也。學者乃於條目之外，事迹之下，求聖人之旨，難矣哉！故必挈其綱，持其要，探其本原，觀其規模，溯洄從之，然後順流而下，則浩乎其沛然矣。今自聖經之外，求聖人所以制作之本原，各從其類而為之說，始於心法，制作次之，言聖人制作之意不在於史氏之迹，皆斷自聖心也。其次言託始寓終之意，其次言為經立名之意，其次言即用魯史之意；《春秋》之義以王道行王權，以王權正名分也，故又次之。其法則變周制，上以尊王室，內以正魯國，外以治諸侯，故又次之。《春秋》之中，其事則五霸，五霸桓公為盛，故以桓公為首，晉文次之，秦穆、楚莊、宋襄又次之；晉、楚更霸而陳、鄭叛服為中國之輕重，故陳、鄭又次之；中國之衰，吳、越遂霸，故吳、越又次之；中國之所以微，由夷狄[45]之橫也，吳、越則進於中國，而夷狄[46]則終於夷狄[47]，故夷狄[48]又次吳、越也；諸侯之衰，政在大夫，而春秋終矣，故大夫又次之，而後舉其要義，正其名號，別其爵命，辨其倫類，定其次敘而謹其始，聖人始以心法變文制作，至是則王法成矣，故終之以王法。共三十一篇，始為升天之階、望道之門耳。或曰：『聖人制經，無一字之辭說，但一章一句，纔萬餘言而已，吾子之說，未嘗一說聖經，而直於其外為數萬餘言，不亦滋蔓乎哉？』曰：『說於聖經之外，不敢與經並，乃所以尊經也。夫聖人不為辭說，欲後人之說之也。說者不探其原，是以語焉而不詳；今探其原而為之說，惟恐其不足而其義不備也，夫豈多乎哉？八卦之後，重而為六十四，而為之辭，分而為三百八十四爻，又從而為之辭，其後聖人又以為未足，又從而為〈彖〉、〈象〉、〈文言〉、〈繫辭〉、〈說

42霖案：《經義考新校》頁3531新出校文如下：「『篇首』，文淵閣《四庫》本作『首篇』。」

43霖案：郝經：《郝文忠公陵川文集》卷二八，(北京圖書館古籍珍本叢刊v97-郝文忠公陵川文集28-葉3上(28-720A~721A)，〈春秋制作本原序〉，頁720-721。又《遼金元文彙》(一)1023~4有之。

44「原」，「四庫本」作「源」。　霖案：《經義考新校》頁3532校文，「四庫」二字之前，另有「文淵閣」三字。

45霖案：《經義考新校》頁3532新出校文如下：「『夷狄』，文津閣《四庫》本俱作『外邦』。」。

46霖案：《經義考新校》頁3532新出校文如下：「『夷狄』，文津閣《四庫》本俱作『外邦』。」。

47霖案：《經義考新校》頁3532新出校文如下：「『夷狄』，文津閣《四庫》本俱作『外邦』。」。

48霖案：《經義考新校》頁3532新出校文如下：「『夷狄』，文津閣《四庫》本俱作『外邦』。」。

卦〉等書，於聖人之心，猶以為未足也。以聖人之言說聖人之經猶若是，矧於千載之下求之乎？末流餘裔雖欲為之滋蔓，而不能滋蔓也。故今之說，每援《易》、《書》、《詩》、《禮》，以經明經，庶幾見聖人制作之意云耳，亦未敢謂之詳也。』」

又自序《春秋三傳折衷》曰[49]：「聖人之道大，《春秋》之旨微，由一世之事業著萬世之事業，非研覆究竟，精粗並舉，本末具見，未易學也。在厄處危以來，為《春秋》作《外傳》，以聖人之微意求聖人之大道，不敢躐等，循序而進，乃自近者始，故先定《章句音義》，次為《制作本原》、《比類條目》等，一本諸《經》而不及《傳》，尊經也，然《傳》為《經》作，《經》以傳《著》，雖曰尊《經》，《傳》亦不可廢也。《春秋》以口授而寖失其傳，雖大典大法、公道正義具於書法之中，各有所見而不沒其實，原遠末分，說者不一，而羊亡於多岐，則亦昧夫真是之歸矣。《六經》自絕於秦，復於漢，《易》、《書》、《詩》、《周禮》、《禮記》僅得其本文，獨《春秋》有《傳》，其《傳》皆出於聖人而不同，非總萃鈎校，備為剖決，徵諸大典大法，以求夫真是之歸而定於一，則聖人之經終不能明矣。夫《傳》之不同，自夫傳平聲之不同也，必推本《傳》之所自，而後《傳》可一也。仲尼於魯哀公十一年冬自衛反魯，刪《詩》、定《書》、繫《周易》，而十四年春西狩獲麟，乃作《春秋》，十六年夏四月卒，則其書之成，歲月無幾，當是之時，聖門高弟從聖人在外，遷徙往來，多歷年所，分仕他國，札瘥天昏[50]，漸以凋落，蓋口授之際，在夫曾參氏而已，何者？曾參少孔子四十六歲，於諸弟子年最富而其賢亞於顏氏，故獨得一貫之傳，而子貢、冉求終不聞性與天道，夢奠之年、一王之義必屬之曾子矣。故曾子之學獨為正大，以致知、格物、誠意、正心為學之本，則春王正月之義也，一貫之道，大一統之旨也，推而為忠恕，則予奪之法、絜矩之道也，以是傳之子思，子思傳之孟軻，孟軻氏以其師說，遂言制作之本，曰：『《春秋》，天子之事。』『《春秋》無義戰。』『《詩》亡然後《春秋》作。』『孔子成《春秋》而亂臣賊子懼。』『其事則齊桓、晉文，其文則史，其義則丘竊取之。』以是數語發明《春秋》之大綱，後之言《春秋》者皆莫出乎此，其說有所自而然也，惜孟軻氏凡而不目，不著其傳而為之傳，而使後之學者紛紛也。自孟軻氏發明大綱，傳《春秋》者三家：左氏、公羊氏、穀梁氏，其書皆出於西漢，而皆不著其傳。為《左氏》學者，謂為左邱明與聖同恥，親授經於仲尼，為經作傳；邱明雖見稱於仲尼，而顏、曾諸弟子問答之際，一不及焉，而不廁於不及門十人者之列，豈大經大法不授之顏 曾之徒而獨授之邱明乎？且其傳載《易．文言》、《詩．三頌》及《孝經》等，皆仲尼晚年所作，而經終孔丘卒，傳終悼公十四年韓、趙、魏滅智伯事，在《春秋》後二十有七年，其作傳則又在於滅智伯後數年，必不甫滅智伯而書之也，如是，則《傳》之成在仲尼沒後四五十年之間耳。大率以七十年計之，則邱明見稱之日年甫十六七，聖人與之並稱名，以為同恥，則賢於顏、曾遠甚，賢於顏、曾而稱顏、曾者屢，顏、曾問答之際相稱道又屢，而不復一及邱明，諸弟子記注之書如《論語》、〈曲禮〉、〈檀弓〉等，及孟軻、荀況諸子之論說，亦不一及焉。按太史公〈十二諸侯年表〉謂：『孔子之

49霖案：郝經：《郝文忠公陵川文集》卷二八，〈春秋三傳折衷序〉，(《北京圖書館古籍珍本叢刊．冊９１》頁721-724。

50霖案：《經義考新校》頁3534新出校文如下：「『天昏』，《四庫薈要》本、文淵閣《四庫》本俱作『天昏』。」。

作《春秋》，七十子之徒口授[51]其傳指，魯君子左邱明具論其語，成《左氏春秋》。』則口授[52]其傳指者七十子，論其說而成書者邱明也，則邱明論七十子所傳之語耳，非親授經於仲尼也。先儒謂邱明殆先賢老彭之流，故聖人尊之，如此是已。〈藝文志〉謂：『左邱明，魯史也。』杜預〈序〉謂：『邱明身為國史，躬覽載籍。』亦是已。蓋左氏，魯左史，世掌策書，故以左為氏，如漢倉氏、庫氏之類。仲尼沒，傳其經於諸弟子之間，而在七十子之列，以其史策為經作傳，故事見始末而多得其實焉。劉向《別錄》謂：邱明授曾申，申授吳起。此必有所自，然亦可見曾子之傳為不易也。申，曾子之子；起，曾子之門弟子也，夫《論語》、〈曲禮〉、〈檀弓〉、〈曾子問〉、《大學》、《中庸》等，皆出於曾子之門人樂正子春、曾元、曾申之徒為之記錄，而子思、孟軻傳之也。豈大經大法不傳之於曾子，而傳之於邱明乎？劉向所錄，蓋邱明上有曾子字而失之矣。《春秋》所譏，多父子、夫婦淫逆之事，故不能親授之子，使邱明輩轉相傳之。申，曾子之子，而受《春秋》於邱明，曾子於諸弟子年最少，則邱明又少於曾子，其學出於曾子無疑也。《嚴氏春秋》又引〈觀周篇〉云：『孔子將修《春秋》，與左邱明乘如周，觀書於周史，歸而修《春秋》之經，邱明為之傳，共為表裏。』此尤妄焉者也。聖人修經不敢公傳道之口授弟子，豈與其徒公然如京師探天子之史而觀之，以譏貶當世，必不然矣。聖人修經，高弟如曾、閔，文學如游、夏而皆不與，豈獨與邱明共之乎？親授傳旨猶不敢與，又況與聖人同時並修，分為經傳乎？故此為尤妄焉者也。為《公》、《穀》之學者，以《孝經說》云：『《春秋》屬商，《孝經》屬參。』閔因〈序〉云：『孔子受端門之命，制《春秋》之義，使子夏等十四人求周史記，得百二十國寶書。』遂謂公羊高、穀梁淑受經於子夏。彼皆漢興以來讖緯曲說，豈可以為按？夫聖人修經，子夏以文學稱，使之從周太史請求記錄，與魯史左驗，卒成其書，事或有之；謂《春秋》之義授之商，而商傳之公、穀二氏，而為之傳，則未敢以為然也，而公羊氏於昭公二十五年稱孔子者一，文公四年稱高子者一，莊公三十年稱子司馬子者一，閔公二年[53]稱子女子者一，隱公二年[54]、定公元年稱子沈子者二，莊公三年、二十四[55]年、僖公二十年、二十四年、二十八年稱魯子者

51「授」，應依《補正》作「受」。　霖案：《經義考新校》頁3535校文，「授」字改作「口授」；「應依」改作「依」字；又「《補正》」二字下，另有「《四庫薈要》本」；「作」字改作「應作」二字；「受」字改作「口受」二字。今考《郝文忠公陵川文集》之文，發現此本原作「授」字，不誤。《點校補正經義考》承襲翁氏之說，而有是篇校語，今補證如上。

52霖案：《經義考新校》頁3535新出校文如下：「『口授』，依《補正》、《四庫薈要》本應作『口受』。」。

53「閔公二年」，應依《補正》、「四庫本」作「閔公元年」。　霖案：《經義考新校》頁3536校文，「應依」改作「依」字；「四庫本」改作「《四庫薈要》本、文淵閣《四庫》本、文津閣《四庫》本」等字；又「作」字改作「應作」二字。

54「隱公二年」，應依《補正》、「四庫本」作「隱公十一年」。　霖案：《經義考新校》頁3536校文，「應依」改作「依」字；「四庫本」改作「《四庫薈要》本、文淵閣《四庫》本、文津閣《四庫》本」等字；又「作」字改作「應作」二字。

55「四」，應依《補正》作「三」。　霖案：《經義考新校》頁3536校文如下：「『二十四年』，依《補

五，穀梁氏於桓公三年、十四年、僖公十七年[56]、成公五年、昭公五年[57]、哀公十三年稱孔子者六，定公元年稱沈子者一，隱公五年、桓公九年稱尸子者二，桓公二年[58]稱子貢者一，僖公二十四年[59]稱蘧伯玉者一。公羊氏終篇非惟不及子夏，但稱孔子者一，而孔門高弟皆不及焉；穀梁氏亦不及子夏，而稱孔子者六，稱子貢者一，而其餘高弟亦皆不及焉。夫加子於上者，辟聖人直稱子也。直稱子，尊而師之也，故公羊氏之稱子沈子、子司馬子、子女子與自稱子公羊子，皆其師友也。其稱高子與穀梁氏之尸子、沈子等皆其師也，故尊之與孔子同。穀梁氏於隱公五年自稱曰穀梁子，而上不加子，穀梁氏之門人尊稱之也；其蘧伯玉則記孔子之時，賢大夫之言亦著其師之所授者也。獨公羊氏稱魯子者五，與孔子直稱子同，則著其師之所傳，故推尊之如孔子；亦如孔子既沒，門弟子之稱有子，師事而尊稱之也。既尊之，又屢稱之，豈非本其所自而樂道之歟？孔門之高弟一不及焉，《語》、《孟》傳注無所謂魯子者而屢稱焉，故疑魯為曾，曾、魯之文相近，傳寫之誤，遂以曾子為魯子。昔人辨古文之差，以魚為魯，此豈非誤曾為魯乎？且公羊氏於昭公十九年許世子止弒君之傳，以樂正子春為說；樂正子春，曾子之弟子，則魯子為曾子無疑也。左氏則言授之曾申，公羊氏則屢稱曾子，穀梁氏言子貢而不及子夏，蓋左氏、公羊皆出曾子；而穀梁氏受之沈子、尸子之徒，沈子、尸子之徒則受之曾子也，二氏之傳出於曾子，非出於子夏明矣。《三傳》之傳皆本之曾子，故其傳正。左氏之傳，本自史臣，是以序事精博，麗縟典贍，而約之以制，使聖人筆削之旨有徵而可按，公、穀二氏口授其義而為之傳，故其文約，其辭切，其辨精，反復詰折，使聖人微婉之旨可推而見。由曾子而來轉相授受，其人不能皆如子思，是以不及孟軻氏之醇，而其說亦有戾於聖人者，故《春秋》之旨由《三傳》而得者十六七，由《三傳》而惑者十四五。西漢以來，專門授受，言《左氏》者黜《公》、《穀》，言《公》、《穀》者黜《左氏》，互為短長，相與訐擊，至於師弟異而父子不同，文辭枝葉，戶牖穿鑿，末流散殊，涇渭淆混，始則一經而三經，末乃《三傳》而百傳，《左氏》之學至晉杜預始為《集傳》[60]，而一以《左

正》、《四庫薈要》本、文津閣《四庫》本應作『二十三年』。」

56「僖公十七年」，應依《補正》、「四庫本」作「僖公十六年」。　霖案：《經義考新校》頁3536校文，「應依」改作「依」字；「四庫本」改作「《四庫薈要》本、文淵閣《四庫》本、文津閣《四庫》本」等字；又「作」字改作「應作」二字。

57「昭公五年」，應依《補正》、「四庫本」作「昭公四年」。　霖案：《經義考新校》頁3536校文，「應依」改作「依」字；「四庫本」改作「《四庫薈要》本、文淵閣《四庫》本、文津閣《四庫》本」等字；又「作」字改作「應作」二字。

58「桓公二年」，應依《補正》、「四庫本」作「桓公三年」。　霖案：《經義考新校》頁3536校文，「應依」改作「依」字；「四庫本」改作「《四庫薈要》本、文淵閣《四庫》本、文津閣《四庫》本」等字；又「作」字改作「應作」二字。

59「僖公二十四年」，應依《補正》、「四庫本」作「襄公二十三年」。　霖案：《經義考新校》頁3536校文，「應依」改作「依」字；「四庫本」改作「《四庫薈要》本、文淵閣《四庫》本、文津閣《四庫》本」等字；又「作」字改作「應作」二字。

60「《集傳》」，應依《補正》作「《集解》」。　霖案：《經義考新校》頁3537校文，「應依」改作「依

氏》義例典禮為本，不雜乎他，以遏眾說；公羊氏之學最盛於漢董仲舒，發明大旨，至東漢何休為之注，以明所得，雖遠探力窮，而推演圖讖，反有累夫傳者；《穀梁》之學亦盛於漢，至宋[61]范甯為《集解》，並采何、杜，且列諸家，取其所長以釋經傳，示不敢專，《三傳》之學始定著，而紛更之流少殺矣。唐興，孔穎達等為《六經》作疏，乃取三家之注以疏《三傳》，而穎達為《左氏》經傳作疏而不取《公》、《穀》氏，其同僚楊士勛〈疏〉之，遂行於世，然其學終莫能通，而聖人之意散，一王之統分，真是之旨終惑而莫能解。雖然，由《三傳》以學《春秋》，如岷山導江雖別為沱、為九、為東、為中北，支流餘裔汎入洞庭、彭蠡，要之發源注海而朝宗者不外焉；《三傳》之說雖不同，要之出於聖人之門而學有所自，終不外聖人之書法。自王通為《三傳》作而《春秋》散之言，而盧仝輩遂謂《三傳》當束高閣而獨抱遺經；陸淳、啖助、趙匡等因之，遂創為之傳，自是《春秋》之學不專於《三傳》矣。宋興以來，諸儒疊出，各為作傳以明聖人之旨，莫不自以為孟軻復出，而其義例殆皆不能外乎《三傳》，而每以《三傳》為非。夫聖人不欺天下後世，作為《六經》，確然如乾，隤然如坤，易簡示人而天下之理得，故本之[62]《易》以求其理，本諸《書》以求其辭，本諸《詩》以求其情，本諸《禮》以求其制，本諸《語》、《孟》以求其說，本諸《大學》、《中庸》以求其心，本諸《左氏》以求其跡，本諸聖人之經以求其斷，則《春秋》不我欺也，不我蔽也。聖人之意可見，而《三傳》之傳之自之本之差得矣。今於聖經下各具三家之說，以《左氏》為按，故先之，且變其錯經之體各類於本經下，使即經以見傳，以《公》、《穀》二氏為斷，故公羊氏次之，而穀梁氏又次之，其傳故各附經後，因之而不革。杜、何、范之注，則或去或取，各見於本傳下，從而為之說，先辨經之不同者，而次及於傳，三家之說同於真是，則同真是之，皆失其義，則皆是正之，一得而二失，則一得而二失之，二得而一失，則二得而一失之，不純任傳而一以經為據，使不相矛盾而脗合於經，庶幾聖人之意因《三傳》以傳，《三傳》之學不為諸儒所亂，而學者知所從，不茫然惑惶以自亂，名曰《春秋三傳折衷》。俾《三傳》而為一傳，折之以義理之至中，歸之於義理之至當，有萬不同貫而一之，俾萬世之事業不外乎萬六千言之文學者，不復竊《三傳》以自私名家而復厚誣之也。僭妄之罪固無所逭，為道受責亦所甘心焉爾。」

【增補】〔補正〕〈自序〉《春秋三傳折衷》內「口授其傳」，「授」當作「受」；「閔公二年」當作「元年」，「隱公二年」當作「十一年」，「莊公三年、二十四年」，「四」當作「三」；「僖公十七年」當作「十六」；「昭公五年」當作「四年」；「桓公二年」當作「三年」；「僖公二十四年」；「僖」當作「襄」、「四」當作「三」。按：《公羊傳》稱子沈子者三，其一見莊公十年；稱魯子者六，其一見僖公五年，郝氏並漏引，附識於此。又按：《穀梁傳》稱孔子者七，其一見桓公二年，郝

」字；「《補正》」二字下，另有「《四庫薈要》本、文淵閣《四庫》本應作『《集解》』。」

61「宋」，應依《補正》、「四庫本」作「晉」。　霖案：《經義考新校》頁3538校文，「應依」改作「依」字；「四庫本」改作「《四庫薈要》本、文淵閣《四庫》本」等字；又「作」字改作「應作」二字。

62「之」，「四庫本」作「諸」。　霖案：《經義考新校》頁3538校文，「四庫本」改作「《四庫薈要》本、文淵閣《四庫》本」等字；又「作」字改作「俱作」二字。

氏漏引，附識於此。又此條內云：「至晉杜預始為《集傳》」，「傳」當作「解」；「至宋范甯」，「宋」當作「晉」；「唐興，孔穎達等為《六經》作疏」，杰按：唐人義疏自《五經正義》外，有《周禮》、《儀禮》、《公羊》、《穀梁》、《論語》、《孝經》等疏，此「《六經》」二字似誤。（卷八，頁十—十一）

【增補】蘇天爵《元朝名臣事略》卷第十五曰：「公名經，字伯常，澤州陵川人。召居潛邸。歲己未，扈從濟江，授江淮宣慰司副使。中統元年，拜翰林侍讀學士，充國信使，奉使于宋，宋人館于真州，凡十六年始得歸。卒，年五十三。

公幼不好弄，沈厚寡言。金季亂離，父母挈之河南，偕眾避兵，潛匿窟室，兵士偵知，燎煙于穴，爊死者百餘人，母許以預其禍。公甫九歲，暗中索得寒葅一甌，抉齒飲母，良久乃蘇。其卓異見於童稚若此。（高唐閻公撰〈墓志〉）。

金亡，北渡，僑寓保定。亂後生理狼狽，晨給薪水，晝理家務，少隙則執書讀之。父母欲成其志，假館于鐵佛精舍，俾專業於學，坐達旦者凡五年。蔡國張公聞其名，延之家塾，教授諸子。蔡國儲書萬卷，付公管鑰，恣其搜覽。公才識超邁，務為有用之學，上泝洙、泗，下迨伊、洛諸書，經史子集，靡不洞究，掇其英華，發為論議，高視前古，慨然以羽翼斯文為己任。自是聲名籍甚，藩帥交辟，皆不屑就。（〈墓誌〉　又保定苟公撰〈行狀〉云：『公嘗自誦曰：不學無用學，不讀非聖書。達必先天下之憂，窮必全一己之愚，賢則周、孔，詎如韋如脂，為碌碌之徒而已耶，故慨然以興復斯文道濟天下為己任。讀書則專治《六經》，潛心伊、洛之學，一以窮理、盡性、脩己、治人為本，其餘皆厭視而不屑也。故世之為詞章學者，始則羣聚訕笑，終亦拱視而服之矣。』江漢先生曰：『江左為學讀書如伯常者甚多，然似吾伯常挺然一氣，立於天地之間者，蓋亦鮮矣。』）

世祖在潛邸，羅致異儁，挹其聞，遣使者一再起公。既奉清問，上稽唐、虞，下迨湯、武，所以仁義天下者，縷縷以談，粲若所陳也。帝喜愉所聞，凝聽忘倦，且俾書所欲言者，條數十餘事，皆援據古義，劘切時病，及踐阼更化，用公之言居多。（涿郡盧公撰〈墓碑〉）

歲己未，憲宗自將伐宋，建益上流，世祖總東師，跨荊、鄂。公建議亦以謂『彼無釁可乘，未見其利。唯修德以應天心，發政以慰人望，簡賢以尊將相，惇族以壯基圖，撫殊俗，制列鎮，以防窺竊，結盟保境，興文治，飭武事，育英材，恤罷氓，以培元氣。藏器於身，俟時而動，則宋可圖矣。』帝偉公所論，以為江淮、荊湖南北等路宣撫副使。然勢不中止，遂絕江圍鄂。守將賈似道駴，遽請和，屬憲廟升遐，王師言還。（〈墓碑〉　又按公〈班師議〉云：『今吾國內空虛，塔察國王與李行省肱脾相依，西域諸胡窺覘關隴，隔絕旭烈大王，病民諸姦各持兩端，觀望所立，莫不覬覦神器，染指垂涎。一有狡焉，或啟戎心，先人舉事，腹背受敵，大事去矣。且阿里不哥已行赦令，令脫里察為斷事官、行尚書省，據燕都，按圖籍，號令諸道，行皇帝事矣，雖大王素有人望，且握重兵，獨不見金世宗、海陵之事乎？若彼果決，稱受遺詔，便正位號，下詔中原，行赦江上，欲歸得乎？願大王以社稷生靈為念，奮發乾剛，斷然班師，與宋議和，置輜重，以輕騎歸，渡淮乘驛，直造都，則彼之姦謀，冰釋瓦解。遣一軍逆大行舁，收皇帝璽。遣使召旭烈、阿里不哥、摩哥諸王，會喪和林。差官於汴京、京兆、成都、西涼、東平、西京、北京撫慰安輯，召太子鎮守燕都，示以形勢。則大寶有歸，而社稷安矣。』）

世祖御極，欲柔服宋人，以公奉使，告登寶位，且徵前日請和之議。或為公言：『宋人譎詐叵信，盍以疾辭。』公曰：『自南北遘難，江、淮遺黎，弱者被浮略，壯者死原野，兵連禍結，斯亦久矣。聖上一視同仁，務通兩國之好，雖以微軀蹈不測之淵，苟能弭兵靖亂，活百萬生靈於鋒鏑之下，吾學為有用矣。』乃授翰林侍讀學士，佩金虎符，充國信使。（〈墓誌〉。又〈行狀〉云：『陛辭，公請與一二蒙古人偕行，詔不許，曰：『只卿等往，彼之君臣皆書生也。』』）

公方陟淮，邊將李璮輒潛師侵宋，兩淮制置使李庭芝寓書于公，譏以款兵，館留真州，藉為口實。公答書曰：『弭兵息民，通好兩國，實出聖衷。日諭邊將，戢戍守圉，以契和議，眾所聞知。今啟釁自璮，一旦律以違詔，將無所逃罪，此何與使人事也。』公復上書宋主，移文其執政，論辯古今南北戰和利害甚悉，皆不報。顧窮極變詐，以撼公之志，知其終不可怵於詭數也。楗鐍館所，塹垣栫棘，驛吏訶閽，夜士鳴柝，防閑挫抑，獄犴之嚴，不啻如此。介佐而下，久於囚，戚嗟尤怨，無復生意。公語之曰：『鄉顧望不前，將命之責。一入宋境，死生進退，聽其在彼，守節不屈，盡其在我者。豈能不忠不義，以辱中州士大夫乎！但公等不幸，須忍死以待。揆之天時人事，宋祚殆不遠矣。』眾服其言，亦皆振勵。（〈墓碑〉　又〈行狀〉云：『公將入宋境，憂朝廷初政，治具未完，遣使上封事，言闕失，以為國家振舉綱維，脩明禮樂，雖不能便如三代，亦當期致漢、唐，不宜苟且參用憸人，以憲國政。又極論風俗者，天下之命脈，方今最為敗亂，當速修理。』　又云：『宋人既留公不遣，見公辭氣曾無少沮，明年伴使朱寶臣為報本朝異聞，公弗聽，復累言之，公厲聲曰：『此事斷無，設若有之，當發遣我輩還國。』宋人知公志節終不可奪，亦不忍害，反畏而敬之。』　又按公與宋論本朝兵亂書云：主上之立，固其所也。太母有與賢之意，先帝無立子之詔。主上雖在潛邸，久符人望，以親則尊，以功則大，以理則順。愛養中國，寬仁愛人，樂賢下士，其得夷夏之心，有漢、唐英主之風。加以地廣兵強，神斷威靈，風蜚雷厲，其為天下主無疑也。故屬籍之尊而賢者，合丹大王，先帝之終，率先推戴；摩歌大王，主上庶弟也，在諸王中，英賢亞於主上，先帝臨終，畀以後事，先歸推戴；塔察國王，士馬精強，嘗代主上帥東諸侯，亦先推戴；旭烈大王，主上母弟也，總統西帥，鎮壓西域二十餘國，去中國三萬餘里，亦遣使勸進，言『兄亡弟及，祖宗法也。長兄既沒，次兄當立，兄若不立，吾誰與歸？』主上乃集大統，應天人。即位之初，聘起諸儒，更定制度。不意一二懼罪不逞之徒，糾合奴隸，間離骨肉，劫立阿里不哥，締起兵端，拒命漠北。以次則幼，以事則逆，以眾則寡，以地則偏，兵食不足，素無人望，則彼卒無所成無疑也。今上主既以正立，一時豪傑，雲從景附，奄有中夏，縱彼小有侵軼，則塔察國王一族足以平盪，其余（餘）三十餘王，猶卷甲牧馬，從容營衛。矧中國諸侯，如史、如李、如嚴、如張、如劉、如汪，大者五六萬，小者不下二三萬，虓將勁卒，習兵革，視蒙古、回鶻尤為猛鷙，其肯使蠹國害民之尤者復肆虵豕。彼之屈強，祇以自斃，而不足以為害也明矣。）

至元十一年，丞相伯顏奉辭南伐，江、漢名城，望風鄉附。世祖命禮部尚書廉希賢，詰宋執行人之故，遂以禮歸公。聞嬰疾在塗，醫問絡繹。既至，錫燕路朝，以張異睠，隱其瘁於匱事也。詔治疾於家，病遂殆，不起，以聞，天子悼焉。命其子采麟起家知林州。凡從公使宋者，賜爵各有差。（〈墓碑〉）

初，公之使宋也，內則時相王文統，忌公重望，排置異國，陰屬邊將違詔侵宋，沮撓使事，欲以款兵，假手害公；外則宋權臣似道，竊却敵為功，取宰相，畏公露其丐盟幸免之跡，遂主議留，舉國皆知其非，似道不恤也。公拘儀真館，十有六年。去國未幾，而文統伏誅，甫歸國，宋探誤國之罪，似道殛，宋隨之滅。然則懷姦怙寵，傾陷善良，雖暫若得計，機發禍敗，曾不旋踵。抑宋有亡徵，公與阨會，其患難不渝，始終名節，窘一時而亨百世者，初非不幸也。（〈墓碑〉）

公幼至孝，撫諸弟極厚，待宗族疎近如一，篤友樂施。德於己者，雖細惠必報。然偉特方嚴，風岸陗立，眾不可攀，薰良蕕奸，題帖無貸，故用世之志，適際可為。已墮奇擯，既處幽所，日以立言載道為務，撰《續後漢書》，絀丕僭權，還統章武，以正壽史之失。著《春秋外傳》、《易外傳》、《太極演》、《原古錄》、《通鑑書法》、《玉衡貞觀》。刪注三子，一王雅，行人志，各數十卷。公於辭以理為主，雄渾有氣。文集若干卷，傳於世。（〈墓碑〉。 又臨川吳公《文集》云：『昔公使宋，留江淮間十有餘年，常貽書宋之君相，其言忠厚懇惻，內為國計，外為宋計，其心平恕廣遠，真古之仁人君子哉。宋之柄臣阻遏掩蔽，不使上聞，以自速滅亡，悲夫！公前時從世祖渡江取鄂，作〈望黃鶴樓〉詞，他人處此，必謂乘方興之勢，殄垂盡之命，一舉而吞噬之也夫何難，而公之詞乃曰：『問南朝之士，有何長策，更休把蒼生誤。』則其忠厚懇側之言，平恕廣遠之心，與後來貽書之意同，真古之丘人君子哉。』）（頁二九四至頁二九九）

【增補】黃虞稷《千頃堂書目》卷二曰：「（郝）經使宋時，拘館真州所作也。為《章句音義》八卷；《春秋制作本原》十卷，凡三十一篇，此類條目十二卷，凡一百三十篇，《三傳折衷》五十卷；《三傳序論列國序論》一卷，總名曰《春秋外傳》。」（頁四七）

卷一百九十四　春秋二十七經義考卷一百九十四春秋二十七

季氏立道《春秋貫串》

【作者】《元史藝文志輯本》卷三，頁五一著錄，作者誤作「李立道」，「李」、「季」字形相近而誤。《元史藝文志輯本》曰：「《錢志》注：立道字成甫，浙江處州龍泉縣人，臨汝書院山長。」（頁五一）

佚。

鄧文原〈志墓〉[1]曰：「季氏世居處之龍泉[2]，先生諱立道，字成甫[3]，為湖州[4]歸安尉，推恩擇山水勝地，便祿養祖妣，授臨汝書院山長，未赴而卒。嘗手抄《春秋左氏傳》，考摭《史記》、《國語》諸國名謚同異及論著事變顛末，名曰《春秋貫串》。」

彭氏絲《春秋辨疑》

【著錄】黃虞稷《千頃堂書目》卷二，頁五〇著錄。

未見。

【存佚】《元史藝文志輯本》卷三，頁五一著錄，注曰「佚」。

劉氏淵《春秋例義》

【著錄】《元史藝文志輯本》卷三，頁五一著錄。

【霖案】本條著錄，係出自歐陽玄〈元故承務郎建德路淳安縣尹眉陽劉公墓誌銘〉一文，劉公為劉彭壽，彭壽為劉淵之子，見於《經義考》卷一九四，頁二一五。又據歐陽玄〈元故承務郎建德路淳安縣尹眉陽劉公墓誌銘〉一文指出：「（劉）淵，字學海，三領鄉解，嘗以《春秋》冠全屬，內附。初，避地嶺南之桂，尋之象，還，寓衡陽署，號『象環』」，卓行篤學，為士楷模，事母至孝，耆年修子職尤謹，用薦為永州路學正，既沒，門人私謚曰『永政先生』」（頁一〇一），可知劉氏之生平梗概。

佚。

《春秋續傳記》

【著錄】《元史藝文志輯本》卷三，頁五一、李一遂〈左氏春秋著錄書目研究〉頁一一一著錄。

1霖案：參見《巴西鄧先生文集》〈季先生墓志銘〉，頁764-765。案：竹垞引文與之相較，多有錯簡，文字多有不同，難於一一校改，讀者可自行參看原文。又四庫本:《巴西集》卷上-64下。

2霖案：「龍泉」二字下，原文有「曾祖□，祖□，父□」諸句，惟竹垞或以其名缺錄，且未關撰者，因而見刪。

3霖案：上述諸文，原書置於後，而竹垞引錄的文句，反置於前，有錯簡之失。

4霖案：「湖州」，應依《巴西鄧先生文集》作「潮州」，此為地名有異。

【霖案】本條著錄，係出自歐陽玄〈元故承務郎建德路淳安縣尹眉陽劉公墓誌銘〉一文，頁一〇一。

佚。

《左傳紀事本末》5

【著錄】【書名】《元史藝文志輯本》卷三，頁五一著錄，書名題作《左氏紀事本末》。又李一遂〈左氏春秋著錄書目研究〉頁一一一著錄。

【霖案】本條著錄，係出自歐陽玄〈元故承務郎建德路淳安縣尹眉陽劉公墓誌銘〉一文，頁一〇一。

佚。

胡氏炳文《春秋集解》、《指掌圖》

俱未見。

【存佚】《元史藝文志輯本》卷三，頁五一至頁五二著錄，注曰「佚」。

陳氏櫟《春秋三傳節注》

【書名】黃虞稷《千頃堂書目》卷二，頁四九、《元史藝文志輯本》卷三，頁五二著錄，書名題作《三傳節注》。

未見。

【存佚】《元史藝文志輯本》卷三，頁五二著錄，注曰「佚」。

熊氏復《春秋會傳》　或作「　《成紀》」。

【書名】黃虞稷《千頃堂書目》卷二，頁三十八著錄，題作《春秋成紀》，又《元史藝文志輯本》卷三，頁五二著錄，書名題作《春秋會要》，且云：「《錢志》注：或作《成紀》，復字庶可，江西新建縣人。」。

未見。

【存佚】《元史藝文志輯本》卷三，頁五二著錄，注曰「佚」。

吳澂〈序〉曰6：「邵子曰：『聖人之經，渾然無迹，如天道焉；故《春秋》書實事而善惡形乎中矣。世之學《春秋》者，率謂聖人有意於褒貶，《三傳》去聖未遠，已失《經》意，而況後之注7釋者乎？或8棄《經》而任傳，或臆度而巧說，幾若舞文弄法之吏。然觀者

5霖案：《經義考新校》頁3541新出校文如下：「『《左傳紀事本末》』，《四庫薈要》本作『《左氏紀事本末》』。」。

6霖案：吳澂：《吳文正集》（臺灣商務印書館影印四庫全書本，冊一一九七），卷十六，頁181錄之。

7霖案：「注」字，原〈序〉作「註」字。

8霖案：「或」字，四庫本《吳文正集》題作「哉」字，今審視竹垞所輯之文，應以「或」字為宜，故

見其不背於理，不傷於教，莫之瑕疵，又孰能紬繹屬辭比事之文，而得聖人至公無我之心哉？漢儒不合不公無足道，千載之下，超然獨究聖人[9]之旨，唯唐啖、趙二家，宋清江劉氏抑其次也。』澂[10]嘗因《三傳》[11]研極推廣以通其所未通，而不敢以示人，今豫章熊復庶可所輯《會傳》，同者已十之七八，諸家注[12]釋未有能精擇審取如此者也。熊君謹厚醇正，篤志務學，其可為通經之士云。」

南昌府志[13]：「復，字庶可，新建人。以五經教授鄉里，四方來學者常數百人，門人稱之曰西雨先生。」

【增補】黃虞稷《千頃堂書目》卷二曰：「豐城人，以五經教授鄉里，四方從學者數百人。」（頁三十八）。

徐氏安道《左傳事類》

未見。

【存佚】《元史藝文志輯本》卷三，頁五二著錄，注曰「佚」。

吳澂〈序〉曰[14]：「杜元凱讀《左傳》法曰：『優而柔之，使自求之；饜而飫之，使自趨[15]之。若江海之浸，膏澤之潤，渙然冰釋，怡然理順，然後為得。』淵哉乎其言也，豈惟讀《左傳》宜然，凡讀他書皆然。朱元明以徐安道所輯《左傳事類》示予，夫作文欲用事而資檢閱，記纂不為無功也，用心如此，亦勤矣。以此之勤，循元凱之法，俾《左氏》一書融液貫徹於胸中，儻有所用，隨取隨足，無施而不可，其功猶有出於記纂之外者，安道試就季父半溪翁質之。」

張氏鑑《春秋綱常》

【作者】《元史藝文志輯本》卷三，頁五二著錄，作者題為「張鑒」。

佚。

吳澂〈序〉曰[16]：「『《春秋》以道名分』，此言雖出莊氏，而先儒有取焉，以其二字

竹垞所輯之文，適能校四庫本形近而誤者也。

9霖案：「人」字，應依《吳文正集》作「《經》」字。

10霖案：「澂」字，《吳文正集》作「澄」字。

11霖案：「《三傳》」二字，應依《吳文正集》題作「三氏」為宜。

12霖案：「注」字，《吳文正集》作「註」字。

13霖案：可參看：四庫本《江西通志》卷67之文。

14霖案：《吳文正集》卷十六（臺灣商務印書館影印四庫書本，冊一一九七），〈左傳事類序〉，頁180。

15霖案：「趨」，應依《吳文正集》作「趣」字。

16霖案：吳澂：《吳文正集》（臺灣商務印書館影印四庫全書本，冊一一九七）卷十八，〈春秋綱常序

足以該一經之旨[17]也。古今《春秋》傳序[18]注[19]家，奚翅百數，或間得其義，而能悉該其義者，蓋未之見。淮西張鑑所述《春秋綱常》，不自措一辭，但於每行書字有高低而已，觀其序[20]例，大義炳然，正名定分，無以踰此。簡而嚴，嚴而簡，真可羽翼聖經，以垂訓戒於[21]千萬世。旨哉書乎！余[22]故識其篇端。」

程氏直方《春秋諸傳考正》

【著錄】黃虞稷《千頃堂書目》卷二，頁四九著錄。

未見。

【存佚】《元史藝文志輯本》卷三，頁五二著錄，注曰「佚」。

《春秋會通》

【書名】黃虞稷《千頃堂書目》卷二，頁四九、《元史藝文志輯本》卷三，頁五二著錄，書名均題作《春秋旁通》。

未見。

【存佚】《元史藝文志輯本》卷三，頁五二著錄，注曰「佚」。

俞氏皋《春秋集傳釋義大成》（元）

【作者】俞皋，字心遠，新安人。師趙良鈞。初良鈞以宗室舉進士，教授廣德軍，宋亡不仕，皋所著《春秋釋義》，一守良鈞之說，吳澄序之。

【書名】本書異名如下：

一、《春秋集說》《徵刻唐宋秘本書目》頁一四四二至一四四三著錄。

二、《春秋釋義集傳》：《元史藝文志輯本》卷三，頁五二著錄。

三、《春秋釋義》：張萱《內閣藏書目錄》卷二，頁四七八錄之。

十二卷。[23]

〉，頁219。

17霖案：「旨」字，應依《吳文正集》題作「義」字，「旨」、「義」雖意義相通，但用字不同，竹垞既題作吳澂〈序〉，則應以原〈序〉為是，今據原〈序〉改作「義」字。

18霖案：「序」字，原書無此字，當據刪正。

19霖案：「注」字，原〈序〉作「註」字。

20霖案：「序」字，應依原〈序〉題作「敘」字為宜。

21霖案：「於」字，原〈序〉題作「于」字。

22霖案：「余」字，應依原〈序〉題作「予」字為宜，「余」、「予」字義相通，但應從原〈序〉為是。

23霖案：《經義考新校》頁3544新出校文如下：「『十二卷』，文淵閣《四庫》本作『二十卷』。」今考各傳本，皆作「十二卷」，是以文淵閣《四庫》本作「二十卷」者，誤也。

【著錄】黃虞稷《千頃堂書目》卷二，頁四八、張壽平《公藏先秦經子注疏書目》頁一三八、葉德輝《徵刻唐宋祕本書目考證》頁一四七一著錄。

存。

【版本及藏地】本書版本及藏地如下：

一、通志堂經解本：元俞皋撰《春秋集傳釋義大成》十二卷，《首》一卷，四冊，葉德輝《徵刻唐宋祕本書目考證》頁一四七一著錄，馬來西亞大學圖書館有藏本（二部）。

【增補】耿文光《萬卷精華樓藏書記》卷八曰：「《春秋集傳釋義大成》十二卷　元俞皋撰

通志堂本。前有三傳序，程子傳序，胡氏傳序，凡例，（小注云：例後有自述），綱領，（小注云：程朱之說。）世次按朱氏考，有吳徵序。此本不載是書，一以程朱為斷，參以啖趙諸家而折衷以己意。胡傳多附會，是書可救胡氏之偏而發程朱所未盡。

俞氏自述凡例曰：自杜氏注左傳始有凡例之說。計其數若干而不考其義。唐陸氏學於啖趙，作纂例，雖分析詳備，亦未嘗以義言之。逮程子為傳分別義例，愚遵程子說，以事同、義同、辭同者定而為例十六條。

春秋一百二十四國，而其世紀之可紀者，二十國而已。最難考者舒，有群舒、故有舒、鳩舒、庸舒。蓼越總稱也，又有于越、南越、百越。狄總稱也，又有北狄、長狄、赤狄、白狄。戎總稱也，又有徐戎、山戎、犬戎、陸渾戎、驪戎、戎蠻，凡此之類皆難考。（小注云：文光案：此書世紀可與《春秋大事表》參見。）

黃虞稷曰：皋字心遠，新安人。泰定間師事宋進士趙良鈞。良鈞仕宋，為廣德君教授。宋亡不仕，以《春秋》教授鄉里。皋以所聞於師者，發明經旨，分別三傳是否，而補胡氏之所未及。（小注云：《千頃堂書目》。）（頁三〇四至頁三〇五）

二、文淵閣四庫全書本：台北故宮博物院有藏本。

【增補】永瑢等撰《欽定四庫全書總目》曰：「春秋集傳釋義大成十二卷[24]　內府藏本

元俞皋撰。皋字心遠，新安人。初，其鄉人趙良鈞，宋末進士及第，授修職郎、廣德軍教授，宋亡不仕，以《春秋》教授鄉里。皋從良鈞受學，因以所傳著是書。經文之下備列三傳，其胡安國《傳》亦與同列。吳澄序謂兼列胡氏以從時尚，而『四傳』之名亦權輿於澄序中。胡《傳》日尊，此其漸也。然皋雖以四傳并列，而於胡《傳》之過偏過激者實多所匡正。澄序所謂『玩經下之釋，則四傳之是非不待辨而自明。』，

24霖案：原注云：按：文淵閣庫書另有《諸家傳序》一卷、《綱領》一卷、《春秋世次圖說》一卷，皆為《總目》所不載。

可謂專門而通者，固亦持平之論矣。觀臯自序稱所定十六例，悉以程子《傳》為宗。又引程子所謂『微辭隱義』、『時措時宜』，於義不同而詞同，事同而詞不同者，反覆申明不可例拘之意。又稱學者宜熟玩程《傳》，均無一字及安國，蓋其師之學本出於程子，特以程《傳》未有成書，而胡《傳》方為當代所傳習，故取與三傳并論之。統核全書，其大旨可以概見，固未嘗如明代諸人竟尊胡《傳》為經也。」（卷二十八，頁三五四）

【增補】邵懿辰撰、邵章續錄：《增訂四庫簡明目錄標注》卷三曰：「《春秋集傳釋義大成》十二卷，元俞臯撰。

通志堂本。

〔續錄〕元泰定乙丑刊本。」（頁一一三）

三、元泰定刊本：《四庫簡明目錄・標注》著錄。

四、摛藻堂薈要本：台北故宮博物院有藏本。

五、元至元戊寅（四年）日新書堂刊本，台北故宮博物院有藏本。

六、藍格舊鈔本：台北故宮博物院有藏本。

七、清同治十二年(1873)粵東書局重刊本：(元)俞臯撰《春秋集傳釋義大成》十二卷，首一卷，台北：國家圖書館有藏本。

臯自述〈凡例〉曰[25]：「自晉杜氏注[26]《左傳》，始有凡例之說，取《經》之事同辭同者，計其數凡若干，而不考[27]其義；唐陸氏學於啖、趙，作《纂例》之書，雖分析詳備，然亦未嘗以義言之；逮程子為傳，分別義例，而學者始得聞焉。愚今遵程子說，以事同義同辭同者，定而為例十六條，凡書《經》之事義如此，而其辭例如此者，是所謂例也；其有義不同而辭同、事同而辭不同者，則見各事之下，非可以例拘也。且如殊會，其辭雖同而其義則不同；會王世子而殊會，是尊之而不敢與抗，若曰王世子在是而諸侯往會之，不敢與世子列也；會吳而殊會，是抑之而不使其抗，若曰諸侯自為會而後會吳，不使與諸侯列也。又如歸、來歸、復歸，歸字雖同而其義則不同；婦人謂嫁曰歸，而書來歸則出也；諸國君大夫出奔而復則書歸，而書復歸則義不當復也；天王使宰咺來歸惠公、仲子之賵，秦人來歸僖公、成風之襚，此譏其過時始至之失也，至於季子來歸、齊人來歸鄆、讙、龜陰之田，此又喜其歸，異其詞以嘉之也；凡此皆辭同而義不同者也。又如國君奔，一也，而內奔書遜；弒君，一也，而內弒書薨；不地殺公子，一也，而內殺公子書刺；凡此皆事同而辭不同者。又如易田書假，城虎牢不繫鄭，戍虎牢曰鄭，因會伐而朝書如，凡此之類，乃程子所謂微辭隱義，時措時宜

25霖案：《春秋集傳釋例．凡例》(通志堂經解本(冊27)，)頁15184；又四庫本，冊一五九，卷十二，頁13。本文採通志堂經解本入校。

26霖案：「注」字，《春秋集傳釋義》作「註」字。

27霖案：「考」字，《春秋集傳釋義》作「攷」字。

28者也，是皆不可以例拘也。學者誠能熟玩程子《傳》，以求其意，至於沈潛反復，一旦豁然貫通，庶乎可窺聖人用心之萬一也，又奚待愚言之贅云？」

《增補》〔補正〕自述〈凡例〉內「時措時宜者也」，當作「從宜」。（卷八，頁十一）

吳澂〈序〉曰29：「古之學者醇厚篤實，不肯背其師說，予觀公羊氏、穀梁氏之徒，既30傳其師之說以為《傳》，而其間有稱子公羊子、子穀梁子者，又以著其師之所自言也。嗚呼！此其所以為三代以上之人與？漢儒治經亦謹家法，不以毫髮臆見亂其所聞。唐之陸淳，初師啖氏，啖卒而師啖之友趙氏，遂合二師之說為《纂例》、為《辨疑》31等書，至今啖、趙之學得以存於世者，陸氏之功也。新安俞皋，其學博，其才優，其質美，從其鄉之經師趙君學《春秋》，恪守所傳，通之於諸家，述《集傳釋義》，經文之下，融會眾說，擇之精，語之審，粹然無疵，《經》後備載《三傳》、《胡氏傳》，以今日所尚也。玩《經》下所釋，則《四傳》之是非不待辨32而自明，可謂專門而通者矣。予喜其有醇厚篤實之風，乃為序其卷首。趙君名良鈞，宋末，進士及第，授修職郎、廣德軍教授，宋亡，不復仕。皋，字心遠，居朱子之鄉，與人論經，一則曰趙先生云，二則曰趙先生云，學而能若是者，鮮矣。予是以喜之之深也。」

【增補】〔補正〕吳澂〈序〉內「予觀公羊氏、穀梁氏之徒，既傳其師之說以為《傳》，而其間有稱子公羊子、子穀梁子者，又以著其師之所自言也。」按：《穀梁》隱五年傳文止稱「穀梁子」，不冠以「子」字，與《公羊》桓六年、宣五年傳文稱「子公羊子」者不同。（卷八，頁十一）

張萱曰33：「元泰定間34，新安俞皋述取諸家之說融會之，系以《三傳》，其大旨宗趙良鈞。」

28「時宜」，備要本同，應依《補正》、四庫本作「從宜」。　霖案：霖案：《經義考新校》頁3545校文，無「備要本同」四字；又「應依」改作「依」字；「四庫本」改作「《四庫薈要》本、文淵閣《四庫》本、文津閣《四庫》本」等字；又「作」改作「應作」二字。今考通志堂經解本，原書題作「時宜」，則竹垞所據文句，實據通志堂本甄錄而來，而翁方綱以意定取，其說未能符合原〈序〉之文，而《點校補正經義考》襲之，未審竹垞所據之本也。

29霖案：《遼金元文彙》（冊一），頁1232。又該書係根據台北：國家圖書館藏明成化𢆯年臨川官刊本《臨川吳文正公文集》甄錄，並且標點斷句。

30霖案：「既」字，《遼金元文彙（序跋）》題作「旣」字。

31霖案：「《辨疑》」二字，《遼金元文彙（序跋）》題作「《辯疑》」。

32霖案：「辨」字，《遼金元文彙（序跋）》作「辯」字。

33霖案：孫能傳等撰《內閣藏書目錄》卷二，頁478。

34霖案：「間」，《內閣藏書目錄》作「閒」。

黃虞稷曰[35]：「皋，字心遠，新安人。泰定間[36]，師事宋進士趙良鈞，良鈞仕宋[37]，為廣德軍教授，宋亡，不仕，以《春秋》教授鄉里[38]。皋以所聞於師者，發明經旨，分別《三傳》是否，而補胡氏之所未及。」

【霖案】黃虞稷、周在浚《徵刻唐宋祕本書目》所錄之文，與此文稍有不同。（頁一四四二）

程氏龍《春秋辨疑》

【著錄】《元史藝文志輯本》卷三，頁五二著錄。

佚。

葉氏正道《左氏窺斑》

【作者】戴表元〈序〉文指出：葉氏「名某台」，而竹垞作者題稱多「稱名不稱字」，何以此處題作「葉正道」，而不作「葉某台」？

【著錄】《元史藝文志輯本》卷三，頁五二著錄。

佚。

戴表元〈序〉曰[39]：「夫子沒，遺言之著於[40]世者為經，學者[41]為經學者[42]各為說以通之，通之不得則反諸經。惟夫學《春秋》則異是，《左氏》、《公羊》、《穀梁》三家者，與我肩隨而學夫子者也，後世信於其言乃過夫子；三家之中，《左氏》之徒謂其師逮與夫子同世，信之尤確，而《春秋》反為疑經。夫《左氏》者，豈曰真足以蔽《春秋》哉？緣其文勝，學者有求於《左氏》而無求於《春秋》故耳。余於近世得折衷《左氏》之書二編，曰晁吏部《雜論》、曰呂著作《後說》，晁約而通，呂博而覈，嘗欲依倣其法，刪繁去滯，定為一書，以達[43]《春秋》之義，而力未克也。年來倦學，葩葉凋槁，以為二編之法雖在所舉，

35霖案：黃虞稷《千頃堂書目》卷二，頁48-49。

36霖案：「泰定間」，《黃目》作「泰定閒人」。

37霖案：「良鈞仕宋」，《黃目》作「良鈞與皋皆新安人，良鈞在宋」等「十二」字。

38霖案：「以《春秋》教授鄉里」，《黃目》無「鄉里」二字，且《黃目》於「教授」之下，接有「皋因師授取《左》《胡》《公》《穀》及程、朱二子、啖趙、孫劉、陳項、呂張諸儒之長，而附。」等字。

39霖案：戴表元：《剡源戴先生文集》卷七（四部叢刊本），〈左氏窺班序〉，頁66。

40霖案：「於」，《剡源戴先生文集》作「于」。

41霖案：《經義考新校》頁3546新出校文如下：「『學者』，《四庫薈要》本作『後之』。」。

42霖案：「為經學者」四字，訛增，當依《剡源戴先生文集》刪去。

43霖案：「達」字下，應依《剡源戴先生文集》補入「於」字。

而江南研經家自歐陽[44]以來，皆直取《春秋》為斷，甚者尚疑今之《春秋》出於魯史本文者，不可盡攷，無問《左氏》；因知學廣者疑固多，如登千仞之峰，舉足愈高而見愈雜，如遊四通八達之途，奇珍異貨，目眩而不即定，要其定而不雜，久然後自得之耳。葉君正道以《左氏窺斑》示予[45]，予[46]讀之猶愛晁、呂時也，問書之所由[47]成，則方諸儒汲汲科舉之年，君以[48]脫稿久矣。嗟夫！此豈若予[49]年少退惰不自力者比邪？君名某台，寧海人。」

吳氏化龍《左氏蒙求》（元）

【增補】根據《中國館藏和刻本漢籍書目》頁四七著錄，吳氏另有《左傳比事》二卷，竹垞未錄此書，當據以補入。

【書名】本書異名如下：

一、《左氏傳蒙求》：《中國館藏和刻本漢籍書目》頁四七著錄

二、《左氏蒙求注》：李一遂〈左氏春秋著錄書目研究〉頁一一四錄之。

【卷數】本書卷數異同如下：

一、一卷本：《元史藝文志輯本》卷三，頁五二著錄。

二、二卷本：《中國館藏和刻本漢籍書目》頁四七著錄。

佚。

【存佚】《元史藝文志輯本》卷三，頁五二著錄，注曰「存」。

【版本及藏地】本書版本及藏地如下：

一、清同治三年劉履芬抄本：北圖有藏本。

二、《佚存存書》本：元吳化龍撰《左氏蒙求》一卷，馬來西亞大學圖書館有藏本。

三、日本文化八年（１８１１）尾張書肆永樂書屋刻本：明吳化龍撰・日樋口邦古註，《中國館藏和刻本漢籍書目》頁四七著錄，遼寧圖書館有藏本。

四、民國十三年(1924)上海商務印書館影印本：(元)吳化龍撰《左氏蒙求》一卷，據日本寬政至文化間(1789-1817)刊本影印，台北：國家圖書館有藏本。

44霖案：「陽」字下，應依《剡源戴先生文集》補入「公」字。

45霖案：「予」，應依《剡源戴先生文集》改作「余」字。

46霖案：「予」，應依《剡源戴先生文集》改作「余」字。

47霖案：「由」，《剡源戴先生文集》作「繇」字。

48霖案：《經義考新校》頁3547新出校文如下：「『以』，依《四庫薈要》本應作『已』。」。今考「以」字，應依《剡源戴先生文集》作「已」字。

49霖案：「予」，應依《剡源戴先生文集》改作「余」字。

五、日本寬政至文化間(1789-1817)刊本：民國十三年(1924)上海商務印書館影印本的底本。

六、藝海珠塵本：元吳化龍撰，清許乃濟等注《左氏蒙求註》一卷，馬來西亞大學圖書館有藏本。

又南京大學有藏本。

七、小瑯環山館彙刊叢書第十一類第六冊：元吳化龍撰，清許乃濟注《左氏蒙求注》一卷，李一遂〈左氏春秋著錄書目研究〉頁一一四著錄。

八、咸豐十年浙江刊本：元吳化龍撰，清王慶麟注《左氏蒙求注》一卷，李一遂〈左氏春秋著錄書目研究〉頁一一四著錄。

戴表元〈序〉曰[50]：「吳伯秀為鄉校諸生時，予[51]與之寒同枕、饑同竈，比試於有司，亦同業也。然予[52]性遲，每得有司命題，輒勉強營度，至移晷刻不能辨；回視伯秀，引筆書卷，滔滔十已成五六矣。又當是時，學徒如林，問疑請益者八面而坐，人人得所欲，越幾日，榜出，伯秀嵬然占居上游，諸問疑請益者班班選中，余甚慚而慕之，以為為儒不當如是邪[53]？別十年，予[54]自太學成進士，伯秀亦階鄉舉，收禮官之科，各相慰勞滿意，年齒亦[55]皆壯強，自度非碌碌，必將有所著見於時[56]。既[57]而皆失官家居，流落顛頓積二十年，顏蒼髮枯，皆欲成老翁。於是予[58]始悔其舊業，謀以筋力之勞，辨[59]治衣食，尋計□[60]種樹書、陶公養魚法

50霖案：《剡源戴先生文集》（四部叢刊本）卷七，〈左氏蒙求序〉，頁68；《遼金元文彙》冊一，頁1102。

51霖案：「予」字，《剡源戴先生文集》、《遼金元文彙（序跋）》題作「余」字。

52霖案：「予」字，《剡源戴先生文集》、《遼金元文彙（序跋）》題作「余」字。

53霖案：「邪」字，《剡源戴先生文集》、《遼金元文彙（序跋）》無此字，當是竹垞據文意所加，今據以刪正。

54霖案：「予」字，《剡源戴先生文集》、《遼金元文彙（序跋）》題作「余」字。

55霖案：「亦」字，應依《剡源戴先生文集》、《遼金元文彙（序跋）》改作「又」字。

56霖案：「時」字，應依《剡源戴先生文集》、《遼金元文彙（序跋）》改作「世」字。

57霖案：「既」字，《剡源戴先生文集》、《遼金元文彙（序跋）》題作「旣」字。

58霖案：「予」字，《剡源戴先生文集》、《遼金元文彙（序跋）》題作「余」字。

59霖案：「辨」字，《剡源戴先生文集》、《遼金元文彙（序跋）》題作「辦」字，二字形近而誤入也。

60「計□」，「備要本」同，應依《補正》作「計然」，「四庫本」誤作「計取」，亦脫「然」字。　霖案：《經義考新校》頁3548校文出入較大，今引錄其校文如下：「『計□』依《補正》、《四庫薈要》本、文津閣《四庫》本應作『計然』，文淵閣《四庫》本誤作『計取』」。今考「□」字，《剡源戴先生文集》、《遼金元文彙（序跋）》均題作「𦢊」字，非「然」字，不知翁方綱《補正》據何而補作「然」字，而《點校補正經義考》未校原書文句，乃從翁氏之校語，則有商議之處。

之類而習之，顧此事亦非旦暮可就，徒失之而已；而伯秀學益堅，識益深，風節益峻，乃方闔門下帷，躬少年書生之事，取數千年興亡之說，賢否之迹，皆細[61]理纂緝成一家言。惟《左氏》傳自其少時即[62]已精熟，蓋嘗取義類對偶之相洽者，韻為《蒙求》，以便學[63]。余讀之，如斲泥之斤，鳴鏑之射，百發百返而不少差。嘻乎!異哉!夫人之材力相去果若是遠乎？伯秀《蒙求》成於《左氏傳》，又有筆記通纂於毛氏《詩》，又有《集義》等書，次第皆且脫稿[64]，余雖坐前累，不可望有所進，抑攘臂於勇夫之旁，垂涎於飽人之餘，意氣固未已也。伯秀名化龍，今又字漢翔云。」

【增補】〔補正〕戴表元〈序〉內「計□種樹書」當作「計然」；「為蒙求，以便學」下脫「者」字。（卷八，頁十一—十二）

俞氏漢《春秋傳》

三十卷。

【著錄】黃虞稷《千頃堂書目》卷二，頁五〇、《元史藝文志輯本》卷三，頁五二著錄。

佚。

《紹興府志》[65]：「俞漢，字仲雲，諸暨人[66]。撰[67]《春秋》[68]三十卷[69]進呈，書付禮部刊行，辟為儒學官[70]，不就[71]。卒，友人[72]私謚[73]曰文惠。」

61「細」,「四庫本」作「紬」。　霖案：《經義考新校》頁3548校文，「四庫」二字之前，另有「文淵閣」三字。今考《剡源戴先生文集》、《遼金元文彙（序跋）》均題作「紬」字。

62霖案：「即」字，《剡源戴先生文集》、《遼金元文彙（序跋）》題作「卽」字。

63「學」下脫「者」字，「備要本」同，應依《補正》、「四庫本」補。　霖案：《經義考新校》頁3548校文如下：「『學』，依《補正》、《四庫薈要》本、文淵閣《四庫》本應作『學者』。」。今考《剡源戴先生文集》、《遼金元文彙（序跋）》均有「者」字，則翁方綱《補正》或據原書補入也。

64霖案：「稿」字，《剡源戴先生文集》、《遼金元文彙（序跋）》題作「藁」字。

65霖案：《紹興府志》（四庫全書存目叢書本，史二○一），卷四十三，頁324。

66霖案：「人」字下，應依《紹興府志》補入「精史學，著《史評》八十卷」等九字，竹垞以此類撰著，與「春秋學」無涉，故刪去，今據原書補入。

67霖案：「撰」字，《紹興府志》原無此字，當據刪正。

68霖案：「《春秋》」二字，《紹興府志》題作「《春秋傳》」三字，此書名略異，當據以補入「傳」字。

69霖案：「三十卷」三字下，應依《紹興府志》補入「《象川集》十卷」等五字，竹垞以此類撰著，與「春秋學」無涉，故刪去，今據原書補入。

70霖案：「官」字，《紹興府志》無之，當係竹垞據文意所加，當據原書刪正。

71霖案：「就」字下，應依《紹興府志》補入「家頗饒，歲饑，出粟五千石以濟貧乏，後。」等字，竹垞或以此類行事，與「春秋學」無涉，故刪去，今據原書補入相關文句。

黃虞稷曰[74]：「字仲雲，諸暨人。所纂書[75]，元時命禮部下江、浙儒學刊板，授書院山長，不赴。」

單氏庚金《春秋三傳集說分紀》

【著錄】《元史藝文志輯本》卷三，頁五三著錄。

五十卷。

佚。

《春秋傳說集略》

【著錄】《元史藝文志輯本》卷三，頁五三著錄。

十二卷。

佚。

戴表元作〈志〉曰[76]：「剡源有為明經之學者，單氏諱庚金，字君範[77]，不得志於貢舉[78]，隱[79]晦溪山中者三十年，日夜取古聖賢經傳遺言洗濯磨治[80]。其書已脫稿[81]，有《春秋三傳集說分紀》五十卷，用呂氏、程氏所纂；自《左氏》、《公羊傳》、《穀梁傳》以來，諸家之異同定於一書，後學得以依據；又解《春秋》正經，題為《春秋傳說集略》者十二卷；

72霖案：「友人」二字，應依原書改作「士友」，雖然二詞文意並無差別，但應與原書相同為是。

73霖案：「諡」，原書作「謚」字，又「謚」字下，另有「之」字，今據以補入。

74霖案：黃虞稷《千頃堂書目》卷二，頁50。

75霖案：《黃目》無「所纂書」三字。

76霖案：《剡源戴先生文集》卷十六，〈單君範墓志銘〉，(《四部叢刊》本)，頁136。

77霖案：「君範」二字下，應依《剡源戴先生文集》補入「君範，初與金俱以詞賦行州里間，有儁名，卽一再。」等字。

78霖案：「舉」字下，應依《剡源戴先生文集》補入「卽去而他遊。庚午秋，予在錢塘，叨太學薦送兩浙漕運使者，亦以君範名聞。明年春，予成進士，君範竟守母喪居廬。迨甲戌歲，始來就南省別試所，乃見黜免，於是遂歸。」等字。

79霖案：「隱」字下，應依原書補入「剡源」二字。

80霖案：「治」字下，應依原書補入「家無贏餘，口不適營殖，面不帶憂恤，飲水茹蔬，審至開門清言款接忘倦，蓋真以德義自給者，而予解棄官守，携持老稚脫，方徙依君範，同鄉而居，每見之，未嘗不內愧也。君範卒且葬，其孤函裹父所著書及事狀來徵〈銘〉，按：單氏之籍，自婺遷明奉化，凡三枝，居湖山枝，稱會稽，理曹掾德旗居下郝枝，稱鄉貢進士淵，而晦溪枝，稱君範。曾祖光喆，祖大年，父欽，字崇道，世醇儒，君範知讀書崇道，公輟衣食，用以供其師，妣龔氏，尤賢明，游學資費，取之簪珥，無吝惜。」等句。

81霖案：「稿」字，原書作「藳」字。

又讀《論語》，去取諸儒，本題為《增集論語說約》者若干卷。」

劉氏莊孫《春秋本義》

【作者】劉莊孫，字正仲，號樗園，寧海人。其文學與舒獄祥齊名，為吳子良弟子。有《易志》、《詩傳音旨補》、《書傳》、《周官集傳》、《春秋本義》、《論語章指》、《老子發微》、《楚辭補注音釋》、《深衣考》、《芳潤稿》等書。

【著錄】《元史藝文志輯本》卷三，頁五三著錄。

二十卷。

【霖案】竹垞應是根據袁桷《清容居士集》卷二八，〈劉隱君墓誌銘〉一文收錄此條撰著。

佚。

袁桷曰[82]：「劉隱君[83]論春秋為魯史之舊，是則發先儒之遺旨。」

陳氏則通《鐵山先生春秋提綱》（宋）

【作者】張壽平《公藏先秦經子注疏書目》頁一三八著錄，題作「舊題元陳則通撰」，而駱兆平《新編天一閣書目》題作「元陳則通撰。陳應龍編並跋。」（頁二七二），是以本書編、撰者為不同之人。

【書名】本書異名如下：

一、《春秋提綱》：《徵刻唐宋秘本書目》頁一四四二、駱兆平《新編天一閣書目》頁二七二著錄。

十卷。

【著錄】黃虞稷《千頃堂書目》卷二，頁四七、張壽平《公藏先秦經子注疏書目》頁一三八著錄。

存。

【版本及藏地】本書版本及藏地如下：

一、明抄本：元陳則通撰《春秋提綱》十卷，《中國古籍善本書目》（經部）頁二七〇著錄，北京圖書館有藏本。

二、文淵閣四庫全書本：台北故宮博物院有藏本。

【增補】永瑢等撰《欽定四庫全書總目》曰：「春秋提綱十卷[84]　兩江總督採進本

82霖案：《清容居士集》卷二八〈劉隱君墓誌銘〉（四庫本），頁19。又四部叢刊本，卷二八，頁424有之。本文據四庫叢刊本校之。

83霖案：「劉隱君」三字，原〈墓銘〉無此三字，係竹垞根據〈墓銘〉題稱所加。

舊本題『鐵山先生陳則通撰』。不著爵里，亦不著時代，其始末未詳。朱彝尊《經義考》列之劉莊孫後、王申子前，然則元人也。是書綜論《春秋》大旨，分門凡四：曰征伐，曰朝聘，曰盟會，曰雜例，每門中又區分其事，以類相從，題之曰『例』。然大抵參校其事之始終，而考究其成敗得失之由，雖名曰『例』，實非如他家之說《春秋》以書法為例者。故其言閎肆縱橫，純為史論之體，蓋說經家之別成一格者也。其《雜例門》中，論《春秋》為用夏正，猶堅守胡安國之說。然安國解文公十四年『有星孛於北斗』、解昭公十七年『有星孛於大辰』，全襲董仲舒、劉向之義。則通《災異例》中，獨深排漢儒事應之謬，則所見固勝於安國矣。」（卷二十八，頁三五五）

【增補】邵懿辰撰、邵章續錄：《增訂四庫簡明目錄標注》卷三曰：「《春秋提綱》十卷，元陳則通撰。

通志堂本。

〔續錄〕元胡光世刊本。」（頁一一三）

三、《通志堂經解》本：宋陳則通撰《春秋提綱》十卷，葉德輝《徵刻唐宋祕本書目考證》頁一四七一著錄，馬來西亞大學圖書館有藏本（二部）。

四、擒藻堂薈要本：台北故宮博物院有藏本。

五、鈔本：台北故宮博物院有藏本。

六、明藍絲欄棉紙抄本：駱兆平《新編天一閣書目》頁二七二著錄。

七、清同治十二年(1873)粵東書局重刊本：(宋)陳則通撰《春秋提綱》十卷，台北：國家圖書館有藏本。

八、元胡光世刊本：邵懿辰撰、邵章續錄：《增訂四庫簡明目錄標注》卷三，頁一一三著錄。

胡光世〈序〉曰[85]：「《春秋》一《經》，說者亡慮數十百[86]家，其皆繪天地而圖日月，似則似矣，於化工之妙、容光之照，則亡也。愚讀是經，茫無津涯，及見此編檃括諸《傳》，包舉無遺，頗於聖人之意若滄海之有畔，可以濟其闊而極其際，伏讀之餘，因思儒者之行，聞善[87]以相告也，見善以相示也，不敢自祕，願與同學是《經》者共之，故用鋟梓以廣其傳。至於編中之所本者，則有諸《傳》在，熟讀諸《傳》以求《經》之旨，而於此編以發《經》之蘊，信所謂提綱者矣。」

【霖案】黃虞稷、周在浚等人《徵刻唐宋祕本書目》云：「是編檃括諸傳，包舉無遺

84霖案：原注云：按：此條浙、粵本排在《春秋集傳釋義大成》之前。

85霖案：《五經翼》卷十二，(台南縣：莊嚴文化事業有限公司，「四庫全書存目叢書」經部，冊一五一)，頁755。

86霖案：「十百」二字，《五經翼》卷十二題作「百十」，竹垞將二字倒置，今據《五經翼》改正。

87霖案：「善」字，《五經翼》卷十二錄及此字，漫漶不清。

，於聖人之意，若滄海之有畔，可以濟其闊，而極其際，信所謂提綱者矣。」（頁一四四二），係改自胡世光〈序〉之文。

【增補】黃虞稷《千頃堂書目》卷二曰：「胡光世為序」（頁四七）。

王氏申子《春秋類傳》

未見。

【存佚】《元史藝文志輯本》卷三，頁五三著錄，注曰「佚」。

【著錄】黃虞稷《千頃堂書目》卷二，頁四七著錄。

吳澂曰[88]：「巽卿[89]《春秋類傳》極佳，雖[90]有一二處與鄙說不同，然大綱領皆精當[91]。」

田澤曰[92]：「《春秋》一經[93]，後儒之說但祖《三傳》，如《釋例》、《長歷》、《集解》、《調人》、《繁露》、《義函》之類，聞於[94]世者不啻百餘家，不為不多；然元年春王正月之義，終無[95]確論，雖胡氏有夏時冠周月之說，陽氏有改[96]正之論，而學者質以古今之正義，終不能無[97]疑，是皆守《三傳》之失，昧作《經》之旨故也[98]。蜀儒王申子所解[99]《春秋類傳》[100]則曰：『有貶無褒，乃夫子一部法書，出乎周公之禮則，入乎夫子之法，撥亂

88霖案：吳澂：《吳文正集》（臺灣商務印書館影印四庫全書本，冊一一九七）卷三，〈答海南海北道廣訪副使田君澤問〉，頁39。

89霖案：「巽卿」二字，《吳文正集》無此二字，係竹垞根據文意所加，當據以刪正。

90霖案：「雖」字之前，應依《吳文正集》補入「內」字。

91霖案：「當」字下，應依《吳文正集》補入「用工之深，用意之密，可敬！可敬！」等十二字。

92霖案：四庫本王申子：《大易緝說．續刊大易緝說始末》。又《通志堂經解》本，頁2429有之。本文係根據田澤〈續刊大易緝說始末〉一文而來，並非直接論及王申子《春秋類傳》一書立論，是以竹垞引錄此文之文，多剪裁文句，致使文句頗難校讀，讀者可自行參看原書文句。

93霖案：「經」字下，應依原文補入「按：〈藝文志〉皆謂左氏受經於仲尼，公、穀受經於子子夏，旣已謅矣。」等句。

94霖案：「於」字，原文作「于」字。

95霖案：「無」字，原文作「无」字。

96霖案：「改」字下，應依原文補入「歲不改」等三字。

97霖案：「無」字，原文作「无」字。

98霖案：「也」字下，應依原文補入「卑職叨恩命，來此推刑，訪得」等十一字。

99霖案：「解」字下，應依原文補入「《大易緝說》」等四字。

100霖案：「《春秋類傳》」四字下，應依原文補入「二書，公退之，暇詳玩紬繹，其《大易緝說》分緯河圖，以溯伏羲畫卦之由，錯綜河洛，以定文王位卦之次，又參上繫下，繫以覆聖人設卦繫辭之旨，又主成卦之爻，以發聖人立象取義之因，如貫通爻義，如章分彖傳，如訂晦菴十圖九書之旨

反正，無[101]罪不書。其志封疆者，所以著侵奪之罪也；其志世次者，所以著篡弒之罪也；志禮樂、志正朔著，著僭竊無[102]王之罪也；志官職、志兵刑者，著違制害民之罪也。謂侯國不合自稱元年，故書元年；謂魯不合以子月為春，故書春；謂舉世不知有王，故書王；謂子月非正月，故書正。』發此義例，類成一書[103]，皆[104]先賢[105]所未發，深得聖人之本旨。」

呂氏椿《春秋精義》

【作者】呂椿，字之壽，晉江人。從丘葵學，撰有《尚書直解》、《春秋精義》等書。

【著錄】《元史藝文志輯本》卷三，頁五三著錄。

佚。

《閩書》[106]：「呂椿，字之壽，晉江人[107]。從[108]邱葵[109]學，隱居教授[110]。」

郭氏隥《春秋傳論》　「隥」或作「鐙」。

【作者】黃虞稷《千頃堂書目》卷二，頁五○、《元史藝文志輯本》卷三，頁五三著錄，作者題為「郭鐙」。案：此書與郭正子《春秋傳語》疑為同書，蓋郭正子為郭隥之父，且同作「十卷」，而《閩中理學淵源考》題郭正子之書，亦作《春秋傳論》，故疑之。然而，二書已佚，實難比對，限於文獻不足徵之故，暫記於此，以俟後考。

十卷。

【著錄】黃虞稷《千頃堂書目》卷二，頁五〇著錄。

佚。

，辨濂溪无極太極之說，无一毫之穿鑿，有理致之自然。其」等字

101霖案：「無」字，原文作「无」字。

102霖案：「無」字，原文作「无」字。

103霖案：「書」字下，應依原文補入「自我作古，字字精當」等八字。

104霖案：「皆」字下，應依原文補入「發」字。

105霖案：「先」字下，應依原文補入「之」字。

106霖案：《閩書》卷二二七，(《四庫全書存目叢書》史二○七)，頁295。

107霖案：「晉江人」三字，《閩書》無此三字，當據以刪正。

108霖案：「從」字之前，應從《閩書》補入「幼」字。

109霖案：「邱葵」二字，《閩書》題作「丘釣磯」三字，竹垞逕改作「邱葵」也，今應從原書題作「丘〔邱〕釣磯」也。

110霖案：「隱居教授」，《閩書》題作「貧隱授徒」四字，又「徒」字下，原書另有「詞賦敏捷，所著有《春秋精義》、《詩書直解》、《禮記解》」等字。

《長樂縣志》：「郭隚，字德基，宋紹定進士111。至元中，泉山書院山長，遷吳江州教授，再調興化。有《春秋傳論》十卷，《四書》、《易》皆有述，人稱梅西先生。」

【霖案】李清馥《閩中理學淵源考》卷三十五，案語曰：「按：《福州府・選舉志》：『郭正子，字養正，紹定五年壬辰進士，登徐元杰榜，本州解元，廉州教授。』《閩書》〈英舊選舉目次〉載亦同。及檢閱朱氏《經義考》春秋彙載郭氏隚小傳云：《長樂縣志》：郭隚，字德基。宋紹定進士，至元中，泉山書院山長云云。竟遺却父郭正子名字，以紹定進士屬之其子矣。蓋郭正子，宋人也。郭隚，元人也，未知《經義考》引用時傳寫脫落，抑《長樂志》本屬脫誤，因恐讀《經義考》者，不詳郭公隚出處大節，謹標出以待考訂者審之。乾隆戊子四月上澣清馥謹書。」（「四庫全書本」，冊四六〇，頁四五四）。

吳氏澂《春秋纂言》（元）

【作者】黃虞稷《千頃堂書目》卷二，頁四八、《元史藝文志輯本》卷三，頁四九著錄，作者題為「吳澄」。

【增補】據金門詔《補志》，吳氏尚有《校定春秋》一書，當據以增補。

十二卷，《總例》三卷。

【著錄】黃虞稷《千頃堂書目》卷二，頁四八著錄。

【卷數】張壽平《公藏先秦經子注疏書目》頁一三八著錄，其中《總例》有一卷、二卷等二種版本。

又黃虞稷《千頃堂書目》卷二，頁四八題作《總例》三卷。

又瞿鏞編纂・瞿果行標點・瞿鳳起覆校《鐵琴銅劍樓藏書目錄》卷五，頁一四四題作「七卷」。

【增補】〔校記〕「四庫本」《總例》一卷。（《春秋》，頁五十）

【卷數】《元史藝文志輯本》卷三，頁四九著錄，《總例》題作「七卷」，又該書題《四庫》本《總例》為二卷，則係採用文溯閣庫書本甄錄。

存。

【版本及藏地】本書版本及藏地如下：

一、元刻本：元吳澄撰《春秋纂言》十二卷，《總例》七卷，《中國古籍善本書目》（經部）頁二七〇著錄，此本九行二十字，黑口四周雙邊，北京圖書館有藏本。

【增補】瞿鏞編纂・瞿果行標點・瞿鳳起覆校《鐵琴銅劍樓藏書目錄》卷五曰：「題『吳澄學』。前有自序，謂倣陸氏《纂例》為《總例》，例之綱七：〈天道〉一，〈

111霖案：「宋紹定進士」五字，係誤將郭正子功名題作郭隚者也，詳見李清馥《閩中理學淵源考》卷三十五的案語說明。郭正子，郭隚之父，此蓋父子功名誤代之例。

人紀〉二，〈嘉禮〉三，〈賓禮〉四，〈軍禮〉五，〈凶禮〉六，〈吉禮〉七。例之目八十有八。〈天道〉五例，（小注云：年、時、月、日、變異。）〈人紀〉二十三例，（小注云：王公、侯伯、子男、微國、夷國、國地、爵字、氏名、人盜、兄弟、世子、命數、即位立、歸人納、居在、孫、奔、去、逃、弒、殺、弒、執、放。）〈嘉禮〉四例，（小注云：王后、王女、魯夫人、魯女。）〈賓禮〉八例，（小注云：如、朝、聘、來、盟、會、遇、至。）〈軍禮〉二十二例，（小注云：伐、侵、戰、敗、追、救、次、戍、圍、取、入、滅、降、遷、潰、獲、以歸、師、軍制、軍賦、軍事、力役。）〈凶禮〉六例，（小注云：崩薨、卒葬、含隧、賵賻、奔喪、會葬。）〈吉禮〉十例。（小注云：郊、雩、社、望、禘、祫、時、享、廟主、告朔。）此書傳本甚稀，後有嘉靖間蔣若愚刊本，亦不可得。竹垞朱氏僅見之吳郡陸醫其清家。此元刊本精好完善，固足寶也。」（頁一四四）。

二、明抄本：元吳澄撰《春秋纂言》十二卷，《總例》七卷，有清丁丙〈跋〉，其中《纂言》卷五、八，《總例》卷四至七配清抄本，為汪魚亭舊藏本，崔富章《四庫提要補正》頁一六九、《中國古籍善本書目》（經部）頁二七〇著錄，南京圖書館有藏本。

三、清盧文弨抱經樓抄校本：元吳澄撰《春秋纂言》十二卷，《總例》一卷，《中國古籍善本書目》（經部）頁二七一著錄，上海圖書館有藏本。又崔富章《四庫提要補正》頁一六九著錄，題作「上海館藏清盧氏抱經樓抄本皆缺《總例》者」，不知是否誤題，抑或《中國古籍善本書目》（經部）編輯之初，尚有《總例》一卷，而後佚失矣？。

四、清初抄本：元吳澄撰《春秋纂言》十二卷《總例》二卷，為清初抄本，原為兩淮採進本，四庫底本，現藏於上海圖書館。

五、清刊本：《春秋纂言》十二卷，《總例》二卷，台北中研院史語所有藏本。

六、文淵閣四庫全書本：《春秋纂言》十一卷，《總例》一卷，台北故宮博物院有藏本。

【增補】永瑢等撰《欽定四庫全書總目》曰：「春秋纂言十二卷總例七卷[112]　兩淮鹽政採進本

元吳澄撰。澄有《易纂言》，已著錄。是書采摭諸家傳注，而間以己意論斷之。首為總例，凡分七綱、八十一目。其『天道』、『人紀』二例，澄所創作，餘吉、凶、軍、賓、嘉五例，則與宋張大亨《春秋五禮例宗》互相出入，似乎蹈襲。然澄非蹈襲人書者，蓋澄之學派，兼出於金溪、新安之間，而大亨之學派，則出於蘇氏，澄殆以門戶不同，未觀其書，故與之闇合而不知也。然其縷析條分，則較大亨為密矣。至於經

112霖案：原注云：按：浙、粵本皆作《春秋纂言》十二卷《總例》一卷。文淵閣庫書則題作《春秋纂言》十九卷，下分《總例》七卷、《春秋纂言》十二卷。是底本著錄接近庫書。又按：文溯閣庫書《總例》作二卷，是庫書各本亦不相同。

文行款，多所割裂，而經之闕文，亦皆補以方空，於體例殊為未協。蓋澄於諸經率皆有所點竄，不獨《春秋》為然。讀是書者，取其長而置其所短可也。明嘉靖中，嘉興府知府蔣若愚嘗為鋟木，湛若水序之。歲久散佚，世罕傳本。王士禎《居易錄》自云『未見其書』，又云『朱檢討曾見之吳郡陸醫其清家』。是朱彝尊《經義考》之注『存』，亦僅一睹。此本為兩淮所採進，殆即傳寫陸氏本歟？久微而著，固亦可寶之笈矣。」（卷二十八，頁三五四至頁三五五）

【增補】邵懿辰撰、邵章續錄：《增訂四庫簡明目錄標注》卷三曰：「《春秋纂言》十二卷，《總例》二卷，元吳澄撰。

有刊本，明嘉靖中蔣若愚所刻，久佚。四庫箸錄係鈔本。昭文張氏有舊鈔本。振綺堂有鈔本總例七篇，不分卷。許氏亦有鈔本。

〔附錄〕陸有張雋舊鈔本。（紹箕）朱有鈔本十二卷，總例五卷。（懿榮）（疑盛昱筆，章記）

〔續錄〕元刊大字本。（頁一一三至頁一一四）

【增補】胡玉縉撰、王欣夫輯《四庫全書總目提要補正》卷七曰：「陸氏《儀顧堂續跋》云：『其書，年為一行，春、夏、秋、冬各為一行，皆頂格；月、日各為一行，皆低二格。經之缺文，可推測而知者，如桓公三年至八年，十一年至十七年，春首月不書王之類，皆於正月上作一方格，四年不書秋、冬首為兩方格。其不可推測如郭公之類，則仍舊而為說於下，此注《春秋》之創格也。經文以《左氏》為主，《公》、《穀》異文注於下。每年以大衍曆著其月、月小，而推明經所書日之干支為月之某日。所采諸家傳說，左氏、公、穀、陸氏、啖氏、趙氏、杜氏預、張氏洽、高氏閌為最多，胡氏、劉氏、高郵孫氏、襄陵許氏次之，先采舊說，後著己說者，以『澄曰』別之，經下即著己說則否。《直齋書錄解題》：『廣德軍刊古監本《春秋經》，每事為一行，朱子於《春秋》獨無論注，惟以《左氏》經文刊之臨漳。』晁氏曰：『《春秋經》十二卷，以《左氏經》為本，其與《公》、《穀》不同者注於下。』是書每事為一行，《公》、《穀》異文注於下，當本諸此。』玉縉案：《提要》所言不甚瞭，得此乃明。」（頁一七五至頁一七六）

【增補】崔富章《四庫提要補正》曰：「吳澄是書，本陸淳《纂例》而廣之，以一公為一卷，計十二卷，又為《總例》七篇。今北京館藏元刊本《春秋纂言》十二卷《總例》七卷（九行二十字黑口四周雙邊）。南京館藏明抄本卷數同（《纂言》卷五、八，《總例》卷四至七配清抄本），即《善本書室藏書志》卷三著錄之汪魚亭舊藏本，丁丙跋稱『棉紙舊抄或出蔣本以前』。上海館藏《春秋纂言》十二卷《總例》二卷，係清初抄本，此即原兩淮採進本，四庫底本。文溯閣庫書《總例》二卷，文瀾閣庫書丁氏補抄本《總例》作上、下卷，皆與底本合，《總目》作一卷，遂跟庫書不相應。《總例》本為七篇，每篇含細目，各自起迄，『二卷』乃清初傳抄者并改，亦不足據。今北京市文物局藏清初抄本，上海館藏清盧氏抱經樓抄本皆缺《總例》者。

《總目》注『兩淮鹽政採進本』，然檢《四庫採進書目》中《兩淮鹽政李呈送書目》未見是書，《兩淮商人馬裕家呈送書目》有『春秋纂言十二卷，元吳澄，十本』即上海圖書館藏清初抄本。《浙江省第四次汪啟淑呈送書目》有『春秋纂言十二卷，元吳澄著，十本』，《浙江採集遺書總錄》乙集著錄『刊本』。由是知，四庫採進非只一部，且有刊本，館臣未及檢細耳。」（頁一六九至一七〇）

七、明嘉靖蔣若愚刊本：《四庫全書總目提要》提及此書，並云「歲久散佚，世罕傳本」，其說允實，今徧查各大藏書之所，亦未見有此本傳世。

八、清抄本：元吳澄撰《春秋纂言》十二卷，《中國古籍善本書目》（經部）頁二七一、崔富章《四庫提要補正》頁一六九著錄，現藏於北京市文物局，內容缺《總例》。

九、元刊大字本：邵懿辰撰、邵章續錄：《增訂四庫簡明目錄標注》卷三，頁一一四著錄。

澂〈自序〉曰[113]：「『屬辭比事，《春秋》教也。』昔唐啖助、趙匡集《春秋傳》，門人陸淳又類聚事辭，成《纂例》十卷，今澂[114]既采摭諸家之言各麗於[115]《經》，乃分所異，合所同，倣《纂例》為《總例》七篇。初一〈天道〉，次二〈人紀〉，次三〈嘉禮〉，次四〈賓禮〉，次五〈軍禮〉，次六〈凶禮〉，次七〈吉禮〉。例之綱七，例之目八十有八，凡《春秋》之例，禮失者書，出於[116]禮則入於[117]法，故曰刑書也。事實辭文，善惡必[118]見，聖人何容心哉？蓋渾渾如天道焉。嗚呼!其義微矣，而執謙自謂之竊取，區區末學，詎可得與聞乎[119]？」

【增補】〔補正〕〈自序〉內「善惡必見」，「必」當作「畢」。（卷八，頁十二）

黃虞稷曰：「草廬《春秋纂言》，嘉靖中，嘉興知府蔣若愚刻之，郡齋湛若水為之序。」

【增補】黃虞稷《千頃堂書目》卷二曰：「（李衡）洪武間，臨川人，一作《集說》，其說宗吳草廬，而參以《會通》，《纂疏》諸說，凡五十餘家。」（頁三十七）。

齊氏履謙《春秋諸國統紀》（元）

---

113 霖案：吳澄撰，《春秋纂言總例．春秋纂言總例原序》（台北：臺灣商務印書館，「景印文淵閣四庫全書」冊一五九，民國七十五年三月，初版），頁336。

114 霖案：「澂」字，《春秋纂言總例》作「澄」，蓋「澂」與「澄」字同。

115 霖案：「於」字，《春秋纂言總例》作「于」。

116 霖案：「於」字，《春秋纂言總例》作「于」。

117 霖案：「於」字，《春秋纂言總例》作「于」。

118「必」，各本同，應依《補正》作「畢」。　霖案：《經義考新校》頁3553校文，無「各本同，應」等字；又「作」改作「應作」二字。今考《春秋纂言總例》作「畢」字，此或翁方綱《補正》所據之本也。

119 霖案：「乎」字下，《春秋纂言總例》另有「臨川吳澄序」等五字。

六卷。

【著錄】黃虞稷《千頃堂書目》卷二，頁四八、《徵刻唐宋秘本書目》頁一四四二、《元史藝文志輯本》卷三，頁四九、張壽平《公藏先秦經子注疏書目》頁一三九著錄。

【增補】〔校記〕「四庫本」尚有《目錄》一卷。（《春秋》，頁五十）

【卷數】通志堂本、四庫本尚有《目錄》一卷，竹垞未錄，今據以補入。

存。

【版本及藏地】本書版本及藏地如下：

一、元延祐刻本：元齊履謙撰《春秋諸國統紀》六卷，《中國古籍善本書目》（經部）頁二七一著錄，遼寧省圖書館藏有該本，傅沅叔《經眼錄》云：「民國十年（１９２１）年十一月十七日，訪書寧波，大酉山房林集虛送閱元祐七年庚申刊本齊履謙著《春秋諸國統紀》六卷，八行二十字，白口，四周雙欄。版心有余德淵刊、余刊、四明胡寧刊、胡刊等字。又有二葉題五字，是補版。全書字作顏體，乃一手所書，刊刻精善。有延祐庚申五月己卯翔沙鹿齊履謙序。鈐『尚寶卿袁氏忠砌印』，後有『尚寶少卿袁記』木記。目錄後有云：『汲古閣藏元本』，顏書甚精，為述古堂舊藏，今見此本信然。此書至為罕見。」

二、明秦氏雁里草堂抄本：元齊履謙撰《春秋諸國統紀》六卷，《中國古籍善本書目》（經部）頁二七一著錄，北京師範大學有藏本。

三、明抄本：元齊履謙撰《春秋諸國統紀》六卷，《中國古籍善本書目》（經部）頁二七一著錄，北京圖書館有藏本

四、清抄本：元齊履謙撰《春秋諸國統紀》六卷，《中國古籍善本書目》（經部）頁二七一著錄，北京圖書館有藏本。

五、通志堂經解本：(元)齊履謙撰《春秋諸國統紀》，台北：政治大學圖書館有藏本，一冊，二六公分，書中有朱文印記「檀尊藏本」及白文印記「黃彭年印」、「禮府藏書」、「徐氏酋山珍藏」共計四枚，葉德輝《徵刻唐宋祕本書目考證》頁一四七一著錄。

又馬來西亞大學圖書館有藏本（二部）。

【增補】耿文光《萬卷精華樓藏書記》卷八曰：「《春秋諸國統紀》六卷　《目錄》一卷　元齊履謙撰

通志堂本。出於汲古閣元本，顏書甚精，前有臨川吳澄序。（小注云：序言是書不以褒貶說《春秋》，與己意相合。）延祐四年，沙鹿齊履謙自序。書凡二十有二篇，首魯，次周，（小注云：魯不當先周。）次宋、齊、晉、衛、蔡、陳、鄭、曹、秦、薛、杞、滕、莒、邾、許、宿、楚、吳及諸小國、諸亡國。每國有小序一段，末有思恭（小注云：履謙之弟。）跋。按《經義考》卷一百九十四，有柳貫跋。此本不載。

文光案：齊序謂夫子修《春秋》，合二十國《史記》為之，不主因魯史從赴告之義，柳氏甚以為不然。但其語含而不露，跋先言假魯史以著侯國之行事，末言見沙鹿之書，亦先儒引而未發之奧。既誦繹之復次，其單陋質之先生，可謂善於立言矣。墨子見百國春秋，古史有夏、商春秋，又有晉《春秋》。《國語》：晉羊舌肸習於春秋，焯公使傳其太子，楚莊王使申叔時傳太子，咸教之《春秋左傳》。韓宣子見魯《春秋》，後世史學亦多以春秋名其書。如虞卿春秋、陸賈春秋、吳越春秋、漢魏春秋、唐春秋之類，往往有之。見齊氏序。」（頁三〇五）

六、文淵閣四庫全書本：本書另有《目錄》一卷，台北故宮博物院有藏本。

【增補】永瑢等撰《欽定四庫全書總目》曰：「春秋諸國統紀六[120]卷目錄一卷　浙江吳玉墀家藏本

元齊履謙撰。履謙字伯恆，大名人。官至太史院使，事迹具《元史》本傳。此書乃其延祐丁巳為國子司業時所作。前有自序，謂今之《春秋》，蓋聖人合二十國史記為之，自三傳專言褒貶，於諸國分合與《春秋》所以為《春秋》，概未之及，故敘類此書，以備諸家之闕。凡二十有二篇：首魯，次周，次宋，次齊，次晉，次衛，次蔡，次陳，次鄭，次曹，次秦，次薛，次杞，次滕，次莒，次邾，次許，次宿，次楚，次吳。自內魯尊周外，各以五等之爵為次，其入《春秋》後降爵者，則隨所降之爵列之，而楚、吳以僭王殿焉。《目錄》謂『此皆國史具在，聖人據以作《春秋》者。』又以諸小國、諸亡國釐為二篇，附錄於末，《目錄》謂『此無國史，因二十國事所及而載者』。皆先於各國下列敘大勢與其排比之意，題曰『某國春秋統紀』，蓋據《墨子》有『百國春秋』，徐彥《公羊疏》有『孔子求周史記，得百二十國寶書』之文，故不主因魯史、從赴告之義也。案《春秋》如不據魯史，不應以十二公紀年，如不從赴告，不應僖公以後晉事最詳，僖公以前晉乃不載一事。此蓋掇拾雜說，不考正經。且魯史不紀周年，內魯可也。履謙分國編次，而魯第一、周第二，不曰王人雖微，加於諸侯之上乎？況天王也。至於隱公八年『葬蔡宣公』，宣公十七年『葬蔡文公』，并經有明文。履謙漏此二條，乃於桓公十七年『葬蔡桓侯』，謂諸國皆僭稱公，惟蔡仍舊章，反引《左傳》為證，殊為疏舛。又經書『桓公三年夫人姜氏至自齊』，『六年九月丁卯，子同生』，其事更無疑義。《穀梁傳》疑故志[121]之之說已為不核事實，履謙乃竟以莊公為齊侯之子，尤為乖謬。以其排比經文，頗易尋覽，所論亦時有可采，故錄存之。吳澄序稱其『縷數旁通，務合書法，間或求之太過。』要之不苟為言，蓋瑕瑜不掩，澄已有微詞矣。」（卷二十八，頁三五五至頁三五六）

【增補】邵懿辰撰、邵章續錄：《增訂四庫簡明目錄標注》卷三曰：「《春秋諸國統紀》六卷，目錄一卷，元齊履謙撰。

通志堂本。

120霖案：原注云：「六」，底本誤作「一」，據浙、粵本及文淵閣庫書改。

121霖案：原注云：「志」，底本作「明」，據浙、粵本改。

〔附錄〕陸有朱臥庵舊藏鈔本。（紹箕）

〔續錄〕汲古閣元本，顏書甚精，係述古堂舊藏。」（頁一一四）

七、清同治十二年(1873)粵東書局重刊本：(元)齊履謙撰《春秋諸國統紀》六卷，台北：國家圖書館有藏本。

履謙〈自序〉曰[122]：「孔子曰：『屬辭比事，《春秋》教也。』所謂《春秋》者，古者史記之通稱也。何以明之？孟子曰：『王者之迹熄而詩亡，詩亡，然後《春秋》作。』莊子曰：『《春秋》，先王經世之志[123]。』墨子曰：『吾見百國《春秋》。』皆非謂今之《春秋》也。又嘗考之古文有夏、商《春秋》，又有晉《春秋》。《國語》：晉羊舌肸習於《春秋》，悼公使傅其太子；楚莊王使申叔時傅太子箴[124]，教之《春秋》。《左傳》：韓宣子適魯，見魯《春秋》。至於後世史學，亦多以『春秋』名其書者，若《虞卿春秋》、《呂氏春秋》、《陸賈春秋》、《吳越春秋》、《漢魏春秋》、《唐春秋》之類，往往[125]有之，故知『春秋』者，古者史記之通稱，而今之《春秋》一經，聖人以同會異，以一統萬之書也。始魯終吳，合二十國史記而為之也。然自《三傳》既[126]分，世之學者類皆務以褒貶為工，至於諸國分合與夫《春秋》之所以為《春秋》，未聞其有及之者，予竊疑之久矣。暇日輒以所見妄為叙類，私之巾篋，蓋不惟有以備諸家之闕，庶幾全經之綱領而自此或可以尋究云[127]。」

122霖案：《五經翼》卷十四，〈春秋諸國統紀序〉，頁786(《四庫全書存目叢書》本，經冊151)；又《通志堂經解》本，冊24，頁13808。

123「先王經世之志」，各本同，應依《補正》作「經世先王之志」。　霖案：《經義考新校》頁3554校文，無「各本同，應」等字；「應依」改作「依」字；「作」字改作「應作」二字。今考《五經翼》或《春秋諸國統紀》均題作「先王經世之志」，而翁方綱據文意改作「經世先王之志」者，實據《莊子．齊物論》之文也，而《點校補正經義考》襲之，亦以「經世先王之志」為是。然而，今從原書之文，實作「經世先王之志」，雖或係齊履謙一時誤記，而致「經世」、「先王」二字互換，竹垞所引之文，既言「履謙〈自序〉」，則應從如實據齊氏之文，如有意見，應以案語說明，以存其真。

124「箴」，「備要本」同，應依《補正》、「四庫本」作「葴」。　霖案：《經義考新校》頁3554校文，無「『備要本』同，應」等字；又「四庫本」改作「《四庫薈要》本、文淵閣《四庫》本」；「作」改作「應作」二字。今考《五經翼》或《春秋諸國統紀》均題作「箴」字，蓋「葴」字，實為植物名。即「馬藍」，而「箴」字，則有「規戒」、「勸諫」之意，雖然「竹」、「艹」之偏旁，常於刻本或寫卷，有習慣假代之用，但「葴」、「箴」二字，音義皆異，實不能混用之。《點校補正經義考》從之，實有商榷之處。

125霖案：「往往」二字，《春秋諸國統紀》作「往往」，而《五經翼》作「徃徃」，二者僅是書寫字形之異，於意義並無不同。

126霖案：「既」字，《五經翼》作「旣」字。

127霖案：「云」字下，應依《春秋諸國統紀》補入「延祐四年丁巳夏六月乙未朔沙鹿齊履謙謹書」等字，竹垞未錄此句，或是因襲《五經翼》之漏植所致。

【增補】〔補正〕〈自序〉內「《春秋》，先王經世之志」，當作「經世先王之志」；「使申叔時傳太子箴，教之《春秋》」，「箴」當作「葴」。按：《國語》楚莊王使士亹傳太子，問於申叔時，叔時對以教之《春秋》云云，此云使叔時傳太子，似誤。（卷八，頁十三）

吳澂〈序〉曰[128]：「讀三百五篇之《詩》，曰：『有美有刺也。』讀二百四十二年之《春秋》，曰：『有褒有貶也。』蓋夫子既沒[129]，而序《詩》、傳《春秋》者固已云，然則非秦、漢以後之儒創為是說也。說經而迷於是也，千年矣，逮自朱子《詩》傳出，人始知《詩》之不為美刺作，若《春秋》之不為褒貶作，則朱子無論著，夫孰從而正之？有惑、有不惑者相半也，邵子曰：『聖人之經，渾然無跡，如天道焉。《春秋》書實事而善惡形於[130]其中矣。』至[131]哉言乎!朱子謂據事實[132]書而善惡自見，其旨一也。唐啖、趙，宋孫、劉而下，不泥於《傳》、有功於《經》者，奚啻數十家？然褒貶之蔽[133]猶未悉除，必待宋末李、呂而後[134]大不惑[135]。夫[136]其所謂褒貶者，以書時書月書日為詳略其事，以書爵書人書國為榮辱其君，以書字書氏書名書人為輕重其臣而已。噫!事之或時或月或日也，君之或爵或人或國也，臣之或字或氏或名或人也，法一定而不易，豈聖人有意於軒輊予奪之哉？魏郡齊履謙伯恆甫[137]之說《春秋》則異是，不承陋襲故，皆苦思深究而自得，內魯尊周之外，《經》書其君之卒者十八國，乃分彙諸國之統紀凡二十，己[138]所特見各《傳》[139]於[140]《經》，縷

128霖案：《遼金元文彙》（冊一），頁1230。又該書所錄之文，係根據中央圖書館珍藏明成化二十年臨川官刊本《臨川吳文正公集》而來。

129霖案：「沒」字，《遼金元文彙》作「歿」字。

130霖案：「於」字，《遼金元文彙》作「于」字。

131「至」，「四庫本」、「備要本」同，應依《補正》作「旨」。　霖案：《經義考新校》頁3555校文，無「『四庫本』、『備要本』同，」等字；又「應依」改作「依」字；「作」字改作「應作」二字。今考明成化二十年臨川《吳文正公集》正作「至」字，同於竹垞所錄之文，而翁方綱以「旨」字為是，或是據文意而校改也。

132「實」，「四庫本」、「備要本」同，應依《補正》作「直」。　霖案：《經義考新校》頁3555校文，無「『四庫本』、『備要本』同」等字；「應依」改作「依」字；「《補正》」二字下，另有「《四庫薈要》本、文津閣《四庫》本」等字；「作」字改「應作」二字。今考《吳文正公集》、《遼金元文彙》正作「直」字。

133「蔽」，「四庫本」作「獘」。　霖案：《經義考新校》頁3555校文，「四庫」二字之前，另有「文淵閣」三字；又「獘」字作「弊」字。

134霖案：「後」字下，應加上標點逗號，以示分隔。

135霖案：「大不惑」，《吳文正公集》、《遼金元文彙》作「不大惑夫」四字。

136霖案：「夫」字，或應屬於上句之末，參考上註語。

137霖案：「甫」字，《吳文正公集》、《遼金元文彙》作「父」字，蓋「父」字實為「甫」字之借字。

138霖案：「己」字，《吳文正公集》、《遼金元文彙》作「已」字。

數旁通，務合書法，餘事闕而不錄，其義視李則明決多，其辭視呂則簡淨勝。予之所可，靡或不同，間[141]有不同，亦其求之太過耳[142]，而非苟為言也；不具九方皋相馬之眼者，又焉[143]能識之？伯恆父[144]之篤志經學，知之雖久，晚年獲覩其二書之成，寧不快於心與[145]？二書謂何？《易》、《春秋》也。」

【增補】〔補正〕吳澂〈序〉內「至哉言乎」，《元文類》「至」作「旨」；「據事實書」，「實」當作「直」；「各傳于《經》」，此「傳」字疑是「傅」，檢《元文類》亦同，姑仍之。（卷八，頁十三）

柳貫〈跋〉曰[146]：「說《春秋》者，知聖人經世之法寓於一筆一削之間，而不知假魯史以著侯國之行事，其盛衰離合之端，其成敗是非之迹有不可掩。夫子魯人，而魯實周之宗國，幽、厲傷之，舍魯奚適？拳拳是心，夫豈得已？然而王必曰天王，正必曰王正，所謂[147]託始於茲，以深示撥亂反正之道。蓋常若文、武、成、康之臨乎前，而典禮命討有其宗，非止於詳內略外而已也。經之所書，有常有變，常者固不可變，而變者則所以為常。首王人，次封爵，此常也；主會、主兵、謀從、謀逆，則幾於變矣。先後之倫或殊，名號[148]之實不異，以宋、齊、晉、衛而偶秦、楚、吳、越，則柏翳、鬻熊之宗，太伯、仲雍之胤，夏后氏之胤[149]，概[150]之狄道，何少恩哉？道在中國，分義猶存，故能遏亂略於其始，及其既散，則大權下偪，外釁日侵，誓盟征伐，彼得專制，進而序列，抑以志變。聖人一心，皦如天日，造化權輿，見於特書、屢書，將使萬世之遠臨之而懼，謂其班王室於侯邦，薦衣冠於左衽不

139「傳」，各本同，應依《補正》作「傅」。　霖案：《經義考新校》頁3555校文，無「各本同」三字；「應依」改作「依」字；「作」改作「應作」二字。今考《吳文正公集》、《遼金元文彙》俱作「傳」字。

140霖案：「於」字，《吳文正公集》、《遼金元文彙》作「于」字。

141霖案：「間」字，《吳文正公集》、《遼金元文彙》作「閒」字。

142霖案：「耳」字，《吳文正公集》、《遼金元文彙》作「爾」字。

143霖案：「焉」字，應從《吳文正公集》、《遼金元文彙》作「烏」字。

144霖案：「父」字，《吳文正公集》、《遼金元文彙》作「甫」字。

145霖案：「與」字，《吳文正公集》、《遼金元文彙》作「歟」字。

146霖案：《柳待制文集》卷十六，〈齊太史春秋諸國統紀序（四部叢刊本），頁212；又《遼金元文彙》（冊二），頁1582。

147霖案：「謂」字，《柳待制文集》作「為」字。

148霖案：「名號」二字，《柳待制文集》題作「號名」，二字互倒也，竹垞或以「號名」意義不甚通達，乃改作「名號」也。

149霖案：「胤」字，《柳待制文集》作「苗」字。

150霖案：「概」字，《柳待制文集》作「槩」字。

知言者也。貫自受讀，竊疑列國之事豈皆史官承告所載？要之舉[151]實立文，各有其本，而貴賤榮辱夷考不誣。《春秋》在天地間，視周猶魯，視魯猶列國，以為為魯而作，則始隱終哀；而原於典禮命討者，果為天下乎？抑私一魯乎？艱難離索，不幸學未成而廢矣。比來京師，常願求之大方，以袪矢[152]惑見，而沙鹿齊先生之言則曰：『《春秋》以同會異，以一統萬，蓋始魯終吳，合二十國之史記而為之者也。間嘗敘類成書，曰：「諸國統紀降周於魯，尊為內屈也；先齊於晉，以霸易親也；繫荊及吳，懲僭以正也。」其道名分之意，所以經緯乎書法義例之中者，則亦先儒引而未發之奧云耳，予何言焉？貫既得而誦繹之，復次其單陋，質之先生以自厲，謂予嘗知《春秋》幾何，不為孔門游[153]、夏之罪人哉[154]？』

【增補】孫能傳等撰《內閣藏書目錄》卷二曰：「元延祐間，司成齊履謙著。分彙春秋時二十國之統紀，凡六卷。」（頁四七六）

【增補】黃虞稷、周在浚等人《徵刻唐宋祕本書目》云：「履謙，字伯恒，以窮理為務，非洙泗伊洛之書不讀，官太史院使，贈翰林學士，追封汝南郡公諡文懿。」（頁一四四二）

【增補】黃虞稷《千頃堂書目》卷二曰：「經自周、魯而外，書其君之卒者，十有八國，乃分彙諸國之統紀，凡二十，已所特見，各著於經書，成於延祐四年。」（頁四八）。

潘氏迪《春秋述解》

【著錄】黃虞稷《千頃堂書目》卷二，頁四九、《元史藝文志輯本》卷三，頁五三著錄。

佚

安氏熙《春秋左氏綱目》

【著錄】《元史藝文志輯本》卷三，頁五三著錄。

【增補】《滋溪文稿》卷二十二，〈默菴先生安君行狀〉曰：「先生諱熙，字敬仲，姓安氏，太原離石人。」（頁八五一）

佚。

151霖案：「舉」字，應依《柳待制文集》作「據」字。

152「矢」，「備要本」同，應依「四庫本」作「夫」。　霖案：《經義考新校》頁3556校文改作：「『矢』，依《四庫薈要》本、文淵閣《四庫》本、文津閣《四庫》本應作『夫』。」，校文文句變動較大。今考「矢」字，《柳待制文集》實作「去」字，而非「矢」或「夫」字，《點校補正經義考》未還原原書文句，而從「四庫本」作「夫」字，實與文本相離甚遠，今據原書改作「去」字。

153霖案：「游」字，《柳待制文集》作「遊」，衡諸前後文句，應以「游」字為宜。

154霖案：「哉」字下，應依《柳待制文集》補入「泰定二年八月廿一日東陽柳貫序」等字。

蘇天爵〈狀〉曰[155]：「先生[156]深於[157]《六經》，病[158]近世治《春秋》者第知讀《左氏》，不考正《經》，因節《左氏傳》文議論叙事始末，依倣《通鑑綱目》，作小字分注經文之下，以類相從，凡《左氏》浮夸乖戾之語悉去之，秦、漢以來大儒先生之言及諸家之說可取者，附注其後，庶觀《春秋》者可以[159]考[160]《傳》，讀《左氏》者亦知有《經》。其大旨一以朱子[161]為本，而達於程、張[162]，以求聖人之意，絕筆於莊公十二年。[163]」

劉氏彭壽《春秋正經句釋》

【作者】《元史藝文志輯本》卷三，頁五三著錄，且曰：「《錢志》注：彭壽字壽翁，官淳安縣尹。」。

佚。

《春秋澤存》

【著錄】《元史藝文志輯本》卷三，頁五三著錄。

佚。

歐陽原功〈志〉曰[164]：「彭壽，字壽翁[165]，辟衡山縣教諭[166]，樂[167]士習之美，遂留居

155霖案：蘇天爵：《滋溪文稿》卷二二，〈默庵先生安君行狀〉，（元代珍本文集彙刊），頁857-858。又此書另有適園叢書本，卷二二，頁240。

156霖案：「先生」二字，係竹垞根據文意所加，原書文句無此二字。

157霖案：「於」字，《滋溪文稿》作「于」字。

158霖案：「病」字之前，應依《滋溪文稿》補入「語孟嘗」三字。

159霖案：「可以」二字，應依《滋溪文稿》作「有以」二字。

160霖案：「考」字，《滋溪文稿》作「攷」字。

161霖案：「朱子」二字，應依《滋溪文稿》題作「程、朱」二字，蓋省略程顥、程頤之成就，而竹垞於「朱子為本」，擅加「而達於程、張」等五字，其中「程」者，即此處省略者，另根據下文，加入「張〔載〕」，但於原書文句已不相同也。

162霖案：「而達於程、張」五字，原書文句無之，乃是竹垞據前後文意，剪裁文句而成，今應據原書刪正。

163霖案：「年」字之下，原書另有若干文句，難於逐一校補，讀者可自行參看原書文句，惟其末省略「至治二年三月丙子門生蘇天爵狀」一句，事涉所撰〈行狀〉之年月，較為重要，今以小注補其闕。

164霖案：《圭齋集》（四部叢刊本）卷十，〈元故承務郎建德路淳安縣尹眉陽劉公墓誌銘〉，頁102。

165霖案：「翁」字下，竹垞刪去為數不少的解題，由於內容頗多，難於逐一校補，讀者可以詳看原書文句。

166霖案：「士」字下，竹垞刪去為數不少的解題，由於內容頗多，難於逐一校補，讀者可以詳看原書

焉[168]。以《春秋》登第[169]，賜同進士出身[170]，終淳安縣尹。」

按：壽翁為象環先生淵之子，其曰《春秋澤存》者，衍父書而作也。

【霖案】《圭齋集》（四部叢刊本）卷十，〈元故承務郎建德路淳安縣尹眉陽劉公墓誌銘〉，頁一〇二錄有象環先生所撰之書云：「象環先生有《讀易記》、《易學須知》、《春秋例義》、《春秋續傳記》、《左氏記事本末》、《周正釋經》、《古今要略》等書。」（頁一〇一），壽翁所作「《春秋澤存》」，既是衍其父書，乃是根據《春秋例義》、《春秋續傳記》、《左氏記事本末》諸書推廣而成，惜諸書俱佚，不知其內容異同，今暫補記於此。又劉淵《春秋例義》、《春秋續傳記》、《左氏記事本末》、《周正釋經》四書，《經義考》「春秋類」俱已著錄。

臧氏夢解《春秋發微》

一卷。

【著錄】黃虞稷《千頃堂書目》卷二，頁四八、《元史藝文志輯本》卷三，頁四九著錄。

佚。

吳氏迂《左傳義例》（元）

【著錄】黃虞稷《千頃堂書目》卷二，頁四九、《元史藝文志輯本》卷三，頁五三、李一遂〈左氏春秋著錄書目研究〉頁九八著錄。

【作者】李一遂〈左氏春秋著錄書目研究〉頁九八誤作「吳遇」。

【增補】黃虞稷《千頃堂書目》卷二，頁四九、《元史藝文志輯本》卷三均錄有吳迂《春秋紀聞》，竹垞未錄及此書，當據以補錄。

佚。

《左傳分記》（元）

【書名】《元史藝文志輯本》卷三，頁五三著錄，書名題作《左氏分紀》。又黃虞稷

文句。

167霖案：「樂」字下，應依原書補入「衡山」二字，竹垞或以前有「衡山」之文，而刪去此處二字，今據以補入。

168霖案：「焉」字下，應依原〈墓銘〉補入「再調武綱路儒學正，秩滿，待教授選，會科舉行，延祐甲寅初，科以《春秋》，貢湖廣。乙卯，登第」等句。

169霖案：「以《春秋》登第」五字，原作「科以《春秋》，貢湖廣。乙卯，登第」，而竹垞根據前後文句改寫而成，今前註已補入相關字句，故此五字應予刪去。

170霖案：「身」字下，竹垞刪去為數不少的解題，由於內容頗多，難於逐一校補，讀者可以詳看原書文句。

《千頃堂書目》卷二，頁四九著錄，書名題作《左傳分紀》。

【作者】李一遂〈左氏春秋著錄書目研究〉頁一一二錄作「吳【書名】李一遂〈左氏春秋著錄書目研究〉頁一一二錄作《左傳分紀》。

佚。

李氏應龍《春秋纂例》

【霖案】《元史藝文志輯本》卷三，頁五三著錄，且云：「《錢志》注：應龍字玉林，福建光澤縣人。《經義考》載柳貫記後。」，然考之竹垞全書，未有柳貫跋文。

佚。

《閩書》[171]：「李應龍，字玉林，光澤人[172]。至元中薦為白鹿洞書院山長及漳州路儒學[173]教授，俱不赴[174]。」

尹氏用和《春秋通旨》

【霖案】《元史藝文志輯本》卷三，頁五三著錄，且云：「《錢注》注：用和安福縣人。《經義考》載吳萊後題。」，然考之竹垞全書，未有吳萊跋文。

佚。

《江西通志》[175]：「尹用和，安福人，有《春秋通旨》傳於世。」

黃氏琢《春秋舉要》

【著錄】《元史藝文志輯本》卷三，頁五三著錄。

佚。

《江西通志》[176]：「黃琢，字玉潤，吉水人[177]，以《春秋》教授鄉里[178]。」

蔣氏宗簡《春秋三傳要義》

171霖案：《閩書》卷一〇三，(《四庫全書存目叢書》本，史部冊二○七)，頁346。

172霖案：「光澤人」三字，《閩書》無此三字，當是竹垞根據他處之文補之，今據原書刪正。又「玉林」二字下，應依原書補入「郁之後，慱〔博〕學有節操，為時師表。」等字。

173霖案：「儒學」二字，原書無此二字，當據以刪正。

174霖案：「赴」字下，應依原書補入「所著有《春秋纂例》、《孝經集註》、《四書講義》」等字。

175霖案：出自：《四庫全書存目叢書》史182-183。

176霖案：《四庫全書存目叢書》史182冊《江西通志》，頁183，下文錄校採用此本，不另說明。又四庫本《江西通志》卷76亦錄有其文，讀者可自行參看。

177霖案：「人」字下，應依《江西通志》補入「慱(博)學能文」等四字。

178霖案：「鄉里」二字下，應依《江西通志》補入「師之者眾，有《春秋舉要》行于世」等十二字。

【著錄】《元史藝文志輯本》卷三，頁五三著錄。

佚。

許氏謙《春秋溫故管闚》

【增補】黃虞稷《千頃堂書目》卷二，頁四八、《元史藝文志輯本》卷三，頁五四均錄有許謙《春秋三傳義疏》一書，竹垞未錄，今據以補入。

【書名】黃虞稷《千頃堂書目》卷二，頁四八著錄，書名題作《春秋溫故管窺》。

未見。

【存佚】《元史藝文志輯本》卷三，頁五三著錄，注曰「佚」。

陸元輔曰：「先生於《春秋》有《溫故管闚》，又著《三傳義例》，《義例》未成。」

黃氏景昌《春秋公穀舉傳》

【書名】黃虞稷《千頃堂書目》卷二，頁五〇、《元史藝文志輯本》卷三，頁六〇著錄，書名題作《春秋舉傳論》。又據《四部叢刊》本《淵穎吳先生文集》，《五經翼》本，書名當作《春秋公穀舉傳論》，吳萊序及２１９頁〈哀頌辭〉亦作有「論」字，原文亦同！可見「傳」字下，當補一「論」。

佚。

吳萊〈序〉曰[179]：「黃子讀《春秋》者四十年，老而不倦，嘗著《春秋舉傳論》一編，屏除專門，撥剔傳疏，使之一歸於是然後止。蓋昔者聖人之作《春秋》也，筆則筆，削則削，咸斷之於聖心，高弟如游、夏，且不能以一辭贊焉。《公羊》、《穀梁》乃謂得之子夏，文多瑣碎，語又齟齬，要之二氏皆未成書，特相授受於一時，講師之口說者，謂孔子當定、哀世，多微婉其辭，復祕不以教人，故諸弟子言人人殊異。然自孔子後，一廢於戰國、嬴秦之亂，漢初學者，區區收補，意其焚殘亡脫之餘，不藏之屋壁，必載之簡冊，非徒出口入耳而已，又況《春秋》之文數萬，獨以口相授受，庸詎知不有訛謬者乎？濟南伏生治《尚書》，上使掌故晁錯往受之，僅一女子述其老耄之語，世謂生齊人，齊語多艱澀，故今《書》文亦難屬讀；然古人之作《書》者非齊人也，奈何若是？是則《公羊》齊學、《穀梁》魯學，非二氏誤也，學二氏者誤也。且孔子又何嘗當定、哀世多微辭哉？苟曰微辭以辟禍，《春秋》不必作矣，況定、哀又孔子所見之世也。自所聞、所傳聞之世，一切褒之、貶之且及其父祖，當世而輒微之，吾恐非聖人意也。聖人豈避嫌者哉？不然。亂臣賊子僅誅其既死，簒弒攘奪無懼於當世，是又豈吾聖人之意哉？必也《春秋》之作，未始祕不以示人，西狩之二年，孔子卒矣，《論語》、《禮記》諸弟子之問答殆無一言以及之，得其義者蓋寡矣。然而《左氏》約《經》以作《傳》，下訖魯悼、知伯之誅，在春秋後，孔子卒已久。或曰：『左氏，魯人也。』或曰：『左氏，楚左史倚相後也。』若其說，晉王接則謂別是一書，意者當西漢末，

179霖案：《淵穎吳先生文集》(四部叢刊本)，卷十一，〈春秋舉傳論序〉，頁110-111；又《五經翼》卷十四，〈春秋舉傳論序〉，(四庫全書存目叢書本，經部冊一五一)，頁794-795，竹垞此處所錄之文，較為完整！

與《公》、《穀》二家爭立博士，故又雜立凡例，廣采他說以附於《經》，是豈《左氏》舊哉？今黃子[180]舉之，皆是也。昔者晉劉兆嘗以《春秋》一經而三家殊塗，乃取《周官》調人之義作《春秋調人》七萬餘言；夫調人之職掌，司萬民之讎而諧和之，為《春秋》者亦欲令三家勿讎，將天下之理不協於克一，而後世之議且容其潛藏隱伏於胸中也。何以調人為哉？故唐啖助、趙匡，近世劉敞，於傳有所去取，咸自作書；而今黃子又嗣為之，可謂聞風而興起者矣，非必曰此有所短，彼有所長。去其所短，則見其所長者，固可取也，不然，盡去三家之《傳》而獨抱聖人之《經》，且自以為必得聖人之心者，吾又不信也。此則黃子之意也。」又曰[181]：「黃隱君，諱景昌，字明遠，世為婺之浦江人。每言《春秋》一書，自《公》、《穀》口說相傳，至漢然後著之竹帛，是故《經》有脫編、有錯簡，學者上畏聖《經》，下避賢《傳》，訛舛誣漏，不敢較也。其《春秋公穀舉傳》論及三代用正、日夜食之辨，凜凜不可屈，後得巴川陽恪《春秋考正》一卷，言三代悉用夏時，不改月數，出入經史，無慮數百千言，隱君明其不然，乃作《周正如傳考》，章分條晰，文極多，此最其善持論者。」

張氏君立《春秋集議》

【作者】《元史藝文志輯本》卷三，頁五四著錄，且曰：「《錢志》注：君立豫章人。」

【書名】張萱《萬曆書目》錄作《春秋釋義》，竹垞未注明之！

佚。

許有壬〈序〉曰[182]：「《春秋》由《三傳》而下，世之存者可考也。范氏探《經》而為《集解》，啖、趙考三家短長[183]為《統例》，伊川以《傳》考《經》之事跡[184]，以《經》別《傳》之真偽，皆號精當，而世之讀者無幾，及《胡氏傳》出，學者翕然宗之。聖朝設科，遂與《三傳》並用，諸家之說幾無聞焉。向會試以《五經》發策，至有不知各家名氏者，況有考其短長而折衷為書者乎？且聖人之意，當時門人有所不知，世傳《左氏》時代不一，要非親受於聖人者，宜其辭勝而失誣也。《公羊》、《穀梁》傳聞逾遠，諸家之說各尊所聞，其能盡合聖人之意乎？朱子謂：『《春秋》大旨，誅亂臣、討賊子、內中國、外夷狄、貴王賤霸而已，未必如先儒所言字字有義也。』如此則傳注[185]之說[186]可泥於一偏乎？豫章張君

180霖案：《經義考新校》頁3561新出校文如下：「『黃子』，《四庫薈要》本作『黃氏』。」。

181霖案：四部叢刊《淵穎吳先生文集·田居子黃隱君哀頌辭》卷八，頁88-89。

182霖案：《遼金元文彙》（冊二），頁1623。

183霖案：「長」字下，應依原〈序〉補入「而」字。

184霖案：「跡」字，原〈序〉作「迹」字。

185霖案：「注」字，原〈序〉作「註」字。

186霖案：「說」字下，應加上標點的逗號，以示區隔為宜。又「說」字下，應依原〈序〉加入「其」字。

立擇諸家之論，或全或略，疏於《三傳》、胡氏之後，名曰《集議》[187]，擷眾長萃於一，歷歷精至，觀其〈自序〉，蓋欲學者因是以求諸家之全，戒其厭煩務簡[188]而取足於此，則君立所得[189]與夫所以教人[190]者[191]可見矣。欲觀君立之《集議》[192]，當先觀君立之〈自序〉，徧取諸家，優游涵泳，交暢旁通，一旦有得，自知去取，迴觀《集議》[193]，心目瞭然，與聞人之說[194]襲而取之者異矣。康節云：『《春秋》，盡性之書也[195]，傳註而已乎？』」

楊氏如山《春秋旨要》

十卷。

【著錄】黃虞稷《千頃堂書目》卷二，頁五〇、《元史藝文志輯本》卷三，頁五四著錄。

佚。

《鎮江府志》：「楊如山，字少游，蜀嘉定州人。宋末游江南，四請漕舉；宋亡，不仕。大德間，起為淮海書院山長，因家京口，著《春秋旨要》十卷。」

187霖案：「《集議》」，原〈序〉作「《集義》」。

188霖案：「簡」字下，宜加入標點的逗號，以示區隔。

189霖案：「得」字下，宜加入標點的逗號，以示區隔。

190霖案：「人」字下，宜加入標點的逗號，以示區隔。

191霖案：「者」字，應依原〈序〉作「有」字。

192霖案：「《集議》」，原〈序〉作「《集義》」。

193霖案：「《集議》」，原〈序〉作「《集義》」。

194霖案：「說」字下，宜加入標點的逗號，以示區隔。

195「四庫本」無「也」字。　霖案：《經義考新校》頁3562校文如下：「『也』字，文淵閣《四庫》本脫漏。」。

卷一百九十五　春秋二十八經義考卷一百九十五春秋二十八

程氏端學《春秋本義》(元)

【增補】嚴寶善編錄《販書經眼錄》卷一，頁九著錄程氏《春秋綱領》一書，竹垞未錄此書，當據以補入。

三十卷。

【著錄】黃虞稷《千頃堂書目》卷二，頁四八、《元史藝文志輯本》卷三，頁五〇、張壽平《公藏先秦經子注疏書目》頁一三九著錄。

【卷數】本書卷數異同如下：

一、六卷（殘）：張壽平《公藏先秦經子注疏書目》頁一三九著錄。

存。

【版本及藏地】本書版本及藏地如下：

一、通志堂經解本：元程端學《春秋本義》三十卷，《首》一卷，八冊，杜信孚等編纂《同名異書匯錄》頁一三九著錄，馬來西亞大學圖書館有藏本（二部）。

【增補】耿文光《萬卷精華樓藏書記》卷八曰：「《春秋本義》三十卷　元程端學撰

通志堂本。前有至正元年牒。（小注云：翰苑進書於朝，移文浙東憲司。牒本道師府於概管七路儒學出帑助刊。）刻書姓氏。（小注云：共六人。）至正五年張天祐序，元統元年程端學自序，泰定丁卯又序，春秋傳名氏。（小注云：自三傳而下，凡一百七十六家，其書佚者十之九。）綱領、問答、點抹例，每頁二十二行，二十字。經文頂格，注降一格。先訓詁，次事實，次議論，議論即本義，仿朱氏集注意。何義門曰：元刻最精，有句讀圈點抹。因中有缺頁，不敢擅增句讀圈點。鄙見有無皆照原本，而東海必欲一例，竟未刻句讀圈點，惜哉！

黃虞稷曰：端學慨春秋一經未有歸一之說，遍索前代說《春秋》凡百三十家，折衷同異，湛思二十餘年，作本義以發聖人之經旨。復作辨疑以訂三傳之疑，似作或問，以較諸儒之異同。綱領一卷，所以著作之意也。

文光案：三傳辨疑二十卷，或問十卷，當時因經筵官請命有司，取其書板行天下，三書原并刻，今所見者惟本義所采，實一百七十六家，《寧波府志》、《千頃堂書目》及成德序皆作一百三十家，不知何故，或未細檢。與宋人遺佚之書賴此以存，是可貴也。端學，端禮之弟。黃佐《南雍志》錄此書，蓋在國學時所著也。」（頁三〇六）

二、文淵閣四庫全書本：台北故宮博物院有藏本。

【增補】永瑢等撰《欽定四庫全書總目》曰：「春秋本義三十卷[1]　兩江總督採進本

元程端學撰。端學字時叔，號積齋，慶元人。至治元年舉進士第二，官國子助教，遷翰林國史院編修官。事迹附載《元史・儒學傳・韓性傳》中。是書乃其在國學時所作。所采自三傳而下，凡一百七十六家，卷首具列其目。《寧波府志》及《千頃堂書目》均稱所採一百三十家，未喻其故也。首為《通論》一篇、《問答》一篇、《綱領》一篇，其下依經附說，類次群言，間亦綴以案語。《左傳》事迹即參錯於眾說之中，體例頗為糅雜。其大旨仍主常事不書、有貶無褒之義，故所徵引，大抵孫復以後之說。往往繳繞支離，橫加推衍，事事求其所以貶。如經書『紀履緰來逆女伯姬歸于紀』，此自直書其事，舊無褒貶。端學必謂履緰非命卿，紀不當使來迎，魯亦不當聽其迎。夫履緰為命卿，固無明文，其非命卿，又有何據乎？『紀叔姬之歸酅』，舊皆美其不以盛衰易志，歸於夫族。端學必以為當歸魯而不當歸酅，斯已刻矣，乃復誣以失節於紀季，此又何所據乎？至於宋儒之駁《左傳》，不過摘其與經相戾，如經曰『楚子麇[2]卒』，而傳曰『遇弒』之類耳。端學乃事事皆云未知信否，則天下無可據之古書矣。以其尚頗能糾正胡《傳》，又所採一百七十六家，其書佚者十之九，此書猶略見其梗概，姑錄之以備參考焉。」（卷二十八，頁三五六）

【增補】邵懿辰撰、邵章續錄：《增訂四庫簡明目錄標注》卷三曰：「《春秋本義》三十卷，元程端學撰。

通志堂本。何云：「元刻有句讀圈點，甚精，東海盡刪去。」

〔續錄〕元至正浙東官刊本。」（頁一一四）

【增補】楊武泉《四庫全書總目辨誤》曰：「康熙《鄞縣志》卷一三人物程端學傳云：『至治三年鄉舉，泰定元年進士。』既非至治元年舉進士，亦无第二之說。《宋元學案》卷八九程端學小傳，亦稱『泰定進士』，錢大昕《廿二史考異》卷一〇〇《元史・儒學傳》程端學條云：『案，端學以泰定甲子（即元年——引者）登第，見歐陽原功（即歐陽玄——引者）所撰《墓志》，史誤。』據此可知，《總目》上文『至治元年』，應改為『泰定元年』，且刪『第二』。」（頁三〇）

三、元慶元路學刻本：元程端學撰《春秋本義》三十卷，《中國古籍善本書目》（經部）頁二七一著錄，題作「元刻本」，寧波天一閣文物保管所、浙江圖書館有藏本。《元史藝文志輯本》卷三云：「半葉十行，行二十二字，線黑口，左右雙邊，存十三至十八、二十五至三十卷。（頁五〇）。

又台北國家圖書館另有一本，殘存六卷，存卷十一、卷十二、卷十六、卷十七、卷二十五、卷二十六等。案：此本當為北平圖書館舊藏之物。

1霖案：原注云：按：文淵閣庫書另收《春秋傳人名氏》一卷、《春秋綱領》一卷、《春秋本義通論》一卷、《春秋本義問答》一卷，《總目》皆不著錄。

2霖案：原注云：「麇」，底本誤作「麋」，據浙、粵本及原文改。

又王重民：《中國善本書提要》頁二七錄有一本，亦殘存六卷，題作「元刻本」，北京圖書館藏本，卷數大抵同於台北圖家圖書館藏本。

【增補】王重民：《中國善本書提要》曰：「【春秋本義】殘存六卷　　三冊（《四庫總目》卷二十八）（北圖）

元刻本　〔十行二十二字（22.1╳13.2）〕

元程端學撰。按原書三十卷，此本凡存：卷十至十一、十六至十七、二十五至二十六。」（頁二七）

四、天一閣藏明甬東書屋抄本：天一閣文物保管所有藏本。《元史藝文志輯本》卷三云：「存二十五至三十六卷」（頁五〇），《中國古籍善本書目》（經部）頁二七一著錄。

五、擒藻堂薈要本：台北故宮博物院有藏本。

六、清同治十二年(1873)粵東書局重刊本：(元)程端學撰《春秋本義》三十卷，卷首一卷，台北：國家圖書館有藏本。

《春秋三傳辨疑》（元）

【書名】本書異名如下：

一、《三傳辨疑》：黃虞稷《千頃堂書目》卷二，頁四八、《元史藝文志輯本》卷三，頁五一著錄。

二十卷。

【著錄】黃虞稷《千頃堂書目》卷二，頁四八、《元史藝文志輯本》卷三，頁五一、張壽平《公藏先秦經子注疏書目》頁一三九、《嘉業堂藏書志》卷一，頁一五七著錄。

【卷數】本書卷數異同如下：

一、十卷（殘）：張壽平《公藏先秦經子注疏書目》頁一三九著錄。

存。

【版本及藏地】本書版本及藏地如下：

一、明抄本：元程端學撰《三傳辨疑》二十卷，北京圖書館有藏本。

二、清杜氏知聖教齋抄本：元程端學撰《春秋三傳辨疑》二十卷，有丁丙跋，此本乃是據山陰杜春生家藏之本傳錄，抄寫極為工整。南京圖書館藏本，丁丙曾據此本補抄十二冊，為文瀾閣庫書補抄之本。《善本書室藏書志》卷三、《中國古籍善本書目》（經部）頁二七一、邵懿辰撰、邵章續錄：《增訂四庫簡明目錄標注》卷三，頁一一四、崔富章《四庫提要補正》頁一七〇著錄。

三、沈復粲鳴野山房抄本：《春秋三傳辨疑》二十卷，《中國古籍善本書目》（經部）頁二七一、崔富章《四庫提要補正》頁一七〇著錄，廣東省社會科學院圖書資料室有藏本。

四、元刊本：存卷六至十四、卷十八，合計殘存十卷，台北國家圖書館有藏本，案：此本當為北平圖書館舊物。

又王重民：《中國善本書提要》頁二七錄有一本，題作「元刻本」，北京圖書館藏本，卷帙同於台北：國家圖書館藏本。

【增補】王重民：《中國善本書提要》曰：「【三傳辨疑】　殘存十卷　七冊（《四庫總目》卷二十八）（北圖）

元刻本〔十行二十二字（22╳13.3）〕

元程端學撰。此殘本存卷第六至十四，又第十八。」（頁二七）

五、文淵閣四庫全書本：台北故宮博物院有藏本。

【增補】永瑢等撰《欽定四庫全書總目》曰：「春秋三傳辨疑[3]二十卷　永樂大典本[4]

元程端學撰。是書以攻駁三傳為主。凡端學以為可疑者，皆摘錄經文、傳文而疏辨於下。大抵先存一必欲廢傳之心，而百計以求其瑕纇，求之不得，則以『不可信』一語概之。蓋不信三傳之說，創於啖助、趙匡（按韓愈《贈盧仝》詩有：『春秋三傳束高閣，獨抱遺經究終始』之句。仝與啖、趙同時，蓋亦宗二家之說者。以所作《春秋摘微》已佚，故今據現存之書，惟稱啖、趙。）其後析為三派：孫復《尊王發微》以下，棄傳而不駁傳者也；劉敞《春秋權衡》以下，駁三傳之義例者也；葉夢得《春秋讞》以下，駁三傳之典故者也。至於端學，乃兼三派而用之，且并以《左傳》為偽撰，變本加利，罔顧其安，至是而橫流極矣。平心而論，左氏身為國史，記錄最真，公羊、穀梁去聖人未遠，見聞較近，必斥其一無可信，世寧復有可信之書？此真妄構虛詞，深誣先哲。至於褒貶之義例，則左氏所見原疏，公、穀兩家書，由口授經師附益，不免私增，誠不及後來之精密。端學此書於研求書法，糾正是非，亦千慮不無一得，固未可惡其剛愎，遂概屏其說也。《通志堂經解》所刊，有《本義》，有《或問》，而不及此書。據納喇性德之序，蓋以殘闕而置之。此本為浙江吳玉墀家所藏。第一卷蠹蝕最甚，有每行惟存數字者，然第二卷以下，則尚皆完整。今以《永樂大典》所載，校補其文，遂復為全帙。吳本於《左氏》所載諸軼事，每條之下俱注『非本義，不錄』字，疑為端學定稿之時加以簽題，俾從刪削，而繕寫者仍誤存之也。以原本如是，今亦姑仍其舊焉。」（卷二十八，頁三五六至頁三五七）

【增補】邵懿辰撰、邵章續錄：《增訂四庫簡明目錄標注》卷三曰：「《春秋三傳辨

[3]霖案：原注云：按：是書原題《春秋辨疑》，文淵閣、文溯閣庫書徑題《三傳辨疑》，《總目》復冠「春秋」二字。

[4]霖案：原注云：按：《總目》著錄之本以及文淵閣庫書繕錄之本均屬浙江吳玉墀家藏本，惟第一卷蠹蝕，以《永樂大典》所載校補，而《總目》言永樂大典本，失檢。

疑》二十卷，元程端學撰。原本殘缺第一卷，今據《永樂大典》補完。

四庫箸錄，係吳玉墀家鈔本。

〔續錄〕知聖教齋鈔本。」（頁一一四）

【增補】崔富章《四庫提要補正》曰：「《總目》於標題下注『永樂大典本』，不確。庫書據浙江吳玉墀家藏本繕錄，惟第一卷蠹蝕，以《永樂大典》所載校補耳。《浙江採集遺書總錄》云：『《春秋本義》三十卷，《春秋辨疑》二十卷、《春秋或問》十卷，俱瓶花齋寫本。』則此瓶花齋寫本即庫書底本矣。今北京館藏明抄本《三傳辨疑》二十卷。南京館藏清杜氏佑聖教齋抄本《春秋三傳辨疑》二十卷。丁丙跋。《善本書室藏書志》卷三稱：『此本為山陽杜春生家傳錄，寫手極精整。春秋，字禾子，山陰人，喜抄書，家有知聖教齋，藏善本之所也。』廣東省哲學社會科學研究所藏清山陰沈復粲鳴野山房抄本《春秋三傳辨疑》二十卷。蓋庫書底本作《春秋辨疑》，文溯閣庫書徑題『三傳辨疑』，《總目》復冠『春秋』二字，杜、沈二本抄於四庫之後，故題從《總目》耳。文瀾閣庫書原本佚，今存丁氏補抄本十二冊，蓋從山陰杜氏傳錄本出。

北京圖書館藏《春秋摘微》一卷，唐盧丘撰，清孔廣栻輯，清抄本。盧氏蓋啖、趙攻駁三傳流派，《提要》云其書『已佚』，附此以備稽考。」（頁一七〇至頁一七一）

六、墨格舊鈔本：台北故宮博物院有藏本。

七、藝海樓鈔本：復旦大學圖書館有藏本。

【增補】《嘉業堂藏書志》卷一曰：「《春秋三傳辨疑》二十卷　藝海樓鈔本元程端學撰。端學字【時叔】，鄞縣人，國史院編修官。采前代說《春秋》凡一百三十家，因取其合於經者為《本義》，復作《辨疑》以訂三傳之疑似，作《或問》以校諸儒之異同。《四庫》所藏，乃浙江吳氏瓶花齋鈔本，惟首卷稍有蠹蝕，復檢《大典》校補，遂成完書。此亦藝海樓鈔本。（繆稿）」（頁一六〇）

八、四庫全書珍本二集經部春秋類：元程端學《三傳辨疑》二十卷，日本：愛媛大、京大人文研東方、國會（東京）等地圖書館均有藏本。

《春秋或問》（元）

【增補】黃虞稷《千頃堂書目》卷二，頁四八錄有程端學《綱領》一卷，竹垞未錄及此書，當據以補錄。

【書名】本書異名如下：

一、《程氏春秋或問》：張壽平《公藏先秦經子注疏書目》頁一三九。

十卷。

【著錄】《四庫簡明目錄標注》、張壽平《公藏先秦經子注疏書目》頁一三九、《元史藝文志輯本》卷三，頁五〇著錄。

【卷數】本書卷數異稱如下：

一、一卷（殘）：張壽平《公藏先秦經子注疏書目》頁一三九著錄。

存。

【版本及藏地】本書版本及藏地如下：

一、通志堂經解本：元程端學撰《春秋或問》十卷，三冊，杜信孚等編纂《同名異書匯錄》頁一四〇著錄，馬來西亞大學圖書館有藏本（二部）。

二、文淵閣四庫全書本：張壽平《公藏先秦經子注疏書目》頁一三九著錄。

【增補】永瑢等撰《欽定四庫全書總目》曰：「春秋或問十卷[5]　浙江范懋柱家天一閣藏本

元程端學撰。端學既輯《春秋本義》，復歷舉諸說得失，以明去取之意，因成此書。蓋與《本義》相輔而行者也。其中最紕繆者，莫過於堅執『周用夏正』一條，反覆引譬，至於一萬餘言，無一不郢書燕說。甚至於隱公元年不書即位，亦謂即位當在前年十一月，故正月不書，以為改正不改月之證，其陋殆不足與辨。然其他論說，乃轉勝所作之《本義》。蓋《本義》由誤從孫復之說，根柢先乖，故每事必穿鑿其文，務求聖人所以貶。即本條無可譏彈，亦必旁引一事，或旁引一人以當其罪，遂至於支離轇轕，多與經義相違。此書則歷舉諸家，各加抨擊，雖過疑三傳，未免乖方，至於宋代諸儒一切深刻瑣碎之談、附會牽合之論，轉能一舉而摧陷之。然則《本義》之失，失於芟除糾結之後又自生糾結耳。若此書所辨訂，則未嘗盡不中理也。棄短取長，固亦未可竟廢焉。」（卷二十八，頁三五六）

【增補】邵懿辰撰、邵章續錄：《增訂四庫簡明目錄標注》卷三曰：「《春秋或問》十卷，元程端學撰。

通志堂本。

〔續錄〕元至正官刊本。」（頁一一四）

三、元刊本：存卷三，台北國家圖書館有藏本，此本當為原北平圖書館舊物。

　　又北京圖書館有藏本，王重民：《中國善本書提要》頁二七著錄。

【增補】王重民：《中國善本書提要》曰：「【春秋或問】殘存一卷一冊（《四庫總目》卷二十八）（北圖）

元刻本〔九行二十二字（22.2╳13.4）〕

元程端學撰。按原本十卷，此存卷第三。」（頁二七）

四、藍格舊鈔本：台北故宮博物院有藏本。

5霖案：原注云：按：文淵閣庫書題作《程氏春秋或問》十卷。

五、抄本：駱兆平《新編天一閣書目》頁一八八著錄，為天一閣舊藏之物。

六、清同治十二年(1873)粵東書局重刊本：(元)程端學撰《春秋或問》十卷，台北：國家圖書館有藏本。

端學自序《本義》曰[6]：「孔子何為修《春秋》？明禮義，正名分，辨[7]王霸[8]，定夷[9]夏[10]，防微慎始，斷疑誅意，其書皆天下國家之事，其要使人克己復禮而已。三代盛時，禮義明，名分正，上明下順，內修外附，民志既安，奸[11]偽不作，孔子生於[12]此時，《春秋》無作也。周綱墮，諸侯縱，大夫專，陪臣竊命，四夷[13]內侵[14]，人道悖於下，天運錯於上，災異薦[15]臻，民生不遂，孔子既不得出而正之，則定《詩》、《書》，正《禮》、《樂》，贊[16]《周易》，而常道著矣；復修《春秋》，即事以立教，而其所書皆非常之事，人知其事之非常，則[17]常道有在。夫知非常，則知己之所當克；知常道有在，則知禮之所可復，故《春秋》不書常事，屬辭比事，使人自見其義而已。孟子曰：『其文則史。』孔子曰：『其義則丘竊取之。』此之謂也。若邵子謂：『錄實事而善惡形於其中。』朱子謂：『直書其事而善惡自見。』者，蓋有以識夫筆削之意。若董子謂：『正其誼[18]不謀其利，明其道不計其功。』者，又此《經》之大旨也。《三傳》者之作，固不可謂無補於《經》也，然而攻其細而捐其大，泥一字而遺一事之義，以日月、爵氏、名字為褒貶，以抑揚、予奪、誅賞為大用，執彼以例此，持此以方彼，少不合則輾轉生意，穿鑿附會，何、范、杜氏又從而附益之，聖人經世之志泯矣。後[19]此諸儒雖多訓釋，大抵[20]不出三家之緒，積習生常，同然一辭，使聖人明

6霖案：孫承澤：《五經翼》卷十四，(《四庫全書存目叢書》經一五一冊，頁798-799。又「通志堂經解」第二十五冊，程端學《春秋本義．序》，頁13856。

7霖案：「辨」，《春秋本義．序》同之。又《五經翼》題作「辯」字。

8霖案：「霸」，《春秋本義．序》、《五經翼》俱題作「伯」字。

9霖案：「夷」，《春秋本義．序》同之；又《五經翼》題作「彝」字。

10霖案：《經義考新校》頁3564新出校文，其文如下：「『夷夏』，文津閣《四庫》本作『上下』。」。

11霖案：「奸」，《春秋本義．序》、《五經翼》俱題作「姦」字。

12霖案：「於」，《春秋本義．序》、《五經翼》俱題作「乎」字。

13霖案：「夷」，《春秋本義．序》同之。又《五經翼》題作「彝」字。

14霖案：《經義考新校》頁3564新出校文，其文如下：「『四夷內侵』，文津閣《四庫》本作『四國交侵』。」。

15霖案：「薦」，《春秋本義．序》題作「荐」字。

16霖案：「贊」，《春秋本義．序》同之；又《五經翼》題作「賛」字。

17霖案：「則」字下，應依《五經翼》補入「知」字。

18霖案：「誼」字，《春秋本義．序》、《五經翼》俱題作「義」字。

19霖案：「後」，《五經翼》題作「彼」字。

白正大之經，反若晦昧譎怪之說，可歎也已。幸而啖叔佐、趙伯循、陸伯沖[21]、孫泰山[22]、劉原父、葉石林、陳岳氏者出，而有以辨《三傳》之非，至其所自為說，又不免褒貶凡例之敝[23]，復得呂居仁、鄭夾漈、呂樸鄉[24]、李秀巖[25]、戴岷隱、趙木訥、黃東發、趙浚南諸儒，傑然欲掃[26]陋習而未暇致詳也，端學之愚，病此久矣。竊嘗採[27]輯諸《傳》之合於《經》者，曰《本義》，而間附己意於其末；復作《辨疑》，以訂《三傳》之疑似；作《或問》，以較[28]諸儒之異同；廿年始就，猶未敢取正於人，蓋以此《經》之大，積敝[29]之久，非淺見末學所能究也。嘗謂：『讀《春秋》者但取經文，平易其心，研窮其歸，則二百四十二年之事、之義，小大相維，首尾相應，支離破碎、刻巧變詐之說，自不能惑聖人惻怛之誠，克己復禮之旨，粲然具見，而鑒戒昭矣。』則是編也，雖於經濟心法不敢窺測，然知本君子，或有取焉耳。[30]」

【增補】〔補正〕〈自序〉末應補云：「泰定丁卯四月」。（卷八，頁十二）

張天祐〈序〉曰[31]：「四明時叔程先生以《春秋》一經諸儒議論不一，未有能盡合聖人

20霖案：「抵」，《春秋本義．序》、《五經翼》俱題作「凡」字。

21霖案：「伯沖」，《五經翼》題作「伯冲」。

22霖案：「泰山」，《春秋本義．序》、《五經翼》俱題作「大山」。

23霖案：《經義考新校》頁3565新出校文，其文如下：「『敝』，依《四庫薈要》本應作『弊』。」今考「敝」，《春秋本義．序》同之；又《五經翼》題作「弊」字。

24「呂樸鄉」，「四庫本」同，「備要本」作「呂樸卿」。　霖案：《經義考新校》頁3565校文，無「『四庫本』同」等字。今考《春秋本義．序》、《五經翼》俱題作「呂朴鄉」。

25霖案：「李秀巖」，《春秋本義．序》同之；又《五經翼》題作「李秀巗」。

26霖案：「掃」，《春秋本義．序》題作「埽」字，古書刻印之時，常偏旁不定也，是以二字常通用也。

27霖案：「採」，《春秋本義．序》題作「采」字，古書刻印之時，常偏旁不定也，是以二字常通用也。

28霖案：「較」，《春秋本義．序》、《五經翼》俱題作「校」字。

29霖案：「敝」，《春秋本義．序》同之；又《五經翼》題作「弊」字。

30「耳」字下，《補正》補入「泰定丁卯四月」，「四庫」、「備要本」亦脫。　霖案：霖案：《經義考新校》頁3565校文，無「字」字；「《補正》」二字之前，另有「依」字；「補入」改作「應補」二字；無「『四庫』、『備要本』亦脫。」等字。今考《春秋本義．序》題作「爾」字。案：《五經翼》無「耳」字，且無「泰定丁卯四月」諸字，可見竹垞所錄文句，或係錄自《五經翼》之文。又程端學《春秋本義．序》於「泰定丁卯四月」諸字下，尚有「既望，四明程端學序」等八字，當據以補入。

31霖案：「通志堂經解」第二十五冊，程端學《春秋本義》〈張天祐序〉，頁13855。。

作經之初意，於是本程、朱之論，殫平生心力，輯諸說之合經旨者，為《本義》[32]以發之；訂《三傳》[33]之不合於《經》者，為《辨疑》以正之；又推本所以，去取諸家之說者，作《或問》以明之；書成，而先生卒。翰苑諸公欲進於朝，由[34]是移文浙東憲司，俾鋟梓以傳遠，遂牒本道帥府，於概[35]管七路儒學出帑以助之。至正三年夏五月，命工因循，未克就；五年冬十一月，僉憲索公士巖[36]巡歷至郡，久知是書能折衷諸說，辨析精詳，深得聖人之旨，不可緩也，委自監郡與天祐提督刊梓。愚不敏，仰承所託，朝夕視事，不一月而工畢，實是年之十二月甲子也。天祐備員[37]府幕，與先生之兄敬叔父交且久，今又獲見此書之成，故樂而道之也。然此特記[38]其歲月云爾，若夫此[39]書之發揮聖經，嘉惠後學，則亦不待贅述[40]。」

張萱曰[41]：「元至正間[42]，四明程端學[43]本程子[44]之學，折衷百家而為之說。」

《寧波府志》[45]：「程端學，字時叔，慶元人。至治元年進士，官國子助教，遷翰林國史院編修官。在國學時，慨《春秋》在《六籍》中未有一定之論，乃取前代百三十家，折衷異同，著《春秋本義》三十卷、《三傳辨疑》二十卷、《或問》十卷，用經筵官請命，有司取其書板行天下。」

32「《本義》」，「備要本」誤作「《本意》」。　霖案：書名有誤也。

33「《三傳》」，「備要本」誤作「《二傳》」。　霖案：書名有誤也。

34霖案：「由」，「通志堂經解」程端學《春秋本義》〈張天祐序〉題作「繇」字。

35霖案：「概」，「通志堂經解」程端學《春秋本義》〈張天祐序〉題作「槩」字。

36霖案：「巖」，「通志堂經解」程端學《春秋本義》〈張天祐序〉題作「岩」字。

37霖案：「員」，「通志堂經解」程端學《春秋本義》〈張天祐序〉題作「貟」字。

38霖案：「記」，「通志堂經解」程端學《春秋本義》〈張天祐序〉題作「紀」字。

39霖案：「此」，「通志堂經解」程端學《春秋本義》〈張天祐序〉題作「是」字。

40霖案：「述」字下，應依「通志堂經解」程端學《春秋本義》〈張天祐序〉補入「至正五年十二月望日金華張天祐書」等十五字。

41霖案：明孫能傳等撰：《內閣藏書目錄》卷二，頁478。

42霖案：「間」，《內閣藏書目錄》作「閒」。

43霖案：「程端學」下，應依《內閣藏書目錄》補入「著」。

44霖案：「程子」，應依《內閣藏書目錄》作「程氏」。

45霖案：《四庫全書存目叢書》史部，冊一七四《寧波府簡要志·人物志·鄉彥》-756c附程端禮下，二者文句出入頗大，難於校錄，顯見竹垞之文，非出於《寧波府簡要志》，然此書所錄之文，亦可供校勘之用，例如：翁方綱《經義考補正》指出：「《寧波府志》：「官國子助教，遷翰林國史院編修官。」案：《元史．儒林傳》作「遷太常博士」，與此異。」，然考之《寧波府簡要志》之文，適作「仕至翰林編修」，是則竹垞引文，實有所據，而翁氏所舉《元史．儒林傳》之文，或有所誤，或為別一職務。

【增補】〔補正〕《寧波府志》：「官國子助教，遷翰林國史院編修官。」案：《元史．儒林傳》作「遷太常博士」，與此異。（卷八，頁十二）

【霖案】考之《寧波府簡要志》之文，程端學曾任「翰林編修」，則翁方綱《經義考補正》所論之文，或有所誤，或為別一職位。

黃虞稷曰46：「端學慨《春秋》一經未有歸一之說，徧索前代說《春秋》47凡百三十家，折衷同異48，湛思二十餘年，作《本義》以發聖人之經旨，復作《辨疑》以訂《三傳》之疑似49，作《或問》以較諸儒之異同50；又《綱領》一卷51，所以著作之意也52。」

【增補】黃虞稷《千頃堂書目》卷二曰：「（王受益）字子謙，山陰人。洪武中，明經為本邑儒學訓導，取汪氏《纂疏》、李廉《會通》、程氏《本義》裒為一書（即《春秋集說》）。」（頁三十七）。

【增補】駱兆平《新編天一閣書目》曰：「《春秋或問》十卷　　元程端學撰。抄本。是書條列諸家之說，援經據傳，各有折衷。《四庫全書》收錄。」（頁一八八）。

黃氏清老《春秋經旨》

【著錄】黃虞稷《千頃堂書目》卷二，頁四九著錄

未見。

【存佚】《元史藝文志輯本》卷三，頁五四著錄，注曰：「佚」。

《閩書》53：「黃清老，字子肅，邵武人54。累官55應奉翰林文字同知制誥國史院編修官，出為湖廣行省儒學提舉，學者56號為57樵水先生58。」

46霖案：黃虞稷《千頃堂書目》卷二，頁48。

47霖案：「徧索前代說春秋」，《黃目》於「秋」下有一「集」字。

48霖案：「折衷同異」，《黃目》作「折衷異同」。

49霖案：「復作《辨疑》以訂三傳之疑似」，《黃目》「訂」作「討」字。

50霖案：「作或問以較諸儒之異同」，《黃目》「較」作「校」字，且在「同」字之下，有「在元泰定間」等五字。

51霖案：「又《綱領》一卷」，《黃目》無「又」字。

52霖案：「所以」二字，《黃目》題作「明」字。

53霖案：《閩書》卷一一六，〈英舊〉（《四庫全書存目叢書》史二○七冊），頁112。

54霖案：「邵武人」三字，《閩書》無之，竹垞添補籍貫也。又「字子肅」三字下，應依《閩書》補入「黃五經之後也。通經博文」等十字。

55霖案：「官」，《閩書》無此字。

56霖案：「學者」二字下，應依《閩書》補入「自遠從之，率多成就。」等八字。

57霖案：「為」字，《閩書》無此字，當刪。

蘇天爵作〈碑〉曰[59]：「閩有名士黃清老[60]，由進士起家，累遷奉訓大夫、湖廣等處儒學提舉[61]，著《春秋經旨》若干卷，《四書一貫》若干卷，學者[62]爭傳習之。」

【增補】黃虞稷《千頃堂書目》卷二曰：「（黃清老）字子肅，邵武人。泰定四年進士，湖廣儒學提舉。」（頁四九）。

俞氏師魯《春秋說》

【書名】《徽州府志》明載竹垞「有《易》、《春秋註說》未脫藁，藏于家」則書名非為「《春秋說》，而係「《春秋註說》」，竹垞此處脫漏「註」字！

未見。

【存佚】《元史藝文志輯本》卷三，頁五四著錄，注曰：「佚」；又云：「《錢志》注：師魯字唯道，安徽婺源縣人。至治中廣德路儒學教授。」

《徽州府志》[63]：「俞師魯，字唯道，婺源[64]人[65]。至治中薦授廣德路學教授，改松江府知事。」

戚氏崇僧《春秋纂例原旨》

【書名】《文獻集》卷九下，〈戚君墓誌銘〉曰：「（戚氏）晚歲所著，有《春秋纂例原指》三卷。」（冊一二〇九，頁五七五），竹垞或以「指」字未合文意，而逕改作「旨」字。

三卷。

未見。

【存佚】《元史藝文志輯本》卷三，頁五四著錄，注曰：「佚」，又云：「《錢志》注：『崇僧字仲咸，浙江金華縣人。』」

58霖案：「樵水先生」四字下，《閩書》尚有「著《春秋經旨》、《四書一貫》數十卷，詩存者數千篇，有盛唐之風。」等二十三字，顯見黃氏尚以詩歌聞名於世，此應補其撰著也。

59霖案：蘇天爵:《滋溪文稿》卷十三，〈元故奉訓大夫湖廣等處儒學提舉黃公墓碑銘（并序）〉（適園叢書本），頁171-173。竹垞引文，刪截頗甚，讀者可以自行參看原文。

60霖案：「黃清老」，《閩書》題作「黃公諱清老」，又「老」字下，應依《閩書》補入「字子肅」三字，蓋漏去撰者之字號。

61霖案：「舉」字下，竹垞刪去長篇文句，難於校補，讀者可以自行參看原書。

62霖案：「學者」，《閩書》題作「舉者」，竹垞逕改作「學者」也，「舉」、「學」形近而誤入。

63霖案：《徽州府志》卷七（《四庫全書存目叢書》史一八○冊，頁817「俞師魯」條下，二文頗有異文。

64霖案：「婺源」二字下，《徽州府志》尚有「鍾呂」二字，此缺籍貫確切之地。

65霖案：「人」字下，竹垞刪略頗甚，難於校補，讀者可以自行參看原書。

《春秋學講》

一卷。

未見。

【霖案】本書未見其他傳本，當已久佚。

黃溍作〈墓志〉曰[66]：「君[67]諱崇僧，字仲咸[68]，金華人[69]。從鄉先生許公講道於東陽之八華山[70]，博通經史，旁及諸子百家[71]。呂公汲[72]創義塾，聚族人子弟使就學，委[73]君主教事[74]，扁其室曰朝陽[75]，人稱之曰朝陽先生[76]。」

---

66 霖案：黃溍撰，明．張儉編《文獻集》卷九下，〈戚君墓誌銘〉（台北：臺灣商務印書館，「景印文淵閣四庫全書」冊一二〇五，民國七十五年三月，初版），頁574-575。

67 霖案：「君」字之前，應依《文獻集》補入「予為仲咸銘其父墓，後若干年，而仲咸亦卒，其子莞復奉眷友朱濂之〈狀〉以銘為請，予衰年多感，不忍銘人父子，而莞固請不已，敢不諾。」等字。又「君」字下，應依《文獻集》補入「姓戚氏」等三字。

68 霖案：「字仲咸」三字，《文獻集》題作「仲咸其字也」等五字，竹垞刪改其文，以合精簡原則。

69 霖案：「金華人」三字，《文獻集》原作「上世占籍婺之金華」等八字，竹垞逕改其文也，今據原書改正。又原「金華」二字之下，另有「為宋官族。高祖諱如琥，朝奉郎，知袁州軍州事；曾祖諱宋祥，從政郎廣德軍司戶參軍；祖諱紹，入國朝隱居不仕，私謚貞孝先生，父諱象祖，信州路道一書院山長；母朱氏，前鄉貢進士環之女；君兄弟二人，兄某以材見推擇，從事於憲府用例補官，君獨不以榮進為念，端居苦學問，弄翰於詩文，皆積麗綿密可喜，年二十有七，始盡棄其學，而」等句，事涉戚氏長輩行事，並及戚氏概略，而竹垞以其文冗贅而刪之，今補之如上，以見其家世背景。

70 霖案：「山」字下，應依《文獻集》補入「用意堅確，蚤夜弗懈。」等八字。

71 霖案：「家」字下，應依《文獻集》補入「尤潛心於儒先〔先儒〕性理之說，探幽發微，必極其根柢而後已，同門推為高弟。初，袁州府君與從兄如圭、如玉，並受業東萊呂氏之門，而許公之所承傳，本於考亭朱子，君以得於許公者，歸而稽諸家庭之所聞，無不脗合，自信愈篤，克己厲行，為人所難能，衣麄食淡，待親朋一以清約，不曲徇時尚，而改其度，每謂人知富貴之可欲，而不知貧賤之可樂也。先廬適毀於菑，君修殫勞勸，以復其舊，山長府君漫仕，而非其志，厭居闤闠間，偶訪壻呂公汲於永康太平山中，僑寓久之，因君徃省，遂卜居焉。君性恬靜默坐，一室環以書數百卷，非有故，不妄出」等字。

72 霖案：「汲」字，當是竹垞刪去前文，而造成文意解讀不順，乃逕加其名，原書於此處並無「汲」字。又「呂公」之下，應依《文獻集》補入「既遣諸孫來學於君，復」等九字。

73 霖案：「委」字，《文獻集》題作「諉」字，蓋「諉」字有「連累」、「推卸」之意，實不合此處文意，而應以竹垞題作「委」字，較合文意。

74 霖案：「事」字下，應依《文獻集》補入「君克謹師法，持規嚴，學者敬憚之。」等十三字。

【增補】《文獻集》卷九下，〈戚君墓誌銘〉曰：「戚之家學，宗呂氏，百年遺響，君克嗣私淑諸人，祖朱氏。」（冊一二〇九，頁五七五）

馮氏翼翁《春秋集解》

【著錄】黃虞稷《千頃堂書目》卷二，頁四九、《元史藝文志輯本》卷三，頁五四著錄。

佚。

《春秋大義》

【著錄】黃虞稷《千頃堂書目》卷二，頁四九、《元史藝文志輯本》卷三，頁五四著錄。

佚。

【增補】黃虞稷《千頃堂書目》卷二曰：「（馮翼翁）字子羽，永新人。泰定元年進士，撫州知府。」（頁四九）。

鄭氏杓《春秋解義》 或作《表義》。

【作者】《元史藝文志輯本》卷三，頁五四著錄，作者誤題為「鄭構」。

【著錄】黃虞稷《千頃堂書目》卷二，頁四九著錄。

【增補】〔補正〕案：《莆田志》載於〈藝文〉，作《春秋解義》、《表義》，或恐是二種。（卷八，頁十二）

【霖案】【書名】黃虞稷《千頃堂書目》卷二，頁四九同時錄有《春秋解義》、《春秋表義》二書，同於《莆田志》所錄，則《經義考》注文題作「或作《表義》」之說，或有待商榷。

佚。

《閩書》[77]：「杓，字子經[78]，福州人[79]。泰定中，辟南安儒學教諭。[80]」

---

75 霖案：「陽」字下，應依《文獻集》補入「以表鄉土之懷」等六字。

76 霖案：「生」字下，應依《文獻集》補入「云，君有《春秋學講》一卷，蓋其少作，晚歲所著有《春秋纂例原指》三卷，《四書儀對》二卷，《後復古編》一卷，《昭穆圖》一卷，《歷代指掌圖》二卷。……」等句，而「《歷代指掌圖》二卷」之下，文句頗多，難於逐一輯補其文，讀者可參看《文獻集》原文，特此說明。

77霖案：《閩書》七十八，〈英舊〉，(《四庫全書存目叢書》，史部冊二○六)，頁108。

78霖案：「子經」，黃虞稷《千頃堂書目》卷二誤作「子桱」，考《閩書》原文，正題作「子經」。又「子經」二字下，《閩書》尚有「宋鄭寅曾孫」等五字標明其身世，實不應刪除，今據原書補入。。

79霖案：「福州」，翁方綱考鄭杓為「興化縣」人，其說可供參考。

【增補】黃虞稷《千頃堂書目》卷二曰：「（鄭杓）字子桱，莆田人。」（頁四九）。

【增補】〔補正〕《閩書》：「杓，字子經，福州人。」案：杓，興化縣人，鄭僑之元孫，附載《莆田志・名臣傳》，《閩書》作「福州人」，恐誤也。（卷八，頁十二—十三）

袁氏桷《春秋說》

【著錄】《元史藝文志輯本》卷三，頁四九著錄。

佚。

鄧氏淳翁《春秋集傳》

【著錄】《元史藝文志輯本》卷三，頁五四著錄。

【作者】疑「淳翁」非其本名。蓋竹垞著錄典籍之時，常取自於序跋之文，此目即取自袁桷〈序〉也，〈袁序〉原題作〈鄧淳翁春秋集傳序〉，竹垞即以「鄧淳翁」為作者之名，然未能考其確切之名，審度此名，或以字號名之，但竹垞徑以此為撰者之名，雖未必失當，但與其他著錄條例不合，若執意為之，理應附加案語說明，較為允當。

佚。

袁桷〈序〉曰[81]：「因褒貶而傳《春秋》焉，聖人之餘意也；悉貶而遺其褒焉，非聖人之本旨也。粵自周室既遷，史列於諸侯，典策之藏，世莫得見，而[82]紀載之法號稱近古，故凡是非善惡之實、天災[83]時變之著，直書而不隱。逮於[84]戰國，執簡侍史者猶守而未墜，然而攻劫淩[85]據之侈，相尋而莫之顧，實由夫外史之職不行於[86]邦國，其史之存於國者，又將日幸淪棄而無所傳證，故益得以逞其驕而恣其所行，若是者二百餘年矣。聖人始出，然後因

80霖案：「教諭」二字下，應依《閩書》補入「與陳旅為文字友，嘗著《春秋解義》，覽古編次夾漈《餘聲樂府》，又有《衍極》五篇，《衍極記載》三篇，其書自蒼頡，迄蒙古，凡古文籀隸，以極書法之變，皆在所論，陶鎔歷代之偏駁，會歸一藝之純粹。福建宣撫使齊伯亨采而上之，即城東第宅作『衍極堂』以藏其書。」等九七字。

81霖案：叢刊本《清容居士集‧鄧淳翁春秋集傳序》卷二十一，頁329-330。又《遼金元文彙》冊二，頁1348。

82霖案：「而」字下，應依《清容居士集》補入「其」字。

83霖案：「災」，《清容居士集》題作「灾」。

84霖案：「於」，《清容居士集》題作「于」。

85霖案：「淩」，《清容居士集》題作「凌」。

86霖案：「於」，《清容居士集》題作「于」。

其史之本文而修明之，別為之書以信於[87]後，善乎孟子之言曰：『孔子成《春秋》，而亂臣賊子懼。』若是則《春秋》其果為褒貶哉？三家之傳事與義例，轇轕殽紊，刻者若法吏，博[88]者若辨[89]士，上下二千餘載，各執所嗜，介不相並，而玩獵搜[90]擇，髣其音聲，益遺其形，《傳》愈疏而《經》益湮矣。夫因義例以明聖人之意，懼義與例不得而盡廣其記聞，不燭於理則事益無以自附，《春秋》之道幽而明，無《傳》而著，論至於是，良有以也。自唐以來，合《三傳》者始各以其長自見，然而求於外者必謹於內，純明粹精非自外至焉者耳。先王之典禮舊章具於傳記，悉心以推之，闇而日章[91]，墜而復完，則禮者又《春秋》之標準也。邵武鄧淳翁慨不行於今，特立己任，纂而為編，復因胡氏七家而增廣之。余嘗謂：『審乎人情，酌乎事變，非《春秋》其誰準？感而通天下之故，則《易》之用其與是相並；始於《春秋》而終於《易》者，邵子之學也；淳翁學首於是，必有其本，敢因以訂諸。』」

吳氏暾《麟經賦》

【著錄《元史藝文志輯本》卷三，頁五四著錄。

一卷。

佚。

《嚴州府志》：「暾，字朝陽，淳安人。泰定中登第，仕峽州路經歷，方道睿師之。」

林氏泉生《春秋論斷》

【著錄】黃虞稷《千頃堂書目》卷二，頁四九、《元史藝文志輯本》卷三，頁五四著錄。

佚。

吳海〈志墓并狀〉曰[92]：「公諱泉生，字清源，居[93]永福章山[94]，治《春秋》獨得微旨[95]。

87霖案：「於」，《清容居士集》題作「于」。

88霖案：「博」，《清容居士集》題作「慱」。

89霖案：「辨」，《清容居士集》題作「辯」。

90霖案：「搜」，《清容居士集》題作「蒐」。

91霖案：「章」，《清容居士集》題作「彰」。

92 霖案：吳海，《聞過齋集》卷五，〈故翰林直學士奉議大夫知制誥同修國史林公行狀〉（台北：臺灣商務印書館，「景印文淵閣四庫全書」冊一二一七，民國七十五年三月，初版），頁212-215。

93 霖案：「居」字下，應依〈故翰林直學士奉議大夫知制誥同修國史林公行狀〉補入「莆田莆焉洋，徙」等六字。

94 霖案：「山」字下，應依〈故翰林直學士奉議大夫知制誥同修國史林公行狀〉補入「族既聚，因氏其地曰：『林嶼』。至元間，公先府君中順公為按察書佐，入居郡城，後為泉州山魁巡檢，時始孿生公與弟同生。公幼穎悟過人，書一經目，輒誦始為文，即奇崛駭眾。初治《易》，後乃更」等句。

天歷庚午，登進士第[96]，授承事郎，同知福清州事[97]，遷[98]永嘉縣尹[99]，調漳府推官[100]，陞奉政大夫，知福州事[101]，擢[102]翰林待制[103]，退居[104]，召入為翰林直學士[105]。卒，謚文敏公。文辭名海內，邃於《春秋》，為四方學者所宗，其[106]著述有[107]《春秋論斷》。」

【增補】黃虞稷《千頃堂書目》卷二曰：「（林泉生）字清源，福州永福人。邃於《春秋》，官翰林直學士，知制誥，同修國史。」（頁四九）

劉氏閒《春秋通旨》

【著錄】黃虞稷《千頃堂書目》卷二，頁四八、《元史藝文志輯本》卷三，頁五四著錄。

佚。

---

95 霖案：「旨」字下，應依〈故翰林直學士奉議大夫知制誥同修國史林公行狀〉補入「年二十五，與弟同生偕領鄉薦，方試，歸道，遇友病輟，所棄肩輿載之，友得抵家而斃。」等句。

96 霖案：「第」字下，應依〈故翰林直學士奉議大夫知制誥同修國史林公行狀〉補入「上第，賜袍笏。」等五字。

97 霖案：「事」字下，竹垞漏失若干文句，由於文句頗多，難於逐一校補，讀者可參看原書文句，特此說明。

98 霖案：「遷」字，〈故翰林直學士奉議大夫知制誥同修國史林公行狀〉無此字，當是竹垞根據文意所加。

99霖案：「尹」字下，竹垞漏失若干文句，由於文句頗多，難於逐一校補，讀者可參看原書文句，特此說明。

100霖案：「官」字下，竹垞漏失若干文句，由於文句頗多，難於逐一校補，讀者可參看原書文句，特此說明。

101霖案：「事」字下，竹垞漏失若干文句，由於文句頗多，難於逐一校補，讀者可參看原書文句，特此說明。

102霖案：「擢」字下，〈故翰林直學士奉議大夫知制誥同修國史林公行狀〉作「除」字。

103霖案：「制」字下，竹垞漏失若干文句，由於文句頗多，難於逐一校補，讀者可參看原書文句，特此說明。

104霖案：「居」字下，竹垞漏失若干文句，由於文句頗多，難於逐一校補，讀者可參看原書文句，特此說明。

105霖案：「士」字下，竹垞漏失若干文句，由於文句頗多，難於逐一校補，讀者可參看原書文句，特此說明。

106 霖案：「卒，謚文敏公。文辭名海內，邃於《春秋》，為四方學者所宗，其」諸句，〈故翰林直學士奉議大夫知制誥同修國史林公行狀〉未見上述諸句，或為竹垞據他書之文補入。

107 霖案：「述有」，〈故翰林直學士奉議大夫知制誥同修國史林公行狀〉未見此二字，當刪。

《江西通志》108：「劉聞，字文庭109，安福人。天歷110進士，官太常博士111，遷112翰林院編修113，進修114撰，出知沔陽府115。」

【增補】黃虞稷《千頃堂書目》卷二曰：「（劉聞）字文庭，安福人，天歷進士，知沔陽州。」（頁四八）。

方氏道𩫖《春秋集釋》

【作者】黃虞稷《千頃堂書目》卷二，頁四九、《元史藝文志輯本》卷三，頁五四，惟作者題為「方道壑」。

十卷。

【著錄】黃虞稷《千頃堂書目》卷二，頁四九著錄。

未見。

【存佚】《元史藝文志輯本》卷三，頁五四著錄，注曰：「佚」。

《浙江通志》116：「方道𩫖，字以愚，淳安人，逢辰曾孫。至順二年進士，授翰林編修，調嘉興推官，再調杭州117判官，洪武初，再召，不起。」

【增補】黃虞稷《千頃堂書目》卷二曰：「（方道壑）字以愚，號愚泉，方逢辰曾孫。淳安人。至順二年進士，江西行省員外郎，洪武初，被召，不起。」（頁四九）

李氏昶《春秋左氏遺意》

108霖案：《江西通志》卷二十九，〈吉安府〉，(《四庫全書存目叢書》史冊一八三），頁419。

109霖案：「文庭」，《江西通志》題作「聞庭」。

110霖案：「天歷」，《江西通志》題作「天曆」。

111霖案：「博士」，《江西通志》題作「愽士」，「博」、「愽」為字形相近而混用。又《江西通志》於「博士」二字之後，尚有「帝祀南郊，告祭大廟，至寧宗室曰：『朕寧宗兄也，當拜否？』聞對曰：『春秋魯閔公弟也，僖公，兄也。祖廟之祭，未聞僖公不拜。』帝乃拜。後起復。」等五十一字，當據以補入。

112霖案：「遷」，《江西通志》作「授」。

113霖案：「修」，《江西通志》題作「脩」。又「脩」字後，尚有「宋史成（宬）」三字，當據以補入。

114霖案：「修」，《江西通志》題作「脩」。

115霖案：「出知沔陽府」，《江西通志》題作「官沔陽知府」。又「府」字後，尚有「而卒，所著有《春秋通旨》、《容齋文集》等十三字，竹垞未錄此文，此缺錄學者其他撰著，當據以補入。

116霖案：四庫本《江西通志》卷76錄之。

117「杭州」，「四庫本」誤作「抗州」。　霖案：《經義考新校》頁3571校文，無「四庫本」之前，另有「文淵閣」三字。

二十卷。

【著錄】黃虞稷《千頃堂書目》卷二，頁四八、《元史藝文志輯本》卷三，頁四九著錄。

佚。

【增補】蘇天爵《元朝名臣事略》卷十二曰：「公名昶，字士都，東平須城人。金興定中，登進士第。國初，為東平嚴侯幕官。中統元年，召至京師。明年，以翰林侍讀學士行東平路總管同議官。至元五年，召拜吏禮部尚書。七年，除南京路總管，不赴。八年，起為山東東西道提刑按察使，遂致仕歸。二十六年，卒，年八十七。」（頁二四七）

又曰：「金亡，公奉親還東平，嚴武惠公一見，待遇加禮，授行臺都事，凡入覲出征，不令去左右。行臺罷，改行軍萬戶府知事。武惠薨，令中書右丞忠濟嗣政，升公經歷。東平大府，民繁事殷，公處贊畫之任，圖慮深遠，未始依違苟從。平章宋公時居幕長，議論率與公合。若府政得失，民生利病，屢為嗣公言之。居數歲，同列者趣向不同，移疾求去，會丁教授君憂，即杜門不出。服除，嗣公不欲以幕僚相屈，位公師席，躬率僚屬，講問經傳，多所開益，魯諸生執經受業者，前後非一。（〈墓碑〉）（頁二四七至頁二四八）

又曰：「己未，上將伐宋，次濮陽，召公問治國用兵之要，治國則以用人、立法、賞罰、君道、務本、清源為對，用兵則以伐罪、救民、不嗜殺為對，上嘉納之。（〈墓碑〉）」（頁二四八）

《元史類編》：「李昶，字士都，東平人，累官吏部尚書。」

黃虞稷曰[118]：「昶父世弼，從外家受孫明復《春秋》，得其宗旨，昶承家學，進諸家之說而折衷之[119]。」

蘇氏壽元《春秋經世》

【著錄】《元史藝文志輯本》卷三，頁五四著錄。

佚。

《春秋大旨》

【著錄】《元史藝文志輯本》卷三，頁五五著錄。

佚。

蔣易曰：「北谿先生，字伯鸞，又字仁仲，福安人。弱冠游太學，連魁三館，時太學生

118霖案：黃虞稷《千頃堂書目》卷二，頁48。

119霖案：「進諸家之說而折衷之」，《千頃堂書目》題作「集諸家之說而折衷之。」，審度其文義，當以《千頃堂書目》為佳。

至京師者皆授郡博士，先生歸隱於建陽之唐石，以《春秋》、《四書》教授學者，著《春秋經世》、《春秋大旨》凡數十萬言。」

吾邱氏衍《春秋說》

【作者】黃虞稷《千頃堂書目》卷二，頁五〇、《元史藝文志輯本》卷三，頁五五著錄，作者均題為「吾衍」。

佚。

王氏惟賢《春秋旨要》

【作者】王惟賢，字思齊，鄞縣人。王應麟弟子。與弟惟義皆以儒名。著《春秋指要》、本朱熹直書善惡自見之說，不用夏時冠周月，孔子初非改周制，所書春王正月，正月夏時云。

【書名】《寧波府簡要志·人物志·鄉彥》「王惟賢」條下題作《春秋要旨》。

十二卷。

【著錄】黃虞稷《千頃堂書目》卷二，頁四九、《元史藝文志輯本》卷三，頁五五著錄。

佚。

《寧波府志》[120]：「王惟賢，字思齊，鄞縣[121]人[122]，與[123]弟惟義皆[124]以儒名。」

【霖案】黃虞稷《千頃堂書目》卷二曰：「（王惟賢）字思齊，鄞縣人。與弟義皆以儒名。」（頁四九），內容近於《寧波府志》。

萬氏思恭《春秋百問》

【著錄】《元史藝文志輯本》卷三，頁五五著錄。

六卷。

佚。

楊維禎[125]〈序〉[126]曰：「《六經》皆有疑，而莫疑於《春秋》，疑而不決而欲得筆削

120霖案：《四庫全書存目叢書》史一七四冊，頁756《寧波府簡要志·人物志·鄉彥》。

121霖案：「鄞縣」,《寧波府簡要志·人物志·鄉彥》題作「鄞」，此處竹垞增入行政區域之名。

122霖案：「人」字下，應依《寧波府簡要志·人物志·鄉彥》補入「性坦夷，不拘細行，家甚貧，著《春秋要旨》十二卷，一本宋子直書，善惡自見之說。」等三十字。

123霖案：「與」,《寧波府簡要志·人物志·鄉彥》無此字。

124霖案：「皆」,《寧波府簡要志·人物志·鄉彥》題作「亦」字。

125「楊維禎」,「備要本」同，應依「四庫本」作「楊維楨」。　霖案：《經義考新校》頁3573校文，無「『備要本』同」等字；「應依」改作「依」字；「四庫」二字之前，另有「《四庫薈要》本、文

之微者，蓋寡矣，此《春秋》之經有《百問》也。予家藏是書凡六卷，嘗授之無錫孟生季成，季成又傳之於華亭曹君繼善之子元樸[127]；以其傳之不廣也，特鋟[128]諸梓而徵予為序。是書也，失其首辭久矣[129]，不知為何人所著，或以為方孝先[130]，孝先[131]又不知為何時人，觀其設為問答者，往往與予補正之意合，實有以釋是經筆削之疑。予令孟生勿祕所授，而未及板行於[132]世，今曹君父子能推所祕於人，不遂吾之初心，而賢於漢儒之私《論衡》於一己者乎？雖然，道學是講者謂說書不古[133]，慮學者不求諸心而惟口耳之是資。夫《百問》之書，探聖意之微而欲決[134]諸儒未決之論，非見之卓、思之精者能之乎？謂資口耳之辨，不可也。學者於《春秋》苟讀而未有疑，疑而未求釋於[135]心，而遽觀是書，又安知《百問》之不為學者病，而著是書者之所慮乎？然則是書之[136]廣傳也，為益[137]為病，則固[138]存乎其人焉。」

按：《春秋百問》作於萬思恭，汪氏《纂疏》嘗采其說。

【霖案】汪克寬《春秋胡傳附錄纂疏》〈引用姓氏〉錄曰：「鄱陽萬氏孝恭　《春秋百問》」（《欽定四庫全書》本，冊一六五，頁十二。）又《春秋胡傳附錄纂疏》卷一，「首誅其意，以正人心，示天下為公，不可以私亂也，垂訓之大義大矣。」條下，汪克寬徵引「鄱陽萬氏曰：『殺則不言克，克則未嘗殺。』」[139]；又《春秋胡傳附錄纂疏》卷四，「豈無豐年，而不見於《經》，是仲尼於他公皆削之矣。」條下，

淵閣」等字；「作」改作「應作」二字。今考《東維子集》作「楊維楨」，此題稱有誤也。

126霖案：四庫本：《東維子集》卷六，（台北：臺灣商務印書館，「景印文淵閣四庫全書」冊一二二一，民國七十五年三月，初版），頁433。又四部叢刊縮編本《東維子文集》卷六，（上海涵芬樓借印江南圖書館藏鳴野山房鈔本），頁45，本文係根據此本錄校，不另說明。

127霖案：「元樸」，《東維子文集》題作「元朴」。

128霖案：「鋟」，《東維子文集》題作「鐫」。

129霖案：「矣」，《東維子文集》無此字，當據以刪。

130霖案：「方孝先」，當依《東維子文集》題作「萬孝」，人名有誤也。

131霖案：「孝先」二字，《東維子文集》題作「先生」。

132霖案：「於」，《東維子文集》題作「于」。

133霖案：「古」，《東維子文集》題作「故」。

134霖案：「決」，《東維子文集》題作「決之」。

135霖案：「於」，《東維子文集》題作「于」。

136霖案：「又安知《百問》之不為學者病，而著是書者之所慮乎？然則是書之」諸字，《東維子文集》無之，當據以刪去。

137霖案：「為益」二字，《東維子文集》無之，當據以刪去。

138霖案：「固」，《東維子文集》題作「國」字。

139霖案：汪克寬：《春秋胡傳附錄纂疏》卷一，（文淵閣四庫全書本），冊一六五，頁35。

汪克寬徵引「鄱陽萬氏曰：『諸公之不書有年，不勝其書也。』」140，上述二文，皆為萬氏《春秋百問》之佚文也，今補錄於上，以供參考。

曾氏震《春秋五傳》

【著錄】《元史藝文志輯本》卷三，頁五五著錄。

佚。

李祁〈序〉曰141：「《春秋》經世之書，其記約，其志詳，其旨意深以遠142。《左氏》、《公》、《穀》各以其所傳聞意見為傳，不無異同，自是以來，諸儒亦以其說名家，至《胡氏傳》出，而諸說始略有折衷矣。國朝設科，以胡氏與《三傳》並用，立法之意至為精詳，然學者困於繙閱，每歎未有能合為一書者，廬陵樵南曾君震乃集而加次第焉，始《左氏》，次《公》，次《穀》，次胡氏，而取止齋陳氏之說附於143後，蓋陳氏之於《春秋》多所發明，貫穿乎王霸之盛衰，反覆乎夷夏144之消長，又推明《左氏》不書之旨，以見145《春秋》之所書，此其必不可遺者，於是使讀者一展卷而諸傳皆得焉，其有便於學者甚大。凡胡氏有所引用，皆分注146其下，而又別為《類編》以附於147卷，其有助於學者甚溥148。或者謂此書無所取舍，不能成一家書，予149謂使曾君以一己之見取諸說而取舍之，其是非可否未必使人人合意，是亦曾氏之書而已，非天下之書也。今備列《五傳》，使學者自擇焉，豈非斯文之大全與150？書成而鋟梓，乃復得安成劉鼎安力相其成，其有功於斯文又甚溥。予151喜是書之有成，而又嘉劉氏之能相之也，故為記152之。若夫擇諸說之長，以求合乎聖人之旨意，則又存諸其人焉。」

140霖案：汪克寬：《春秋胡傳附錄纂疏》卷四，(文淵閣四庫全書本)，冊一六五，頁113。

141 霖案：李祁，《雲陽集》卷三，〈春秋五傳序〉(台北：臺灣商務印書館，「景印文淵閣四庫全書」冊一二一九，民國七十五年三月，初版)，頁650-651。

142 霖案：「遠」字，應依《雲陽集》改作「達」字。

143 霖案：「於」字，《雲陽集》作「于」字。

144 霖案：「夷夏」二字，應依《雲陽集》改作「晉楚」二字。

145「見」，「四庫本」作「觀」。　霖案：《經義考新校》頁3574校文，「四庫」二字之前，另有「文淵閣」三字。今考《雲陽集》正作「見」字。

146 霖案：「注」字，《雲陽集》作「註」字。

147 霖案：「於」字，《雲陽集》作「于」字。

148霖案：「溥」字，應依《雲陽集》改作「博」字，此乃偏旁相近而誤入之例。

149霖案：「予」字，《雲陽集》題作「余」字。

150霖案：「與」字，《雲陽集》題作「歟」字。

151霖案：「予」字，《雲陽集》題作「余」字。

152霖案：「記」字，應依《雲陽集》題作「述」字，二字意義相近而誤入，今據原書改正。

張氏樞《春秋三傳歸一義》

三十卷。

【著錄】黃虞稷《千頃堂書目》卷二，頁四八著錄。

【增補】《元史藝文志輯本》卷三，頁四九著錄，又該目尚錄有張樞《春秋三傳朱墨本》一書，竹垞未錄，當據以補錄。

佚。

黃溍作〈墓表〉曰[153]：「徵士金華張樞子長言[154]學《春秋》者必始於《三傳》，而其義例互有不同，乃辨析其是非，會通其歸趣，參以儒先之說，裁以至當之論，為《三傳歸一義》[155]。」

《金華府志》[156]：「張樞[157]，東陽人[158]。至正初，丞相脫脫[159]監修宋、遼、金三史，奏辟為長史，辭；再以翰林修撰同知制誥兼國史院編修官召之，復辭，使者迫之，行至武林驛，仍以病辭，歸，卒。」

【增補】黃虞稷《千頃堂書目》卷二曰：「（張）樞言學《春秋》者，必始於三傳，而其義例互有不同，乃辨析其是非，會通其歸趣，參以先儒之說，裁以至當之理，編為是書。」（頁四八）。

汪氏汝懋《春秋大義》

153霖案：四部叢刊本《金華黃先生文集》卷三十，〈張子長墓表〉，頁308錄之。

154霖案：「徵士金華張樞子長言」等九字，《金華黃先生文集》題作「謂」，係論及張樞之言，竹垞恐讀者不識此文為張樞之言，乃根據文義補入「徵士金華張樞子長」等字，此乃補入相關人名也。

155霖案：「《三傳歸一義》」字下，應依《金華黃先生文集》補入「三十卷」，此為缺錄卷數也。蓋竹垞或因著錄列有「三十卷」之數也，是以略之不言，今據原文補入。

156霖案：《金華府志》(《四庫全書存目叢書》史部．冊一七六)，頁738。

157霖案：「張樞」二字下，應依《金華府志》補入「字子長，其先」等五字。

158霖案：張樞非東陽人，乃金華人，此乃籍貫有誤也。《金華府志》原文於「東陽」二字上，尚有「其先」二字，而竹垞刪去「其先」二字，係以其先祖之籍貫為張樞籍貫，誤也。蓋《金華府志》於「東陽人」三字下，尚有「父□光，娶金華潘氏，徙至金華而生樞。」，是則樞當為金華人。又「樞」下，尚有「幼聰慧爽朗，外家蓄書數萬卷，□（樞）悉取讀之，過目輙不忘，肆□成章，頃刻數千言，易視當世直□，方駕於古人，或以史冊往事問之，歷歷如指諸掌。一日，會許謙漫叩以高帝何以取天下，樞矢口而對，出入紀傳語，蟬聯不能休。謙大奇之，既而以書上謁，請就弟子列，謙不可，始終待以賓友，其為文務推明經史，以扶翼教道，尤長於叙事，嘗為《春秋三傳歸一義》三十卷」等字，今據以補入。

159霖案：《經義考新校》頁3575新增校文如下：「『脫脫』，《四庫薈要》本、文淵閣《四庫》本俱作『托克托』。」。

一百卷。

【著錄】《元史藝文志輯本》卷三，頁五五著錄。

佚。

戴良作〈志〉曰[160]：「汝懋，字以敬，其先歙人[161]，遷睦之青溪，今淳安縣也。[162]以薦授丹陽縣學教諭，陞鄉郡教授，調將仕佐郎浙東帥府都事，未幾，授登仕郎慶元路定海縣尹。」

梅氏致《春秋編類》（元）

【作者】《元史藝文志輯本》卷三，頁五五著錄，又曰：「《錢志》注：『梅致一作致和，安徽宣城人。』」

二十卷。

【著錄】黃虞稷《千頃堂書目》卷二，頁四九著錄。

未見。

【存佚】《元史藝文志輯本》卷三，頁五五著錄，注曰「佚」。

【增補】黃虞稷《千頃堂書目》卷二曰：「宣城人，宋濂有序。」（頁四九）。

鍾氏伯紀《春秋案斷補遺》（元）

【霖案】《元史藝文志輯本》卷三，頁五五著錄，是書久佚，但書名既題稱《春秋案斷補遺》，當係增補魯真《春秋案斷》而成，《經義考》卷一九七錄有魯書，反置於鍾書之後，應調整其排列次第。

今考王逢《梧溪集》卷五云：「鍾伯紀，名律，汴人。」（頁一九五），實則「伯紀」，其名「律」，而「伯紀」應為其字，此乃尊稱其字，此與竹垞著錄慣例不合，蓋竹垞著錄之時，皆以作者姓名為對象，而不以字號為著錄方式。

佚。

戴良〈序〉曰[163]：「《春秋案斷補遺》者，大梁鍾伯紀先生之所著也。其意以為：『學《春秋》者多惑於《傳》家褒貶之說，而《經》旨有不明；其能脫去宿弊，一以經文為正者，又往往[164]於筆削精義而或昧焉，今故採[165]擇諸家格言之合於經者，附於各條之下，間有未

160霖案：四部叢刊本《九靈山房集》卷二十三，〈故翰林待制致仕汪君墓誌銘〉，頁167-168。

161霖案：「人」字下，應依《九靈山房集》補入「唐忠武將軍越國公之子廣」等十一字。

162霖案：「也」字下，刪截頗甚，難於校改，讀者可自行參看。

163霖案：《九靈山房集》卷十二，〈春秋案斷補遺序〉，（四部叢刊本）頁80，又《遼金元文彙》（二）1849。

164霖案：「往往」，《九靈山房集》題作「徃徃」。

足，則以己意補之，而題以今名，蓋取程叔子《傳》為案、《經》為斷語也。』予[166]讀之而歎曰：『昔之傳《春秋》者有五家，而《鄒》、《夾》先亡，學《春秋》者舍《左氏》、《公羊》、《穀梁》三家則無所考徵矣；然《左氏》熟於事，而或不得其事之實，《公》、《穀》近於理，而害乎理之正者要不能無。至唐啖、趙師友者出，始知以聖人手筆之書折衷諸家[167]之是非，而《傳》已亡逸。繼是而後為之傳者雖百十餘家，其言雖互有得失，能不傅會三家之說者鮮矣。胡康侯得程子之學，慨然有志於發揮[168]，而其生也當宋人南渡之時，痛千餘年聖經遭王臨川之禁錮，乘其新敗，雪洗而彰明之，使世之為亂[169]賊者增懼，若夫聖人作經之本意，則未知其如何也。然自當時指為復讎之書而不敢廢，太學以之課講，經筵以之進讀。至於我朝，設進士科以取人，治《春秋》者，三家之外，亦獨以胡氏為主，本則以三綱九法粲然具見於是書，而場屋之腐生、山林之曲士因而掎摭微文，破碎大道，有可憫[170]念者矣。』然則學《春秋》者亦將何所折衷乎？竊嘗考求之而得其說矣。『吾志在《春秋》』，夫子之自道也；『《春秋》，天子之事』、『孔子作《春秋》，而亂[171]臣賊子懼』，孟子之所以論《春秋》也。蓋方是時，王綱日紊，篡奪相尋，孔子不得其位以行其權，於是約史記而修[172]《春秋》，使亂[173]臣賊子無所逃其罪，而王法以明，所謂撥亂[174]世而反之正，此其為夫子之志而天子之事也。是以邵子有曰：『《春秋》，夫子之刑書。』而天門王氏亦曰：『《春秋》一經，無罪者不書，惟罪有大小，故刑有輕重耳。』斯言也，蓋有得夫孔、孟之遺意也；是則學者之折衷，固無出於夫子之自道與夫孟子之所以論《春秋》者矣，後之立言，豈有加於此哉？先生之於是書，下既不惑於褒貶之說，上復不失乎筆削之義，外有以采擇諸家之博[175]聞，內有以發乎自得之深意，奇而不鑿，正而不迂，詳而無餘，約而無闕，庶幾善學者焉。然其推《傳》以達乎《經》，因賢者之言以盡聖人之志，則得之夫子之自道、孟子之所論者為多，是可以見其折衷之所在矣。余自幼歲即知讀是《經》，而山林孤陋之風、科舉利祿之念，或不能無，故其所學不過曲士腐生之為耳，烏[176]覩所謂經之義、聖人之蘊哉？及識先生於浦陽，始聞其說而悅之，至其成書，則未之見焉；近來淞上，亟求是書於所

165霖案：「採」，《九靈山房集》題作「采」，偏旁無定，常通用也。

166霖案：「予」，《九靈山房集》題作「余」。

167霖案：「諸家」，應依《九靈山房集》改作「三家」，數字繁簡省稱不一，應依原書數字為主。

168霖案：「揮」，《九靈山房集》題作「輝」。

169霖案：「亂」，《九靈山房集》題作「乱」。

170霖案：「憫」，《九靈山房集》題作「閔」，偏旁無定，常通用也。

171霖案：「亂」，《九靈山房集》題作「乱」。

172霖案：「修」，《九靈山房集》題作「脩」。

173霖案：「亂」，《九靈山房集》題作「乱」。

174霖案：「亂」，《九靈山房集》題作「乱」。

175霖案：「博」，《九靈山房集》題作「愽」。

176霖案：「烏」，《九靈山房集》題作「惡」。

館，先生手錄以示，且曰：『使可傳也，幸為我序之。』嗟乎[177]!學《春秋》者多矣，求其得乎孔、孟之遺意，以折衷諸[178]說於千有餘載之下者，幾何人哉？故讀先生之書，譬諸飫芻豢之旨[179]，病夏畦之苦，而得一勺之清泉甘露，豈不悅哉？則夫是書之傳，固不有待於區區之言矣。若夫述作之大旨[180]與其編次之歲月，則不可以不書，姑書此以為〈序〉，庶有以復先生之命乎!」

潘氏著《聖筆全經》

【著錄】《元史藝文志輯本》卷三，頁五五著錄。

佚。

貢師泰〈志墓〉曰[181]：「君諱著，字澤民，嘉興人[182]。受《易》[183]於竹岡葉氏[184]，再從吳朝陽氏受[185]《春秋》，中鄉試備榜，補吳郡甫里書院直學[186]，尋為[187]廣德學錄[188]，改

177霖案：「乎」,《九靈山房集》題作「夫」。

178霖案：「諸」,《九靈山房集》題作「群」。

179霖案：「旨」,《九靈山房集》題作「旹」。

180霖案：「旨」,《九靈山房集》題作「志」。

181霖案：《玩齋集》卷十，〈湖州路儒學正潘君墓誌銘〉,（文淵閣四庫全書影印本，冊一二一五），頁698。

182霖案：「嘉興人」三字，《玩齋集》題作「其先大梁人，幾世祖權，官至某處提刑扈。宋南來，生子振，仕通判，累贈朝請大夫，始占籍嘉興焉。」等字，竹垞根據文義改作「嘉興人」。又「嘉興焉」下，《玩齋集》尚有「振生行恕，以父澤入官，後知寧國縣。行恕生誨，入國朝以選教授郡學。誨生逵，嘗長幕涇縣。逵生四子，長應同，韶州路經歷，次應定，饒州路儒學教授，次亨衢，次即君也。君八歲失父，鞠於經歷，君既長，使習吏事，曰：『吾家世業儒，吏非吾習也。』遂從仲兄偕。」等字，當據以補入。

183霖案：「《易》」字下，應依《玩齋集》補入「《書》」，此缺書籍之名。

184霖案：「葉氏」,《玩齋集》題作「葉先生」。又「先生」二字下，《玩齋集》尚有「先生歿」三字，當據以補入。

185霖案：「受」,《玩齋集》題作「授」。

186霖案：「直學」二字下，應依《玩齋集》補入「已而嘆曰：『是果足以發吾志邪？』遂北走京師，游於公卿，論議英發，聞者莫不聳敬，時大臣有羅致館下者，其勢焰熏灼，不喜人忤意，獨直君言，數引薦之，久而益驕縱，亡。顧籍君曰「太橫，弗去，將及於禍。」，遂拂衣歸。翰林學士黃溍卿，禮部尚書王師魯，國子監丞陳眾仲，及在朝諸名臣，相率為歌詩，以壯其行。既至杭，丞相府以常選俾錄。」等字，當據以補入。

187霖案：「尋為」二字，《玩齋集》無之，當刪。

188霖案：「廣德學錄」四字，《玩齋集》作「廣德儒學」。又「學」字下，尚有「三年，士論歸之。」

銅陵教諭[189]。以內艱去[190]，服除，調烏程[191]，終湖州路儒學正。有《聖筆全經》一編，發明《春秋》微旨甚悉。」

等六字，當據以補入。

189霖案：「改銅陵教諭」，《玩齋集》作「改諭銅陵」。又「陵」字下，尚有「銅陵阻山帶江，地僻陋，學校久廢不治，君至則葺宇舍，築垣牆，創彌高亭，延名師碩儒，以教子弟。踰年。」等字，當據以補入。

190霖案：「去」字下，應依《玩齋集》補入「居喪，悉遵朱子《家禮》，屏浮屠不用，郡人賢之。」等十七字。

191霖案：「烏程」二字下，缺漏頗甚，難於校改，讀者可自行參看原書。